यशदेव शल्य समग्र

मानवीय सर्जना की तत्त्वमीमांसा

यशदेव शल्य

यशदेव शल्य समग्र

मानवीय सर्जना की तत्त्वमीमांसा

खण्ड तीन

समाज और संस्कृति

सम्पादक

अम्बिकादत्त शर्मा

प्रस्तावना

मुकुन्द लाठ

DK
PRINTWORLD
Publishers of Indian Traditions

Cataloging in Publication Data — DK
[Courtesy: D.K. Agencies (P) Ltd. <docinfo@dkagencies.com>]

Śalya, Yaśadeva, 1928- **author.**
[Works]
Yaśadeva Śalya samagra : mānavīya sarjanā kī tattva-mīmāṁsā / sampādaka, Ambikādatta Śarmā ; prastāvanā, Mukunda Lāṭha.
volumes cm.
In Hindi.
On Indic philosophy.
ISBN: 9788124608791
Contents: khaṇḍa eka – Jñāna aura sat, khaṇḍa do – Cit aura mūlya, khaṇḍa tīna – Samāja aura saṁskr̥ti, khaṇḍa cāra – Dārśanika itihāsa dr̥ṣṭi.

1. Philosophy, Indic. I. Śarmā, Ambikādatta, editor. II. Title

B5131.S25 2016 DDC 181.4 23

ISBN: 978-81-246-0879-1 (set); 978-81-246-0882-1 (vol. 3)
प्रथम संस्करण 2017

मुद्रक एवं प्रकाशक
डी॰के॰ प्रिण्टवर्ल्ड (प्रा॰) लि॰
पंजीकृत कार्यालय : *वेदश्री*, एफ-395, सुदर्शन पार्क
(मेट्रो स्टेशन : रमेश नगर) नई दिल्ली – 110 015
फोन : (011) 2545 3975, 2546 6019
ई-मेल : indology@dkprintworld.com
वेब : www.dkprintworld.com

समर्पण

प्रोफेसर भुवन चंदेल के प्रति,
जिनसे अयाचित मुझे मिला आदर और स्नेह
उनके दिव्यभाव का द्योतक है।

विषय–सूची

आमुख

अम्बिकादत्त शर्मा

'दर्शन' पद के साथ 'भारतीय' विशेषण भौगोलिकता का वाचक न होकर विचार की एक विशिष्ट गोत्र और परम्परा का द्योतक है। इस दृष्टि से श्रीअरविन्द के बाद इस देश में दार्शनिक गतिविधियों से सरोकार रखने वाले बहुतेरे महत्त्वपूर्ण व्यक्तियों को 'भारत का दार्शनिक' तो कहा जा सकता है, लेकिन एक 'संस्थापक भारतीय दार्शनिक' की पदवी से केवल यशदेव शल्य (जन्म 1928) ही अभिहित किये जा सकते हैं। भारत के वैचारिक स्वराज और राष्ट्रभाषा हिन्दी के राजपथ पर अपने चिन्तन को पुरोगामी रूप से अग्रसारित करते हुए उन्होंने जो दार्शनिक स्थापनाएँ प्रस्तुत की हैं, वह स्वातंत्र्योत्तर भारत की एक महत्त्वपूर्ण दार्शनिक उपलब्धि है। यह एक ऐसी दार्शनिक उपलब्धि है जो 'समकालीन भारतीय दर्शन' को सार्थक बनाने वाले सभी दार्शनिक प्रयासों को पीछे छोड़ते हुए अकेले दम पर उसे सार्थकता प्रदान करने का सामर्थ्य रखता है। इसलिए उनके दार्शनिक सृजन परिवेश को पाश्चात्य विचारों के अंतराय से सींचीं हुई समसामयिक औपनिवेशिक भारतीयता का अपवाद कहना सर्वथा उचित होगा। उनके लिए 'दर्शन' तमाम ज्ञान-विधाओं की तरह कोई विषयमूलक-व्यवस्था नहीं बल्कि ज्ञान का एक आत्मोन्मुख व्यापार है जो निरन्तर अपने आरम्भ बिन्दु से प्रारम्भ कर उसी पर लौटता है। दर्शन के स्वरूप विषयक इस व्यावर्त्तक अन्तर्दृष्टि को आत्मसात् करते हुए मानवी स्तर पर आत्मचेतन हुई चेतना को अपने दार्शनिक अध्यवसाय का प्रस्थान-बिन्दु बनाकर उन्होंने 'मनुष्य के जगद्भाव' की जैसी तत्त्वमीमांसा प्रस्तुत की है, उससे मानवीय सर्जना के सभी पक्षों की व्याख्या एक चकित कर देने वाली मौलिकता के साथ सम्भव हुई है। यदि उनकी तुलना भारतीय परम्परा के किसी दर्शन से की जाये तो उनका चिंतन अद्वैत वेदान्त के गोत्र का प्रतीत होता है। यद्यपि वह भी एक अपूर्व मौलिकता के साथ कायाकल्प करते हुए आकार ग्रहण किया है। पुनः उनकी तुलना किसी पाश्चात्य दार्शनिक से की जाये तो वे हुस्सर्ल और हायडेगर के समकक्ष ही ठहरते हैं। यह बात अलग है कि भारत का दार्शनिक जगत् उनके दार्शनिक अध्यवसाय से पूरे तौर से परिचित नहीं हो सका है। इसका एक मात्र कारण भाषा है, क्योंकि भीष्म संकल्प के साथ उन्होंने बहुत लिखा लेकिन सब कुछ हिन्दी में लिखा है। यद्यपि अंग्रेजी जानते हुए सब कुछ हिन्दी में लिखने के पीछे भी शल्यजी की एक मूलगामी दृष्टि रही है। वह यह कि भाषा मानवीय सर्जना का एक रूप ही नहीं बल्कि आधारभूत आयाम भी है। अतः आत्मचेतन चेतना से परिभाषित 'मनुष्य' होने का अर्थ भाषा में होना है और निज भाषा में होने का औचित्य अपने को अपने सांस्कृतिक विश्व में पाना है। वह जो अपनी भाषा में नहीं, अपने ही घर से बेघर है। इस दृष्टि से शल्यजी की दर्शन-साधना वैचारिक स्वराज के भाषायी राजपथ को उद्घाटित और प्रशस्त करने की साधना भी कही जा सकती है।

यशदेव शल्य के अकादमिक जीवन-वृत्त पर दृष्टिपात करने से विदित होता है कि दार्शनिक अध्ययन और लेखन उनके लिए कभी विद्वता लाभ और पाण्डित्य प्रदर्शन का साधन नहीं होकर आत्मचरितार्थन और आत्मसर्जन का कर्म रहा है। वस्तुतः यह उनकी एक दार्शनिक स्थापना भी है कि मनुष्य के कर्म मात्र का औचित्य भी यही है कि वह आत्मचेतन पूर्वक किये गये अपने समस्त कर्मों के द्वारा अपना आत्मक्रियान्वयन ही करता है। यही आत्मक्रियान्वयन क्रिया और कर्म का भेदक और मानवी-प्रस्थिति की व्यावर्त्तक विशेषता है। अन्यथा मनुष्य न तो अर्थलोक की सृष्टि कर सकता है और न ही उसका अवगाहन। ऐसे यशदेव शल्य का जन्म 26 जून, 1928 को फरीदकोट (पंजाब) में हुआ। अपनी प्रारम्भिक शिक्षा की शुरुआत उन्होंने फरीदकोट के ही एक

प्राइमरी स्कूल से की और तत्पश्चात् रायकोट (लुधियाना) में स्थित एक गुरुकुल में सातवीं कक्षा तक पढ़ाई की। वहीं रहकर उन्होंने संस्कृत कॉलेज, जयपुर की 'साहित्योपाध्याय' और पंजाब विश्वविद्यालय की 'प्रभाकर' परीक्षाएँ किसी तरह से उत्तीर्ण कीं। इसके अनन्तर अपने घर पर ही रहकर उन्होंने अंग्रेजी की मैट्रिक और इण्टरमीडिएट की परीक्षाओं को उत्तीर्ण कर संस्थागत पठन-पाठन से अपने को मुक्त कर लिया और स्वतन्त्र अध्ययन की ओर प्रवृत्त हो गये। स्वतन्त्र अध्ययन के मार्ग पर चलते हुए प्रथमतया वे साहित्य की आलोचनात्मक विधा तथा कविता लेखन की ओर उन्मुख हुए और 1951 में किताब महल, इलाहाबाद से 'पन्त का काव्य और युग' शीर्षक से अपनी पहली पुस्तक को प्रकाशित किया। साहित्य के क्षेत्र में उनकी दूसरी पुस्तक 'काव्य-विमर्श' शीर्षक से 2003 में प्रकाशित हुई है। एक साहित्यकार के मानस में दर्शन का बीज कैसे अंकुरित हुआ, यह कहना तो कठिन है लेकिन 1952 में 'प्रतीक' पत्रिका के एक अंक में उन्होंने 'व्यष्टि और समष्टि' शीर्षक से एक लेख प्रकाशित किया। पुनः अचानक दर्शन के लिए इतना बड़ा कृत्यानुष्ठान कि 1954 में उन्होंने 'अखिल भारतीय दर्शन परिषद्' की स्थापना की और साथ ही साथ 'दार्शनिक त्रैमासिक' पत्रिका का प्रकाशन भी आरंभ किया। इस प्रकार 1954 से अद्यतन उनका जीवन भारत में दार्शनिक उन्नयन और अपने दार्शनिक चिन्तन को आकार देने में समर्पित रहा है। अनवरत् चिन्तन-मनन में निरत रहते हुए उन्होंने लगभग डेढ़ दर्जन मौलिक पुस्तकों का प्रणयन और आधे दर्जन से अधिक पुस्तकों का संपादन किया है। शल्यजी की मौलिक कृतियों के विचार-वितान और भाषा की संरचना बहुत ही नवोन्मेषी है। संपादित कृतियाँ अधिकांशतः समकालीन पाश्चात्य दर्शन और उसकी आलोचना से संबंधित हैं। इसके पीछे उनकी दृष्टि पाश्चात्य दर्शन के प्रति अन्ध श्रद्धा की गतानुगतिक रूप से पुनरावृत्ति करना नहीं, बल्कि उसके प्रति अविचारित मोह का भंजन कर भारतीय दर्शन के प्रति निष्ठा को बढ़ाना रहा है। उनकी रचनाओं को सर्वत्र सम्मान भी मिला और अपने समय के मूर्धन्य विद्रानों ने उन पर समीक्षाएँ लिखीं। उन्हें हिन्दी समिति उत्तर-प्रदेश द्वारा डॉ. भगवानदास पुरस्कार (1962), अखिल भारतीय दर्शन परिषद् द्वारा स्वामी प्रणवानन्द दर्शन पुरस्कार (1988), बिड़ला फाउण्डेशन द्वारा शंकर पुरस्कार (1995), हिन्दी साहित्य सम्मेलन, प्रयाग द्वारा मंगला प्रसाद पुरस्कार (2002), भारतीय ज्ञानपीठ द्वारा मूर्तिदेवी पुरस्कार (2004) और मध्य-प्रदेश राष्ट्रभाषा प्रचार समिति द्वारा नरेश मेहता स्मृति वाङ्मय पुरस्कार (2002) से सम्मानित भी किया गया है। वे दार्शनिक त्रैमासिक, दर्शन समीक्षा, तत्त्वचिन्तन और उन्मीलन जैसी पत्रिकाओं के संस्थापक सम्पादक भी रहे। विश्वविद्यालयीय व्यवस्था से किसी प्रकार की उच्च उपाधि से विमुक्त रहने के बावजूद भारतीय दार्शनिक अनुसन्धा''न परिषद् एवं भारतीय समाज विज्ञान अनुसन्धान परिषद् उन्हें अपना वरिष्ठ फैलो बनाकर अपने को सम्मानित किया है। इस प्रकार राष्ट्रभाषा 'हिन्दी' के माध्यम से इन्होंने दार्शनिक चिन्तन को जैसा उत्कर्ष प्रदान किया है वह विचार को उसका पुरुषार्थ प्रदान करने जैसा है। एक दार्शनिक के रूप में यशदेव शल्य भारत की उस गौरवशाली परम्परा के अंगभूत माने जा सकते हैं जिसके लिए 'मुनिनां उत्तरोत्तर प्रामाण्यम्' कहा जाता है।

यशदेव शल्य का अर्द्धशताब्दी से अधिक का अविचल चिन्तन ने अपने आप में एक सम्पूर्ण दार्शनिक तंत्र का रूप ले लिया है। यद्यपि उनका चिन्तन सर्वथा मौलिक है तथापि एक प्रकार से वे अद्वैत वेदान्त की परम्परा में आते हैं, किन्तु यह परम्परा उनके चिन्तन में आधारभूत रूप से नवीनीकृत हुई है। यशदेव शल्य ने स्वयं ही अपने दार्शनिक प्रस्थान को 'चिद्द्वैतवाद' (चेतनामूलक अद्वैतवाद) कह कर अपना आत्म-प्रकाशन किया है। ('सत् की चिन्मयता' नामक आलेख, उन्मीलन, वर्ष-15, अंक-1, 2001) सत्ता की चिद्द्वैतवादी अनुसंधित्सा में यशदेव शल्य की दार्शनिक यात्रा का आरम्भ आधुनिक पाश्चात्य अनुभववादी-तार्किक प्रत्यक्षवादी परम्परा के अन्तर्गत-चिन्तन के साथ हुआ और उन्होंने इसमें 'दार्शनिक विश्लेषण' (1961) नामक पुस्तक लिखी। किन्तु उन्हें अनुभववादियों की अनुभव की अवधारणा में कोई युक्तियुक्तता नहीं दिखाई दी। अनुभववाद में सबसे बड़ा दोष यह है कि यह परम्परा विषय को मात्र संवेदन प्रदत्त के रूप में स्वीकार करती है। इससे एक ओर प्रत्येक चैतसिक स्तर के समानान्तर विषय की परिकल्पना करने से अनावश्यक विषयों को मानना

पड़ता है तो दूसरी ओर उन्हें एक सूत्र में बाँधने की समस्या खड़ी होती है ताकि योजनाबद्ध क्रिया की व्याख्या की जा सके। इस प्रकार अनुभववाद अपने विकसित प्रारूप में भी संवेदन-प्रदत्त और वस्तु के बीच की खाई को नहीं पाट पाता है। अतः यशदेव शल्य एक प्रकार से 'सावधान अनुभववाद' को ध्यान में रखते हुए 'अवधारणा-सापेक्षतावाद' (वस्तु का स्वरूप अवधारणामूलक मानना) की ओर उन्मुख होते हैं, और इसका प्रतिपादन उन्होंने 'ज्ञान और सत्' (1967) नामक पुस्तक में किया है। परन्तु यह दृष्टि भी उनके लिए अधिक समय तक सन्तोषप्रद नहीं बनी रह सकी। स्वयं उन्होंने यह स्वीकार किया है कि बाह्य विषय के सम्बन्ध में अवधारणा-सापेक्षता की बात फिर भी किसी तरह चल सकती है किन्तु कर्त्तव्य, आत्मा आदि विषयों के सन्दर्भ में कैसे चल सकती है। अपनी इस दृष्टि का पल्लवन उन्होंने 'संस्कृति : मानव कर्तृत्व की व्याख्या' (1969) नामक पुस्तक में किया है। इस तरह यशदेव शल्य अपने ही अवधारणा-सापेक्षतावाद से उत्तीर्ण होकर अपने चिन्तन के दूसरे महत्त्वपूर्ण सोपान पर पहुँचते हैं जिसे चैत्त-सापेक्षतावाद (वस्तु को चित्-सापेक्ष मानना) से निरपेक्ष चैतन्य में उत्क्रमण के रूप में समझा जा सकता है। इन दोनों ही विचार-ध्रुवों के मध्य दोलायमान उनके चिन्तन को 'विषय एवं आत्म' (1972) नामक पुस्तक में देखा जा सकता है। इस पुस्तक में उन्होंने एक ओर बाह्य विषय को सापेक्षता से मुक्त कर उसे उसका वस्तुगत आधार लौटाने का प्रयास किया तो दूसरी ओर आत्मा को सापेक्ष विषयिता से मुक्त कर आत्मसत्ता में प्रतिष्ठित करने का एक विलक्षण प्रत्ययवादी प्रयत्न किया है। अपने दार्शनिक अध्यवसाय में लगभग डेढ़ दशक तक इस सोपान पर स्थित यशदेव शल्य को बाद में यह भान होता हुआ प्रतीत होता है कि वे अपने प्रयत्न में पूर्णतः सफल नहीं हो सके थे। उन्होंने स्वयं स्वीकार किया है कि मैं विषय की बाह्यता के चिद्गत स्रोतों एवं आत्मा की ऐसी तात्त्विकता की खोज में था जो वस्तुरूप न होकर भाव्यात्मक हो। उनके ही शब्दों में "अब 'विषय और आत्म' में जबकि मैं विषय के चिद्गत स्रोतों को देख पाया, स्वयं चेतना अथवा आत्मा के उस स्वरूप को नहीं देख पाया जिससे ये स्रोत उद्गत होते हैं।" (चिद्-विमर्श, प्राक्कथन, पृ. 2) इस प्रकार चेतना अथवा आत्मा के उस स्वरूप का सन्धान जिससे अनन्त विषयों के स्रोत उद्गत होते हैं, यशदेव शल्य के दार्शनिक चिन्तन का तृतीय और अन्तिम प्रस्थान है। उनकी इस गम्भीर दृष्टि का विकास 'चिद्-विमर्श' (1978) नामक ग्रन्थ में हुआ है। यहाँ वे विषय-जगत् और अर्थ-लोक की चिद्गत संरचनाओं की प्रतिष्ठा चेतना की आत्मगत प्राकृतिकता से आत्मोन्मुख निवर्तन में देखते हैं। चेतना का आत्मोन्मुख निवर्तन उसका प्रत्यङ्मुख अभिसरण है और इसी प्रत्यङ्मुख चेतना (चेतना की अन्तरोन्मुखता) का महाभाष्य करते हुए उन्होंने आत्मचेतन चेतना के ज्ञानात्मक, संकल्पात्मक और भावनात्मक तीनों ही अभिवृत्तियों एवं मानव पर्येषणा के समस्त पक्षों, यथा समाज, संस्कृति, सौन्दर्य, कला, साहित्य, भाषा, विज्ञान और इतिहास-दर्शन तथा मनुष्य के समस्त मूल्यात्मक अभिनिवेशों की मौलिक व्याख्या की है। यही यशदेव शल्य के दर्शन का चरम चिद्द्वैती प्रस्थान है जिसका बहुआयामी पल्लवन उनके परवर्ती ग्रन्थों, जैसे - सत्ताविषयक अन्वीक्षा (1987), समाज : दार्शनिक परिशीलन (1992), मूल्यतत्त्व मीमांसा (1994), तत्त्व चिन्तन (2003) और 'चित् की आत्मगवेषणा' (2009) में हुआ है।

यहाँ अवधेय है कि शल्यजी के चिन्तन के विभिन्न सोपानों में उन्हें 'पहले' और 'बाद' के शल्यजी में विभाजित नहीं किया जा सकता। उनके चिन्तन के विभिन्न सोपान एक-दूसरे से अनन्वित नहीं बल्कि पूर्णतया अन्वित हैं। यहाँ तक कि ये सोपान एक ही मूल के विभिन्न कल्प और उसी से अनुप्राणित भी कहे जा सकते हैं। वह मूल एक ऐसी चेतना है जो अपने में जगद्भाव का आक्षेप करती है और पुनः आत्मोन्मुख निवर्तन में अपने भाव्य स्वरूप का साक्षात्कार करती है। शल्यजी इस मूल चैतन्य को सर्वथा अपरिभाषेय बताते हैं। अपरिभाषेय इसलिए कि यह सब कुछ का पूर्ववर्ती है। यह पूर्ववर्तिता वास्तव में सब कुछ होने की पूर्वापेक्षा है। यदि चैतन्य को कम से कम 'पूर्वापेक्षा' के रूप में ही परिभाषित किया जाय तो यहाँ पूर्वापेक्षा भी अवधारणात्मक रूप से गृहीत हो सकेगी और तब परिभाषा स्वयं में एक प्रकार से 'व्यत्ययदोष' से ग्रसित हो जायेगी। इसलिए यह सदैव अनिधार्य, निरुपाधिक और अतलान्त गहन ही बनी रहती है।

इस तरह देखा जाय तो यशदेव शल्य के दार्शनिक चिन्तन की विकासात्मक यात्रा में सोपान क्रम से 'चित्सत्तावाद' (सत्ता को चिन्मय मानना) का ही बहुविध रूप से प्रतिपादन हुआ है। इनके चित्सत्तावाद में पारम्परिक दृष्टि से बुद्धिवाद और अध्यात्मवाद का समन्वय देखने के बजाय चेतना की विमर्शात्मकता के वाचक बुद्धिवाद और इस विमर्श के आत्मस्रोतान्वेषण के वाचक अध्यात्मवाद का यौगपद्य देखा जाना अधिक उपयुक्त है। यही कारण है कि यशदेव शल्य के दर्शन में तार्किक अनुभववाद और तर्कीय प्रत्यक्षवाद के तत्त्वमीमांसा प्रत्याख्यानवादी अभियान को एक जबरदस्त भारतीय प्रत्युत्तर प्राप्त हुआ है। यह उनके दर्शन की अति महत्त्वपूर्ण दार्शनिक पुनर्रचना है जिसे उनके चिन्तन में 1970 के बाद प्रकट रूप से देखा जा सकता है। यह किसी को प्रतीत हो सकता है कि यशदेव शल्य की दर्शन-साधना का प्रारम्भ तत्त्वदर्शन-विरोधी बौद्धिक परम्परा के अन्दर हुआ, परन्तु वास्तविकता यह है कि उनके चिन्तन का प्रौढ़ पक्ष तत्त्वमीमांसा के औचित्य प्रतिपादन में ही चरितार्थ हुआ है। यशदेव शल्य के अनुसार यूरोप में जन्मे ज्ञान की अधिकांश विधाओं का अगुआ, यहाँ तक कि उनका सांस्कृतिक नेता विज्ञान ही रहा है। विज्ञान के लिए जगत् की यथातथ्य प्रदत्तता ही उसका अन्तिम सत्य है। इस दृष्टि से सत् उनके लिए जगत्पर्यन्त ही है लेकिन ध्यातव्य यह है कि मनुष्य की कल्पना जगत्पर्यवसायी (जगत् तक ही सीमित होना) नहीं है। अतः सत् को जगत्पर्यन्त मानने वाली दार्शनिक प्रवृत्ति क्या इस प्रश्न पर कभी विचार कर सकती है कि जब मानवीय कल्पना जगत्पर्यवसायी नहीं तो उसका सत् किस प्रकार केवल जगत्पर्यन्त ही हो सकता है? ऐसा पूर्वाग्रह न तो सम्पूर्ण मानवीय पर्येषणाओं के साथ न्याय कर सकता है और न ही इस मर्म की समुचित व्याख्या कर सकता है कि मानवीय कल्पना क्यों जगत्पर्यवसायिता का अतिक्रमण करती है। वस्तुतः इसी अतिक्रमणशीलता में मनुष्य की विशिष्टता और सत्ता का मानो रहस्य छिपा हुआ है। मनुष्य के क्रिया-कलापों में प्राप्त स्थिति से उबरने और उससे आगे अपने को प्रतिष्ठित करने की प्रवृत्ति इसी बात का संकेत करती है, मानो उसका कोई गन्तव्य है जिसके सापेक्ष वह अपने को न्यून पाता है। यदि इस बात को स्वीकार किया जाय तो तत्त्वमीमांसा के गहरे पानी में गोता लगाना ही होगा और सत्ता की अन्वीक्षा उस रूप में करनी होगी ताकि मानवीय पर्येषणा की उत्तरोत्तरगामिता की समुचित व्याख्या की जा सके। यशदेव शल्य की सत्ताविषयक अन्वीक्षा में तत्त्वमीमांसा का जैसा प्रस्ताव हुआ है वह 'तत्त्वमीमांसा क्यों' और फिर 'तत्त्वमीमांसा कैसी' दोनों का समुचित उत्तर प्रदान करता है। इन दोनों को अपने में समाविष्ट करता हुआ उनका 'चिद्द्वैतवाद' सृजनशीलता का दर्शन और दर्शन की सृजनशीलता के रूप में सामने आता है।

शल्यजी अपने 'चिद्द्वैतवाद' में सत्ताविषयक एक व्यापक अवधारणा को सामने लाने का वरेण्य प्रयास करते हैं। उनका चिन्तन एक ऐसे अखण्ड सत्य का अन्वेषण है जो समस्त खण्ड सत्यों को अन्तर्निहित करता हुआ उनका अपनी भूमा में अतिक्रमण करता है। इसीलिए उन्होंने 'सत्ता' को 'अस्तित्व' और 'वस्तुतता' की कोटियों से हटाकर 'भाव्य-भाव' की कोटि में अवधारित किया है। उनके अनुसार अकेला 'भाव्य' कहने में यह दोष है कि तब सत् स्वरूपतः अपूर्ण हो जायेगा और केवल 'भाव' कहने से न अनिष्ट, अव्यवस्था और न्यूनता का कोई अर्थ रहेगा और न मूल्यपर्येषणा का। एक ओर सत्ता की गरिमा के लिए यह आवश्यक है कि वह भाव्य हो और दूसरी ओर भाव्य के सत् होने के लिए यह आवश्यक है कि वह निरपेक्ष पूर्ण भाव हो। यह अन्तर्विरोध ही सत्ता की विपुल पूर्णता का रहस्य है।

इस प्रकार सत्ता को उसकी विपुलता एवं पूर्णता में अवधारित करते हुए शल्यजी अस्तित्व एवं वस्तुता की कोटियों से उसे सर्वथा बहिष्कृत नहीं कर देते हैं बल्कि सत्ता को अस्तित्व और वस्तुता के आदिम स्रोत के रूप में ही देखते हैं। उनके ही शब्दों में "अस्तित्व को मैंने सत्ता के जीवन में एक आगन्तुक आविर्भाव के रूप में देखा है, उसे एक आयाम या घटक के रूप में नहीं।" पुनः 'अस्तित्व' मेरी विचार-व्यवस्था में सांवृतिक चेतना, वेदना, अन्नमय-प्राणमय-मनोमय कोश, ऐन्द्रिक-दैहिक-आविर्भाव है। सत्ता के संदर्भ में अस्तित्व को 'आगन्तुक आविर्भाव' कहने का तात्पर्य यह है कि अस्तित्व सत्ता की पूर्णता के लिए अनिवार्य नहीं है। यह सत्ता के इतिहास में एक अनादि व्यवधान है। यही व्यवधान चैतन्य के जगद्विवर्त का निमित्त भी है। इसलिए अस्तित्व के सत्य होने

के लिए यह अनिवार्य है कि वह सत्ता में अधिष्ठित हो, किन्तु सत्ता की पूर्णता के लिए यह आवश्यक नहीं है कि वह अस्तित्व की कोटियों में अभिव्यक्त भी हो। प्रपंच विषयक श्रुतियों की व्याख्या में शंकराचार्य भी "न हि सृष्ट्यादि प्रपञ्चो विवक्षितः" कहते हुए ब्रह्म के लिए सृष्टि-प्रपंच को आवश्यक नहीं पाते हैं। शल्यजी की व्याख्या भी कुछ इसी प्रकार की है जब वे कहते हैं कि 'ईश्वर का अस्तित्व है' का अर्थ यह नहीं है कि "जगत् की वस्तुओं और जीवों का अस्तित्व है" बल्कि यह ईश्वर के अपने अस्तित्व का ही कथन है, जिस प्रकार किसी कलाकार के अस्तित्व के सम्बन्ध में कथन का यह अर्थ नहीं है कि उसकी कृतियों का भी अस्तित्व है।

इसलिए अस्तित्व मात्र की आगन्तुकता अथवा अपर्याप्तता, जिसे शल्यजी सत्ता में आक्षिप्त एक व्यवधान के रूप में देखते हैं, उनकी सम्पूर्ण विचार-व्यवस्था में नाभिक जैसा है। अपनी रचनाओं में उन्होंने इसकी व्याख्या तत्त्वमीमांसीय, ज्ञानमीमांसीय, मूल्यमीमांसीय एवं प्रयोजनात्मक दृष्टि से बड़े विस्तारपूर्वक की है। यह उनके चिन्तन का सर्वाधिक अर्थ-गर्भ पक्ष है। इसके गूढ़ार्थ को उनके ही शब्दों में प्रस्तुत करते हुए कहा जा सकता है कि "वह सब कुछ जो है, आगन्तुक स्वभाव है और यह एक ही बात इसे सत्ता के लिए अपर्याप्त बना देती है। उदाहरण के लिए 'यह घट' देश, काल एवं अन्य वस्तु आदि-आदि सब में असत् से परिवेष्ठित है। किन्तु यह केवल इसी कारण से आगन्तुक नहीं है बल्कि इसलिए भी आगन्तुक है क्योंकि यह अपने प्रत्यय में ही आगुन्तक है। उदाहरणतः यदि जगत् न केवल देश और काल में ही सर्वत्र आपूरित हो बल्कि अपने अस्तित्व मात्र का भी समावेश करता हो, तो भी यह अनिवार्य नहीं होगा, क्योंकि इसका अन्यथात्व कल्पनीय है, अर्थात् यह अपने प्रत्यय के लिए पर्याप्त नहीं है। इसी प्रकार आहंकारिक चैतन्य, जो 'मैं' पद का वाच्य है, वह भी अनिवार्य नहीं है। यह केवल देश और काल में ही परिसीमित और व्यक्ति के रूप में अन्य व्यक्तियों से व्यावृत्त नहीं है बल्कि अपने प्रत्यय में भी घट और जगत् के समान ही आत्म-अपर्याप्त है।"

यशदेव शल्य के अनुसार मनुष्य, पशु और भौतिक वस्तुओं को अस्तित्व के इतिहास में क्रमशः जगद्भावापन्न चैतन्य, चित् और अचित् कहा जा सकता है। इसमें भौतिक अस्तित्व भीतर-बाहर उभयतः बंद है और पाशव अस्तित्व भीतर से बंद और बाहर से इतरोन्मुख रहता है। यह केवल मानवीय अस्तित्व ही है जो भीतर और बाहर दोनों ओर खुला रहता है। इस प्रकार खुले होने से उसमें अपर्याप्तता वास्तव में आत्म-अपर्याप्तता का रूप ले लेती है। इस आत्म-अपर्याप्तता के बोध में उस पर्याप्तता की स्मृति या आभास भी अन्तर्निहित होता है जिससे वह वियुक्त है। मानवीय चेतना में एक मूलगामी आत्म-अतिक्रामिता में, उसके आत्म-संशोधनात्मक सभी प्रयत्नों में यह सब कुछ भली-भाँति देखा जा सकता है। शल्यजी के अनुसार आहंकारिक चैतन्य की आत्म-अपर्याप्तता दूसरे अस्तित्वों से इस अर्थ में गम्भीर एवं तीव्र है कि इसका प्रत्यय आत्म-बाह्य नहीं हो कर आत्मप्रकाशित होता है। अर्थात् यह केवल अन्य-व्यावृत्त नहीं हो कर आत्म-व्यावृत्त या आत्मनिर्वासित भी होता है। यह अपने भीतर अपने अभाव से, अपने वैपरीत्य से, अनात्म से दंशित है। यह परिस्थिति इसे एक-दूसरा ही आयाम प्रदान करती है। अर्थात् इसे अपने से अतिक्रामी सत्त्व दे देती है। यही वह अतिक्रमण है जो प्लेटो द्वारा श्रेयस् को ज्ञान और सत् से ऊपर अतिसत् के रूप में रखने में अभिप्रेत है और जो 'तत्त्वमसि श्वेतकेतो!' में श्वेतकेतु का सत्त्व श्वेतकेतु से ऊपर ब्रह्म में स्थापित करने को सार्थकता देता है। इसलिए मानवीय चैतन्य की विशिष्टता उसकी आत्मप्रकाशित आत्म-अपर्याप्तता का बोध है जो स्वयं व्यक्ति में अपने भाव से ऊपर उठने के अतिक्रान्त संकल्प के रूप में दृष्टिगत होता है। मानो अस्तित्व के इतिहास में मानव इसी संकल्प के साथ अपनी आँखें खोलता है।

मनुष्य का एक अतिक्रामी संकल्प को लिए हुए अपनी आँखें खोलने का तात्पर्य यह है कि चेतना मनुष्य के माध्यम से पहली बार आत्मचेतन होती है और सत् के अन्वेषण में प्रवृत्त होती है। मनुष्य की यह अनुसन्धित्सा अपने होने के अर्थ, उसके आधार और गन्तव्य की जिज्ञासा के रूप में होती है। इस सृष्टि में मनुष्य के अतिरिक्त किसी अन्य सत्त्व में यह जिज्ञासा प्रकट नहीं होती, मानो मनुष्य के माध्यम से सत्ता स्वयं ही प्रश्न उठाती है कि सत्ता क्या है? शल्यजी के अनुसार इसका उत्स जगद्भाव में चेतना का अपने आप को आत्म-

अभावापन्न, आत्म-अपर्याप्त अथवा आत्मनिर्वासित पाना है। तत्त्वमीमांसीय गति और प्रवृत्ति इसी मूल अभाव और अपर्याप्तता के स्रोत की खोज है। इस स्रोत की खोज में जगद्भावापन्न चैतन्य (मनुष्य) अपार अर्थ-राशि का सृजन, अवगाहन और उसका अतिक्रमण करते हुए अपने मूल स्वरूप की ओर द्वितीयावर्तन करता है। यह द्वितीयावर्तन वास्तव में सत्कार्यात्मक नहीं बल्कि असत्कार्यात्मक अर्थ में आत्मोन्मुख निवर्तन है, जो चेतना के प्रत्यङ्मुख व्यापार में घटित होता है। सृष्टि के इतिहास में चेतना की प्रत्यङ्मुखता, जो मानवीय स्थिति की विलक्षण विशिष्टता है, एक मौलिक रूप से नव्य परिच्छेद है।

इस नव्य परिच्छेद की सर्वाधिक महत्त्वपूर्ण विशेषता 'अतिक्रमणशीलता', अर्थात् अपने प्राप्त रूप का निषेध और आदर्श-पर्येष्य रूप का आक्षेप है। इसी के चलते मनुष्य सदैव अपने आदर्श से परिभाषित अस्तित्व बना रहता है। शल्यजी के अनुसार 'मैं हूँ' यह अस्तित्व की ही आद्य और अधिष्ठानभूत घोषणा नहीं है बल्कि अधिक मौलिक रूप से यह अपनी भाव्यता की भी घोषणा है। यहाँ से ही सृजन की, आरोहण की, अनात्म से मुक्ति की, आत्मव्यवधान के निवारण की और अपने मूल स्वरूप की सिद्धि की यात्रा आरम्भ होती है। वस्तुतः शल्यजी के चिन्तन में प्रत्यङ्मुख चेतना की जैसी गम्भीर और गहन विवेचना हुई है वैसी अन्यत्र दुर्लभ है। ऐसा प्रतीत होता है कि उनका सम्पूर्ण दर्शन प्रत्यङ्मुख चेतना के भाष्य, वार्त्तिक और अलंकार रूप विवेचना में ही फलित और प्रमाणित होता है। चैतन्य की मानुषी स्थिति में पराङ्मुख और प्रत्यङ्मुख नामक दो विपरीत दिशाओं में गति देखी जाती है। विषयोन्मुख इन्द्रिय-वृत्ति में चेतना का अपने विषयों में निःशेष हो जाना, उसको समर्पित हो जाना, यह पराङ्मुखता की पराकाष्ठा है। इसके विपरीत प्रत्यङ्मुखता आत्मोन्मुख अतिक्रमण के रूप में एक पूर्णतः मूलगामी घटना है। शल्यजी की सत्ताविषयक अन्वीक्षा में यह मूलगामी आत्मोन्मुख अतिक्रमण विषय से उसकी मूलाग्र अवधारणाओं में, अवधारणाओं से उनकी मूलाग्र चिद्वृत्तियों में और इन चिद्वृत्तियों से निरूपाधिक चैतन्य में अपनी पर्यन्तता को अधिगत करता है।

इस प्रकार यशदेव शल्य के लिए अपनी दर्शन-व्यवस्था में यह देख पाना सुकर हो जाता है कि यह चित् ही है जो दैहिक, ऐन्द्रिक, मानसिक, बौद्धिक और यहाँ तक कि अतिबौद्धिक प्रज्ञात्मक चेतना-वृत्तियों के रूप में प्रवर्तित होकर अपने लिए अर्थों (विषयों) को प्रस्तुत करता है, और जो अर्थ उसे परतया प्राप्त होते हैं। अर्थों की यह परता वास्तव में चित् की स्वकीय परता ही होती है। यह ज्ञान में उनकी अपूर्ण या सदोष ग्राह्यता तथा इष्टता-अनिष्टता से सिद्ध होता है। यह और भी स्पष्ट चेतना के आत्मचेतन रूप से होता है, जिसमें यह स्वयं आत्म को विषय रूप में असम्यक्तः ज्ञेय और अवांछित चित्तवृत्तियों के रूप में दुस्साध्य पाता है। आत्मा को 'जानने' और चित्तवृत्तियों का निरोध करने के यावत् परामर्श इसके प्रमाण हैं। अतएव हमारी सम्पूर्ण ज्ञान-साधना और पुरुषार्थ-साधना चित् के इस आत्मव्यवधान के निराकरण के, चित् की आत्मगवेषणा के प्रयत्न ही कहे जा सकते हैं। चित् का यह आत्म-व्यवहितत्व, उसका यह आत्मगत-आत्मेतरत्व कितना इतर, कितना मलों-कर्दमों से आलिप्त और भ्रान्तियों-भटकाओं का हेतु होता है, यह हम अपने सुदीर्घ पाशव इतिहास से लेकर मानव-सभ्यताओं के इतिहास तक देख सकते हैं। इसी के अन्तराल में चेतना क्रमशः जड़ से वानस्पतिक, वानस्पतिक से पाशव और पाशव से मानव के सोपान तक उठती और मनुष्य में सांस्कृतिक, नैतिक, आध्यात्मिक और सृजनात्मक तथा अनुसन्धानात्मक शिखरों की ओर पुरुषार्थ-साधना में प्रवृत्त दिखाई पड़ती है। चेतना का यह विकास वास्तव में उसका अपना ही आत्मविस्तार और सृजन है जो चेतना के इतिहास में स्वकीय आत्मव्यवधान के निवारण की दुस्साध्य और अन्तहीन साधना है। इस साधना की दुस्साध्यता और अन्तहीन होना ही चेतना के इतिहास का प्रकट रहस्य है। यशदेव शल्य के दर्शन में चेतना द्वारा इस साधना की दुस्साध्यता की आत्मचेतन आत्मगवेषणा ही उनके 'चिद्द्वैतवाद' का पार्यन्तिक स्वरूप है।

यशदेव शल्य के चिद्द्वैतवाद में चित् की वैश्वयोजना अथवा उसके विश्वोन्मुखी प्रवर्तन की न केवल तत्त्वमीमांसा प्रस्तुत की गई है बल्कि साथ ही साथ मानवीय सर्जना के सभी प्रारूपों और आयामों की चिद्द्वैतवादी व्याख्या भी हुई है। शल्यजी चित् के आत्मव्यवधान की निवारक साधना के रूप में जब धर्म, दर्शन, नीति,

आमुख

साहित्य, संस्कृति, इतिहास, कला और यहाँ तक कि वैज्ञानिक प्रवृत्तियों की व्याख्या करते हैं तो मनुष्य के ऐसे सभी साभ्यतिक-सांस्कृतिक उपक्रम आत्मचेतन चित् की पुरुषार्थ-साधना के विभिन्न कल्प बन जाते हैं। इस पुरुषार्थ-साधना के अवधारणात्मक इतिवृत्त को उन्होंने 'संस्कृति : मानव कर्तृत्व की व्याख्या,' 'समाज : दार्शनिक परिशीलन,' 'काव्य-विमर्श' और 'चित् की आत्मगवेषणा' नामक कृतियों में विशेष रूप से उद्घाटित किया है।

समाज और संस्कृति विषयक शल्यजी के विचार-वितान प्रचलित नृतत्त्वविद्या और समाज-विज्ञान के वैज्ञानिकतावाद और उस पर आधारित संस्कृति की समझ से नितान्त भिन्न प्रकार की है। उनके अनुसार समाज और संस्कृति के सम्बन्ध में तीन प्रकार से विचार किया जा सकता है। प्रथमतः उसे बाह्यतः देखकर विवरणात्मक रूप से, द्वितीयतः उसे बाह्यतः देखकर उसके तात्त्विक-सैद्धान्तिक रूप में, और तृतीयतः चेतना की उन वृत्तियों के अवलोकन-परिशीलन द्वारा जो व्यक्तियों को समाज के रूप में धारण करती है। इसमें पहले के दोनों प्रकारों में समाज और संस्कृति विषयक नृतत्त्वशास्त्रीय और समाजवैज्ञानिक दृष्टिकोणों का समावेश हो जाता है। परन्तु चेतना की वृत्तियों के रूप में मनुष्य की सामाजिकता और सांस्कृतिक निर्मितियों को समझना एक मूलगामी विचार है। इस दृष्टि से समाज और संस्कृति के सामान्य-लक्षण और विशेष-लक्षण को निर्धारित करने का प्रयास किया जाये तो कहा जा सकता है कि संस्कृति अपने सारभूत अर्थ में चैत स्तर का अस्तित्व है और उसका व्यक्तित्व जातीय किस्म का होता है। इसका अधिष्ठान, वास्तव में, भौगोलिक क्षेत्र न होकर लोकमानस होता है। ऐसा होने से ही संस्कृति को मनोमयसत्ता के रूप में समाज की अन्तरात्मा से अभिहित किया जा सकता है। यही संस्कृतात्मा जब देहधारी व्यक्ति-समूह को अपने में अधिष्ठित कर उसके द्वारा एक भौतिक आयाम में अपने को प्रकट करती है तो संस्कृति के विशिष्ट-विशिष्ट रूप अस्तित्व में आते हैं।

आश्चर्य है कि विचारों के इतने मूलगामी और व्यापक आयामों को समेटे हुए उनके चिन्तन में मूलभूत दृष्टि से भटकाव और स्खलन नहीं देखने को मिलता। उनके चिन्तन में व्याप्त सघन और गहन अन्विति से उस मूलभूत दृष्टि की विदग्धता और व्यापकता का सहज ही अनुमान लगाया जा सकता है। अन्यथा, अर्द्ध शताब्दी से भी अधिक की अनवरत अनुसन्धान यात्रा में अद्यतन अन्विति को बनाए रखना सम्भव नहीं होता। 'चिद्-विमर्श' पुस्तक के 'मनुष्य, इतिहास तथा समाज विषयक वैदान्तिक अवधारणा' नामक अध्याय में शल्यजी ने किसी भी दर्शन-प्रणाली के संतोषप्रद हो सकने के लिए तीन कसौटियाँ बताई हैं। सर्वप्रथम तो यही कि वह अनुभव के निकट हो, दूसरे, वह अनुभव के विविध आयामों को किसी एक आयाम में अपचयित किये बिना व्याख्यायित कर सके और तीसरे यह कि ऐसा करने के लिए उसे तदर्थ अवधारणाओं का सहारा लेने की जरूरत न हो। देखा जाय तो शल्यजी स्वयं अपने चिन्तन, मनन और लेखन में इन तीनों कसौटियों के प्रति बहुत ही सजग रहे हैं। इसीलिए यह तीनों कसौटियाँ उनकी दर्शन-साधना में पूरे तौर से चरितार्थ हुई हैं। उनके चिन्तन में इसी कारण एक अप्रतिहत अन्विति, संगति और संसक्तता दिखाई पड़ती है। 'यशदेव शल्य समग्र' शीर्षक से उनकी सभी मौलिक कृतियों को एक साथ प्रकाशित करने का हेतु और औचित्य यही है। शल्यजी अनवरत लिखते रहे और निरन्तर उनका यत्र-तत्र प्रकाशन भी होता रहा। परन्तु इस प्रक्रिया में उनके चिन्तन को लेकर एक ठोस समझ के बदले आधी-अधूरी समझ की सम्भावना से इनकार नहीं किया जा सकता। न्यूनाधिक रूप से शल्यजी के साथ वस्तुतः हुआ भी ऐसा ही है। स्वातंत्र्योत्तर भारत में जबकि दर्शन के नाम पर हमारे पास कुछ दिखाने लायक है और जिस पर कोई भी बौद्धिक परम्परा गर्व कर सकती है तो वह यशदेव शल्य का ही दार्शनिक चिन्तन है। अतः समकालीन दार्शनिक परिदृश्य में यशदेव शल्य के सम्पूर्ण दार्शनिक चिन्तन को एक साथ प्रस्तुत और प्रकाशित करने का एक दार्शनिक औचित्य भी है। वास्तव में इसी उद्देश्य को आत्मसात् कर हमने उनकी समस्त मौलिक रचनाओं को चार खण्डों में सम्पादित कर प्रकाशित करने का प्रयास किया है। इस सम्पादन में उनकी रचनाओं को रचना-काल-क्रम में सम्पादित नहीं किया गया है बल्कि वैचारिक और सम्प्रत्ययात्मक संगति को ध्यान में रखते हुए उन्हें चार खण्डों (ज्ञान और सत्, चित् और मूल्य, समाज और संस्कृति, और दार्शनिक इतिहास-दृष्टि) में इस

तरह संकलित किया गया है ताकि उनके चिन्तन के विकासक्रम और सोपान अधिक से अधिक स्पष्ट हो सकें। साथ ही साथ मानवीय सर्जना की तत्त्वमीमांसा के रूप में उनके चिद्द्वैतवाद को एक स्वतंत्र और सम्पूर्ण दर्शन-व्यवस्था के रूप में प्रस्तुत किया जा सके।

शल्यजी ने मेरी ओर से प्रस्तावित इस कार्ययोजना को अपनी स्वीकृति प्रदान कर मुझ पर बड़ा उपकार किया है। मुकुन्द लाठ जी ने मेरे अनुरोध पर इसकी विस्तृत प्रस्तावना लिखकर मानों इस सम्पादन कार्य को अलंकृत ही कर दिया है। मुकुन्द जी की लेखनी जब कभी शल्यजी के दार्शनिक अध्यवसाय को उजागर करने के लिए प्रवृत्त होती है तो वह सहसा अलंकार भाष्य के स्वरूप को अख्तियार कर लेती है। डी.के. प्रिन्टवर्ल्ड के प्रोपराइटर श्री सुशील मित्तल जी इतने बड़े कार्य को प्रकाशित करने के लिए सहर्ष तैयार हुए, इसके लिए वे मेरी ओर से कोटिशः धन्यवाद के पात्र हैं। मित्तल जी एक पारखी प्रकाशक हैं। वे मूल्यवान ज्ञान को केवल समझते ही नहीं, बल्कि प्रकाशित करते हुए उसका यथोचित शृंगार करना भी अपना प्रकाशकीय स्वधर्म मानते हैं। विशाल कम्प्यूटर्स (जयपुर) मनोयोग के साथ निष्ठापूर्वक टंकण कार्य के लिए भूरिशः सराहना और साधुवाद के पात्र हैं। आशा है कि 'यशदेव शल्य समग्र' के प्रकाशन से शल्यजी की चिद्द्वैतवादी विचार-साधना को लेकर एक समग्र समझ विकसित हो सकेगी। यशदेव शल्य के दर्शन की समग्र समझ अपने आप में एक ओर सृजनात्मकता का दर्शन है तो दूसरी ओर दर्शन की सृजनात्मकता का आह्वान भी है। अतः उसे दीर्घायुष्य और उत्तरजीविता प्रदान करना हम सभी का कर्त्तव्य है।

प्रस्तावना

मुकुन्द लाठ

संस्कृति स्वातंत्र्य चाहती है, और इसके लिये वह निरंतर जागरूक आत्मचेतन आत्मविमर्श की अपेक्षा रखती है। स्वतंत्र विचार इसी का लक्षण होता है। विचार के स्वप्रतिष्ठ स्वातंत्र्य के बिना संस्कृति के अपनेपन की नींव दृढ नहीं होती। उसकी विभिन्न प्रवृत्तियां, परंपराएँ, व्यवस्थाएँ, अन्य संस्कृतियों से संबंध, उन्हें अपना पाना – ये जिस सिसृक्षा में रूप लेते हैं, वह आत्मस्थ आत्मदृष्टि का फल होता है, विचार में अपने को प्रकट करता है।

आज हममें, पराक्रांति के बाद भी, सिसृक्षा का स्वातंत्र्य है। प्रकट दिखता है। हम अपनी गहरी प्रवृत्तियों में : साहित्य में, कलाओं में, धर्म में, अध्यात्म में, अपने को स्वतंत्र और आत्मस्थित पाते हैं। पर एक विचित्र वैषम्य के साथ। क्योंकि हम अपने को उतने ही गहरे में परमुखापेक्षी भी पाते हैं। जिस विचार में हम आत्मावलोकन करते हैं, अपनी सिसृक्षा को आत्ममंथन का विमर्श और दृष्टि देते हैं, वह परापेक्षी है। यह बात विचित्र और विषम इसलिये भी है कि विचार की – स्वतंत्र, समृद्ध बहुमुखी विचार की – हमारी परंपरा पुरानी है। पर वह मानो हमारे लिये प्रासंगिक ही नहीं रही है। अपनी सिसृक्षा खो बैठी है। इतिहास की–सी बात हो गई है।

विचार कला या साहित्य की तरह ही – संस्कृति के किसी भी सार्थक अंग की तरह – सार्वभौमिक होता हुआ भी संस्कृति–विशेष का प्रतीक और वाहन भी होता है। विचार में आत्मविमर्श स्वभाव–निहित होता है। उसमें आत्मालोचन के साथ सिसृक्षा की गति भी स्वभाव–निष्ठ होती है – अगर हम उसे जगाये रखें। पर विचार की अपनी परंपराएँ भी होती हैं। विचार भाषा में होता है। भाषा संस्कृति–विशेष को सहज कुक्षिगत रखती है। विचार इसके प्रति आत्मचेतन रहता है; वह सार्वभौम होता है, भाषा–सीमित नहीं होता, पर भाषा विशेष के प्रवाह के भीतर रहता हुआ ही सार्वभौम होता है। हम आज अपने प्रवाह से च्युत–से हैं। हमने आज मान–सा लिया है कि विचार के लिये तो पश्चिम ही शरण है; और इससे भी बढ़ कर यह कि विचार अंग्रेज़ी में ही हो सकता है। बल्कि यों कहना चाहिये कि हमारी यह अनकही, निर्विचार निष्ठा बन गई है कि आज का सार्थक, प्रासंगिक, 'युगानुकूल', 'आधुनिक', विचार बाहर ही होता है, वहीं से आ ही नहीं सकता, वहीं की भाषा में हो सकता है। इसलिये हम अपनी भाषा में भी विचार करते हैं तो अनुवाद की एक ऐसी बोली अपनाते हुए करते हैं जहां विचार के प्रत्ययों और उनके संदर्भ को समझने के लिये पश्चिम का विचार–संभार ही नहीं, पश्चिम की भाषा (हमारे लिये अंग्रेज़ी) ऊह्य (पूर्वगृहीत) रहती है। हमारा अपना स्वतंत्र अधुनातन विचार–संस्कार रूप नहीं ले पाया है, या क्षीण है। इससे हम अवगत भी हैं। श्री कृष्णचंद्र भट्टाचार्य ने बरसों पहले विचार के स्वराज की बात की थी, जो हमें चुभती है। पर अब यह भी लगने लगा है कि बात बात–सी ही रह गई है।

पर इसका अर्थ यह नहीं कि हम अपनी परंपरा में ही आरूढ़ हो लें। पिष्टपेषण करें। गतानुगतिक बने रहें। सिसृक्षा का यह मार्ग नहीं। सिसृक्षा रूढ़ि–मुक्त होती है। परंपरा में रूप लेती हो, पर उससे बँधती नहीं है; बल्कि उसे रूप देती है, बनाती है, नया उन्मेष दे कर उसे स्फूर्त, जीवंत रखती है। परंपरा बनती ही सिसृक्षा की नई प्रतिभा से है। सृजन का यह विरोधाभास विदित ही है, वह परंपरा में जन्म लेता हुआ भी परंपरा से ऊपर उठ कर, निर्बंध होकर ही स्फुरित होता है। विचार में यह तत्त्व आत्मप्रकट रहता है। विचार स्वभाव से अपने ही आगे बढ़ने की ओर उन्मुख रहता है : अपने आग्रहों पर, अपने मूल पर प्रश्न उठाते चलना उसका स्वधर्म है। वह स्वभाव से

प्रश्नमय ही नहीं, प्रत्यङ्मुख होता है : अपने पीछे हट कर अपने को देखता-परखता चलता है। अपने परे से प्रेरणा भी पाता है।

विचार की यह प्रवृत्ति दर्शन में पूरा जागरूक रूप लेती है – कह सकते हैं कि यही प्रवृत्ति दर्शन का मूल भी है। और यह प्रवृत्ति मूलगत, तात्त्विक, प्रश्नों की ओर सहज ही मुड़ती है : सत् क्या, जगत् क्या, मनुष्य क्या, मनुष्य का श्रेय, उसका सत्य क्या, मनुष्य होने का अर्थ क्या? इन बातों का ज्ञान क्या, ज्ञान की प्रमाणिकता क्या? ये प्रश्न मनुष्य में सहज हैं, मनुष्य की जिज्ञासा को, अर्थ-संधान को ही नहीं, उसकी सिसाधयिषा को केन्द्र में रखते हैं। दर्शन में ये आत्मचेतना की अगाध प्रत्यङ्मुखता पा लेते हैं। विचार के अथाह में उतरता, प्रमाण का सतत संधान करता, अपने को अपने ही ईक्षण के माध्यम से जानता-परखता मनुष्य यहां सत्य-जिज्ञासु होता हुआ आत्मजिज्ञासु होता है। सत्य की जिज्ञासा उसे सहज ही आत्मतत्त्व के गभीरतम अवगाहन की ओर ले जाती है; तभी जो मूलग्राही प्रश्न हमें सदा सताता है, वह है : हमारा स्वरूप क्या? साध्य क्या? श्रेय क्या? उसका हमारे सत्य से संबंध क्या? जगत् से संबंध क्या?, दर्शन में ये प्रश्न स्फुटतम आत्म-बोध, आत्मपरीक्षा के साथ जागते हैं, जगत् और आत्म विषयक दृष्टियों में रूप लेते हैं; इन दृष्टियों को प्रौढ़, परीक्षित – प्रामाणिक – रूप देने की गहनतम ललक पालते हैं। दर्शन जगत्-विषयक और उससे संश्लिष्ट मनुष्य-विषयक दृष्टियों का आकलन करता है, उनको उभारता है, उनकी सम्भावनाओं को युक्त विस्तार देता है। आज दर्शन की गरिमा क्षीण है, दर्शन का प्रत्याख्यान, उसके सत्य और श्रेय से किसी सार्थक सबंध का निषेध 'दार्शनिकों' में आम है। तत्व क्या? वस्तु क्या? सत्य क्या? श्रेय क्या? ऐसे प्रश्नों को आज बड़े बड़े दार्शनिक असमाधेय ही नहीं, अप्रश्न मानते हैं, बुद्धि के मोह की उपज मानते हैं। सत्य का संबंध विज्ञान से जोड़ा जाता है आज। विज्ञान जड़-भौतिक को ही सत्य मानता है। अचंभा नहीं कि श्रेय फिर संस्कार या इच्छा की बात ठहर जाता है। पर सत्य और श्रेय की जिज्ञासा ऐसी सामयिक श्रद्धा से, विचार की प्रथा विशेष से क्षणप्रलुब्ध, क्षणभ्रांत या विचलित भले ही हो जाये, चुप नहीं हो जाती। आज की परिस्थिति को एक आगंतुक-से चलन की, आये-गये प्रवाह की बात ही समझना चाहिये। यों भी, दर्शन का प्रत्याख्यान कोई नई बात नहीं। आज से भी गहरे प्रत्याख्यान किये गये हैं दर्शन के; धर्म के और अध्यात्म के नाम पर ऐसा किया ही जाता रहा है। सत्य की उपलब्धि 'खटदर्शन में नाहीं', यह चली हुई उक्ति है ही अपने यहां। पर सच यह है कि विचार का प्रत्याख्यान किया नहीं जा सकता : यह हमारे अपने स्वरूप का ही प्रत्याख्यान होगा। और विचार में दर्शन की ओर उन्मुखता स्वरूपेण बनी रहती है। दर्शन में हमारी गभीरतम तत्त्व-जिज्ञासा आत्मचेतन रूप लेती है। हमारी आत्मचेतना स्वभावेन इस जिज्ञासा की ओर मुड़ती है। जिज्ञासा हममें सहज है और सहज ही एक विश्वदृष्टि, आत्मदृष्टि की ओर ले जाती है। दर्शन में यह युक्त, उदार, व्यापक, आत्म-स्वच्छ, पारदर्शी हो जाती है। हमारी सारी जिज्ञासाओं, सारे संधानों के अर्थ को एक सर्वतोग्राही, सर्वतोभद्र सूत्र में पिरो सकता है दर्शन।

हम थोड़ा भी आत्मद्रष्टा भाव रखें तो पाते हैं कि हमारे सारे प्रश्न, हमारी खोज, हमारी सत्य का संधान करती आत्मसाध्यता में, हमारी स्वरूप-निहित सिसाधयिषा में, जड़ करते हैं। हम अपनी सारी वृत्तियों-प्रवृत्तियों में अपने को साधते चलते हैं। तत्त्व-जिज्ञासा हमारी गहरी से गहरी प्रवृत्तियों में है। विचार में रूप लेती है। हां, विचार युक्ति का मार्ग है। खंडन-मंडन से चलता है। विप्रतिपत्ति, आत्मप्रत्याख्यान उसकी सहज प्रवृत्ति है। पर इससे विचार का ही प्रत्याख्यान नहीं हो जाता। यह संभव ही नहीं, क्योंकि विचार ही यह प्रत्याख्यान करता है। दर्शन खंडन-मंडन का ही नहीं, दृष्टि का माध्यम होता है। आत्मसाक्षात्कार का माध्यम होता है। हमारी तत्त्व-दृष्टि या तत्त्व-साक्षात्कार हमारे आत्मसाक्षात्कार के अभिन्न अंग हैं। खंडन-मंडन इसी व्यापार के अंग होकर सार्थक होते हैं। आवश्यक यह है कि दर्शन की सार्थक साधना बनाये रखी जाये।

पर सार्थकता सिसृक्षा की मांग करती है। स्वतंत्र सिसृक्षा की।

जो शल्य जी में है। शल्य जी एक सर्वतोग्राही व्यापक तत्त्व-दृष्टि की ओर आगे बढ़ते हैं, उसे समर्थ रूप देते हैं। कहना न होगा कि वे तत्त्व-दर्शन के निषेध की प्रवृत्ति का तीखा प्रत्याख्यान करते हैं।

प्रस्तावना

हम पाते हैं कि 'क्या है', और इसी से युगनद्ध, 'क्या होना चाहिये' की जिज्ञासा हमारे भीतर अपने आप दृष्टियों में रूप लेती है। अनिवार्यतः लेती है। हमारे भाषा-प्रयोग में, हमारे व्यवहार में ऊह्य रहती है – कितनी ही अस्पष्ट, अविचारित क्यों न हो। हर संस्कृति की भाषा – या भाषाओं में – इस ऊह्य जगत्-बोध और मनुष्य-बोध की पहचान देखी जा सकती है। यों, सत्य का, तत्त्व का ऊह हममें सहज है। दर्शन में यह ऊह अपने प्रति प्रबुद्ध हो जाता है। प्रमाण और युक्ति का मार्ग अपनाता है; आत्मपरीक्षण के प्रकाश में आगे बढ़ने की लौ पालता है। नये मार्ग, नई गंभीरतर, व्यापकतर दृष्टियों की ओर आत्मचेतन विमर्श के साथ बढ़ सकता है।

युक्ति का मार्ग स्वरूपेण विचार के स्वातंत्र्य की और तन्निहित सिसृक्षा की मांग करता है। हमने अपने यहां विचार में स्वतंत्र सिसृक्षा के अभाव की बात की। आज इस सिसृक्षा में हमारे यहां पश्चिम ही नहीं, परंपरा भी बाधक दिखती है। परंपरा कहती है कि नया हो ही नहीं सकता। पुराने का ही पिष्टपेषण चाहती है, करती है। पर बड़ा चेष्टा-साध्य होता है यह पिष्टपेषण भी। लकीरें बनाई रखनी पड़ती हैं। क्योंकि सच यह है कि हम सचमुच विचार करें, होते आये विचार के प्रतिपादन, प्रस्तुति, निरूपण, या उसके ईक्षण या सर्वेक्षण या इतिहास मात्र से उबर कर अपनी प्रेरणा से, ललक से, सहज स्वातंत्र्य से, विचार कर्म में अभिनिविष्ट हों तो नूतन का द्वार स्वतः खुल जाता है – आगे विचार-दृष्टि का उन्मेष जितनी दूर ले जाये। हो-चुके, होते-आ-रहे विचार की ईक्षा और पुनःप्रस्तुति कितनी ही विमर्शमयी क्यों न हो, होती रूढ़िस्पृष्ट ही है। प्रज्ञा का नवोन्मेष रूढ़ि से निकल कर ही लौ लेता है। बात वैसी ही है जैसे कविता में होती है। कविता का इतिहास या काव्यालोचन, अपने आप में कितने ही महिम क्यों न हों, कविता नहीं हैं। काव्य-सृजन की प्रेरणा और ही होती है। एक भाव-दृष्टि की मांग करती है, जिसे बिंबों में, रूपक-उत्प्रेक्षा में, भाषा की शतवर्ण ध्वनियों में अभिव्यंजित करती है। राग-संगीत में यह बात और भी प्रकट है – राग स्वतंत्र आलाप के बिना बनता ही नहीं, अपने स्वरूप में ही स्वतंत्र रागदृष्टि की मांग करता है। दर्शन भी विचार का उन्मुक्त आलाप चाहता है, पर इसके मूल में रूढ़िमुक्त स्वतंत्र अंतर्दृष्टि की अपेक्षा होती है। दृष्टि जितनी विराट हो, दर्शन उतना ही महत् होता है। दर्शन दृष्टि को प्रत्ययों में, युक्ति के रास्ते रूप देता है; इसके लिये समुचित भाषा भी साधता है, पर यह भाषा ध्वनि या व्यंजना के वक्र मार्ग से हट कर प्रत्यय की आत्मप्रकट स्पष्टता स्वच्छता-पारदर्शिता की ओर उन्मुख रहती है। समुचित भाषा की साधना कवि भी करता ही है। दार्शनिक अपनी तरह से, एक भिन्न मार्ग से करता है। यहां लक्ष्य है कि शल्यजी हिंदी में स्वतंत्र चिंतन करने लगे तो उन्हें अपने अनुकूल भाषा भी साधनी पड़ी।

शल्यजी हिंदी में ही नहीं, दर्शन परंपरा में ही रूढ़ि-मुक्त स्वातंत्र्य के विलक्षण उदाहरण हैं। उनका दर्शन भारतीय भी है और अपनी सिसृक्षा में अभिनव भी – आधुनिक भी। वे लिखने बैठे तो अनायास ही अपनी भाषा हिंदी को अपनाया। उन्हें सूझा तक नहीं, उनके मन में खटका तक न हुआ कि हिंदी तो दर्शन की भाषा ही नहीं है! दर्शन में उनकी रुचि पश्चिम के विचारों से ही जागी। इसके लिये उन्हें अंग्रेजी का अभ्यास करना पड़ा। बर्गसाँ और रसेल (एवं अन्य पश्चिमी वैज्ञानिक और दार्शनिक ग्रंथों को) पढ़ने के लिये उन्होंने अंग्रेज़ी में प्रवेश किया, कोशों की सहायता से उसमें समझ और पकड़ के साथ उतरे। पर स्वयं लिखने बैठे तो अंग्रेज़ी में लिखने की कभी न सोची। जैसे पश्चिम के विद्वान संस्कृत या यहां की दूसरी भाषाएँ गहराई से सीखते समझते रहे हैं (और अब भी ऐसा करते हैं), पर सोचते-लिखते स्वभावतः ही अपनी भाषा में ही हैं – अपने विचार अपनी ही भाषा में प्रस्तुत करते हैं, अपने प्रत्ययों में करते हैं, और अपने लोगों के लिये करते हैं – यहां के लोगों के लिये नहीं (यह बात और है कि हम भी अपने को उन्हीं की पंगत में रखने लगे हों)। हमारे यहां आधुनिक साहित्य में भी यही प्रवृत्ति रही है। बाहर का असर आया, गहरा आया, पर उसे हमने अपनी भाषा में ग्रहण करते हुए अपना बना कर आत्मभाव के साथ अपनाया। कहना न होगा कि हम आत्मस्थ हों तो यही सहज भी है। पर दर्शन में ऐसा नहीं हुआ। वहां हम अपना आपा पर को दे बैठे हैं।

कहना न होगा कि आज हमारे यहां जो पश्चिमी विचार की ईक्षा और प्रस्तुति का साम्राज्य है, उसे हम चाहे आधुनिकता का नाम दे लें उसे नया नहीं कहा जा सकता है। वह रूढ़ि-ग्रस्त ही है। हां, रूढ़ि हमारी नहीं

पश्चिम की है। पर रूढ़ि की गडार अंग्रेज़ी में ही नहीं, हिंदी में (और अपनी दूसरी भाषाओं में) भी देखी जा सकती है, जहां दर्शन अपने ही यहां के पुराने की पुनःप्रस्तुति को अपना धर्म समझता है। नये से उसे विराग है। उसे देखें तो उभरता यह है कि 'भारतीय' – या हमारा अपना विचार – हमारे लिये विगत–में–हो–चुका विचार ही है और वही हो सकता है। उसे हम आज के संदर्भ में आज के अनुकूल रूप देते हुए नये मुहावरों में सामने तो रख सकते हैं, पर उसमें सचमुच नये का कोई अवकाश नहीं है।

नई तरह से इस पुराने को सामने रखने का काम अंग्रेज़ी में भी प्रचुर होता रहा है। वहां यह देखने–दिखाने का प्रयास भी गहराई से जड़ करता है कि, देखो, पश्चिम में जो सोचा गया है हमारे यहां वह और पहले सोचा जा चुका है! अंग्रेज़ी में लिखनेवाले या तो यहां के पुराने विचार का इतिहास लिखते हैं, या पश्चिम के दार्शनिक मुहावरों में पुराने का निरूपण, मीमांसा, अपनी तरह से पुनर्विमर्श... करते हैं। तुलनात्मक विमर्श करते भी दिखते हैं, पर यहां भी पश्चिम को प्रदत्त प्रतिमान मान कर भारत के दर्शन को उसी के आदर्श पर समझने–समझाने का मार्ग लेते देखे जा सकते हैं। लेखन के पीछे आशय यह झलकता है कि हम आज अपने से ऐसे अपरिचित हो गये हैं कि पराये परिचित (पश्चिम) के घेर में आकर ही अपना परिचय पा सकते हैं : उनकी पंगत में बैठ कर ही अपने को पहचान सकते हैं।

संस्कृत में भी हमारे यहां दर्शन की परंपरा बची है। हालांकि बिलकुल ही हाशिये पर डाल दी गई है : शक्ति, प्रतिपत्ति, प्रचार, साधन, सामग्री, ये अंग्रेज़ी के हाथों में है – राज ही अंग्रेज़ीवालों का है और अंग्रेज़ी की महिमा बढ़ती जा रही है। पर यहां देखने–सोचने की बात यह है कि संस्कृत में विचार करनेवालों की जो परंपरा बची है वह चाहे उपेक्षित हो, नितांत अवहेलना की शिकार हो, पर निष्प्राण नहीं हुई है। यह ठीक है कि वह परंपरा पर चले–आते दर्शन की विचार–शैली, विचार–यात्रा, संप्रदायों के पिष्टपेषित रास्तों में ही बहुत कुछ अटकी रहती है, उन रास्तों पर चलना ही अपना मार्ग समझती है, पर उसमें विचार का स्वातंत्र्य हमारे यहां होते अंग्रेज़ी–लेखन से कहीं अधिक है और सहज–स्फूर्त है। उनके अपने चले–आते प्रश्न और वाद–विवाद हैं जिनके भीतर उनकी चिंतन–धारा आगे बढ़ती रही है। आज भी उसी रास्ते चलती है। पर चलती है। आज परिस्थितिवश ठिठक गई हो, रुकी नहीं है। यह बात मैं अपने अनुभव से कह रहा हूं। कुछ साल हुए, पूना के प्रोफ़ेसर रेगे और जयपुर के प्रोफ़ेसर दयाकृष्ण ने पारंपरिक संस्कृत में लिखने–सोचनेवाले दार्शनिकों का और अग्रेज़ीवालों का संवाद करवाया था, जहां दर्शन के एक आधुनिक रसेल–प्रचारित भाषा और वस्तु संबंधी अभ्युगम – प्रोपोज़िशन – को लेकर लंबी चर्चा–गोष्ठी रखी गई थी।[1] मुझे भी वहां होने का अवसर मिला था। चर्चा के विस्तार में जाने का यहां प्रयोजन नहीं, पर स्पष्ट था, सभी उपस्थित विचारकों के मन में यह बोध था कि संस्कृत के दार्शनिक किसी अर्थ में कम नहीं, अधिक ही ठहरते हैं। अभ्युपगम उनके लिये पराया था, पर भाषा पर और उसके वस्तु–संबंध पर हमारे यहां विचार पुराना है। गहरा है। संस्कृत के विचारकों को नये अभ्युपगम में प्रवेश करते देर नहीं लगी। उसको उन्होंने अपनी तरह से समझा ही नहीं, उनकी दार्शनिक सूझ, उनकी अग्रया बुद्धि, विचार–प्रज्ञा, अंग्रेज़ीवालों से कहीं खुली थी, कहीं सक्षम उन्मेषवती थी। यों, आज हमारी यह परंपरा किसी तरह जी तो रही है, पर हम इसे सचमुच जीवन देना नहीं चाहते, दूर ही रखना चाहते हैं, और दूरतर करते जा रहे हैं; यहां तक कि हम इसे जीवित तक नहीं मानना चाहते! इसमें सचमुच प्राण तभी प्रतिष्ठित हो सकता है जब यह हमारे सजीव विचार का सार्थक अंग बने। दया जी की चेष्टा के बाद इस के प्रति जागरूक जिज्ञासा के कुछ अंकुर जागे थे, पर अब बात कुतूहल–भर की रह गई लगती है। पर दया जी की चेष्टा के पीछे भाव यह भी था कि *अंग्रेज़ी में सोचने–समझनेवाले इधर ध्यान दें*, विचार की इस उपेक्षित पर प्रवहमान परंपरा में उतर कर इसे अपने अंग्रेज़ी–निष्ठ विचार में स्फोट दें। दया जी के मन में यह गहरा विश्वास था कि अब हमारे विचार की 'मुख्यधारा' तो अंग्रेज़ी में ही प्रवाहित है, और उसी प्रवाह को हमें उन्मेष देना है; हममें आज अंग्रेज़ी के प्रभुत्व का जो भी कारण हो – चाहे वह आगन्तुक और

---

1. आप चर्चा के विस्तार में जाना चाहें तो देखें, *संवाद : ए डॉयलौग बिट्वीन टू फ़िलसॉफ़िकल ट्रैडिशन्स,* प्रकाशक : भारतीय दार्शनिक अनुसंधान परिषद् और मौतीलाल बनारसीदास पब्लिशर्स प्राइवेट लिमिटेड, दिल्ली, 1991

अयुक्त ही क्यों न हो, पर उससे हम इनकार नहीं कर सकते, इनकार करना भी नहीं चाहिये : अंग्रेज़ी ही अब हमारी विचार की भाषा है, और रहनी चाहिये, हमें अपने पुराने चिंतन को आज के संदर्भ में जगाना हो तो उसी में जगाना होगा। अपनी चली-आती गहरी परंपरा को आज के संदर्भ में हम गतिशील रखना चाहें तो उसमें वैसे ही उतरना होगा जैसे हम राग-संगीत की परंपरा में गुरुमुखी शिक्षा के माध्यम से उतरते हैं और फिर अपने अनुभव से, अपनी परख और दृष्टि से, अपनी गायकी उभारते हैं। पर यह काम होना अंग्रेज़ी में चाहिये। यह विश्वास अकेले दया जी का ही नहीं है। फैला हुआ है।

हां, यह भी कह सकते हैं कि गहरा दार्शनिक चिंतन, स्वतंत्र चिंतन, अंग्रेज़ी में भी हुआ है। श्री अरविंद इसके महिम उदाहरण हैं। पर उन्हें अपवाद ही समझना चाहिये। उनसे यह नहीं निकलता कि हम अंग्रेज़ी को समर्पित हो जाएँ। यह भी युक्ति इस संदर्भ में दी जाती है कि हमारी अपनी भाषाएँ चिंतन-क्षम नहीं हैं। उनमें चिंतन की कोई समर्थ परंपरा नहीं। पर इस युक्ति में कोई सार नहीं। परंपराएँ बनती हैं। बनाई जाती हैं। अंग्रेज़ी में भी यही हुआ है। अपने यहां के आज के साहित्य को ही देख लें, जहां हमने नई परंपरा को आत्मस्थ रूप दिया है। सच पूछिये तो हमारे लिये हमारी अपनी भाषाएँ ही अधुनातम और व्यापकतम विचार का समीचीन माध्यम हो सकती हैं, क्योंकि ये बाहर-भीतर दोनों ओर खुली हैं। दोनों ओर उन्मुख हैं : हमारी भाषाएँ एक ओर जहां संस्कृत की समृद्ध दार्शनिक परंपरा में जड़ रखती हैं, वहीं बाहर को आत्मसात् करने में भी सशक्त हैं। साहित्य में हम यह देखते ही हैं।

और फिर ऐसा भी नहीं है कि हिंदी में (और हमारी अन्य भाषाओं में) दार्शनिक लेखन का अभाव हो। भाषाओं में लिखनेवाले ऐसे विद्वान कम नहीं हैं जो संस्कृत की परंपरा से घनिष्ठ हैं – भीतर से इसे जानते हैं – और इसे अपनी तरह से प्रस्तुत करते हैं। यह बात और है कि उनमें विद्वत्ता ही अधिक दिखती है, विचार का स्वतंत्र उन्मेष नहीं। पर यह बात तो अंग्रेज़ी के साथ भी उतनी ही सच है। बस प्रभुत्व का पलड़ा उधर झुकता है आज। पर प्रभुत्व का पलड़ा यादृच्छिक होता है। उसे प्रमाण नहीं माना जा सकता। काल किधर ले जायेगा हम जानते ही कितना हैं! पर उसी में हम अपनी स्वतंत्र यात्रा भी साधते ही हैं। कहना न होगा कि इस यात्रा का आधार युक्ति और विवेक होना चाहिये, इतिहास की यदृच्छा-जन्य परिस्थिति के आगे अवनति नहीं। कृष्णचन्द्र भट्टाचार्य ने जो विचार के स्वराज की बात की है, उसमें स्पष्ट ही अपनी भाषा की ओर इंगित है : स्वराज स्वभाव और स्वधर्म के अनुकूल ही हो सकता है; अंग्रेज़ी को अपनाना – और वह भी विचार में, जहां हम अपनी गहरी से गहरी आत्मनिष्ठ प्रेरणा को रूप देते हैं – यह परधर्म ही है।

अपनी भाषा में लिखनेवाले विद्वानों के कारण ही हिंदी में पुराना संस्कृत में किया हुआ विचार प्रचुर उपलब्ध है। रस-अलंकार परंपरा का पठन-पाठन तो जम कर होता रहा है। अलंकार और रस-परंपरा के कई ग्रंथों के अनुवाद और व्याख्याएँ की गई हैं। यहां तक कह सकते हैं कि इस परंपरा के ग्रंथों के अनुवाद और इनकी परंपरा-निष्ठ मीमांसा-व्याख्या ही विशेष प्रचार में है। पर अलंकार-दर्शन के ही नहीं, अन्य दर्शनों के – जिसे दर्शन का राजमार्ग कह सकते हैं – उसके भी बहुसंख्यक ग्रंथ हिंदी-लेखन की इस आधुनिक परंपरा में उपलब्ध हैं। पर यह परंपरा अपनी तरह की विद्वत्ता की ही परंपरा है, वैसे ही जैसे अंग्रेज़ी की भी सदृश और अपनी तरह से परंपरा को प्रस्तुत करती समतुल्य प्रथा है। यहां स्वतंत्र विचार की चेष्टा नहीं। विचार का कोई स्वतंत्र उभार यहां नहीं दिखता, जो संस्कृत की अवशिष्ट परंपरा में फिर भी प्रवाहित है। पर इस परंपरा की संभावना पर दृष्टि रखें। इसे अपनी भाषा में स्वच्छंद विचार के द्वार के रूप में भी देखा जा सकता है। इस उपलब्ध संभावना को हम उन्मीलित कर सकते हैं, उसे स्वातंत्र्य के साथ नये रूपों में ढाल सकते हैं। हिंदी की यह प्रतिष्ठित परंपरा नई सिसृक्षा को सहज ही सहारा दे सकती है।

मूल अवरोध यह है कि हमारा मानस ही मानो बन गया है कि हमारे यहां तो विचार जो होना था हो चुका है। वह विशद है, गंभीर है, व्यापक है, पर साथ ही परिपूर्ण और परिसिद्ध है, उसमें नया कुछ नहीं जुड़ सकता; नया उसको विकृत ही कर सकता है, उन्मिषित नहीं। वह बहुमूल्य है, पर है विगत की ही बात। आज उसे हम समझने-समझाने की ही बुद्धि पाल सकते हैं – उसे *आगे बढ़ाने* का कोई अर्थ नहीं बनता। उसमें नये का

अवकाश नहीं। आज का सार्थक 'साम्प्रतिक' 'आधुनिक' विचार हमें चाहिये तो वह पश्चिम से ही आ सकता है – वही *आज* 'विश्वजनीन' ही नहीं है, 'प्रासंगिक' है। प्रकट ही यह आत्महीनता का लक्षण है। विचार सब समय, सर्वत्र, विश्वजनीन ही होता है, जैसे कला, साहित्य... विश्वजनीन होते हैं। कला, साहित्य की तरह ही विचार भी देश-काल-पात्र के अपनेपन से उपरंजित होता है, पर यह विश्वजनीनता का भूषण ही होता है, दूषण नहीं। इसके बिना विश्वजनीनता रूप ही नहीं ले सकती। पर हम किसी संस्कृति विशेष को ही विश्वजनीन मान बैठें, जैसा हमारा पश्चिम के प्रति भाव है, तो अपनी विश्वजनीनता तो हमने मूल में ही अन्य-समर्पित कर दी! लेकिन भूलना न चाहिये कि हम अपनी ओर कभी भी मुड़ सकते हैं। इसका अर्थ अन्य की उपेक्षा, अनदेखी नहीं होती। आत्मोन्मेष की लौ होती है।

हमारी किसी भी प्रवृत्ति की तरह चिंतन सिसृक्षा और नूतन की एषणा पालता है। पर इस एषणा में एक विरोध जैसा भी है, जिसे हम जानते ही हैं : यह परिस्थिति से, परंपरा की गतानुगतिकता से, ऊपर उठ कर ही फलवती होती है। परिस्थिति अनुकूल हो तो इसे प्रश्रय मिल सकता है; पर होती यह कारण-मुक्त ही है। परिस्थिति, परंपरा में रहते हुए हम इसके लिये एक चेष्टा पालते हैं – पर जानते हैं कि इसका अपना स्फोट है, अपना अद्भुत स्वातंत्र्य है, जो हमारी चेष्टाओं से अछूता रहता है। स्वातंत्र्य की *बात* और स्वातंत्र्य का *होना* दोनों में तात्त्विक भेद है। शल्य जी के आत्मनिष्ठ स्वातंत्र्य की विलक्षणता इसी *होने* में है। यह भी ध्येय है कि शल्य जी के तत्त्वदर्शन का मर्म भी सृजन की धारणा में है (जैसा हम अभी आगे देखेंगे)।

शल्यजी की दर्शन के प्रति प्रेरणा पश्चिम के विचार से ही जागी। उन्होंने बर्गसाँ का *क्रिएटिव इवोल्यूशन* पढ़ा। और दर्शन की ओर मुड़ गये। एक ग्रंथ भी लिखा, *मनस्तत्त्व*, जिसे शल्यजी अपनी 'तुतलाहट' की रचना बताते हैं। फिर रसेल के अनुभववाद में रुचि हुई। इस दर्शन को अपनी तरह से प्रतिपादित करते हुए आप ने 1959-60 में *दार्शनिक विश्लेषण* की रचना की। अब तुतलाहट नहीं रही थी। भाषा पर अच्छा अधिकार हो गया था। ग्रंथ की दार्शनिकों में अच्छी सराहना भी हुई। पुरस्कार भी मिला।

बर्गसाँ और रसेल (एवं अन्य पश्चिमी वैज्ञानिक और दार्शनिक ग्रंथों को) पढ़ने के लिये शल्य जी ने अंग्रेज़ी में प्रवेश किया, कोशों की सहायता से उसमें समझ और पकड़ के साथ उतरे, पर उसमें लिखने की कभी न सोची। वैसे ही जैसे पश्चिम के विद्वान संस्कृत या यहां की दूसरी भाषाएँ गहराई से सीखते समझते रहे हैं (और अब भी ऐसा करते हैं), पर लिखते अपनी भाषा में ही हैं – अपने विचार की अभिव्यक्ति अपनी ही भाषा में, अपने प्रत्ययों में करते हैं, और अपने लोगों के लिये करते हैं – यहां के लोगों के लिये नहीं (यह बात और है कि हम भी अपने को उन्हीं की पंगत में रखने लगे हों)। कहना न होगा कि हम आत्मस्थ हों तो वही सहज है जो शल्य जी ने किया (हमारे साहित्य में यही हुआ ही है), पर हम अपना आपा ही किसी और को दे बैठें तो बात और हो जाती है।

पर अनुभववाद से शल्यजी की तत्त्व-जिज्ञासा को, उनकी दार्शनिक मनीषा को तुष्टि नहीं मिली। कुछ गहरे प्रश्न तो *दार्शनिक विश्लेषण* लिखते समय ही जाग उठे थे (और पुस्तक के अंत में उठाये गये हैं), पर आगे चल कर आत्म और जगत् को समझने में इस दृष्टि की 'विपन्नता' का बोध बढ़ता गया (मनुष्य की साध्यता, उसके श्रेय बोध के प्रति तो यह दृष्टि अंधवत् है)। शल्यजी आदर्शवाद - या कहिये, प्रत्ययवाद - की ओर झुके और उनका प्रौढ दर्शन वेदान्त से उभरी एक स्वतंत्र दृष्टि में बसा है जहां प्रत्ययवाद एक अभिनव सृजनात्मक रूप लेता है। 'प्रत्यय' शल्यजी में प्लेटो की तरह जगत् से विच्छिन्न, अछूता, विचार के अपने किसी ऊर्ध्व-लोक में – व्योम में – बसता हुआ पदार्थ नहीं है, जगत् जिसकी मिथ्या छायामात्र है। प्रत्यय जगत् में – प्रत्यक्ष जगत् में – रूप लेता है। यह हम अपने सृजन के अनुभव में देख सकते हैं। घट को ही लीजिये जो जगत् में स्वतः प्राप्त-प्रदत्त वस्तुओं के लिये दार्शनिकों का मूर्धन्य-सा उदाहरण है। थोड़ा भी सोचें तो यह तत्त्व जाग उठता है कि घट प्रदत्त नहीं, सृष्ट है। मनुष्य-सृष्ट। और इस सृष्टि के मूल में प्रत्यय है – ऊह है, या कल्पना कहिये, ऐसी कल्पना जिसे

'घटत्व' का नाम दिया जा सकता है, जो भौतिक उपादान के माध्यम से घट का रूप लेती है। स्पष्ट ही, घट-कल्पना के बिना घट संभव नहीं। यह कल्पना किसी घट विशेष की नहीं होती है, घटत्व का सामान्य प्रत्ययमय अरूप बोध ही जागता है इसमें। संभावना के रूप में एक आदर्शबोध के साथ जागता है। घटत्व प्रत्यय के साथ जागता आदर्श-बोध एक निरवद्य-भाव पालता उभरता है, जिसे प्लेटो से जोड़ा जा सकता है : प्लेटो के प्रत्यय में सत् से ही नहीं, शिव से अनुप्राणित एक निरवद्य, निर्दोषता का भाव है जो *वस्तु*-सृष्टि का रूप नहीं लेता पर रूप का उत्स कहा जा सकता है। शल्यजी के लिये प्रत्यय सृष्टि का बीज है। वह सृजन के आरंभ में ही निर्दोष आदर्श का भाव पालता हुआ असीम संभावनामय होता हुआ जागता है। हम अपने सृजन-व्यापार में इसका अनुभव करते ही हैं। हम पाते ही हैं कि सृजन-कल्पना-जन्य रूपों में एक ओर जहां उत्कर्ष-अपकर्ष का बोध सहज होता है, वहीं संभावना के असंख्य द्वार भी खुले दिखते हैं। अनुभव को आगे रखें तो सहज ही देख सकते हैं कि हमारी सृजन-कल्पना में एक नहीं अनेक रूपों की उन्मुखता सहज होती है। हर रूप में सृजन निरवद्य की ओर बढ़ने की ललक पालता दिखता है, जिसे हमारी प्रत्ययमयी सृजन-कल्पना की आदर्शमयता का प्रकट लक्षण कह सकते हैं। पर प्रत्यय में रूप लेती कल्पना अपने आप में कोई रूप नहीं रखती, सर्वथा अरूप होती है। रूप की जनक होती है पर स्वयं इसका कोई रूप नहीं होता। इसे निराकार चिन्मय प्रतिमान कहा जा सकता है। तभी संभावना का आनन्त्य पाल सकती है। निरवद्यता का आदर्श पाल सकती है। घट को ही लीजिये। उसकी संभावनाएँ सहज कल्पनीय हैं, और दिखता ही है कि कुछ ही भौतिक रूप ले पाती हैं – इन रूपों के नेपथ्य में ही नहीं, इन रूपों के भीतर ही, संभावना का निस्सीम भी बसा रहता है। और हर संभावना को रूप देनें में हम दोष-हीनता सहज ही साधते हैं : यह भी बोध में जागता रहता है। प्रकट ही घट-प्रत्यय की अपनी सत्ता है जो देश-काल से परे है, जिसका सत्, जिसका अपना 'होना' हमारी सृजन-कल्पना को प्रेरित करता हुआ साक्षात् रूप लेता है; तभी इसके बिना देशकालगत 'भौतिक' घट अकल्पनीय है। अपने ही सृजन-व्यापार पर थोड़ा भी मनन करें तो दिख जाता है कि जिस कल्पना को हम रूप देना चाहते हैं, उसका कोई रूप नहीं होता, पर वही रूप का उत्स होती है, यों मानो कि वह *है*, संभावनामयी, आदर्शमयी *है*, पर सिद्ध नहीं, साध्य स्वरूप है।

एक मूलगत प्रश्न यहां सहज ही उठता देखा जा सकता है जिसे शल्य जी के चिंतन, उनकी तत्त्व-दृष्टि के मर्म में रखा जा सकता है : घट का – किसी निर्मित या सृष्ट वस्तु का – अगर कोई निरवद्य रूप होता है तो होता कहां है, उसके *होने* का अर्थ ही क्या? स्पष्ट ही वह किसी प्रदत्त मान-चित्र जैसा कुछ नहीं हो सकता, अपने सृजन में हम जिसकी प्रतिकृति साधते हों। हम अपने सृजन-कर्म के प्रति थोड़े भी आत्मचेतन हों तो देख सकते हैं कि ऐसा कुछ नहीं होता। घट की संभावनाएँ, उसका निरवद्य रूप, हमारी कल्पना को अनुप्राणित करता है, पर सिद्ध-प्रदत्त कुछ नहीं होता, वह स्वरूपेण निराकार ही नहीं, स्वरूपेण साध्य बना रहता है। सच यह है कि उसके बारे में 'होने' की बात ही अटपटी है। किसी भी अर्थ में उसे 'है' कहना बनता नहीं है : यों उसे किसी भी तरह 'वस्तु' की संज्ञा दी ही नहीं जा सकती। वह अवस्तु ही होता है। पर एक अद्भुत विरोधाभास के साथ वस्तु-गर्भ भी होता है। वस्तु की अनंत संभावनाओं का उत्स होता है। उनके निरवद्य रूप का प्रतिमान होता है।

लक्ष्य है कि यह बात शल्यजी को प्लेटो से बहुत दूर कर देती है : प्लेटो में प्रत्यय निरवद्य होता हुआ एक अतिभौतिक प्रत्यय-लोक में 'रहता' है। वह अवस्तु नहीं होता, उलटे वही वस्तु होता है; प्राप्त रूप जो उसकी छाया है, प्रतीति के रूप में उपलब्ध है, उसे अवस्तु कहा जा सकता है पर प्रत्यय को नहीं। प्लेटो का पश्चिम के दर्शन पर गहनतम प्रभाव विदित ही है। यह भी विदित है कि भौतिक-लोक के प्रतिमान पर प्रतिपादित प्रत्यय-लोक जैसी अनहोनी 'कल्पनाओं' ने आज प्रत्यय-वाद को ही नहीं, दर्शन मात्र को खामखयाल की कोटि में रखने की दिशा ली है। शल्यजी तत्त्वैषणा की इन्द्रिय-गम्यता से ऊपर उठी विचार-गम्य की अगाधता को पूरा स्वीकार करते हैं, पर प्रत्यय-लोक जैसे किसी भौतिक-सदृश अतिभौतिक लोक के अस्तित्व से सर्वथा इनकार करते हैं। उनका प्रत्ययवाद उनके अपने स्वतंत्र वेदान्त-चिन्तन में निष्ठ चित्-सत्वाद से घनिष्ठ है, सत् जहां चित् का आत्मसर्जन है।

आगे की चर्चा में हम इस बात का कुछ विस्तार करेंगे।

पर यहां यह भी देखते चलिये। घट के विषय में पुरानी और बड़ी मान्य-सी उक्ति है कि सत् घट नहीं मिट्टी सत् है, घट तो मिट्टी का विकार मात्र है, कल्पना है, नाम-रूप है ('कल्पना' यहां मिथ्या का पर्याय है)। पर फिर यह सोचिये कि मिट्टी तो घट के लिये उपादान मात्र है; उपादान दूसरा भी हो सकता है – लोहा, पीतल, पत्थर, काँच...। घट घटत्व प्रत्यय के बिना संभव नहीं : उसका *घट*-रूप होना, घटत्व प्रत्यय की अनिवार्य अपेक्षा रखता है। उसके होने का मर्म उसके प्रत्यय में ही है। और घटत्व-प्रत्यय आदर्शमयता के साथ बहु-संभावनामयता भी पालता दिखता ही है : हमारा अनुभव साक्षी है कि घट कई रूप लेता है, और हर रूप में हमारा रूपायण-कर्म निरवद्यता की ओर उन्मुख रहता है।

प्रत्यय के सत्य से इनकार दर्शन में साधारण सी बात है; नई बात भी नहीं। दार्शनिक इन्द्रिय-प्रदत्त, देशकाल-गत भौतिक, स्थूल, दृश्य-स्पृश्य जगत् को ही वास्तव मानने की ओर झुकते रहे हैं। शल्यजी कांट से एक पते का उदाहरण देते हैं। कांट कहता है कि कौन नहीं जानता कि जेब में रखा रुपया ही सच है, विचार में, कल्पना में आया रुपया जो रुपये का प्रत्यय मात्र होता है, वह सच नहीं! पर सोचिये। रुपये के प्रत्यय बिना जेब का रुपया रुपया ही नहीं हो सकता! और रुपया ही क्यों, हमारे बैंक, हमारी सरकारें, हमारी सारी रहनी – हमारा व्यवहार, हमारे संबंध, हमारा जीवन ही – प्रत्यय के बिना अकल्पनीय है। (इससे यह भी उभर आता है कि प्रत्यय – सृजन-कल्पना-मूल प्रत्यय – सामान्य तो होता है, पर सामान्य-मात्र नहीं होता, क्योंकि सामान्य तो प्रदत्त के सादृश्य को आधार बना कर बुद्धि का उद्‌ग्रहण (ऐब्स्ट्रैक्ट) भी हो सकता है, जैसे कीचड़-त्व)। हम रहते ही प्रत्यय-निर्मित जगत् में हैं पर यह नहीं देख पाते कि निर्मित-वस्तु और प्रकृति-प्रदत्त वस्तु में तात्त्विक भेद होता है। प्रत्यय के बिना निर्मित वस्तु की कल्पना नहीं की जा सकती। इस *तत्त्व* की ओर दार्शनिकों ने ध्यान नहीं दिया है : निर्मिति और प्रदत्त को एक ही कोटि में रख देने की प्रवृत्ति विचार-परंपरा में प्रकट है। शल्य जी ने इस भेद को बड़ी सूझ और गहराई के साथ उभारा है।

पर विचार यह दिशा ले तो उसके व्यापकतर आशय की ओर भी लक्ष्य किया जा सकता है। हम प्रकृति में भी प्रत्यय-सृष्टि को उपलब्ध करने की दिशा में सहज ही बढ़ सकते हैं। जीव-जातियां को तो सहज ही प्रत्यय-सृष्ट देखा जा सकता है : हर जाति की संभावनाओं को, उनमें होते उत्कर्ष-अपकर्ष के भाव को ही देखें! हमारी अपनी प्रत्यय-प्रसूत सृष्टि की तरह ही हर जाति में ही उत्कर्ष-अपकर्ष का बोध अनायास है। जीव-जातियों के विकास-क्रम में यह बोध स्फुटतर है। क्रम की धुरी पर मनुष्य है, जिसमें आत्मचेतना सृजन के एक नये, सर्वथा अपूर्व स्फोट की तरह रूप लेती उभरती है। जगत् हमारी सृष्टि नहीं, पर हम अपने भीतर उभरते सृष्टि-तत्त्व के प्रति आत्मचेतन हों तो अपने भीतर सृष्टि के स्वरूप की व्यंजना पा सकते हैं, अपने सृजन व्यापार को उसके प्रतीक के रूप में देख सकते हैं।

यह भी देखिये कि अपनी निर्मितियों को, सृष्टियों को, हम आत्मसृष्ट होते हुए रूप देते हैं। सर्जक आत्मसृष्ट होता हुआ सृष्टि करता है। तभी हम अपनी निर्मितियों में रहते ही नहीं, बड़े मर्म-गत अर्थ में हम *वही होते* हैं। अपने को बनाते हुए अपनी निर्मितियों को बनाते हैं हम। हम संस्कृति में रहते हैं : अपने आत्मनिर्मित जगत् में। संस्कृति को हम ही रूप देते हैं। यह 'दिया-जाता रूप' हमारे भीतर ही उभरता हुआ बाहर प्रकट होता है, बल्कि, यह 'भीतर-बाहर' एक ही व्यापार का अभिन्न युगनद्ध अंग होता है – जहां हम अपने को बनाते हुए, अपना संसार बनाते हैं। तभी हम पाते हैं कि हम ही संस्कृति को रूप नहीं देते, संस्कृति भी हमें रूप देती है। पर इससे यह भी व्यंजित है कि हमारा आत्मसर्जन हमारे स्वरूप पर व्याप्त है, तलस्पर्शी है; उसे हमारे होने का मर्म कहा जा सकता है। ज्ञान, कर्म, भाव, हमारी सभी वृत्तियों में आत्मसर्जन देखा जा सकता है। इन्हीं का व्यापार हमें रूप देता है, अर्थ देता है (संस्कृति इसका प्रतीक है)। हमारा ज्ञान, हमारा भावन, हमारा संकल्प, इन्हीं में हम होते हैं, इन्हें रूप देते हुए इनमें होते हैं। प्रत्यय की धारणा को सहज ही व्यापक करते हुए देखा सकता है कि यह सारा व्यापार प्रत्यय-मूलक व्यापार है। हमारी प्रत्यय-चेतना व्यापक है। हमारे सम्पूर्ण पर, ज्ञान, भाव, कर्म, सब पर व्याप्त है।

प्रस्तावना

ज्ञान को लीजिये, जहां हम विषय को सिद्ध-प्रदत्त, ' यथातथ' – जैसा वह अपने आप में है वैसा ही उसे 'जानने' की ओर मुड़ते हैं। पर ज्ञान की बात विचार के बिना बेमानी है। यह कथन अयुक्त लग सकता है; इसमें यह वैषम्य तो अनायास ही देखा जा सकता है कि विचार विषयिनिष्ठ होता है, जबकि विषय का याथातथ्य विषय-निष्ठ होता है। उस याथातथ्य का निर्विकार ग्रहण ही उसका सम्यक् ज्ञान कहला सकता है; विचार ऐसा करने में समर्थ नहीं, वह सामान्य विकल्पों में – प्रत्ययों में - होता है, उसका प्रदत्त से कोई प्रत्यक्ष सन्निकर्ष नहीं होता। वह गृहीत पर सहज ही संशय कर सकता है। स्वरूप से ही संशय-प्राण है विचार, अपने पर भी संशय कर सकता है, करता रहता है। अपना ही अलग संसार गढ़ता है। एक नहीं, अनेक संसार गढ़ता है - उसका व्यापार स्वभाव से ही विप्रतिपत्ति-ग्रस्त होता है। उसे यथातथ ज्ञान का साधन कहा ही नहीं जा सकता। पर फिर यह सोचिये। ऐसी बात हम इन्द्रिय-ज्ञान को ज्ञान का प्रमाण मान कर करते हैं। इस मानने के पीछे यह ऊह्य रहता है कि विषय विषयी से सर्वथा अस्पृष्ट, सर्वथा पृथक् कुछ होता है और इन्द्रिय ही स्वभावेन विषयोन्मुख रहती हुई उसका यथातथ ग्रहण कर सकती है : उसके ग्रहण का स्वरूप ही ऐसा है कि विषय उस पर स्वतः, स्वरूपेण उभर आता है। विचार के लिये यह बिलकुल संभव नहीं। स्पष्ट ही, उसका विषय से कोई संस्पर्श नहीं होता। उलटे, विचार का व्यापार जितना आगे बढ़ता है, विषय से दूरतर होता चला जाता है, अपने ही भीतर व्यस्त होता जाता है।

पर विचार कीजिये। हम पाते यह हैं कि इन्द्रिय-सन्निकर्ष विषय का *संकेत* करता है, उसका *ज्ञान* नहीं देता – ज्ञान इन्द्रियों को नहीं होता। ज्ञान विषय के अध्यवसाय की अपेक्षा रखता है। अध्यवसाय के बिना वह 'जानने' की कोटि में ही नहीं आ सकता। अब, अध्यवसाय, स्पष्ट ही, विचार-चेतना का अंग होता है। जो चेतना विचार-क्षम नहीं होती, जैसे पशु-चेतना, उस चेतना में विषय-*ज्ञान* की बात ही नहीं की जा सकती, विषय वहां स्वतंत्र विषयत्वेन जागता ही नहीं है, क्योंकि इसके लिये विषयी का विषय से तटस्थ हो पाना आवश्यक है, और यह ताटस्थ्य विचार-चेतना की अपेक्षा रखता है, उसी चेतना में बनता है। पशु-चेतना का विषयी विषय-सात् होता है। विषयी से भिन्न विषय की अपनी स्वतंत्र सत्ता वहां रूप नहीं लेती। वहां 'ज्ञान' की बात ही कोई अर्थ नहीं रखती। सच यह है कि विषयी विषय से अपने को अलग न कर पाये तो 'ज्ञान' की कोटि ही नहीं बनती। यह कोटि बनती ही उस आत्मचेतना में है जो विचार-क्षम होती है, प्रत्ययों के माध्यम से देखती है। ज्ञान के लिये जो ताटस्थ्य अनिवार्य है, वह उभरता ही *नाम* में, प्रत्यय में, और यों विचार-चेतन चेतना में है। नाम को – और यों अध्यवसाय को - विचार की पहली सीढ़ी भी कह सकते हैं। नाम सामान्य होता है : प्रत्यय होता है, या विकल्प कहिये। उसके साथ ही प्रश्न, संशय, विमर्श, मीमांसा... प्रत्यय-चेतना का यह विचार-संसार खुल जाता है। यह ज्ञान का ही अंग है। प्रत्यय-व्यापार को ज्ञान से निकाल दीजिये, तो फिर बचता ही क्या है! ज्ञान होता ही विकल्पों में है और प्रत्यय-दृष्टि - या जिसे विकल्प-दृष्टि कहा गया है – उस दृष्टि के बिना इन्द्रिय-लब्ध 'ज्ञान' की भी बात नहीं हो सकती। हां, यह ठीक है कि बाह्य-जगत् के लिये इन्द्रिय का 'प्रमाण' आवश्यक है। पर दुहराना न होगा कि इन्द्रिय-प्रदत्त *वस्तु* क्या है इस ज्ञान रूपी अध्यवसाय के लिये इन्द्रिय संकेत-मात्र ही होती है। ज्ञान में हम रूप को नाम देते हैं, जो विचार-चेतना का – या कहिये, विकल्प-चेतना का - काम है। विकल्प-ज्ञान ही *प्रमाण* का अपेक्षी हो सकता है। इन्द्रिय को हम 'प्रमाण' कहते हैं। पर उसका प्रमाणत्व विकल्प-चेतना के लिये ही होता है। प्रमाण स्वप्रमाण का अपेक्षी रहता है, और यों प्रमाण की कोटि बनती ही इन्द्रिय से ऊपर उठ कर है : विषयी के उस स्वातंत्र्य की अपेक्षा रखती है जो विचार-चेतना में विषय-ताटस्थ्य के साथ जागता है। प्रमाण विमर्श का विषय होता है, और विमर्श विषयी में स्वातंत्र्य के साथ उस आत्मचेतन प्रत्यङ्मुखता की अपेक्षा रखता है जो विषय से तटस्थ हो, 'क्या है, है या नहीं है' इसे जाँचने-परखने में आत्मतंत्र हो। आत्मपरीक्षा में समर्थ हो। प्रत्ययों में जागती विचार-चेतना के बिना यह संभव नहीं। यह विचार-चेतना हममें आत्मचेतना के साथ जागती है। आत्मचेतन विषयी स्वरूपेण प्रत्यङ्मुख होता है; वह अपने आप को भी - अपने विषयी-भाव को भी – विषय बनाता हुआ अपने द्रष्ट-भाव में अपने पीछे हटता चला जाता है। उसकी यही वृत्ति विचार में प्रकट होती है। इस वृत्ति में ही चेतना की उस तटस्थता का, उसके प्रमाण-उन्मुख स्वातंत्र्य का मर्म है जो ज्ञान में ऊह्य है। विचार-चेतना में आत्मचेतन विषयी ही विषयिता के विषय-सात् भाव से ऊपर उठ कर विषय को स्वतंत्र विषय-रूपेण

देख-जान सकता है; विषयों के संबंधों को देख-परख सकता है, जो ज्ञान का अभिन्न अंग होते हैं। विषयसात् चेतना हम पशु में ही नहीं, अपने राग-द्वेष में, भोग-चेतना में भी पाते ही हैं । हम यह जानते भी हैं ही कि विषय के विषयत्व को जानने के लिये इस विषयसात् चेतना से हटना अनिवार्य है। इन्द्रिय में यह सामर्थ्य नहीं। मनुष्य की पशु-भिन्न आत्मचेतना ही विषयी को इसके लिये समर्थ बनाती है। आत्मचेतना स्वरूपेण भाषा और तन्नद्ध विचार से युगनद्ध होती है। विषय को विषय-रूपेण *जानने* की यह आधारगत अपेक्षा है।

'जानना' – ज्ञान – विषय के *अर्थ* का जानना होता है। विचार-चेतना विषय को – इन्द्रिय-दत्त विषय को भी – प्रत्ययार्थ के रूप में सृष्ट करती है। प्रत्ययों में होता 'ज्ञान' सहज ही एक प्रत्यय-तंत्र बुनता चलता है, उसे बढ़ाता है, विराट से विराटतर बनाता है। विविक्त विषय का ज्ञान भी ऐसे तंत्र के भीतर ही उभरता है, और जितना प्रत्यय-सात् होता जाता है, उतना ही स्फुटतर, सार्थकतर होता चलता है। संबंधों को आधार बनाकर एक बुनावट बुनता चलता है ज्ञान, जो बुनावट स्वरूपेण एक विचार-तंत्र का रूप लेती है। यह तंत्र अपना स्वतंत्र अवयवित्व पालता है, एक बहुस्यूत अवयवी खड़ा करने की ओर स्वरूपेण उन्मुख रहता है। यह अवयवी संभावनामय होता है, कई रूप ले सकता है (लेता ही है) और सत्य का निरवद्य आदर्श पालता है। इस व्यापार को सृजन के रूप में देखना सहज ही सार्थक ठहरता है। कल्पना की भूमा, उसकी प्रसृत दृष्टि इस व्यापार में ऊह्य है।

इसे विषय के विषयि-सात् होने का व्यापार भी कह सकते हैं। पर इसे किसी भी हेय अर्थ में विषयि*तंत्र* - या पुरुष*तंत्र* - व्यापार का नाम देना सर्वथा अनुचित, अयुक्त होगा। क्योंकि यह सारा व्यापार प्रमाण-तंत्र होता है। तभी हम इसे *ज्ञान* व्यापार कहते हैं। और तभी इसमें भ्रम की संभावना बनी रहती है। फिर हम यह भी पाते हैं कि विषय जितना विषयी की प्रत्यङ्मुख विचार-चेतना में समाता चलता है, उसका 'अपना' होता चलता है, विषय का अपना स्वतंत्र रूप उतना ही उज्ज्वलतर होता चलता है। या यों कहिये कि विषय जितना बुद्धि का – विचार-चेतना का – और यों विषयी की अपनी पकड़ का विषय बनता है उतना ही उसका स्वरूप प्रकट होता उभरता है।

यों इस सृजन-व्यापार को विषयी के उस परत्व की ओर बढ़ता भी देखा जा सकता है, जहां चेतना के परम सामान्य का, चित् का, संकेत मिलता है। इसमें हम चित् से सत् के उत्सृष्ट होने की व्यंजना भी पा सकते हैं।

पर, हां, पूर्वपक्ष लेते हुए हम कह सकते हैं, कि यह व्यापार, इसे जितने भी वितत रूप में क्यों न देखें, यह सृजन का नहीं, अव्यक्त के व्यक्त होने का व्यापार है – अन्यथा सत्य की बात नहीं की जा सकती। सत्य सृष्ट नहीं होता। हमारे जानने पर निर्भर नहीं करता, अपने आप में होता है, स्वप्रतिष्ठ होता है। नहीं तो सत्य नहीं होगा। तभी सत्य के 'आविष्कार' की बात की जाती है। उसके अनावृत से आवृत होने की बात की जाती है। यही उचित है। लेकिन सोचिये। अव्यक्त - या आवृत - क्या है, यह व्यक्त होने पर ही उभरता है। उसका अपने आप में होना क्या है, यह चेतना के जिस व्यापार के भीतर से उभरता है, उसमें हमने देखा कि हम सृजन-धर्म का साक्षात् कर सकते हैं। ज्ञान का व्यापार है ही अर्थ के साक्षात्कार का व्यापार है। इस व्यापार में अर्थ – या कहिये, सत्य – का साक्षात्कार और उसका उन्मिषित-उन्मीलित होना, ये दोनों एक ही प्रक्रिया के अविनाभूत, अन्योन्य-संश्लिष्ट पक्ष के रूप में उभरते हैं।

अर्थ के सृजन-गर्भ साक्षात्कार का व्यापार 'ज्ञान' तक सीमित नहीं। भावन और कर्म भी इसके अंग होते हैं। घट को ही फिर से लीजिये। घट का अर्थ उसके ज्ञान-विषय होने तक सीमित नहीं रहता। घटार्थ के स्पष्ट ही दूसरे आयाम होते हैं जो अर्थ की अभिधा को सहज ही व्यंजना की ओर मोड़ देते हैं, भावन के क्षेत्र में ले जाते हैं : 'घट घट में है राम समाना, कटुक वचन मत बोल रे'। इस विख्यात और गभीर उक्ति में अर्थ का भाव और कर्म दोनों ओर प्रकट इंगित है। यहां हम सहज ही विचार-चेतना को – या कहिये बुद्धि को – व्यापक अर्थ में ले सकते हैं, उसे आत्मचेतन प्रवृत्ति मात्र पर प्रसृत देख सकते हैं। हम भाव और कर्म के भी सत्य की बात कर सकते हैं। विचार-चेतना का इन्द्रियार्थ की बाह्यता से मुक्त अपना अंतः स्वातंत्र्य भी यहां प्रकटतर देखा जा सकता है। फिर यह भी है कि यहां, ऐसे उदाहरणों में, अर्थ के साक्षात्कार और उसके सृजन का युगनद्ध होना भी अधिक स्फुट उभर कर आगे आता है : व्यंजना-व्यापार में अर्थ का सृजन उसके साक्षात्कार का अनुषंगी होता ही है।

सृजन और साक्षात्कार के अन्योन्य-भाव को यहां *भावित, अनुभूत* किया जा सकता है। आपत्ति हो सकती है कि यह सारा व्यापार नितांत स्पष्ट भाव से विषयिनिष्ठ है, विषयि *तंत्र* है, विषयतंत्रता से कोसों दूर है, यहां सत्य की बात करना उचित नहीं; सत्य विषयनिष्ठ होता है। पर ऐसा कहते हुए हम विषय को इन्द्रियार्थ में अपचित कर लेना चाहते हैं। लेकिन भाव और कर्म के अपने विषय होते हैं। इनके सत्य की जिज्ञासा हममें बाह्य-विषयों के सत्य से गहरी और तीखी भी होती। और फिर स्पष्ट ही जिस विचार-चेतना की हम बात कर रहे हैं वह किसी विषयी की स्वगत, स्वसीमित चेतना नहीं, सामान्य-चेतना होती है। नहीं तो अर्थ-चेतना ही नहीं होगी। अर्थ-चेतना का व्यापार, किसी भी क्षेत्र में हो, प्रमाण-बोध को साथ रखता है। इसमें भ्रम की संभावना बनी रहती है। यों बात यहां किसी विषयी-विशेष-सीमित विषयिनिष्ठता की कदापि नहीं है, जैसा कि किसी अविचारित-से प्रतिपक्ष की दृष्टि से सोचा जा सकता है। बात यहां उसी सामान्य-चेतना की है जो ज्ञान में होती है।

हां, ज्ञान में हम विषयनिष्ठता की बात का सहज स्वीकार कर लेते है, नहीं तो उसे 'ज्ञान' की संज्ञा ही नहीं देंगे। पर विषयनिष्ठता वहां भी होती विषयी की ही है। कहना न होगा कि ज्ञान होता तो विषयी को ही है, विषय को नहीं। विषयनिष्ठता, स्पष्ट ही, विषयिता का ही धर्म है – पर, हां, यह विषयिता जिस चेतना में घर करती है उसमें द्रष्टृत्व का ताटस्थ्य आवश्यक होता है, सामान्यता आवश्यक होती है, वह 'मेरी' या 'आपकी' नहीं होती। तभी हम उसका संबंध सत्य से जोड़ते हैं। यहां विज्ञान को ही लें, जिस ज्ञान को आज विषयनिष्ठता में मूर्धन्य ज्ञान माना जाता है; बल्कि, विषयनिष्ठता का प्रतिमान ही माना जाता है आज उसे। अब, विज्ञान के 'ज्ञान' को थोड़ा भीतर उतर कर देखें। हमारी बात आगे उभर कर आती दिखेगी। प्रतिपक्ष के आशय का यहां सहज ही अनुमान किया जा सकता है : 'इन्द्रिय-लब्ध ज्ञान ही विषय-निष्ठ होता है और विज्ञान ऐसी विषयनिष्ठता का परम दृष्टांत है क्योंकि विज्ञान में ज्ञान का आधार ही नहीं, प्रमाण की परीक्षक भी (प्रयोगशाला में) इन्द्रियां ही होती हैं। अब, यह तो कहना ही न होगा कि विज्ञान जिस जगत् को – भौतिक-जगत् को – जानना चाहता है उसे मानता ही इन्द्रिय-लब्ध है। पर उसकी जिज्ञासा इन्द्रिय-लब्ध जगत् के *स्वरूप* की होती है। संबंधों में बुना गया यह स्वरूप, इन्द्रिय-लब्ध नहीं होता, हो ही नहीं सकता है। विज्ञान का जिज्ञास्य, 'भौतिक क्या है', यह संधान भौतिक के स्वरूप का संधान होता हुआ उस स्वरूप के अर्थ का ही संधान हो सकता है। पर भौतिकार्थ इन्द्रिय-गम्य नहीं, प्रत्यय-गम्य होता है। अचंभा नहीं कि हम पाते ही हैं कि विज्ञान का 'ज्ञान' विचार-चेतना के भीतर ही जागता है, और उस चेतना की अपनी बुनावट का अंग बन कर सिद्धांतों में रूप लेता है। अपनी अर्थ जिज्ञासा में यह जितना गहराता है, फैलता है, उतना ही इन्द्रिय से दूर होता जाता है। यह स्वभाविक भी है, क्योंकि विषय का *ज्ञान* – किसी भी वस्तु का *विषय-रूपेण ज्ञान* ही कह लीजिये – चाहे वह इन्द्रियगम्य हो या न हो, वह एक ज्ञान-तंत्र के अंतर्गत ही अर्थमय होता है, उसी संदर्भ में 'ज्ञान' का रूप लेता है। विज्ञान में तो यह बात बहुत ही उभर कर आगे आती दिखती है। विज्ञान के ज्ञान में विषय का इन्द्रिय-विषयत्व आद्य आधार हो, पर जितना विषय के स्वरूप-ग्रहण में वह ज्ञान अग्रसर होता है, उतना ही इन्द्रिय को पीछे छोड़ता हुआ विचार के अपने लोक में समाता चला जाता है। यहां तक कह सकते हैं कि विज्ञान के भूत-जगत् का इन्द्रिय-विषयत्व तो सिद्धांत-चेतना के भीतर एक ऊह्य सी – पर साथ ही अपेक्षया गौण सी – मांग रह जाती है (और अब तो प्रयोग द्वारा परीक्षा की बात भी गौण से गौणतर हो गई है)। यों भी, साधारण प्रत्यक्ष में भी (जैसा हम कह ही चुके हैं) इन्द्रिय की *लब्धि* अध्यवसाय की अपेक्षी होती है। हम इन्द्रिय से संकेत ग्रहण कर, 'इन्द्रिय-प्रत्यक्ष क्या है' का अध्यवसाय करते हैं। यों यह आद्य 'ज्ञान' भी इन्द्रिय के *अर्थ* का ही ज्ञान होता है। और जब इन्द्रिय-विषय का *अर्थ* साधारण व्यवहार के अध्यवसाय मात्र से ऊपर उठ कर एक पूरे विचार-तंत्र के अंतर्गत आ समाये, तो स्पष्ट ही 'इन्द्रिय क्या संकेत दे रही है', यह निर्णय भी अधिकाधिक इन्द्रियेण अप्रत्यक्ष विचार-निर्भर होता चला जाता है।

यह भी स्पष्ट है कि ज्ञान यहां किसी त्याज्य अर्थ में 'विषयि-निष्ठ' और यों ज्ञान की कोटि के बाहर नहीं हो जाता। हम जिस 'ज्ञान' को विषयि-निष्ठ कह कर उसका प्रत्याख्यान करते हैं, वहां विषयी स्व-सीमित होता है। पर यहां ऐसा बिलकुल नहीं है। विषयी यहां किसी स्व द्वारा परिभाषित नहीं होता, वह व्यक्ति-निष्ठता के वलय से उठा हुआ, विश्वजनीन होता है। बल्कि जितना स्व के संकोच से मुक्त हो पाता है उतना ही अर्थ-ग्रहण में समर्थ

हो पाता है। पर अर्थ को अब विषयी की परमता की – या कहिये चित् की – उत्सृष्टि के रूप में भी अनायास देखा जा सकता है। अर्थ के साक्षात्कार को अर्थ-सृष्टि के पर्याय के रूप में उपलब्ध किया जा सकता है।

यह बात भाव और कर्म के बारे में भी कही जा सकती है। हमारी संवेदना, हमारा संकल्प, ये भी सामान्य-शायी होते हैं। इनका सत्य भी स्व से ऊपर उठ कर ही बनता है। यहां अर्थ की सृष्टि और साक्षात्कार के सहकार को और स्पष्ट प्रतीत किया जा सकता है।

संकल्प को लीजिये। यह श्रेय-बोध की अपेक्षा रखता है और 'श्रेय क्या' यह प्रश्न हमारे लिये गहरे से गहरा प्रश्न होता है। बड़ा 'आत्मनिष्ठ' भी होता है। *आत्म* निष्ठ इस अर्थ में कि श्रेय स्व की या स्वार्थ की बात नहीं होती; ऐसा ही होता तो धर्म-संकट का बोध ही बेमानी होता। श्रेय का सत्य जिस आत्मचेतना का जिज्ञास्य होता है, वह उतनी ही विषय-निष्ठ – या कहिये *वस्तु*-निष्ठ होती है, जितनी कि ज्ञान-चेतना। उतनी ही, बल्कि उससे अधिक व्याकुल-भाव से, प्रमाण-कामी भी होती है। प्रमाण यहां आत्म होता है। वही आत्म जो ज्ञान में प्रवृत्त होता है, उसीमें श्रेयबोध जागता है और श्रेय-प्रेरित हो वही अपने सत्य की तलाश करता है। स्पष्ट ही वह आत्म 'मेरा' नहीं, सामान्य होता है। हां, यह ज़रूर कहा जा सकता है कि बाह्य-विषय के ज्ञान में, जिसे हम सहज ही ज्ञान का प्रतिमान मानते हैं, वहां इन्द्रिय जैसा एक ऐसा आधार होता है जो स्वभावेन सामान्य होता है, जहां विषयी का स्व, उसका व्यक्ति-निष्ठ संकीर्ण विषयित्व, सहज ही सर्वजनीन होता है; तभी यह ज्ञान व्यवहार का आश्रय बनता है। श्रेय-बोध में ऐसा नहीं होता। वहां तो 'व्यवहार क्या हो' यह भी प्रश्न ही बना रहता है – निरंतर जागता प्रश्न। श्रेय और ज्ञान के बीच का यह अंतर हम पर प्रकट ही रहता है : हम श्रेय-बोध की सामान्यता का अनुभव करते हुए भी यह जानते रहते हैं कि श्रेय का इन्द्रिय जैसा कोई सहज-सिद्ध सा सामान्य आधार नहीं। सुव्यक्त ही है कि इन्द्रिय के 'क्या है' के ज्ञान में, 'क्या होना चाहिये' का कोई इंगित नहीं होता।

पर यह भी व्यक्त ही है कि आत्मचेतन विषयी (मनुष्य) के श्रेयबोध की सार्वजनीनता ही उसके विशिष्ट मनुष्य-सुलभ व्यवहार को आधार देती है। हममें श्रेयबोध के साथ विवेक जागता है, परार्थ भाव जागता है, जो हमारे जीवन को ही पशु के जीवन से सर्वथा अलग कर देता है पर जिसके बिना हमारी रहनी अकल्पनीय है। श्रेयबोध ही मनुष्य के *समाज* को संभव करता है। कहना न होगा कि समाज अन्य में – पर में – आत्म-बोध की उपलब्धि का सापेक्ष होता है। पर में आत्मबोध हमारी भाषा-चेतना में, जिस चेतना के साथ ही हम *मनुष्य* होते हैं, वहीं स्वरूपेण निहित रहता है। भाषा इस बोध की सदा साक्षी है। शल्य जी भाषा के इस साक्ष्य को उभारते हुए यह तथ्य सामने लाते हैं कि अस्मिता के लिये प्रयुक्त 'मैं' शब्द ही एक सामान्य प्रत्यय है : *मैं* अन्य या पर को भी 'मैं' के रूप पाता हूं। वह मेरे लिये विषय ही नहीं विषयी होता है, उसे मैं बाह्य-वस्तु के रूप में नहीं, आत्मसम आंतर वस्तु के रूप में पाता हूं, सहज ही पाता हूं। उसमें अपना ही जैसा अंतः ही नहीं पाता, उसके अंतः में मैं उतर भी सकता हूं : तभी उसका अभिनय कर सकता हूं। उसके मैं से तादात्म्य होता हुआ उसकी कहानी कह सकता हूं : उसकी कहानी को 'रामकहानी' – 'आत्मकथा' – का रूप दे सकता हूं।

श्रेय-बोध की सामान्यता में 'पर' – या कहिये 'अन्य' – हमारे लिये आत्मसम ही नहीं, आत्मवत् होता है। तभी परार्थ-भाव रूप लेता है। और हमारे कर्म में उचित-अनुचित की कोटि आ बसती है। धर्म-बोध जाग उठता है। हमारी प्रवृत्ति संकल्प-प्राण हो जाती है, उसमें विवेक घर कर लेता है। संकल्प ही हमें व्यक्ति बनाता है, पर वह आत्मचेतना की सामान्यता और स्वातंत्र्य की अपेक्षा रखता है। हम समाज के भीतर ही व्यक्ति होते हैं। पर होते *व्यक्ति* हैं : अपने में अपना स्वातंत्र्य पालते हैं। हमारा स्वतंत्र व्यक्तित्व रूप ही ऐसे स्वतंत्र संकल्प के साथ लेता है जो समाज-निमज्जित नहीं होता। पर 'मेरे' संकल्प का स्वातंत्र्य उभरता उस चेतना में है जो मेरे अहं से उठकर रूप लेती है, जहां मैं अपने अहं का द्रष्टा, शास्ता हो पाने की क्षमता पालता हूं। आत्मचेतना की ज्ञान और संकल्प, इन दो वृत्तियों में यहां हम एक समान्तर-भाव देख सकते हैं। आत्मचेतना के साथ जहां हममें ज्ञान की स्वतंत्र जिज्ञासा जागती है जो कि प्रामाण्य को और अपनी तरह के विवेक को आधार बनाती है, वहीं हममें और भी गहराई से, एक दूसरा, संकल्प का विवेक जाग उठता है। बड़े अपूर्व-भाव से जागता है हममें श्रेय-प्राण,

श्रेय-काम संकल्प-बोध। हममें जागता हुआ यह अभूतपूर्व बोध प्राणि-जीवन में ही, चेतना में ही, एक नई क्रांति का लक्षण प्रकट करता है। उचित-अनुचित की कोटियां उभरती हैं, और पशु की करनी में जो प्रकृति-तंत्र क्रिया मात्र थी, वह 'कर्म' का रूप ले लेती है। उसमें स्वातंत्र्य आ समाता है। कारण यह है कि पशु के अनात्मचेतन अहं में श्रेय जैसा कोई बोध ही नहीं होता। इस बोध का आविर्भाव अहं-चेतन आत्मचेतना का अपेक्षी होता है। यह अहं में अस्मिताबोध के साथ रूप लेता है और अहं को पर और अवर – या कहिये, प्रत्यक् और अर्वाक् – के द्वित्व में पिरोता हुआ, मनुष्य को अपने अहं के सीमित वलय से निकल पाने में समर्थ बनाता है। तभी उसमें ज्ञान, भाव, कर्म की स्वतंत्र, प्रमाण-तंत्र वृत्तियां जाग पाती हैं। ये उस सामान्यता के साथ हैं जागती हैं, जहां अन्य आत्म-स्थानीय हो जाता है (तभी बाह्यज्ञान में भी अन्य प्रमाण होता है : मुझे कुछ प्रत्यक्ष हो पर अन्य को न हो तो मेरा प्रत्यक्ष मेरे लिये ही संदिग्ध बन जाता है)। यह अन्य-सामान्यता श्रेय-बोध में निविड़तम, आत्मीयतम होती है और इसके साथ ही हममें 'उचित क्या – धर्म क्या', यह प्रश्न – दूसरे शब्दों में 'क्या होना चाहिये' का प्रश्न – चुभता हुआ सर उठाता है। यहां यह भी लक्ष्य है कि आत्मचेतन बुद्धि में 'क्या *है*' का प्रश्न भी यथातथ सत्य की जिज्ञासा के रूप में आत्म-परीक्ष्य प्रमाण-बोध की अपेक्षा के साथ ही जागता है। पर प्रमाण-बुद्धि को – इस बुद्धि में निष्ठ अनुमान-बोध को – पशु में भी देखा ही जा सकता है। लेकिन पशु में जिसका अभाव ही सामने आता है वह है धर्म-बोध। तभी मनु ने (अरस्तू की तरह) युक्तिबुद्धि को नहीं, धर्म को ही मनुष्य का व्यावर्तक लक्षण कहा है – *धर्मो हि तेषां (मनुष्याणां) अधिको विशेषः*। शल्य जी मनु की इस उक्ति का बहुधा उल्लेख करते हैं। व्यवस्था और योजना-बुद्धि तो हम चींटियों, मधुमक्खियों जैसे पशु समाजों में बड़ी प्रखरता के साथ पाते हैं, पर ये काम और अर्थ को ही लक्ष्य रखते हैं। कह सकते हैं कि जिजीविषा ही – प्राणिमात्र की जिजीविषा ही – स्वरूपेण काम और अर्थ सापेक्ष होती है। पर मनुष्य जीवन ऐसी जिजीविषा से ऊपर उठ कर ही बनता है। मनुष्य धर्म के बिना अकल्पनीय है। मनुष्य का समाज धर्म से ही *मनुष्य*-समाज बनता है। धर्म मनुष्य की जिजीविषा को ही नई दिशा देता उभरता है। कह सकते हैं कि धर्म इस उदात्ततर जिजीविषा का लक्षण है, या, कहिये कि वह मनुष्य की नितांत अहं-सीमित प्रवृत्ति के श्रेयार्थोन्मुख हो जाने का प्रतीक है। श्रेयबोध मनुष्य चेतना पर ऐसा व्यापक होता है कि मनुष्य-समाज को ही आधार नहीं देता, हमारी सारी प्रवृत्तियों को अपने वलय में समेट लेता है। ज्ञान के लिये, भाव के लिये, हम पूछ सकते हैं, पूछते ही हैं कि क्या ज्ञान की, या भाव की, यह दिशा उचित है, धर्म्य है, क्या इसमें हमारा श्रेय है? कहना न होगा कि यहां यह संकेत भी स्फुट उभरता है कि श्रेय क्या, यह वस्तु-निष्ठ प्रश्न है – हां, यह वस्तु बाह्य-वस्तु नहीं है; पर विषयीगत आवेग-संवेग मात्र भी नहीं है, भावगत नहीं है, क्योंकि किसी भी भाव के बारे में हम पूछ सकते हैं कि क्या है उचित है, श्रेय है। शल्य जी कहते नहीं थकते कि हमारी सामान्य-चेतना में अनथक जागता यह प्रश्न कि 'श्रेय क्या', यह *तात्त्विक* प्रश्न है। श्रेय *वस्तु* है, कितनी ही दुरवगाह क्यों न हो। श्रेय को विषयी के स्व में अपचित कर देने का या संस्कृति-समाज-सापेक्ष कह देने का मार्ग उसके वस्तुसत्य से इनकार का मार्ग है – भूलना न चाहिये कि समाज क्या रूप ले, संस्कृति किधर प्रवृत्त हो, ये भी श्रेय के प्रश्न हैं। शल्य जी श्रेय के इन प्रश्नों की गहरी चर्चा करते हैं।

श्रेय क्या, इसका उत्तर हमें आत्म की ओर ही ले जाता है, और आत्म क्या, यह हमारे लिये निगूढ़तम प्रश्न है। पर यह आत्म की साध्यता का भी इंगित है। श्रेयबोध के साथ हम पाते हैं कि हमारा उपलब्ध आत्म वस्तु आत्म नहीं है। वह आत्म प्राप्त नहीं प्राप्य है। नितांत हमारा, 'अपने से अपना' होते हुए भी नितांत 'पर' है। पराया ही नहीं, अनजान, बेगाना है। निकटतम होते हुए भी सुदूरतम है। पर श्रेय का वही उत्स भी है। श्रेय का ठिकाना कहीं बाहर नहीं मिलता (*धर्मस्य तत्त्वं निहितं गुहायाम्*), पर परेशानी यह होती है कि यह उस 'भीतर' भी नहीं मिलता, जिस 'भीतर' को हम अपने अंतः के रूप में जानते हैं! हमारे परिचित विषयित्व से, जिसे हम अपना प्रस्तुत-प्रदत्त आत्म पाते हैं, उससे वह परे ही खड़ा प्रतीत होता रहता है। पर श्रेय का प्रश्न सहज ही आत्म क्या, इस निगूढ़ पर कचोटते हुए प्रश्न की लौ हमारे समूचे आपे में जगा देता है; आत्म के अपने तत्त्व की जिज्ञासा की ओर बरबस खींच ले जाता है।

आत्म क्या, यह प्रश्न हमारा प्रस्तुत आत्म, व्यवहार-लब्ध आत्म ही करता है। पर अपनी गहराई में, अपने अनुभूत मर्म में, प्रश्न उठता इसलिये है कि वह अपने को अनात्म पाता है। अपने प्रस्तुत आत्म के बारे में यह बोध हममें बार बार उभरता है कि 'यह मैं नहीं हूं'। हमारी श्रेयवृत्ति को साक्षी रखते हुए उभरता है यह प्रश्न, तभी अपने को श्रेय-च्युत पाने की अवस्था में प्रश्न की अनी तीक्ष्णतम होती है, और हम अपने को बड़े निबिड़ भाव से अनात्म पाते हैं। बड़े तीखे आत्मद्वैध के साथ ऐसा पाते हैं कि हम जिस आत्म में हैं वह हमारा वस्तु-आत्म नहीं है, हमारा स्वरूप, हमारा सत्य नहीं है। अचंभा नहीं कि 'आत्मानं विद्धि', यह जिज्ञासा हमारी गहरी से गहरी जिज्ञासा होती है। हम क्या हैं? यह जिज्ञासा एक अद्भुत वैषम्य जगाती हुई हमारे अपनेपन को ही अपने से परे किसी अगाध अज्ञात की ओर ले जाती है, क्योंकि अपने होने को, अपनी प्रस्तुत अस्मिता के सत्य को हम नितांत साध्य पाते हैं। आत्म क्या, यह प्रश्न हमारे लिये ऐसा प्रश्न होता है जो हमारे समूचे होने पर व्याप्त होता है; हमारे लिये घनिष्ठतम, आत्मीयतम प्रश्न होता है यह। दर्शन के मर्म में भी यह प्रश्न जागता देखा जा सकता है। सुकरात की विचार-प्रेरणा का यह उत्स था ही। शल्य जी के दर्शन के मर्म में भी बड़े आत्मचेतन भाव से जागता है यह प्रश्न।

यह प्रश्न हम करते ही इसलिये हैं कि हम आत्मचेतन हैं। मनुष्य में प्रत्यय-चेतना ही आत्मचेतन चेतना के साथ जागती है। पशु में नहीं जागता यह प्रश्न। क्योंकि पशुओं में आत्मचेतना हो भी तो अत्यंत क्षीण है। नहीं जैसी है। प्रत्यय-चेतना का अभाव इसका प्रकट इंगित है। शल्यजी का दर्शन आत्मचेतना को केन्द्र में रखता है – और यों मनुष्य को, उसके आत्मसृष्ट जगत् को, उसके आत्मसंधान को केन्द्र में रखता है।

हमारी आत्मचेतना एक गहरे आत्म-द्वैत के साथ आत्मचेतन होती है। हममें अस्मिता के साथ ही आत्मबोध रूप लेता उभरता है : हम अपने को कर्ता और ज्ञाता के रूप में पाते हैं। हम अपनी अस्मिता को संकल्प के स्वातंत्र्यबोध के साथ पाते हैं। पर यह भी पाते हैं कि हमारी अस्मिता अहं के द्वैत में प्रतिष्ठित है। यही हमारी अस्मिता का आधार है। अहं का द्वैत, या कहिये हमारे आत्म के भीतर उभरता अहं का दोहरापन, हमारी आत्मचेतना का प्रकट लक्षण है। *आत्म*चेतन हो पाने के लिये यह अनिवार्य भी है (अहं/अहं यह आत्मगत द्वित्व न हो तो आत्म*चेतन* कैसे होंगे हम?)। इस आत्मगत द्वित्व का स्वरूप यह है कि हमारा विषयी अपने को विषय बना सकता है। पर यह कोई इकहरा व्यापार नहीं, एक अनंत प्रत्यङ्मुख व्यापार है : या कहिये वृत्ति है। इस अथाह आनंत्य के बिना यह हो भी नहीं सकता – एक चरण में, एक ही कक्षा में सीमित, एक परत का व्यापार हो तो जिसे हम आत्मचेतना कहते हैं, जहां अपने वस्तु आत्म को अपने से परे ही पाते रहते हैं, यह होता नहीं। पर आत्मचेतना उभरती ही इस असीम, अथाह प्रत्यङ्मुखता के भीतर है। अंतहीन होती है हमारी प्रत्यङ्मुखता। अपने परे ही जाती रहती है। हमारा विषयिभाव स्वभावेन प्रत्यङ्मुख हो कर ही अपने को देखने की ओर उन्मुख होता है। एक निस्सीम-सा सोपान चढ़ती चली जा सकती है प्रत्यङ्मुखता : अपने को अपना विषय बनाती हुई, अपने ही ऊपर उठने में समर्थ होती है। इस प्रत्यङ्मुखता के साथ, जिसमें हम अपने को अपने से परे पाते हैं, इसके साथ ही हममें श्रेयबोध आविर्भूत होता है। हमारा आत्म अपने स्वरूपगत आत्मसंश्लिष्ट द्वित्व में अपने को अवर और पर आत्म के रूप में पाता है। हम अपने को अपना द्रष्टा पाते हैं तो साथ ही अपना शास्ता-नियंता भी पाते हैं। अपने स्रष्टा हो पाते हैं।

विषयित्व की निरंत प्रत्यङ्मुखता का, स्पष्ट ही, आत्म के परम परत्व की ओर भी इंगित है। यह बात नई नहीं; दर्शन में चर्चा का विषय रही ही है। इसका अर्थ क्या, तत्त्व क्या, इसको लेकर विमर्श, विप्रतिपत्तियां भी रही ही हैं। शल्य जी यहां एक बड़ी सूझ की, गहरी पते की बात उभारते हैं, जो नई है। जिस पर हम आगे आएँगे।

पर यहां शल्य जी की एक और गहरी सूझ की चर्चा करना चाहता हूं। आत्मचेतना का द्वित्व विषयि-विषय का ही द्वैत नहीं होता, विषयि-विषयी का भी द्वैत होता है। यह बात भावन के क्षेत्र में देखी जा सकती है। कला की निर्मिति में, साधना में, बड़ी स्पष्ट उभर कर आती है। कला विषयित्व में रहते हुए विषयी-स्वरूप के अर्थ का अवगाहन करती है, उसकी अभिव्यक्ति साधती है। कला की निर्मितियों को ऐसे प्रत्ययों के रूप में देखना

चाहिये जो विषयिभाव के स्वरूप को, उसकी संभावनाओं को – या कहिये उसके अर्थ को, सत्य को – सामान्य रूप देते हैं। प्रत्ययों को हम आम तौर पर भाषागत ही समझते हैं। संगीत चित्र वास्तु जैसी कलाओं में शब्दमयी भाषा माध्यम नहीं होती। वहां प्रत्यय की बात असमंजस-सी लग सकती है। पर कला का प्रेषकत्व, उसका सामान्य कल्पनागर्भ होना स्फुट है। तो, यहां युक्त निष्कर्ष यही उपपन्न होता है कि भाषा शब्दगत ही नहीं होती, उसके और भी माध्यम हैं : संगीत में स्वर; चित्र में वर्ण, रेखा; वास्तु और भास्कर्य में सघन द्रव्य – ये शब्दों की तरह ही प्रतीक-व्यवस्था बनाते हैं, उसमें बसे होते हैं। इन्हें 'भाषा' के रूप में ही देखना उचित है। इनके 'व्याकरण' की भी बात की जा सकती है, की ही जाती है। ये शब्दभिन्न कलाएँ, (संगीत में) काल का और (वास्तु, भास्कर्य में) देश का विन्यास करते हुए जो रूप साधती हैं, वे हमारी सामान्य अर्थग्राही प्रत्यङ्मुख चेतना को उद्दिष्ट होते हैं। यों, इनकी निर्मितियों को सामान्य प्रत्ययों के रूप में ही समझना चाहिये। पर प्रत्यय का उद्देश्य और अर्थ यहां – चाहे वह काव्य की तरह भाषा में ही क्यों न हो – अभिधा का नहीं, व्यंजना का सहारा लेता है। यहां विषयी विषयित्व में रहते हुए ही अपने विषयिभाव के अर्थ का ग्रहण करता है, विषयित्व के सत्य का साक्षात् करता है। या यों कहिये कि कला में हम अपने अनुभव के भोक्ता रहते हुए ही उसके द्रष्टा हो पाने में समर्थ होते हैं। विषयित्व के स्वरूप को, अर्थ को, विषय-रूप में भी हम देखते-आँकते-परखते ही हैं (जैसा कि मनोविज्ञान आदि में होता है)। पर वहां अर्थ *अभिहित* होता है। लेकिन कला में विषयित्व के अर्थ की प्रस्तुति विषय-रूप में नहीं होती। इसलिये वहां अध्यवसाय का (कुछ अपने आप में है, ऐसे ज्ञान का) भी अभाव होता है। वहां विषयित्व का सत्य, उसका स्वभाव, विषयित्व पर ही खुलता है। विषयभाव का अभाव वहां अर्थ-प्रस्तुति के प्रकार को नया रूप देता है – अभिधा नहीं, व्यंजना साधता है, जहां भाव भाव-चित्त पर ही प्रकट होता है, बुद्धि पर नहीं। तभी हम वहां अर्थ के ग्रहण को 'संवेदना' का अलग नाम भी देते हैं। वहां विषयित्व के भीतर ही हम एक विषय-विषयि-भाव से भिन्न आत्मचेतन द्वैत उभरता पाते हैं, प्रत्यङ्मुख हो कर विषयित्व में रहते हुए ही विषयित्व का स्वतंत्र अवगाहन करने में सक्षम हो पाते है, विषयित्व के स्वरूप को ही नहीं, उसकी संभावनाओं को, कल्पनाओं को प्रत्यय-चेतन रूप दे पाते हैं।

कला को यों देखना उसके तत्त्व की बड़ी गहरी पकड़ है। हमारे यहां काव्य (साहित्य) के संदर्भ में व्यंजना की बात की गई है। रस को व्यंजित कहा गया है, अभिहित नहीं। यह भी कहा गया है कि व्यंजित अर्थ ही होता है। सामान्य होता है। उसे साधारणीकृत कहा ही गया है। पर शल्य जी कहते हैं कि साधारणीकृत कह देने मात्र से यहां बात नहीं बनती, क्योंकि साधारणीकृत तो अर्थ मात्र होता है। व्यंजित ही नहीं अभिहित अर्थ भी साधारणीकृत ही होता है। पर कला का साधारणीकरण उसका अपना होता है, जिसे विषयित्व के भीतर ही विषयि-विषयी के आत्मचेतन, आत्मावगाही, आत्मार्थसंधानी द्वंद्व के रूप में समझना अधिक सार्थक है।

पर कला के संदर्भ में यह भी ध्येय है कि यहां हम सहज ही, और मानो अनुभव के भीतर से ही, देख पाते पाते हैं कि अर्थ का साक्षात्कार और अर्थ का सृजन, ये एक ही तत्त्व के दो युगनद्ध, अयुतसिद्ध पक्ष हैं।

ऊपर की चर्चा में यह भी ध्वनित है कि आत्मचेतना का प्रत्यङ्मुख व्यापार चेतना के प्रसार का व्यापार है। चेतना का यह प्रत्यङ्मुख व्यापार आत्मचेतना में ही संभव है। हम आत्मचेतना का अनुभव स्वसंवेद के रूप में करते हैं, और इस अनुभव के आधार पर आत्मचेतना को अपनी स्व चेतना का धर्म मानते हैं। यह भी मान लेते हैं कि यह अन्य में भी होती है (अन्य *मनुष्य* में तो होती ही है), पर उसे मनुष्यमात्र में मानते हुए भी हम उसे व्यक्तिगत धर्म मानने की ओर ही प्रवण रहते हैं : 'वह सबमें होती है, पर हरेक की अपनी होती है'। व्यक्ति (या कहिये, मनुष्य-व्यक्ति) न हो तो उसके होने की कल्पना नहीं की जा सकती; वह अपने आप में कुछ नहीं होती। इसके पीछे यह भी भाव रहता है कि मनुष्य में वह जीव-विकास की उपज है, और इस विकास को प्राकृतिक कारणों का फल कहा जा सकता है, या इसे यादृच्छिक कहा जा सकता है (सच पूछिये तो यादृच्छिकता का सिद्धांत विज्ञान में ऊह्य-सा उभरता है, क्योंकि विज्ञान 'प्रयोजन' या 'लक्ष्य' के प्रत्यय को अपने विचार-तंत्र से बहिष्कृत ही रखता है)। पर, ऊपर की चर्चा से स्फुट है कि आत्मचेतना चेतना का अपना धर्म है, यह चेतना परम

सामान्य होती है, व्यक्ति में इसका आविर्भाव होता है, या अवतरण कहिये, लेकिन इसे व्यक्तिनिष्ठ धर्म के रूप में देखना भ्रांति है। हां, यह पशुओं में अनुपलब्ध है। इसके मनुष्य में आ उतरने में विकास-व्यापार का इंगित है। पर इस विकास को जड़ का नहीं चेतना का – या कहिये चित् का – व्यापार ही समझना चाहिये (शल्य जी इसे कैसे देखते हैं, इस पर हम अभी आयेंगे)। अन्यथा यह निष्प्रयोजन ही नहीं, निरर्थक ठहरता है। फिर, अगर यह जड़ का व्यापार है तो किसी भी कुछ को किसी भी तरह 'समझने' का ही कोई अर्थ नहीं बनता : क्योंकि चेतना के स्वातंत्र्य के बिना प्रमाण-व्यापार ही संभव नहीं। ज्ञान ही नहीं, भावन और कर्म, ये सभी फिर बेमानी हैं, इनमें जो अर्थ-संधान का संसार रूप लेता है वह फिर यादृच्छिक है, मिथ्या है, भ्रांति है, किसी अर्थ में हो भी तो निरर्थक है।

आत्मचेतना की प्रत्यङ्मुखता को एक बड़े सीधे-सपाट अपने ही पीछे हटती जाती रेखा के रूप में भी देखा-समझा गया है। जैसे बात इतनी सी ही हो कि द्रष्टा अपनी ओर देखते हुए एक सीढ़ी से दूसरी सीढ़ी चढ़ते चला जाता है। बात कुछ वैसी ही सी है जैसी हम तब पाते हैं जब हम दो आमने-सामने रखे दर्पणों के बीच खड़े हों और हमारा बिंब एक-के-पीछे-दूसरा उभरता चला जाता हो, और इस क्रम का कहीं अंत न दिखता हो। पर बात इतनी सी नहीं हैं। बात चेतना के विस्तार की है। हम अपनी ही आत्मचेतना के भीतर थोड़ा भी झाँक कर देखें तो पाते हैं कि चेतना जितनी प्रत्यङ्मुख होती है, स्व के अहंभाव से मुक्त हो कर सामान्यता को विस्तार देती भूमा की ओर बढ़ती जाती है। उसमें अपना और अपने फैलते विषयलोक का साक्षात् गहराता जाता है। वह अपने दृश्य के अर्थ में, उसकी संभावनाओं में, साध्यता में और पैठ बना पाती है। इस व्यापार का संकेत हम बाह्य विषयबोध के स्तर पर ही अनायास पाते हैं। विषय को हम सामान्यता की सीढ़ी चढ़ता पाते ही हैं। वह एक आरोह के साथ संकुचित सामान्य से प्रसृततर सामान्य में खुलता चला जाता है – प्याला-त्व बरतन-त्व में, बरतनत्व निर्मित-वस्तु-त्व में, निर्मितत्व वस्तुत्व मात्र में ... और अंततः यह आरोह-व्यापार सत्ता के अव्याकृत असीम की ओर ले जाता है, जहां से हम विशेष सामान्यों को उभरता देख सकते हैं, इस अवरोह की संभावनामयता, और यों इसके समझने-आंकने-परखने की साध्यता को भी भाँप सकते हैं, क्योंकि इस व्यापार में यह उभरता रहता है कि व्याकृति भिन्न मार्ग ले सकती है, लेती ही है। कौन सा मार्ग 'सत्य' के साक्षात्कार के लिये सार्थकतर है, यह भी साध्य रहता है।

प्रत्यङ्मुखता के व्यापार में यह भी साक्षात् किया जा सकता है कि यह विषयी-उन्मुख ही नहीं, मानो विषयी का ही व्यापार होता है। विषयी-परक होता उभरता है यह। इसमें विषय को विषयी के कुक्षिगत ही नहीं देखा जा सकता, उसे विषयी से उत्कीर्ण होता भाँपा जा सकता है। यह बात प्रत्यङ्मुखता का स्वभाव ही प्रतीत होती है। पर इसे विचार की प्रत्यङ्मुखता में स्फुटतम देखा जा सकता है। विचार जितना अपने को विषय बनाता अपनी ओर बढ़ता है, उतना ही विचार-विषय और विचार-विषयी का भेद क्षीण होता अनुभूत होता है। विचार्य (विषय) और विचार के बीच एक भेदाभेद उभर आता है, जहां एक दूसरे के बीच की दरार सिकुड़ती चली जाती अनुभूत होती है। विषय को अपने भीतर समोये विषयी अपने पीछे, अपने परे, जाता हुआ चेतना की उस परम सामान्यता की ओर बढ़ता लगता है जहां दोनों एक अद्वय चेतना के – चित् के – दो पक्षों की तरह उभरते जान पड़ते हैं। ज्ञान, भाव, कर्म, सबमें हम विषय-विषयी के इस भेदाभेदमय 'अद्वय' का, विषयकी विषयी से उत्कीर्ण सी होती आत्मोद्भूति का अनुभव कर सकते हैं। इस व्यापार को आत्म या (चित्) के आत्मसृजन के रूप में देखने की दृष्टि इस व्यापार के भीतर से ही सहज व्यंजित होती है : यहां सत् को हम मानो चित् से उत्सृष्ट होता देख पाते हैं।

कहना न होगा कि सृष्टि एक परम गुह्य, अगाध रहस्यमय व्यापार है। विचार से – विचार की किसी अनुमानमयी उत्प्रुति से – उस तक पहुँचना संभव नहीं। पर विचार अपने से परे की ललक छोड़ता नहीं है। दृष्टियां रूप लेती हैं। बड़ी गहन, बड़ी अर्थमयी दृष्टियां रूप लेती हैं, (शल्य जी की दृष्टि का संकेत हम ऊपर की चर्चा में पा सकते हैं)। यह भी यहां अनुध्येय है कि शल्य जी का चिंतन सृजन को ही मूल में रखता है। फिर, ऊपर की चर्चा में यह भी उभरा है कि सृजन आत्मसृजन का स्वरूपतः अपेक्षी होता है।

प्रस्तावना

हमारे प्रस्तुत, अनुभूत आत्म में शल्य जी परम चित् का प्रतीक पाते हैं और आत्म के प्रत्यङ्मुख सृर्जन–मर्म में चित् के स्वरूप की व्यंजना। चित् उनके लिये आत्मसृष्ट है और यह आत्मसर्जन सृष्टि का मूल है।

हम आत्मचेतना में चेतना को प्रत्यङ्मुख होता पाते हैं। यह भी पाते हैं कि आत्मचेतना अहं/अहं के द्वैध में रूप लेती है। इसी द्वैध के साथ हममें आत्मसृजन रूप लेता है। आत्मसृजन के लिये यह द्वैध आवश्यक भी है : अपने से अलग हो कर ही मैं अपने को बना सकता हूं। शल्य जी आत्मचेतना में चित् के स्वरूप का प्रतीक देखते हुए उसके सृजन–व्यापार को समझने–आँकने में इस द्वैधभाव को आधारगत रखते हैं।

शल्य जी का चिंतन वेदांत–प्रभावित है, पर उनकी दृष्टि एक गहरी पैठ के साथ अपनी है, स्वतंत्र ही नहीं, नितांत अभिनव है, चले आते वेदांत के प्रसिद्ध दर्शनों से तत्त्वतः पृथक् है। वे चित्–सत् के वेदान्ती अद्वैत को मानते हैं, पर उनका यह अद्वैत एक सर्वथा नये, और साथ ही सर्वथा मूलगत द्वैतबोध में बसा है जिसका इंगित वे अनुभूत आत्मचेतना और उसके आत्मसंधान में पाते हैं। यों उनकी तत्त्व–दृष्टि वेदान्त–प्रभावित होते हुए भी नितांत उनकी अपनी है, नितांत आधुनिक है। सत् उनके लिये माया या मिथ्या या चिद्भिन्न नहीं है, पर चित् उनके लिये आत्मसृजन–व्यापार के भीतर ही सत् का उत्स बनता है, और इसी व्यापार में अनिवार्यतः आत्मभिन्न – आत्मविच्छिन्न – हो जाता है। यों वह स्वरूपेण भाव से भाव्य हो जाता है : अपने से अलग हो कर अपना ही साध्य, गवेष्य हो जाता है। सिद्ध वह कभी होता ही नहीं, साध्य – आत्मसाध्य – ही रहता है। सृजन के साथ ही उसका गवेष्य आत्मस्वरूप सृजन के साध्य निरवद्य प्रतिमान की तरह अवस्तु रूप हो जाता है। यों उसके आत्मस्वरूप के *होने* की बात ही नहीं की जा सकती। उसका स्वरूप, जो उसका निरवद्य *होना* है, साध्य ही रहता है। आत्मसाध्य।

बात विस्तार चाहती है।

शल्य जी के वेदान्त को उपनिषद्गर्भ कह सकते हैं। शल्य जी *उपनिषद्* के प्रातिभ अर्थगर्भ मार्मिक कथनों को अपनी तरह से समझते हुए और अपने विचार–तंत्र में समोते हुए, उन्हें अपनी सृजन–मीमांसा का आधार बनाते हैं। *तैत्तिरीय उपनिषद्* की एक उक्ति है : *असत् वै इदम् अग्र आसीत्। ततः वै सत् अजायत। तद् आत्मानं स्वयमकरुत।* (*तैत्तिरीय, ब्रह्मानन्दवल्ली, सप्तम अनुवाक*)। शल्य जी का अनुवाद है : 'आरंभ में असत् ही था। उससे सत् की उत्पत्ति हुई। और उसने अपने को स्वयं रचा'।

उक्ति में पैनी अंतर्दृष्टि है। सृजन आत्मसृजन ही हो सकता है, तभी आत्मतंत्र हो सकता है, किसी भी पर से अछूता, नहीं तो *सृजन* नहीं होगा, कार्य–कारण–शृंखला–भुक्त होगा। यों सृजन असत् को, सर्वथा न–होने को, ऊह्य रखता है। और तभी सृजन की संभावनाएँ अनंत होती हैं : कुछ नहीं अगर कुछ होने को प्रवृत्त हो तो कुछ भी हो सकता है – कुछ भी होने को स्वतंत्र, निर्बंध होता है। असत् के भीतर सत् की संभावनाओं को सीमित नहीं किया जा सकता : किस बिना पर सीमा उकेरेंगे हम! हमारी सृजनशील चेतना की ओर झांके तो सहज ही इस बात को ताड़ सकते हैं : हम अपनी सृजन–प्रवृत्ति में संभावना के निस्सीम की जीवंत, स्फूर्त झलक पाते ही हैं। और यह संभावनामयता सृज्य कृति के रूप लेने में भी बनी रहती है। कृति स्वरूपेण साध्य हो तो यह अनिवार्य है (कृति सचमुच सृज्य हो तो किसी सिद्ध–प्रदत्त प्रतिमान की अनुकृति नहीं हो सकती, ऐसी अनुकृति में कोई सृजन नहीं होता, तो संभावनामयता भी नहीं होती; पर प्रतिमान अरूप हो – अवस्तु हो – तो संभावना का आकाश खुला रहता है – हम ऐसा पाते ही हैं)। पर कृति रूप ले तो अनंत संभावनाओं में से एक को ही रूप दे सकती है, उसका रूप रूप–विशेष ही हो सकता है : एक विशेष अंतःसंगत आकृति के साथ एक विशेष विधान में ढला, एक विशेष ऋत में निष्ठ, जो सृजन के आद्य क्षण में ही उभर आता है; पर साध्य भी रहता है। सृजन के संभावनामय होने के कारण इस विशेष में भी 'हो सकने' का आनंत्य निगूढ़ रहता है। इसे सृजन मे निहित गहरा विरोध – या विरोधाभास – भी कह सकते हैं। या असत् से सत् के होने का अनिर्वाच्य रहस्य कहिये।

पर यह भी देखिये। जैसा हम कह आये हैं, आत्मसृजन एक अगाध आत्मद्वैध को ऊह्य रखता है। हम अपने से हट कर, अपने से अलग होकर, और यों आत्मभिन्न हो कर ही – या शल्य जी के शब्दों में कहिये, अपने से व्यवहित हो कर ही – अपना सृजन कर सकते हैं। इसे रहस्य ही कह लीजिये, पर यह *है* – तभी सृष्टि है। यों सृजन में जहां एक और चित् अपने को सृष्ट करता है, वहीं, उसी व्यापार में, अपने आप से अलग, विच्छिन्न ही नहीं हो जाता, विच्छिन्न रहने को बाध्य हो जाता है। नहीं तो सृष्टि का नैरंतर्य नहीं बना रह सकता। चित् अपने स्वरूप का सर्जन चाहता है, पर उसका आत्मसर्जन-व्यापार उसे स्वरूपेण अपने लिये ही सदा साध्य, गवेषणीय बना देता है (हम पाते हैं कि हममें भी आत्मसृजन का बीज अस्मि/अस्मि के आत्मविच्छेद को ऊह्य रखता है, जहां साध्य आत्म 'पर' ही नहीं, परे ही बना रहता है)। अपने से व्यवहित, विच्छिन्न चित् अपने स्वरूप को साकार करने की ओर उन्मुख होता है, अपने ही साध्य स्वरूप को सिद्ध करने की साधना करता है। यही सृष्टि है। पर चित् का आत्म-व्यवधान व्यवधान बना रहता है। चित् जब अपना इतर हो जाता है तो इतर ही रहने को बाध्य भी हो जाता है। वह अपने अवस्तुभूत व्यवहित आत्म की प्रतिकृति ही साध सकता है, साधता चला जा सकता है, उसे पा नहीं सकता, क्योंकि उसके व्यवहित अवस्तु स्वरूप की कोई प्रतिकृति वस्तुतः संभव नहीं। पर इसीलिये उसकी प्रतिकृति-साधना अब अरूप प्रतिमान की प्रतिकृतियों की तरह अनंत रूपों का उत्स हो जाती है।

चित् का आत्म-इतरत्व अमिट रहता है। आत्मेतर हुआ चित् अपने किसी सृष्ट रूप को इतर जान कर अपने 'सच्चे' आपे की ओर मुड़ना चाहे तो इस गति में वह इतर का इतर ही हो सकता है – उसका इतरत्व मिट नहीं सकता। पर उसकी यह आत्मप्रतिकृति-साधना की गति ही जगत् को अर्थ-विस्तार देती चलती है, अर्थ की नई नई संभावनाओं में फलवती होती है। और क्योंकि यह चित् की गति है, गति एक अपना अंतःविधान बनाये रखती है (इसके बिना अर्थ को *रूप* देना उसकी सार्थक *सृष्टि* संभव नहीं)। पर यह सब हो इसलिये पाता है क्योंकि आत्मव्यवहित चित् स्वरूपेण साध्य ही रहता है। चित् का आत्मस्वरूप, जो सृष्टि के साथ ही आत्मव्यहित हो गया है, वह अब आप्तव्य नहीं हो सकता, पर वही सारी आप्तियों का उत्स होता है। उसका न होना ही होने की योनि होता है। उसकी आत्मप्राप्ति की साधना ही जगत् को रूप देती है। गति देती है : क्योंकि चित् का आत्मसर्जन एक निरंतर व्यापार है, यह न हो तो 'जगत्' ही न रहे।

सृष्टि के अर्थ-विस्तार को चित् के आत्मज्ञान का व्यापार भी कह सकते हैं। इसे लक्ष्य में रखते हुए शल्य जी एक और उपनिषद् वाक्य आगे रखते हैं : *आत्मा वा इदमेव अग्र आसीत् नान्यत् किञ्चन मिषत्। स ऐक्षत लोकान्नु सृजा इति* – 'एक आत्मा ही आरंभ में था, ऐसा और कुछ नहीं था, जो देख रहा हो। उसने ईक्षण किया, 'लोकों की सृष्टि करूं'। (*ऐतरेय उपनिषद्*, 1,1)। आत्म-व्यवहित हो कर ही चित् आत्म-वीक्षण कर सकता है, अन्यथा यह संभव नहीं। पर आत्मवीक्षण का निमित्त आत्मज्ञान होता है। अपने को देखता चित् अपने को जानना चाहता है, अन्यथा देखने का अर्थ क्या? यों चित् का अर्थसृजनमय लोकावतरण उसका अपने को जानने का भी प्रयास कहा जा सकता है। अर्थ का ज्ञान या साक्षात्कार और उसका सृजन एक ही चेष्टा के दो अभिन्न पक्ष हैं। और यों सृष्टि ज्ञानोन्मुख व्यापार है तो प्रमाण-व्यापार भी है। यह निरी मिथ्या कल्पना नहीं। इसे स्वप्न से नहीं मिलाया जा सकता जो कि परतंत्र होता है। न इसे माया या वासना-दिग्ध विकल्प-सृष्टि कह सकते हैं, जो अनात्म होती है। और यह भी है कि सृष्टि-व्यापार के प्रमाणधर्मी होने के कारण भ्रांति की, दोष की संभावना भी इसमें घर करती है। चित् की आत्मगवेष्यता इसका लक्षण है। हम देखते हैं कि श्रेयबोध के साथ वह अपने ही पूर्ववर्ती रूप को त्याज्य पाता है।

उपनिषद् की उक्ति को ध्यान में रखते हुए चित् के लोकावतरण को लोक-विस्तार की एषणा के रूप में भी समझा जा सकता है (*लोकान्नु सृजा*)। कहा जा सकता कि सृष्टि मूल में आत्मा (चित्) की एषणा एक से अनेक होने की अभीप्सा है। लेकिन तो भी, इस चेष्टा में भी, चित् आत्मव्यवहित हो कर ही प्रवृत्त हो सकता है। सृष्टि का मर्म वही आत्मगवेष्य आत्मसाध्यता रहता है।

प्रस्तावना

आपत्ति की जा सकती है कि ज्ञान और सृजन परस्पर विरोधी धरणाएँ हैं : सृजन कल्पना-मूलक होता है, और ज्ञान याथातथ्य का ग्रहण। पर सोचिये। अपने ही ज्ञान-व्यापार की थाह लेकर देखिये। ज्ञान-व्यापार भी सृजन-कल्पना के बिना संभव नहीं। हम अपने को अर्थ की सृष्टि करते हुए ज्ञानोन्मुख पाते हैं। और ज्ञान-व्यापार को हम सृजन-कल्पना में निष्ठ पाते हैं। विज्ञान इन्द्रिय-लब्ध रूपों को भूत-जगत् के रूप में *कल्पित* कर एक प्रत्यय-जगत् का विस्तार करता है। भौतिक क्या है? इस आत्म-उपस्थापित *तत्त्व* को *जानने* के लिये विज्ञान के सिद्धांत-तंत्र का विस्तार होता है। इसमें ज्ञान-व्यापार कल्पनापेक्षी होता हुआ सिद्धांत-तंत्रों की रचना करता है। पर यह कल्पना-व्यापार निरी कपोल-कल्पना का मिथ्या-व्यापार नहीं होता, क्योंकि प्रमाण-बोध में निष्ठ होता है, और इसमें भ्रम की संभावना बीजभूत रहती है। पर विज्ञान को ही क्यों (जिसे हम ज्ञान मानते ही हैं), कला को लीजिये। वहां सृजन-कर्म में कल्पना की उपलब्धि अनायास होती है। कला हमारे अनुभूत विषयित्व का, या कहिये भाव-जगत् का, व्यंजना की अनंत संभावनाओं के माध्यम से अपनी तरह सृजन-प्रसार करती है। पर यहां भी कल्पना थोथी कपोल कल्पना नहीं होती। संगति की, प्रमाण की अपनी मांग यहां भी बनी रहती है – नहीं तो किसी कलाकृति की सदोषता की, साध्यता की, त्याज्यता की बात ही नहीं की जा सकती। दर्शन को देखें तो वहां भी हम यही देख पाते हैं – वहां तो उभरती दृष्टियां अपना विषय और अपनी प्रत्यय-निष्ठ विषयिता – या कहिये ज्ञान और ज्ञेय – दोनों को स्वातंत्र्येण सृष्ट करती देखी जा सकती हैं; पर प्रमाण-व्यापार वहां युक्ति-उपपत्ति की कठिन मांग करता भी देखा जा सकता है। श्रेयबोध जो आत्मचेतना के और तद्गत ज्ञान-व्यापार के साथ ही उभरता है वह तो एक स्वतंत्र ही नहीं अभूतपूर्व जगत् की सृष्टि करता उभरता है। इसे चित् की आत्मगवेषणा के ही एक नये पर्व के रूप में देखा जा सकता है। शल्य जी मनुष्य में ही नहीं, चित् में भी इसे आत्मचेतना के साथ ही एक उत्क्रांत स्फोट के रूप में देखते हैं। मनुष्य में इसे *प्रतिफलित* पाते हैं। इस प्रतिफलन को हम नये प्रत्ययों के रूप में भी देख सकते हैं : जैसे मानव-समाज का, तन्नद्ध संस्कृतियों का उदय, जो श्रेयबोध के बिना संभव नहीं। व्यक्तिभाव का भी उदय इस उत्क्रांति का फल है। व्यक्तिभाव संकल्प का अपेक्षी होता है जो श्रेयबोध की अपेक्षा रखता है। व्यक्ति और समाज में नई संभावनाएँ, साध्यताएँ रूप लेती हैं, जो अब तक अनहोनी थीं। संस्कृति के साथ चेतना ही एक प्रकृति से ऊर्ध्व स्वतंत्र धरातल पर आ जाती है। व्यक्ति में उतरती है, जहां श्रेयबोध बड़े नये उन्मुक्त रूप लेता दिखता है। व्यक्ति संस्कारों से उठ कर संस्कृति को नये रूप देने की प्रेरणा, व्रत, भी पालता है। ऐसी प्रधानतः व्यक्तिनिष्ठ प्रेरणा अध्यात्म में, विचार में, दर्शन में विशेष फलवती होती देखी जा सकती है।

अब तक चेतना पराङ्मुख थी, अपने अर्थ को अपने बाहर देख और पा रही थी, पर अब अपनी ओर मुड़ती है, प्रत्यङ्मुख होती है तो अर्थ का एक नया आयाम, नया संसार प्रकट होता है। सच पूछिये तो उसकी आत्मार्थ गवेषणा का आरंभ ही अब होता है। श्रेयबोध के जागने को इस नये आयाम का हृदय कह सकते हैं, पर इसमें यह भी व्यंजित है कि चेतना अब अपने पूर्ववर्ती रूप को हेय, सदोष समझती है।

श्रेय की कोटि रूप लेती है तो नये प्रत्ययों में रूप लेती दिखती है। इसका मार्मिक लक्षण अहिंसा के प्रत्यय में देखा जा सकता है। प्रकृति में हम 'जीवो जीवस्य भोजनम्' को जीवन का तत्त्व पाते हैं, अहिंसा का प्रकृति में कोई अर्थ ही नहीं। पर मनुष्य की अहिंसाबोध के बिना कल्पना नहीं की जा सकती। अहिंसा परार्थ भाव की सूचना है जो मनुष्य के व्यवहार का ही मूल है। अहिंसा में 'आत्मवत् सर्वभूतेषु' का स्फुट इंगित है। परार्थ-बोध के साथ ही सर उठाता अहिंसा का श्रेयत्व मनुष्य में (भाषा ही की तरह) आत्मचेतना के आविर्भाव के साथ ही रूप लेता दिखता है। मैत्री, प्रेम, करुणा, परदुःखदुःखित्व... ही नहीं, न्यायबोध, गृध्नुता की त्याज्यता, अस्तेय... इसी भाव की अभिव्यक्ति हैं। ये प्रत्यय हैं, अभूतपूर्व प्रत्यय : इनमें साध्यता, संभावनामयता प्रकट है।

मनुष्य में परार्थ-तत्त्व को रूप देने की साधना कई रूप लेती दिखती है। यह तत्त्व समाज-चेतना के धर्म-शासित होने के मूल में ही निहित है। इसमें नृशंस्यता की हेयता का बोध भी स्वरूप-निहित है। तभी सतयुग जैसी कल्पनाएँ रूप लेती हैं। व्यक्तियों में अहिंसा की साधना व्यापक से व्यापकतर रूप लेती दिखती है (और इस

माध्यम से कुछ अध्यात्मपंथों, समुदायों में)। तीर्थंकरों को देखें, या उन वायुभुक् मुनियों को जो साधना के पाक से साथ पेड़ों से गिरे सूखे पत्ते भी नहीं खाते थे। पर अहिंसा साध्य ही बनी रहती भी दिखती है। समाजों में क्षीण ही रहती है। समाज, राज्य, समूह-समुदाय, इस स्तर पर युद्ध जैसा परस्पर-संघर्ष तो मनुष्य का स्वभाव ही प्रतीत होता है। हां, कभी अहिंसा-बोध हमें इससे कदाचित् विमुख करता भी दिख जाता है, जैसे अशोक में, पर यह विरल अपवाद ही कहला सकता है। पर इसकी साध्य संभावना का भव्य समाजगत रूप भी हो सकता, यह गाँधी के जीवन में, उनकी साधना में देखिये। गाँधी ने अहिंसा को सत्य (मनुष्य का वास्तव स्वरूप) कहते हुए उसे समाज के, राज्य के, मनुष्यमात्र के सार्वजनीन स्तर पर साकार करने का महत् प्रयत्न किया। प्रयत्न क्षणिक-सीमित ही रूप ले पाया हो, पर रूप लेने की अद्भुत अविशस्य शक्ति थी उसमें।

श्रेय का स्रोत और प्रमाण आत्मा ही होती है। तभी श्रेयबोध में हम चित् को अपनी ओर उन्मुख हो कर अपने स्वरूप को पाने के लिये व्यग्र देख पाते हैं। पर अपने पूर्वरूप को इतर पाकर वह अब जिधर बढ़ता है, वह नये अर्थों का विस्तार तो होता है, पर चित् की आत्मेतरत्व से मुक्ति नहीं!

तो सृष्टि का प्रश्न फिर सता सकता है : चित् सृजन-प्रवृत्त होता ही क्यों है? अपने को अपने से खोने के लिए! नहीं भी तो हो सकता था! सच यह है कि सृष्टि का होना एक उलटबाँसी ही बना रह सकता है। अनबूझ पहेली ही है सृष्टि, चाहे उसका स्रोत और स्वरूप (विज्ञान की तरह) जड़ में देखें या (वेदान्त की तरह) चित् में। हां, जड़ को आधारभूत रखें तो सृष्टि का कोई अर्थ नहीं रहता। हम, हमारी समझ, सब जड़ हो जाते हैं। समझ स्वातंत्र्य की मांग करती है, जड़ में स्वातंत्र्य की बात ही बेमानी है। और समझ जड़ हो तो वह प्रमाण-बुद्धि जो जड़ को ही सर्वस्व ठहराती है, वह भी फिर जड़ ही ठहरती है।

सांख्य जो सृष्टि को – विषय मात्र को – जड़ ठहराता है, वह भी विषयी को स्वतंत्र रखता है। उसे सृष्टि के मूल में रखता है : उसके सन्निकर्ष के बिना जड़ प्रकृति अव्यक्त ही रहती है, सृजन-प्रवृत्त नहीं होती। और प्रवृत्त होती है तो उसकी प्रवृत्ति का प्रयोजन ही चिन्मय पुरुष होता है। वह पुरुष-लक्षी ही नहीं होती, पुरुष-गर्भ होती हुई पुरुष-लक्षी होती है। सांख्य में बुद्धि का विशेष स्थान है, बोध या ज्ञान उसीको होता है। इन्द्रिय, मन, अहंकार, ये सभी वृत्तियां बुद्धि के करण हैं – ये 'द्वार' हैं, बुद्धि 'द्वारी' है। विषय का अवगाहन करती बुद्धि ही पुरुष के लिये भोग और मोक्ष, ये दोनों पुरुषार्थ साधती है (*सर्वं प्रत्युपभोगं यस्मात् पुरुषस्य साधयति बुद्धिः / सैव च विशिनष्टि पुनः प्रधानपुरुषान्तरं सूक्ष्मम् // सांख्यकारिका,* 37)। पर यह पुरुषार्थ व्यापार प्रवृत्त ही इसलिये होता क्योंकि पुरुष बुद्धिगत होता है; अन्यथा न यह संभव है, और न इसका कोई अर्थ है। लेकिन पुरुषार्थ साधना के केन्द्र में होते हुए भी बुद्धि सांख्य में तत्त्वतः जड़ है, स्वतंत्र नहीं है। और पुरुष (चित्) स्वतंत्र होते हुए भी तत्त्वतः अव्यापृत रहता है। सृष्टि उसके कारण होती है, पर सृजन उसका किया नहीं होता, हो नहीं सकता। जगत् को माया या प्रतीत्यसमुत्पन्न या विकल्पमात्र कहते दर्शनों में भी बुद्धि, या कहिये मनुष्य की आत्मचेतना, किसी भी रूप में स्वातंत्र्य का – और यों प्रमाण-व्यापार का – अधिष्ठान बनती नहीं दीखती, यों सत्य-साधना का आधार नहीं हो सकती। पर प्राचीन वेदान्त में (उपनिषद् वेदान्त में, जो कि सभी परवर्ती वेदान्त दर्शनों का मूल है), वहां ऐसा नहीं है – जैसा कि ऊपर के उन उद्धरणों से स्फुट है, जिनसे शल्य जी का सृष्टि-चिंतन प्रेरित है।

सृष्टि हो ही क्यों, इस निगूढ़ प्रश्न पर विचार हमारे यहां उपनिषद् से भी पुराना है। *ऋग्वेद* का विख्यात 'नासदीय' सूक्त सृष्टि को ऐसी कूटतम प्रहेलिका के रूप में आँकता जिसका कोई उत्तर संभव नहीं : क्योंकि जो उत्तर दे सकते हैं, देते हैं, वे भी सृष्ट ही हैं। पर एक और बात भी इस सूक्त में लक्ष्य है। सूक्त सृष्टि की मूल प्रेरणा की भी बात करता है। नासदीय सूक्त का ऋषि सृष्टि को असत् से विसृष्ट देखता है। सृष्टि की प्रेरणा *काम* में देखता है। कहता है : '(सृष्टि के पूर्व) तम में निगूढ तम ही था; यह सब कुछ निश्चिह्न, अप्रतर्क्य सलिल था, तुच्छता से आवृत। तब तपस् की महिमा से (उस) *एक* ने जन्म लिया। *काम* प्रवृत्त हुआ जो कि मन का प्रथम रेतस् (आदि वीर्य) था। अपनी मनीषा से अपने हृदय में (क्रांतदर्शी) कवि इसे (काम को) असत् में (जागती) सत् की ग्रंथि के

रूप में जानते हैं।'[1] स्पष्ट ही, काम को यहां व्यापकतम अर्थ में लिया गया है। सृजन–प्रवृत्ति ही काम है। या कहिये सृजन–व्यापार ही काम है।

पर जिस व्यापार की हम बात कर रहे हैं, वह काल में नहीं होता, काल तो उसके होने पर रूप लेता है (इसके देश में होने का तो प्रश्न ही नहीं)। व्यापार तात्त्विक है। यह गणित या विचार की तरह भी नहीं, जो अदेशकालिक होते हुए भी देशकाल में संवेद्य होते हैं। विचार में यह व्यापार संकेत्य ही हो सकता है – अध्यात्मानुभव में भी ऐसे संकेत की बात की जा सकती है। लेकिन भूलना न चाहिये कि यह व्यापार है, होता है, इसीलिये जगत् व्यापार है, और होता रहता है।

ऊपर हमने जीवसृष्टि और आत्मचेतना के उदय की बात की। पर सृष्टि की ओर देखते हैं तो चित् को नहीं हम अचित्, जड़ – भौतिक – को ही सर्वत्र प्रसृत पाते हैं। जीव का होना तो क्षुद्र सी घटना दिखती है। यह ठीक है, लेकिन परिमाण को युक्ति के रूप में नहीं लिया जा सकता। प्रश्न यह है कि भौतिक को हम तत्त्वरूपेण समझें कैसे? उसका चित् के आत्मसृजन व्यापार में क्या स्थान?

हम भौतिक का आकलन विज्ञान से करने के आदी हैं आज, और भौतिक में साध्यता का निषेध विज्ञान की स्वनियत दृष्टि है। पर यह पूर्वग्रह ही है, या जानबूझ कर अपनाया हुआ पूर्वाग्रह कहिये। भौतिक को प्रसुप्त चित् के रूप में सहज ही देखा जा सकता है, जैसा कि शल्य जी देखते हैं : चित् के जगद्भाव की गर्भावस्था के रूप में। अगर भौतिक को यों न देखें तो फिर भौतिक विशुद्ध इन्द्रय–विषय रह जाता है। और विशुद्ध इन्द्रियविषय क्या है, इसका ग्रहण इन्द्रिय नहीं कर सकती, यह विचार में ही संभव है। विचार इसे बौद्धों की तरह स्वलक्षण के रूप में उपपादित कर सकता है, या कांट की तरह स्वरूपतः अविज्ञेय कह दे सकता है। पर स्वलक्षण अनिर्वाच्य है, उसके बुद्धलक्षण होने में क्या उज्र हो सकता है, और जो अविज्ञेय है वह स्वरूपेण शिवमय भी हो ही सकता है। भौतिक को विशुद्ध उपादान के रूप में भी देखा जा सकता है – हमारा व्यवहार, और उस व्यवहार के विस्तार के रूप में विज्ञान भी, इसका इसी रूप में ग्रहण करता है। प्रयोग करता है।

भौतिक से हम वानस्पतिक का विकास देखते हैं – इसे जीवत्व और भौतिकत्व के बीच की कोटि कहा जा सकता है : यहां प्राण है, पर इन्द्रियां नहीं हैं – पर उस ओर उन्मुख प्रवणता इसमें पाई जा सकती है। चेतना इससे ऊपर उठ कर ही स्फुट रूप लेती है। चित् के जगद्भाव का चेतन प्रसार मनुष्य से पहले पाशव सृष्टि में ही पाते हैं हम। पशु में इन्द्रियाँ रूप लेती हैं, विकसित होती हैं, एक भोगमय विषयित्व उभरता–बढ़ता देखा जा सकता है। शल्य जी इसे चेतना के वासनात्मक प्रवर्तन के रूप में देखते हैं। विषय यहां भोग्यार्थ ही होता है, और विषयी तत्तसात् या तन्निमज्जित। उसके लिये विषय की अपनी सत्ता कुछ नहीं होती। यहां भी विषय ज्ञानेन्द्रियगम्य और कर्मेन्द्रियसाध्य ही होते हैं, पर विषयी के लिये उनकी सत्ता की कोई स्वतंत्र बाह्यजगत्–स्थित अवगति नहीं होती। हां, विषय की स्वगत सत्ता का इतना सा परिचय यहां पाया जा सकता है कि पशु के लिये विषय भोग्य ही नहीं, भोग–बाधक भी होता है।

विषयी के (मनुष्य में) आत्मचेतन होने पर (विषयी के अपने आप को विषय बना पाने पर ही), बाह्य जगत् की स्वस्थित बाह्यता, विषय का स्वस्थित विषयत्व और उसकी भौतिकता, ये गृहीत होते हैं। पर प्रत्यङ्मुखता में घर करती हुई आत्मचेतना बाह्योन्मुखता से, विषयोन्मुखता से निवृत्त हो कर ही, या कहिये आत्मोन्मुख हो कर ही, विषय–चेतन होती है। विषय से निवृत्त हो कर ही विषय को विषय की स्थिति देती है चेतना। इससे जिस अर्थ–सृष्टि का विस्तार होता है, उसकी चर्चा हम कर आये हैं। पर आत्मोन्मुख हो कर चेतना इस विषय–संसार

---

1. तम आसीत्तमसा गूळ्हमग्रेऽप्रकेतं सलिलं सर्वमा इदम्।
तुच्छ्येनाभ्वपिहितं यदासीत्तपसस्तन्महिनाजायतैकम्।।
कामस्तदग्रे समवर्तताधि मनसो रेतः प्रथमं यदासीत्।
सतो बन्धुमसति निरविन्दन् हृदि प्रतीष्या कवयो मनीषा।। — *ऋग्वेद*, 10, 129,3–4

को अनात्म भी पाती है। जगत्गत अर्थ-संसार को वितत से विततर करते हुए भी इस संसार में अपने को 'परदेशिनी' पाती है। यहीं श्रेयबोध के जन्म का बीज भी देखा जा सकता है। और इस बोध के साथ चेतना अपनी ही पूर्व वासनार्थ या भोगार्थ प्रवृत्ति को ही हेय नहीं पाती, अपनी आत्मचेतन अर्थ-सृष्टि से भी विमुख होती दिखती है।

तभी श्रेयबोध का तीव्रतम संवेग आध्यात्म में देखा जा सकता है, जहां परदेशिनी को घर लौटने के लिये उत्कंठ पाते हैं हम। शल्य जी ने *छांदोग्य उपनिषद्* में आये नारद-सनत्कुमार वार्ता का एकाधिक बार उल्लेख करते हैं। वार्ता में नारद सनत्कुमार से आत्मज्ञान की प्रार्थना करते हैं। नारद *ज्ञान*-कहलाते ज्ञान के सभी उपलब्ध रूपों में प्रवीण थे – इतिहास, पुराण, व्याकरण, कल्प, गणित, तर्क, नीति, नृत्य-संगीत...। पर इन्हें वे अनात्म पाते हैं। इनसे उस आत्म का ज्ञान नहीं मिलता जो अमृत है, सुख है, भूमा है, हमारा सत्य-स्वरूप है। ये ज्ञान अल्प हैं, इनमें भूमा नहीं, अमृत नहीं। ये आत्म से इतर हैं। उसकी ओर नहीं ले जा सकते।

पर शल्य जी के लिये अध्यात्म भी अर्थों का विस्तार ही है। अध्यात्म में अर्थ के नये शिखर खुलते देखते हैं। अर्थों का पूरा एक तुंगतम विभु-लोक खुल जाता है यहां। इस लोक की बड़ी उदात्त, बड़ी अपार-अगाध संभावनाएँ हैं, पर आत्म का आत्मेतरत्व यहां भी बना रहता है। अपने से तत्त्वतः आत्मव्यवहित चित्, अपने से एकात्म हो नहीं सकता, अपने को स्वरूपतः *पा* नहीं सकता। इस पाने की खोज में अर्थ का विस्तार ही करता चला जा सकता है। हम कल्पना कर सकते हैं – युक्तितः कर सकते हैं – कि उसकी आत्मोन्मुख यात्रा के और भी पर्व उभरेंगे - मनुष्य में और मनुष्य के आगे। पर यह यात्रा यात्रा ही बनी रह सकती है।

यहां शल्य जी की दृष्टि में एक अनाप्ति की, अकृतार्थता की – या कहिये नित्य विरह की – वेदना देखी जा सकती है, जिसे वे अपनी तरह से ध्वनित भी करते हैं : अपने अंतिम लेखन में।

ऊपर मैंने यथासंक्षेप शल्य जी और उनकी तत्त्व-दृष्टि का एक अपना-सा चित्र उकेरने की चेष्टा की है। पर कविता की तरह ही दार्शनिक विचार का अंतःस्पंद किसी निरूपण में नहीं समा सकता। मेरा आशय यह रहा है कि आप के भीतर उनके लेखन में उतरने की जिज्ञासा को कुछ लौ दे सकूं।

किसी भी गहरी और व्यापक तत्व-दृष्टि में मनुष्य के विभिन्न पक्षों को अपनी तरह से आँकने-समझने की आँख होती है, शक्ति होती है। शल्य जी ने स्वयं ही अपनी दृष्टि को यह फैलाव दिया है। मनुष्य के सर्वस्व को विस्तार से समझा-आँका है उन्होंने। संस्कृति, समाज पर उनकी स्वतंत्र पुस्तकें हैं; धर्मनीति, इतिहास, विज्ञान, काव्य... पर प्रसृत लेखन है। अन्य दार्शनिकों और दर्शनों पर भी शल्य जी ने बड़ी सूक्ष्म पैठ और पैनी सूझ के साथ लिखा है। तुलनात्मक दर्शन पर उनका लेखन मननीय है।

हर्ष का विषय है कि यह सारा कुछ यहां उनके इस दार्शनिक-रचना-संग्रह में संकलित है।

मेरा ध्यान शल्य जी के प्रौढ़ चिंतन पर रहा है। पर उनकी विचार-यात्रा लंबी है और उसमें स्फुट सोपान उभरते देखे जा सकते हैं। उनकी यात्रा के पड़ावों को देखने-जानने के लिये और उनके जीवन और लेखन-समग्र के समर्थ सांगोपांग और घनिष्ठतर परिचय के लिये प्रो. अम्बिकादत्त शर्मा का आमुख देखें।

1

समाज : एक दार्शनिक परिशीलन

संस्कृति और समाज : अधिष्ठान की समस्या

समाज और संस्कृति के स्वरूप को लेकर विचारकों में बहुत मूलगामी मतभेद हैं। ये मतभेद दो प्रकार के कहे जा सकते हैं : एक शास्त्रमूलक और दूसरे सिद्धान्तमूलक। समाज और संस्कृति दोनों, विशेष रूप से इनमें से दूसरा, जितने समाजशास्त्र के विचार–विषय होते हैं उतने ही इतिहासशास्त्र और दर्शनशास्त्र के भी विचार–विषय होते हैं, और ये शास्त्र बहुत भिन्न–भिन्न प्रकार से इन विषयों का अवधारण करते हैं। समाज शास्त्र इन्हें विशिष्ट मानव–समूह के काल–विशेष में व्यवहार के सन्दर्भ में देखता है, इनसे भिन्न दार्शनिक सामाजिक अस्तित्व को, और इस प्रकार समाज–विशेष से पृथक् समाज–तत्त्व और संस्कृति–तत्त्व को ही, अपना विचार–विषय बनाता है। इस प्रकार शास्त्र–भेद के अनुसार विषयों के स्वरूप में बहुत गहरा भेद हो जाता है। किन्तु इन तीन शास्त्रों में समन्वय और परस्पर सम्प्रेषण सम्भव है, क्योंकि आख़िर ये एक ही वस्तु के तीन आयाम हैं। किन्तु सिद्धान्तमूलक मतभेदों में समन्वय और सम्प्रेषण सम्भव नहीं होता, क्योंकि सिद्धान्त से विषय के स्वरूप में मौलिक भेद घटित हो जाता है। उदाहरणतः समाज और इस प्रकार संस्कृति भी, प्राकृतिक है या मानवीय सर्जन है? यदि प्राकृतिक है तो प्रकृति का क्या स्वरूप है? और यदि मानवीय है तो कर्त्ता का क्या स्वरूप है? इन प्रश्नों को लेकर अनेक सिद्धान्त–भेद सम्भव हैं और वास्तव में हैं भी। ये सिद्धान्त आत्यन्तिक हैं या कि स्वयं इन पर भी विचार और निर्णय किया जा सकता है, इस प्रश्न पर यहाँ हम विचार नहीं कर सकते, क्योंकि इस पर विचार हमें गहरे दार्शनिक युक्ति–विमर्श में ले जाएगा जो यहाँ प्रासंगिक नहीं है। किन्तु तब भी इतना तो कहा जा ही सकता है कि व्यवहार में ये सिद्धान्त आत्यन्तिक जैसे ही हैं, अर्थात् इनका आधार युक्ति नहीं होकर रुचि : व्यक्तिगत या सांस्कृतिक : ही होती है, क्योंकि युक्ति का यह स्वरूप है कि वह कभी अन्तिम नहीं होती। किन्तु दर्शन के अतिरिक्त कोई शास्त्र अपनी आधार–प्रतिज्ञाओं पर विचार नहीं करता और परिणामतः उनमें स्वीकृत सिद्धान्त पूर्वस्वीकृत के रूप में ही रहते हैं। वास्तव में व्यवहार में दार्शनिक मतभेदों में भी उनकी मूल प्रतिज्ञाएँ अपरीक्षित और इस प्रकार रुचिमूलक ही रहती हैं, यद्यपि एक दार्शनिक के लिए अपनी मूल प्रतिज्ञा पर विचार भी अपेक्षित होता है और इस प्रकार वह मूल प्रतिज्ञा नहीं रहती। किन्तु ये सिद्धान्त रुचिमूलक ही हों तो इससे बहुत अरुचिकर निष्कर्ष निकलता है—कि ये वास्तव में सिद्धान्त नहीं होकर सिद्धान्ताग्रह हैं, क्योंकि सिद्धान्त से रुचिमूलक नहीं, युक्तिमूलक होना अपेक्षित होता है।

ये सैद्धान्तिक मतभेद विषयों और उनसे सम्बन्धित शास्त्रों को किस प्रकार प्रभावित करते हैं इसके उदाहरण के रूप में यहाँ हम मन को लेंगे, क्योंकि मन–विषयक सभी अध्ययन समाज और संस्कृति के प्रश्न से भी केन्द्रीय रूप से सम्बन्धित हैं। 19वीं शताब्दी में, और 20वीं शताब्दी के भी प्रथम तीन दशाब्दों में, यूरोप ने प्रमुख रूप से मन को व्यवहार से परिभाषित किया था। मन के सम्बन्ध में यह एक अत्यन्त मूलगामी महत्त्व का सिद्धान्त है जो तत्कालीन यूरोप की सम्पूर्ण मनःस्थिति का भी द्योतक है। आंग्ल–अमरीकी और रूसी चिन्तक, विशेषतः प्रथम दो देशों के, अब भी इस सिद्धान्त से मुक्त नहीं हुए हैं। मन विषयक इस दृष्टिकोण को यदि हम स्वीकार कर लेते हैं तो समाज और संस्कृति विषयक उपर्युक्त प्रश्नों में निर्णय सहज ही हो जाता है कि समाज एक प्राकृतिक वस्तु या व्यवस्था है और संस्कृति इस व्यवस्था का क्रिया–व्यापार है। इस सिद्धान्त के विपरीत प्रोफेसर गोविन्दचन्द्र पाण्डे की पुस्तक **दि मीनिंग एण्ड प्रॉसेस ऑफ कल्चर** का पहला ही वाक्य है कि "संस्कृति प्राकृतिक नहीं है क्योंकि वह अर्जित होती है।" किन्तु अर्जन करने वाला ही प्राकृतिक हो तो संस्कृति के उसका अर्जन होने से क्या अन्तर पड़ेगा? कुत्ता और तोता बहुत–सी बातें अर्जित करते हैं, किन्तु इससे उनके ये अर्जन

अप्राकृतिक नहीं हो जाते। 'अर्जित' का विपरीतार्थक शब्द 'सहज' (इंस्टिंक्टिव) है, जो इस अर्थ में प्राकृतिक होता है कि इस प्राणि-व्यवहार का अधिष्ठान व्यष्टि[1]-प्राणी की देह में या देहाधिष्ठित चित्त में नहीं होकर अतिवैयष्टिक प्रकृति में होता है। किन्तु यहाँ प्रकृति एक यान्त्रिक क्रिया-प्रतिक्रिया के रूप में कल्पित नहीं होकर योजना-कर्त्ता के रूप में कल्पित होती है। वास्तव में सहज व्यवहार या क्रियाओं में जो अद्भुत कौशल और जटिल योजना परिलक्षित होती है उसमें प्रकृति एक कुशल योजना-कर्त्ता के रूप में ही प्रकट होती है, चाहे उसे आत्म-चेतन कर्त्ता नहीं भी मानें। किन्तु इस पक्ष को यहाँ छोड़ते हुए कहा जा सकता है कि सहज प्रवृत्तिमूलक क्रियाएँ अर्जित नहीं होतीं जबकि आवेगात्मक और ज्ञानात्मक क्रियाएँ अर्जित होती हैं। किन्तु पशु में ये अर्जित होने पर भी प्राकृतिक ही कही जा सकती हैं। केवल मनुष्य की अर्जित क्रियाएँ ही ऐसी होती हैं जो प्राकृतिक नहीं होकर अप्राकृतिक होती हैं, अर्थात् इन क्रियाओं का अधिष्ठान कर्त्ता में होता है। क्रिया का अधिष्ठान कर्त्ता में कहने का अर्थ है कर्त्ता आत्म-नियुक्त, आत्मतन्त्र होता है। इन क्रियाओं में सांस्कृतिक क्रियाएँ भी हैं। किन्तु संस्कृति मनुष्य की कृति किस अर्थ में है इसके स्पष्टीकरण की आवश्यकता है, क्योंकि 'मनुष्य' शब्द का प्रयोग कभी मानव-व्यक्ति के अर्थ में किया जाता है और कभी मानव-जाति के अर्थ में, और प्रयोग करने वाले बहुत बार इस सम्बन्ध में स्पष्ट नहीं होते कि वे इस शब्द का प्रयोग किस अर्थ में कर रहे हैं। इस व्यामिश्र की ओर हमने अपने एक और लेख में भी ध्यान आकर्षित किया है।[2] अब, संस्कृति यदि जाति-मानव की कृति है तो एक प्रकार से उसे उसकी प्रकृति ही कहा जा सकता है, जिस प्रकार अध्यवसायात्मक ज्ञान-शक्ति को उसकी प्रकृति कहा जा सकता है, उसकी कृति नहीं। यदि वह व्यक्ति-मानव द्वारा अर्जित है तो निश्चय ही यह प्राकृतिक नहीं कही जा सकती, किन्तु तब यह व्यक्ति-मानव का अर्जन कैसे कही जा सकती है यह निश्चय ही स्पष्टीकरण की अपेक्षा रखता है। अवश्य अध्यवसायात्मक ज्ञान-शक्ति भाषा की अपेक्षी होती है और भाषा अर्जित होती है, किन्तु भाषा और इस प्रकार अध्यवसायात्मकता मनुष्य की जातिगत योग्यता के बिना व्यक्ति द्वारा अर्जित नहीं हो सकती। यहाँ बरबस जाति के अस्तित्व सम्बन्धी विवाद का ध्यान हो आता है, किन्तु यहाँ यह ध्यातव्य है कि जाति के अस्तित्व को अस्वीकार करने वाले इसका अस्तित्व उतना ही कृमि-कीट या पशु में अस्वीकार करते हैं जितना मनुष्य में। यहाँ इस प्रसंग को छोड़ा जा सकता है और जाति को समान व्यष्टियों के समान व्यवहार या समान मानसिकता के अर्थ में स्वीकार किया जा सकता है। जब मनुष्य को विवेकशील, आत्म-चेतन आदि कहा जाता है तब 'मनुष्य' शब्द का प्रयोग जाति-मानव के अर्थ में ही किया जाता है, जाति के अस्तित्व सम्बन्धी कोई भी सिद्धान्त रखते हुए। 'जाति' शब्द के इस अर्थ का एक रूप कांट-सम्मत 'अतिक्रामी चैतसिक संरचना' अथवा बौद्ध-सम्मत 'अनादि वासना' है। द्रष्टव्य है कि सभी बौद्ध जाति या सामान्य के अस्तित्व को अस्वीकार करते हैं किन्तु तब भी अनादि वासना की अवधारणा को स्वीकार करते हैं जो व्यक्ति से पूर्व और स्वयं उसकी भी कारण होती है। अब उनके अनुसार विकल्प अनादि वासनामूलक है, और तब यहाँ कहा जा सकता है कि संस्कृति विकल्पमूलक है। तब क्या संस्कृति को कृति कहा जा सकता है? इसका उत्तर हो सकता है कि विकल्प ही किसी क्रिया या कर्म को और उससे प्रतिफलित को कृति बनाता है। किन्तु प्रतिफलित के कृति होने के लिए यह भी अपेक्षित है कि उसका कर्त्ता स्वतन्त्र, आद्य सर्जक हो। किन्तु विकल्प के अनादि वासनामूलक होने पर वह आत्मतन्त्र या आद्य नहीं रहता और परिणामतः उससे कृत कुछ कृति नहीं रहता। उदाहरणतः पक्षी के घोंसले को हम उसकी कृति नहीं कहते जबकि एक चित्र, कविता या लेख को कृति कहते हैं। मनुष्य-रचित सब वस्तुओं को भी रचने वाले व्यक्ति की कृति नहीं कहा जाता। उदाहरणतः भवन बनाने वाले राज और मजदूरों को हम भवन के कृतिकार अथवा भवन को उनकी कृति नहीं कहते। चित्र अथवा कविता को कृति कहने के पीछे हमारी यह मान्यता रहती है कि चित्रकार या कवि में वह अपूर्वतः उद्भूत हुई है, वह उसका आद्य रूप में साक्षात्कर्त्ता है। इस

---

1. 'व्यष्टि' पद का प्रयोग हम अनात्मचेतन (आत्म-चेतना-रहित) एक देह से संलग्न विषयी के लिए करते हैं और 'व्यक्ति' पद का प्रयोग आत्म-चेतन का देहवान् विषयी के लिए।

2. 'समाज-दर्शन : भूत और भाव्य', **उन्मीलन**, वर्ष 2, अंक 2.

प्रकार यदि विकल्प और कर्म अनादि वासनामूलक हों तो चित्र या काव्य उचित अर्थ में कृतियाँ नहीं कहे जा सकते। अब, संस्कृति कृति है या प्रकृति इस निर्णय को आगे के लिए स्थगित कर हम यहाँ उसके अस्तित्व के सम्बन्ध में विचार करना चाहेंगे—कि इसका कर्त्ता व्यक्ति है या कि अतिवैयक्तिक? दूसरे शब्दों में, संस्कृति और समाज क्रमशः व्यक्तिगत चित्तवृत्तियों की और व्यक्ति-देहियों की समूहवाचक संज्ञाएँ हैं या कि व्यक्ति के समानान्तर अतिवैयक्तिक अस्तित्व हैं? साधारणतः संस्कृति को कृति कहने वाले, अथवा कृति नहीं कह कर उसे समाज की भौतिक वस्तुस्थितियों से उद्भूत मानने वाले उसे अस्तित्वतः व्यक्तिमूलक ही मानते हैं। उदाहरणतः मार्क्स-एंजल्स के अनुसार "सामाजिक संरचना और राज्य निरन्तर विशिष्ट व्यक्तियों की जीवन-प्रक्रिया में से उद्भूत होते हैं, व्यक्तियों के उस रूप से जो यथार्थतः उनका है, अर्थात् उनकी क्रियाओं, भौतिक उत्पादनों, भौतिक सीमाओं और परिस्थितियों से, जैसी ये उनकी धारणाओं से निरपेक्ष रूप से होती हैं।"[1]

यहाँ व्यक्तियों और उनकी क्रियाओं आदि के तत्त्व की मानसिकता और भौतिकता के प्रश्न को छोड़ते हुए, जो यहाँ हमारे लिए अप्रासंगिक है, केवल समाज की व्यष्टिमूलकता का प्रतिपादन ही चर्चा का विषय है। उनका यह प्रतिपादन उनके इस सिद्धान्त के बावजूद है कि समाज की आर्थिक उत्पादन की भौतिक परिस्थितियाँ ऐतिहासिक विकास की निर्धारक होती हैं। इसी प्रकार पाण्डे जी के अनुसार भी "संस्कृति का उद्भव व्यक्ति-चित्त (इंडिविडुअल साइके) में प्रातिभ साक्षात्कार के रूप में होता है, और यह साक्षात्कारात्मक प्रातिभ प्रतीक के रूप में सामाजिक परम्परा में प्रवेश करता है।"[2] इसी प्रकार क्रोबर के अनुसार भी "संस्कृति का अधिष्ठान या निवास स्पष्टतः मानव-व्यक्तियों में है जिनके व्यवहार से (जिसमें संस्कृति-भिन्न तत्त्व भी रहते हैं) संस्कृति अनुमित या कल्पित की जाती है।"[3] वास्तव में क्रोबर भी संस्कृति को इस प्रकार स्वतन्त्र सत्त्व से रहित नहीं देखता, जैसाकि उसकी पुस्तकों **दि नेचर ऑफ कल्चर** और **कान्फिगुरेशंस् ऑफ कल्चर-ग्रोथ** से स्पष्ट है। दुःर्खाइम यहाँ दोनों से आगे जाता है। उसके अनुसार सामूहिक चेतना "ऐसे विश्वासों और भावनाओं के समग्र को कहा जा सकता है जो किसी समाज के औसत सदस्यों में सर्वसाधारण होते हैं। इन विश्वासों और भावनाओं के संस्थान का व्यक्ति विशेषों से स्वतन्त्र अपना एक निजी जीवन होता है। यह सामूहिक चेतना, जिसका अस्तित्व व्यक्तियों की चेतना में विद्यमान विश्वासों और भावनाओं पर निर्भर करता है, व्यक्ति-चेतनाओं से विश्लेषणात्मकतया पृथक् अवधार्य होती है, अस्तित्वतः चाहे उनसे पृथक्-करणीय नहीं भी हो। इसके विकास के अपने नियम होते हैं, यह केवल व्यक्ति-चेतनाओं की अभिव्यक्ति या उनका प्रतिफल नहीं होती।"[4] संस्कृति के स्वतन्त्र सत्त्व को इस प्रकार स्वीकार करते होने पर भी इन विचारकों के ये उद्धरण अस्तित्वविषयक इस सर्व-साधारण धारणा से मुक्त हो पाने की असमर्थता के द्योतक हैं जिनके अनुसार समाज अन्ततः देहाधिष्ठित व्यक्तियों का समवाय है। हमारे विचार में अस्तित्व-विषयक यह लोक-धारणा चित्त के आयामों के सम्बन्ध में गहरी भ्रान्ति पर आधारित है जिसका निराकरण सामाजिक चित्त या संस्कृति के अस्तित्व को समझने के लिए आधारभूत महत्त्व का है।

समाज और व्यक्ति दोनों मनुष्यमूलक सत्ताएँ हैं। 'मनुष्य' पद चित्त के आत्म-चेतन स्तर का वाचक है। 'आत्म-चेतन' पद में 'आत्म' पद वैयक्तिक आत्म-प्रत्यय : अहं-प्रत्यय : का वाचक नहीं होकर चेतना की आत्मोन्मुखता : प्रत्यङ्मुखता : का वाचक है। यह आत्मोन्मुखता चित्त द्वारा स्वयं को अपनी अवस्थाओं, अथवा कहें चैत्त अवस्थाओं, के विषयी के रूप में स्थापित कर स्वयं इस विषयी के अनुक्रमशः विषय बनने की

---

1. मार्क्स-एंजल्स — **दि जर्मन आइडियॉलोजी** (सं.) सी. जे. आर्थर, पृ. 46
2. **दि मीनिंग एण्ड प्रॉसेस ऑफ कल्चर**, पृ. 2 यहाँ यह उल्लेखनीय है कि पाण्डे जी के अनुसार व्यक्ति-भेद औपाधिक हैं। इसलिए सामाजिक परम्परा में प्रतिष्ठित होने वाले प्रतीक के लिए यह बिल्कुल भी आवश्यक नहीं रहता कि उसके आधारभूत प्रातिभ को व्यक्ति-चित्त में घटित कहा जाय। क्योंकि यह कहना अधिक युक्तिसंगत है कि जिस चित्त में यह घटित होता है उसकी उपाधि समाज होती है।
3. ए.एल. क्रोबर — **दि नेचर ऑफ कल्चर** लेख—संग्रह में 'काज़िज ऑफ कल्चर' लेख, पृ. 107.
4. रेमाँड ऑरों — **मेन करेंट्स इन सोश्लोजीकल थॉट**, खण्ड 2, पृ. 24 से उद्धृत

सम्भावना उत्पन्न करती है। पूर्णतः आत्म-चेतन चित्त उसे कह सकते हैं, जो नितान्त पारदर्शी रूप में आत्म-विषयकृत होता है। इस प्रकार अनुभूयमान दुःख चित्त की संवेदात्मक अवस्था है, 'यह दुःख है' यह ज्ञान उसकी आत्म-चेतन अवस्था है। पहली अवस्था में दुःख जबकि अस्तित्वगत है, दूसरी में वह अस्तित्वगत नहीं है, यहाँ उसका आकार, उसका प्रत्यय, अस्तित्वगत है। अर्थात् स्मृत दुःख 'मैं दुखी था'; और दुःख के अनुभव के ज्ञान : मैं दुखी हूँ : में दुःख विषयिता की अवस्था नहीं है, उसकी स्मृति अथवा उसका ज्ञान विषयिता की अवस्था है जिसमें विषयभूत दुःख अपने सामान्यात्मक आकार में प्रस्तुत होता है। अब, अनुभूयमान : अस्तित्वगत : जबकि वस्तु-रूप में विशिष्ट होता है, इसमें विषय-विषयी, ज्ञाता-ज्ञेय, अनुभव-अनुभूत का भेद नहीं होता, विषयरूप में उसका आकार सामान्य होता है, और वह अनुभव से पृथक् विषयरूपेण विषयी को अवगत होता है। अपने इस स्वरूप के कारण ही वह उसे किसी भी विषयी के लिए और किसी भी अनुभव के लिए गम्य बनाता है। मैं अपने को दुखी देख सकता हूँ इसलिए मैं अपने कल के दुःख का स्मरण कर सकता हूँ, कल के अपने दुःख का स्मरण कर सकता हूँ इसी से दूसरों को बता सकता हूँ कि मैं दुखी हुआ था। 'दूसरों को बता सकता हूँ' का अर्थ है कि दूसरे इसे उसी प्रकार जान सकते हैं जिस प्रकार इसे मैं जानता हूँ। हमारे इस प्रतिपादन पर आपत्ति की जा सकती है कि मेरे सिर दर्द को केवल मैं ही जान सकता हूँ। किन्तु यह युक्तियुक्त नहीं है। ऐसा सिर दर्द 'मेरा' नहीं होता, वह एक संवेद होता है जो अहं-प्रत्ययाधिष्ठित नहीं होता और परिणामतः जिसमें 'आत्म' और 'पर' का भेद नहीं होता। अहं-प्रत्यय इस संवेद के लिए उसी प्रकार आधेय होता है जिस प्रकार स्मृत या विषयकृत दुःख होता है। अवश्य अहन्ता का एक आद्य और अतिक्रामी स्तर भी है। क्रुद्ध कुत्ता अन्य कुत्ते पर आक्रमण करते हुए आद्य अहंभावापन्न अवस्था में होता है। किन्तु 'मैं क्रुद्ध हूँ' अध्यवसाय में अहन्ता और क्रोध दोनों सामान्य रूप से आकार या सामान्य प्रत्यय होते हैं और क्रोध आत्म-सम्बद्ध होता है। प्रत्येय-विषयों की, जिनमें अहं-प्रत्यय भी सम्मिलित है, यह सामान्यता समाज की सम्भावना की आधार बनती है। यहाँ उदाहरणार्थ सम्मुख प्रस्तुत मेज़ को लें। इसे मैं देख रहा हूँ। किन्तु मेरे इस दृष्टि-विषय के रूप में यह स्वरूपतः ही परिप्रेक्ष्यात्मक है, जिसे इस स्थान से मैं देख रहा हूँ और अन्य स्थानों से अन्य सम्भाव्य या वास्तव प्रेक्षक देख रहे हैं। इसकी यह परिप्रेक्ष्यात्मकता इतनी वास्तविक होती है कि यदि दूसरे देखने वाले मेरे देखने का समर्थन नहीं करें तो मेरे लिए मेरा अपना प्रेक्षण अप्रामाणिक हो जाता है। इस प्रकार यह मेज़, वह कुर्सी एक ओर अपने अवगमन में प्रेक्षकों की अनेकता को पूर्वकल्पित करते हैं और दूसरी ओर दर्शक-विषयी के रूप में मुझे समान विषयियों के वर्ग में स्थानित करते हैं। जो बात ऐन्द्रिय विषयों के लिए सत्य है वह अनैन्द्रिय विषयों के लिए भी सत्य है। वास्तव में यह अहं-प्रत्यय के लिए भी समान रूप से सत्य है, क्योंकि अन्य वस्तुओं और व्यक्तियों के साथ असंख्य सम्बन्ध और इन सम्बन्धों में चरितार्थ्य अपार अर्थ-राशि इसके स्वरूप को निर्धारित और व्यक्त करते हैं। निश्चय ही अस्मिता वह 'स्थान' है जो अनन्य रूप को मेरा अधिकार है और जो सब आत्मेतर सत्त्वों का व्यावर्तक है, किन्तु इतर-व्यावर्तकता इसमें संरचनात्मकतया अन्तर्निहित होने से यह अनिवार्यतः इतर के साथ ही अवस्थित होता है। इसके अतिरिक्त आधारभूत महत्त्व की बात यह है कि यह अस्मिता मेरी प्रेक्ष्य भी होती है और इसका स्वरूप इसे सर्वसामान्य बनाता है : मैं अपने को अपने विषय के रूप में अपने प्रेक्ष्यमान् प्रदेश में स्थापित और उसका पर्यवलोकन कर सकता हूँ। अपनी यह पर्यवलोक्यता मुझे इतर-व्यावर्तक ही नहीं इतर-व्यावृत्त भी बनाती है, मैं अन्यों का विषयी ही नहीं, अपने ही भीतर उनका विषय भी होता हूँ। यहाँ ज्याँ पॉल सार्त्र द्वारा लज्जा के अनुभव के विवेचन का उल्लेख स्थाने होगा जो उसने इतर के अवगमन के निरूपण के प्रसंग में किया है। यद्यपि हम उसके निरूपण से पूर्णतः सहमत नहीं हैं, किन्तु तब भी उस निरूपण की मार्मिकता का निषेध नहीं किया जा सकता। लज्जा का अनुभव हम अन्य व्यक्ति के सम्मुख ही करते हैं, अन्य की अनुपस्थिति में नहीं। किन्तु इस अनुभव में अन्य व्यक्ति ज्ञान-विषय के रूप में नहीं बल्कि विषयी के रूप में ही गृहीत होता है जिसके विषय के रूप में हम अपने को प्रस्तुत देख कर लज्जित होते हैं। किन्तु इस विषय का : विषयभूत अहं का : अधिष्ठान मैं ही होता हूँ। लज्जा अन्य विषय के सम्मुख विषय रूप में मेरी अयोग्य अथवा अनुपयुक्त प्रस्तुति के बोध से होती है जिस बोध का विषयी मैं

होता हूँ। यद्यपि अहं की यह अन्य-प्रेक्ष्यता विचारात्मक ही नहीं आवेगात्मक स्तर पर भी घटित होती है, किन्तु विचारात्मक स्तर पर तो 'मैं' वास्तव में एक सर्वनाम ही हो जाता है जिसके एक नाम के रूप में मैं स्थानित होता हूँ। 'मैं' की यह सार्वनामिकता, आत्म-प्रत्यय की सामान्य विषयता, व्यक्ति को स्वरूपतः सामाजिक, अथवा कहें संस्कृति-मानव की एक अभिव्यक्ति बना देती है। व्यक्ति की इस सामान्यता के प्रतिपादन का अर्थ सामाजिक का अर्थ सामाजिक गठन की कठोरता का समर्थन नहीं है, बल्कि सामाजिक गठन की कठोरता इस सामान्यता का बाध होती है, जिस बाध का आधार एक सीमित विचार का दुराग्रह होता है, जबकि सामान्यता का अर्थ निरहंकारता, विवेक और अहंकार का अतिक्रमण होता है। किन्तु इस पर कहा जा सकता है कि अहं की यह निर्विशिष्टता व्यक्ति का किसी विशेष समाज में नहीं बल्कि एक सार्वभौम समाज में लय सम्भव करती है, जबकि वास्तव समाज और वास्तव संस्कृति विशिष्ट ही होते हैं।

यहाँ यह ध्यातव्य है कि अहं की सामान्यता उसकी विशिष्टता का निरास नहीं करती : मैं जब कि अपने को एक अहं के रूप में देखे बिना इतर को इतर अहं के रूप में और अपने को उसके विषय के रूप में नहीं देख सकता, साथ ही मैं अहं के सामान्य में अनपचेय, अविघटनीय हुए बिना अपने को और इतर को इनकी व्यावर्तकता और पारस्परिकता में भी नहीं देख सकता। यही बात सांस्कृतिक और सामाजिक विशिष्टताओं के लिए भी कही जा सकती है। स्थूल रूप से, एक संस्कृति एक ऐसी जीवन-दृष्टि कही जा सकती है जो परमार्थ : सत्य और मूल्यविषयक परम अर्थ-विषयक प्रत्यय : से परिभाषित होती है और समाज उन संरचनाओं को कहा जा सकता है जो इस जीवन-दृष्टि के क्रियान्वयन के उद्देश्य से परिकल्पित और निर्मित होते हैं। मानव-चित्त[1] और मानव-देह इसके माध्यम बनते हैं। व्यक्ति के पक्ष से उन अन्य व्यक्तियों को उसका समाज कहा जा सकता है जिनसे वह सम्प्रेषणात्मक रूप से सम्बन्धित होता है और जो विषयियों के रूप में प्रस्तुत होकर उसे उसके अपने भीतर से उनके विषय के रूप में प्रस्तुत करते हैं, स्थूल रूप से, जिनके प्रति वह अपने को उत्तरदायी अनुभव करता है और जिनके सम्मुख वह लज्जित हो सकता है। इस प्रकार विशेष विचारात्मक व्यवस्थाओं और विशेष तथा स्थायी भावनात्मक सम्बन्धों के आधार पर विशेष समाजों का निर्माण होता है। इस प्रकार एक संस्कृति अनिवार्यतः विशिष्ट होती है—तब भी यदि वह सम्पूर्ण संसार में एकमात्र संस्कृति हो, क्योंकि वह अनेक सम्भावित परमार्थ-विषयक दृष्टियों में से एक होती है। इसी प्रकार एक समाज भी अनिवार्यतः विशिष्ट समाज ही होता है, यदि वह एक विश्वव्यापी समाज भी हो, क्योंकि वह अनेक सम्भावित समाजों में से एक होता है। किन्तु साथ ही यह देखना भी आवश्यक है कि जबकि अस्तित्व : संस्कृति और समाज : अनिवार्यतः विशिष्ट ही होते हैं, चेतना अपनी प्रत्यङ्मुखता में इन विशिष्टों को वास्तव-सम्भाव्य विशिष्टों में से एक के रूप में ही देखती है। अस्तित्व की यह सम्भावना-परिवेष्टितता स्वयं अस्तित्व को उसकी अपनी ही धुरी पर आगन्तुक और अयथातथ : अन्यथाकरणीय : बना देती है। यहाँ पुनः प्रत्यक्षगत विषय का उदाहरण इस प्रसंग को समझने में उपयोगी होगा। जैसाकि हमने देखा, मेज़ ज्ञान-विषय के रूप में एक परिप्रेक्ष्यात्मक अस्तित्व है, जिसका अर्थ है कि यह विभिन्न दृष्टिकोणों से प्रेक्ष्य दृश्यों के बीच तटस्थ है और ये सब दृश्य इससे सम्बद्ध हैं। किन्तु इसका यह अर्थ नहीं है कि ये अपने ताटस्थ्य में दृश्य भी हो सकते हैं, और न इसका यही अर्थ है कि इसका कोई एक सर्वसामान्य दृश्य भी हो सकता है। परिप्रेक्ष्यात्मकता अनिवार्य रूप से असंख्य और विविध दृश्यताएँ हैं और साथ ही किसी भी दृश्य में अन्य दृश्यों की अपेक्षा की विद्यमानता है। इस पर कहा जा सकता है कि इस उदाहरण के बजाय यदि हम मेज़त्व का उदाहरण लें तो यह युक्ति काम नहीं देगी क्योंकि मेज़त्व परिप्रेक्ष्यात्मक नहीं होता, वह एक सरल प्रत्यय है जो एक-साथ और समग्रतः गम्य होता है। किन्तु यह सही नहीं है। मेज़त्व यद्यपि परिप्रेक्ष्यात्मक नहीं होता, क्योंकि

1. यहाँ यह स्मरणीय है कि 'मानव-चित्त' से हमारा अभिप्राय 'मानव-व्यक्ति का चित्त' नहीं है बल्कि वह चित्त है जो एकसाथ मानव-व्यक्ति और मानव-संस्कृति दोनों आयाम लेता है।

परिप्रेक्ष्यात्मक केवल इन्द्रिय-विषय ही होते हैं, किन्तु यह स्वरूपतः विशिष्टपरक और अनन्त सम्भावनात्मक, अनन्त रूपात्मक और अर्थात्मक होता है : मेज़ संख्या में अनन्त, आकार-प्रकार की विविधता में असंख्य और सम्बन्धों तथा प्रयोजनों में अपरिमेय हो सकते हैं। सामान्य और विशेष के सम्बन्ध का एक और प्रकार हम किसी विचार और उसके अवगमन में देख सकते हैं : कोई भी विचार असंख्य दृष्टिकोणों का विषय, असंख्य सिद्धान्त-व्यवस्थाओं का घटक और गहराई में अनवगाह्य होता है। अब ये सब उदाहरण सामान्य के अस्तित्व में अवतरण के हैं। यही बात वैयक्तिक और सांस्कृतिक आविर्भाव की है। किन्तु मानव-चेतना के आत्म-चेतन होने से इस विशिष्ट में अपने सामान्य-सार्वभौम तत्त्व का बोध भी सम्भव है, जो बोध सम्प्रेषण की सार्वभौमता के द्वारा चरितार्थ किया जा सकता है। किन्तु पुनः, सम्प्रेषण की यह सार्वभौमता केवल सामान्य की सम्भावनात्मकता के बोध में प्रकाशन के रूप में ही सम्भव होती है, क्योंकि सम्प्रेषण की वास्तव सार्वभौमता केवल तभी घटित हो सकती है जब सब देशों और सब कालों में सब व्यक्तियों में वास्तव संवाद घटित हो सकें, जो एक असम्भव स्थिति है। किन्तु जहाँ यह संवाद प्रत्यक्ष या परोक्ष रूप से घटित होता है वहाँ एक समाज का जन्म होता है। विभिन्न सांस्कृतिक परम्पराओं का अध्ययन इस समाज को व्यापक बनाने में सहायक होता है। यहाँ यह स्पष्टीकरण पुनः आवश्यक है कि समाज को 'व्यक्तियों के बीच सम्प्रेषण' के रूप में परिभाषित करने का अर्थ व्यक्तियों की समाज से प्राथमिकता अथवा समाज की व्यक्तिमूलकता : व्यक्ति-समूहरूपता : का प्रतिपादन नहीं है, जिस प्रकार दृष्टि-विषय की परिप्रेक्ष्यात्मकता का अर्थ विषय को दृश्यों का संकलन कहना अथवा उसको दृष्टिमूलक कहना नहीं है।

अब, संस्कृति क्या है? इस प्रश्न पर विचार के लिए व्यक्ति के स्वरूप पर पुनर्विचार सहायक होगा। व्यक्ति के स्वरूप के दो आयाम देखे जा सकते हैं। उसे एक आयाम में इस प्रकार परिभाषित किया जा सकता है : आत्मसम्बद्ध सब क्रियाओं का अधिष्ठान। इस परिभाषा को संरचनात्मक और क्षैतिज कहा जा सकता है। किन्तु यह परिभाषा व्यक्ति के स्वरूप का एक महत्त्वपूर्ण पक्ष प्रकट करते होने पर भी उसके तत्त्व को अछूता ही छोड़ देती है। मनुष्य की ही नहीं जीवमात्र की, अथवा कहें सभी स्तरों की, चेतना भविष्योन्मुख होती है। क्रिया का यह स्वरूप है कि वह अप्रस्तुत-विषयक और आयोजनात्मक होती है। चेतना का यह ऊर्ध्वोन्मुख आयाम है। चेतना के इस आयाम को एषणात्मक कहा जा सकता है। यह एषणात्मक आयाम यों जीव-धर्म ही है, किन्तु मनुष्य में यह आयाम मौलिक रूप से एक भिन्न-रूप ले लेता है, जिसका कारण अहं-भाव का अहं-प्रत्यय में रूपान्तरण है। यह रूपान्तरण अहं को एक प्रतीक, एक विपुल अर्थ-राशि का आश्रय बना देता है और व्यक्तित्त्व को एक दूसरा आयाम दे देता है, जिसे आत्मा-विषयक मूल्यों का, आत्मा की अप्रस्तुत-विषयकता का, अर्थात् उसके सिद्धरूप से भिन्न उसकी साध्यरूपता का आयाम कहा जा सकता है। वास्तव में यह दूसरा आयाम प्रथम आयाम को भी आधार देता है, क्योंकि प्रथम आयाम में विभिन्न मनःस्थितियों, अथवा कहें चिद्वृत्तियों को संरचनात्मक केन्द्र तो मिल जाता है, इस संरचना को कोई अधिष्ठातृत्व और सार्थकता नहीं मिलती। वास्तव में अधिष्ठातृत्व और सार्थकता परस्पर को पूर्वकल्पित करते हैं, क्योंकि अन्यथा तो इन्द्रियाँ और अन्तःकरण असंख्य विषयों के सम्पर्क में आते हैं किन्तु ग्रहण हम केवल उन्हीं विषयों का करते हैं जो हमारे लिए आकर्षक होते हैं। इसी प्रकार प्रत्यक्षों का स्मृति में संग्रह और संगृहीत का स्मरण भी किसी प्रयोजन अथवा अपेक्षा से ही निर्धारित होते हैं। वे सब मूल्य यद्यपि वस्तु पर आरोपित होते हैं किन्तु वस्तुतः ये आत्मविषयक ही होते हैं : जो स्वरूप आत्म-प्रत्यय का होता है उसी के अनुसार हमारे विषय आत्मसम्बद्ध होते हैं। यहाँ बरबस उपनिषद् के "आत्मनस्तु कामाय सर्वं प्रियं भवति" आदि मन्त्र का ध्यान आता है : अन्न-वस्त्र, पुत्र-कलत्र, काव्य-शास्त्र जो भी कुछ किसी को प्रिय होता है उस सबकी प्रियता का स्रोत आत्मा ही है : अर्थात् जिस रूप में आत्मा कल्पित होता है उसी प्रकार के विषय मूल्यवान् होते हैं। अब, मूल्यों की विषयवर्तिता आत्मा को विषयानुगामी और विषयाधीन, अथवा कहें अपने अधिष्ठातृत्व में क्षीण बना देती है और इनकी आत्मपरता उसे स्वतन्त्र और विषयाधिष्ठाता बना देती है।

अब, जो स्थान व्यक्तित्व में आत्मा का है वही स्थान समाज में संस्कृति का है, इस अन्तर के साथ कि इसकी संरचना किसी अहं-प्रत्यय में अधिष्ठित नहीं होकर[1] परमार्थ विषयक, अथवा कहें उस सत्-विषयक दृष्टि में अधिष्ठित होती है जो सत् मनुष्य का साध्य होता है। इस दृष्टि को संस्कृति की आत्मा और अधिष्ठाता भी कहा जा सकता है, किन्तु इस महत्त्वपूर्ण अन्तर के साथ कि यह अधिष्ठातृत्व कर्त्तृत्वाभिमान और ज्ञातृत्वाभिमान से, कर्म और ज्ञानविषयक अस्मिता से, रहित होता है। किन्तु संस्कृति यह दृष्टिमात्र ही नहीं होती, उन सब क्रियाओं की विषयिता और विषयता भी संस्कृति ही होती है जिनमें समाज-चेतना या समाज-चित्त अपने को क्रियान्वित और व्यक्त करता है। संस्कृति-दृष्टि इस सम्पूर्ण व्यापार को एक मूल्यात्मक व्यवस्था में प्रतिष्ठित करती है। इस प्रकार सब समाजों में दर्शन, विज्ञान, कलाएँ और अन्य रचना-विधाएँ देखी जा सकती हैं जो समाज-विशेष के चरित्र के अनुसार प्रमुखता और गौणता के सोपान में व्यवस्थित होती है।

यहाँ यह विचारणीय है कि किसी समाज की परमार्थ-दृष्टि का और उसके संरचनात्मक वैशिष्ट्य का मूल स्रोत क्या होता है? वास्तव में इनके स्रोत और आरम्भ की कालात्मक अर्थ में खोज चेतना के स्वरूप की भ्रान्त अवधारणा की द्योतक है। उदाहरणतः जो व्यक्ति जैसाकि उसके वैसा होने का क्या कारण है? इसका उत्तर हमने दिया कि इसका कारण उस आत्म-प्रत्यय का स्वरूप है जो मेरे व्यक्तित्व को अधिष्ठित करता है। इब यदि यह प्रश्न किया जाय कि इस आत्म-प्रत्यय के स्वरूप के वैसा होने का क्या हेतु है जैसा यह है? तो इसका कोई उत्तर कर्म-फलवाद के भारतीय सिद्धान्त में दिया गया है कि इसका स्वरूप पिछले कर्मों से निर्धारित होता है। किन्तु कर्म, अपूर्वतः निर्धारित : स्वाधीन : आत्म-प्रत्यय को पूर्वकल्पित करता है। इस प्रकार इस कर्म-परम्परा का स्वरूप स्वतन्त्र कर्त्ता से ही निर्धारित होता है। किन्तु कर्म-फलादियों ने ऐसा नहीं कहा है। उनका कहना था कि यह कर्म-परम्परा अनादि है। अनादिता को काल-वाचक अर्थ में लेने पर इसका अर्थ हो जाता है कि हम उस कारण-परम्परा में एक कड़ी मात्र हैं जिसका निर्धारण कर्त्ता के द्वारा नहीं होता है और इस प्रकार हम निस्वरूप हैं और आत्म-प्रत्यय बाह्यतः प्रदत्त होता है। प्रकारान्तर ये यही प्रतिपादन वैज्ञानिकतावादियों का भी है। किन्तु यह विचार आत्म-चेतना के स्वरूप की नासमझी पर आधारित है। निश्चय ही हम कारण-शृंखला की कड़ी भी हैं किन्तु आत्म-चेतन रूप में सदैव इससे स्वतन्त्र और इसके निर्धारक भी हैं। यह बात संस्कृति के सम्बन्ध में उतनी ही सत्य है : यह परम्परात्मक और इस प्रकार अपने इतिहास से निर्धारित भी होती है किन्तु यह मूलतः सृजनात्मक चेतना के आत्मचरितार्थन की प्रक्रिया भी है। उदाहरणतः कलाकृति चेतना का कला-कर्म में प्रवर्तन और उस कर्म का कलाकृति में प्रतिफलन होती है। इस सम्पूर्ण व्यापार का मूल्य चेतना द्वारा अपने अन्तर्निहित अर्थों के प्रतिदर्शन और निरूपण और इस प्रकार अपने विपुलीकरण में होता है। अवश्य परम्परा कारण-कार्यात्मक ही होती है, किन्तु परम्परा चेतना द्वारा अपने प्राकृतिक माध्यम की प्रतिकूलता को उसके अपने

1. श्री अरविन्द व्यक्तियों के समान ही समाजों और राष्ट्रों में भी देह, प्राण, जीव और आत्मा एवं अहं-प्रत्यय का होना मानते हैं। (द्रष्टव्य उनकी पुस्तक **दि ह्यूमन साइकिल,** अ. 4) समाज के देह और आत्मा के प्रश्न पर हमने अपनी पुस्तक **संस्कृति : मानव कर्तृत्व की व्याख्या** के अ. 2 में विस्तार से विचार किया है। वहाँ हमने समाजों या संस्कृतियों में अहंभाव या अहं-प्रत्यय की विद्यमानता स्वीकार की है। अवश्य संकट की घड़ियों में समाजों और राष्ट्रों में भी एक अहं-बोध परिलक्षित होता है और क्रान्ति आदि के अवसरों पर इस बोध में एक आध्यात्मिक अर्थ भी होता है और प्रयोजन का बोध भी परिलक्षित होता है। श्री अरविन्द ने ऐसे ही अवसरों को उदाहरण रूप में प्रस्तुत किया है। किन्तु इसमें दो अन्तर हैं। एक तो यह कि इसमें व्यक्ति बहुवचनात्मक अहं-प्रत्यय का प्रयोग करते हैं : 'हम भारतवासी', 'हम हिन्दू' या 'हम मुसलमान' : और दूसरे, यह अस्मिता भी आवेगात्म होती है, जैसी हाथियों या हिरणों के झुण्ड में, आत्म-चेतनामूलक नहीं, जो अहं-प्रत्यय को उपलक्षित करती है। आत्म-चेतनात्मक सांस्कृतिक अहं-प्रत्यय उस केन्द्र को कहा जा सकता है जो संस्कृति के बोधात्मक-अवधारणात्मक वैशिष्ट्य को अधिष्ठित करता है, 'बोध' और 'अवधारणा' के उस व्यापक अर्थ में जिससे किसी समाज की सम्पूर्ण जीवन-शैली और पुरुषार्थ-व्यवस्था आकलित होती है।

यहाँ 'भौतिक' शब्द के बजाय 'प्राकृतिक' शब्द का प्रयोग हम इसलिए कर रहे हैं क्योंकि भौतिक अधिक संकुचितार्थक है। उदाहरणत: भाषा का शब्दपक्ष भी उसमें उपयुक्त रूप में आकलित नहीं हो सकता, अलंकार आदि के होने का तो फिर प्रश्न ही कहाँ उठता है!

नियमों के आश्रय से अनुकूल करने के प्रयत्न की परिणाम होती है। उदाहरणतः काव्य–परम्परा का अर्थ है काव्य–भाषा और काव्यालंकार आदि अभिव्यक्ति–साधनों के परिष्कार का ऊर्ध्वोन्मुख क्रम, जो प्रतिभावान् कवि को अपने साक्षात्कृत अर्थों की अभिव्यक्ति के लिए अधिकाधिक पारदर्शी माध्यम उपलब्ध करा सके। पारदर्शी माध्यम का अर्थ है ऐसी प्रतीक–व्यवस्था जो साक्षात्कृत और सम्प्रेष्य अर्थों की अलौकिकता को अपने लौकिक माध्यम में भी अक्षत रूप में प्रदर्शित कर दे। जैसाकि हम जानते हैं, परम्परा प्रायः ही अपने इस उद्देश्य के विपरीतगामी हो जाती है। उस स्थिति में वह सांस्कृतिक परम्परा नहीं रहकर संस्कृति पर जुड़ बोझ हो जाती है। इस प्रसंग में स्वयं समाज भी संस्कृति के लिए उपकरणभूत होता है। यह चेतना के बहु–आयामी आत्म–सर्जन के लिए परिभू–स्वयंभू–कविर्मनीषी की विपुल अर्थ–सम्पदा को लोक में वहन करने के लिए अपेक्षित सहस्रपाद उपलब्ध कराता है।

संस्कृति का स्वरूप

श्री अरविन्द के अनुसार, "संस्कृति मनोमय जीवन का स्वयं उसके अपने ही लिए अनुशीलन है।"[1] हमने अन्यत्र इसकी परिभाषा 'समाज की आत्मा' की है।[2] ये दोनों परिभाषाएँ इसके स्वरूप के दो पक्षों को निरूपित करती हैं और सम्भवतः ये दो संयुक्त रूप से इसकी एक पर्याप्त परिभाषा कही जा सकती हैं। ये दोनों परिभाषाएँ मनुष्य के भौतिक-जैविक-आर्थिक अनुसरणों को उसके सांस्कृतिक अनुसरणों के क्षेत्र से बाहर रखती हैं। किन्तु दूसरी परिभाषा इन अनुसरणों का उस अवस्था में समावेश कर सकती है यदि कोई समाज भौतिक-जैविक जीवन को ही अपनी आत्मा के रूप में देखता है। दूसरे शब्दों में, जीवन के ये पक्ष साध्य के बजाय साधन के रूप में, अथवा अनात्म के रूप में देखे जाने पर संस्कृति नहीं कहे जा सकते, किन्तु साध्य या आत्मा के रूप में देखे जाने पर ये उस समाज की संस्कृति को परिभाषित करते हैं।[3] किन्तु श्री अरविन्द की परिभाषा को संगृहीत करने पर मानसिक जीवन के वे भी पक्ष संस्कृति के अन्तर्गत ही आ जाएंगे जिन्हें कोई समाज अपनी आत्मा के रूप में ही नहीं देखता। उदाहरणतः मुस्लिम समाज में संगीत निषिद्ध होने पर भी उस समाज की गायन-परम्परा को, यदि ऐसी कोई परम्परा हो तो, सांस्कृतिक परम्परा ही कहा जायगा। किन्तु वास्तव में यह एक अत्यधिक विवादास्पद बात होगी कि क्या किसी समाज में ऐसी परम्परा का होना सम्भव है जो उसके आत्म-प्रत्यय से बहिष्कृत हो, और यदि ऐसी परम्परा हो ही तो क्या उसे उसकी सांस्कृतिक परम्परा कहा जा सकता है? दूसरी ओर, क्या किसी समाज के भौतिक-आर्थिक-जैविक अनुसरणों को, उनके उसकी आत्मा के रूप में गृहीत होने पर भी, उसकी संस्कृति कहा जा सकता है? यहाँ एक और प्रश्न भी उठाया जा सकता है और वह यह कि किसी समाज में मानसिक जीवन के किसी पक्ष के अनुसरण का वर्जन क्या उसमें दोष का द्योतक नहीं होगा?

जहाँ तक पहले प्रश्न का सम्बन्ध है, इसमें मुस्लिम धर्म और मुस्लिम संस्कृति में तादात्म्य मान लिया गया है, जो उचित नहीं है। यद्यपि धर्म संस्कृति का एक केन्द्रीय और नियामक प्रत्यय होता है, जिसका लक्ष्य कर उससे सम्बद्ध समाज अपने कर्मों की सार्थकता-निरर्थकता निर्धारित करता है, किन्तु वह लक्ष्य मनोमय जीवन के सब पक्षों को अपने में आकलित नहीं कर सकता। ये पक्ष उस लक्ष्य के उपकारक नहीं होने पर भी, और बहुत बार अंशतः अपकारक होने पर भी, उस समाज द्वारा मूल्यवान् माने जाते हैं और उनमें उत्कर्ष की सिद्धि करने वाले व्यक्ति उस समाज द्वारा समादृत होते हैं। यह बात बहुत बार व्यक्तिगत जीवन में भी देखी जाती है : एक व्यक्ति उत्कृष्ट वैज्ञानिक अथवा दार्शनिक अथवा इतिहासशास्त्री होने के साथ-साथ अच्छा गायक, कवि अथवा धार्मिक व्यक्ति भी हो सकता है। उसके व्यक्तित्व की यह बहुमुखीनता किसी चेतन या अचेतन केन्द्रीय विचार-सूत्र में ग्रथित हो यह आवश्यक नहीं है, बल्कि यह अधिक निश्चय के साथ कहा जा सकता है कि वह किसी केन्द्रीय विचार-सूत्र में ग्रथित नहीं होती, उसका स्रोत केवल चेतना का विस्फार, उसमें ऊर्जा का प्राबल्य भी हो सकता है, किन्तु तब भी न केवल यह बहुमुखीनता उस व्यक्तित्व की धुरिहीनता के रूप में ही नहीं देखी जाती बल्कि उसकी सम्पन्नता और विपुलता के रूप में ही देखी जाती है। यहाँ भारतीय पौराणिक परम्परा में रामावतार में बारह

---

1. **दि ह्यूमन साइकिल**, पृ. 76
2. 'भारतीय संस्कृति के आधार : वर्तमान सन्दर्भ' लेख तथा **सत्ताविषयक अन्वीक्षा**, अध्याय 12.
3. पिटिरिम सोरोकिन ने **सोश्योलोजीकल थ्योरीज़ ऑफ टू-डे** में आधुनिक पाश्चात्य संस्कृति को ऐन्द्रिक, के रूप में परिभाषित किया है।

कलाओं के और कृष्णावतार में सोलह कलाओं के प्रतिफलन का दर्शन और परिणामतः कृष्णावतार की रामावतार से श्रेष्ठमता का विचार उल्लेखनीय है। अब यह सर्व कला-सम्पूर्णता, अथवा एक से अधिक कलाओं की एक व्यक्ति में विद्यमानता, उस व्यक्तित्व की एकता को शिथिल नहीं करती बल्कि उस एकता की पुष्टि की ही द्योतक होती है, और दूसरी ओर किसी व्यक्तित्व के लिए यह भी एक आदर्श स्थिति है कि उसमें सब कलाएँ प्रस्फुट और उत्कट रूप में सिद्ध हों। किन्तु तब इस बहुलता में एकता का क्या आधार होता है? क्या इसे अहंकार या अहं-प्रत्यय या आत्म-प्रतिमा कहा जा सकता है? दूसरे, यह बहुलता वांछनीय क्यों है?

इनमें प्रथम का उत्तर होगा कि एकता का आधार अहं-प्रत्यय को ही कहा जा सकता है, जो एक ओर विभिन्न प्रवृत्तियों, क्रियाओं और घटनाओं को अपने से सम्बद्ध करता है और दूसरी ओर संकल्प के रूप में इन पर अधिष्ठातृत्व स्थापित कर उसमें अपनी सिद्धि देखता है। अधिष्ठातृत्व का जैव रूप केवल बाह्य वस्तुओं के नियोजन के प्रयत्न के रूप में ही दृष्टिगत होता है। आत्म-चेतन चित्त में यह प्रयत्न भी पूर्णतः रूपान्तरित हो जाता है और स्वयं चित्त को अपने नियोजन का विषय बनाता है। जैव नियोजन में भी अन्वेष्यार्थ आत्म-सम्बद्ध, अथवा कहें अहं-विषयक ही होते हैं, केवल यह आत्मा देह और निम्न भौमिक चित्त के स्तर का होता है और परिणामतः इसके अर्थ भी इसी स्तर के होते हैं। किन्तु जैसाकि हमने पिछले अध्याय में देखा, आत्म-चेतन चेतना के लिए स्वयं अहंकार भी अहं-प्रत्यय के रूप में विषयभूत हो जाता है और परिणामतः नियोज्य हो जाता है और इस कारण अर्थ भी प्रदत्त नहीं रह कर आत्म-चेतन हो जाते हैं। अर्थ के आत्म-चेतन होने का अर्थ है उसका काम्य या प्राप्य के साथ तादात्म्य की स्थिति से ज्ञान-विषय में रूपान्तरित हो जाना, जो विषय चेतना की अपनी अनवगाह्य गम्भीरता के रूप में इस ज्ञान को प्रस्तुत होता है। उदाहरणतः भूख जबकि जैव स्तर पर भोज्य वस्तु को अधिकृत करने और उसे अपने देह में आत्मसात् करने की ओर प्रवृत्त करती है आत्म-चेतन स्तर पर यह चेतना में प्रतिबिम्बित होकर उन प्रतिबिम्बगत अर्थों के रूप में अन्वेष्य होती है। ये अर्थ दो सन्दर्भों में आविर्भूत होते हैं—एक आत्म-प्रत्ययविषयक और दूसरा स्वयं इस विषय-विषयक। इनमें पहला सन्दर्भ जबकि आत्मा के अर्थ के अनुसन्धान का और अधिष्ठातृत्व-स्थापना का रूप लेता है, दूसरा सन्दर्भ स्वाद और स्वास्थ्य से सम्बद्ध अर्थों के अनुसन्धान के रूप में पाकशास्त्र, रस-शास्त्र और पौष्टिकता-शास्त्र का रूप लेता है। ये दोनों सन्दर्भ चेतना के लोकावतरण की दो कलाएँ कहे जा सकते हैं, जो वैयक्तिक स्तर पर वैयक्तिक मानसिक समृद्धि के द्योतक होते हैं और सांस्कृतिक स्तर पर सामाजिक-मानसिक समृद्धि के। इसी प्रकार काम-वासना के लिए देखा जा सकता है : यह आत्म-चेतना की विषय होकर प्रेम और भक्ति का रूप लेती है और परिणामस्वरूप यह एक ओर आत्म-विषयक अर्थों का आयाम लेती है और दूसरी ओर शृंगार-रसमूलक कला-सर्जन अथवा ईश्वराराधन का। गोपीकृष्ण-प्रसंग आत्मविषयक अर्थ-साक्षात्कार और शृंगार-रसमूलक सर्जन का उदात्ततम रूप कहा जा सकता है। इसी दिशा में मलिक मुहम्मद जायसी के पद्मावत काव्य की गणना की जा सकती है। इनमें काम-वासना आत्मार्थ प्रसंग में निग्राह्य होकर आध्यात्मिक अर्थों को समर्पित होती है। यह निग्राह्यता आत्मा के अर्थानुसन्धान के प्रसंग में ही उपस्थित होती है और यह अनुसन्धान ही प्रेम में पावनता, आत्म-त्याग आदि को इस भावना का अवियोज्य अंग बनाता है। ये दोनों आयाम समान रूप से वैयक्तिक और सामाजिक संस्कृति की एक 'कला' बनते हैं। ये सब चित्त में उसके अपने में अस्फुटतया विद्यमान अर्थ हैं जो उसके आत्म-विषयकरण के द्वारा स्फुट और साकार होते हैं।

इन अर्थों का यह स्वरूप चित्त को सदैव अवगत हो, यह आवश्यक नहीं है। चेतना का प्रथम कर्म अपने को विषयाकार देने, लोकावतरित होने के रूप में ही होता है। यही भौतिक और प्राणि-जगत् के रूप में आविर्भूत होता है और आत्म-चेतन स्तर पर संस्कृति और उसके सर्जनों में। इस दूसरे स्तर पर ही आत्मपरक अर्थों का अनुसन्धान आरम्भ होता है। किन्तु यहाँ यह चेतना प्रथमतः अपने अर्थों का अनुसन्धान विषयों के माध्यम से ही करती है, यद्यपि इन अर्थों की आत्मसम्बद्धता : आत्मपरकता : का अस्फुट बोध भी उसे रहता है। यही कारण है कि आत्म-सम्मान, उचित-अनुचित-विवेक और लज्जा मानवीय अस्तित्व के सब स्तरों पर मिलते हैं। आत्म-

सम्मान अहंकार-मूलक व्यक्ति के सार्वभौम व्यक्ति के रूपान्तरण और इस सार्वभौमता में उसकी अपनी प्रतिष्ठा को पूर्वकल्पित करता है, उचित-अनुचित-विवेक अहंकारमूलक कर्त्तृता के सार्वभौम कर्त्तृता में रूपान्तरण और इस सार्वभौमता में अपनी प्रतिष्ठा को। लज्जा में व्यक्ति-विषयी अन्य की विषयिता में प्रतिष्ठित होकर अपनी विषयरूप में प्रस्तुति देखता है। इसमें अन्य विषयी अनिवार्यतः सामाजिक व्यक्ति अथवा व्यक्ति-समुदाय होता है। (लज्जा के सभी प्रसंग : जैसे नंगा देख लिया जाना अथवा भले के रूप में प्रथित व्यक्ति का चोरी करते पकड़े जाना आदि : सामाजिक धारणामूलक ही होते हैं) किन्तु तब भी यह आत्मसम्बद्धता चेतना की आत्मोन्मुखता का स्फुटतम रूप नहीं है, यह वास्तव में आत्म-चेतन की पराङ्मुख वृत्ति का ही एक रूप हो सकता है, विशेषतः आत्म-सम्मान में, जहाँ हम प्रायः ही अपने स्वरूप की सार्वभौमता को ध्यान में नहीं रखकर अहं-भाव से प्रेरित हो सकते हैं। किन्तु तब भी यह आत्मपरक अर्थों का ही विजृम्भण होता है, शुद्ध पराङ्मुख अहं-भाव नहीं होता। यदि यह कहा जाय कि अहं-भाव आत्म-सम्मान के विपरीत भाव है, आत्म-सम्मान में अहं-इतर समान धरातल पर प्रतिष्ठित होते हैं, तो यह ग़लत नहीं होगा।

यहाँ यह द्रष्टव्य है कि आत्म-चेतना के सभी व्यापार उसके अर्थ-विजृम्भण ही कहे जा सकते हैं और इस प्रकार समाज की आर्थिक व्यवस्था, राज्य-प्रशासन, दण्ड-संहिता आदि भी यही कहे जाएंगे। किन्तु तब भी ये सांस्कृतिक नहीं कहे जाते, सांस्कृतिक केवल धर्म, दर्शन, काव्य-कलाएँ, शास्त्र तथा शिल्प ही कहे जाते हैं। यह उचित भी है, क्योंकि आर्थिक और प्रशासनिक आदि व्यापारों में मनोमय जीवन आत्मानुशीलनपरक नहीं होता, इनका सम्बन्ध या तो दैहिक मूल्यों से होता है अथवा लौकिक जीवन की व्यवस्था से। किन्तु अर्थ-व्यवस्था और राज्य-प्रशासन भी आत्मानुशीलन से इस रूप में परोक्षतः सम्बन्धित होते हैं कि ये समाज के सांस्कृतिक व्यक्तित्व के अनुसारी होते हैं। किन्तु कभी कभी आत्मानुशीलन प्रत्यक्षतः भी इनका आधार हो सकता है—जब कोई समाज किसी नैतिक आदर्श के अनुसार इन्हें रूप देता है। यहाँ एक महत्त्वपूर्ण प्रसंग विचारणीय है और वह यह कि इन विभिन्न विधाओं में क्या वैयक्तिक होता है और क्या सांस्कृतिक? कला-सर्जन व्यक्ति-कलाकार करता है और दार्शनिक सर्जन व्यक्ति-दार्शनिक, इनमें संस्कृति का क्या योगदान रहता है? यदि कहें कि संस्कृति कला-परम्परा और दर्शन-परम्परा, अथवा कहें कला-रीति और दर्शन-रीति के रूप में होती है जो वैयक्तिक सर्जनों से अतिरिक्त और ऊपर होती है, तो व्यक्ति और संस्कृति एक प्रकार से दो विपरीत तत्त्व हो जाते हैं, क्योंकि व्यक्ति का कृतित्व जबकि नवोद्भावन और सर्जन में होता है संस्कृति का कृतित्व अवधारण और निग्रह में। उदाहरणतः कालिदास और भवभूति का, अथवा नागार्जुन और वसुबन्धु का कृतित्व जबकि क्रमशः उनके काव्य और दार्शनिक प्रतिपादनों में देखा जायेगा, संस्कृति का कृतित्व इस बात में देखा जायगा कि इनमें काव्य या दार्शनिक चिन्तन की परम्पराएँ कितने अपरिवर्तित और व्यापक रूप से विद्यमान हैं।[1] जो परम्परा जितनी ही सुदीर्घ या कहें काल-स्थायी होती है वह उतनी ही उत्कृष्ट समझी जाती है। परम्परा की यह उत्कृष्टता उसकी मनुष्य के निगूढ़ सत्य से सामरस्य में देखी जाती है। मनुष्य का सत्य क्या है, यहाँ यह प्रश्न विचारणीय नहीं है, इस सम्बन्ध में यहाँ केवल इतना ही कहा जा सकता है कि यदि किन्हीं बाह्य कारणों की अनुपस्थिति में एक परम्परा दूसरी से अधिक स्थायी रहती है तो इससे यह अनुमान उचित है कि उस संस्कृति में ऐसे कुछ तत्त्व होने चाहिएँ जिनमें मनुष्य का तत्त्व अधिक गम्भीर और अधिक मार्मिक रूप से चरितार्थ हुआ है।

यह सही है, किन्तु 'संस्कृति की स्थायिता', या उसकी 'परम्परा की सुदीर्घता' सृजनात्मकता के विपरीतार्थक पद नहीं हैं। परम्परा वास्तव में उस एकात्मकता के कालिक आयाम का वाचक शब्द है जो वैयक्तिक सन्दर्भ में चैत्त-सन्तान कहलाता है। यह परम्परा निर्जीव और सजीव, रूढ़िग्रस्त और सृजनात्मक दोनों प्रकार की हो सकती है। किन्तु ये गुण वास्तव में संस्कृति के नहीं होते, जैसे व्यक्ति में सृजनात्मकता विचार या भावना के

---

1. यहाँ जड़ावलाल मेहता की पुस्तक **कविकर्म और चिन्तन** में 'स्मृति और सर्जना' अध्याय द्रष्टव्य है जहाँ वे कालिदास की उपमाओं और प्रतीकों का स्रोत वैदिक उपमाओं और प्रतीकों में देखते हैं।

गुण नहीं होते बल्कि व्यक्ति के गुण होते हैं, जिसमें ये अंगभूत होते हैं। इसी प्रकार परम्परा की रूढ़िग्रस्तता और सृजनात्मकता समाज के गुण होते हैं, संस्कृति के नहीं। ये सांस्कृतिक रूप से प्रतिफलित होते हैं।

यहाँ यह आपत्ति हो सकती है कि सृजनात्मकता मनस् का गुण है न कि समग्रता में व्यक्ति का। सृजनात्मकता की परिभाषा 'अर्थों, सम्बन्धों और तत्त्वों का अव्यवहित साक्षात्कार' यह की जा सकती है और व्यवधान सब प्रकार की कारण-परम्परा को कहा जा सकता है—अर्थात् जब हम किसी के कहे अनुसार, या परम्परा के अनुसार सोचते हैं, अपने देखे अनुसार नहीं। इस प्रकार सृजनात्मकता का अर्थ सम्बन्धों और तत्त्वों का अपूर्व दर्शन अथवा अपूर्व अर्थों, सम्बन्धों और तत्त्वों का दर्शन है। उदाहरणतः नये यन्त्र के आविष्कार में जो सम्बन्ध और अर्थ देखे और व्यक्त किये जाते हैं वे पहले से विद्यमान होते हैं, ऐसा नहीं कहा जा सकता, ये देखने के साथ ही आविर्भूत होते कहे जा सकते हैं। किन्तु यहाँ इस विकल्प के बीच निर्णय का प्रयत्न प्रसंगान्तर होगा। यहाँ प्रस्तुत प्रश्न यह है कि सृजनात्मकता चेतना का गुण है या कि व्यक्ति और समाज का उनकी समग्रता में गुण है? व्यक्ति के सन्दर्भ में हम प्रायः ही देखते हैं कि कुछ व्यक्ति अपनी आयु की विशेष अवधि में अधिक सृजनशील होते हैं और उसके पश्चात् उतने सृजनात्मक नहीं रहते। अब, एक अवधि, सृजनशील होने से पहले की अवधि के सम्बन्ध में तो यह कहा जा सकता है कि उसकी चेतना उस स्तर तक विकसित नहीं हुई थी, किन्तु सृजनात्मकता के उत्कर्ष की अवधि के बाद की अवधि में ह्रास होने के सम्बन्ध में यह कैसे कहा जा सकता है? इसी प्रकार समाज के लिए भी है : अपने जीवन की अवधि-विशेष में कोई समाज सांस्कृतिक रूप से अधिक सृजनात्मक होता है और बाद की अवधि में नहीं होता। समाज के सम्बन्ध में तो यह भी कहा जा सकता है कि जड़ता की एक अवधि के अनन्तर उसमें फिर से सृजनात्मकता का नया युग आ सकता है और इस प्रकार उसके जीवन में सृजनात्मकता और जड़ता के युगों की आवृत्तियाँ हो सकती हैं। उदाहरणतः भारतीय समाज में बुद्धपर्यन्त युग, पुनः गुप्त-युग, उसके अनन्तर भक्ति-युग और उसके अनन्तर आधुनिक नवजागरण-युग सृजनात्मकता के और इनके बीच की अवधियाँ न्यूनाधिक जड़ता के युग कहे जा सकते हैं। इसके विपरीत अधिकांश इतिहासशास्त्री इन युगों को संस्कृतियों की सजीवता और निर्जीवता अथवा सृजनात्मकता और जड़ता के युग कहते हैं। इनमें स्पैंग्लर संस्कृति के जीवन में दैहिक जीवन की अवस्थाओं के अनुरूप बालपन, यौवन, प्रौढ़ता और जरा ये चार अवस्थाएँ देखता है, जिन अवस्थाओं की उसी प्रकार कोई आवृत्ति नहीं होती जिस प्रकार दैहिक अवस्थाओं की आवृत्ति नहीं होती।[1] यह प्रतिपादन तथ्यतः भी ग़लत है और तत्त्वतः भी। तथ्यतः इसलिए क्योंकि समाजों में सांस्कृतिक पुनरुज्जीवन के चक्र हम प्रायः ही देखते हैं, जैसे भारतीय समाज में हमने ऊपर देखा। स्पैंग्लर के अनुसार भारतीय संस्कृति का यौवन काल महात्मा बुद्ध के पश्चात् ढल गया था और इस प्रकार उसके अनुसार इसके शास्त्रीय दर्शन, काव्य, कला, विज्ञान आदि के सम्पूर्ण विकास के शिखर जड़ता के क्रमिक संस्कृति स्वरूपतः आध्यात्मिक सत्ता है, जैव सत्ता नहीं, जैव तत्त्व उसकी अभिव्यक्ति का, लोक में अवतरण और क्रियान्वयन का माध्यम बनता है जिसमें विकास और ह्रास होता है।

आध्यात्मिकता की एक आधारभूत अपेक्षा अधिष्ठातृत्व है। अधिष्ठातृत्व को अहं-प्रत्यय की आत्म-प्रतिष्ठा, प्रत्यङ्मुखता में उसका आत्म-प्रज्ञप्तिपूर्वक संकल्प-बल कह सकते हैं। इसी से मानवेतर प्राणियों में चित्त के होने पर भी अधिष्ठातृत्व नहीं होता। अधिष्ठातृत्व के दो आयाम कहे जा सकते हैं : ज्ञातृत्वाभिमान और कर्तृत्वाभिमान, अर्थात् ज्ञप्तियों पर अधिष्ठातृत्व और कर्मों पर अधिष्ठातृत्व। किन्तु यहाँ प्रश्न हो सकता है कि व्यक्ति में तो अहं-प्रत्यय होता है, किन्तु समाज में भी यह होता है यह स्वतःस्पष्ट नहीं है। यह स्पष्ट नहीं रहने पर सांस्कृतिक अधिष्ठातृत्व की बात नहीं की जा सकती। इसके समाधान के लिए वैयक्तिक अधिष्ठातृत्व के स्वरूप पर विचार उपयोगी होगा।

---

1. **दि डिक्लाइन ऑफ दि वैस्ट।**

अब, व्यक्ति में अहं-बोध होता है और यह बोध उसकी सब क्रियाओं के साथ प्रकट या अप्रकट रूप में विद्यमान रहता है—उद्देश्य-विधेयात्मक वाक्यों में उद्देश्य के समान। किन्तु यह बोध उन क्रियाओं को एकता देने के लिए पर्याप्त नहीं होता, जैसे दो वाक्यों के विधेयों का एक ही उद्देश्य रहने पर भी उन वाक्यों में कोई एकसूत्रता होना आवश्यक नहीं होता : 'राम जाता है' और 'राम सीता का पति है' वाक्यों में कोई एकसूत्रता नहीं है। यह अहं-बोध पृथक् ज्ञप्तियों या क्रियाओं में पृथक् भी रह सकता है, स्मृतिनाश-रोग में ऐसा वस्तुतः होता भी है। किन्तु स्मृति रहने पर भी अहं-बोध को अधिकरणात्मक एकता जैसा कुछ कह सकते हैं, अथवा एक टॉर्च के जैसा, जिसकी जिस-जिस वस्तु की ओर उन्मुखता होती है वह वस्तु उससे प्रकाशित हो जाती है। अथवा कहें अधिकरणता और टॉर्चपन ये दोनों संयुक्त रूप से इस स्तर के अहं-बोध में रहते हैं। जैसा कि पिछले अध्याय में हमने देखा, यह बोध पाशव स्तर पर भी अस्फुटतया रहता है, हानि अथवा उसकी सम्भावना पर क्रोध अथवा भय इसी बोध में प्रतिष्ठित होते हैं, क्रिया-प्रवृत्ति क्रिया-सामर्थ्य के बोध में और यह सामर्थ्य-बोध देह-स्तरीय अहं-बोध में प्रतिष्ठित होता है। इसके विपरीत अधिष्ठातृत्व चित्त का संकल्पात्मक प्रवर्तन है जो अहं-बोध का भी एक उपकरण के रूप में उपयोग करता है। इस उपकरण को वह किसी ऐसे अर्थ का उपयोगी बनाता है जिसे केन्द्रीय प्रतीक या प्रतिमा के रूप में स्थापित कर वह (अधिष्ठाता) उन सब क्रियाओं और ज्ञप्तियों को अधिगत करता है जो उससे सम्बन्धित होती हैं। इस अधिष्ठाता को ही उचित रूप से व्यक्ति कहा जा सकता है और उसके द्वारा आक्षिप्त यह प्रतिमा या केन्द्रीय प्रतीक उसका स्वरूप, जिसको मानदण्ड या निकष बनाकर वह अपने कर्मों का नियोजन करता है।

व्यक्ति के अनुरूप संस्कृति का स्वरूप भी किसी एक केन्द्रीय प्रतीक से निर्धारित, अथवा कहें उसे मानदण्ड बना नियोजित होता है। यहाँ प्रश्न हो सकता है कि क्या इसका कोई अधिष्ठाता भी होता है? इसका उत्तर होगा कि उसके बिना आधार-प्रतीक या प्रतिमा ही अस्तित्व में नहीं आ सकती। वास्तव में इस प्रतीक या प्रतिमा को अधिष्ठातृ-प्रतीक या प्रतिमा भी कह सकते हैं। इस पर आपत्ति हो सकती है कि अधिष्ठातृत्व में अहं-प्रत्यय भी पूर्वगृहीत रहता है किन्तु समाज में कोई अहं-प्रत्यय नहीं होता। वास्तव में कुछ विचारक समाज में भी एक अहं-प्रत्यय स्वीकार करते हैं। जैसाकि हमने पिछले अध्याय में देखा, श्री अरविन्द ने तो उसी अर्थ में और उतने ही स्पष्ट और प्रबल रूप में समाज में अहं-प्रत्यय की विद्यमानता की बात की है जितनी स्पष्टता और प्रबलता के साथ इसके व्यक्ति में विद्यमान होने को स्वीकार किया जाता है। इसे वे 'अहं-प्रत्यय' नहीं कहकर 'जीव' (सोल्) की संज्ञा देते हैं। वास्तव में जो समाजशास्त्री या मनोवैज्ञानिक समूह-मन को स्वीकार करते हैं वे भी अप्रत्यक्ष रूप से सामूहिक अहं-प्रत्यय की ही बात करते हैं। किन्तु इससे भिन्न भी 'हम भारतीय ', 'हम हिन्दू', 'हम मुसलमान' आदि के रूप में एक अहं-प्रत्यय रहता है। इस पर आपत्ति हो सकती है कि इसमें अहंभाव अत्यन्त क्षीण और उथला होता है जबकि व्यक्ति में यह बहुत प्रबल और ठोस होता है। यह ऊपरी दृष्टि से तो सही है किन्तु यह द्रष्टव्य है कि एक व्यक्ति में भी यह सब अवस्थाओं में समान रूप से प्रबल नहीं होता और न भिन्न-भिन्न व्यक्तियों में इसकी प्रबलता एक-समान होती है। उदाहरणतः एक आदिम जातीय और 'आधुनिक' व्यक्ति में इसकी स्फुटता या ठोसपन में बहुत अन्तर होता है : प्रथम में वास्तव में यह बहुत ही अविकसित और सीमित होता है जबकि दूसरे में अत्यधिक विकसित और व्यापक। प्रथम के जीवन का अधिकांश क्षेत्र सामूहिक और सामुदायिक अहं-प्रत्यय के ही अन्तर्गत होता है, वैयक्तिक अहं-प्रत्यय के नहीं। आदिम जातीय स्तर पर वास्तव में आधार प्रतीक टोटम के रूप में और समुदाय अभिन्न होते हैं और इस प्रकार सामुदायिक अहं-प्रत्यय इस प्रतीक के ही आश्रित होता है। यह प्रतीक भी अपने शुद्ध और पारदर्शी रूप में अवगम्य नहीं होकर नितान्त अपारदर्शी, यहाँ तक कि भौतिक-प्राणिक रूप में आक्षिप्त होता है। इसे चेतना का पराङ्मुख स्तर कह सकते हैं जो व्यक्ति और संस्कृति दोनों को समान रूप से उपरंजित करता है। इस प्रकार 'आदिम' और 'आधुनिक' पद वास्तव में सामूहिक चेतना की प्रत्यङ्मुख विकास-यात्रा के दो परस्पर सुदूरवर्ती स्थलों के वाचक माने जा सकते हैं। यहाँ यह स्पष्टीकरण आवश्यक है कि ये पद काल में 'आरम्भिक' और 'वर्तमान' के वाचक नहीं हैं और इस प्रकार आज के समाज में बहुत-सी प्रवृत्तियाँ और मनःस्थितियाँ आदिम या उसके निकटवर्ती पायी जा सकती हैं। किन्तु तब भी आज की

संस्कृति-दृष्टि इस अर्थ में अधिक प्रत्यङ्मुख है कि इसके प्रतीक अधिक पारदर्शी हैं। यह बात आज की भाषा के पद-प्रयोग में चित्रात्मकता की अधिकाधिक न्यूनता में,[1] धर्म में आनुष्ठानिकता और औपचारिकता के परित्याग में, व्यवहार या क्रिया के प्रसंगों में उनके बाहरी रूप के बजाय उनके अर्थ और प्रयोजन पर विचार की प्रवृत्ति में और चिन्तन के क्षेत्र में स्वयं उस चिन्तन के स्रोतों और आधारों के अनुशीलन में देखी जा सकती है। उदाहरणतः आज विज्ञान-दर्शन भी है, और स्वयं दर्शन के साथ दर्शन के स्वरूप पर विचार भी आज के दर्शन-विचार का अनिवार्य अंग है। अर्थशास्त्र में आर्थिक व्यवहार के व्यवस्थापन और उस व्यवहार के नियमों के विवेचन और सम्बन्ध-विधान के आगे सामाजिक न्याय और समग्र मानव के हित में इसे एक अंग के रूप में देखने वाली दृष्टि भी है, इसी प्रकार प्रजातन्त्रवाद, समाजवाद और गाँधीवाद आदि मनुष्य के राजनीतिक व्यवहार में निहित व्यवस्था को देखने से आगे व्यवस्थाओं के अन्तर में प्रवेश कर उनको मानवीय यथार्थ के व्यंजक प्रतीकों के रूप में देखने के द्योतक हैं। इसी प्रकार कानून विधि-विधान के आरोप से मुक्त हो मनुष्य को न्याय देने और उसकी अपराध-वृत्ति को सुधारने के उपकरण में रूपान्तरित हो गया है। इससे आगे 'अपराधियों के अधिकार' आदि की अवधारणाएँ भी हैं। इसी प्रकार राजा का न केवल ईश्वर के प्रतिनिधि-पद से निष्कासन, बल्कि इस संस्था ही का विलय, विवाह-संस्था के विलय की ओर प्रगति और पितृ-भक्ति की समाप्ति आदि यही अपारदर्शी प्रतीकों से आगे शुद्ध अर्थों के साक्षात्कार की ओर प्रगति के द्योतक हैं। यद्यपि इस प्रगति ने अभी हमें शून्य में लाकर खड़ा कर दिया है और परिणामस्वरूप एक निराधारता और विशृंखलता की स्थिति उत्पन्न हो गयी है, किन्तु यह एक दूसरी बात है। इस प्रकार इसका अर्थ यह नहीं है कि यह सब दृष्टि स्पष्ट और सम्यक् भी है, अथवा व्यक्तियों के व्यवहार में व्यापक रूप से परिलक्षित होती है। ये दोनों ही बातें नहीं हैं, किन्तु विचार के स्तर पर इस दृष्टि में वस्तुओं के बाहरी रूप के स्थान पर उनके भीतरी अर्थ के बोध का उन्मेष सांस्कृतिक चेतना के विकास के स्तर पर सर्वत्र देखा जा सकता है—बहुत-से पक्षों में भ्रान्त दिशोन्मुख और दूसरे बहुत-से पक्षों में सही दिशा में अग्रसर, किन्तु इस सब प्रत्यङ्मुखता के बावजूद, आज का मनुष्य अपने से जितना बहिष्कृत है उतना पहले भी नहीं था। यह एक विडम्बना की स्थिति है, जिस पर यहाँ विचार प्रासंगिक नहीं है।

इस प्रकार एक समाज-मानस या सांस्कृतिक चेतना की विद्यमानता निस्संदिग्ध रूप से देखी जा सकती है। यह सांस्कृतिक या अतिवैयक्तिक चेतना किसी आधार-प्रतीक या प्रतिमा के माध्यम से एक अधिष्ठातृत्व के

---

1. यहाँ डॉ. रमेशचन्द्र शाह ने एक महत्त्वपूर्ण प्रश्न उठाया है। वे लिखते हैं "किन्तु क्या यह तथाकथित पारदर्शी प्रतीकात्मकता पहले की सांस्कृतिक दृष्टियों से अधिक मूल्यगर्भी, अधिक विकसित और अधिक सफल कहलायेगी? चित्रात्मकता के ह्रास अथवा धार्मिक संवेदनशीलता-आनुष्ठानिक संवेदनशीलता के ह्रास को लाभ माना जाय या हानि? यह निश्चय ही हानि है, तभी तो इस काँसेप्चुअल टाइरेनी (अमूर्त पदावली के आतंक) के प्रतिकार स्वरूप आधुनिक काव्य में इमेजिज़्म और सिम्बोलिज़्म (बिम्बवाद और प्रतीकवाद) जैसे आन्दोलन पनपे हैं, ऑडिटरी इमेजीनेशन (श्रवणमूलक कल्पना) के महत्त्व को एक बार फिर से स्थापित करने की ज़रूरत रेखांकित की गई है। रिचुअल (आनुष्ठानिकता) को धार्मिक संवेदना के लिए इतना गौण या उपेक्षणीय नहीं माना जा सकता। यह हो सकता है कि धर्म के इन अंगों की क्षतिपूर्ति का दायित्व कविता और कला पर आ गया हो-जैसी कि मैथ्यू आर्नल्ड ने भविष्यवाणी की थी। हाँ उत्तरोत्तर परिष्कार की प्रवृत्तियाँ तो बढ़ रही हैं, किन्तु क्या दर्शन के क्षेत्र में भी हम दावा कर सकते हैं कि आज के दार्शनिक की भाषा या पद्धति में प्लेटो या याज्ञवल्क्य की तुलना में काँसेप्चुअल रिफाइनमेंट (वैचारिक परिष्कार) अधिक है? वैसे आपके उदाहरणों से आपकी बात स्पष्ट और पुष्ट हो जाती है।"

इन प्रश्नों पर सम्यक् रूप से विचार के लिए पर्याप्त विस्तृत चर्चा अपेक्षित है जो यहाँ सम्भव नहीं होगी। किन्तु हम समझते हैं कि इनका समाधान आगे 'भाषा' और 'सम्प्रेषण' अध्यायों में हो जाना चाहिए। यहाँ संक्षेप में हम इतना ही कहना चाहेंगे कि धार्मिक अनुष्ठान-व्यवस्था अपने मूल में तो चिन्तन का ही प्रकार होती है, किन्तु चिन्तन का यह प्रकार विशेषनिष्ठ और परिणामतः अलचीला और अव्यापक होता है। दूसरे, इसके विचार होने का अर्थ है, इसका पारदर्शी होना। किन्तु यह विचार प्रायः ही इस पारदर्शिता को खो बैठता है और उस सत्य का स्थान स्वयं ही ले लेता है जिसके लिए यह प्रतीक होता है। अमूर्त्तता भी भयावह हो सकती है, विशेषतः जब वह अस्थाने हो, जैसे काव्य में। दर्शन में भी यह अतिचारात्मक हो सकती है—जब यह अनुभव और वस्तु से सम्पर्क छोड़कर अमूर्त विचार को ही सत्य का स्थानीय मान लेती है, जैसाकि पाश्चात्य दर्शन में अतिभाषावाद (मैटालेंग्वेजिज़्म) के रूप में हो रहा है। अतीत में भी ऐसा प्रायः ही होता रहा है, जब विचार अनुभव और दृष्टि को छोड़कर तर्क को मुख्य लक्ष्य बना लेता है। भारतीय दर्शन-परम्परा में नव्यन्याय की पदावली का वर्चस्व इसका उदाहरण है।

अधीन अपने को चरितार्थ करती है। इस पर आपत्ति हो सकती है कि संस्कृति रचना-कर्म की अनेक विधाओं में अपने को व्यक्त या चरितार्थ करती है, इनमें ऐसी कोई आधार-प्रतीकगत एकता होती है यह स्वीकार करना कठिन जान पड़ता है। वास्तव में किसी एक रचना-विधा में भी ऐसी कोई एकता होती है जिसे आधार-प्रतीकमूलक एकता कहा जा सकता हो, यह कहना कठिन है। उदाहरणतः अभिज्ञान शाकुंतलम् और उत्तर रामचरितम् में रघुवंशम् और बुद्धचरितम् में, इनमें और रामचरित मानस मैं, और रामचरित मानस तथा बिहारी सतसई में, उसके आगे प्रसाद, अज्ञेय और रमेशचन्द्र शाह के काव्य में कैसे कोई आधार-प्रतीकगत एकता देखी जा सकती है? इसी प्रकार दर्शन के लिए भी कहा जा सकता है। समान तर्क-पद्धति और युक्ति रूपों को छोड़कर एक समाज के विभिन्न दर्शन-सम्प्रदायों में कौन-सी एकता होती है? उदाहरणतः शून्यवाद और न्याय-वैशेषिक सम्प्रदायों में कौन-सी बाहरी या भीतरी समानता है? ओस्वाल्ड स्पैंग्लर ने विभिन्न संस्कृतियों के आधार-प्रतीक निरूपित किये हैं, भारतीय संस्कृति का आधार-प्रतीक उसने निर्वाण कहा है, हमने अन्यत्र यह आधार-प्रतीक निर्वाण के बजाय संयुक्त रूप से यज्ञ और मोक्ष निरूपित किया है,[1] किन्तु यह उपर्युक्त सृजनों में किस प्रकार नियामक के रूप में अथवा क्रियान्वित के रूप में देखा जा सकता है?

यहाँ संस्कृति के सम्बन्ध में आगे विचार के लिए व्यक्ति के सम्बन्ध में कुछ विचार सहायक होगा। एक व्यक्तित्व किस प्रकार परिभाषित होता है? कहा जा सकता है कि व्यक्ति के स्वयं के लिए वह उस प्रतिमा से परिभाषित होता है जिसे वह अपने स्वरूप के रूप में आक्षिप्त करता है। इस प्रतिमा को उसका आधार-प्रतीक भी कहा जा सकता है। यह प्रतिमा या प्रतीक साक्षात्कारात्मक होता है, अर्थात् इसका बोध ही उसका तत्त्व होता है। किन्तु यह तत्त्व अलौकिक होता है और परिणामतः यह देश और काल का विषय नहीं होता। यह आत्मबोधात्मक तत्त्व लोक में : अर्थात् जीवन की विभिन्न परिस्थितियों में : क्या रूप लेगा यह पहले से नहीं देखा जा सकता, किन्तु इसकी ये विभिन्न अभिव्यक्तियाँ अपना सत्य इस तत्त्व से ही पाती हैं। हमारा जीवन केवल इस बोध या आत्म-प्रतिमा के क्रियान्वयन का इतिहास ही नहीं होता, इसके दूसरे पक्ष और सन्दर्भ भी रहते हैं, उदाहरणतः जैव स्तर की वासनाएँ और उत्तेजनाएँ और उनके तोषण या शमन की अनुकूल-प्रतिकूल परिस्थितियाँ भी व्यक्ति की जीवनचर्या के प्रमुख भाग का निर्माण करती हैं, आत्म-तत्त्व-बोध नहीं। यहाँ यह द्रष्टव्य है कि कुछ जीवनियों में आत्मतत्त्व-बोध, अथवा कहें आधार-प्रतीक, अधिक प्रबलता के साथ निर्धारक होता है और दूसरियों में कम प्रबल रूप से। इस निर्धारण की प्रबलता के आधार पर ही हम व्यक्तियों को कम या अधिक अनुशासित, आत्म-अधिष्ठित, स्व-अधीन अथवा स्व-तन्त्र कहते हैं। अब, यह व्यक्ति एकोन्मुख भी हो सकता है—महात्मा गाँधी के समान, और बहुमुखीन भी—रवीन्द्रनाथ ठाकुर, श्री अरविन्द और गोएथे के समान, वह सांसारिक रस-भोगों के साथ परमार्थ-बोध सम्पन्न भी हो सकता है—कालिदास और रवीन्द्रनाथ ठाकुर के समान, और लौकिक जीवन से उपरत भी हो सकता है—तुलसी और कबीर के समान। किन्तु ग़ालिब के जीवन को शिथिल ही कहा जाएगा। दूसरे शब्दों मैं, अवतार : और सभी व्यक्ति चित्-तत्त्व के अवतार ही होते हैं : कितनी भी कलाओं में अपने को प्रवर्तित कर सकता है, किन्तु उसका केवल वही आचरण उसके व्यक्तित्व का अंग कहा जा सकता है जो उसके 'अवतरण के प्रयोजन' का, आद्य आत्म-संकल्प का, अथवा आत्म-साक्षात्कार के माध्यमभूत प्रतीक का निरूपक होता है, उसके शेष आचरण नहीं। उदाहरणतः अनुकरण, गतानुगतिकता, उत्तेजनावश अथवा लोभवश किये गये कार्य, ये सब किसी के व्यक्तित्व के निरूपक कार्य नहीं कहे जा सकते, ये उससे स्खलन, उसमें दोषभूत कार्य ही कहे जा सकते हैं। और अधिकांश जीवन आत्मस्खलित जीवन ही होते हैं।

यही बात संस्कृतियों के सम्बन्ध में भी कही जा सकती है। अवतार रूप में व्यक्ति और संस्कृति में इतना ही अन्तर होता है कि प्रथम के अहं-प्रत्यय का दैहिक अधिष्ठान एक देह होता है और दूसरे के अहं-प्रत्यय का दैहिक अधिष्ठान एक समाज के सब व्यक्ति। समाज को पीछे हमने सम्प्रेषण से परिभाषित किया था। इस परिभाषा

---

1. **भारतीय संस्कृति के आधार : वर्तमान सन्दर्भ।**

के अनुसार वे सब व्यक्ति एक समाज के अंग कहे जाएंगे जो प्रत्यक्ष या परोक्ष रूप से सम्प्रेषण-सम्बन्ध में सम्बन्धित हैं। यहाँ इस परिभाषा के साथ कुछ और विशेषण जोड़ना भी आवश्यक है, क्योंकि सम्प्रेषण-सम्बन्ध दो समाजों के व्यक्तियों के बीच भी हो सकता है, जैसे कोई भारतीय किसी यूरोपीय या चीनी का मित्र हो सकता है, उसके साथ विचार-विमर्श कर सकता है, आदि। इसके विपरीत, सम्भव है किसी व्यक्ति का अपने समाज के बहुत-से व्यक्तियों के साथ कोई परोक्ष सम्बन्ध भी नहीं हो, अथवा कम-से-कम बहुत परोक्ष सम्बन्ध हो, जैसे राजस्थान के राजपूत और तामिलनाडु के बनिये के बीच। किन्तु तब भी यह राजपूत और वह बनिया एक समाज के अंग कहे जाएंगे, जबकि उपर्युक्त भारतीय और चीनी एक समाज के अंग नहीं कहे जाएंगे। इस प्रकार समाज की एकता की दूसरी अपेक्षाएँ भी होती है जिनमें कुल, जाति, स्थान आदि तत्त्व भी रहते हैं, और सबसे ऊपर रहती है सांस्कृतिक परम्परामूलक एकता। किन्तु एक और तत्त्व है जिसे कल्पनात्मक या उपचारात्मक अथवा आरोपणात्मक कहा जा सकता है किन्तु जो उपर्युक्त दूसरे तत्त्वों से कम प्रभावशाली नहीं होता। वह है कि व्यक्ति अपने को किस समाज के अंग के रूप में देखता है। इस प्रकार एक भारतीय यदि शैले या कीट्स का पाठक होने और कालिदास या जयशंकर प्रसाद का पाठक नहीं होने पर भी अपने को सामाजिक रूप से कालिदास से और प्रसाद से सम्बन्धित और शैले और कीट्स से असम्बन्धित देखता है तो इसका कारण यह आरोप ही होता है। यद्यपि इस सम्बन्ध-कल्पना के कुछ वास्तविक आधार भी होते हैं, जिनके कारण हम ऐसे व्यक्ति को सांस्कृतिक रूप से संकर या निर्मूल कहते हैं, किन्तु तब भी इस सामाजिक अहं-प्रत्यय को आरोपित कहना ही अधिक उपयुक्त है। इस प्रकार के आरोप का एक उदाहरण नेहरू जी में देखा जा सकता है, जिन्होंने इस आरोप को वास्तविक और साधार बनाने का प्रयत्न किया।

हमने अपने एक लेख 'समकालीन भारतीय दर्शन' में 'समकालीन भारतीय दर्शन' नाम से अंग्रेज़ी में संकलित कुछ पुस्तकों के सम्बन्ध में प्रश्न उठाया था कि इन पुस्तकों का यह नामकरण कहाँ तक उचित है? क्योंकि इनमें संकलित लेखों के लेखक राजनीतिक भारत के नागरिक अवश्य हैं किन्तु लेखों में व्यक्त विचारों में भारत का तत्त्व नहीं है।[1] इसी प्रकार का एक संकलन हमने भी तैयार किया था, किन्तु उसका नाम हमने 'समकालीन दार्शनिक समस्याएँ'[2] रखा था। किन्तु 'भारत के तत्त्व' का अभाव होने पर भी उपर्युक्त संग्रहों के लेखकों को 'भारतीय' और उनके दर्शन को 'भारतीय दर्शन' ही कहा जाता है, जिसका औचित्य यह सम्बन्ध-कल्पना ही है। किन्तु साथ ही यह भी द्रष्टव्य है कि इन लेखकों के लेखन को जब कि 'भारतीय' नहीं कहा जा सकता, इसे पाश्चात्य विचार-परम्परा भी अपने में स्थान नहीं देगी।

अस्तु, यहाँ प्रासंगिक प्रश्न यह है कि किसी एक प्रत्यय को किसी संस्कृति का आधार-प्रतीक मानने पर उसके विविध क्रिया-व्यापारों को कैसे आकलित किया जा सकता है? इसका उत्तर होगा कि सामाजिक जीवन अपने को प्रायः सोलहों 'कलाओं' में चरितार्थ करता है और जितना ही वह जीवन प्राणवान् और अनुशासित होता है उतनी ही अधिक 'कलाओं' में यह अपने को अभिव्यक्त करता है, इसी प्रकार, उसमें उतना ही अधिक व्यक्ति-वैविध्य और विचार-वैविध्य भी होता है। किन्तु आधार-प्रतीक उसमें एक अलक्षित अभियोजक और सार्थकता के मानदण्ड के रूप में उसकी जीवन-शैली का निर्माण करता है। उदाहरणतः एक भारतीय व्यक्ति की जीवनचर्या देह और मन की साधारण आवश्यकताओं और प्रवृत्तियों के अनुसार ही चलती है, किन्तु आध्यात्मिक संकट का अवसर उपस्थित होने पर उसकी प्रतिक्रिया इस जीवन की निरर्थकता देखने और इसे छोड़कर उस जीवन में चले जाने के रूप में होती है जिसमें ये लौकिक बन्धन नहीं रहते और जिसकी चर्चा जन्म-

---

1. **समसामयिक चिन्ताएँ,** राका प्रकाशन, इलाहाबाद, में संकलित।
2. **समकालीन दार्शनिक समस्याएँ,** सं. यशदेव शल्य।

मरण के चक्र से बाहर निकल पाने के अनुकूल होती है।[1] यह भारतीय सांस्कृतिक दृष्टि है जो इसके मूल प्रतीक 'मोक्ष' से निर्धारित है और यह इस समाज के उन सब व्यक्तियों में उन अवसरों पर प्रकट होती है जब वे किसी आघात से आध्यात्मिक रूप से संवेदनशील होते हैं। इसी प्रकार विभिन्न दार्शनिक वाद-विवादों से पृथक् और ऊपर कर्म-फलवाद का सिद्धान्त है जो प्रायः स्वतःसिद्धवत् सर्वस्वीकृत है। इसके अनुसार कर्म अनिवार्यतः फल में और फल कर्म में परिणत होता है और इस प्रकार जन्म-मरण-जन्मान्तर की एक दुर्भेद्य शृंखला घटित होती है। यह शृंखला मूल्य-विपरीत है, दुःख और क्लेशकर है, इसलिए इससे मुक्ति ही परम श्रेय और परम साध्य है। जीवन-विषयक यह दृष्टि ही संन्यास संस्था की आधार है। ऐसा नहीं है कि सभी भारतीय जीवन और उसके साध्य के सम्बन्ध में एक ही प्रकार से सोचते हैं। इसके पक्ष-विपक्ष में निरन्तर वाद-विवाद इस समाज के दर्शन-सम्प्रदायों में मिलेगा और इस प्रकार असंख्य विचार-सम्प्रदाय मिलेंगे, किन्तु ये सब दर्शन-सम्प्रदाय मानो जीवन और जगत् के अर्थ-विषयक एक ही दृष्टि को केन्द्र बनाकर उसके मर्म को समझने के लिए युक्तियों की उद्भावनाएँ करते हैं।

यहाँ दुःर्खाइम की पुस्तक 'सुइसाइड' का उल्लेख स्थाने होगा। उसने दिखाया है कि किस प्रकार आत्महत्या जैसा प्रकटतः नितान्त व्यक्तिगत संकटमूलक निर्णय भी वास्तव में सामाजिक मनःस्थिति से निर्धारित होता है। यहाँ यह द्रष्टव्य है कि यह मनःस्थिति सांस्कृतिक मनःस्थिति नहीं है, यद्यपि यह संस्कृति से परोक्षतः सम्बन्धित देखी जा सकती है; दूसरे कि, सामाजिक मनःस्थितियाँ व्यक्तियों की मनःस्थितियों को किस प्रकार प्रभावित करती हैं। आत्महत्या में कोई व्यक्ति अत्यन्त उत्कट मानसिक तनाव की स्थिति में ही प्रवृत्त होता है, उसके कारण नितान्त व्यक्तिगत ही होते हैं। किन्तु उन कारणों और उस तनाव के रहते भी उसका आत्महत्या में प्रवृत्त होना स्वतः अनिवार्य नहीं होता। अनिवार्यता की यह स्थिति एक सामाजिक विचार-सन्दर्भ, सामाजिक-रूप से निर्धारित एक जीवन-विधि और तज्जन्य सामाजिक मनःस्थिति सम्मिलित रूप में प्रस्तुत करती हैं। अब, आत्महत्या बहुत कम लोग करते हैं और आत्महत्याओं की कुछ संख्या प्रायः सब देशों और सब कालों में रहती है, जिसमें कुछ संख्या को व्यक्तिगत परिस्थितिजन्य भी कह सकते हैं। किन्तु आत्महत्याओं में विशेष संख्यावृद्धि एक सामाजिक मनःस्थिति जन्य ही होती है, ऐसा कहा जा सकता है।

यहाँ एक स्पष्टीकरण तत्काल आवश्यक है कि जिसे समाजशास्त्री 'समूह-मन' या 'सामाजिक मनःस्थिति' आदि कहते हैं, हमारे विचार में वह संस्कृति की सामाजिकता से नितान्त भिन्न अर्थ में सामाजिक होती है। सामाजिकता, समाज के एक स्वतन्त्र अस्तित्व के अर्थ मैं, अतिवैयक्तिकता का एक प्रकार है। अतिवैयक्तिकता के स्थूलतः तीन स्तर देखे जा सकते हैं : (1) अतिक्रान्त, जिसे बौद्ध अनादि वासनाएँ कहते हैं, जिनमें कांट की कोटियाँ भी सम्मिलित हैं, (2) प्रतीकात्मक और (3) आवेगात्मक। इनमें प्रथमस्तर जातिमूलक होता है, इसलिए वह अतिवैयक्तिक ही नहीं, अतिसामाजिक भी होता है। उदाहरणतः अहंकार, जो व्यष्टि-भेद का आधार होता है, ज्ञानेन्द्रियाँ और उनके विषय, कर्मेन्द्रियाँ और उनके व्यापार, अध्यवसायात्मकता अथवा विषय-निर्धारण-योग्यता, और आत्म-चेतना। मानव चेतना के ये सब अतिक्रान्त रूप के लक्षण हैं। इनमें प्रथम चार अनादि या अतिक्रान्त वासनाएँ कही जा सकती हैं और पांचवीं वासनाओं के अतिक्रमण की योग्यता। ये मनुष्य-जाति मात्र में सामान्य होती हैं इसलिए इन्हें मनुष्यत्व की अवच्छेदक, मनुष्यत्व की विशेषक, कहा जा सकता है, समाजमूलक नहीं। यहाँ यह उल्लेखनीय है कि दुःर्खाइम ने अपनी पुस्तक **धर्म के आदिम रूप (एलीमेन्ट्री फोर्म्स ऑफ रिलिज्यस लाइफ)** में कांट द्वारा निरूपित अतिक्रान्त कोटियों और प्रत्यक्ष के अतिक्रांत आकारों (अ-प्रायराई फोर्म्स ऑफ इन्ट्यूशन) को भी समाजमूलक दिखाने का प्रयत्न किया है। उसके अनुसार देश और काल की आकार-रचना और अतिप्रत्यक्षपरक एकत्व-विधान (यूनिटी ऑफ अप्पर्सेप्शन) ये दोनों मनुष्यमात्र में समान

1. यहाँ उदाहरण स्वरूप आर.के. नारायण का उपन्यास **स्वीट-वेंडर** (मिठाई-वाला) उल्लेखनीय है। इसका नायक एक हलवाई अपने पुत्र के दुर्व्यवहार और दुश्चरित्रता से खिन्न होकर सांसारिक सम्बन्धों में निरर्थकता का अनुभव करता है और इनसे परे चला जाता है।

प्रकार के नहीं होते बल्कि समाज-विशेष के विशेष होते हैं। इसमें अहंकार तथा ज्ञानेन्द्रिय-विषयों और कर्मेन्द्रिय-व्यापारों के रूप भी सम्मिलित किये जा सकते हैं। उदाहरणतः रंगों के निर्धारण को अनेक नृतत्व-वैज्ञानिकों ने आदिम समाजों में समाज-विशेष के अनुसार विशिष्ट दिखाया है। जहाँ तक अहंकार का सम्बन्ध है, वह तो इन समाजों में स्पष्टतः ही समाजमूलक होता है। इस प्रकार व्यक्ति या व्यष्टि अपने अहं-रूप को किस प्रकार कल्पित करता है : वह अपने को व्यष्टि रूप में अन्य व्यष्टियों के साथ कल्पित करता है या कि उनसे व्यावर्तित अथवा प्रतिरुद्ध के रूप में? वह अपने को देह-भेद से भिन्न करता है या कि समूह-भेद से? : ये सब समाजमूलक रचनाएँ या कोटियाँ हैं, अतिसामाजिक : मानव-जातिमूलक : नहीं, व्यक्तिमूलक तो ये हैं ही नहीं। उदाहरणतः एक आदिम जातीय समाज में मूल अहं-प्रत्यय सामाजिक होता है और व्यक्ति उसके अंग के रूप में अपने को देखता है, एक प्राचीन भारतीय व्यक्ति अपने को ब्रह्माण्ड के ऋत में अन्तर्ग्रथित, उसकी एक अभिव्यक्ति के रूप में देखता था, इनके विपरीत आधुनिक पश्चिम का व्यक्ति अपने को अभेद्य और अनतिक्रमणीय सत्ता-केन्द्र मानता है और समाज को प्रतियोगियों में सहयोग की एक व्यवस्था के रूप में देखता है।

किन्तु तब भी दुःर्खाइम और उसके अनुयायी समाजशास्त्रियों का यह प्रतिपादन कि कांट द्वारा प्रतिपादित संवेदग्रहण के प्रागनुभविक आकार (अ-प्रायराई फोर्म्स ऑफ इन्ट्यूशन) और विषयावधारण के प्रागनुभविक आकार (अ-प्राइराई फोर्म्स ऑफ अंडरस्टेंडिंग) मानव-प्राकृतिमूलक नहीं होकर समाजमूलक होते हैं, उसके द्वारा समाज को ईश्वर का पद देने में प्रकट अमित समाज-भक्ति से संगत ही है। किन्तु यदि यह स्वीकार कर भी लिया जाय कि कांट-प्रतिपादित आकार मानव-प्रकृतिमूलक नहीं हैं, तो भी इन्हें समाजमूलक कहने के लिए भी कोई युक्ति नहीं है। कांट के प्रतिपादन में प्रागनुभविक आकारों के सिद्धान्त के अतिरिक्त एक और सिद्धान्त है जो चेतना और उसके विषय के बीच सम्बन्ध विषयक है और इस प्रकार आकार-ग्रहण से एक स्तर और गहरा है। उसके अनुसार मानव-चेतना देश और काल का परस्पर विश्लेष्य रूप में और इन दोनों का संवेद से विश्लेष्य रूप में आक्षेप करती है जो आक्षेप विषय को एक संवेदातिक्रामी एकत्व देने के लिए आवश्यक होता है। देश और काल का यह परस्पर पार्थक्य और संवेद से पार्थक्य मानव-चेतना की विषय के ग्राह से मुक्ति को सम्भव करते हैं, जिस मुक्ति में सब मानव-प्राणी एक स्तर पर नहीं होते, उनमें पर्याप्त भेद रहता है, यद्यपि इस योग्यता की न्यूनतम पर्याप्त मात्रा सब में रहती है जो उन्हें अन्य प्राणियों से मौलिक रूप से पृथक् करती है।

जहाँ तक दुःर्खाइम के इस प्रतिपादन का सम्बन्ध है कि देश-काल और विषयावधारण के आकार मानव-जातिमूलक नहीं होकर समाजमूलक होते हैं, उसमें यदि कहा जा रहा है कि समाज-भेद के अनुसार विषयाकार और देश तथा काल के आकार भी भिन्न दिखायी देते हैं तो यह बात विचारणीय हो सकती है, किन्तु यदि यह कहा जा रहा हो कि इन आकारों का अवधारण समाज करता है, तो यह अयुक्त होगा, क्योंकि यह कहना अधिक युक्त प्रतीक होता है कि यह अवधारण जीवन और जगत्-विषयक मूल दृष्टि का, अथवा परमार्थ-साक्षात्कार के क्रम में आविर्भूत आद्य प्रतीक का ही एक अंग होता है और इस प्रकार विषयावधारण-कोटियों का आधार समाज नहीं होकर वह आद्य प्रतीक होता है जो इस अवधारण के साथ समाज के स्वरूप या व्यक्तित्व अथवा संस्कृति रूप का भी आधार होता है। अपने इस प्रतिपादन को हम दुःर्खाइम से ही एक उद्धरण देकर स्पष्ट करेंगे। उसके अनुसार, "आस्ट्रेलिया और उत्तरी अमरीका में ऐसे समाज हैं जो देश का अवधारण एक विशाल वृत्त के आकार में करते हैं, क्योंकि उनके आवास वृत्ताकार होते हैं, और यह दैशिक वृत्त ठीक जनजातीय वृत्त (ट्राइबल सर्कल) की अनुकृति में कल्पित होता है। (उस देश में) क्षेत्रों का विभाजन उसी संख्या में मिलता है जितनी संख्या उस जनजाति में कुलों की होती है...[1] आदि। किन्तु यदि यहाँ कहा जाय कि आस्ट्रेलिया और उत्तरी अमरीका की जनजातियों में आवासों के आकार आदि के निर्धारण उनके द्वारा कल्पित देश के आकार आदि के अनुसारी होते

1. **दि एलीमेन्ट्री फोर्म्स ऑफ रिलिज्यस लाइफ**, पृ. 24

हैं तो किस युक्ति से दुःर्खाइम के प्रतिपादन को ठीक और इस प्रतिपादन को ग़लत दिखाया जा सकता है? यदि समाज-रचना और समाज-विभाजन तथा सामाजिक वर्गीकरण को देश-रचना और क्षेत्र-विभाजन का आधार मान भी लें तो भी यह प्रश्न प्रासंगिक होगा कि दो जनजातियों अथवा बृहत् समाजों या संस्कृतियों में अपने अवधारण के प्रकार और विभाजन के प्रकार की विशिष्टता का क्या हेतु होता है? क्या यह कहना अधिक युक्त नहीं होगा कि देशावधारण का आकार और क्षेत्र-विभाजन का प्रकार, तथा आवास आदि के आकार और कुल आदि के निर्धारण-प्रकार एक ही आद्य अवधारण की दो अभिव्यक्तियाँ होते हैं, इनमें समाज कारण या जनक और देश का आकार कार्य या जन्य नहीं होते? इस प्रकार यह कहना अधिक युक्त जान पड़ता है कि अतिवैयक्तिकता का एक स्तर अतिसामाजिक भी होता है। स्तर पर चेतना देश-कालात्मक और विषयावधारणात्मक, अथवा कहें अध्यवसायात्मक आकारों में ही घटित नहीं होती बल्कि एक और आकार में भी घटित होती है, जिस आकार को कांट ने इस रूप में नहीं देखा और न, हमारी जानकारी मैं, किसी अन्य ने देखा है। यह आकार है तथ्य और मूल्य के भेद का, अथवा कहें मूल्य-बोध का। इस बोध के दो भेद कहे जा सकते हैं : वस्तु-विषयक और आत्म-विषयक वस्तु-विषयक मूल्य सुन्दर-असुन्दर और उत्कृष्ट-निकृष्ट भेद-बोध में और आत्म-विषयक उचित-अनुचित और आत्म-अनात्म के बोध में प्रतिफलित होते हैं। इन आकारों की अतिक्रान्त-स्वभावता के सम्बन्ध में यहाँ हम और विचार नहीं कर सकते। यह विचार हम आगे-नीति-विषयक अध्याय में करेंगे।

इस प्रकार अतिक्रान्तता का स्तर समाजमूलक नहीं होकर अतिसामाजिक और आत्म-चेतन चेतना की जगद्-गति, अथवा कहें जगद्-वृत्ति में स्वरूपगत होता है। अतिवैयक्तिकता का दूसरा स्तर प्रतीकात्मकता का है। प्रतीकात्मक से यहाँ हमारा अभिप्राय साधारण प्रतीकों से नहीं है बल्कि उस आद्य प्रतीक से है जिसके माध्यम से व्यक्ति और समाज या संस्कृतियाँ अपने स्वरूप का अवबोधन करती हैं। यह आद्य प्रतीक ही व्यक्तियों और संस्कृतियों को उनका विशिष्ट चरित्र देता है। इसे वैयक्तिक और सामाजिक अहं-प्रत्यय की आद्य संकल्पना का आधार भी कह सकते हैं। यहाँ यह स्पष्टीकरण आवश्यक है कि 'आद्य' से हमारा अभिप्राय अनिवार्यतः वैयक्तिक या सामाजिक मनोदैहिक अस्तित्व के प्रथम क्षण से नहीं है, क्योंकि ऐसे सब क्षण कर्त्ता अथवा ज्ञाता के अपने को अर्थ देने और अपने को क्रियान्वित करने के प्रथम और अपूर्व क्षण होते हैं। अब, आद्य प्रतीक अतिक्रान्त नहीं होता क्योंकि यह आक्षिप्त और अवबोधित, अथवा कहें प्रतिज्ञात, होता है। किन्तु तब भी यह व्यक्तिमूलक अथवा समाजमूलक नहीं होता, क्योंकि यह व्यक्ति और समाज दोनों के स्वभाव और रूप का निर्धारक होता है। इस पर हम प्रथम अध्याय में और इस अध्याय में भी पीछे विस्तार से विचार कर आये हैं।

जहाँ तक आवेगात्मक अतिवैयक्तिकता का प्रश्न है, इसके स्वरूप को समझने के लिए पहले इसके कुछ उदाहरणों को देखना उपयुक्त होगा। सम्भवतः इसके स्पष्टतम उदाहरण (1) क्रुद्ध भीड़, (2) उद्दाम नृत्य-निरत आदिम जातीय दल, और (3) श्येन (बाज) को देखकर आत्मरक्षा के लिए चक्राकार में तीव्र गति से घूमता हुआ चिड़ियाओं का दल हो सकते हैं। इन उदाहरणों को थोड़ा गहराई से देखें तो हम पायेंगे कि इनमें परस्पर कुछ अन्तर है : प्रथम दो में सामूहिकता आवेगात्मक स्थिति के होने में एक महत्त्वपूर्ण और मुख्य कारण है, किन्तु तीसरे में आवेगात्मक स्थिति समूहन की कारण है। वास्तव में अधिकांश पशु-दल आवेगमूलक ही होते हैं। किन्तु तीनों में आवेगात्मकता समूह में इस प्रकार व्याप्त होती है जैसे वह व्यष्टिगत नहीं होकर समूहगत ही हो। इसी प्रकार की आवेगात्मक अतिवैयक्तिकता चिड़िया के घोंसले में अपने पर उसके और उसके बच्चों के बीच होती है। यह उदाहरण पिछले तीनों से भिन्न प्रकार का है : यद्यपि इसमें आवेगात्मक स्थिति समूहता : माता-पिता और बच्चों के बीच : की कारण होती है किन्तु इसका तत्त्व इतना मात्र नहीं होता, इससे बहुत अधिक होता है : इसमें एक संवेगात्मक विषय-ज्ञान तथा संवाद और सम्प्रेषण भी घटित होता है। अब, इस आवेगात्मक अतिवैयक्तिकता और आत्म-चेतनात्मक अतिवैयक्तिकता में एक आधारभूत अन्तर होता है : आत्म-चेतन चेतना में अतिवैयक्तिकता स्वरूपतः होती है, क्योंकि इसमें चेतना जिस विषय का आरोप करती है वह स्वरूपतः सामान्य

अथवा परिप्रेक्ष्यात्मक, व्यवस्थात्मक और संस्थानात्मक होता है, और इस सर्वसामान्यता और संस्थानात्मकता की सत्ता वास्तव व्यक्तियों के अस्तित्व पर आश्रित नहीं होती, यह उनसे स्वतन्त्र होती है। वास्तव व्यक्तियों के साथ यह केवल अस्तित्व में आती है और इस अस्तित्व की कितनी भी आवृत्तियाँ हो सकती हैं, और कभी भी अस्तित्व में नहीं आने पर भी यह अस्तित्व में आने की सम्भावना के रूप में विद्यमान रहती है। इसके विपरीत आवेग व्यक्ति मैं, अथवा बाहरी कारण से समूह के प्रत्येक व्यक्ति में, संचरित होता है, भीड़ अथवा नृत्य-निरत जनजातीय समूह भी इसमें आवेग के एक कारण ही बनते हैं जो आवेग व्यष्टि-चित्तगत ही होता है। इसकी सामूहिकता इस बात में होती है कि इसमें व्यष्टि-चित्तगत अहंता व्यष्टिपरक नहीं होकर समूहपरक होती है। यह सामूहिकता इस बात में नहीं होती कि इस (आवेग) की अन्तर्वस्तु प्रत्यय के समान सामान्य, अथवा परिप्रेक्ष्यात्मक बाह्य वस्तु के समान अवयवी-रूप होती है। इसी से विशेष आवेगात्मक स्थिति विशेष भीड़ में और विशेष अवसर पर ही घटित होती है, अन्य भीड़ों में और अन्य अवसरों पर इसकी आवृत्ति नहीं होती। इस प्रकार इस आवेगात्मक स्थिति को इस अर्थ में समूह-मन की संज्ञा दी जा सकती है कि इनमें वैयष्टिक अहंता सामूहिक आवेग में लुप्त हो जाती है, इस अर्थ में नहीं कि इसकी कोई भौतिक विषय अथवा विचार-विषय के समान अनेक दर्शकपरक अथवा सामान्य सत्ता होती है। किन्तु चिड़िया और उसके बच्चों के बीच जो एक आवेगात्मक स्थिति होती है वह एक सामूहिक आवेग की जैसी स्थिति नहीं होती। उसमें जैसे एक आवेगात्मक चित्त जनक-जननी और बच्चों को एक-साथ आवेष्टित करता है और वहाँ एक सह-अनुभूति, सामरस्य, लय और तादात्म्य की चैत्त स्थिति उत्पन्न होती है। वास्तव में यह आवेग जैसे स्वभावगत सम्प्रेषणात्मक आवेग होता है जिसमें व्यष्टि सम्प्रेषण-सम्बन्ध के घटकों के रूप में होते हैं।

यहाँ यह द्रष्टव्य है कि कुछ आवेग, जैसे आह्लाद और खेद, जबकि अनिवार्यतः अन्य सम्बद्ध नहीं होते, दूसरे कुछ आवेग, जैसे प्रेम, घृणा, क्रोध और भय, स्वरूपतः अन्य-सम्बद्ध होते हैं। अब, कुछ आवेगों का यह स्वरूपतः अन्य-सम्बद्ध होना क्या इस बात का द्योतक नहीं होता कि प्रतियोगी और प्रतिरोधक अन्य भी नितान्त विदेशी नहीं है, बल्कि नितान्त अन्तरंग, सहज आत्म-सम्बद्ध, कहीं गहरे में आत्मीय है और अहंकार और इस प्रकार व्यावर्तकता औपाधिक हैं? क्योंकि प्रतियोगी, और प्रतिरोधी भी, मेरे अस्तित्व को उसके अपने आधार में सापेक्ष बना देते हैं। इस प्रकार अहं-प्रत्यय और अहं-भाव : अहं-विषयक चेतना के दोनों ही स्तर : इतर-विशिष्ट हो जाते हैं। इस पर कहा जा सकता है कि क्रोध और भय में इतर विशेषक होने पर भी अवांछनीय, अप्रीतिकर उपस्थिति होता है और परिणामतः अहं और इतर का भेद औपाधिक नहीं होकर मूलगामी होता है। किन्तु यह सही नहीं है। नितान्त विदेशी के प्रति हम कोई आवेग का अनुभव नहीं करते, अथवा अधिक उपयुक्त शब्दों में कहें कि उससे हम आवेगात्मक सम्बन्ध का अनुभव नहीं करते। किन्तु नितान्त विदेशी कुछ होता ही नहीं है। पर्वत, नदी और वनस्पतियों तक के प्रति भी आत्मीयता का भाव हो सकता है, काव्य में इसका उल्लेख बहुत मिलता है, इनमें देवता की कल्पना इसका और बड़ा प्रमाण है। इतरता की परिभाषा की जा सकती है—सहज प्रतिविषयिता। किन्तु इस प्रतिविषयिता के स्तर होते हैं जिनमें जड़ और वनस्पति-जगत् निम्नतम स्तर पर और समानधर्मा मनुष्य उच्चतम स्तर पर आते हैं। मनुष्यों में भी मित्र, शत्रु और उदासीन होते हैं। इनमें मित्र प्रतिविषयिता के उच्चतम और उदासीन निम्नतम स्तर पर आता है। पशु और वनस्पति-जगत् को, निज के पालतू पशुओं को छोड़कर, उदासीनता के स्तर-क्रम में ही व्यवस्थित किया जा सकता है। मित्र, शत्रु और उदासीन के वर्गीकरण का आधार आवेग ही हैं। आवेग आत्म-चेतन चेतना के विषय के रूप में बहुत भिन्न रूप ले लेते हैं, यहाँ तक कि ये अर्थों और अर्थमूलक सम्बन्धों का आयाम लेकर अनवगाह्य और अपार शिव और सौन्दर्य के उन्मेषक हो जाते हैं, जिसका प्रमाण काव्य-कलाओं में विभिन्न रूपों में देखा जा सकता है। आवेगों का यह रूपान्तरण ही आवेगमूलक सम्बन्धों को सामाजिक और अर्थों को सांस्कृतिक बनाता है।

यहाँ देखने की महत्त्वपूर्ण बात यह है कि आवेग-स्थिति, जो मनःस्थिति का निर्माण करती है, में भी व्यष्टि में एक आत्म-उत्क्रामिता, एक अन्यापेक्षा परिलक्षित होती है, किन्तु यह आत्म-चेतनात्मक नहीं होती। आत्म-

चेतनात्मक होने पर यह आवेग-स्थिति नहीं रहती। आत्म-चेतनता से रहित मनःस्थिति में यह एक आधारभूत अन्तर है कि इस स्थिति में इतर समान विषयी के रूप में उपलब्ध होने पर भी यह मनःस्थिति अतिवैयक्तिक नहीं होती। यह एक चित्त से दूसरे चित्त में संचरित तो हो सकती है : जैसे एक कुत्ते के भौंकने पर आस-पास के सब कुत्ते भौंकने लगते हैं, एक के भयभीत होने पर आस-पास के सब भयाक्रान्त हो जाते हैं : किन्तु यह स्थिति अपने अस्तित्व और तत्त्व दोनों में ऐसी व्यक्ति-निरपेक्ष या सामान्य नहीं होती कि व्यक्ति इसमें सहभाग लेता कहा जा सके। इसलिए 'समूह-मन' या 'भीड़-मन' शब्दों की वाच्य कोई वस्तु वास्तव में नहीं होती। यह कारण-कार्यात्मक परिस्थिति होती है, जैसे एक तार से बँधे बल्बों में विद्युत्-संचार में होती है।

आत्म-चेतना के लिए प्रत्यय और प्रतीक के समान ही इनके भौतिक कलेवर और आवेगों की अभिव्यक्ति की रीति या शैली : आकार, इंगित, गति, चेष्टा, भाषण-विधि, नेत्र-वक्त्र-विकार के ढंग : भी सामान्य विषय-रूप में गृहीत होकर संस्कृति के बाह्य कलेवर बनते हैं। उदाहरणतः यूरोपीय लोग बात करते हुए बाहों और कन्धों को एक विशेष ढंग से हिलाते हैं, विभिन्न छोटे या बड़े समुदायों की शब्दोच्चारण-विधि अपनी अपनी विशेष होती है; काव्य, संगीत, नृत्य के समुदाय-विशिष्ट अभिव्यक्ति-रूप होते हैं। इसी प्रकार भाषाओं के शब्द-रूप और वाक्य-रचनारूप और लिपियाँ होते हैं। कुछ समाजशास्त्री इनको अनुकरणात्मक और इस प्रकार व्यक्ति से व्यक्ति में संचरित मानते हैं। किन्तु इनको केवल अनुकरणात्मक कहना इनके स्वरूप को समझने में असमर्थता दिखाना है। ये उस भाव, बोध या प्रत्यय के साथ उसके तारतम्य में समुद्भूत होते हैं जिसके ये अभिव्यंजक होते हैं। उदाहरणतः लिपि हम अभ्यास और अनुकरण से ही सीखते हैं, किन्तु लिपि का सत्त्व हमारे व्यक्तिशः अनुकरण या अभ्यास-जन्य नहीं होता। इन सबको बाह्य या रूपात्मक सामान्य कह सकते हैं। उदाहरणतः भारतीय संगीत और यूरोपीय संगीत भारतीय और यूरोपीय समाज-विशिष्ट संगीत-रूप हैं और भारतीय संगीत के अन्तर्गत भीमसेन जोशी और कुमार गन्धर्व अथवा बिस्मिल्ला खाँ ये व्यक्तिक विशिष्ट गायक हैं। इनके गायनों में से यदि कण्ठ-स्वरों की भिन्नता की बात भुला दी जाये तो भी इनमें एक शुद्ध संरचनात्मक-आकारिक विशिष्टता रहती है, जिसका मूल उस आक्षेप में होता है जो चेतना के व्यक्ति के रूप में अपने आक्षेप में होता है। किन्तु ये सब वैयक्तिक विशिष्टताएँ भारतीय संगीत की संरचनात्मक-आकारिक सामान्यता में प्रतिष्ठित होती हैं। जैसाकि हमने कहा, यह सामान्यता विभिन्न अनुरूप वस्तुओं की आकृति-प्रकृति में देखी गई अनुरूपता पर एक संज्ञा-पद द्वारा आरोपित पदार्थ जैसी नहीं होती, बल्कि वास्तविक सामान्यता होती है जो वैयक्तिक विशिष्टताओं को अपने में धारण करती है। इस प्रकार 'भारतीय संगीत' एक ठोस सत्त्व है : वैसा ही ठोस जैसाकि व्यक्ति होता है। यहाँ प्रश्न हो सकता है कि यह सत्त्व रहता कहाँ है? इसका उत्तर होगा कि उन सब स्वरों में जिनके माध्यम से यह व्यक्त होता है। अथवा इस प्रश्न के उत्तर में प्रश्न किया जा सकता है कि भीमसेन जोशी का गायन कहाँ रहता है? इसका उत्तर होगा, उन स्वरों में जो उस मुद्रा से विशेषित होते हैं जिस मुद्रा को हम 'भीमसेन जोशी के गायन' की संज्ञा देते हैं। अब, उन्हीं स्वरों में, भीमसेन जोशी का गायन के साथ ही, वह मुद्रा भी रहती है जिस हम भारतीय संगीत कहते हैं। यहाँ प्रश्न हो सकता है कि यदि भीमसेन जोशी के अतिरिक्त सभी गायन समाप्त हो जाएँ तब भी क्या भारतीय सांस्कृतिक मुद्रा का अस्तित्व व्यक्ति-विशेषों के अस्तित्व का अनुषंगी नहीं होगा? यदि ऐसा हो तो सामान्य का अस्तित्व तब तक नहीं हो सकेगा जब तक उससे सम्बद्ध सभी विशेष घटित नहीं हो लें, और ऐसा कभी हो नहीं सकता। इस प्रकार भारतीय संगीत भीमसेन जोशी या कुमार गन्धर्व किसी भी एक गायक के गाने के साथ ही आविर्भूत हो जाता है, जिसमें अन्यान्य गायक सम्भावित अस्तित्वों के रूप में धारित होते हैं। सच पूछा जाय तो स्वयं भीमसेन जोशी का गायन भी एक सामान्य है जो उसके सब गायनों का धारण करता है। इस प्रकार भारतीय संगीत और भीमसेन जोशी का संगीत जोशी के सब वास्तव-सम्भाव्य गायनों में व्यापक है और भारतीय संगीत जोशी, कुमार गन्धर्व और बिस्मिल्ला खाँ आदि-आदि के गायनों पर।

यहाँ यह द्रष्टव्य है कि संस्कृति व्यापकता में विशालतर होने पर भी सर्वव्यापक नहीं होती, वह अन्य वास्तव-सम्भाव्य संस्कृतियों में व्यापृत होती है। जगद्गत अस्तित्व मात्र का यह स्वभाव है कि वह इतर से

परिसीमित होता है, इस परिसीमन या व्यावर्तन के बिना उसकी अभिव्यक्ति ही सम्भव नहीं होती : भौतिक विषय देश और काल में परिसीमित तथा गुण और परिणाम में निर्धारित होते हैं, चैत्त विषय काल में विभक्त तथा मंदता और तीव्रता की मात्रा में विशिष्ट होते हैं, और प्रत्यय व्यावर्तकता से परिभाषित होते हैं। संस्कृति इस तीसरी श्रेणी में आती है। यहाँ कहा जा सकता है कि संस्कृति देश और काल में परिसीमित और गुण में निर्धारित भी होती है और इस प्रकार यह भौतिक और चैत्त भी होती है। किन्तु यह सही नहीं है। देश संस्कृति विशेष से सम्बद्ध जन-समुदाय को और काल इसके क्रियान्वयन की प्रक्रिया को निरूपित करता है और ये दोनों सीमाएँ इसके लिए आगन्तुक होती हैं, स्वभावगत नहीं। अर्थात् कोई संस्कृति कितने भी लघु अथवा विशाल देश में अविच्छिन्न जन-समुदाय अथवा जन-समुदायों में व्याप्त हो सकती है और इसका इतिहास कितना भी सुदीर्घ अथवा लघु हो सकता है, और इसका लोप होने के बाद, पुनरुद्भव अथवा इसके क्षीण होने के बाद पुनरुज्जीवन भी हो सकता है। ये सब विशेषण इसकी अभिव्यक्ति के होते हैं इसके स्वरूप के नहीं। इस प्रकार सम्भव है कि कोई एक संस्कृति कभी सार्वदैशिक हो जाय। किन्तु तब भी वह अनेक संस्कृतियों में से एक ही होगी अन्य संस्कृतियाँ अक्रियान्वित रूप में उसकी व्यावर्तक होंगी और इस प्रकार उसे परिभाषित करेंगी। उदाहरणतः वह मोक्षपरक होने पर भोगपरक से, धार्मिक होने पर वैज्ञानिक या कलात्मक या ऐन्द्रिक से अनिवार्यतः व्यावर्तित होगी। यह द्रष्टव्य है कि किसी भी समाज में परस्पर प्रतिषेधक विचार और परस्पर विरुद्ध भाव और प्रवृत्तियाँ घटित होते हैं, और जिस समाज में ये जिने ही अधिक वैविध्य के साथ घटित होते हैं वह समाज सांस्कृतिक रूप से उतना ही समृद्ध कहा जा सकता है; केवल इतना ही अपेक्षित होता है कि ये मूलधारा या व्यवस्था के भीतर रहें और उस मूल अर्थ के उपकारक बनें जो उस संस्कृति का आधार होता है। वास्तव में चैतन्य की जगत् रूप में अभिव्यक्ति मात्र के सम्बन्ध में यह एक महत्त्वपूर्ण तथ्य है कि वह व्यावर्तनों और प्रतिषेधों के साथ ही घटित हो सकती है, किन्तु इससे भी अधिक महत्त्वपूर्ण तथ्य यह है कि चेतना के प्रत्यङ्मुख अवलोकन में ये व्यावृत्तियाँ और प्रतिषेध उपसंहृत होकर परस्पर अर्थ-प्रकाशक और एक गहनतम अर्थ में प्रतिष्ठित होते हैं।

समाज और इतिहास

यह एक सर्वस्वीकृत-सी बात है कि जीव मात्र स्वभावतः ही अतीत और भविष्यत् के संगमस्थल पर होता है : अतीत उसके वर्तमान में संगृहीत और भविष्यत् उसके वर्तमान में उद्दिष्ट रहता है। यह स्वभाव जीवन के अन्नमय और प्राणमय अस्तित्व के स्तर पर भी उपलब्ध होता है। किन्तु मनोमय स्तर पर काल-विषयक एक आधारभूत क्रान्ति घटित होती है : इसका अतीत वर्तमान में आकर समाहित नहीं हो जाता, बल्कि एक प्रकार से ज्यों का त्यों भी बना रहता है। इसी प्रकार भविष्यत् का स्वरूप उद्दिष्ट वर्तमान का ही नहीं होता बल्कि वह भी वर्तमान में पृथक् अनागत काल में स्थापित होता है। बौद्ध दार्शनिक नागार्जुन ने काल की शून्यता या निःस्वभावता दिखाने के लिए यह युक्ति दी है कि "अतीत समाप्त हो जाता है—विगत हो जाता है, और भविष्यत् अन्-आगत होने से होता ही नहीं है। और अतीत तथा अनागत के बीच वर्तमान की कोई अवधि हो ही नहीं सकती, इसलिए काल असत् है।" कुछ इसी प्रकार की बात समस्या के रूप में ज़ेनो और अरस्तू ने भी कही है। अन्यत्र[1] हमने नागार्जुन की इस युक्ति का खण्डन करते हुए काल-स्वभाव का इससे भिन्न निरूपण किया है। मनोमय स्तर पर काल दूसरा रूप ले लेता है, जैसा कि हमने ऊपर कहा। "कल, 26 जून को, मैंने धोबी को कपड़े दिये थे" और "कल, 28 जून को मुझे दिल्ली जाना है" इन वाक्यों में अतीत और अनागत वर्तमान में संगृहीत नहीं हैं और न वर्तमान इनके बीच विलीन अमूर्त्त और असीमल्प क्षण है। इस प्रकार मनोमय चेतना के लिए न अतीत निश्शेषतः विगत होता है और न भविष्य पूर्णतः अनागत, ये प्रलम्बित वर्तमान में समाहित हुए बिना अपने-अपने 'स्थानों' पर ही अवगत होते हैं। एक महत्त्वपूर्ण अर्थ में स्मृति-विषय के रूप में यही अतीत इतिहास का विषय होता है। अतीत के इस रूप के लिए साधारणतः 'स्मृति' शब्द का प्रयोग होता है, जो इसके विपरीतार्थक शब्द 'विस्मृति' से सिद्ध है। यह द्रष्टव्य है कि विस्मृत भी स्वभाव में स्मृत से भिन्न नहीं होता, स्मृत हो सकने वाला ही विस्मृत होता है और वह कभी भी स्मृत हो सकता है। यदि कहें कि यह अतीत डायरी : दैनन्दिनी : के पृष्ठों के समान होता है जो देखे जाने की सम्भावना के रूप में रहते हैं, तो यह अयुक्त नहीं होगा। व्युत्पत्ति से 'इतिहास' शब्द का यही अर्थ है : इति ह आस—निश्चय से ऐसा ही हुआ था। अर्थात् यह ज्ञात है कि ऐसा ही हुआ था। किन्तु यह किस प्रकार ज्ञात है? उत्तर होगा स्मृति से, क्योंकि अतीत विषयक ज्ञान का एक महत्त्वपूर्ण साधन स्मृति है। सम्भवतः दो और साधन भी हैं, एक श्रुति और दूसरा कारण-कार्य-सम्बन्धात्मक अनुमान। श्रुति में पुरालेख भी सम्मिलित होंगे। इसका विस्तार थोड़ा आगे बढ़ायें तो चित्र, मूर्त्ति और अन्य निर्मित वस्तुएँ भी इसमें सम्मिलित की जा सकती हैं। स्पष्टतः अतीत की घटनाएँ तो विगत, विनष्ट ही होती हैं और इस प्रकार उनका कोई अस्तित्व नहीं रहता, किन्तु श्रुति और स्मृति के माध्यम से वे ज्ञात होती हैं। वैज्ञानिक कारण-कार्य-सम्बन्ध के आधार पर भी अतीत-विषयक वस्तुस्थितियों का अनुमान करता है। ज्ञान के इन साधनों की प्रामाणिकता का प्रश्न यहाँ प्रासंगिक नहीं है, यहाँ प्रासंगिक केवल यह है कि इनकी प्रामाणिकता मान लेने पर क्या इतिहास अतीत-विषयक ही होता है? और यदि यह अतीत-विषयक ही होता है तो क्या किसी समाज का सम्पूर्ण अतीत इसका विषय होता है?

यहाँ पहले दूसरे प्रश्न पर विचार करना उपयुक्त होगा, क्योंकि पहला प्रश्न अधिक आधारभूत है और उस पर अधिक गहराई से विचार अपेक्षित है। जहाँ तक दूसरे प्रश्न का सम्बन्ध है, उसका उत्तर स्पष्ट है कि किसी समाज का सम्पूर्ण अतीत इतिहास का विषय नहीं हो सकता, क्योंकि सब घटनाएँ आकलनीय नहीं हो सकतीं।

---

1. द्रष्टव्य हमारी पुस्तक **नागार्जुनकृत मध्यमकशास्त्र और विग्रहव्यावर्तनी : युक्ति-परीक्षा और सिद्धान्तविमर्श**।

किन्तु इस बात में अतीत और वर्तमान में कोई विशेष अन्तर नहीं होगा : हम वर्तमान में भी अपने ही साथ घटने वाली सब घटनाओं की ओर ध्यान नहीं देते। यहाँ तक कि हमारे सामने बैठे व्यक्ति की कमीज़ का क्या रंग है, यह भी देख रहे हों, यह आवश्यक नहीं होता। यदि वह एक रंग नहीं होकर रंग-संस्थान हो तब तो साधारणतः देखते होने पर भी नहीं देखते। वास्तव में हम अपने स्वभाव के अनुसार अतर्कित रूप से महत्त्वपूर्ण और उपेक्षणीय में भेद कर लेते हैं और उपेक्षणीय को देखते हुए भी नहीं देखते। इसमें जो जितना ही कम विवेकी होता है वह वस्तुओं का तत्त्व देखने में उतना ही अक्षम होता है, विवेक करने वाला महत्त्वपूर्ण को उसके तत्त्व की गहराई में पैठ कर देखता है और उसकी उपेक्षा कर देता है जिसे वह महत्त्वहीन मानता है, अथवा उसे देखते हुए भी नहीं 'देखता', जिसमें यह गहराई नहीं होती। अर्जुन को केवल चिड़िया की आँख दिखने और अन्यों को आँख के साथ परिवेश भी दिखने के उदाहरण में जो दूसरों पर अर्जुन का उत्कर्ष विवक्षित है उसका यही औचित्य है। किन्तु कोई उपेक्षणीय और अनुपेक्षणीय में चाहे कितना भी कम विवेक करता हो, वह भी प्रस्तुत वस्तुस्थिति का बहुत स्वल्प ही देख पाता है। इस प्रकार से पूर्ण अतीत के इतिहास का विषय होने का कोई प्रश्न उपस्थित नहीं होता। किन्तु तब अतीत में से चयन करने का आधार क्या होता है? यदि कहें कि महत्त्वपूर्ण, विशिष्ट और प्रतिनिधि होना चयन का आधार होता है तो समस्या है कि इसके निर्णय की क्या कसौटी है कि कौन-सी घटनाएँ इन गुणों से युक्त हैं और कौन-सी नहीं? व्यवहार में यह देखा गया है कि विभिन्न इतिहास-लेखक एक ही समाज के अतीत में घटनाओं का सर्वथा भिन्न आधारों पर चयन करते हैं और एक ही घटना को सर्वथा भिन्न-भिन्न प्रकार से देखते हैं। इस प्रकार अतीत की प्रस्तुति सर्वथा विषयिनिष्ठ हो जाती है। पश्चिम में विभिन्न इतिहास-दार्शनिकों का एक वर्ग इतिहास को स्वरूपतः ही इतिहास-लेखक की रुचि का विषय मानता है, वह अपने-आप में किसी इतिहास-वस्तु के अस्तित्व को स्वीकार नहीं करता। किन्तु ऐसा मानने पर इतिहास एक ज्ञान नहीं रहता। वास्तव में इतिहास के ज्ञान के सम्बन्ध में यह कठिनाई कोई ऐसी नहीं है जो अन्य विषयों के सम्बन्ध में नहीं हो। हमारे सामने कोई घटना घटित हो जाती है तब भी उसके सम्बन्ध में भिन्न-भिन्न व्यक्तियों के बहुत भिन्न-भिन्न मत होते हैं। किन्तु इससे हम यह विश्वास नहीं छोड़ देते कि घटित घटना की हमारे निरूपणों और निर्वचनों से स्वतन्त्र वस्तुता है। वैसा माने बिना हमारे व्याख्या के प्रयत्न निराधार हो जाते हैं। निश्चय ही दो व्याख्याकारों की पूर्वमान्यताएँ भिन्न-भिन्न रहते उनकी व्याख्याओं में कोई सामंजस्य सम्भव नहीं होता, किन्तु यदि व्याख्याकार निराग्रही हों तो उनकी पूर्वमान्यताओं की युक्तता-अयुक्तता के सम्बन्ध में विचार हो सकता है।[1] किन्तु ऐसे विचार की सम्भावना तभी स्वीकार की जा सकती है यदि कोई ऐतिहासिक वस्तुस्थिति वास्तव में हो जिससे अनुरूपता-प्रतिरूपता के आधार पर मान्यताओं को सत्यासत्य या युक्त-अयुक्त कहा जा सके। किन्तु कठिनाई यह है कि अधिकांशतः स्वयं वस्तुस्थितियों का स्वरूप भी मान्यताओं से निर्धारित होता है। ऐतिहासिक वस्तुस्थिति ऐसी ही वस्तुस्थितियों में से एक मानी जा सकती है, यद्यपि थोड़ा गहराई में जाने पर सभी वस्तुस्थितियाँ ऐसी ही दिखाई देती हैं। उदाहरणतः 'भारत में मुस्लिम राज्य कैसा था?' इसका उत्तर विभिन्न मुस्लिम राजाओं के व्यवहार के विवरण पर निर्भर करता है। किन्तु मुस्लिम राजा अनेक थे और उनमें प्रत्येक के कृत्य भी कोई एक प्रकार के नहीं थे। अब, इनमें हम किन राजाओं को और उनके किन कृत्यों को महत्त्व देते हैं और किन की उपेक्षा करते हैं, यह हमारे पूर्वाग्रहों पर निर्भर करता है। किन्तु कठिनाई यह है कि यदि हम सब इस बात में सहमत हो जाएँ कि दस मुस्लिम राजाओं में से सात या आठ सामान्यतः अत्याचारी और धर्मान्ध थे और दो उदार और जन-हित-परायण थे, तो भी क्या 'मुस्लिम-राज्य' इस उद्देश्य पद के साथ एक विधेय पद कैसे लगाया जा सकता है? इसका समाधान सहज ही यह दिया जा सकता है कि 'मुस्लिम-राज्य' इस एक नाम के आधार पर एक वस्तु की कल्पना ही अयुक्त है, क्योंकि जितने मुस्लिम राजा थे उतने ही प्रकार के उनके शासन थे। और प्रत्येक राजा किस प्रकार का था यह श्रुति के आधार पर यथासम्भव सम्यक् रूप से निर्धारित किया जा सकता है। यदि हम यह निर्धारित नहीं

1. हमने अपनी पुस्तक **ज्ञान और सत्** में व्याख्याओं से स्वतन्त्र सत् की सम्भावना अस्वीकार की है, किन्तु अनन्तर हमने यह मत छोड़ दिया।

कर पाते और हमारे में परस्पर आधारभूत मतभेद बने रहते हैं तो इससे यह सिद्ध नहीं होता कि ऐतिहासिक वस्तुस्थिति का इतिहास-लेखकों से निरपेक्ष अपना कोई याथार्थ्य नहीं था, इसका अर्थ केवल यही है कि ऐतिहासिक याथार्थ्य के निर्धारण में इतिहास-लेखकों के पूर्वाग्रहों की भूमिका बहुत अधिक महत्त्वपूर्ण होती है।

किन्तु वास्तव में ऐतिहासिक अध्ययन का विषय अतीत घटनाएँ नहीं होतीं बल्कि अतीत घटनाओं का चरित्र, वे प्रवृत्तियाँ जो घटनाओं को एक संस्थान, सूत्र, एक कथा-प्रसंग में व्यवस्थित करती हैं, ऐतिहासिक अध्ययन की विषय होती हैं। भारत में मुस्लिम-शासन कैसा था, इस प्रश्न का औचित्य इतिहास के इस स्वरूप के अनुसार ही हो सकता है। अब, यदि ऐतिहासिक अध्ययन के विषय का स्वरूप यह मानें तो प्रश्न उठता है कि क्या ये प्रवृत्तियाँ और सम्बन्ध-सूत्र भी उसी प्रकार तथ्य हो सकते हैं जिस प्रकार घटनाएँ होती हैं या कि ये इतिहास-लेखक के आरोप होते हैं? वास्तव में इतिहास को इतिहास-लेखकों द्वारा आरोपित संस्थान या कथा-प्रसंग के रूप में देखने वालों की मान्यता यही है कि इस अर्थ में कोई ऐतिहासिक तथ्य नहीं होते, ये केवल इतिहास-लेखक के ही आरोप होते और हो सकते हैं। इसके पीछे यह धारणा निहित है कि ठोस, प्रत्यक्षगम्य और कारण-कार्यात्मक वस्तुओं या घटनाओं का ही अस्तित्व हो सकता है प्रवृत्तियों या कथा-प्रसंगों का नहीं। किन्तु यह भ्रान्ति है, क्योंकि प्रवृत्तियों और कथा-प्रसंगों के आरोप होने के लिए भी इनका अस्तित्व होना आवश्यक है। यदि यह कहा जाय कि इनका अस्तित्व इतिहास के रूप में नहीं होता बल्कि इतिहासज्ञ की कल्पना के रूप में होता है, तो इसका उत्तर होगा कि इतिहासकार को जिस कारण से संस्थान और कथा-प्रसंग की आवश्यकता पड़ती है उसी कारण से इतिहास भी संस्थानात्मक और कथा-प्रसंगात्मक होता है। वह कारण है चेतना के घटित होने का स्वरूप। इतिहास सामाजिक चेतना का घटित होना है और इतिहास-लेखन उसका आकलन करना। चेतना का घटित होना भौतिक वस्तुस्थिति के विद्यमान होने या घटित होने जैसा नहीं होता और न उसका ज्ञान एक-समान होता है। चेतना का घटित होना विषयी का क्रियान्वित होना और अपने उपयुक्त काया में अवतरित होना होता है : जैसे भाषा, छन्द, नृत्य, गीत, मूर्त्ति, चित्र आदि-आदि। यहाँ इस आकलन के स्वरूप के सम्बन्ध में एक आधारभूत महत्त्व की बात यह है कि यही आकलन कथा-साहित्य में भी होता है, किन्तु एक सर्वथा भिन्न प्रकार से। कथा-साहित्य में यह आकलन चेतना की विषयिता का विषयिता में ही होता है, किन्तु इतिहास में विषयिता का उसके विषयकृत रूप में : उस रूप में जिसमें वह अपने को अपने सम्मुख प्रस्तुत करती है : होता है। जब कथा-साहित्य प्रकटतः विषयात्मक या वर्णनात्मक प्रस्तुति का बाना भी रखता है : एक था राजा, एक थी रानी...: तब भी वास्तव में यह विषयिता के तत्त्व में ही रहता है, वह उसकी विषयात्मक प्रस्तुति को तत्त्वतः नहीं अपनाता। इसमें विषयात्मक आकलन विषयी के ही विषयकृत रूप का होता है, जैसे स्वयं कर्त्ता द्वारा अपने कार्यों का विवरण दूसरे को उनके होने के तर्क के साथ देने में होता है। अब, यह विवरण घटना-संकल्पनात्मक अथवा कारण-कार्य-सम्बन्धात्मक नहीं होता बल्कि संस्थानात्मक और कथा-प्रसंगात्मक ही होता है और तत्त्व उसके स्वरूपगत होते हैं, जैसाकि आत्मकथाओं में देखा जा सकता है—आत्मकथा के दोनों पक्षों : जीवन के घटित होने और उसके आकलन : में।

किन्तु वास्तव में आत्मकथा अथवा परकथा का, और इसी प्रकार इतिहास का भी, तत्त्व घटनाओं का कथात्मक अथवा अन्य किसी प्रकार के सम्बन्ध-सूत्रों में विवरण देना नहीं है, उनका आकलन करना भी नहीं है, बल्कि उस आधार-प्रतीक अथवा आत्म-प्रतिमा का साक्षात्कार करना और उसके द्वारा उसके अपने अर्थ में अवगमन के प्रयत्न को, आत्मक्रियान्वयन अथवा आत्म-चरितार्थन की प्रक्रिया को, समझना है। ऐसा नहीं है कि इन तीनों में विवरण का यह प्रयोजन स्पष्ट होता है, यह अधिकांशतः ही स्पष्ट नहीं होता, क्योंकि हम स्वभावतः अपने से बाहर विषय-जगत् में व्यस्त रहते हैं और अपने को उसी माध्यम से पाते हैं। किन्तु इस प्रयोजन के बिना, अपने अस्तित्व के उस अर्थ की उपलब्धि के प्रयत्न की प्रक्रिया को समझे बिना जो व्यक्ति के व्यक्तित्व का आधार होती है, जिसके अनुसार वह अपनी क्रियाओं को नियोजित करता है, आत्मकथा या परकथा-लेखन का कोई अर्थ नहीं रह जाता। अथवा यह भी कह सकते हैं कि आत्मकथा में यह प्रयोजन स्पष्ट हो या अस्पष्ट, प्रयोजन

यही होता है और उसकी अस्पष्टता केवल उस व्यक्ति में आत्मबोध की न्यूनता या अभाव को ही प्रकट करती है। किन्तु परकथा और इतिहास में यह लेखक में समझ की कमी की ही द्योतक होती है। इतिहास के उद्देश्य के सम्बन्ध में यह अज्ञता हम प्रायः ही देखते हैं। इतिहास को किसी देश के राजाओं के युद्धों और सन्धियों के रूप में और उसके दरबार और रनिवासों में चलने वाले षड्यन्त्रों के रूप में देखने में यह भ्रान्ति अपनी चरम सीमा पर दिखायी देती है। क्योंकि इस सबसे केवल बहुत परोक्ष रूप से यह अनुमान होता है कि किसी काल-विशेष में उस समाज का राजनीतिक जीवन कैसा रहा होगा। उसका मानसिक जीवन कैसा रहा होगा, वह समाज अपने को किस प्रतीक या प्रतीकों के माध्यम से और कितना समझता रहा होगा और उस बोध के क्रियान्वयन में कहाँ तक सफल रहा होगा, इसका तो इससे कोई परोक्ष संकेत पाना भी सम्भव नहीं हो सकता। अवश्य प्रत्येक समाज में कुछ समुदाय ऐसे हो सकते हैं जो अपने जीवन को शौर्य और युद्ध-कौशल से परिभाषित करते हों, जैसे मध्ययुगीन भारत में राजपूत, किन्तु ये समुदाय उस समाज के केवल एक गौण अंग होते हैं, समाज उस अंग से अपने को परिभाषित नहीं करता। यह और भी स्पष्ट भारतीय समाज के वणिक और शूद्र समुदायों से होता है। ये सब समुदाय अपनी जीवन-सार्थकता उन कर्त्तव्यों से अथवा उन सफलताओं से परिभाषित करते थे जो वह समाज उनके लिए निर्धारित करता था। किन्तु ये सब वर्ण-धर्म माने जाते थे, समाज की सावयव समग्रता में अवयव भूत, जिन्हें बाह्य प्रेक्षक स्वतन्त्र वस्तुस्थितियों के रूप में देखता है। किन्तु अवयवी समाज अपने को अपने अवयवों से और उनके धर्मों से नहीं बल्कि एक परमधर्म से ही परिभाषित करता है। परमधर्म समाज का केन्द्रीय नियामक होता है और वह सब अवयवभूत धर्मों से पृथक् सब व्यक्तियों के लिए आदर्श का कार्य करता है। उदाहरणतः भारतीय समाज के सब वर्णों और समुदायों में से कुछ ही व्यक्ति संन्यासी होते थे, किन्तु जो नहीं होते थे वे उन्हें अपना अपने द्वारा असाध्य आदर्श मानकर सम्मान देते थे, क्योंकि उस समाज के लिए परमार्थ और परम पुरुषार्थ, और इस प्रकार उसका नियामक प्रतीक मोक्ष था। इस प्रकार भारतीय समाज का इतिहास इस अवधारणा के क्रियान्वयन की, इसके अर्थ के तत्त्वमीमांसा, काव्य, कलाओं और आचरण के माध्यम से उन्मेष और अवगाहन की, प्रक्रिया कहा जा सकता है। किसी समाज का यह केन्द्रीय प्रतीक उसके जीवन के सम्पूर्ण क्रम में एक ही बना रहे, अथवा एक बना रहने पर उसकी व्याख्या में कोई अन्तर नहीं आये, यह आवश्यक नहीं होता। इनमें प्रथम प्रकार के परिवर्तन भी हो सकते हैं और दूसरे प्रकार के भी। जब प्रथम प्रकार के परिवर्तन होते हैं तब उसे सांस्कृतिक रूपान्तरण कहा जा सकता है और दूसरे प्रकार के परिवर्तन होने पर सांस्कृतिक व्याख्या-भेद। इनमें पहले प्रकार के परिवर्तनों का एक उदाहरण पश्चिम में विज्ञान के आविर्भाव के साथ देखा जा सकता है जब ग्रीकी-रोमी संस्कृति समाप्त होकर उसका स्थान ऐन्द्रिक-वैज्ञानिक संस्कृति ने : सोरोकिन के अनुसार ऐन्द्रिक संस्कृति (सेंसेट कल्चर) : ने लिया।[1] दूसरी का उदाहरण भारत के सुदीर्घ इतिहास में देखा जा सकता है जिसमें कभी एक प्रवृत्ति की प्रमुखता दिखायी देती है और कभी दूसरी की, किन्तु तब भी मोक्ष के परम पुरुषार्थ होने का आदर्श कभी नहीं बदला। इस पर कहा जा सकता है कि भक्ति-परम्परा में मोक्ष के बजाय ईश्वर-सान्निध्य का आदर्श दिखायी देता है। यह सही है किन्तु यह आदर्श भक्तों के सम्प्रदाय-विशेष में ही प्रतिष्ठित हुआ, स्वयं भक्ति-धारा के भी सभी या अधिकांश सम्प्रदायों में प्रतिष्ठित नहीं हुआ। उदाहरणतः निर्गुणिया सन्त सम्प्रदाय और तुलसीदास में यह आदर्श नहीं है। जो भी हो, हमारा विषय यहाँ भारतीय संस्कृति का विवेचन नहीं होकर एक उदाहरण प्रस्तुत करना है। जहाँ तक सिद्धान्त का प्रश्न है, उस दृष्टि से परिवर्तन के ये दोनों ही रूप वैयक्तिक जीवन में भी देखे जा सकते हैं : कुछ व्यक्ति अपने स्वरूपावधारण में आधारभूत रूप से परिवर्तित देखे जा सकते हैं, जैसे स्वामी विवेकानन्द और कुछ दूसरे एक ही अर्थ के अवधारण में भिन्न दृष्टि अपनाते हुए। वास्तव में व्यक्तियों में ये दोनों प्रकार के परिवर्तन अधिक सहज रूप से देखे जा सकते हैं। समाजों में पूर्ण परिवर्तन नितान्त दुर्लभ होते हैं, उनमें सांस्कृतिक मृत्यु और इस प्रकार इतिहास की समाप्ति के उदाहरण ही अधिकांश में मिलते हैं, जिसका एक उदाहरण यूनान है। किन्तु आधुनिक यूरोप को इसका अपवाद कहा जा सकता है।

1. **सोश्योलोजीकल थ्योरीज़ ऑफ टू-डे।**

यहाँ प्रश्न हो सकता है कि क्या यह रूपान्तरण हो जाने पर किसी व्यक्ति को 'वही व्यक्ति' कहा जा सकता है? स्पष्टतः संस्कृति को हम 'वही' नहीं कहते। इसका उत्तर होगा कि मनोदैहिक सन्तति एक ही रहने के कारण उस व्यक्ति को वही कह दिया जाता है : यहाँ द्रष्टव्य है कि दैहिक क्षण-सन्तान या धारा एक ही रहने पर किन्तु चित्त-सन्तान एक ही नहीं रहने पर, अर्थात् स्मृतियों का सम्बन्ध एक ही अहं-प्रत्यय से नहीं रहने पर, किसी को 'वही व्यक्ति' कहना केवल दर्शक का आरोप कहा जायेगा व्यक्ति में आत्मगत एकत्व नहीं। व्यक्तिपरक दैहिक काल-सन्तान से समाज में जननात्मक सन्तान की अनुरूपता देखी जा सकती है। अब जहाँ तक चैत्त सन्तान का प्रश्न है, समाज में वह संस्कृतिमूलक अहं-प्रत्ययात्मक सातत्य ही होता है। उदाहरणतः आधुनिक पाश्चात्य समाज अपने मध्यकालीन पूर्वजों से जैव सातत्य-क्रम में है और इसके साथ ही ईसाई धर्म-मूलक सातत्य भी है, परिणामतः वह समाज अपने अहं-प्रत्यय के विस्तार में ग्रीकी-रोमी संस्कृति-मूलक समाज को सम्मिलित करता है। किन्तु ईरानी समाज, मिस्री समाज और अफगानी समाज अपने को क्रमशः इजावेस्तीय समाज, पिरामिडीय समाज और बौद्ध समाज की परम्परा में नहीं देखते, न एक काश्मीरी मुस्लिम असंग को अपना पूर्वज देखता है। अब इसी प्रकार वैयक्तिक स्तर पर कल के चोर वाल्मीकि को आज के ऋषि वाल्मीकि से एक कहा जा सकता है या नहीं यह एक सीमा तक व्यावहारिक निर्णय की बात है। किन्तु व्यक्ति के इस भेद के आधार में एकता के दो और आश्रय भी हैं और वे हैं स्मृति और संकल्प, जो उसके अहं-प्रत्यय का विस्तार अतीत और भविष्यत् में करते हैं। एक तीसरा आश्रय आत्म-प्रतिमा या आधार-प्रतीक अथवा साध्यार्थ होता है जो अहं-प्रत्यय को अन्तर्वस्तु देता है और व्यक्ति के स्वरूप को परिभाषित करता है। यह आत्म-प्रतिमा व्यक्ति में संस्कृति की स्थानीय होती है, जो दूसरी से स्थानान्तरित भी हो सकती है और व्यक्ति को आत्म-विहीन, भ्रष्ट और निराधार भी छोड़ सकती है। एक प्रतिमा से दूसरी में संक्रमण प्रथम प्रतिमा के आधारतः भ्रान्तिमूलक और अनेष्य सिद्ध हो जाने पर होता हैः वाल्मीकि, अशोक और स्वामी विवेकानन्द में यही हुआ। अब, प्रतिमा या साध्यार्थ की सदोषता और अनेष्यता सिद्ध हो जाने पर स्मृति-अधिष्ठित अहं-प्रत्यय संकल्पबल से इस सदोष प्रतिमा को छोड़कर नयी का वरण कर लेता है और वह 'वही व्यक्ति' बना रहता है। वह अपने अतीत सदोष रूप को, अतीत अनेष्य प्रतिमा को, अपने से सम्बन्धित करके ही अन्य प्रतिमा का वरण कर सकता है। किन्तु व्यक्ति के अस्तित्व को इस प्रकार परिभाषित करने पर भी उसके जीवन को प्रतिमा या साध्यार्थ से ही परिभाषित किया जा सकता है और प्रतिमा के परिवर्तन के सम्बन्ध में कहा जा सकता है कि व्यक्ति का मूल साध्यार्थ दृष्टिविशेष नहीं बल्कि आत्मा होता है, अहं-प्रत्यय जिसका प्रतीक मात्र होता है और विभिन्न दृष्टियाँ इस साध्य का तात्त्विक अर्थ पाने के ही प्रयत्न होती है। इस प्रकार दृष्टि में मौलिक परिवर्तन होने पर हम कह सकते हैं कि "विवेकानन्द ने तब देखा कि वे जिस अर्थ का साध्य मानकर उसका अन्वेषण कर रहे वह उचित साध्य नहीं था, उचित साध्य वास्तव में वह था जो उन्होंने परमहंस से सम्पर्क के अनन्तर पाया।" इस प्रकार विवेकानन्द इस या उस प्रतिमा से नहीं बल्कि प्रतिमा के अन्वेषण मात्र से परिभाषित होते हैं और उनकी प्रतिमाविषयक दृष्टि उसकी अनुषंगी हो जाती है।

इस पर प्रश्न हो सकता है कि यह बात समाज के लिए भी क्यों नहीं कही जा सकती? समाज का बाह्य एकत्व मनोदैहिक सन्तति से और मनोमय जीवन के अनुसन्धान की बाह्य परिणतियों : कृतियों : में अनुरूपताओं के सातत्य से परिभाषित होता है और आन्तर एकत्व साध्यार्थ के अनुसन्धान के प्रत्यय की उस एकता से परिभाषित होता है जो इस या उस अर्थ में अपना सत्य देखता है। इस प्रकार किसी समाज का इतिहास एक ही संस्कृति के अर्थोन्मेष की प्रक्रिया नहीं होकर संस्कृति के माध्यम से उसके आत्म-साक्षात्कार के, आत्मा में प्रतिष्ठा पाने के, प्रयत्न का इतिहास कहा जा सकता है। यहाँ यह स्पष्टीकरण तुरन्त आवश्यक है कि आत्म-साक्षात्कार का यह प्रयत्न युक्त से अयुक्त दिशा की ओर भी हो सकता है, यहाँ तक कि ऐसा भी जिसमें आत्मा, अर्थ और मूल्यान्वेषण आदि पदों के प्रयोग अविहित हो जायें। आधुनिक पश्चिम की यही स्थिति है। किन्तु अन्य सब सांस्कृतिक प्रयत्नों के समान यह भी साध्य अर्थ के अनुसन्धान का ही एक प्रयत्न होता है।

भारतीय संस्कृति में यद्यपि एक अजस्रता है किन्तु इसकी वह मूलधारा, जो इसे परिभाषित करती है, वह बहुत बार इतनी क्षीण और अन्यान्य धाराएँ इतनी प्रबल दिखायी देती हैं कि यह कहना कि यह 'वही संस्कृति' है, सही प्रतीत नहीं होता। अब यदि कहा जाय कि जिसे भारतीय संस्कृति की मूलधारा कहा जाता है वह पुराणों में और तन्त्रों के युग में गौण धारा हो जाती है तो इसका प्रत्याख्यान बहुत सरल नहीं होगा।[1] किन्तु तब भी इस संस्कृति-दिशान्तर को : यदि यह मान ही लिया जाय कि यह वास्तव में दिशान्तर ही था, केवल बाने का अन्तर नहीं : समाज-भेद का पर्याय नहीं कहा जा सकेगा। किन्तु यह अवश्य कहा जा सकता है कि समाज का अस्तित्व किसी संस्कृति के बिना अक्षुण्ण रहना असम्भव होता है। सांस्कृतिक क्षय किसी समाज के अस्तित्व को भी खतरे में डाल देता है। क्योंकि, जैसाकि हमने पिछले अध्याय में देखा था, यह सांस्कृतिक क्षय और पुनर्जागरण स्वयं संस्कृतिगत नहीं होते बल्कि सामाजिक प्राण-मूलक होते हैं। सामाजिक प्राण का ह्रास होने पर अर्थान्वेषण और मनोमय जीवन भी क्षीण, दिग्भ्रान्त और विशृंखल हो जाते हैं, किन्तु दूसरी ओर अर्थान्वेषण की दिग्भ्रान्तता या दृष्टि-दोष सामाजिक विशृंखलता और उत्पात का कारण होता है और उसके परिणामस्वरूप अन्ततः समाज जीवन-हीन हो जाता है।

किन्तु द्रष्टव्य है कि सांस्कृतिक दृष्टि-दोष-जन्य सामाजिक विशृंखलता और सामाजिक निष्प्राणता-जन्य सांस्कृतिक दृष्टि-दोष में एक अन्तर होता है। सामाजिक निष्प्राणता समाज में सृजनात्मकता के अभाव और रूढ़िग्रस्तता के रूप में प्रकट होती है और इसके परिणामस्वरूप प्रमाद, स्वार्थपरायणता और दृष्टि-हीनता आती है, किन्तु दृष्टि-दोष दूर होने के उपरान्त सम्पूर्ण प्रयत्न की निरर्थकता प्रकट होती है। यह आज पाश्चात्य समाज में देखा जा सकता है : ऐन्द्रिक संस्कृतिमूलक उस समाज ने लगभग तीन सौ वर्ष के जीवन में उद्दाम सांस्कृतिक सृजनात्मकता, प्रगति और समृद्धि देखी है, किन्तु उसके अनेक विचारकों ने इस शताब्दी के आरम्भ में ही इसकी दिग्भ्रान्तता को देखकर इसके पतन की घोषणा कर दी थी। इतिहास-चिन्तकों में डेनिस्लावस्की ने 19वीं शताब्दी के अन्त में और ओस्वाल्ड स्पैंग्लर ने 20वीं शताब्दी के आरम्भ में, और दार्शनिकों में कीर्केगार्ड, हुस्सर्ल और हाइडेग्गर आदि ने 19वीं शताब्दी के अन्त में और 20वीं शताब्दी के आरम्भ में यही किया था। इस दिग्भ्रान्ति के उदाहरण रूप में नीचे हम तीन उद्धरण देंगे। इनमें एक ओट्टो न्यूराथ के लेख 'सोश्योलोजी एण्ड फिज़िकलिज़्म' से है, दूसरा विल्लर्ड वान् ओर्मान क्वाइन के 'दि स्कोप एण्ड लेंग्वेज ऑफ साइंस' से है और तीसरा रुडोल्फ कार्नप के 'मेथेडोलोजीकल करेक्टर ऑफ थ्योरेटिकल कॉसेप्ट्स' से। न्यूराथ समाज के स्वरूप और उसके ज्ञान की सम्भावना के सम्बन्ध में कहता है : "जिस प्रकार जीवों के व्यवहार का अध्ययन उतना ही सम्यक् रूप से किया जा सकता है जितना यन्त्रों, तारों और पत्थरों का, उसी प्रकार प्राणि-समुदायों का अध्ययन भी किया जा सकता है। व्यष्टियों के बाह्य उद्दीपनों से उत्पादित परिवर्तनों और उनके भीतर के 'स्वतन्त्र' परिवर्तनों को परीक्षा का विषय बनाया जा सकता है, जिस प्रकार से कोई रेडियम के विघटन का, जिसका कोई बाह्य कारण नहीं होता, अध्ययन कर सकता है तथा ऑक्सीजन मिलाकर एक यौगिक रासायनिक द्रव्य से उत्पादित विघटन का अध्ययन भी कर सकता है।....समाजविज्ञान एक मानव-प्राणी में, अथवा मानव-समुदायों में भी, विशुद्ध रूप से साँख्यिकीय परिवर्तनों का ही अध्ययन नहीं करता, वह विशिष्ट व्यक्तियों के बीच होने वाले उद्दीपनात्मक सम्बन्धों का भी अध्ययन करता है। पारमाणविक संरचनाओं को देखे बिना भी बृहत् सामाजिकीय सिद्धान्तों तथा लघु सामाजिकीय क्षेत्रों सम्बन्धी सिद्धान्तों को खोज सकना पूर्णतः सम्भव है और इस प्रकार इन सामाजिकीय सिद्धान्तों को भौतिक-वैज्ञानिक सिद्धान्तों की आधारशिला पर स्थापित किया जा सकता है।"[2] इसी प्रकार क्वाइन के अनुसार—"मैं भौतिक विश्व में अवस्थित एक भौतिक विषय हूँ। इस भौतिक विश्व की कुछ शक्तियाँ मेरी सतह से प्रविष्ट होती हैं। प्रकाश-किरणें मेरी रेटिना (दृष्टि-पटल) पर आघात करती हैं, अणु (मॉलीक्यूल) मेरे श्रोत्र-पटल और अंगुलाग्रों पर आघात करते हैं, मैं संरचित (स्ट्रक्चर्ड) वायु-लहरों को प्रसारित करते हुए प्रत्याघात

1. यहाँ हमारा अभिप्राय पुराणों और तन्त्रों के महत्त्व को कम करके दिखाना नहीं है।
2. ए.जे. एयर द्वारा सम्पादित **लॉजिकल पॉज़िटिविज़्म** पुस्तक में संकलित।

करता हूँ। ये लहरें मेज़ों, कुर्सियों, व्यक्तियों, अणुओं, प्रकाश-किरणों, दृष्टि-पटलों, मूल संख्याओं, असीम वर्गों, हर्ष-विषाद और शुभ-अशुभ के सम्बन्ध में वार्तालाप का रूप लेती हैं।"[1] कार्नप मनोविज्ञान में सिद्धान्त-प्रतिपादन की दो विपरीत दिशाओं : मनोविश्लेषणवाद की चेतना के अन्तर्गत स्तरपरक पदावली का और व्यवहारवाद की बाह्य प्रेक्ष्यात्मक पदावली का : उल्लेख करते हुए और इनमें दूसरे वर्ग के सिद्धान्तों को उत्कृष्टतर बताते हुए कहता है कि "मनोविज्ञान-विषयक ये दोनों दृष्टिकोण आगे चलकर सम्भवतः शरीर-क्रियाविज्ञान (फिज़ियोलोजी) की पदावली में प्रतिपादित केन्द्रीय तंत्रिका-व्यवस्था (सेंट्रल नर्वस सिस्टम) विषयक सिद्धान्तों में एकीकृत हो जाएंगे। मनोविज्ञान को शरीरक्रिया-विज्ञान (की पदावली मैं) समझने वाले इस युग में, जोकि पहले से आरम्भ हो चुका है, गुणात्मक अवधारणाओं का स्थान मात्रात्मक अवधारणाएँ और नियम लेंगे जो कोशिकाओं, अणुओं, परमाणुओं और क्षेत्रों (सैल्ज़, मॉलीक्यूल्स, ऐटम्स एण्ड फील्ड्स) की सूक्ष्म वस्तुविषयक पदावली को अपनायेंगे और अन्ततः यह सूक्ष्म शरीरक्रिया-विज्ञान (माइक्रोफिज़ियोलोजी) की सूक्ष्म भौतिकी पर आधारित किया जा सकेगा।"[2] इन तीनों उद्धरणों में भौतिकवाद अपनी पराकाष्ठा पर देखा जा सकता है, क्योंकि पिछले समयों का भौतिकवाद उपादान कारण को भौतिक मान लेने के बाद चेतना, भावना, विचार आदि सबको गुण के रूप में उनके अपने-अपने स्वरूप में ही स्वीकार कर सकता था और करता रहा था, किन्तु यह नव्य भौतिकवाद गुणात्मक की वर्गणा को ही स्वीकार करने को तैयार नहीं है, चेतना, भावना आदि की तो फिर बात ही क्या है। अस्तित्व के सब आयामों का भौतिक मात्राओं में अपचय कर और अर्थ के सब आयामों का संवेद्य में अपचय कर इस दृष्टि ने चेतना की जो दानव-दुर्लभ अधोगति प्राप्त की है उसकी तुलना इतिहास में अलभ्य है। इसके परिणामस्वरूप इस संस्कृति की इतिहास-क्रमागत कुछ दूसरी उपलब्धियाँ, जैसे सामाजिक न्याय की अवधारणा, युक्ति-विचार-मूलक सार्वभौमता आदि, जो इस संस्कृति को सामाजिक मानव की उच्चतर आध्यात्मिक सिद्धि का रूप दे सकती थीं, बहुत-सीमा तक निष्फल रही हैं। सामाजिक स्तर पर इसकी इस उपलब्धि के विपरीत जो दृष्टियाँ इस समाज में आविर्भूत हुईं, उदाहरणतः तानाशाही और जात्यभिमान आदि, उनके प्रतिकार के लिए इस संस्कृति के पास कोई नैतिक युक्ति नहीं थी। इसके प्रमाण रूप में खुले समाज के एक अथक प्रचारक कार्ल पौपर की एक पुस्तक 'ऑब्जेक्टिव नॉलेज' से यहाँ एक उद्धरण देना स्थाने होगा। इसमें वह मानव-स्वातन्त्र्य के स्वरूप पर विचार करते हुए कहता है कि "अमीबा और आइंस्टाइन में इसके सिवाय कोई अन्तर नहीं है कि इनमें दूसरा अपनी समस्याओं का हल मिलने पर उस हल में सतर्क रूप से दोष देखने का, और दोष होने पर उसके निवारण का (उसी अमीबा-सुलभ प्रयोग और त्रुटि की विधि से) प्रयत्न करता है।"[3] अवश्य पौपर मनुष्य में स्वतन्त्रता की सामर्थ्य भी स्वीकार करता है, किन्तु उसके लिए आधार चेतना की प्राकृतिकता का अतिक्रमण करने की सामर्थ्य नहीं होकर भौतिक लोच (प्लास्टिसिटी) ही है। वास्तव में वह मानव-स्वातन्त्र्य, सर्जनात्मकता, साहस और बलिदान आदि सब गुणों की बात को भी स्वीकार करता है, किन्तु इसके लिए वह भौतिक सिद्धान्त में जैसे व्यवस्था करता है उसकी अयुक्तता और परिणामस्वरूप विपन्नता और खोखलापन वहाँ देखते ही बनता है। जबकि प्राचीन युग इस भू-लोक के अतिरिक्त कितने ही लोक देख सकते थे : पाताल-लोक, द्यु-लोक और ब्रह्म-लोक, जोकि वास्तव में चेतना के अर्थावगमन और सार्थकता की सिद्धि की ही भूमियों के वाचक थे : आधुनिक यूरोपीय संस्कृति के ये प्रतिनिधि भू-लोक के भी अनेक आयामों में से केवल एक ही आयाम : स्पर्शेन्द्रिय द्वारा सूचित मात्राओं : को ही देख पाते हैं। इन्द्रियगम्य लोक के भी मात्रात्मक आयाम के अतिरिक्त आयाम हैं—रूप-रस-गंध आदि के, लौकिक आस्वाद के और काव्यात्मक आस्वाद के : और इन्द्रियगम्य आयामों के आगे कलात्मक, धार्मिक और दार्शनिक चेतनागम्य आयाम हैं, यह तो इनके लिए अकल्पनीय है। किन्तु जैसाकि हमने ऊपर कहा, इसके अनेक विचारकों ने इस दृष्टि-दोष को पिछली शताब्दी के ही अन्त में देख

1. ब्रिटिश जर्नल फॉर दि फिलोसोफी ऑफ साइंस, 1957, पृ. 9।
2. फाइग्ल और स्क्रिवान द्वारा सम्पादित **मिन्नेसोटा स्टडीज़ इन फिलोसोफी ऑफ साइंस,** जिल्द 1, पृ. 74.
3. कार्ल पौपर—ऑब्जेक्टिव नॉलेज, पृ. 247.

लिया था, यद्यपि इनमें से भी अनेक, उदाहरणतः नीत्शे और स्पैंग्लर, दूसरे तथा और भी अधिक भयानक दोषों के शिकार थे जिनके परिणाम हम नाज़ीवाद के रूप में जर्मनी, इटली और स्पेन में देख चुके हैं। यहाँ जो बात विशेष महत्त्वपूर्ण है वह यह कि यह परिणति जर्मन आदर्शवाद-प्रत्ययवाद की थी। निश्चय ही उसकी यह परिणति अनिवार्य नहीं थी, बल्कि कहा जा सकता है कि यह गोएथे, हेगल, फिख़्ते और शैल्लिंग प्रवर्तित आदर्शवाद से बहुत कुछ असमंजस भी थी, किन्तु तब भी यह परिणति हुई जिसका कारण जर्मन समाज की चेतना के निम्नतर स्तरों : आवेगात्मक मनःसंरचना और आधार-प्रतीक, जिसे स्पैंग्लर फाउस्टीय प्रतिमा कहता है : को कहा जा सकता है। यहाँ यह द्रष्टव्य है कि सांस्कृतिक दृष्टियों में दो प्रकार के दोष हो सकते हैं : प्रथम, स्वयं दृष्टि में ही दोष हो सकता है, जैसे ऊपर हमने आधुनिक पाश्चात्य संस्कृति के उदाहरण में देखा, और दूसरा, समाज द्वारा अपनी दृष्टि के तत्त्व के अवगमन में, उसका वास्तविक तात्पर्य समझने में, हो सकता है। इसका उदाहरण महायानी बौद्धों और अद्वैत वेदान्तियों के जगत्-विषयक विचार में देखा जा सकता है। अब, किसी समाज का इतिहास जबकि अपनी दृष्टि की व्याख्या और उस व्याख्या के क्रियान्वयन का ही इतिहास होता है, इस व्याख्या में अनेक भ्रान्तियाँ उत्पन्न हो सकती हैं, जो उस मूल अर्थ या दृष्टि में नहीं होतीं जो काल-क्रम में ऐतिहासिक रूप से अपने को व्यक्त करती है।

सांस्कृतिक मूल दृष्टि या आधार-प्रतीक के अतिरिक्त संस्कृति के कुछ आनुषंगिक पक्ष भी होते हैं जो किसी समाज के स्वभाव के निर्माण में महत्त्वपूर्ण भाग लेते हैं और अपना एक इतिहास बनाते हैं। ऐसे पक्षों के उदाहरणों के रूप में भारतीय समाज की वर्ण-व्यवस्था और कर्म-फलवाद को देखा जा सकता है। अब यद्यपि कर्म-फलवाद की सैद्धान्तिक रूप से मोक्ष-दृष्टि से और वर्ण-व्यवस्था की कर्म-फलवाद से संगति स्थापित की गई है, किन्तु ये दोनों सिद्धान्त मोक्ष-दृष्टि से प्राचीनतर हैं और इनकी मोक्ष-दृष्टि से संगति में कोई अनिवार्यता भी नहीं है, व्यवहारतः तो वर्ण-व्यवस्था और मोक्ष-सिद्धान्त में विरोध ही है जोकि स्वयं शंकर ने भी देखा था। किन्तु जहाँ तक कर्म-फलवाद के सिद्धान्त का प्रश्न है, यह वास्तव में मूलतः स्वातन्त्र्य का ही सिद्धान्त है और कार्ल पौपर के सिद्धान्त से कहीं अधिक गम्भीर तथा अर्थ-विपुल और कहीं अधिक सूक्ष्म है। कर्म-फलवाद के अनुसार कर्म फल को जन्म केवल मनुष्य के स्तर पर ही देता है जिस प्रकार प्रकृति में सभी कारण अपने कार्यों को जन्म देते हैं। किन्तु सर्वप्रथम, कर्म केवल अनादि कारण-कार्य-शृंखला के अन्तर्गत कारण और कार्य ही नहीं है बल्कि संकल्प भी है जो मनुष्य की अन्यथा करने अथवा नहीं करने : कर्त्तुम्, अकर्त्तुम्, अन्यथा कुर्त्तुम् : की सामर्थ्य का वाचक है और जिसके द्वारा मनुष्य तत्त्वतः सदैव इस कारण-कार्य-शृंखला से बाहर रहता है। किन्तु कर्म-फलवाद का यह आधारभूत पक्ष न केवल जन-साधारण की दृष्टि से ही ओझल रहा बल्कि, गीता के बावजूद, महत्त्वपूर्ण दार्शनिकों ने भी इसकी इस संकल्पमूलकता की ओर ध्यान नहीं दिया, जिसका परिणाम समाज में एक असहाय भाग्यवाद के रूप में हुआ। इसी प्रकार वर्ण-भेद के सम्बन्ध में भी। वर्ण-भेद केवल एक व्यावहारिक व्यवस्था है और तत्त्वतः यह केवल औपाधिक है, यह बात पूरे समाज ने भुला दी। यद्यपि दार्शनिक विचार में वर्ण-व्यवस्था की कोई चर्चा नहीं है, किन्तु सामाजिक अस्तित्व की सम्पूर्ण रूप-रचना में यह आधारभूत रही है। किन्तु तब भी कर्म-फलवाद का सम्बन्ध सांस्कृतिक मूल दृष्टि और मनुष्य के तात्त्विक स्वरूप के साथ सीधा होने से यह भारतीय समाज के इतिहास का महत्त्वपूर्ण अंग है, क्योंकि इसकी अर्थ-गवेषणा की एक समृद्ध परम्परा है और इसका भारतीय जीवन-दृष्टि और स्वभाव के निर्माण में एक महत्त्वपूर्ण भाग है। किन्तु वर्ण-व्यवस्था पर विचार अथवा सृजनात्मक क्रियान्वयन का कोई इतिहास नहीं है, इसकी केवल जाड्य परम्परा ही है। इस प्रकार की स्थितियाँ और क्रिया-विधियाँ प्रत्येक समाज के अस्तित्व की रूप-रचना की अंग होती हैं, किन्तु इन्हें उस समाज के इतिहास की अंग नहीं कहा जा सकता, क्योंकि इनमें समाज द्वारा उसके अपने स्वरूप के निरूपण की अथवा तत्त्व के क्रियान्वयन की कोई परम्परा नहीं मिलती।

किन्तु इतिहास के स्वरूप के सम्बन्ध में इससे नितान्त भिन्न भी कुछ सिद्धान्त हैं जिनमें से यहाँ हम दो का उल्लेख करेंगे। इनमें एक मार्क्स का सिद्धान्त है जो इतिहास को आर्थिक उत्पादनों और उन पर आधारित

सम्बन्धों की विकास-परम्परा के रूप में देखता है और दूसरा सिद्धान्त अतीतकालीन राजनीतिक, आर्थिक साहित्यिक, कलात्मक, दार्शनिक आदि-आदि विभिन्न पक्षों को उनकी अपनी-अपनी क्षेत्रीय गतिविधियों के रूप में, जिनमें कोई दिशा या अर्थानुगमन नहीं होता। इनमें पहला भाव संवाद के अनुयायी देशों में और दूसरा तथाकथित प्रजातन्त्रवादी देशों में प्रचलित है। इस दूसरे मत का अत्यन्त प्रतिनिधि और प्रगल्भ निरूपण बर्ट्रेंड रसल के इस वाक्य में देखा जा सकता है कि "यदि क्लिओपेट्रा का नाक एक सूत और लम्बा होता तो इतिहास का रूप कुछ दूसरा ही रहा होता।" इसके ठीक विपरीत हेगेल का वाक्य है कि "इतिहास अपने प्रयोजन के लिए घटनाओं का बहुत चतुराई से उपयोग करता है।" किन्तु यहाँ वर्तमान रूसी राष्ट्रपति गुर्बाचेव का एक वाक्य उद्धृत किया जा सकता है जो हेगल के उपर्युक्त सिद्धान्त को एक प्रसंग में उदाहृत करता है। उसने नैपोलियन के रूस पर आक्रमण और उसकी पराजय का उल्लेख करते हुए कहा कि "किन्तु इससे इतिहास का एक विरोधाभासपूर्ण परिणाम घटित हुआ कि दोनों देशों में पारस्परिक सम्प्रेषण और सद्भाव की प्रक्रिया का सूत्रपात हुआ।"[1] गुर्बाचेव का अभिप्राय यहाँ कुछ भी हो किन्तु इसका एक अत्यन्त महत्त्वपूर्ण अर्थ यह हो सकता है कि नैपालियन का रूस पर आक्रमण और उसकी विजय-पराजय स्वयं से इतिहास नहीं हैं, इतिहास फ्रांस और रूस की सांस्कृतिक चेतनाओं में परस्पर सम्प्रेषण का आरम्भ होना और इन संस्कृतियों के आत्मबोध को नये आयाम मिलना है। नैपालियन का आक्रमण इसमें एक हेतु बनता है।

किन्तु हेगल का सिद्धान्त हमारे उपर्युक्त विवेचन में निहित सिद्धान्त से कुछ भिन्न है। उसमें इतिहास की गति संस्कृतिमूलक नहीं होकर चित्तत्व के आत्मोन्मेष की प्रक्रिया है। इसी प्रकार का किन्तु इससे भिन्न रूप में अवधारित सिद्धान्त श्री अरविन्द का है। एक सार्वभौम अतिक्रामी इतिहास की यह अवधारणा हमें पूर्णतः युक्तिसंगत प्रतीत होती है जिसका विवेचन हमने अन्यत्र[2] किया है। इसके अनुसार यह जगत् अखण्ड चित्तत्व की अभिव्यक्ति और ऊर्ध्वोन्मुख विकास-प्रक्रिया है, मनुष्य के स्तर पर आकर यह प्रक्रिया आत्म-चेतन हो जाती है और वैयक्तिक तथा सांस्कृतिक अर्थोन्मेषों का रूप ले लेती है। इस प्रकार भौतिक तत्त्व में जैव-तत्त्व का आविर्भाव और जैव-तत्त्व में चेतन से आत्म-चेतन के आविर्भाव की विकास-यात्रा तब इतिहास है यदि यह चित्तत्व की अपने अव्यक्त अर्थों को व्यक्त करने और इस प्रकार आत्म-क्रियान्वयन की प्रक्रिया है। किन्तु किसी प्राणि-जाति के लाखों वर्षों का जीवन-क्रम और उसमें घटित आवयविक परिवर्तन उस जाति के जीवन के इतिहास नहीं हैं, क्योंकि यह क्रम उस जाति द्वारा अपने अर्थोन्मेष की विकास-यात्रा नहीं है। अब इसी कसौटी से बहुत-से समाज भी इतिहासात्मक नहीं हो पाते, क्योंकि वे उस अर्थ की गहराई और विस्तार में उस स्तर से आगे जाने में असमर्थ रहते हैं जो आत्मा के प्रथम साक्षात्कार में उन्हें प्रस्तुत होता है। वे उस टोटैम प्रतीक के बाह्य रूप के आगे नहीं देख पाते जिस प्रतीक में वे अर्थ अवगुंठित रहते हैं जो उस माध्यम से उसकी चेतना में परोक्षतः आभासित होते हैं। इसी से वे समाज हजारों वर्षों तक भी ज्यों के त्यों, चेतना के विकास के बिना, पड़े रहते हैं। वे सब समाज, जिन्हें हम आदिम या जनजातीय कहते हैं, इसी कोटि में आते हैं। एक मार्क्सवादी कहेगा कि उनमें आर्थिक उत्पादन के साधन विकसित नहीं हो पाते, वे खेती के उपकरणों और विधियों में सुधार और विकास नहीं कर पाते, इससे वे अवरुद्धेतिहास रहते हैं। किन्तु इसके विरुद्ध जितने भी चाहें प्रमाण दिये जा सकते हैं। उदाहरणतः आरम्भिक वैदिक युग से उपनिषद्-युग तक आर्थिक उत्पादन के उपकरणों में विकास हुआ, इसके लिए कोई प्रमाण नहीं है, किन्तु सांस्कृतिक विकास अद्भुत हुआ, दार्शनिक चेतना में भी अपरिमेय विकास हुआ, इसमें कोई सन्देह नहीं हो सकता।

अब तक हमने इतिहास की विषयवस्तु के स्वरूप पर विचार किया, यद्यपि आरम्भ उसके ज्ञान की समस्या से किया था। 'इतिहास' शब्द का प्रयोग वास्तव में दोनों के लिए ही किया जाता है और प्रायः ही इस अन्तर को

---

1. **दि टाइम्स ऑफ इंडिया**, 5 जुलाई, 1989.
2. **सत्ताविषयक अन्वीक्षा** में 'इतिहास-तत्त्व' अध्याय।

ध्यान में नहीं रखा जाता। अतीत के सम्बन्ध में यह आधारभूत महत्त्व की बात है कि उसकी वस्तुता पूर्णतः उसके ज्ञान पर आश्रित होती है, क्योंकि उसकी वस्तु अतीत हो चुकी, समाप्त हो चुकी, होती है। किन्तु यदि प्रत्यक्ष के भूतवैज्ञानिक सिद्धान्त को ध्यान में रखें तो प्रत्यक्ष विषय भी इन्द्रिय-सन्निकर्ष होने तक अतीत हो चुके होते हैं, उस व्यवधान की अवधि चाहे क्षण का लक्षांश हो और चाहे सहस्र-लक्ष वर्ष। किन्तु जैसाकि हमने आरम्भ में कहा, यह प्रसंग हमारे लिए यहाँ अवान्तर है। यहाँ प्रासंगिक यह देखना है कि अर्थोन्मेष की इस प्रक्रिया से उसके उस आकलन का क्या सम्बन्ध है? यह सम्बन्ध अनेक प्रकार से देखा गया है, और वास्तव में जितने प्रकार से यह देखा गया है इतिहास-लेखन के उतने ही प्रकार हैं। एक सम्बन्ध शुद्ध ज्ञानात्मकता का देखा गया है, जिसके अनुसार इतिहास शुद्ध विषय हो जाता है। दूसरे इसे मनुष्यविषयक ज्ञान के रूप में देखते हैं, और मनुष्य क्योंकि स्वरूपतः विषयी है इसलिए उनके अनुसार उसके विषयात्मक ज्ञान की बात करना वदतोव्याघात है। किन्तु इस विषयी का ज्ञान और किस प्रकार से सम्भव है? इसके सम्बन्ध में अनेक सिद्धान्त हैं जिनमें सर्वाधिक प्रचलित सिद्धान्त इतिहास-लेखक द्वारा अपने अनुभव पर से अनुमान का है। यहाँ इन विभिन्न सिद्धान्तों की सूची का विवरण देना हमारे लिए अनावश्यक है। यहाँ हमारे लिए महत्त्वपूर्ण केवल यह देखना है कि इन सबसे इतिहास का जो रूप प्रतिफलित होता है वह अतीत में व्यक्तियों द्वारा सम्पादित कुछ ऐसे कार्यों का उबाने वाला विवरण अथवा रोचक कथात्मक निरूपण होता है जो कार्य सामूहिक महत्त्व के होते हैं। इतिहास-लेखन के इन दो रूपों को क्रमशः वैज्ञानिक रुचिपरक और साहित्यिक रुचिपरक कहा जा सकता है। एक तीसरा रूप और देखने में आता है जिसे बाह्य प्रयोजन-प्रेरित कह सकते हैं। इसमें इतिहास-लेखक हमारी अतीत-विषयक भावुकता का उपयोग किसी वर्तमान प्रयोजन के लिए करता है। इस तीसरे को उचित रूप से इतिहास कहना अयुक्त है। किन्तु जहाँ तक प्रथम दो का सम्बन्ध है, ये दोनों ज्ञान और साहित्यिक रुचि की दृष्टि से तो उपयोगी होते हैं किन्तु ये उस तत्त्व को प्राप्त नहीं कर पाते जिसे ऊपर हमने इतिहास कहा है। इस तत्त्व को केवल वह जिज्ञासु ही पाता है जो किसी समाज के जीवन के घटना-क्रम को उस समाज के अन्तर्गत मन के व्यंजक के रूप में देख पाता है और उसकी कृतियों से उसके द्वारा उसके अन्तर्निहित अर्थों के अनुशीलन और क्रियान्वयन के प्रयत्न का साक्षात्कार कर पाता है। ये दोनों बोध उसे ही प्राप्त हो सकते हैं जो अपनी चेतना की अहंकारातीत और पारदर्शी गुहा में प्रवेश कर सकता है। चेतना की इस आधार-भूमि में प्रवेश मनुष्य के उस तत्त्व के बोध के लिए तो आवश्यक है ही जो काल के आयाम में अपने शाश्वत और सनातन सत्य का उन्मेष करता है, किन्तु यह सब वस्तुओं के सत्य के दर्शन के लिए भी आवश्यक है।

भाषा

भाषा की एक साधारण और सर्वस्वीकृत परिभाषा 'सार्थक ध्वनि' हो सकती है। किन्तु यह परिभाषा भी प्रथमतः जितनी स्पष्ट प्रतीत होती है उतनी यह है नहीं। क्योंकि अर्थ क्या है और ध्वनि तथा अर्थ का सम्बन्ध क्या है आदि प्रश्न अत्यन्त जटिल हैं और इन्हें लेकर उतना ही विवाद है जितना विवाद किसी भी विषय को लेकर हो सकता है। किन्तु भाषा की इतनी मात्र परिभाषा बहुत अपर्याप्त भी है। भाषा के दो अत्यन्त महत्त्वपूर्ण तत्त्व अभिव्यक्ति और सम्प्रेषण हैं। अब, अभिव्यक्ति क्या है? यह चेतना में प्रसुप्त या अस्फुट रूप से विद्यमान तत्त्वों का उन्मेष या स्फुटन, अथवा अरूप-निराकार चैतन्य का रूपों-आकारों में उन्मेष कही जा सकती है। किन्तु तब अभिव्यक्ति केवल भाषा के रूप में ही होती नहीं कही जा सकती, यह अनेक रूपों में होती है : संगीत, नृत्य, चित्र आदि कलाएँ और विभिन्न शिल्प भी अभिव्यक्तियाँ ही हैं। वास्तव में सभी क्रियाओं को अभिव्यक्ति कहा जा सकता है। एक प्रकार से नेत्र-वक्त्र-विकारादि को भी अभिव्यक्ति कहा जा सता है, यद्यपि वे क्रियाएँ नहीं होतीं, वे मनोदैहिक अवस्थाएँ होती हैं। अब, जबकि शब्द, चित्र और वक्त्रादि के विकार विचार, भाव उद्वेग आदि की अभिव्यक्तियाँ हैं, स्वयं ये विचारादि भी चेतना के गहनतर स्तरों की अभिव्यक्तियाँ ही हैं। वास्तव में स्वयं व्यक्ति भी अभिव्यक्ति ही है—चेतना के अरूप-निराकार स्तरों का रूप-आकार धारण। अब, सब अभिव्यक्ति सायास या अनायास रूप से सम्प्रेषक भी हो जाती है। कहा जा सकता है कि कराह या आँसू यद्यपि सम्प्रेषक होते हैं किन्तु कराहना या रोना सप्रयोजन नहीं होने से ये सम्प्रेषणात्मक व्यापार नहीं होते जोकि भाषा होती है। किन्तु यह भी मनुष्य के सम्बन्ध में सही नहीं है : कुछ अवसरों पर आँसू छलक आने पर हम कुछ नहीं बोलकर दूसरे के वक्ष पर अपना सिर रखकर ही अपने भाव को व्यक्त करते हैं और इसे प्रगल्भ अभिव्यक्ति मानते हैं। वास्तव में बोलने में भी हाव-भाव, और शब्दों तथा वाक्यों पर बल का न्यूनाधिक्य अभिव्यक्ति के महत्त्वपूर्ण अंग होते हैं। ये हाव-भाव और शब्द तथा वाक्योच्चार में बल-वितरण केवल सहज नहीं होकर सप्रयोजन और अर्थ-संकेतात्मक भी होता है। इसका सबसे बड़ा प्रमाण अभिनय है, जिसमें अभिनेता इनका अर्थ मुद्राओं और चेष्टाओं के रूप में उपयोग कर व्यक्त करता है। इस प्रकार ये हाव-भाव वास्तव में भाषा के ही अंग होते हैं, इन्हें उसका अनिवार्य पूरक भी कह सकते हैं। इस प्रकार अभिव्यक्ति भाषा से बहुत व्यापकतर प्रत्यय है। सम्प्रेषण को इसका अवच्छेदक बनाने पर यह सीमित होता है, किन्तु तब भी इसका क्षेत्र पर्याप्त विस्तृत रहता है और भाषा इसका बहुत महत्त्वपूर्ण माध्यम होने पर भी केवल अनेक में से एक माध्यम ही होती है। यहाँ द्रष्टव्य है कि अभिव्यक्ति अनिवार्यतः सम्प्रेषणात्मक ही नहीं होती, और यह बात भाषा के लिए भी सही है, जब तक 'सम्प्रेषण' का विस्तार 'आत्म-सम्प्रेषण' तक नहीं बढ़ाया जाये। अब, भाषा बात करने, अन्य से कुछ कहने, अन्य पर अपने को प्रकट करने अथवा अन्य से संवाद में अवस्थित होने का माध्यम है, किन्तु यह विचार और भावन की भी माध्यम होती है, जिनका प्रयोजन केवल अपने को अपने पर प्रकट करना, अपनी अरूप-अनाम-निराकार चेतना को रूप-नाम-आकार देकर उसे उसका अर्थ और सत्य देना होता है।

अब, अभिव्यक्ति और सम्प्रेषण का होना चेतना के स्वरूप के सम्बन्ध में दो अत्यधिक महत्त्वपूर्ण बातें हैं। अभिव्यक्ति का साधारण अर्थ अस्फुट, अनुद्भिन्न अथवा अप्रकट रूप में पहले से विद्यमान मन:स्थितियों का स्फुट, दृश्य, उद्भिन्न और प्रकट हो जाना है। सांख्य का सत्कार्यवाह इस धारणा का बहुत उत्कृष्ट प्रतिपादन है। किन्तु अभिव्यक्ति को असत्कार्यात्मक, नितान्त नवोत्पत्त्यात्मक, सृजनात्मक रूप में भी समझा जा सकता है। किन्तु सत्कार्यवाद में कुण्डल को स्वर्णगत और चित्र को वर्णगत अव्यक्त की अभिव्यक्ति कहना विचार-हीनता की पराकाष्ठा है। तब क्यों इन्हें चिद्गत अव्यक्त की अभिव्यक्ति, चिद्गत का प्रस्फुटन, कहना चाहिए? कुछ

अवस्थाओं में ऐसा भी कहा जा सकता हे, किन्तु अधिकांश में ऐसा नहीं कहा जा सकता। उदाहरणतः मुख-मुद्रा मनोभाव की दो अर्थों में अभिव्यंजक कही जा सकती है : एक इस अर्थ में कि जो भाव पहले केवल मन में प्रकट था वह अब देह में भी प्रकट हो गया, दूसरे इस अर्थ में कि जो भाव पहले दूसरों के लिए अप्रकट था वह अब उनके लिए भी प्रकट हो गया। किन्तु अभिव्यक्ति का एक दूसरा आयाम भी है : भावना की संगीत में अभिव्यक्ति, विचार की शब्दों में अभिव्यक्ति, कल्पना की वर्ण या प्रस्तर में अभिव्यक्ति। ये दूसरे प्रकार भी अभिव्यक्तियाँ चित्तगत का भौतिक में प्रकट होना मात्र नहीं है। इस अभिव्यक्ति-व्यापार को और गहरे में भी देखा जा सकता है : स्वयं भावना, विचार और कल्पना भी वास्तव में अभिव्यक्तियाँ ही हैं : ये चैतन्य की चैत्त अभिव्यक्तियाँ हैं। काश्मीर शैव इसे ही विमर्श और भर्तृहरि परावाक् या शब्द-ब्रह्म का मध्यमा वाक् में अवतरण कहते हैं। चैतन्य या ब्रह्म का विमर्श में यह प्रवर्तन उसकी एक-साथ आत्म-सर्जन और आत्माभिव्यजंन की आकुलता का प्रतिफल कहा जा सकता है। यहाँ यह द्रष्टव्य है कि सर्जन का अर्थ परिणाम नहीं होकर अपूर्व आविर्भाव है। उदाहरण के लिए, एक ही भाव की संगीत, नृत्य और काव्य में अभिव्यक्ति होती है, इनमें प्रत्येक विधा में भी उस भाव की अनेकविध अभिव्यक्ति होती है, और इनका उस भाव से जबकि एक ओर इतना अन्तरंग सम्बन्ध होता है कि ये उसकी अनुरूपता से ही प्रमाणित होते हैं, दूसरी ओर इतना बाह्य भी कि इन्हें उसके लिए आगन्तुक कहा जा सकता है : यह भाव अभिव्यक्ति के लिए किसी भी विधा को और उस विधा में किसी भी प्रकार को अपना सकता है। कोई भी कृतिकार यह जानता है कि उसकी कृति जैसी है वैसी होना स्वयं उसके द्वारा भी यथेच्छ या निर्धार्य नहीं होता, वह उसी भाव को पुनः उसी रूप में शब्दबद्ध, स्वरबद्ध या रेखा-रंगबद्ध नहीं कर सकता, और यह उसके वश में पूर्णतः बाहर की बात होती है कि उस समय जो उसने रचा वह वैसा ही क्यों रचा गया, किसी अन्य प्रकार का क्यों नहीं रचना गया!

अब, किसी भाव की : कहें प्रेम-भाव की : अभिव्यक्ति की नृत्य और काव्य जितनी परस्पर भिन्न विधाएँ इस बात की स्पष्ट द्योतक हैं कि प्रेम का 'रूप' नृत्यात्मक या काव्यात्मक नहीं होता, यद्यपि ये दोनों रूप उसी को निरूपित करते हैं। इन अभिव्यक्तियों में भाव भिन्न-भिन्न प्रकार से आकारित होता है : प्रेम नृत्याकारित अथवा काव्याकारित और चेतना प्रेमाकारित। और ये सब अभिव्यक्तियाँ और सम्बन्ध यहाँ इस निबन्ध में विचाराकार और शब्दाकार में प्रस्तुत हो रहे हैं। किन्तु 'प्रेम' शब्द का इस भाव से क्या सम्बन्ध है? यह शब्द इस भाव की संज्ञा, इसका नाम है जिस प्रकार 'घट' शब्द घट-वस्तु की संज्ञा या नाम है। अब नाम को वस्तु के निकटतम माना जाता है, यहाँ तक कि इसे वस्तु का स्थानीय तक मान लिया जाता है। महाकवि तुलसीदास ने तो कहा है 'राम सों बढ़ रामकर नामा', पर 'प्रेम' शब्द का इस भाव से वैसा सम्बन्ध नहीं जान पड़ता जैसा 'घट' शब्द का घट-वस्तु से। प्रेम-भाव से : अथवा कहें प्रेम-वस्तु से : यह निकटता नृत्य या काव्य की अधिक जान पड़ती है। किन्तु यह सम्बन्ध निकट होने पर भी नाम और वस्तु के जैसा नहीं होता। किन्तु इसके सम्बन्ध में अभी आगे। यहाँ महत्त्वपूर्ण अभी यह देखना है कि 'प्रेम' शब्द इस भाव की संज्ञा है और परिणामतः इसका इससे एक सम्बन्ध है। इस सम्बन्ध को 'व्यंजकता का सम्बन्ध' नहीं कहा जा सकता। अभी यहाँ हम इसे स्थानीयता का सम्बन्ध कह सकते हैं। किन्तु यह ध्वनि (प्रेम) संज्ञा अकेले अपने-आपसे नहीं होती। यह उपयुक्त वाक्य के अन्तर्गत ही संज्ञा होती है, और अधिकांशतः वाक्य अपनी उपयुक्तता वाक्य-संस्थान में प्राप्त करता है। 'घट' संज्ञा के लिए जबकि एक वाक्य भी बहुत-सीमा तक पर्याप्त होता है, प्रेम के लिए यह नहीं होता : 'यह घट है' इस वाक्य से घट वस्तु की उपस्थिति के काम चल जाता है किन्तु 'यह प्रेम है' इस वाक्य से इस भाव की उपस्थिति में भी काम नहीं चलता। किन्तु ख़ैर, इस सबके सम्बन्ध में अभी आगे। यहाँ केवल यह देखना ही प्रसंगोपात्त है कि संज्ञा वस्तु-स्थानीय होती है और यह वाक्य-संस्थान के भीतर ही संज्ञा होती है। इस वाक्य-संस्थान की उपमा स्थूल रूप से किसी नगर का स्थान निर्धारित करने वाले मानचित्र से दी जा सकती है। अब, जयपुर कहाँ है, यह बताने के लिए हमें कम-से-कम कितने बड़े भू-भाग का मानचित्र बनाना होता है? यह इस पर निर्भर करता है कि हम जिसको जयपुर की स्थिति बताने जा रहे हैं उसे भूगोल का कितना ज्ञान है, अथवा वह कहाँ का रहने वाला है। राजस्थान के निवासी को अधिक-से-अधिक राजस्थान के मानचित्र की आवश्यकता होगी, फ्रांस-निवासी को भूगोल के

बहुत बड़े भाग के मानचित्र की, मंगल ग्रह के निवासी को ग्रह-मण्डल के मानचित्र की। और यह सम्पूर्ण मानचित्र जयपुर का केवल स्थान-निर्देश ही कर पायेगा। जयपुर की अपनी संरचना जानने के लिए उसके गली-कूचों का मानचित्र अपेक्षित होगा। ये सब मानचित्र जयपुर का स्थान और उसके आगे उसकी अपनी स्थानिक संरचना ही निर्धारित कर पायेंगे। किन्तु इन सब निर्धारणों का इस नगर के जीवन से कोई लेना-देना नहीं होगा। इसके जीवन को यदि जानना हो तो उसकी दूसरी विधि है, और वह है इसका निवासी होना। यहाँ पुनः बहुत-सी सापेक्षताएँ हैं : आप बाहर से आकर बसे हैं या यहाँ के मूल निवासी हैं? आदि-आदि। अब, यहाँ मानचित्र से जीवन-चरित्र पर संक्रमण में जो विषयान्तर हुआ है वह नितान्त मौलिक है, और जहाँ तक भाषा और उसके वाच्य का सम्बन्ध है वह न प्रथम प्रकार का है और न दूसरे प्रकार का, किन्तु मानचित्र और उसके द्वारा निर्धार्य के बीच सम्बन्ध की शब्द और उसके वाच्य के बीच सम्बन्ध से इस दृष्टि से अनुरूपता बहुत गहरी है कि जिस प्रकार नगर-द्योतक बिन्दु स्वयं से नगर का स्थान नहीं बता सकता उसी प्रकार कोई शब्द भी अपने वाच्य का स्वयं से वाचक नहीं होता। भाषा के सम्बन्ध में हमारे देश के दो प्रमुख सिद्धान्त स्फोटवाद और अपोहवाद दोनों भिन्न-भिन्न रूप से इस तथ्य का निवर्चन करते हैं। बाह्य वस्तु-जगत् को निकटतम रूप से निरूपति करने वाले वाक्य 'यह घट है' प्रकार के हैं, किन्तु द्रष्टव्य है कि ऐसे वाक्य सामान्यतः बच्चे को भाषा सिखाने के अवसरों पर ही प्रयुक्त होते हैं, बहुत बार उस विदेशी के साथ व्यवहार में भी जो हमारी भाषा नहीं जानता और जिसकी भाषा हम नहीं जानते। अन्यथा वस्तु-वाचक शब्द वस्तु की अनुपस्थिति में ही प्रयुक्त किये जाते हैं। अब, किसी वस्तु की अनुपस्थिति में तद्वाचक पद-प्रयोग वस्तु-विशेष का वाचक नहीं होकर तद्विषयक सामान्य का वाचक होता है। किन्तु इस परिस्थिति पर थोड़ा गहराई से विचार करें तो हम पायेंगे कि यह वाचक-वाच्य सम्बन्ध भी अत्यन्त जटिल और परोक्ष होता है। उदाहरण के लिए 'घट साथ के कमरे में है' वाक्य में सामान्य का वचन और विशेष का निर्देश है। अब, यह वाच्यभूत सामान्य यहाँ अनिवार्यतः विशेषमूलक ही होता है : यह विशेषों में ही घटित और उनके रूप में ही कल्पित हो सकता है : यह तथ्य वाक्य के घटक किसी शब्द से निर्दिष्ट नहीं होता बल्कि सम्पूर्ण वाक्य से व्यंजित होता है—कमरे में घट-सामान्य नहीं होकर घट-विशेष ही हो सकता है। उदाहरणत: यह नहीं कहा जा सकता कि "साथ के कमरे में घटत्व है।" यहाँ कहा जा सकता है कि 'घट' शब्द सामान्य के लिए प्रयुक्त नहीं होकर विशेष के लिए ही प्रयुक्त होता है, सामान्य के लिए 'घटत्व' शब्द को प्रयोग होता है, इसलिए उपर्युक्त वाक्य में घट-विशष ही वाच्य होता है, तो यह सही है किन्तु केवल जटिल अर्थ में, कि "वहाँ घटत्वावच्छिन्न कोई विशेष है।" अथवा "वहाँ कुछ है जो घटत्वावच्छिन्न है।" इस प्रकार वस्तुवाचक सरलतम वाक्य भी वस्तु-वचन कितने परोक्षरूप से करते हैं, यह देखा जा सकता है। किन्तु वास्तव में यह भी एक ग्राम्य-जनोचित भ्रान्ति है जिसके बहुत-से दार्शनिक भी शिकार हैं कि 'घट' और इस प्रकार कोई भी प्रत्यक्षगम्य विषय स्वतन्त्र वस्तु होता है। ये सब विषय वास्तव में अपने स्वरूप में ही शब्दात्मक होते हैं। इस प्रकार 'साथ के कमरे में घट है' वाक्य के वाच्य का ही रूप 'घटत्वावच्छिन्न कुछ' ऐसा नहीं होता बल्कि घट-वस्तु का निर्माण भी इस प्रत्ययपूर्वक ही होता है।[1] इस प्रकार भर्तृहरि के इस प्रतिपादन को कि हमारा कोई ज्ञान शब्द के बिना नहीं होता,[2] आगे बढ़ाते हुए कहा जा सकता है कि मानव-ज्ञानगम्य और मानव-रचित वस्तुमात्र शब्द-विद्ध होती है। किन्तु यहाँ यह कहना आवश्यक है कि यह प्रतिपादन केवल विषयात्मक, अथवा कहें अध्यवसायात्मक ज्ञान के सम्बन्ध में ही सत्य है। जैसे, चित्र-निरूपित, नृत्य-निरूपित आदि प्रकार के विषय शब्द-विद्ध नहीं होते । कहा जा सकता है कि ये भी शब्द-निरूप्य होते हैं : चित्रकार जिस आकार और भाव को चित्रांकित करता है वह पहले शब्द-निरूपित होता है। किन्तु यह कहना युक्त नहीं है। चित्रांकित कुछ चित्र के आकार में ही साक्षात्कार्य होता है, शब्दाकार में उसका ग्रहण एक सर्वथा भिन्न प्रकार का होता है। यदि ऐसा नहीं हो तो एक कुशल चित्रकार को उसी स्तर का शब्द-

---

1. इस पर हमने अपनी पुस्तक **ज्ञान और सत्** में बहुत विस्तार से अनेक स्थलों पर विचार किया है।
2. न सोऽस्ति प्रत्ययो लोके यः शब्दानुगमादृते,
   अनुविद्धमिव ज्ञानं सर्वं शब्देन भासते। (**वाक्यपदीय**, 1, 115)

शिल्पी, अथवा कहें शब्दकार भी होना चाहिए, जबकि होता यह है कि चित्रकार जितना ही कुशल होता है उतना ही वह शब्द-निरूपण में अकुशल, बल्कि फूहड़ होता है। इसका कारण यह है कि शब्द-विषय और चित्र-विषय दो सर्वथा भिन्न प्रकार से प्रातिभगम्य होते हैं। इस प्रकार शब्द वस्तु का वचन वस्तु को शब्दात्मक रूप में रचित करके ही करता है। यही बात चित्र और मूर्त्ति आदि के सम्बन्ध में भी कही जा सकती है, इस अन्तर के साथ कि शब्द-वाच्य वस्तु हमारे व्यवहार-लोकगत अथवा उसके तारतम्य में होती है जबकि चित्र, मूर्त्ति आदि आध्यात्मिक : चक्षुगम्य के अन्तर में निहित अन्तश्चक्षुगम्य : होती है। इनका यही गुण इन्हें प्रतीक बनाता है। प्रतीक उसे कह सकते हैं जो अनिवार्यतः अपने से परे की वस्तु का निर्देश करता है, किन्तु जिसका निर्देश करता है, वह निर्देश्य उसकी संरचना में निरूपित होकर ही ग्राह्य होता है।

किन्तु भाषा का कार्य केवल वर्णन या निरूपण ही नहीं होता, यह आदेश, अनुरोध, भावाभिव्यक्ति, कथा, उपहास, व्यंग्य, विचार और भावन आदि अनेक कार्यों का सम्पादन करती है। निरूपण और भावाभिव्यक्ति में शब्द का वाच्य से सम्बन्ध बाह्य प्रतीत होता है। वस्तु और भाव की अनभिलाप्यता का प्रतिपादन सर्वविदित ही है। काव्य में भाषा का अभिधात्मक से लक्षणात्मक और व्यंजनात्मक हो जाना भी इसी बात का द्योतक है। किन्तु अनभिलाप्यता वस्तु के शब्द की इन शक्तियों से भी अगम्य होने का स्वीकार है। यह स्वीकार इस तथ्य का है कि भाषा कुछ वस्तुओं का निरूपण कर सकती है और कुछ का नहीं, और परिणामतः जिनका निरूपण यह कर पाती है उनसे इस निरूपण का सम्बन्ध बाह्य ही होता है। अपोहवाद में इस प्रतिपादन का कुशलतम रूप दृष्टिगोचर होता है जिसके अनुसार शब्द किसी निरूप्य वस्तु का उस वस्तु से भिन्न वस्तुमात्र के व्यावर्तन के माध्यम से अभिधान करता है। जैसे 'गो' शब्द का अर्थ है 'अगो-व्यावृत्त वस्तु विशेष'। किन्तु यह सिद्धान्त वस्तुस्वरूप-विषयक एक विशेष मान्यता पर आधारित है। इस मान्यता के अनुसार वस्तु का स्वरूप नितान्त विशिष्ट : स्वलक्षण : होता है जबकि भाषा केवल सामान्य का ही निरूपण कर सकती है और सामान्य चित्त की कल्पना है। किन्तु वे यह नहीं देखते कि ये 'स्वलक्षण' और 'निर्विकल्पक' भी शब्द-रचित जटिल और सूक्ष्म अवधारणाएँ ही हैं। किन्तु तब भी विचार के अनुकूल या उसके लिए पर्याप्त शब्द नहीं मिलना, शब्दातीत तत्त्व, अनुभूति और ज्ञान ये ऐसे तथ्य हैं जिनका हम पदे-पदे सामना करते हैं। जैसे चीनी और गुड़ की तथा केले और आम की भिन्न-भिन्न मिठासों के लिए ही हमारी भाषा में पृथक् शब्द नहीं हैं। किन्तु इस सम्बन्ध में यह भी द्रष्टव्य है कि यह पार्थक्य-बोध और शब्दाभाव भी भाषा को पूर्वकल्पित करते हैं : भाषा-क्षम चेतना ही अभिव्यक्ति या निरूपण की असम्यक्ता और तत्त्व की भाषातीतता को देख पाती है। इस पर कहा जा सकता है कि निरूपण की असम्यक्ता का अर्थ निरूप्य की भाषातिरिक्तता या भाषा से भिन्नता नहीं है, यह केवल वैखरी वाक् की माध्यमा वाक् के लिए और इन दोनों की पश्यन्ती वाक् के लिए अपर्याप्तता है और इस प्रकार निरूपक और निरूप्य दोनों वाक् के ही दो पक्ष हैं।[1] वास्तव में भाषा की वचन-असामर्थ्य के बोध का मूल वैखरी के चेतना के तमसावृत स्तरों से उद्भव में है। वैखरी में चेतना इस तमसावरण का भेदन कर उन उच्चतर अर्थों के प्रकाश को लक्षित करती है जिनकी पार्यन्तिक कोटि परावाक् है। नित्य नवीन अभिधाओं और पद-संरचनाओं का आविष्कार और उसके आगे लक्षणाओं, व्यंजनाओं, रूपकों और उत्प्रेक्षाओं की सृष्टि से उसकी यह इस तमसावरण से निकल कर अपने ऊर्ध्व स्तरों के साक्षात्कार की आकुलता दिखाई देती है। इस प्रकार शूकर-रसना-ग्राह्य कदली-आम्रफलास्वाद-भेद वाग्-अग्राह्य है क्योंकि वह तमसावृत है, इसके विपरीत, कबीर का 'गूँगे का गुड़' इस कारण अनिभिलाप्य : वाक्-अगाह्य : है। क्योंकि वह वैखरी का विषय नहीं होकर परावाक् का विषय है, वैखरी स्तरीय चेतना के प्रकाश में ये माधुर्य-भेद

1. शब्द-ब्रह्मवाद से इस भारतीय सिद्धान्त की शब्द-व्यवहारवाद के पाश्चात्य भौतिकवादी सिद्धान्त से समानांतरता का वैचित्र्य यहाँ द्रष्टव्य है, क्योंकि व्यवहारवाद के अनुसार भी अशब्द विचार नहीं हो सकता। किन्तु इनमें वास्तव में मौलिक भेद है : शब्द-ब्रह्मवाद भाषा को ब्रह्म-तत्त्व की विमर्श-क्रिया के रूप में, उसके आत्म-व्याकरण के रूप में, देखता है और व्यवहारवाद दैहिक भाषा-यन्त्रों की प्रकट-अप्रकट क्रिया के रूप में। व्यवहारवाद के नवीन और कुशलतम प्रतिपादन के लिए द्रष्टव्य क्वाइन की पुस्तक — **वर्ड एण्ड ऑब्जेक्ट** तथा **ओंटोलोजीकल रेलेटिविटी एण्ड अदर एस्सेज़** में 'इपिस्टिमोलोजी नेचुरलाइज़्ड' लेख।

'कदली-मधुर' और 'आम्र-मधुर' इस प्रकार भी वाच्य हो सकते हैं और इनके लिए पृथक् शब्द भी हो सकते हैं, जिस प्रकार यज्ञ में आहवनीय लकड़ी के लिए 'समिधा' शब्द है। इस सारी स्थिति को 'पश्यन्ती' और 'परावाक्' आदि रहस्यात्मक अवधारणाओं के बिना भी समझा जा सकता है : शब्द की असम्यक्ता हम अधिक सम्यक् शब्द के रूप में ही देखते हैं और जहाँ तक शब्दातीतता का प्रश्न है, उसे शब्द की असामर्थ्य के रूप में नहीं देख कर शब्द की उस पराकाष्ठा के रूप में देखा जा सकता है जहाँ उसका निर्धारणात्मक वैविध्य अनिर्धार्य की विपुलता का व्यंजक हो जाता है। कहा जा सकता है कि 'गूँगे का गुड़' नाम-रूप-रहित अनुभव की अवस्था नहीं होकर नाम-रूप की अपार राशि में अवाक् रह जाने की स्थिति है। यदि हम दार्शनिकों द्वारा प्रतिपाद्य 'अनभिलाप्य' और 'अनिर्वचनीय' को थोड़ा गहराई से देखें तो पायेंगे कि वह निर्वचनों से अतीत होने पर भी उनके सहित अतीत होता है, उनसे रहित नहीं। वाग्वैचित्र्य को चेतना का निर्गमन और अनिर्वच को निर्गमन में आविर्भूत रूपों सहित उसका उपसंहरण भी कह सकते हैं।

भाषा और अभाष्य के बीच सम्बन्ध को सम्यक् रूप से समझने के लिए वर्ण के स्वरूप पर थोड़ा विचार स्थाने होगा। ऊपर हमने देखा कि अनभिलाप्यता की प्रतिपत्ति में शब्द और वस्तु के, नाम और नामाधिधेय के बीच सम्बन्ध बाह्यात्मक रूप से ही देखा जाता है। किन्तु यदि निरूपण और निरूप्य के, अथवा नाम और नामाभिधेय के बीच सम्बन्ध को बाह्यात्मक नहीं मानें तो अनिर्वचनीय अथवा अनभिलाप्य भी वैसा भाषा-बाह्य नहीं रह जायेगा जैसा इसके प्रतिपादक समझते हैं।

पीछे हमने देखा था कि 'घट' पद 'घटत्वावच्छिन्न कुछ' का वाचक है और यह जितना 'घट' पदवाच्य के लिए सत्य है उतना ही कुम्भकार रचित घट के लिए भी सत्य है। इस प्रकार न केवल 'घट' पद-वाच्य की पदारूढ़ होता है बल्कि यह बात मनुष्य-रचित सब वस्तुओं और वस्तु-लोक के सम्बन्ध में भी कही जा सकती है। अब, जो रचित वस्तु-लोक के सम्बन्ध में सत्य है, जिसका अस्तित्व इसके हमारे द्वारा रचित होने से सिद्ध है, वह अरचित भौतिक जगत् के सम्बन्ध में तो और भी सत्य हो जाता है जिसके अस्तित्व के लिए हमारे पास केवल संवेद का परोक्ष प्रमाण ही उपलब्ध होता है। अवश्य संवेद्य गुण अपने वैशिष्ट्य में शब्द का अतिक्रमण करते हैं : 'मीठा' शब्द मिठास नहीं देता : किन्तु ये भी वैसे अशाब्द हैं जैसा हम समझते हैं, वैसी बात नहीं है। उदाहरणतः स्मृत मिठास भी मीठी नहीं होती और न इष्ट मिठास ही मीठी होती है, किन्तु ये स्मृत तथा कल्पित और इनसे सम्बद्ध अतीत और भविष्यत् शब्द-मूलक ही होते हैं। अब, जहाँ तक संवेदगत मिठास का प्रश्न है, यह भी स्वलक्षण नहीं होकर अतीत अनुभव से अनुप्रविष्ट होती है। यह हम जानते ही हैं : यह कैसी है और कैसी नहीं—एतद्व्यावर्तक प्रकार की है : होती है। निःशब्द चेतना का संवेद-प्रदत्त भी अतीत अनुभव से अननुप्रविष्ट नहीं होता, किन्तु उसके अतीत और भविष्यत् वर्तमान में ही संगृहीत होते हैं। जैसाकि हमने पिछले अध्याय में देखा, ऐसा इसलिए है क्योंकि काल का तीन आयामों में स्वतन्त्र निर्धारण शब्दाश्रित होता है। अब, वर्तमान के अतीत और भविष्यत् से, विशेषतः अतीत से, अनुप्रविष्ट होने के कारण और शाब्द चेतना के अतीत शब्दाश्रित होने कारण उसे वर्तमान में सद्यःप्रस्तुत विषय भी अशाब्द नहीं होते।

अब, यह द्रष्टव्य है कि वस्तुविषयक वाक्य भी तीन प्रकार के होते हैं—कथनात्मक, निरूपणात्मक और लक्षणात्मक। 'यह घट है' अथवा 'साथ के कमरे में घट है' ये वाक्य कथनात्मक हैं, किसी प्रस्तुत अथवा अप्रस्तुत घट का रूप-वर्णन घट-निरूपण, और "घट किसे कहते हैं" इसका उत्तर घट-लक्षण। इन तीनों ही भाषा-प्रयोगों में हमं वास्तव का आकलन करते हैं। इनमें कथन जबकि प्रत्यक्षतः वस्तु-विषयक होता है, निरूपण में प्रस्तुत वस्तु के रूप का शब्दांकन होता है। इस शब्दांकन को घट के रूप-विषयक कथन भी कह सकते हैं। लक्षण में प्रस्तुत या अप्रस्तुत कोई घट लक्षित नहीं होता बल्कि घट के तत्त्व का अरूपतः कथन होता है। उदाहरणतः घट का लक्षण प्रायः इस प्रकार किया जा सकता है : "मृत्तिकोपादान जलधारण उपादेयभूत वर्तुलाकृतिवान् वस्तु विशेष।" अब इस लक्षण-वाक्य में घट-विशेष के रूप का कोई भी उल्लेख नहीं होता, परिणामतः किसी वर्ण और आयतन का उल्लेख अनपेक्षित होता है और केवल उन गुण-धर्मों का उल्लेख होता

है जो संयुक्त रूप से सब घटों में, और केवल घटों में ही, सामान्य हों। इस तीसरे भाषा-प्रयोग में जैसे मानो भाषा ही शेष रह जाती है और वस्तु पूर्णतः अप्रस्तुत हो जाती है। किन्तु वास्तव में क्या ऐसा नहीं है कि हम प्रथम से द्वितीय में और द्वितीय से तृतीय में वस्तु के तत्त्व में क्रमशः अधिकाधिक गहरे उतरते जाते हैं? अभी ऊपर हमने त्रि-आयामात्मक काल का आविर्भाव शब्दमूलक कहा। बर्गसाँ ने इसे काल के सजीव अनुभव से वंचित होना कहा है। यदि हम बर्गसाँ के इस प्रतिपादन को सत्य भी मान लें तो भी क्या यह शब्द-व्यवधान काल के सत्य में उससे कहीं अधिक गहरा प्रवेश नहीं है जितना पशु के अनुभवगत है? इस पर बर्गसाँ की आपत्ति है कि जो पशु को सहज अनुभूत है वह हमें उपलब्ध नहीं है। उसकी यह आपत्ति सही है। किन्तु इसका कारण यह है कि पशु और वस्तु का तादात्म्य रहता है जो पशु को वस्तु के तमसावरण में बंदी रखता है, जबकि वस्तु के अवगमन के लिए : वस्तु के सत्य को पाने के लिए : वस्तु से नहीं चित्त से तादात्म्य साधना होता है, जो चेतना द्वारा अपने में से जगद्भाव के निष्कासन द्वारा सिद्ध होता है। जगद्भाव आत्मा का अन्नमय और प्राणमय कोशों से तादात्म्य है जो बर्गसोनीय सहज प्रवृत्ति (इंस्टिंक्ट) के रूप में लक्षित होता, अध्यवसायात्मक बुद्धि की जागृति आत्मा का मनोमय कोश से तादात्य है, जिसके उत्कर्ष का प्रथम चरण अध्यवसायात्मिका भाषा के आविर्भाव के साथ प्रकट होता है और जिसके उत्कर्ष के अगले चरण कला और विज्ञान के क्रम से दर्शन में अपनी चरमता प्राप्त करते हैं तथा विज्ञानमय कोश में आरोहण का मार्ग प्रशस्त करते हैं। इस प्रशस्तीकरण में भाषा माध्यम बनती है, वह स्वयं दृष्टि नहीं बनती, जिसका प्रमाण गणितात्मक तर्क और भौतिकवादी दर्शन हैं। प्रथम में भाषा की सूक्ष्मता का अत्यन्त उच्च स्तर उपलब्ध होने पर भी वह कुछ नहीं दर्शाती और दूसरे में दृष्टि-विपर्यास होता है। इस प्रकार चेतना[1] की मनोमय कोश में प्रतिष्ठा, अथवा कहें उसमें आरोहण, के साथ भाषा का आविर्भाव होता है और मनोमय कोश के विभिन्न स्तर भाषा को आधार बनाकर उत्पन्न होते हैं। चेतना की मनोमय कोश में प्रतिष्ठा के साथ ही संस्कृति का आविर्भाव होता है। संस्कृति के विभिन्न रूप इसकी ही विविध रूपात्मक अभिव्यक्तियाँ हैं और इसका स्तर-क्रम विज्ञानमय कोश की ओर उद्दिष्ट आरोहण का स्तर-क्रम है। यहाँ यह स्पष्टीकरण आवश्यक है कि भाषा और मनोमय चेतना के उच्चतर स्तरों में और इस प्रकार इनसे अतिक्रान्त स्तरों में भी निम्नतर स्तरों का निषेध या क्षय अपेक्षित नहीं होता, केवल ज्ञान में इन स्तरों से स्वातन्त्र्य अपेक्षित होता है जो इन स्तरों से आत्मा को मुक्त कर इन्हें उच्चतर और व्यापकतर स्तरों में उपसंहृत करता है। भाषा में यह उसके विषय-निरूपणात्मक पक्ष में विशेष से सामान्य के और सीमिततर सामान्य से व्यापकतर सामान्य के स्तरों पर आरोहण में और अमूर्त्त विषय-रचनाओं में, तथा विषयि-निरूपणात्मक (भाव-निरूपणात्मक) पक्ष में उसके द्वारा अपना अभिधात्मक व्यापार छोड़कर लाक्षणिक और व्यंजनात्मक अर्थ-लोकों की सृष्टि में देखा जा सकता है। भाषा के समान ही नृत्य, संगीत, चित्र और मूर्त्ति आदि कलाएँ भी चिन्तनात्मक और सम्प्रेषणात्मक प्रतीक-सृष्टियाँ ही हैं, और परिणामतः ये भी उन्मोचक होती हैं, किन्तु ये अतिक्रमण के प्रथम स्तर में ही संकीर्ण रहती हैं और वह स्तर भी अपनी लोच, सूक्ष्मता और व्यापकता में बहुत-सीमित होता है। उदाहरणतः कथन, निरूपण, आदेश, उपदेश, मूल्यांकन, उपहास, वक्रोक्ति, व्यंग्य, कथा, उदाहरण, अलंकार, श्लेष आदि भाषा के कितने ही प्रयोग है जो चेतना की विचार, भाव, बोध, प्रातिभ, कल्पना, आक्षेपण, प्राक्कल्पना, उद्ग्रहण और व्याप्ति आदि अनेकविध अभिव्यक्तियों को सम्भव करते हैं। ये सब अभिव्यक्ति-रूप चित्र, संगीत आदि को सुलभ नहीं हैं। अवश्य चित्र, मूर्त्ति आदि कलाएँ जिस प्रकार अर्थों को दृष्टिगम्य रूप में प्रस्तुत कर देती हैं, और इस प्रकार दृष्टिगम्य को विपुल अर्थ-सम्भार के प्रतीक रूप में देखने की सामर्थ्य देती हैं वह भाषा नहीं कर सकती, किन्तु दृष्टिगम्यता उनकी प्रतीक-रचना के आदि-अन्त की सीमा होने से ये अभिव्यक्तयाँ आत्म-चेतन चेतना के अत्यन्त व्यापक, विविध

---

1. हमारे प्रयोग में 'चित्', 'चेतना' और 'आत्मा' पद समानार्थक नहीं है। 'चित्' शुद्ध मानसोत्तर, चित्तातिक्रान्त अवस्था का वाचक है, 'चेतना' चैत्त, आनुभविक, मनोमय और निम्नतर कोशीय अवस्था का और आत्मा अस्मिता-बोध के विषय का, किन्तु मुख्यतः इस बोध में लक्षित अतिक्रामी पुरुष का। 'चेतना' पद का प्रयोग इन तीनों स्तरों के विशेष्य के रूप में भी किया गया है। इस पद के ये दो भिन्न प्रयोग प्रसंग में स्पष्ट अर्थ-द्योतक हैं। 'आत्मा' शब्द-वाच्य इन दो पदों के स्वरूप के सम्बन्ध में हमारे विवेचन के लिए द्रष्टव्य **मूल्यतत्त्व-मीमांसा** का प्रथम अध्याय — "तत्त्वमीमांसा और उसका औचित्य।"

और जटिल अर्थ-सम्भार के वहन में नितान्त असमर्थ रहती हैं। यहाँ एक छोटा सा उदाहरण दृष्टिमूलक इन कलाओं की सीमाओं को देखने के लिए उपयुक्त होगा : यदि एक नाटककार नाटक में यह दिखाना चाहता है कि एक व्यक्ति मदिरा के प्रभाव में एक नर्तकी में अपनी प्रेमिका की आकृति देखता है तो इसके लिए उसके पास कोई उपाय नहीं है सिवाय इसके कि वह स्वयं उस प्रेमिका को ही वहाँ प्रस्तुत करे और दर्शकों से यह अपेक्षा करे कि वे प्रसंग के द्वारा यह समझें कि अभिनेय व्यक्ति मदिरा के प्रभाव में अन्य लड़की में अपनी प्रेमिका का अध्यास कर रहा है। अब, यह स्पष्ट है कि यहाँ अध्यास को समझने का माध्यमभूत प्रसंग भी भाषा के आधार पर ही ग्राह्य होता है, अभिनय अपने आपसे इस प्रसंग और अध्यास को अभिव्यक्त नहीं कर सकता। इसके विपरीत भाषा भाव-स्थितियों की जटिलता को किस सीमा तक अभिव्यक्त कर सकती है इसका कोई अन्त नहीं है। वास्तव में एक सीमा से आगे भाव-स्थितियों की जटिलता आविर्भूत ही भाषा से होती है। उदाहरणतः ग़ालिब का यह शेऽर लें:-

छा रहा है दरो दीवार पे सब्ज़ा ग़ालिब,
हम बयाबाँ में हैं और घर में बहार आयी है।

यह अत्यन्त गहन निराशा की मनःस्थिति में उसी के अनुरूप बाहरी स्थिति : टूटते हुए मकान पर जमी काई और ईंटों के जोड़ों में फूटते पौधों : को देखकर उसकी व्यंग्यात्मक अभिव्यक्ति है, इसमें अर्थ-श्लेष के द्वारा जिस प्रकार एक अत्यन्त साधारण दृश्य को अपनी मनःस्थिति और विपन्न परिस्थिति का व्यंजक बनाया गया है वह ऊपर दिये गये अभिनय के उदाहरण से तुलनीय है। अब, यह द्रष्टव्य है कि इस खिन्न मनःस्थिति की यह अत्यन्त जटिल और विदग्ध अभिव्यक्ति मनःस्थिति के साथ बाह्यतः सम्बद्ध नहीं है, बल्कि यह स्वयं मनःस्थिति के उस अर्थ-वैपुल्य की द्योतक है जो भाषा के बिना चेतना में आविर्भूत और उसे अवगम्य ही नहीं हो सकता था। इसे यदि इस प्रकार कहें कि चेतना की अभिव्यंजक विभिन्न प्रतीक-विधाएँ स्वयं चेतना के विकास की ही अवस्थाएँ हैं जो एक-साथ उसका आत्म-सर्जन और वस्तूकरण होता है, तो यह अधिक उपयुक्त होगा।

भाषा के उपर्युक्त विभिन्न गुणों और रूपों से कहीं अधिक विलक्षण इसके दो और गुण हैं : ये हैं अनुवाद और अतिभाषा : अर्थात् भाषा द्वारा स्वयं अपना विषयकरण और अतिक्रमण।

अनुवाद शब्दों और वाक्यों में समानार्थकता की पूर्वमान्यता पर आधारित है। किन्तु सूक्ष्मतः देखने पर पाया गया है कि शब्दों और वाक्यों के अर्थ सम्पूर्ण भाषा के वाक्य-रचना-तन्त्र और अर्थ-रचना-तन्त्र में अनुस्यूत होते हैं और ये तन्त्र उस भाषा को प्रयोग करने वाले समाज की जीवन और जगद्-विषयक दृष्टि में। इसलिए एक भाषा से दूसरी भाषा में पूर्णतः सम्यक् अनुवाद असम्भव होता है। इन भाषाओं में कुछ परस्पर निकट होती हैं और कुछ दूर, कुछ एक ही परिवार की होती हैं कुछ भिन्न परिवारों की, किन्तु परिवारों में भी परस्पर निकटता-दूरता का भेद रहता है, इन निकटताओं और दूरियों के अनुसार ही एक से दूसरी भाषा में अनुवाद भी अपेक्षाकृत कम और अधिक सम्पर्क हो सकता है।

यहाँ दो प्रश्न हैं जो भाषा के स्वरूप को समझने की दृष्टि से महत्त्वपूर्ण हैं : प्रथम यह कि प्रत्येक भाषा के व्याकरण और अर्थ-तन्त्र की संरचना अपनी विशिष्ट होने पर अनुवाद सम्भव ही कैसे हो सकता है? दूसरे, कोई व्यक्ति दो भाषाओं के बीच भेद को कैसे समझ और प्रतिपादित कर सकता है? क्या ऐसा वह इन दो भाषाओं के ऊपर तीसरी किसी अतिभाषा में करता है या कि चेतना के किसी भाषातिक्रामी स्तर पर आरोहण करके करता है।

ये दो प्रश्न वास्तव में एक ही प्रश्न के दो रूप हैं, अथवा प्रथम प्रश्न अनिवार्यतः दूसरे प्रश्न पर ले जाता है क्योंकि अनुवाद में भी हमें दो भाषाओं की अर्थ-संरचना को उनकी मध्यवर्ती अथवा उनसे ऊर्ध्व भूमि पर स्थित होकर समझना होता है। यह कठिनाई दृश्य वस्तु-सम्बद्ध वाक्यों के सम्बन्ध में उतनी नहीं उठती, यद्यपि दो भाषाओं के व्याकरण : वाक्य-रचना-रूप : परस्पर मूलतः भिन्न होने पर यह कठिनाई काफी बढ़ जाएगी। उदाहरणतः भारोपीय भाषा-परिवार की भाषाओं की मूल वाक्य-रचना उद्देश्य-विधेयात्मक प्रकार की होती है, जिसमें उद्देश्य पद द्रव्य और गुणाधिष्ठान का और विधेय पद अधिष्ठित गुण का वाचक होता है। किन्तु यह सम्भव

है कि इस भाषा-परिवार से बाहर की किसी भाषा की मूल वाक्य-रचना उद्देश्य-विधेयात्मक प्रकार की ही नहीं हो। उस अवस्था में इन दो भाषाओं के सरलतम बाह्य वस्तु-निर्देशात्मक वाक्यों में भी अनुवाद सहज नहीं होगा। किन्तु तब भी एक से दूसरी भाषा में अनुवाद ऐसे ही वाक्यों में अपेक्षाकृत सरल होता है। यहाँ अनुवादक को देखना होता है कि इस दूसरी भाषा का प्रयोग करने वाले दृश्य वस्तुओं की उपस्थिति में जिन वाक्यों का प्रयोग करते हैं उनकी रचना क्या है और उसकी अपनी भाषा के उद्देश्य पदों और विधेय पदों के वाच्यों के वचन के लिए उस भाषा में क्या व्यवस्था है? उदाहरणतः उसे देखना होता है कि 'यह मेज़ है' और 'मेज़ लाल है' वाक्यों द्वारा निर्दिष्ट वस्तुस्थिति के इस दूसरी भाषा में वाचक वाक्यों की रचना क्या है? इस मूलतः भिन्न भाषा के वाक्यों की रचना अथवा वस्तु-अभिधान-विधि को समझने के लिए अनुवादक को अपनी भाषा के निर्धारण-रूपों के ग्राह से मुक्त होकर वस्तुस्थिति और भाषा के बीच एक नया सम्बन्ध स्थापित करना होता है, जिसका अर्थ है कि उसे वस्तुस्थिति को किसी भी भाषा से स्वतन्त्र होकर देखना होता है। किन्तु क्या यह सम्भव है? वास्तव में यह सम्भव नहीं है, क्योंकि भाषा-प्रयोग का अर्थ है चेतना का उस स्तर पर आरोहण जिस पर भाषा सम्भव होती है। यह आरोहण चेतना के आत्म-विषयकरण और इस विषय के माध्यम से आत्म-व्यवस्थापन में प्रतिफलित होता है। यह विषयकरण और व्यवस्थापन चेतना के अपने ही तत्त्व में निहित बाह्यत्व पर उसकी आत्मा के अधिष्ठातृत्व का प्रस्थापन होता है। इससे निम्नतर स्तर पर चेतना पूर्णतः आत्म-बहिष्कृत और स्थिति-विहीन रहती है। अभिधान चेतना द्वारा काल के ग्राह से मुक्त होकर आत्म-प्रतिष्ठित होने और पूर्वापर का निरीक्षक और अधिष्ठाता होने का आधार बनता है। अब, यह अभिधान और इससे अभिहित दो पृथक् वस्तुएँ नहीं होते, ये परस्पर अवियोज्य होते हैं : यद्यपि ये अविश्लेष्य नहीं होते। भाषा के तीन पक्ष होते हैं जो परस्पर विश्लिष्ट रूप में समझे जा सकते हैं। ये हैं शब्द, अर्थ और वस्तु। इस प्रकार 'यह घट है' शब्द (व्याकरण), घटत्वावच्छिन्न इदंत्व और इन दो : 'यह' और 'घट' : से अभिहित वस्तु, ऐसी त्रि-आयामात्मक स्थिति है जो यहाँ उपचरित हो रही है। किन्तु इस स्थिति के तीनों आयाम परस्पर इस प्रकार सम्पृक्त हैं कि इनमें कोई भी पृथक् रूप से नहीं रह सकता। यहाँ आपत्ति हो सकती है कि यह बात शब्द और अर्थ के सम्बन्ध में तो कही जा सकती है किन्तु इनके लिए वस्तु की अनिवार्यता की बात कैसे कही जा सकती है? क्योंकि ऐसे वाक्यों, जैसे 'वार्द्धक्य बहुत कष्टप्रद अवस्था है' में कोई अभिहित वस्तु नहीं होती! यहाँ इस प्रसंग के अधिक विस्तार में नहीं जाते हुए हम इतना ही कहना चाहेंगे कि भौतिक वस्तु चेतना का संवेद-स्तरीय आत्म-बाह्यत्व है और वार्द्धक्य अवधारणा-स्तरीय। इसका यह अर्थ नहीं है कि कोई भौतिक वस्तु-ज्ञान जैसी स्थिति नहीं होती। निश्चय ही जब हम कहते हैं 'मेज़ साथ के कमरे में है' तब वस्तु के सम्बन्ध में ही कहते हैं, यह कथन इस प्रश्न का कि 'मेज़ कहाँ है?' उत्तर है। किन्तु यह वस्तु शब्दार्थ द्वारा चेतना के अपने में अधिष्ठित होकर अव्यवस्थित संवेद-संघात को रूपाकार दिये बिना सम्भव नहीं हो सकती और यह रूपकार शब्द तथा अर्थ से अवियोज्य होता है। परिणामतः 'यह घट है' पद-वाच्य वस्तुस्थिति इस पदार्थ (पद के अर्थ) से स्वतन्त्र नहीं हो सकती।

किन्तु तब भी दो भाषाओं में परस्पर ऐसे वाक्यों का अनुवाद सम्भव है। इसके लिए बहुत प्रसिद्ध उदाहरण है कि एक ही भाषा-भाषी दो व्यक्ति ही स्थल का वर्ण अपने चक्षु-निर्माण-भेद के कारण दो सर्वथा भिन्न वर्णों के रूप में देखते हुए इस दृष्टि-भेद को जाने बिना उसके लिए सारा जीवन एक ही शब्द का प्रयोग करते रह सकते हैं। यही बात दो भाषाओं के दृश्य वस्तु-विषयक वाक्यों के लिए कही जा सकती है। उनके वस्तु-अवधारण में भेद होने पर भी वाक्यों में समानार्थकता-सम्बन्ध स्थापित करना वैसा कठिन नहीं होता । किन्तु कठिनाई यह है कि भाषाओं में ऐसे वाक्य बहुत कम होते हैं, और जितनी ही कोई भाषा समृद्ध होती है, अथवा कहें जितना ही किसी भाषा-भाषी समुदाय का मनोमय जीवन समृद्ध होता है, उतना ही ऐसे वाक्यों का अनुपात उस भाषा में कम होता जाता है। वास्तव में ये तथाकथित वस्तु-वाच्य पद भी अधिकांश में जीवन और जगत्-विषयक व्यापक सांस्कृतिक दृष्टि से अनुविद्ध होते हैं। उदाहरणतः 'समिधा लाओ' वाक्य देखा जा सकता है। अब, 'समिधा' यज्ञ-विषयक अत्यन्त जटिल वैदिक अवधारणात्मक संस्थान के भीतर प्रयुक्त शब्द है और इसी प्रकार समिधाओं को लाने का कर्म जटिल यज्ञानुष्ठान-विधिमूलक है। परिणामतः समिधा लाना विशेष धार्मिक विचार-व्यवस्था या

जीवन-जगत्-विषयक दृष्टि के अन्तर्गत कल्पित वस्तु और क्रिया है। परिणामतः 'समिधा' शब्द वैसा ही है जैसा 'लकड़ी' या 'घट'। वास्तव में यदि इन शब्दों की व्युत्पत्ति और प्रयोगरूढ़ि को गहराई से लें तो इनसे घटित वाक्यों के अनुवाद में भी कठिनाई आ सकती है। विभिन्न नृतत्त्ववैज्ञानिकों ने विभिन्न आदिम जातियों की भाषाओं के वस्तु और गुण-वाचक शब्दों और व्याकरणों (वाक्य-रचना-रूपों) का तुलनात्मक अध्ययन कर जो तथ्य प्रस्तुत किये हैं उनसे यह स्पष्ट है कि विभिन्न भाषाओं के दृश्य वस्तु, गुण और वस्तु-गुण-सम्बन्ध आदि विषयक शब्दों, शब्द-रूपों और वाक्य-रचनाओं में इतना अन्तर है कि दो भाषाओं के ऐसे सरल वाक्यों के भी अनुवाद सम्भव नहीं हैं। अब, जो बात दृश्य वस्तु-विषयक शब्दों के सम्बन्ध में सत्य है वह अदृश्य वस्तुविषयक : विचार, भावना आदि वस्तु-विषयक : शब्दों के सम्बन्ध में तो और भी सत्य है।

किन्तु इसके बावजूद दृश्य वस्तु-विषयक वाक्यों का दूसरी भाषा में अनुवाद उससे कहीं अधिक दूर तक सम्भव होता है जितना अदृश्य वस्तु-विषयक वाक्यों का। किन्तु तब भी, अदृश्य वस्तुविषयक वाक्यों का अनुवाद भी सम्भव होता है : यह अनुवाद दो भाषाओं में शब्द-वाच्य अवधारणाओं और निर्देश-विधियों तथा वाक्य-रचनाओं में रूपान्तरण-नियम स्थिर करके किया जा सकता है। स्पष्टतः यह अत्यन्त दुस्साध्य कार्य है और इसकी सम्भावना केवल सैद्धान्तिक ही हो सकती है, व्यावहारिक नहीं। किन्तु यहाँ महत्त्वपूर्ण बात यह है कि हमारे लिए यह सीमा देखना सम्भव होता है। किन्तु यह किस प्रकार सम्भव हो सकता है जब तक अन्वीक्षक दोनों भाषाओं से गहनतर स्तर पर उतर कर उन्हें उस स्रोत पर से नहीं देख सके जिसमें से सब भाषाएँ उत्पन्न होती हैं? यह स्रोत चेतना का भाषा से निम्नतर स्तर नहीं होकर उच्चतर स्तर ही हो सकता है, क्योंकि भाषाओं की सीमा भाषा से निम्नतर स्तर पर अवगत नहीं होकर उच्चतर स्तर पर ही गम्य हो सकती है। अन्यथा भी, चेतना के निम्नतर स्तर उच्चतर के स्रोत नहीं होकर उसके उपादान ही कहे जा सकते हैं। उपादान को स्रोत रूप में देखना भौतिक और जैविक जगत् को समझने के लिए तो उपयुक्त अभ्युपगम हो सकता है, चेतना के तत्त्व को समझने के लिए नहीं, यद्यपि सांख्य और वेदान्त दार्शनिक ऐसा ही करते हैं। उदाहरण के लिए नैतिक बोध का स्रोत इच्छाएँ, वासनाएँ आदि नहीं हो सकतीं, क्योंकि यह बोध इनमें निहित या अव्यक्त रूप से विद्यमान कुछ का विकसित रूप नहीं होता, बल्कि यह इनका नियामक, इन्हें अधिष्ठित कर इस स्तर के लिए अकल्पनीय सार्थकताओं के लिए इनका उपयोग करने वाला, होता है। यही बात भाषा के सम्बन्ध में भी सत्य है। दो भाषाओं में परस्पर अनुवाद के लिए अनुवादक को उस अतिभाषा के स्तर पर आरूढ़ होना होता है जिस पर दोनों की शब्द-संरचनाएँ और अर्थ-कल्पनाएँ या अर्थावधारण अवगमन के विषय बनते हैं। इस पर आपत्ति की जा सकती है कि यह अतिभाषा का स्रोत नहीं होती, स्रोत उसे कहते हैं जिसमें से वह वस्तु उद्गत हो, उत्क्रमित हो। किन्तु तब चेतना के लिए इस शब्द का प्रयोग अयुक्त है, क्योंकि चेतना के उच्चतर स्तर निम्नतर से उद्गत नहीं होते, निम्नतर स्तर उच्चतर स्तरों में अपने अस्तित्व का प्रकाशन और अपने स्वरूप तथा अर्थों का आविर्भाव पाते हैं। परावाक् को इसी अर्थ में वैखरी पर्यन्त वाक्-स्तरों का स्रोत समझा जा सकता है। किन्तु किसी भी अर्थ में वैखरी को उच्चतर वाक्-स्तरों : मध्यमा, पश्यन्ती और परा : का स्रोत नहीं समझा जा सकता। अब, अनुवाद में हम भाषा के प्रथम स्तरीय व्यवहार से उस व्यवहार के निरीक्षण के स्तर पर आरूढ़ होते हैं और उस स्तर के अर्थावधारणों से साक्षात्कारात्मक सम्बन्ध स्थापित करते हैं। इस स्तर पर हमारा व्यवहार वस्तु-विषयक नहीं होता, यह वस्तु-विषयक वाग्व्यवहार में अवधारित अर्थ-विषयक होता है। उदाहरणतः हम अनुवाद के प्रसंग में "समिधां आनय।" (समिधा लाओ) अथवा 'सत्यं वद' ऐसा प्रथम स्तरीय भाषा-प्रयोग नहीं करते बल्कि इन शब्दों के वाच्य अर्थों के साथ तादात्म्य स्थापित करते हैं और तब दूसरी भाषा, जैसे इंगलिश, में ऐसे शब्दों की खोज करते हैं जो इन अर्थों का वचन कर सकें। इसके लिए हमें पुनः वही प्रक्रिया इंगलिश भाषा के साथ अपनानी होती है। तब हम देखते हैं कि संस्कृत के ये दोनों वाक्य अंग्रेज़ी में शब्द के स्थान पर शब्द रखने के द्वारा अनुवाद्य नहीं हैं, किन्तु तब भी दूसरे वाक्य का पर्याप्त सरल, समानार्थक वाक्य हमें उपलब्ध है। अब, यह अर्थ-प्रत्यक्ष निःशब्द नहीं होता, केवल यह होता है कि अब शब्द और अर्थ आत्मप्रकाशित हो जाते हैं। यह तथ्य दार्शनिक प्रयोजन से रचित अप्राकृतिक भाषाओं में अधिक सरल रूप से देखा जा सकता है। दार्शनिक इन भाषाओं का आविष्कार

प्राकृतिक भाषाओं की अर्थ-रचना से असन्तुष्ट होकर नयी अर्थ-रचना के उद्देश्य से ही करते हैं। इन भाषाओं में प्रत्येक पद और पद-रचनाएँ परिभाषित, अर्थात् अर्थपरक, होती है। उदाहरणतः बर्ट्रेंड रसल ने 'स्वर्ण पर्वत का अस्तित्व नहीं है' वाक्य में प्रकटतः निहित तार्किक असंगति : उद्देश्य पद द्वारा विहित अस्तित्व का विधेय पद द्वारा निषेध : के निवारण के लिए दिखाया कि इस प्रकार प्रकटतः संज्ञा-पद वास्तव में संज्ञा-पद नहीं होते बल्कि वर्णनात्मक पद होते हैं।[1] प्राकृतिक भाषाओं में अवलोकित इस प्रकार की अयुक्तताओं के निवारण की प्रक्रिया ने आगे विट्गिंस्टाईन के **ट्रक्टेटस लॉजीकोफिलोसोफिकस** को और अनन्तर रुडोल्फ कार्नप के 'लॉजीकल सिन्टैक्स ऑफ लेंग्वेज' को जन्म दिया। इसके बाद विट्गिंस्टाइन की दूसरी पुस्तक 'फिलोसोफीकल इन्वेस्टीगेशंस्' से प्राकृतिक भाषा (लोक-भाषा) के अन्तर्निहित अर्थोद्घाटनों का क्रम आरम्भ हुआ। यहाँ हमें इन सबके सम्बन्ध में केवल इतना ही कहना है कि ये सब प्रयत्न वास्तव में भाषा के स्वरूप के सम्बन्ध में कुछ नहीं बताकर इन दार्शनिकों की तत्त्वमीमांसात्मक धारणाओं के सम्बन्ध में ही बताते हैं। हमारे इस कथन का स्पष्टतम उदाहरण क्वाइन के **वर्ड एण्ड ऑब्जेक्ट** पुस्तक के अनुवाद में स्वरूप का विवेचन है। किन्तु अनुवाद के उदाहरण से हमने ऊपर जो भाषा के स्वरूप-विषयक प्रश्न पर विचार किया उसके तथ्यात्मक और बहुत उद्बोधक अध्ययन नृतत्त्व वैज्ञानिकों ने प्रस्तुत किये हैं जिनमें बंजामिन ली व्होर्फ के अध्ययन और विवेचन अत्यधिक अन्तर्दृष्टिपूर्ण हैं। यहाँ हम एक अत्यन्त महत्त्वपूर्ण वस्तुस्थिति का उल्लेख करना चाहेंगे जिसे ये वैज्ञानिक प्रकाश में लाये हैं, और वह बहुत-सी आदिम जातियों की भाषाओं का सांस्कृतिक रूप से विकसित जातियों की भाषाओं की तुलना में अवधारण और अवगमन की दृष्टि से कहीं अधिक सूक्ष्म और तर्कसंगत होना। उदाहरणतः ली व्होर्फ के अनुसार यूरोपीय भाषाओं के प्रभाव और क्षेत्र-विस्तार को उनकी अवधारणात्मक सूक्ष्मता और अवगमनात्मक युक्तता का प्रमाण मानने का कोई औचित्य नहीं है। उसके अनुसार "यह देखने के लिए कि बहुत-सी असाक्षर जातियों, विशेषतः अमरीका की असाक्षर जातियों, की भाषाएँ हमारी भाषाओं से कहीं अधिक युक्तियुक्त और (संरचनात्मक रूप से) समृद्ध हैं, बहुत अधिक वैज्ञानिक अध्ययन की अपेक्षा नहीं है। अवधारणाओं के आकारिक व्यवस्थापन की दृष्टि से आंग्ल, जर्मन, फ्रांसीय और लातीनी (लेटिन) भाषाएँ बहुत-सी अमरीकी भाषाओं की तुलना में बहुत विपन्न और घटिया हैं। उदाहरण के लिए 'यह लाल दिखाई देता है' और 'यह नया दिखाई देता है' ('आई सी दैट इट इज़ रेड' एण्ड 'आई सी दैट इट इज़ न्यू') में जो हमारी चेतना में पर्यवसायी ऐन्द्रिय संवेदगत भेद है उसे हमारी भाषा व्यक्त करने में क्यों असमर्थ रहती है जबकि होपी भाषा यह व्यक्त कर पाती है? हमारी भाषा (आंग्ल) दो पूर्णतः भिन्न प्रकार के सम्बन्धों को "(दैट) पद-वाच्य एक अस्पष्ट सम्बन्ध में मिला देती है जबकि होपी भाषा इनमें प्रथम सम्बन्ध को संवेदगम्य लाल के रूप में और दूसरे सम्बन्ध को एक ऐसे अनियत प्रमाण के रूप में इंगित करती है जिससे नयापन अनुमेय रूप में देखा जाता है...। अब, क्या होपी भाषा विचार की दृष्टि से आंग्ल भाषा से उच्चतर स्तर पर दिखायी नहीं देती? निश्चित रूप से देती है।"[2]

यहाँ दो अत्यन्त महत्त्वपूर्ण प्रश्न हैं जो इस प्रतिपादन से आपन्न होते हैं : प्रथम यह कि यह हम किस आधार पर कह सके हैं कि एक भाषा दूसरी से अधिक या कम युक्तिसंगत, तर्क-सुष्ठु और तत्त्वानुरूप है? यह प्रश्न ऊपर किये जा रहे विचार के क्रम में ही है। दूसरा यह कि यदि होपी भाषा आंग्ल भाषा से अधिक तत्त्वानुरूप और तर्क-सुष्ठु है तब यह कैसे सम्भव हुआ कि होपी भाषा-भाषी न केवल आंग्ल भाषा-भाषियों से ही संस्कृति और सभ्यता के सभी क्षेत्रों में कम विकसित हैं बल्कि वे आदिम स्तर पर ही हैं?

अब, एक भाषा को दूसरी से अधिक युक्त कहने का आधार दोनों भाषाओं के बाहर ही होना चाहिए। यहाँ व्होर्फ के ही उद्धरण को लेते हुए, आंग्ल भाषा में रंग देखने और नयापन-पुरानापन देखने में प्रयुक्त 'देखना' पद

---

1. बर्ट्रेंड रसल — **इंट्रोडक्शन टू मेथेमेटीकल फिलोसोफी**, अ. 16.
2. **लेंग्वेज इन कल्चर एण्ड सोसाइटी** (सं.) डैल हाइम्स, में बंजामिनी ली व्होर्फ का लेख "ए लिंग्विस्टिक कंसिडरेशन ऑफ थिंकिंग", पृ.140.

एक ही अर्थ का वाचक नहीं है और इन दो प्रयोगों में यह अर्थ-भेद क्या है यह हम केवल इन वाक्यों की समीक्षा से ही नहीं जान सकते, इसके लिए हमें स्वयं भाषा का ही अतिक्रमण कर वस्तु के तत्त्व से; अथवा कहें इन अवगमनों के तत्त्व से, सीधा सम्बन्ध स्थापित करना होता है। यह सम्बन्ध हम कैसे स्थापित कर पाते हैं? इसके लिए हमें इन दो वाक्यों से सम्बन्धित, अथवा कहें वाच्य, के अवगमन-स्तरों का भी अतिक्रमण करना और इनसे उच्चतर अवगमन-स्तर पर अवस्थित होना होता है। किन्तु जैसाकि हमने पीछे देखा, वस्तुतः हम प्रथम स्तरीय वाच्य-प्रसंग में भी वस्तु-ग्रहण के प्रथम स्तर का अतिक्रमण कर उच्चतर स्तर पर प्रतिष्ठित हो चुके होते हैं। किन्तु यह आरोहण यही होता है कि अवगमन-अवगम्य अब प्रतीक-रचित या शब्दानुविद्ध होते हैं : दृश्यमान लाल (रक्त) संवेदन-संवेद्यात्मक नहीं होकर रक्तत्व (सामान्य) से उपचरित संवेद्य होता है जो अध्यवसायोपचरित संवेद को अवगत होता है। अवश्य हम इसका भी अतिक्रमण कर सकते हैं, किन्तु संवेदन-सवेद्यात्मक स्तर पर अवतरण द्वारा नहीं बल्कि धर्म (सामान्यता) के ऊर्ध्वतर स्तर पर आरोहण द्वारा। निश्चय ही हम इस आरोहण में भाषा मात्र की सीमा के बाहर भी जा सकते हैं, उदाहरणत: चित्रात्मक अवगमन या संगीतात्मक अवगमन में हम भाषा के क्षेत्र में नहीं होते, किन्तु हम प्रतीकात्मकता की सीमा का अतिक्रमण नहीं कर सकते, सिवाय इस बात में कि प्रतीक स्वरूपतः ही अपने से परे तत्त्व को लक्षित और प्रकाशित और इस प्रकार अतिक्रमित करता है। किन्तु इसके साथ ही यह भी महत्त्वपूर्ण है कि बौद्धिक चेतना को यह पर-तत्त्व प्रतीक के माध्यम से ही प्रकाशित होता है, निरावृत रूप में नहीं। किन्तु इससे प्रतीक को ऐसी उपाधि मानना भी युक्त नहीं है जो अनिवार्यतः आवरक ही होती है। जैसाकि हमने पीछे अनेक स्थलों पर प्रतिपादित किया, प्रतीक आवरक (अपारदर्शी) ही नहीं, पारदर्शक भी हो सकता है और यहाँ ऊपर विवेचित भाषा का परावाक् पर्यन्त और अतिभाषात्मक ऊर्ध्वारोहण भाषा की इस विशेषता का ही द्योतक है।

दूसरा प्रश्न था कि ऐसा कैसे सम्भव हो सका कि होपी भाषा के आंग्ल भाषा की तुलना में अधिक तर्क-सुष्ठु और वस्तु-तत्त्वानुरूप होने पर भी होपी जाति संस्कृति और सभ्यता के विकास में पिछड़ी और आंग्ल जाति बहुत उन्नत है? यहाँ एक इससे भी मौलिक प्रश्न हो सकता है कि ऐसा क्यों है कि एक भाषा दूसरी से अधिक युक्त और सम्यक् होती है, जैसे होपी भाषा आंग्ल भाषा से है? इसका एक उत्तर हो सकता है कि विभिन्न भाषाओं के आविर्भाव के आरम्भिक चरणों में उन भाषाओं में स्फुटित होने वाले विभिन्न समुदायों के बौद्धिक स्तर भिन्न थे। किन्तु इस प्रकार के अभ्युपगम सम्भवतः युक्तिसंगत नहीं हैं। जैसाकि हमने ऊपर देखा, भाषा का आविर्भाव चेतना द्वारा अपने तमसावरण का भेदन कर शब्द-प्रतीकों के अवलम्बन से आत्मप्रकाश के लोक में उन्मीलित होने में है। प्रकाश का यह लोक नितान्त मौलिक होता है : मौलिक, अर्थात् युगपद् रूप से सृजनात्मक और साक्षात्कारात्मक। निश्चय ही यह लोक विज्ञानमय नहीं होकर मनोमय के अवर स्तरों में खुलती अन्नमय और प्राणमय चेतना का ही होता है, किन्तु होता यह नितान्त मौलिक है। उन्मीलन के इन आरम्भिक चरणों में ये विभिन्न समुदाय जिन शब्द प्रतीकों में स्फुटित होते हैं उसकी युक्तता का मानदण्ड बाह्यतः स्थिर करना उपयुक्त नहीं है। ऐसा करने में वाचक-वाच्य सम्बन्ध का भी कोई बाह्य मानदण्ड मानना होगा, जोकि कोई नहीं होता। उदाहरणतः संरचनात्मक रूप से आत्मबाधक वाक्य 'स्वर्ण पर्वत का अस्तित्व नहीं है' को लें जिसके इस दोष के निवारण के लिए रसल ने वर्णन-सिद्धान्त का प्रतिपादन किया। किन्तु वास्तव में जनसाधारण के लिए इस वाक्य में यह दोष विद्यमान ही नहीं है, यह दोष केवल उन तर्कशास्त्रियों के लिए था जिन्होंने इसके आकार को प्रतीकात्मक नहीं मानकर आत्मपर्यन्त मान लिया। रसल ने इसके आकार की प्रकट बाधा का भेदन कर इसके वाच्य से इसे जोड़ा। किन्तु उसने इसके प्रकट आकार को ज्यों का त्यों रखा, इस प्रकट आकार के नीचे दूसरे वास्तविक आकार को नहीं देखा जिसमें यह उद्देश्य और विधेय दो पदों का संयोग नहीं होकर एक ही पद है।

साधारणतः लोक-भाषा में एक लाघव की प्रवृत्ति रहती है और वह पदों और पद-संरचनाओं के अतिरिक्त अनेक अन्य उपायों का आश्रय भी होती है और बहुत बार केवल वक्ताओं की समझदारी के भरोसे ही बात छोड़ दी जाती है। 'देखना' पद का उपर्युक्त उदाहरण इसी प्रकार का है। इसके अतिरिक्त, क्रियाओं,

अवस्थाओं, भाव-भंगियों आदि-आदि की विभिन्नताओं के अनुसार उनके वाचक पदों का बाहुल्य और न्यूनता अनिवार्यतः किसी भाषा की सम्पन्नता-विपन्नता के द्योतक नहीं होते। उदाहरणत: आयु-अवस्थाओं के भेद के अनुसार ऊँट के, और मनोवस्थाओं के अनुसार भेड़ के विभिन्न नाम होना न उस भाषा की उस भाषा से अधिक समृद्धि का द्योतक होता है जिसमें एक ही नाम के साथ विशेषण जोड़ कर काम चलाया जाता है और न उसके बोलने वालों के मानसिक विकास की उत्कृष्टता का ही। वस्तुस्थिति इसके विपरीत भी हो सकती है।

किन्तु यहाँ एक दूसरी और अधिक महत्त्वपूर्ण बात है जो ध्यातव्य है, और वह यह कि प्रकृति का भौतिक अवधारण सब संस्कृतियों में समान नहीं है, इसका शुद्ध भौतिक अवधारण तो केवल आधुनिक यूरोप की ही विशेषता है जिसका प्रभाव दूसरी संस्कृतियों में भी परिलक्षित होता है। पिछले समाजों में सभी संस्कृतियों में प्रकृति सप्राण, और कभी-कभी चेतन रूप में भी, अवधारित थी। इसी प्रकार जगत् की अवधारणा में मिथक-दृष्टि बहुत अधिक प्रबल थी। यह दृष्टि सदैव भ्रान्त और बाल-कल्पनात्मक थी, यह कहना केवल संकुचितता और अहंकार का द्योतक है। उदाहरणतः प्राचीन भारत और यूनान में दृष्टि की जैसी नैतिक और आध्यात्मिक सूक्ष्मता दृष्टिगत होती है वैसी आज की वैज्ञानिक जीवन-दृष्टि में दिखायी नहीं देती और इन दो संस्कृतियों की प्राचीन भाषा अत्यधिक मिथकीय है, विशेषतः वैदिक कालीन भारतीय संस्कृति की। ऐसे में भाषाओं की ऐसे वाक्यों के आधार पर तुलना करना जैसों को उदाहरण रूप में व्होर्फ ने प्रस्तुत किया, सम्भवतः भ्रामक है। जहाँ तक आदिम जातियों का प्रश्न है, वे अवश्य नैतिक और आध्यात्मिक दृष्टियों से भी अल्प विकसित होती हैं, किन्तु तब उनकी दृष्टि और उसके साथ अनिवार्यतः उनकी भाषा भी मिथकीय होती है। इसलिए इन जातियों की भाषाओं में 'यह लाल दिखायी देता है' जैसे वाक्यों का अर्थ उस सम्पूर्ण अर्थ-संरचना से पृथक् करके देखना उचित नहीं है और परिणमतः वह अंग्रेज़ी भाषा के वाक्यों से तुलनीय नहीं हो सकता।

सम्प्रेषण

सम्प्रेषण चित्त के अन्य चित्त में संक्रमण को कहा जा सकता है। भाषा सम्प्रेषण का, अथवा कहें चैत्त संक्रमण का, एक रूप, एक विधा है, किन्तु स्पष्टतः यह सम्प्रेषण का एकमात्र रूप या विधा नहीं है। वास्तव में एक चित्त में अन्य चित्त को सम्प्रेषण की कामना चित्त का आद्य स्वभाव है, इसी से यह उद्विग्नता चित्त के अवरतम स्तर पर भी देखी जा सकती है। मैथुन और शिशु–माँ की परस्पर के लिए उत्कण्ठा इसकी क्रमशः देहात्मक और आवेगात्मक अभिव्यक्तियाँ हैं, जिनमें प्रथम जीव मात्र में और दूसरी पर्याप्त अविकसित स्तर तक के जीवों में परिलक्षित होती है। इस संक्रमण में एक अव्यवहितत्व होता है : चित्त देह–क्रिया में प्रवाहित होकर अन्य चित्त में संक्रमित हो जाता है। यहाँ देह–क्रिया माध्यम नहीं बनती, वह चित्त–क्रिया के ही तारतम्य में होती है। उदाहरणतः एक कुत्ता दूसरे कुत्ते को गुर्राते देखकर उसके क्रुद्ध होने का अनुमान नहीं करता और न क्रुद्ध कुत्ता क्रुद्ध होने पर गुर्राने का निर्णय करता है! देह–क्रिया का चैत्त क्रिया से पार्थक्य केवल एक विश्लेषणात्मक कल्पना, एक उद्ग्रहण मात्र है, अन्यथा देह–क्रिया चित्त–क्रिया के अन्तर्गत ही होती है। इस अर्थ में समकालीन आंग्ल चिन्तक गिल्बर्ट राइल द्वारा मन के देह से पृथक् कल्पना को 'मशीन में भूत' की कल्पना जैसा कहना सही है, यद्यपि उससे विपरीत अर्थ में जिस अर्थ में वह इस अपार्थक्य को देखता है : वह चित्त को व्यवहारात्मक देखता है जबकि हम व्यवहार को चैत्त कह रहे हैं। किन्तु जहाँ व्यवहार : चित्त का देह में प्रवहन, अधिक उचित शब्दों में कहें तो दैहिक चित्त : मानसिक चित्त से पृथक् कल्पित होता है, जैसे चित्त के बौद्धिक स्तर पर, वहाँ मानसिक चित्त वास्तव में इस प्रवाह को स्थूल दैहिक स्तर तक आने में अवरुद्ध भी कर पाता है और देह को उपकरण में अथवा प्रतीक में रूपांतरित कर उसे अधिष्ठित कर पाता है। इच्छा के विपरीत देह का नियोजन और भाव–स्थिति के विपरीत नेत्र–वक्त्र–विकार की मुद्रा देह के उपकरण में रूपान्तरण का, तथा अन्य के व्यवहार का अभिनय अथवा अनुकरण इसके प्रतीक में रूपान्तरण का उदाहरण कहा जा सकता है। दूसरी ओर यह भी कहा जा सकता है कि बौद्धिक–चित्त भी मस्तिष्क–क्रिया में प्रवाहित होता है। यह सही है, किन्तु यहाँ एक मौलिक अन्तर का आविर्भाव हो जाता है : यहाँ चित्त अपने व्यापार की दिशा जब चाहे बदल सकता है और इस परिवर्तन–क्षमता का अर्थ है चित्त–क्रिया का अधिष्ठातृत्व और प्रेक्षकत्व पाना, जो चित्त के स्वातन्त्र्य का द्योतक है।

अब, पक्षी–शावक के अपनी माँ को देखकर मुँह खोलने और उसकी माँ के पुलक के साथ उसमें अन्न–रस उँडेलने में एक सहज सायुज्य रहता है : इन्हें एक ही व्यापार के दो पक्ष भी कहा जा सकता है। संक्रमण का यह अव्यवहित व्यापार भाषा के स्तर पर एक प्रकार से व्यवहित हो जाता है।

किन्तु यदि भाषा के स्वरूप को थोड़ा गहराई से देखा जाय तो यह वास्तव में अचैत्त व्यवधान नहीं होकर उतना ही चैत्त है जितने इच्छा, उद्वेग आदि चैत्त हैं, केवल यह चित्त विमर्शात्मक और बौद्धिक होता है, आवेगात्मक नहीं। किन्तु इस चित्त में ही इस प्रकार का व्यवहितत्व इसमें स्वरूपगत है : यह चित्त अपने को अपने से व्यवहित कर अपना विषयकरण करता है और यह विषय एक असीमित परिवेश अथवा क्षितिज के केन्द्र में उसके व्यावर्तनपूर्वक अवस्थित होता है। जैसाकि पिछले अध्याय में हमने देखा, यह व्यवधान एक ओर निर्धारक बनता है और दूसरी ओर अपने द्वारा निर्धारित को अनिर्धार्य की व्यापकता में प्रतिष्ठित करता है। घट अघट का व्यावर्तन किये बिना न विषय हो सकता है और न वाच्यार्थ, किन्तु इसी कारण वह अघट को अनिवार्यतः लक्षित भी करता है और उसका सापेक्ष भी होता है। अब, विषय के इन व्यावर्त्यों में विषयी भी एक होता है जो विषय को अपने अवगम्य के रूप में अपने से पृथक् करता है। यह विषय घट–पट के समान बाह्य देश में ही निर्धारित प्रकार

का नहीं होता बल्कि स्वयं 'मैं' भी विषय होता है, जैसे 'मैं घट देख रहा हूँ' में 'घट' और 'मैं' दोनों ही विषय हैं यद्यपि 'मैं' घट का विषयी ही है। चित्त का यह विषयकरण ही उसका आत्मव्यवहितत्व होता है। भाषा इस व्यवधान की आश्रय बनती है। यह व्यावर्तन विषयों को सार्वजनीनता के प्रदेश में स्थापित कर देता है। यह सार्वजनीनता बाह्य देशावस्थित विषयों का ही लक्षण नहीं होती बल्कि आन्तर विषयों का भी लक्षण होती है। इस प्रकार 'सुखपूर्वक सोया', 'यह रुचिकर नहीं है', और 'यह उचित नहीं हुआ' विधेयों का उद्देश्य जितना 'मैं' हो सकता है उतना ही कोई अन्य भी हो सकता है। वास्तव में तीसरा विधेय अपने से बाहर उद्देश्य का अपेक्षी ही नहीं है और इसमें 'यह' पद ही उद्देश्य होकर इसे युक्ति के स्वतन्त्र देश में स्थापित कर देता है। अब, पहले दो वाक्यों के वाच्य भी अपने उद्देश्यों के सहित सार्वजनीन देश में स्थापित हो सकते हैं, जैसे 'सम्भवतः मैं सुखपूर्वक सोया' में 'मैं सुखपूर्वक सोया' वस्तुस्थिति विषयभूत है और दूसरा इस पर कह सकता है कि "निद्रा में चेतना रहती ही नहीं इसलिए उसके सम्बन्ध में 'सोया' यह कहा ही नहीं जा सकता।" यही बात दूसरे वाक्य के लिए भी है : 'मुझे रुचिकर नहीं लगता है' में सम्पूर्ण वाक्य का वाच्य-विषय है "यह ऐसा मुझे ही लगता है, सम्भव है अन्यों को नहीं लगता हो।" अब ये दोनों वाक्य पहले वाक्यों में प्रयुक्त 'मैं' पद को सर्वगम्य विषय में रूपान्तिरत कर देते हैं और इस पर मेरा विशेषाधिकार नहीं रहता। इस पर आपत्ति हो सकती है कि इस पर मेरे विशेषाधिकार का नहीं रहना मेरे विशेषाधिकार को अतिक्रामी रूप से अक्षुण्ण बना देता है, क्योंकि 'मैं' की यह निर्विशेषता इसके उस विषयकरण से घटित होती है जो विषयकरण पुनः 'मैं' ही के द्वारा होता है। यह सही है किन्तु यह 'मैं' वास्तव में अहं-वस्तु से पूर्णतः रहित होता है और अहं-वस्तु इसमें केवल औपाधिक रूप से ही अवस्थित हो सकती है। दूसरे शब्दों में यह 'मैं' पदार्थ इतर-व्यावर्तक या वैयक्तिक नहीं रहता, क्योंकि इसमें अहंता का लेशमात्र भी इसे अनतिक्रामी विषय बना देता है।

यहाँ यह स्पष्टीकरण आवश्यक है कि यह अतिक्रामी आत्म, जो भाषा को अधिष्ठित करता है, अथवा कहें जो भाषा-रूपेण व्यक्त होता है, शुद्ध आकार के रूप में अथवा शुद्ध साक्षी के रूप में लोक से पृथक् अवस्थित नहीं होता बल्कि लोक में विषयरूपेण विमृष्ट और विषयिरूपेण विपुल तथा प्रकाशित होता है। अहं का यह स्वरूप भाषा की अध्यवसायात्मकता और इसके द्वारा विशेषात्मक निर्देशों की अनिवार्य सामान्यात्मकता से स्पष्ट है। भाषा की व्यक्तिवाचक संज्ञाएँ तक सामान्य में प्रतिबिम्बित होकर विशेष का वचन करती हैं : 'राम' एक ओर 'अ-रामों।' के असीम परिवेश में परिभाषित होता है और दूसरी ओर वह रामत्व से गर्भित और अवच्छिन्न भी होता है : 'राम का यह कार्य उसके अनुकूल नहीं है' में उसके वैशिष्ट्य का निर्धारिण रामत्व धर्म : राम के तत्त्व : से होता है जो एक व्यक्ति को अधिष्ठित करता है, किन्तु जो किसी भी, और किन्हीं अनेकों को भी, अधिष्ठित कर सकता है। इसी प्रकार 'राम-रावणयोर्युद्धं राम-रावणयोरैव' में युद्ध के वैशिष्ट्य के निर्धारण के लिए एक अतिरिक्त व्यवस्था का प्रयत्न है जो वैशिष्ट्य पुनः अपने तत्त्व, अपनी धर्मता से लक्षित होता है, इनसे पृथक् विलक्षण रूप से नहीं। यह 'भारत के सम भारत है' जैसी अभिव्यक्तियों से और स्पष्ट हो जाता है। भाषा के आत्म की इस अतिक्रामिता की धारक होने से इसके माध्यम से सम्प्रेषण एक सर्वथा दूसरा स्तर ले लेता है। अब यह सम्प्रेषण दो या अधिक व्यष्टियों के बीच चैत्त घटना नहीं होकर अपना एक पृथक् और अतिवैयक्तिक अस्तित्व स्थापित कर लेता है। दुःख या क्रोध अब व्यष्टि-चित्तगत घटना विशेष का घटित होना और सम्प्रेषण इससे दूसरे चित्त का उद्दीपन होना नहीं रहता बल्कि अब ये चैत्त घटनाएँ धर्मों या तत्त्वों के रूप में शब्दों को आश्रित कर एक ऐसे चिद्-लोक की सृष्टि करती हैं जो देश-काल और व्यष्टिनिरपेक्ष रूप से व्यक्तियों को परिवेष्टित और व्यक्त करता है। अवश्य वचन और वार्तालाप देश-काल में ही घटित होते हैं, किन्तु ये जिस अर्थ को व्यक्त करते हैं वह इस घटना तथा देश-काल पर आश्रित नहीं होता। उदाहरणतः 'राम जाता है' वाक्य लें। यहाँ प्रयुक्त इस वाक्य में 'राम' शब्द का प्रयोग व्यक्तिवाचक संज्ञा-सामान्य के लिए और उद्देश्य के रूप में हो रहा है और 'जाना' का प्रयोग गमन-क्रिया सामान्य के लिए और विधेय के रूप में हो रहा है। अवश्य इस प्रयोग में यह भी अन्तर्निहित है कि यह सामान्य विशेषपरक है : विशेष व्यक्ति की विशेष देश-काल में गमन-क्रिया का घटित होना ही इसमें निर्दिष्ट है, किन्तु यह द्रष्टव्य है कि यह निर्दिष्ट विशेष इस सामान्य के अन्तराल से ही निर्दिष्ट होता है। अब, जहाँ तक इस

व्यक्ति-विशेष राम का प्रश्न है, यह स्वयं भी वास्तव में राम का रामायित होना ही होता है। इस पर कहा जा सकता है कि राम स्वयं में रामत्व का क्रियान्वयन नहीं है, वह स्वयं में एक अद्वितीय, विलक्षण और अपरिभाष्य व्यक्ति है। किन्तु इस दृष्टि में एक मौलिक दोष है, क्योंकि यह अद्वितीयता राम के ही नहीं, चिड़िया और केंचुए के घटित होने में भी होती है। किन्तु यह अद्वितीयता मानव-व्यक्ति को अस्मिता : अहमस्मि यह बोध : नहीं देती जैसे चिड़िया और केंचुए को नहीं देती। मानव अपना व्यक्तित्व, अपनी अस्मिता, आत्म-साम्मुख्य में प्राप्त करता है और उसका यह साम्मुख्य अपने तत्त्व से होता है।[1] मनुष्य अपने तत्त्व में अपना साम्मुख्य कर सकता है इसी से भाषा सम्भव होती है। कुछ विचारक बहुत कुछ ऐसी ही बात इससे उलट अर्थ में कहते हैं : कि भाषा उपलब्ध होने से मनुष्य को अवधारणाएँ या अमूर्त्त प्रत्यय उपलब्ध होते हैं और मनुष्य अनुभव-प्रदत्त विषयों से सामान्य प्रत्ययों को उद्गृहीत (एब्स्ट्रेक्ट) कर उन्हें नाम दे देता है। उनके अनुसार आत्मा : आत्मसाम्मुख्य में गृहीत तत्त्व : भी वास्तव में इसी प्रकार अनुभव-प्रदत्तों से उद्गृहीत अमूर्त्त प्रत्यय मात्र है, कोई वस्तु-तत्त्व नहीं। किन्तु इसमें यह मूल भ्रान्ति है कि इनके अनुसार भाषा मनुष्य को आगन्तुक रूप से और बाह्यतः उपलब्ध होती है : प्रयोग-असफलता-सफलता की विधि से। इसके लिए ऐसे बच्चे उदाहरण प्रस्तुत करते हैं जो भाषा-परिवेश से नितान्त विरहित परिवेश में पशुओं के बीच पलते हैं। वे बच्चे चेतना में पशुओं के समान ही अविकसित होते हैं।

यह सही है कि भाषा से अभिसंस्कृत सामाजिक परिवेश के बिना मानव-व्यक्ति आत्म-चेतन चेतना का स्तर नहीं प्राप्त कर सकता, किन्तु इसका अर्थ केवल यही है कि भाषा आत्म-चेतन है जो मानव-व्यक्तियों में संक्रमित होकर उन्हें आत्म-चेतन बनाती है—'मैं' शब्द : ध्वनि : अहंत्व से अनुप्राणित होकर असंख्य चिदनुप्राणित शब्द-संरचनाओं में सूत्रित होता है और उन्हें अहंत्व में अधिष्ठित करता है और ये संरचनाएँ अहंत्व को उसकी विपुल अन्तर्वस्तु (कांटेंट) और आकृति देती हैं। 'मैं देख रहा हूँ—बैठा हूँ—लिख रहा हूँ'—आदि में 'मैं ईश्वर-पुत्र हूँ', 'मैं ब्रह्म हूँ' तक इस अहंत्व की अन्तर्वस्तु व्याप्त और विपुल होती है। इस प्रकार यह सही नहीं है कि आत्म-चेतन चेतना शब्दारोप या शब्द-कल्पना है, जैसाकि बहुत-से दार्शनिकों ने इसमें आपादित करने का प्रयत्न किया है, क्योंकि ध्वनि, वर्ण या गंध चेतना के होने के लिए हेतु नहीं हो सकते, आत्म-चेतना के होने के लिए तो ये क्या हेतु होंगे! यदि आत्म-चेतना के होने के लिए ध्वनि ही हेतु हो तो भाषा और आत्म-चेतना को सर्वत्र होना चाहिए। ध्वनि या चेष्टा का सम्प्रेषणात्मक होना मात्र भी इसका हेतु नहीं हो सकता, अन्यथा कोयल की कूक और मयूर का नृत्य भी भाषा हो जाएंगे।

यहाँ यह स्पष्टीकरण आवश्यक है कि 'अहंत्व' यहाँ 'अहंकार' का पर्यायवाची नहीं है, अहंकार जैव अस्तित्व की ही कोटि है और इस प्रकार अनादि-वासना, या कहें अतिक्रामी निर्धारक है। भाषा-रूप में उन्मिषित आत्म-चेतना और तन्मूलक अहंत्व वास्तव में इस जैव अस्तित्व की कोटि के अहंत्व के विषयकरण के द्वारा जैव अहंकार की औपाधिकता ही प्रकट करते हैं, जैसाकि पीछे हम देख आये हैं। जहाँ ये नहीं करते, जैसाकि अधिकांश व्यक्तियों में अधिकांशतः ये नहीं करते हैं, वहाँ इसका कारण भाषा के तत्त्व का उन्मेष नहीं होना ही होता है।

इस प्रकार भाषा अनिवार्यतः और मूलतः चेतना का अत्याहंकारिक—अतिवैयक्तिक उन्मेष है। ऐसा इस बात से सिद्ध नहीं होता कि इसका शब्द और वाक्य-प्रयोग नियमाधीन होता है जो इसके प्रयोक्ताओं के बीच निहित सहमति का द्योतक होता है, बल्कि व्यक्तिवाचक पदों की सार्वनामिकता से प्रकट होता है, जो इस बात का द्योतक है कि भाषा 'मैं', 'तू' और 'वह' में मौलिक भेद नहीं करती और न 'मैं' तथा 'हम' में मौलिक भेद करती है। वार्तालाप में दो या अधिक भाग लेने वाले सभी 'मैं' शब्द का प्रयोग समान रूप से करते हैं और सब परस्पर अन्य के इस प्रयोग को उसी अर्थ में लेते हैं जिस अर्थ में अपने प्रयोग को। इसमें 'इतर' विषय नहीं होकर विषयि-विषय होता है जिसके लिए मैं अपने को विषयि-विषयता के समान स्तर पर प्रतिष्ठित करता हूँ। वास्तव में

1. द्रष्टव्य **सत्ता विषयक अन्वीक्षा**, में 'मानव-तत्त्व' अध्याय।

आनुभूतिक स्तर पर 'मैं' और 'तू' के सायुज्य में भी 'मैं' की 'तू' पर जो प्राथमिकता रहती है वह विचार के स्तर पर पूर्णतः समाप्त हो जाती है। कर्मों का नैतिक औचित्य उन सबके लिए समान रूप से उचित होने में होता है। इसमें जो अवस्था-भेद की बात होती है वह भी व्यक्ति-निरपेक्ष होती है और इस निरपेक्षता में भी औपाधिक होती है : उदाहरणतः अबोधता, जानकारी का अभाव, मजबूरी आदि किसी कर्म के औचित्य-निर्णय में प्रासंगिक होते हैं, किन्तु ये भी व्यक्ति-निरपेक्ष होते हैं और कर्म के औचित्य की दृष्टि से औपाधिक होते हैं। अब, 'मैं', 'तू' और 'वह' का भेद भाषा की असामर्थ्य के कारण भी हो सकता है, जिसका अर्थ होगा कि 'मैं' वस्तुतः और मूलतः अन्य से भिन्न होता है और भाषा इस वास्तविकता के ग्रहण में असमर्थ रहती है। किन्तु वास्तव में ऐसी बात नहीं है वास्तविक बात यह है कि चेतना के ही दो स्तर हैं : एक, जिस पर यह भेद मौलिक होता है और दूसरा, जिस पर यह भेद औपाधिक होता है। यही बात वास्तव में एक दूसरे सन्दर्भ में भी है। संवेद केवल विशेष को ही प्रस्तुत होते हैं और विचार को सामान्य—देखते हम घट-विशेष को ही हैं किन्तु विचारते घटत्व धर्म को हैं। अब इनमें प्रथम की वास्तविकता और दूसरे की काल्पनिकता केवल वस्तुता की कसौटी स्थिर करने में सिद्धान्त-सापेक्षता के कारण ही होती है। जैसाकि हम सब जानते हैं, प्लेटो के लिए केवल घटत्व ही वास्तविक था, घट विशेष नहीं, न्याय दर्शन के लिए दोनों समान रूप से वास्तविक हैं और सौत्रांतिक बौद्धों के लिए घट विशेष ही वास्तविक है।

इस प्रकार भाषा व्यक्तियों द्वारा प्रयुक्त वाक्यों का समूह नहीं होकर एक अखण्ड और समग्र चैत्त सत्ता है जो मनुष्य का परिवेश बनाती है और व्यक्तियों को अपने में धारण करती हैं। व्यक्तियों के परस्पर और वस्तु-जगत् से सम्बन्ध इसके आकार में ही रचित और इसके माध्यम में ही स्थापित होते हैं। यद्यपि बड़ों द्वारा शिशु के साथ प्रयुक्त भाषा मुख्य रूप से उद्‌गारात्मक ही होती है, किन्तु अन्य व्यक्तियों द्वारा शिशु के परिवेश में परस्पर प्रयुक्त भाषा मुख्य रूप से प्रतीकात्मक होती है, उद्‌गारात्मक नहीं। शिशु उसकी प्रतीक-रूपता का ग्रहण यद्यपि आरम्भ में नहीं कर पाता किन्तु जैसे-जैसे वह यह कर पाता है वैसे ही वैसे वस्तु-जगत् और भाव-जगत् उसके लिए रूप और आकार लेते हैं। तकिया-चारपायी, सुन्दर-कुरूप, अच्छा-बुरा, प्रेम-घृणा ये सब शब्द उसके परिवेश में घटित होते हैं और वह इनके अर्थों और इनके वाच्य पदार्थों को पहचानना सीखता है। यहाँ 'वस्तु' और 'पद-वाच्य वस्तु' के मौलिक भेद को ध्यान में रखना आवश्यक है। यद्यपि हमारे लिए कोई वस्तु ऐसी नहीं होती जो पद से स्वतन्त्र होती हो, किन्तु अवधारणात्मक निर्धारण में पद-वाच्य और पदातीत में भेद सम्भव और युक्त है। यद्यपि तकिया-चारपायी रूपात्मक वस्तुएँ हैं और परिणामतः इनसे शब्दों का सम्बन्ध संकेतात्मक भी हो सकता है, किन्तु प्रेम-घृणा और अच्छा-बुरा पद-वाच्य अर्थ उस प्रकार रूपात्मक नहीं होते और परिणामतः इनके वाचक पद संकेतात्मक नहीं होते। निश्चय ही आरम्भ में बच्चा उनका ग्रहण भी रूपात्मक वस्तुओं अथवा उनके गुणों के रूप में ही करता है, किन्तु यह स्थिति क्रमशः बदल जाती है। वास्तव में रूपात्मक वस्तुएँ भी बच्चे के भाषा में दृढ़ रूप से प्रतिष्ठित होने पर विशिष्ट नहीं रहतीं, और यह प्रतिष्ठा उसे पर्याप्त शीघ्र सिद्ध हो जाती है : उसके लिए विशिष्ट वस्तुएँ सामान्य के उदाहरणों का रूप लेती हैं। ऐसा नहीं है कि यह भाषा के कारण होता है, यह चेतना के उस स्वरूप के कारण होता है जिससे वह विभिन्न प्रतीक-व्यवस्थाओं के सर्जन के रूप में आत्म-क्रियान्वित होती है; जिन प्रतीक-व्यवस्थाओं में से भाषा एक है। किन्तु इस प्रतीकात्मक आत्म-सर्जन में भाषा उपकरण बनती है। वस्तुओं की अपने वैशिष्ट्य की सीमा से धर्मता : तत्त्व : में मुक्ति भाषा के माध्यम से ही चरितार्थ होती है और वस्तुओं का यह स्वरूप उन्हें कथन, निरूपण, व्याख्या, चर्चा, वक्रोक्ति और उत्प्रेक्षा आदि अनेक प्रकार के वाक्यों में घटित होने की योग्यता देता है। वास्तव में ये सब वाक्य-रूप वस्तुओं की धर्म-स्वभावता के कारण ही सम्भव नहीं होते, क्योंकि ये वाक्य वस्तुओं को धर्मता के बन्धन से भी मुक्ति देकर उन्हें अर्थों का खुला आकाश दे देते हैं। उदाहणतः प्रस्तुत प्रसंग में उदाहरण रूप में प्रयुक्त यह 'घट' पद घटत्व की सीमा से ही नहीं वस्तुत्व तक की सीमा से भी मुक्त होकर प्रत्यङ्मुख चेतना की शुद्ध वृत्ति में स्वच्छन्द है, दूसरी ओर 'घटोत्कच', 'गगरी भरन नहीं देत', 'घटवद्भूतल' और 'घटाकाश' जैसे प्रयोगों में यह अपनी अर्थ के स्वच्छन्द विहार का वाहन होने की सामर्थ्य को प्रकट करता है। अपने मुख्य प्रयोग में भी यह एक साधारण इन्द्रियगम्य वस्तु नहीं होता, बल्कि एक कृति होता है जिसमें संस्कृति और अर्थों की जटिल व्यवस्था के असंख्य

सन्दर्भ अन्तर्गर्भ होते हैं। अब, द्रष्टव्य है कि इसका एक पक्ष इसका संवेद-प्रदत्त रूप भी है, घटत्व धर्म इस पक्ष को ही आश्रित करता है। किन्तु अपने इस पक्ष में भी यह किस प्रकार अतिवैयक्तिक सृजनात्मक चिद्व्यापार द्वारा आविर्भूत होता है यह इसके ध्वनि-रूपों की पूर्णतः नियमाधीन संरचनात्मकता से देखा जा सकता है। इस संरचना का आविर्भाव वैयक्तिक नहीं होकर सामाजिक होता है, अथवा कहें उस चित्-क्रिया से होता है जिसका कर्त्तृत्व अतिवैयक्तिक होता है। यद्यपि यह सब चित्क्रिया कर्त्तृत्वाधिमान : 'मैं कर्त्ता हूँ' इस बोध : से रहित होती है और इस अर्थ में प्राकृतिक जैसी होती है, किन्तु समाज-भेद के अनुसार ध्वनि-रूपों का भाषा से वही सम्बन्ध होता है जो देह-रचना का चित्त और प्राण से होता है : चित्त अपनी अभिव्यक्ति के लिए और प्राण अपने अस्तित्व के लिए देह-क्रिया पर निर्भर करता है और देह इनकी अभिव्यक्ति और अस्तित्व के लिए ही क्रियाशील होती है। किन्तु न चित्त का स्वरूप देहात्मक है और न भाषा के अर्थ का स्वरूप शब्दात्मक। अवश्य नेत्र-वक्त्र-विकार दैहिक व्यक्तित्व को, और बहुत दूर तक व्यक्ति के चैत्त व्यक्तित्व को भी, प्रतिबिम्बित करते हैं, इसी प्रकार भाषा के ध्वनि-रूप भी अर्थों के चरित्र को व्यक्त करते हैं और अर्थ समाज के चैत्त व्यक्तित्व : संस्कृति : को। जैसाकि हमने पीछे देखा, एक समाज का अस्तित्व सम्प्रेषण-सम्बन्धों का अस्तित्व है, इसके आगे यहाँ कहा जा सकता है कि सम्प्रेषण-सम्बन्धों का स्वरूप सामाजिक चित्त के स्वरूप का अनुकारी होता है।

जैसाकि प्रथम अध्याय में हमने देखा, इन्द्रियग्राह्य विषयों की वस्तुता व्यक्ति की सामाजिकता को, बल्कि कहें उसकी समाज-मूलकता को, प्रदर्शित करती है और विषयों की इस वस्तुता का धारण भाषा में होता है। वस्तुओं का यही स्वरूप उन्हें सम्प्रेष्य और विचार्य, कल्पनीय और भावनीय बनाता है।

किन्तु यहाँ एक विचित्र विरोधाभास दिखायी देता है : बाह्य वस्तु-विषयक पदों के अर्थ जबकि सहज सम्प्रेष्य होते हैं भावना और विचार-विषयक पदों के अर्थ वैसे सहज सम्प्रेष्य नहीं होते, यहाँ तक कि बाह्य वस्तुओं और उनके गुणों के प्रत्येक भाषा के नाम रहते हैं और वे उनके द्वारा सहज बोध्य होते हैं। इसी से वैज्ञानिक भाषा स्पष्ट, निश्चित और सहज अनुवाद्य भी होती है। अवश्य भावनाएँ और आवेग भी नामित होते हैं : प्रेम, घृणा, पारस्परिक स्पर्द्धा, परस्परता आदि : किन्तु ये नाम भावनाओं और आवेगों के यथार्थ से असंस्पृश्य ही नहीं रहते बल्कि एक प्रकार से उनके सम्बन्ध में भ्रामक भी होते हैं। इसे एसे कह सकते हैं कि भावनाएँ और आवेग भावनीय या भोग्य होते हैं, अभिधेय, अवधारणीय और बोध्य ये नहीं होते। किन्तु यह कहने का अर्थ होगा कि वस्तुओं का अपना कोई स्वतन्त्र सत्य भी होता है जिससे भाषा सम्बन्धित होती है। तब यह सम्बन्ध किस प्रकार का होता है, यह भी विचारणीय होगा। किन्तु यहाँ यह प्रश्न हमारे लिए प्रासंगिक नहीं है, इस पर हमने संक्षेप में पिछले अध्याय में विचार किया था। यहाँ केवल यह देखने की बात है कि भाषा भावनाओं को दो प्रकार से आकलित करती है : अध्यवसायात्मक प्रकार से प्रत्ययों या विषयों के रूप में और अभिव्यंजनात्मक प्रकार से उनकी विषयिता में। 'राधा कृष्ण से प्रेम करती थी' और "प्रेम वह है जो राधा कृष्ण से करती थी" वाक्य प्रथम कोटि में आते हैं और "हे री, मैं तो प्रेम-दीवानी मेरा दरद न जाने कोय" दूसरी कोटि में। इनमें प्रथम कोटि के दो आयाम हैं। एक आयाम को अभिधानात्मक कहा जा सकता है और उसका निरूपण मनोविज्ञान का रूप लेता है और दूसरे को अवधारणात्मक, और उसका निरूपण दर्शन का। इन दोनों पक्षों को, विशेषतः दूसरे पक्ष को, लेकर विवेचन और अवगाहन का कोई अन्त नहीं है जो किया जा सकता है, इसी प्रकार दूसरी कोटि के अन्तर्गत अवगाहन और विवेचन का भी कोई अन्त नहीं है। असंख्य काव्य, नाटक, कहानियाँ, उपन्यास प्रेम का उसकी विषयिता में निरूपण-विवेचन करने के प्रयत्न के ही फल हैं। अब यह अत्यन्त महत्त्वपूर्ण बात है कि भावनाएँ इस दो प्रकार से आकलनीय होती है। कुछ लोग कहना चाहेंगे कि इनमें केवल दूसरी कोटि ही प्रेम के यथार्थ का न्यूनाधिक निरूपण कर पाती है, प्रथम नहीं। प्रथम कोटि एक प्रकार से उसके यथार्थ रूप का विपर्यास होती है, क्योंकि प्रेम : भावना : स्वरूपतः विषयिता है और प्रत्ययन उसका विषयकरण। किन्तु वास्तव में यह सही नहीं है। इस दृष्टि से वास्तव में सत्ता-मात्र को कुछ दार्शनिकों ने अनभिलाप्य कहा है। उनके अनुसार वह सत्ता निर्विकल्पतया अवगम्य है जबकि भाषा सविकल्पक होती है। अनभिलाप्यता के सम्बन्ध में कुछ चर्चा हमने

पिछले अध्याय में की थी, प्रेम के तत्त्व-विचार के, उसके प्रत्ययात्मक अवगमन के प्रश्न पर हमने एक अन्य लेख[1] में विचार किया था, यहाँ हम इन दोनों प्रश्नों पर विचार नहीं करेंगे। यहाँ प्रासंगिक यह देखना है कि भावनाओं के ये दोनों आयाम भाषा के द्वारा ही आविर्भूत होते हैं। इन्हें क्रमशः विषयात्मक अर्थ-जगत् और भोगात्मक अर्थ-जगत् कह सकते हैं।

यहाँ यह द्रष्टव्य है कि न विषयात्मक अर्थ-जगत् कोई पूर्णतः स्थिर वस्तु-लोक है और न भोगात्मक अर्थ नितान्त अस्थिर, यादृच्छिक कल्पना-लोक। भाषा दोनों अर्थों को एक स्थिरता और वास्तविकता देती है। किन्तु यह स्थिरता और वास्तविकता सत्यावगाही सृजनात्मक चेतना के द्वारा स्थापित मार्ग-संकेतों के जैसी होती है। जैसाकि हम जानते हैं, भौतिक विज्ञान भी अपने निष्कर्षों को अन्तिम पड़ाव नहीं मानता, बल्कि अपनी अनुसन्धान-यात्रा में उन्हें अभ्युपगमों में अन्तर्भूत करता है। अन्वेषण और सृजन प्रकटतः विपरीतार्थक पद हैं, किन्तु वास्तव में ये ऐसे नहीं हैं। सृजनात्मकता चेतना की बाह्य निर्धारणों से मुक्ति है और सत्य इस मुक्त चेतना का अर्थों के रूप में क्रियान्वयन। उदाहरणतः प्रेम को लें। इसके अनुभव की प्रामाणिकता प्रेमी की संस्कार-मुक्ति से सिद्ध होती है किन्तु संस्कार के बिना प्रेम आवेग के स्तर से ही ऊपर नहीं उठ सकता। प्रेम आवेग का अर्थों के लोक में प्रविष्ट होना, अर्थान्वित होना है। ये अर्थ क्या हैं? जैसाकि हमने पीछे देखा, ये चित्त की आत्म-प्रस्तुति हैं, इसे आप आत्म-यौगपद्य भी कह सकते हैं—आत्मा का अपनी अखण्डता को अपनी विभिन्नता के माध्यम से पुनः सिद्ध करना : स आत्मानं स्वयंमकुरुत। इस प्रकार **अभिज्ञानशाकुन्तल, उत्तररामचरित, स्वप्नवासवदत्ता, साकेत, कामायनी**, ये सब प्रेम के सृजनात्मक सत्यावगाहन हैं। यही सत्यावगाहन प्लेटो के सिम्पोजियम और फीड्रस संवादों और भगवद्गीता में है, और यही यह तब होता है जब मैं अपनी किसी मनोऽवस्था की जाँच करता हूँ कि क्या यह सचमुच प्रेम के अनुरूप है? इस जाँच का अर्थ है कि प्रेम की प्रामाणिकता पूर्वसिद्ध है—मेरी ही आत्मा के भीतर, जो आवृत हो सकती है, और मनन से इस आवरण का निवारण कर हम प्रेम के प्रामाणिक स्वरूप को पुनः देख सकते हैं। किन्तु द्रष्टव्य है कि यह देखकर हम उसे पा ही लें, यह आवश्यक नहीं होता, किन्तु देखना पाने के लिए आवश्यक है। प्रेम की प्रामाणिकता यही दृष्टिभूत उपलब्धि है। काव्य इस उपलब्धि को उसमें अवस्थित होकर व्याकृत करता है : जिसमें वह दृष्टि-भ्रष्ट और अप्रामाणिक भी हो सकता है : और दर्शन इस दृष्टि के अर्थ का व्याकरण करता है। यह द्विविध व्याकरण ही संस्कृति का तत्त्व है।

चेतना के ये अर्थ भाषा के कलेवर में ही उपचरित होते हैं। यह कलेवर अर्थों को एक ओर आकृति देता है और दूसरी ओर ध्वन्याकृतियों के द्वारा देश और काल के विस्तार में व्यक्तियों की समाज में अवधृति भी सम्भव करता है। ये दो आकृतियाँ संयुक्त रूप से भाषा बनती हैं और चेतना के लिए अपने अपार और अथाह तत्त्व के पारायाण को सम्भव करती हैं। वास्तव में शब्द वाक्य-तन्तुवायों में सप्राणतया सूत्रित होकर अर्थ की जिस अपार और अथाह सम्पदा को वहन कर सकता है वह अन्य किसी भी प्रकार से सम्भव नहीं है। जैसाकि हमने कहा, यह सम्पदा स्थिर और निष्पन्न नहीं होती, बल्कि निरन्तर सृजित और रूपायित होती है। अर्थ-सम्पदा को उसकी निरन्तर वर्धमान अपारता और अथाहता में धारण करने की यह शक्ति शब्द को एक सम्पूर्ण समाज की सांस्कृतिक परम्परा का, उसकी ऐतिहाससिक यात्रा का, वाहक बना देती है। उदाहरणतः 'प्रेम' शब्द भरत और वात्स्यायन आदि द्वारा विषयता तथा श्रीमद्भागवत पुराण एवं शृंगार रस के असंख्य कवियों द्वारा विषयित निरूपित अर्थ-राशि को उसकी परस्परतः अनुरंजित और अनुरणनित बहु-आयामात्मकता में धारण करता है। शब्द की यह सप्राणता उसके प्रयोग में, अथवा कहें उसके जीवन-क्रम में ही नहीं बल्कि उसके लेख-बद्ध वस्तु-रूप में भी बनी रहती है। उदाहरणतः **गीता** के असंख्य भाष्य लिखे गए हैं और लिखे जाते रहेंगे। ऐसा नहीं है कि इनमें से कोई एक भाष्य **गीता** के आशय को सही प्रस्तुत करता है और शेष नहीं करते, अथवा कि कोई भी भाष्य उसके सही अर्थ

---

1. द्रष्टव्य 'जि. कृष्णमूर्त्ति : कुछ दार्शनिक जिज्ञासाएँ', **उन्मीलन**, जुलाई 1986 पृ. 126-27.

के अवगमन में समर्थ नहीं रहा है। इसके विपरीत उसके अनेक भाष्य वास्तव में ही सम्भव हैं और प्रत्येक उसके आशय का न्यूनाधिक युक्त अवगमन कर सकता है। इस पर आपत्ति की जा सकती है कि **गीता** का वास्तविक आशय एक ही है, वह जो उसके लेखक का था। किन्तु यह सही नहीं है। वास्तव में लेखक स्वयं अपनी कृति के अनेक सम्भव आशयों में से एक आशय का, और उसका भी एक सीमा तक ही अवगन्ता होता है। उसकी कृति एक आशय की असंख्य आयामात्मकता और अतल गम्भीरता को कृतिकार से स्वतन्त्र व्यंजित करती है और एक सम्भावना के रूप में असंख्य सृजनात्मक भाष्यों के लिए प्रस्तुत रहती है। कृति का यह स्वरूप उसके द्वारा निरूपित सत्य की ही नहीं, स्वयं उस निरूपण की भी निर्वैयक्तिकता, अथवा कहें अतिवैयक्तिकता का द्योतक होता है। निश्चय ही किसी कृति की अर्थ-विपुलता उसके रचयिता की प्रतिभा की उर्वरता और प्रखरता की सापेक्ष होती है : **गीता** गीताकार की और **रामचरितमानस** तुलसीदास की प्रतिभा से ही प्रतिफलित हुए, किन्तु वास्तव में स्वयं इस प्रतिभा की प्रखरता और विपुलता उसकी अतिवैयक्तिकता की समानुपाती होती है। यहाँ वृक-पालित मानव-शिशु के उदाहरण को फिर से देखना उपयोगी होगा। कादंबरीकार श्रीहर्ष वृक-पालित होने पर निर्वाक् होते किन्तु भाषा के परिवेश में वे कादम्बरीकार हुए। अब उनकी यह विपुल शब्द-सम्पदा और अर्थ-सम्भार उससे कहीं विराट् शब्द-सम्पदा और अर्थ-सम्भार का एक व्यक्तीकरण है। वह व्यक्तीकरण एक-साथ व्यक्ति-संकुचित और संस्कृति-व्यापक होता है : कोई कृति अपनी रचना-प्रक्रिया में असंख्य सम्भाव्य रचना-रूपों और कृतियों का व्यावर्तन करती हुई एक रूप लेती है : इन सम्भाव्य रचना-रूपों में से कुछ रचनाकार को प्रस्तुत होकर चयन द्वारा निरस्त होते हैं और शेष अनेक प्रस्तुत नहीं हुए होने पर भी प्रस्तुति की सम्भावना के रूप में उसमें अन्तर्निहित रहते हैं। कृति की यह सम्भावनात्मकता उसके व्यक्त रूप की आगन्तुकता और स्वरूप की निर्वैयक्तिकता की द्योतक होती है। वह असंख्य सम्भावनाओं में से एक का आविर्भाव होती है। इसी प्रकार, कृतिकार अपनी कृति में जिस अर्थ को व्यक्त करता है वह अर्थ स्वयं कृतिकार को प्रकट अर्थ से कहीं अधिक व्यापक होता है और वे अर्थ अवगमन की सम्भावना के रूप में सांस्कृतिक चिदाकाश में अन्तर्व्याप्त रहते हैं और भाष्यों, टीकाओं और व्याख्याओं तथा खण्डनों-मण्डनों की परम्परा में उद्घाटित होते हैं।

इस पर आपत्ति हो सकती है कि किसी कृति की महत्ता कृतिकार की दृष्टि की व्यापकता और प्रखरता से ही नहीं उसके व्यक्तित्व की छाप की स्पष्टता से भी लक्षित होती है : जितना ही कोई दार्शनिक, कवि अथवा चित्रकार महत् होता है उतनी ही उसकी कृति की मुद्रा और भंगी विशिष्ट होती है। यह सही है, किन्तु इसका तात्पर्य वह नहीं है जो इस आपत्ति में अभिप्रेत है। सब अभिव्यक्तियाँ सावयव होती हैं : यह जगत् मात्र का ही स्वरूप है। अब, कोई अभिव्यक्ति जितनी ही स्वस्थ होगी वह उतनी ही अन्तर्ग्रथित और स्पष्टांकित होगी। किन्तु उसका यह स्वास्थ्य, यह स्व-स्थिति, इस अर्थ में ही होती है कि यह उस सत्य में सम्यक्तया प्रतिष्ठित होती है जो उसके आधार में तत्त्वरूपेण प्रतिष्ठित होता है। निश्चय ही शतदल का सौन्दर्य उसके पत्तों की पुष्टता, सुघड़ता, समानुपातिकता और वर्ण की स्फुटता में ही है जो इस पुष्प में विशिष्ट रूप से प्रतिफलित हुआ है; अनुपात-हीनता, बिखराव और वर्ण का धुँधलापन उसमें व्यष्टित्व की दुर्बलता का सूचक होता है। किन्तु उसके व्यष्टित्व की यह स्वस्थता और 'वैशिष्ट्य' की प्रबलता उसके उस सत्य को प्रबलतया व्यक्त करने में होती है जो उसमें प्रतिफलित और चरितार्थ हुआ है किन्तु जो उस तक सीमित नहीं होता। यह सत्य शतदलत्व और प्राण है। यह बात प्राकृतिक कृतियों के सम्बन्ध में जबकि अनुमेय है, मानवीय कृतियों में यह हमारे लिए प्रत्यक्षगम्य होती है। मानवीय कृति का यह स्वास्थ्य उसके व्यापकतम अर्थ-वहन की सामर्थ्य में होता है, जो अर्थ स्वरूपतः सर्व-सामान्य होता है। जैसाकि हमने पीछे देखा, घट-वस्तु घट-पदार्थ के आश्रित होती है और घट-पदार्थ 'घट' पद में अध्युषित रहता है। अब, घट-वस्तु की सर्वसामान्यता अथवा परिप्रेक्ष्यात्मकता घट-पदार्थ के बिना असम्भव है और घट-पदार्थ किसी पद के बिना। जहाँ तक लेखक के व्यक्तित्व की छीप का प्रश्न है, वह कृतियों में आकृतिगत होती है और आवश्यक रूप से कृति की उत्कृष्टता की द्योतक नहीं होती, जिस प्रकार अंगूठे की रेखाओं का प्रत्येक व्यक्ति में विशिष्ट होना व्यक्तियों की उत्कृष्टता-अपकृष्टता का द्योतक नहीं होता। पक्षी-शावक और उसकी माँ के बीच 'संवाद' या 'सम्प्रेषण' अपने अर्थ में तात्कालिक दैहिक अथवा आवेगात्मक अपेक्षा में

पर्यवसायी होता है, इसके विपरीत मानवीय सम्प्रेषण अर्थ-संरचनाओं में रचित हो सकने वाले शब्दों के सहारे सार्वकालिक और सार्वभौम मानवता से सम्बन्धित होता है, फिर चाहे प्रत्यक्षतः वह कितना भी सीमित क्यों नहीं हो। लिखित पद की काल-स्थायिता तो स्पष्ट ही है, लिपि नहीं होने पर भी पद वचन-परम्परा के रूप में स्थायी रहता है।

यहाँ यह द्रष्टव्य है कि सम्प्रेषणीयता सभी मानवीय कृतियों में रहती है। इससे आगे जाकर यह भी कहा जा सकता है कि यह सम्पूर्ण सप्रयोजन प्राणि-व्यवहार में रहती है, जिसका प्रमाण इस पर व्यवहार के एक जाति के सभी प्राणियों में संक्रमित होने में देखा जा सकता है। किन्तु मानवीय कृतियों की विशेषता उनकी सृजनात्मकता में होती है, उनकी अनुरूपता में नहीं। जिसका अर्थ है कि मानवीय कृतियाँ कर्त्ता द्वारा कर्म के अर्थ के साक्षात्कारपूर्वक और उस अर्थ के क्रियान्वयन में प्रयत्न के रूप में होती हैं : एक चित्रकार रूप के माध्यम से अर्थ-विशेष का साक्षात्कार करता है, जो अर्थ उसकी प्रतिभा में आत्मप्रकाशित होकर चित्त में निरूपित होता है। इस साक्षात्कार का अधिष्ठान और निरूपण का कर्तृत्व व्यक्तिमूलक होता है। किन्तु भाषा अन्य सब मानवीय कृतियों से मौलिक रूप में भिन्न होती है : यह वैयक्तिक कृति नहीं होकर व्यक्ति को अपने आर्थी परिवेश के रूप में बाह्यतः उपलब्ध होती है, यद्यपि व्यक्ति से उसका सम्पर्क सर्जनात्मक ही होता है।

यहाँ भाषा में क्रमिक परिवर्तन और नवसर्जन में अन्तर समझ लेना आवश्यक है : परिवर्तन एक प्राकृतिक परिस्थिति है जबकि सर्जन आत्मप्रकाशित चेतना के आत्मचरितार्थन का व्यापार। अब, आर्थी परिवेश के रूप में भाषा की उपलब्धि ही व्यक्ति को सम्प्रेषणात्मक सन्दर्भ में होती है, भाषा के द्वारा उसके परिवेश के व्यक्ति उसे सम्बोधित करते तथा उसे अपनी ओर अभिमुख करते हैं : दूसरे शब्दों में, वह भाषा-भाषी व्यक्तियों के बीच उत्पन्न होता और अपनी मानसिकता को प्राप्त करता है। किन्तु ये भाषा-भाषी व्यक्ति पुनः भाषा को अपने परिवेश के रूप में ही प्राप्त किये होते हैं। इस प्रकार प्रत्येक व्यक्ति परोक्षतः एक सम्पूर्ण समाज से सम्बन्धित होता है। किन्तु इस सम्बन्ध को प्रत्यक्ष और परोक्ष सम्पर्कमूलक रूप में देखना उपयुक्त नहीं है। यह सम्पर्क यद्यपि अनिवार्य होता है किन्तु यह आनुषंगिक और बाह्य होता है। वास्तव सम्बन्ध का आधार भाषा का वह स्वरूप है जो चेतना के आत्म-प्रकाशन के अनुगुण होता है : भाषा का प्रथम स्तरीय प्रयोग प्रदत्त संवेदों को न केवल विषयाकार में रचित ही करता है बल्कि स्वयं इस विषय में अतिक्रामी आकार के रूप में भी रहता है। जैसाकि हमने पीछे देखा, 'घट' पद का वाच्य घट-वस्तु नहीं होकर घटत्वावच्छिन्न इदन्त्व होता है। इस वाच्य का भी स्वरूप स्थान-समय-निरपेक्ष है और परिणामतः यह सार्वभौमिक, निर्वैयक्तिक और अखण्ड है। इस प्रकार यह अन्तर्वैयक्तिक : व्यक्तियों के संवादी ग्रहणों में लक्षित : ही नहीं होता बल्कि अपने तत्त्व में ही अखण्ड होता है। इस प्रकार घटत्वावच्छिन्नत्व घटों से उद्गृहीत (एब्स्ट्रेक्टेड) सामान्य नहीं होकर विभिन्न दृष्टिकोण-ग्राह्य एक वस्तु है। 'घट' पद 'यह', 'वह' आदि देश-कालावच्छेदकों के द्वारा जिस वस्तु का निर्देश करता है वह ऐसी अखण्ड वस्तु होती है जो प्रत्येक व्यक्ति को एक दृष्टिकोण से अखण्डशः प्रस्तुत होती है। जैसाकि हमने प्रथम अध्याय में देखा था, वस्तु की यह अखण्डता उस चेतना की अखण्डता का ही बाह्याक्षेप होती है जो समाजरूप में व्यक्तियों को धारण करती है। भाषा इस अखण्ड सामाजिकता का, अथवा कहें समाज-चित्त का ही, ध्वनि-संकेतों के माध्यम से ऐसा विकास है जो इनके बाह्य संयोजनों को आश्रित कर चित्त को दैशिक विस्तार और काल-स्थायिता देता है। भाषा के स्वरूप का दूसरा महत्त्वपूर्ण पक्ष उसकी अपोहात्मकता है : 'घट' पद अपने अर्थ का वचन अघट पदार्थों से अपोहतया : व्यावर्तनपूर्वक : ही करता है, जिसका अर्थ है कि भाषा अपने वाच्य का निर्धारण अनिर्धार्य के प्रभामण्डल के अन्तर्गत, अथवा कहें अनिर्धार्य के बोधपूर्वक, करती है। वास्तव में तो सभी निर्धारण अपोहात्मक ही होते हैं : मूर्त्ति-निर्माण में निरूप्य आकृति अन्य आकृतियों के अपोहनपूर्वक ही निरूपति होती है : किन्तु अपोहित या व्यावर्तित का यह अनिर्धार्य मण्डल भाषा-वाच्य पदार्थों को जैसा परिवेष्टित करता है वैसा अन्य निर्धारणों को नहीं। वास्तव में अन्य निर्धारण किस सीमा तक भाषा से स्वतन्त्र होते हैं, यह कहना कठिन है। यहाँ भर्त्तृहरि का स्मरण स्थाने होगा कि कोई भी प्रत्यय शब्द से अविद्ध नहीं होता, इस प्रकार उसके अनुसार कहा जा

सकता है कि चित्र-निरूपित प्रत्यय साथ ही शब्द-निरूपित भी होता है। निर्धार्य की अनिर्धार्य के मण्डल के मध्य यह अवस्थिति भाषा में चित्रादि के समान अभाषित परिवेश के रूप में नहीं रहती, आवश्यकता होने पर उसका भाषण भी हो सकता है और वाच्य प्रत्यय का इस प्रकार विस्तार भी कि परिवेश निर्धार्य प्रत्यय में ही समाविष्ट हो जाय। उदाहरणतः 'घट लाओ' कहकर हम साथ ही ऐसा भी कह सकते हैं—'देखना, कुछ और मत उठा लाना', और दूसरी ओर घट-प्रत्यय को वस्तु-प्रत्यय के अन्तर्गत तथा वस्तु-प्रत्यय को अस्तित्ववान्-प्रत्यय के अन्तर्गत लेकर उसका अनिर्धार्य की ओर विस्तार भी कर सकते हैं। इस प्रकार व्यावर्तनीय अतद् का स्वयं निर्धारण में समावेश और तत् का अतद् में उपसंहार यह भाषा में ही सम्भव है, और भाषा के ये दोनों गुण वास्तव में चेतना आत्मप्रकाशनात्मक प्रत्यङ्मुख आरोहण के ही दो पक्ष हैं। जैसाकि हमने पीछे देखा, चेतना का यह आत्मोन्मुख आरोहण उसे वैयक्तिकता से सर्वात्मकता में अतिक्रमण देता है, यही अतिक्रमण भाषा को अतिवैयक्तिक बनाता है। परिणामतः इसके माध्यम से सम्प्रेषित आशय भी अतिवैयक्तिकता का अभिव्यक्तीकरण होता है, यह स्वतः वैयक्तिक नहीं होता। इसी से स्वयं वक्ता का भाषा के न बाह्य रूप पर अधिकार होता है और न उसके वाच्य आशय पर, दोनों प्रयोग करने वाले व्यक्ति से स्वतन्त्र अर्थ-लोक में प्रतिष्ठित होते हैं : शब्दों और वाक्यों के लिए युक्तता के पूर्वतः स्थिर नियमों का अनुसारी होना आवश्यक होता है और आशय का व्यक्ति से निरपेक्षतः आत्मसंगत होना। इन दोनों में वक्ता अयुक्त हो सकता है और श्रोता उसे उसकी अयुक्तता बता सकता है। अथवा वक्ता श्रोता से कह सकता है—"आपने मेरा अभिप्राय ठीक से नहीं समझा" और उसको समझाने के लिए उसे और वाक्यों का प्रयोग करना होता है। इस पर श्रोता और वक्ता के बीच संवाद भी स्थापित हो सकता है और एक दूसरी बात भी हो सकती है : श्रोता वक्ता के आशय को समझकर कह सकता है कि "तब आपको ऐसा नहीं, ऐसा कहना चाहिए था" और वक्ता इस कथन को अपने आशय का युक्ततर व्यंजक पा सकता है, अथवा श्रोता वक्ता के कथन में कोई युक्तता नहीं पाकर उसके आशय को आत्म-संगत, त्रुटिपूर्ण अथवा अल्प या अधिक व्यापक पा सकता है। इनमें पहली स्थिति का अर्थ है कि वक्ता द्वारा प्रयुक्त पदावली असम्यक् होने पर भी श्रोता वक्ता के आशय को सम्यक्तया समझ सका और उस आशय के लिए उपयुक्ततर पदावली का प्रयोग कर सका। इसमें आशय और पदावली की अतिवैयक्तिकता के अतिरिक्त आशय और पदावली के सम्बन्ध का स्वरूप भी द्रष्टव्य है। इसमें सहज में ऐसा प्रतीत होता है जैसे सम्बन्ध बाह्य और आगन्तुक हो किन्तु वास्तव में ऐसा नहीं होता। जैसाकि पिछले अध्याय में हमने देखा था, पदावली में व्यक्त आशय स्वरूपतः ही भाषीय होता है, यह पश्यन्ती वाक् का मध्यमा में और मध्यमा का वैखरी में अनुक्रमण होता है। अब, पश्यन्ती में जबकि वाक् निरवयव वाच्य की निरवयव साक्षात्कारी होती है, मध्यमा में वही निरवयव वाच्य सावयव वाक् का विषय होता है। यही सावयवता वैखरी में भी रहती है। किन्तु एक अन्तर के साथ। वैखरी का उपादान भौतिक और परिणामतः अपेक्षाकृत अलचीला और दुःसाध्य होता है। इनमें यह अन्तर भी होता है कि प्रथम पश्यन्ती के निकटतर और दूसरा दूरवर्ती होता है। इस प्रकार वैखरी अपने में व्यक्त आशय से बाह्यतः सम्बन्धित नहीं होती, उसी का अवयवीकरण होती है,किन्तु इस अवयवीकरण में वह अपने निरवयव तत्त्व से कुछ न्यूनाधिक असम्यक् हो जाती है। एक सीमा तक यह असम्यक्ता एक देह के अस्वस्थ या विकलांग होने से उपमेय होती है! अब, यह द्रष्टव्य है कि अपने अस्तित्व के किसी भी स्तर पर वह विषयिनिष्ठ : व्यक्ति संकुचित : नहीं होती, जो इस बात से प्रमाणित है कि कभी श्रोता वक्ता के आशय को वक्ता से सम्यक्तर पदावली में प्रस्तुत कर पाता है। भाषा का यह स्वरूप उसे व्यक्तियों के बीच सम्प्रेषण के उपकरण के बजाय एक ऐसी अतिवैयक्तिक सम्प्रेषणात्मक चिद्व्यवस्था बना देता है जिसमें व्यक्ति सह-अवस्थित होते हैं। उदाहरणतः कोई पुस्तक या लेख लिखते हुए लेखक के ध्यान में कोई विशेष पाठक वर्ग नहीं होता, बहुत बार पाठक मात्र ही ध्यान में नहीं होता। ऐसे में कहा जा सकता है कि वह किसी को सम्प्रेषण के लिए नहीं लिख रहा है। किन्तु इससे उस कृति के सम्प्रेषणात्मक होने में कोई अन्तर नहीं पड़ता, क्योंकि वह कृति उस चित्त की अभिव्यक्ति होती है जो स्वरूपतः सामान्य है और जिसे यह अभिव्यक्ति उसी प्रकार सम्पुटित या आकुंचित करती है जिस प्रकार घट आकश को। इतना ही नहीं, जैसाकि हमारे ऊपर के विवेचन से आपादित होता है, अपने आविर्भाव के बाद वह अपने लेखक से उतनी ही स्वतन्त्र हो जाती है जितनी

वह पाठक से स्वतन्त्र होती है : वह दोनों के लिए समान हो जाती है। अवश्य लेखक यह कह सकता है कि "अमुक कथनों से उसका आशय अमुक था" किन्तु पाठक भी कह सकता है कि "किन्तु इन कथनों को दूसरे प्रकार से भी समझा जा सकता है", यहाँ तक कि यह भी सम्भव है कि लेखक के प्रतिपादक वाक्य उससे विपरीत अर्थ में समझे जाएँ जो अर्थ लेखक को अभिप्रेत हो। यहाँ आपत्ति की जा सकती है कि यह तो सम्प्रेषण की असफलता का उदाहरण है। यह सही है, किन्तु भाषा के सर्वात्मक चेतना होने पर यह असफलता वैयक्तिक असामर्थ्य की ही द्योतक होती है, भाषा के व्यक्तिविशिष्ट अधिकार होने की नहीं।

अब तक हमने विषय-सम्प्रेषणत्मक भाषा पर ही विचार किया। किन्तु सम्प्रेषण की प्रथम प्रवृत्ति आवेग, वासना, और ईहा : अथवा कहें भावना, कामना और इच्छा की मनःस्थितियों में होती है। भाषा में इनके वचन का एक रूप वही होता है जो विषय-सम्प्रेषण का : भाषा इनका भी बाह्य विषयों के अनुरूप विषयकरण ही करती है। इसके लिए एक औचित्य भी है : वह यह कि संवेदों का बाह्य और आन्तर के रूप में वर्गीकरण स्वयं विषयात्मक भाषाश्रित है, अन्यथा सब संवेदन सुख-दुःख, उद्विग्नता-उत्कण्ठा में पर्यवसायी होते हैं और वही संवेदन की जैव सार्थकता कही जा सकती है। किन्तु भाषा एक ओर बाह्य और आन्तर दोनों प्रकार के संवेदों का विषयकरण करती है और इस प्रकार उन्हें निरीक्ष्य, परीक्ष्य, विचार्य, विकल्पनीय और सम्भाव्य आदि के सन्दर्भों में प्रतिष्ठित करती है और दूसरी ओर विषयिता को उसके अपने अविषयात्मक तत्त्व में ही निरूपित करने के लिए एक दूसरी विधा का आविष्कार करती है जिसे काव्य कहा जाता है। 'काव्य' पद का प्रयोग यहाँ हम केवल पद्य के लिए ही नहीं कर रहे हैं बल्कि इसके मूल व्यापक अर्थ में कर रहे हैं, जिसमें कहानी, उपन्यास आदि का भी समावेश होता है। काव्य में भाषा भावना का उसके भावन में प्रतीकात्मक निरूपण करती है। अन्यत्र[1] इसे हमने "विषयिता का विषयिसामान्य के रूप में अवगमन" इस प्रकार परिभाषित किया है। काव्य की विभिन्न विधाओं में उनका अपना-अपना वैशिष्ट्य भी रहता है किन्तु उसका विचार हमारे लिए यहाँ प्रासंगिक नहीं है। यहाँ हमारे लिए प्रासंगिक केवल इनके द्वारा विषयिता का उसके अपने तत्त्व में निरूपण है। उदाहरणत: यहाँ अज्ञेय जी की एक कविता देखें—

> शून्य को भजता हुआ भी मैं
> पराजय को बरजता हूँ,
> चेतना मेरी बिना जाने
> प्रभा में निमजती है,
> मैं स्वयं
> उस ज्योति से अभिषिक्त
> सजता हूँ।

इसमें शून्य की बौद्ध अवधारणा का निरूपण है जिसका निरूपण नागार्जुन के **मध्यमक शास्त्र** में भी हुआ है। किन्तु नागार्जुन का निरूपण विषयात्मक है जबकि अज्ञेय का भावनात्मकः शून्य का भावनात्मक निरूपण। अब, नागार्जुन को शून्यता का तात्पर्य स्पष्ट करने के लिए अनेक युक्तियाँ देनी पड़ीं और कई पुस्तकें लिखनी पड़ीं, किन्तु तब भी यह नहीं कहा जा सकता कि इनमें पूरी बात कह दी गई। इस अवधारणा के निरूपण में अन्य अनेकों ने भी लिखा है और आगे लिखेंगे, और वह सब या तो इसके क्षितिज का आगे विस्तार होगा अथवा गहराई का आगे उत्खनन। किन्तु उपर्युक्त कविता में जो कहा गया है वह अपने-आप में पूरा है क्योंकि इसमें उस भावना का उसकी भोगात्मकता में निरूपण हुआ है जिस निरूपण की पर्याप्तता अवधारणा या प्रत्यय के विवेचन में नहीं बल्कि उसके भोग के निर्वचन में नपती है। उपर्युक्त कविता में 'शून्यता के भजन' की बात कही गई है, उसके प्रत्ययात्मक आशय की नहीं, भजन में भी उसके अनुष्ठान की विधि की नहीं, अपनी भावना की बात कही गई है,

1. **चिद्विमर्श** में 'कला-सर्जन' अध्याय तथा **सत्ता विषयक अन्वीक्षा** में 'कला-तत्त्व' अध्याय द्रष्टव्य।

और तब उस भावना को कवि कैसे भोगता है उसकी। ऐसा नहीं है कि इस भावना के भोगात्मक या भावनात्मक निरूपण दूसरे नहीं हो सकते, किन्तु वे सब निरूपण स्वतन्त्र और आत्मपूर्ण होंगे और भोग की प्रामाणिकता से तथा उसकी अभिव्यक्ति की सफलता से प्रमाणित होंगे! किन्तु भावना की यह अभिव्यक्ति भाव-रूप नहीं होती, ठीक उसी प्रकार जिस प्रकार कथन या व्याख्या विषय-रूप नहीं होते। काव्य में भावना का भोगात्मक तत्त्व उसी प्रकार अभिव्यंग्य होता है जिस प्रकार कथन में वाच्य-वस्तु का तत्त्व निरूप्य होता है। इसी से काव्य-कृति कवि और पाठक के बीच समान होती है और पाठक कृति में व्यक्त भावना के भोग में कवि से व्यापकतर और गहनतर अर्थों का भी साक्षात्कार कर सकता है। यहाँ द्रष्टव्य है कि ऊपर उद्धृत कविता-पंक्तियों में निरूपण प्रकटतः विषयात्मक प्रकार का ही है : मैं ऐसा करता हूँ, ऐसी मनःस्थिति में हूँ। किन्तु यह वस्तुतः विषयात्मक नहीं है, इसमें वास्तव में विषयिता का उसके भोग में ही अनुशीलन है। इसी से यहाँ यदि मनोविश्लेषक कहता है : "शून्य को भजने में पराजय भाव तो मूलगत ही है, तब 'बरजने' में यदि तुम्हारा प्रयत्न इस भाव से बचने में अपने को अभ्यस्त करने का है तब तो दूसरी बात है नहीं तो यह केवल आत्म-प्रवंचना ही है कि शून्यता का भजन तो हो किन्तु पराजय भाव नहीं हो और चेतना तमस में नहीं, प्रभा में निमजे" यह एक आधारभूत भ्रान्ति ही होगी, क्योंकि यहाँ कवि कुछ प्रतिपादन नहीं कर रहा है, बल्कि शून्य के अर्थ में अपने साक्षात्कार की विषयिता में निमज्जित होकर उसी में भाषा के माध्यम से उन्मज्जित हो रहा है, अथवा कहें, यहाँ विषयिता का विषयकरण नहीं होकर विषयिता में विषयिता की व्यंजना है। यह मीरा की निम्न काव्य पंक्ति में और भी अधिक स्पष्टता के साथ देखा जा सकता है : "बादल देख डरी हो श्याम, बादल देख डरी।" इसमें भी प्रकटतः मीरा द्वारा अपने डरे होने की सूचना है, किन्तु वास्तव में ऐसा नहीं है यह भी स्पष्ट है। इसे शब्द की लक्षणा या व्यंजना शक्तियों के रूप में देखना भी इसके स्वरूप के सम्बन्ध में कोई दृष्टि नहीं दे सकता, क्योंकि ये शक्तियाँ विषयात्मक प्रसंगों में भी उपचरित होती हैं। हमारे प्राचीन काव्यशास्त्री जो 'गंगायां घोषः' आदि उदाहरण इस प्रसंग में देते रहे हैं वे इसी प्रकार के हैं। मीरा की पंक्ति व्यंजनात्मक है किन्तु व्यंजना सर्वथा भिन्न कोटि की है : वहाँ व्यंग्य प्रेमाकुल मनोऽवस्था है। किन्तु मनोऽवस्था अपने भोग में नहीं बल्कि भोग के विमर्श में, उसके अनुशीलन में व्यंग्य है। विषयिता का उसके विषयित्व में यह भावन विमर्शात्मक होने पर भी विषयात्मक नहीं होता। काव्य को जो रसात्मक वाक्य कहा गया है, कथनात्मक आदि से भिन्न करते हुए, उसका यही औचित्य है, चाहे इस निरूपण में इसे रसात्मक कहने में पूरी बात नहीं आती हो। कथनात्मक और रसात्मक वाक्यों में इस भेद के कारण इनके अर्थावगमन में भी वैसा ही मौलिक भेद होता है। 'साथ के कमरे में मेज़ है' कथन के अर्थ के सम्यक् अवगमन के लिए कभी मेज़ का प्रत्यक्ष हुआ होना आवश्यक है, इसी प्रकार 'राम सीता से प्रेम करते थे' और 'राम लक्ष्मण से प्रेम करते थे' कथनों के अर्थ और इनमें अर्थ-भेद समझने के लिए पत्नी और भाई से प्रेम का अनुभव हुआ होना आवश्यक है, किन्तु मेज़ का कभी प्रत्यक्ष हुआ होने पर और प्रेम का अनुभव नहीं रहा होने पर भी इनके अर्थ का वर्णनात्मक ज्ञान हो सकता है। दूसरे, इन कथनों के अर्थ-बोध के लिए उस समय इनसे सम्बन्धित अनुभवों का घटित होना अपेक्षित नहीं होता। इसके आगे जाकर यह भी कहा जा सकता है कि प्रेम, धार्मिकता आदि के वाच्य पदार्थों के अवगमन के लिए इनका अत्यन्त क्षीण अनुभव होने पर भी किसी की इनमें अन्तर्दृष्टि उससे कहीं अधिक गहरी हो सकती है जिसे इनका अनुभव बहुत प्रबल हो। किन्तु काव्य-रचना और उस रचना के अर्थावगमन के लिए उस अनुभव में उस समय प्रतिष्ठा आवश्यक होती है जिसका विमर्श काव्य में हुआ है, किन्तु यह प्रतिष्ठा संवेदात्मक नहीं होती जोकि प्रेमानुभव में होती है : क्योंकि जैसाकि हमने कहा, काव्य अनुभव के भोग का उद्‌गार नहीं होता, यह उद्‌गार तो नेत्र-वक्त्र-विकार और अभ्यर्थना आदि के रूप में होता है। काव्य इसके विपरीत भोगित्व के तत्त्व की, उसके अर्थ-विमर्श की, अभिव्यक्ति होता है। 'मुझे पीड़ा हो रही है', 'मेरे से उसका विछोह सहा नहीं जा रहा है' कथनों के काल में कथन करने वाला अनुभव के भोग की मनःस्थिति में होता है किन्तु वह इसमें प्रयुक्त 'विछोह' पद में जो व्यक्त कर रहा है वह उससे अभिन्न होता है जो "गत वर्ष मैं उसके विछोह को सह नहीं पा रहा था, यद्यपि अब सोचता हूँ कि वह भी कैसी मूर्खता थी" कथन में 'विछोह' पद का वाच्य है। इस पद का वाच्य विषयात्मक सामान्य है। किन्तु "पपीहा रे प्यारे, पिऊ पिऊ करत पुकार्यो" में वाच्य

विषयात्मक सामान्य नहीं है। किन्तु यह भोग का उद्गार भी नहीं है। यह **रघुवंश** के अज-विलाप अथवा **अभिज्ञान शाकुन्तलम्** में दुष्यन्त की अंगूठी देखने के बाद की मनोदशा के वर्णन में और स्पष्ट देखा जा सकता है : कालिदास वहाँ स्वयं अज या दुष्यन्त नहीं हैं, और न वे उस प्रकार सह-अनुभूति में अवस्थित हैं जिस प्रकार हम किसी के चोट लगती देखते समय अथवा करुण रुदन करते को देखते समय होते हैं। यद्यपि ऐसा भी नहीं है कि कवि इस प्रकार की मनःस्थिति से सर्वथा रहित होता है, किन्तु वह उस मनःस्थिति को वहाँ उद्गारित नहीं कर रहा होता। वह वहाँ उस मनःस्थिति से उन्मज्जित होकर उसके आनुभूतिक तत्त्व का विमर्श करता है। इस तत्त्व के अवगमन को साक्षात्कारात्मक भी कह सकते हैं। यहाँ ज्ञाता ज्ञेय का न तटस्थ निरीक्षक होता है और न ज्ञेय से तदात्म : प्रथम स्थिति प्रत्ययात्मक ज्ञान में होती है और दूसरी संवेदन में। इसमें ज्ञाता ज्ञेय के भोग का उसके भोगित्व में प्रेक्षक होता है। यहाँ **श्वेताश्वतर** उपनिषद् के रूपक—

द्वा सुपर्णा सयुजा सखाया,
समानं वृक्षं परिषस्व जाते
तयोरन्यः पिप्पलं स्वादवत्ति,
अनश्नन्नन्यो अभिचाकशीति। 4.6

को उलट का कहा जा सकता है—"तयोरेकः पिप्पलं स्वादवत्ति, अश्नन्नन्यः अभिचाकशीति।" अकवि के भोग और कवि के भोग में यही अन्तर है कि एक केवल भोगता है और दूसरा भोग के साथ देखता भी है और इस दृश्यमान् तत्त्व को ही प्रस्तुत करता है। इस प्रकार काव्य में भोग भोक्तृत्व में रूपान्तरित हो जाता है जो भोग के साक्षित्व को समर्पित होने के लिए अनिवार्य है। इसमें पाठक उसी धरातल पर होता है जिस पर कवि। ऐसा हुए बिना पाठक को काव्यार्थ का सम्प्रेषण नहीं हो सकता।

नैतिकता

सत्य–असत्य, प्रिय–अप्रिय, सुन्दर–कुरूप ये पद चेतना के वस्तु से सम्बन्ध के निरूपक हैं। किन्तु इनमें प्रथम पद–युगल दूसरे दो से मौलिक रूप से भिन्न प्रकार का समझा जाता है : प्रथम के वाच्य जबकि चेतना के वस्तु–अनुबन्ध से निर्धारित होते हैं दूसरे दो के वाच्य वस्तु के चेतनानुबन्ध से निर्धारित होते हैं। इनके विपरीत कर्त्तव्याकर्त्तव्य, उचितानुचित, एष्यानेष्य, सदसद्, श्रेयस्कराश्रेयस्कर पद हैं जिनमें वाच्य चेतना के वस्तु से निरपेक्ष स्वयं अपने अर्थ के प्रति उसकी अनुकूलता–प्रतिकूलता से निर्धारित होते हैं। आश्चर्यजनक रूप से चेतना की अपने अर्थ से प्रतिकूलता जबकि एक साधरण वस्तुस्थिति है, अपने अर्थ से अनुकूलता उतनी ही दुर्लभ है। यह वस्तुस्थिति अत्यन्त साधारण होने पर भी विचार के लिए नितान्त दुरवगम्य है कि आखिर चेतना में अपने स्वरूप से, अपने अर्थ से प्रतिकूल भाव का आविर्भाव होता ही क्यों है? अविद्या, असद्, अश्रेयस् ये वैयक्तिक और वैश्व किसी भी स्तर पर कैसे विद्यमान हैं? केवल सत्संकल्प ही सत् है, किन्तु असत्संकल्प है ही क्यों?यह एक महत् रहस्य की बात नहीं है क्या?

किन्तु यहाँ प्रश्न हो सकता है कि क्या मनुष्य के अतिरिक्त कहीं असत् और अनेष्य के होने की बात की जा सकती है? क्या हिंसा, क्रूरता, छद्म, अस्तेय आदि चरित्रगत दोष कहे जाने वाले भावों में कोई भी भाव अनात्म–चेतन चेतना के स्तर पर विद्यमान कहा जा सकता है? ऐसा नहीं कहा जा सकता यह स्पष्ट है। किन्तु ऐसा क्यों नहीं कहा जा सकता? इसका कारण यह है कि उस स्तर पर चेतना पूर्ण रूप से प्राकृतिक है; अहिंसा, अक्रूरता, अछद्म, अनस्तेय आदि का उस स्तर पर कोई अर्थ नहीं है। उसके आगे जाकर कहा जा सकता है कि वह विकल्प और संकल्प से, और इस प्रकार कर्त्तव्य से, आत्मा से, रहित है। परिणामत: उसके लिए हिंसा, क्रूरता आदि का भी कोई अर्थ नहीं है। असद् का आविर्भाव सद् के बोध से ही होता है।

तब क्या इसका अर्थ यह लगाया जाय कि असद् का अस्तित्व वास्तविक नहीं है? अघ केवल एक विषयिनिष्ठ भाव और इस प्रकार केवल कल्पना है? सम्भवतः ऐसा कहना युक्त नहीं है। बोध वस्तु को अस्तित्व नहीं देता, केवल उसे प्रकाशित करता है। बोध–रहित चेतना अघ और असद् से मुक्त नहीं होकर उससे अविलग, उससे तत्सात् या तदात्म होती है : जन्मान्ध जैसे अन्धकार से होता है।

निश्चय ही, कुछ अघ है इसका ज्ञान अनघता के बोध से ही होता है, किन्तु यह बोध अघ और अनघ को प्रकाशित ही करता है, उन्हें जन्म नहीं देता। वास्तव में अघ का बोध जितना अनघता के बोध का पूर्वपिक्षी होता है उतना ही अनघता का बोध भी अघ की विद्यमानता का पूर्वपिक्षी होता है। उदाहरणतः हिंसा का हिंसात्व और उसकी अघता अहिंसा के दर्शन से ही प्रकट होते हैं! किन्तु इससे यह सिद्ध नहीं होता कि इस प्राकट्य से हिंसात्व का आविर्भाव भी होता है। ऐसा मानने का अर्थ होगा उन व्यक्तियों को हिंसा के अघ से मुक्त कर देना जो हिंसा को अघ के रूप में नहीं देखते। इस पर कहा जा सकता है कि पशुओं के सम्बन्ध में यह नहीं कहा जा सकता कि उनमें हिंसा, अस्तेय आदि अघ–रूप में होते हैं, क्योंकि उनकी सब क्रियाएँ प्राकृतिक होती हैं : शेर हिरण को मारे और खाये यह उसकी प्रकृति है : उसके पंजे, दांत, सम्पूर्ण देह–रचना इसी प्रकार की है कि वह अन्य जीवों को मारे और खाये। इसका उसके पास कोई दूसरा विकल्प ही नहीं है। यही सही है, किन्तु इसका अर्थ केवल यही है कि उसकी चेतना हिंसा–भाव से इतनी पूर्ण रूप से आवृत है कि यह भाव उसके अस्तित्व का ही मूल प्रयोजक बन गया है। यदि यह कहा जाय तो सम्भवतः अनुचित नहीं होगा कि जीव–प्रकृति अथवा स्वभाव चेतना का उस भाव से जगत् में अवतरित होना है जो उसकी प्रकृति है। इस प्रकार अविद्या जीवों के अस्तित्व के मूल में ही है, उसे

उसके अस्तित्व का प्रयोजक भी कहा जा सकता है। अविद्या का बोध नहीं होने का केवल इतना ही अर्थ है कि वे जीव अपने कर्मों के लिए उत्तरदायी नहीं ठहराये जा सकते, किन्तु इसका अर्थ यह नहीं है कि उनका अस्तित्व अविद्यात्मक नहीं है।

मनुष्य में अविद्या या अघ का बोध चेतना के जगत् में अपने अवतरण की आद्य परिस्थिति से उन्मज्जन का द्योतक है। यह उन्मज्जन चेतना में ज्ञातृत्वाभिमान और कर्तृत्वाभिमान के, समीक्षक और विवेकी अधिष्ठाता के आविर्भाव के रूप में प्रतिफलित होता है जिससे एक सर्वथा नया और भिन्न लोक जन्म लेता है, वह लोक जिसमें वस्तुएँ अपने प्रतिमानों की सापेक्षता में और चेतना की अपनी जैव-प्रवृत्तियाँ उसके अपने आदर्श स्वरूप की सापेक्षता में आलोच्य बनती है। इस आदर्श वस्तु-स्वरूप और आत्मस्वरूप का याथार्थ्य स्वतःप्रमाण है क्योंकि यह चेतना की अपनी साक्षात्कृत विकास-यात्रा का ही प्रतिफलन है। मैं अपने कर्त्तव्य को समझने में भ्रान्त हो सकता हूँ किन्तु कर्म की विवेच्यता : कर्त्तव्य-अकर्त्तव्यरूपता : उसकी प्रतिमान-सापेक्षता को और विवेचक के याथार्थ्य को असन्दिग्ध बना देती है। यहाँ कहा जा सकता है कि सन्दिग्धता मूल्य-चेतना और मूल्य-चेता की नहीं कही जाती बल्कि मूल्य-विषय की कही जाती है। मूल्य-विषय न तो इन्द्रिय-विषय के समान वस्तुनिष्ठ होता है और न युक्ति-विषय के समान व्यवहार-सिद्ध या आकार-सिद्ध होता है। मूल्य-विषय रुचि और धारणा-सापेक्ष ही देखे जाते हैं। इस प्रकार सुन्दर-कुरूप, सद्-असद् ये सब वास्तविक निर्णय-वाक्य या अध्यवसाय के विषय नहीं होते बल्कि स्वाद-अस्वाद, अभिराम-अनभिराम जैसे उद्गारात्मक अथवा रुचि-व्यंजक, अथवा सामाजिक व्यवहार और परम्परामूलक मान्यताओं के विषय होते हैं।

किन्तु यह आपत्ति ठीक नहीं है। ऐसा नहीं है कि हमारे नैतिक निर्णयों में ये सब प्रभाव नहीं रहते, किन्तु ये उन निर्णयों में दोषकारक ही माने जाते हैं, उनके वांछनीय घटक नहीं माने जाते। वास्तव में आवेग, भावनाएँ और संस्कार, ये भी चेतना के ही पर्याय होते हैं, किन्तु ये ऐसे पर्याय हैं जो उसके प्राकृतिक जीवन में उसके अन्तर्गत रहते हैं और जिनसे उन्मज्जित होने पर ही चेतना सत् और कर्त्तव्य को पहचानती है : "निस्त्रैगुण्यो भवार्जुन!" इस उत्क्रमित चेतना के लिए इन पर्यायों से शून्य होना आवश्यक नहीं होता, इसके लिए केवल उसका अपने उन्मज्जित स्वरूप में प्रतिष्ठित होना ही आवश्यक होता है। यही स्वरूप संकल्प का, अधिष्ठातृत्व का, स्रोत होता है। ऐसा समझा जाता है कि संकल्प शिव और अशिव दोनों प्रकार का होता है। वेद में प्रार्थना है कि मेरा मन शिव संकल्पवान् हो (तन्मे मनः शिवसंकल्पमस्तु)। किन्तु एक प्रकार से यह 'संकल्प' शब्द का एक शिथिल प्रयोग भी कहा जा सकता है। क्योंकि संकल्प चेतना के स्वातन्त्र्य और अधिष्ठातृत्व की ही दूसरी संज्ञा है, प्राकृतिक चित्त आवेगों और संस्कारों का वशवर्ती और इस प्रकार संकल्परहित होता है। उदाहरणतः पशु के सम्बन्ध में यह नहीं कहा जा सकता कि वह अशिव संकल्पवान् होता है, क्योंकि वह संकल्पवान् ही नहीं होता। मनुष्य को ही संकल्पवान् कहा जा सकता है और वह इसलिए क्योंकि वह यदि चाहे तो अपने को प्राकृतिक चित्त की वशवर्त्तिता से कभी भी मुक्त कर सकता है। किन्तु तब उसे संकल्प-शक्ति-सम्पन्न ही कहा जा सकता है, संकल्पवान् नहीं। शिव का काम-शरविद्ध होना उसका अशिव संकल्पवान् होना नहीं है, अपनी संकल्पवत्ता में अप्रतिष्ठित होना है। उसकी संकल्पवत्ता में प्रतिष्ठा उसके काम-दहन में और दग्ध काम को पुनर्जीवन दान देने में ही सिद्ध होती है।

संकल्प का सम्बन्ध कर्म से है, चैतन्य का क्रिया में प्रवर्तन और उस पर अधिष्ठातृत्व यही संकल्प है। कर्म का तत्त्व अन्यथाकरण में है : जो जैसा है उसको उसे भिन्न कर देना, यही कर्म है। चेतना की यह प्रवृत्ति जीवन के सभी स्तरों और रूपों में देखी जा सकती है। यदि जीवन के आविर्भाव को ही चेतना की क्रियार्थता, क्रिया-प्रवृत्ति, कहें तो भी अनुपयुक्त नहीं होगा। अन्यथाकरण इसका तत्त्व होने से क्रिया-प्रवृत्ति का अधिष्ठातृत्व : नियामकत्व : जीव के अधीन नहीं होने से, बल्कि इसके विपरीत, प्रवृत्ति के बाह्योद्दीपन के अधीन होने से, जीव अपनी क्रिया में स्वतन्त्र नहीं होता। यह स्वातन्त्र्य स्वयं कर्म ही के अन्यथाकरण की सामर्थ्य में होता है जिसमें कर्म की प्रवर्त्तकता बाह्योद्दीपन अधीन नहीं होकर अधिष्ठातृत्व के अधीन होती है।

किन्तु मनुष्य का यह स्वातन्त्र्य उसे अपनी प्रवृत्ति की अधीनता से मुक्ति के रूप में ही अधिगत होता है। यहाँ कहा जा सकता है कि 'अन्यथाकरण की सामर्थ्य' का ही अर्थ है कि चेतना किसी बाह्य यथाभूतता से प्रत्युपस्थित होती है, जिसके अन्य करण की सिद्धि के रूप में उसका स्वातन्त्र्य चरितार्थ होता है, और क्योंकि इस अन्यथाकरण का विषय स्वयं उसकी प्रवृत्ति ही होती है इसलिए स्वयं यह प्रवृत्ति की वह यथाभूतता होती है जिस पर उसे अपने अन्यथाकरण की सामर्थ्य सिद्ध करनी होती है। इस प्रकार मुनष्य का स्वातन्त्र्य निर्बाध नहीं होता। वह अपने अस्तित्व में द्विधा विभक्त रहता है—एक पक्ष वह जो स्वतन्त्र है और दूसरा वह जो इस स्वातन्त्र्य के अधिगमन के लिए निरोध्य होता है। किन्तु कर्म-प्रवर्तन मूलतः तो प्रवृत्ति से ही होता है, जो हमारे अस्तित्व का वह अंश है जो निरोध्य है। इसलिए यह आवश्यक है कि अधिष्ठातृत्व कर्म के स्रोत को ही इस प्रकार रूपान्तिरित करे कि वह निरोध्य नहीं होकर उपयोज्य हो जाय, क्योंकि अन्यथा प्रवृत्ति मात्र के निरोध्य होने पर निरोधक कर्म का प्रवर्तन भी सम्भव नहीं होगा। किन्तु यहाँ प्रश्न होगा कि प्रवृत्ति का यह रूपान्तिरत रूप कैसा होगा? इस रूपान्तरित रूप के अधिष्ठातृत्व के लिए उपयोज्य होने की कसौटी क्या है? फिर, क्या यह रूपान्तरण भी कर्म ही नहीं है? कर्म होने से इसके लिए भी प्रवृत्ति का होना अपेक्षित होगा। इस प्रकार निरोधक कर्म की प्रवृत्ति निरोध्य नहीं हो सकती, इसलिए यह स्वरूपतः ही उपयोज्य होगी। इस प्रवृत्ति और इसके कर्म को प्रत्यङ्मुख प्रवृत्ति और प्रत्यङ्मुख कर्म कहा जा सकता है। यह प्रवृत्ति अनिरोध्य होने से इसे चेतना का स्वातन्त्र्य भी कहा जा सकता है।

किन्तु कोई प्रवृत्ति निरोध्य क्यों होती है? कौन सा गुण इसे असत् और अनेष्य बनाता है? इसके सम्बन्ध में अनेक कसौटियाँ विचारकों ने दी हैं : जैसे सुख, सामाजिक उपयोगिता, सार्वभौमता अथवा सर्व-आचरणीयता तथा प्रातिभ द्वारा, अथवा कहें शुद्ध चित्त द्वारा, अस्वीकार—"सतां हि सन्देह-पदेषु वस्तुषु प्रमाणमंतःकरणप्रवृत्तय:" (अभिज्ञानशाकुन्तलम्)। किन्तु इन सब कसौटियों में विशेषतः प्रथम तीन में, कुछ आधारभूत कठिनाइयाँ हैं। उदाहरण के लिए सुख को कसौटी कहने के पीछे मुख्य तर्क यह है कि मनुष्य स्वभावतः सुख का अनुसन्धान करता है। यह भी कहा जा सकता है कि सुख व्यक्ति के आध्यात्मिक : दैहिक और चैतसिक : तथा परिस्थितिगत सामरस्य का द्योतक होता है जिसकी मूल्यवत्ता स्वतःसिद्ध है। किन्तु इस पर आपत्ति होगी कि यह तो जीव मात्र के लिए ही सही है। तब क्या जीव मात्र की इस आकांक्षा और अनुसरण को सद् और एष्य कहा जा सकता है? तब अनेष्य क्या होगा? क्योंकि यदि सब अवस्थाओं में सब जीव सुख की ही एषणा और उसकी प्राप्ति के लिए प्रयत्न करते हैं तब इसका कोई अपवाद सम्भव ही नहीं है। दूसरे, सुख क्या है, यह भी उतना ही अविज्ञात है जितना कुछ भी अविज्ञात हो सकता है। जैसाकि हम जानते हैं, बुद्ध अस्तित्व मात्र को दुःख कहते हैं : सब्बं दुःखम्, और इसी प्रकार सांख्यकारिका भी कहती है। तीसरे, मनुष्य नैतिक कर्त्तव्य और अन्य उत्कर्षों की सिद्धि के लिए बड़े-से बड़े कष्ट उठाते देखे जाते हैं। वास्तव में नैतिक कर्म का तो मूल ही प्राकृतिक प्रवृत्तियों के निरोध में है और सुख सब सहज प्रवृत्तियों में साध्य रहता है, इसलिए उचित-अनुचित-विवेक की कसौटी सुख नहीं हो सकता, जब तक 'सुख' से अभिप्राय वह नहीं हो जो महात्मा बुद्ध और **सांख्यकारिका** का है। इसके समाधान के लिए सुखवादियों ने कष्ट उठाने, बलिदान देने आदि में भी सुख को ही अप्रकट और निहित साध्य दिखाने का प्रयत्न किया है। किन्तु सुख के इस मनोविश्लेषण-सिद्धान्त की प्रामाणिकता के लिए इसके सिवाय दूसरी कोई युक्ति नहीं हो सकती कि जीव के प्रयत्न का स्रोत सुख के अतिरिक्त दूसरा कुछ हो ही नहीं सकता। इस प्रकार यदि कोई किसी को दुःख में देखकर उसकी सहायता करता है तो इसलिए क्योंकि उसे देखकर उसके मन में जो एक बेचैनी होती है वह उससे मुक्ति पाना चाहता है, यदि कोई किसी सिद्धान्त की रक्षा के लिए जान दे देता है तो इसलिए क्योंकि वह दूसरों की आँखों में महान् बनने की महत्त्वाकांक्षा को सन्तुष्ट करना चाहता है। किन्तु तब यहाँ पूछा जा सकता है कि क्योंकि हमें किसी को दुःख में देखकर बेचैनी होती है और वह भी ऐसी कि हम अपना सुख छोड़कर दूसरे का दुःख दूर करने में प्रवृत्त हो जाते हैं? इसी प्रकार, यदि आत्मबलिदान करने वाले को यशोलिप्सा से प्रेरित मान भी लें तो भी समाज में आत्मबलिदान को महान कर्म के रूप में देखने का क्या आधार है?

निश्चय ही यह कहा जा सकता है कि अन्य जीवों के समान मनुष्य की प्रेरणा भी सुखैषणा ही है, किन्तु अपने दैहिक-मानसिक सुख का त्याग कर, अपने अस्तित्व तक को दाँव पर लगाकर, वह जिस सुख का अनुसन्धान करता है वह सुख सर्वथा भिन्न प्रकार का होता है और उसी को नैतिक या आध्यात्मिक : आत्मस्वरूपानुध्यायी : प्रकार का सुख कहा जा सकता है। निश्चय ही कुछ लोग ऐसी प्रेरणाओं से ही प्रेरित होते हैं जिस प्रकार की प्रेरणाओं की चर्चा सुखवादी करते हैं, किन्तु ये सुखकामी भी आकृष्ट उस दृष्टि से ही होते हैं जो इन सुखों को हेय रूप में देखती है। इस दृष्टि के होने का प्रमाण यही है कि स्वयं सुखवादी मनोविश्लेषक भी यह स्वीकार करता है कि अपने जीवन को दाँव पर लगाने वाला व्यक्ति अपने को दूसरों की दृष्टि में महान् बनाने की आकांक्षा से प्रेरित नहीं मानता बल्कि किसी ऐसे आदर्श की सिद्धि के बोध से ही प्रेरित मानता है जिसके सम्मुख उसका दैहिक अस्तित्व तुच्छ है। मनुष्य नैतिक आचरण द्वारा अपने जीवन को इसी आदर्श के अनुसार साधने का प्रयत्न करता है। जहाँ तक वह सुखवादी सुखैषणाओं से प्रेरित होकर कार्य करता है वहाँ तक वह अपने को उस आदर्श से भ्रष्ट देखता है जिस आदर्श को वह परिशोधित दृष्टि से चेतना के उत्कृष्टतम सुख-स्थान के रूप में देखता है।

जहाँ तक सामाजिक हितवाद (यूटिलिटेरियनिज़्म) का सम्बन्ध है, इसके अनुसार नैतिक कर्म का साध्य वैयक्तिक सुख नहीं होकर अधिकतम का सुख है। इस मत के प्रतिपादकों ने सुख की परिभाषा में भी संशोधन किया। इनके अनुसार, निश्चय ही दैहिक सुख भी सुख ही है और अन्वेष्य है, किन्तु परिष्कृत चेतना के लिए अन्यों का सुख भी उतना ही अन्वेष्य होना चाहिए जितना अपना सुख, बल्कि अन्यों को सुख देने में अधिक सुखानुभव होना चाहिए; वह ही वास्तव में अधिक और स्थायी सुख है। इनके अनुसार नैतिक चेतना का साध्य व्यक्ति का अपना सुख नहीं होता बल्कि आत्म-पर-भेद से निरपेक्ष अधिकाधिक जनों का अधिकाधिक सुख होता है। किन्तु अपने सुख की एषणा और अपने सुख को गौण करके भी दूसरों के सुख के लिए प्रयत्न इन दो में 'सुख' का अर्थ मौलिक रूप से बदल जाता है। प्रथम का सम्बन्ध संवेदन से है और दूसरे का असंवेद्य जन-कल्याण से, प्रथम का सम्बन्ध अहंकारमूलक स्व से है और दूसरे का अहंकारातिक्रमण से, प्रथम में अपने दृष्टि-बिन्दु से जगत् को देखना है और दूसरे में जगत् की व्यापकता में अपने को देखना। इनमें प्रथम एषणा जीव-सुलभ है और दूसरी अतिजैविक-अतिलौकिक। दूसरी वास्तव में ही धर्म-नीति का तत्त्व है। किन्तु समाज-हितवादियों का दोष अपनी इस दृष्टि का वास्तव आशय नहीं समझने में है। उन्होंने व्यक्ति के निजी सुख की बात करते हुए तो उसका उत्कर्ष सुकरात द्वारा सिद्धान्त के लिए आत्मबलिदान में देखा किन्तु जन-सुख की बात करते हुए 'सुख' को दैहिक-आर्थिक अर्थ में ही समझा। निश्चय ही जन-समुदाय में निर्धनता और रोग बहुत अवांछनीय स्थितियाँ हैं : "सर्वे भवन्तु सुखिनः, सर्वे सन्तु निरामयाः" में और "त्यजेदेकं कुलस्यार्थे, ग्रामस्यार्थे कुलं त्यजेत्" में इसी सुख की बात है, किन्तु यह : दैहिक-आर्थिक : सुख परम अर्थ का स्थान पाकर अन्त में व्यक्ति और समाज दोनों में स्वार्थमूलक सुखान्वेषण में ही परिणत हो सकता है, क्योंकि इस सिद्धान्त के प्रतिपादकों के पास स्वार्थ के ऊपर परार्थ की काम्यता, उसकी एष्यता के लिए शूकर के विषयानुधावन और सूरदास से भगवद्-भजन मे अन्तर करने के लिए : कोई दृष्टि और युक्ति नहीं है। इनके पास परार्थ के लिए केवल यही युक्ति हो सकती है कि "मेरा सुख अन्यों के सुख के साथ ही सुरक्षित रह सकता है।" इसे उचित ही "एन्लाइटिड सेल्फ इन्टरेस्ट" (समझपूर्ण स्वार्थ) कहा जाता है और इस सिद्धान्त को 'समाज हितवाद' का नाम नहीं देकर 'उपयोगितावाद' (यूटीलिटेरियनिज़्म) का नाम दिया जाता है। इसमें मनुष्य के स्वरूपविषयक दृष्टि की विपन्नता बहुत कुछ उसी प्रकार की है जिस प्रकार की सुखवाद में है। किन्तु तब भी स्वार्थ से परार्थ की, ऐन्द्रय सुख से कला-परिष्कृत सुख की, मनन और निदिध्यासन में सिद्ध आत्माराम की, और कर्त्तव्यकर्म-जन्य दैहिक दुःख से उपजे बोधमूलक सुख की असीमितः अधिक एष्यता की जो स्वीकृति जॉन स्टूअर्ट मिल में है वह इस बात की द्योतक है कि किस प्रकार विपरीत सिद्धान्ताग्रह के बावजूद मूल्य-चेतना का महत्त्व मनुष्य पर अपने को बरबस प्रकाशित कर सकता है।

किन्तु सौन्दर्यान्वेषी या सत्यान्वेषी मूल्य-चेतना से धर्मान्वेषी : कर्त्तव्याकर्त्तव्य-विवेकी : संकल्पात्मक चेतना में एक बहुत आधारभूत अन्तर है। हम इन्द्रियाभिराम वस्तुओं के सम्पर्क से प्रसन्न होते हैं और चित्र, संगीत आदि कलाओं द्वारा उनका सर्जन भी करते हैं, इसी प्रकार, हम वस्तुओं को उनके यथार्थ के अनुसार ही देखना चाहते हैं और भ्रान्तियों से बचने का प्रयत्न भी करते हैं, किन्तु ये दोनों जहाँ तक सहज सुलभ हों वहीं तक हम इनका अनुसरण करते हैं। यदि इनके लिए आत्मपरिष्कार अपेक्षित हो तो वह कष्ट-साध्य होने से हम असौन्दर्य और असत्य में पड़े रहने को भी तैयार रहते हैं। ऐसी मनःस्थिति को सत्य और सौन्दर्य की मूल्यान्वेषिणी चेतना नहीं कहा जा सकता। किन्तु आत्मपरिष्कार आत्मा विषयक दृष्टि के अनुसरण के लिए और अनात्म के परित्याग के लिए संकल्प को पूर्वापेक्षित करता है। इस प्रकार सब मूल्यान्वेषण अन्ततः नैतिक मूल्यान्वेषण भी होता है। किन्तु किसी अन्वेषण के बोधमूलक होने के लिए यह आवश्यक है कि वह कर्त्तव्यबोधमूलक हो, सामाजिक प्रतिष्ठा या अन्य किसी आकर्षण से प्रेरित नहीं हो। बहुत बार ये दूसरी प्रेरणाएँ भी हमारे कार्यों और प्रयत्नों की प्रेरक होती हैं, इसलिए बहुत बार हमारे कलात्मक, वैज्ञानिक या दार्शनिक अनुसरण नैतिक नहीं होते। निश्चय ही ये अपने परिणामों और प्रभावों में प्रायः सत् ही होते हैं, किन्तु तब अपनी प्रेरणा में ये सत् नहीं होते।

कला-साधना अथवा ज्ञानान्वेषण के अपनी प्रेरणा में सत् नहीं होने का क्या अर्थ है, क्यों इन की प्रेरणा सामाजिक प्रतिष्ठा या प्रसिद्धि होना सत् नहीं है? इसका उत्तर होगा कि कला-साधना या ज्ञानान्वेषण की प्रेरणा स्वयं कला या सत्य नहीं होने पर ये मूल्य नहीं रहते, मूल्य समाजिक प्रतिष्ठा आदि हो जाते हैं और ये उसके लिए साधन मात्र हो जाते हैं। इस प्रकार उपयुर्क्त प्रश्नों में प्रथम का उत्तर कठिन नहीं है। जहाँ तक दूसरे प्रश्न का सम्बन्ध है, वह उतना सरल नहीं है। यह सरल इसलिए नहीं है क्योंकि इसका एक उत्तर दूसरे अनेक प्रश्नों को उत्पन्न करता है। इसका प्रथम उत्तर होगा कि सामाजिक प्रतिष्ठा की अभीप्सा व्यक्ति द्वारा अपने अहंकार के प्रसार की इच्छा है जिसमें प्रतिष्ठाकांक्षी व्यक्ति अन्य व्यक्तियों के ज्ञानान्वेषण आदि मूल्यों के बोध का उपयोग अपने इस मूल्य के लिए करता है। इस पर प्रश्न होगा कि अहंकार के प्रसार में क्या दोष है? इसका उत्तर होगा कि अहंकार के प्रसार का अर्थ है एक के द्वारा सबकी धारणाओं और इच्छाओं की अपनी धारणाओं और इच्छाओं के अधीन करने की कामना करना। इस पर प्रश्न हो सकता है कि इसमें क्या दोष है? इसका उत्तर होगा कि इसका अर्थ है अपनी धारणाओं और इच्छाओं की अधीनता में गहन से गहनतर धँसना और अपने दृष्टि-बिन्दु से आगे नहीं देख सकना। इस पर प्रश्न हो सकता है कि, इसमें क्या दोष है? इसका उत्तर होगा, यह अधीनता मनुष्य को सत्य और सौन्दर्य के उनके अपने तत्त्व में दर्शन में असमर्थ बनाती है। अब, यदि इस पर भी कोई प्रश्न करता है कि, इसमें क्या दोष है? तो इसका उत्तर होगा कि सत्य और सौन्दर्य की एष्यता और इनके साक्षात्कार में बाधाओं की अनेष्यता ये स्वतःप्रमाण हैं, शिव और अशिव, सत् और असत् पदों के यही मूल वाच्य हैं। इसलिए यहाँ इसके आगे कोई प्रश्न नहीं किया जा सकता।

इसका एक दूसरा निष्कर्ष हुआ कि अहंकार दृष्टि को उपहित करता है : सत्य-दृष्टि को भी और सौन्दर्य-दृष्टि को भी, परिणामतः यह अशिव है, असत् और अनेष्य है। किन्तु दृष्टि कोई कर्म नहीं है, दृष्टि कर्म के आधार में रहती है और उसे सत् या असत् बनाती है। तब इसका अर्थ हुआ कि कर्म नहीं दृष्टि सत् या असत् होती है, अधिक उपयुक्त शब्दों मैं, दृष्टि सत् और अदृष्टि असत् होती है और कर्म तदपेक्षया ही सत् या असत् होता है। किन्तु एकदम यही बात नहीं है, दृष्टि होने पर भी हम उसके अनुसरण में असमर्थ हो सकते हैं और इस प्रकार दृष्टि के निर्मल होने पर भी हमारे कर्म असत् हो सकते हैं। ऐसा बहुत बार होता है, वास्तव में अधिकांश में होता है। किन्तु कभी-कभी एक तीसरी बात भी होती है : हम चाहते हुए भी कर्त्तव्य और अकर्त्तव्य कर्म के सम्बन्ध में निर्णय नहीं कर पाते। इस स्थिति को दृष्टि की अस्पष्टता ही कह सकते हैं, उसकी असन्मयता नहीं कह सकते : किं कर्म, किमकर्मेति कवयोऽप्यत्र मोहिताः। अब, जो कवि : क्रान्त-द्रष्टा : है, मनीषी, ज्ञानी और योगी है, वह असत् संकल्प के कारण मोहित नहीं हो सकता, उसके मोहित होने का कारण कर्म के स्वरूप की जटिलता में ही होना चाहिए। किन्तु कर्म की जटिलता और सरलता का क्या अर्थ है? गीता में इस कथन का क्या प्रसंग है? गीता का

प्रसंग अर्जुन का सम्मोह है। वह उस युद्ध-क्षेत्र में है जो उसके कर्म-विषयक निर्णय में सन्देह के कारण धर्म-क्षेत्र भी हो गया है। उसके सामने समस्या क्या है?

उसके सामने समस्या यह है कि उसके न्यायसम्मत अधिकारों का हनन हुआ है। किन्तु दूसरी ओर, जिन्होंने यह हनन किया है वे उसके अपने ही परिजन हैं। अब, यदि वह युद्ध में जीत जाता है तो उसे उसका न्यायसम्मत अधिकार मिलेगा, किन्तु साथ ही उसका यह परिणाम भी होगा कि उसके परिजन हताहत होंगे। तो यह उपलब्धि कैसी? ऐसे में यदि वह अपना अधिकार छोड़ देता है तो उसे दुहरे सुख का लाभ हो सकता है : त्यागी होने के सुख का और परिजनों के जीवित रहने के सुख का।

यहाँ कर्त्तव्य-निर्णय के दो आधारों में से दूसरे की अप्रासंगिकता स्पष्ट है : कर्म के औचित्य के विचार में सम्बन्ध-भेद, रुचि-भेद आदि आधार नहीं हो सकते, ये निर्णय सार्वभौम और निरपेक्ष आधारों पर ही हो सकते हैं : यदि अन्याय का विरोध अनिवार्य कर्त्तव्य है तो फिर उसमें यह अप्रासंगिक है कि इस विरोध से कौन और कितना प्रभावित होगा। किन्तु यहाँ प्रश्न होगा कि क्या कर्त्तव्य-निर्णय के लिए इसकी भी निरपेक्षता उतनी ही निस्संदिग्ध है कि अन्याय का भाजन मैं हूँ अथवा कोई अन्य? क्या ऐसा नहीं है कि दण्ड देने की सामर्थ्य होने पर भी मैं अपने प्रति किये गए अन्याय को क्षमा कर सकता हूँ किन्तु अन्य के साथ हुए अन्याय को क्षमा नहीं कर सकता? इसी प्रकार, मैं अपना अधिकार छिन जाने पर स्वेच्छया उसका दावा छोड़ सकता हूँ किन्तु दूसरे का अधिकार छिनने पर न्यायकर्त्ता की स्थिति में होने पर मैं उसका अधिकार दिलाने में क्षमाशील नहीं हो सकता। अर्जुन के सामने स्थिति यही थी, उसका स्वयं का अधिकार छिना था, उसके प्रति अन्याय हुआ था और वह उसके लिए अन्याय करने वालों को क्षमा करना चाहता था। यहाँ कहा जा सकता है कि अर्जुन अकेला नहीं था, उसके साथ दूसरे भाई और द्रोपदी भी थे। (यह सही है किन्तु गीता में यह पक्ष सामने नहीं लाया गया है, और हम भी यहाँ इस पक्ष को प्रस्तुत समस्या पर विचार की सुकरता के लिए छोड़ सकते हैं) तब, परिणाम का भी प्रश्न था : युद्ध के परिणामस्वरूप असंख्य लोगों की जानें जानी वाली थीं, भयानक हिंसा और अन्य दुष्प्रवृत्तियाँ निर्बन्ध होने वाली थीं। इसके सम्बन्ध में कृष्ण का उत्तर है कि परिणामों को देखकर कर्त्तव्य-निर्णय नहीं किया जा सकता, क्योंकि परिणाम हमारे हाथ में होते ही नहीं। जैसे, हो सकता था कि अर्जुन का युद्ध टालना और भी अधिक भयानक परिणामों का कारण बनता। सही है, किन्तु भीषण युद्ध के परिणाम तो स्पष्ट ही थे, अन्य परिणाम अधिक बुरे भी हो सकते थे, किन्तु अच्छे भी हो सकते थे। ऐसी अवस्था में युद्ध के पक्ष में निर्णय स्वतःस्पष्ट रूप से उचित नहीं कहा जा सकता। इस पर आपत्ति हो सकती है कि परिणामों के अच्छे या बुरे होने का कोई अर्थ नहीं है, केवल कर्म ही अच्छे या बुरे होते हैं। गीता ही नहीं, कांट का भी यही मत है, यद्यपि इनकी तत्त्वमीमांसा में बहुत अन्तर है। गीता का कथन है कि भगवत्समर्पणभाव, 'भगवदिच्छा के निमित्त'—भाव में अपना समर्पण, यही शुभ संकल्प है और इस भाव में प्रतिष्ठित होकर किया गया कोई भी कर्म शुभ है। कांट का कथन है कि आत्मा के इन्द्रियातीत स्वातन्त्र्य में प्रतिष्ठा कर्त्ता की शुभता है और इस भाव में प्रतिष्ठित होकर किया गया कोई भी कर्म शुभ है। गीता में कांट के जैसा किन्तु उससे गहनतर प्रतिपादन भी है जिसके अनुसार प्रकृति से नितान्त निवृत्त आत्मा का शुद्ध द्रष्टृभाव में कर्म-संकल्प सत् संकल्प है और उसमें प्रतिष्ठित होकर किया गया कर्म सत्कर्म। किन्तु तब यह कर्म की वास्तव परिस्थितियों में : धर्म-क्षेत्रे, कुरु-क्षेत्रे : निर्णय के लिए परिस्थिति का विवेचन नहीं आत्म-विवेचन ही अपेक्षित होना चाहिए। गीता ने एक प्रकार से यही प्रतिपादित किया है : क्षत्रिय का कर्त्तव्य अन्याय के विरुद्ध युद्ध करना मात्र है। वह न्याय के पथ पर है या अन्याय के, यह देखने के लिए केवल यह देखना आवश्यक है कि वह निष्काम है, पूर्णतः भगवद्भाव में प्रतिष्ठित है, प्रकृति से तटस्थ पूर्णतः द्रष्टृभाव में अवस्थित है या नहीं? किन्तु प्रतिपक्षी अन्याय के पथ पर है, यह केवल आत्म-विवेचन से कैसे स्पष्ट होगा? निश्चय ही यह देखने के लिए भी आत्मविवेचन से दृष्टिपूत होना पहले अपेक्षित है, किन्तु परिस्थिति का ज्ञान भी उतना ही अपेक्षित है। यदि **महाभारत** की सारी परिस्थिति को देखा जाय : युधिष्ठिर द्वारा द्यूत-क्रीड़ा में अपने भाइयों और द्रौपदी को दाँव पर लगाने से आरम्भ कर : तो क्या यह प्रश्न प्रासंगिक होगा कि नहीं कि पाण्डवों और कौरवों के

युद्ध के परिणामस्वरूप कुछ दूसरे ऐसे व्यक्तियों और जीवों के प्रति अन्याय हो सकता था जिनका इस प्रसंग से कोई सम्बन्ध नहीं था? उदाहरणतः अश्वों, सारथियों आदि की मृत्यु और उनके बन्धु-बाँधवों के कष्ट, और जैसाकि अर्जुन ने भी संकेत किया, समाज में अव्यवस्था? कांट ने वास्तव परिस्थिति में कर्त्तव्य-निर्णय के लिए एक मूल सिद्धान्त-सूत्र दिया है। वह सूत्र है : केवल ऐसे नियम के अधीन ही कार्य करो जिसे तुम एक सार्वभौम कर्त्तव्य-नियम के रूप में स्थापित करने का संकल्प कर सको।[1] उसका यह निर्णय भी संकल्प की शुद्धि से ही सम्बन्धित है, कर्म की परिस्थिति की जटिलता से नहीं। किन्तु अर्जुन की उपर्युक्त परिस्थिति में क्या हम यह चाहेंगे कि दूसरे भी वैसा ही व्यवहार करें? किन्तु वास्तव परिस्थितियों में यह निश्चित करना सरल नहीं होता कि परिस्थितियाँ समान हैं या नहीं। कांट ने इस सिद्धान्त की परख के प्रसंग में एक उदाहरण दिया है। वह उदाहरण है कि "कोई व्यक्ति अनेक दुर्भाग्यों से त्रस्त होकर आत्मानुरागवश यह सोचता है कि इस जीवन से तो मृत्यु ही श्रेष्ठ है।" ऐसी अवस्था में उस व्यक्ति को देखना चाहिए कि क्या यह निर्णय सार्वभौम नियम के रूप में स्वीकार्य हो सकता है? वह अपनी परिस्थिति में सोचता है कि "जीवित रहना जीवन को समाप्त करने की तुलना में अधिक कष्टकर और इस प्रकार अधिक अवांछनीय है। इसलिए मेरे लिए आत्महत्या एक उचित कर्म है।" किन्तु यहाँ आगे एक और प्रश्न करना आवश्यक है कि क्या आत्मप्रेम का यह सिद्धान्त सार्वभौम नियम हो सकता है? यहाँ यह प्रश्न करते ही एकदम स्पष्ट हो जाता है कि "जिस भावना (आत्म प्रेम) का उद्देश्य जीवन का संवर्द्धन है वही जीवन को नष्ट करने की प्रेरक, बने, यह अन्तर्विरोधपूर्ण बात है, इसलिए यह सार्वभौम व्यवस्था की आधार नहीं बन सकती।"[2]

किन्तु अब उसके समानान्तर एक दूसरा उदाहरण लें : अभी पीछे विनोबा भावे और एक जैन मुनि ने सुदीर्घ उपावास द्वारा प्राण त्याग दिये थे। इसे भारत में मृत्यु-समाधि कहते हैं। उनका यह कर्म निश्चय ही आत्मानुरागवश नहीं था, यह उपवास से प्रकृतिभाव के नितान्त परिक्षय द्वारा अहंकार-परिक्षय और इस प्रकार सार्वभौमता की सिद्धि का उपक्रम था। अब इस उपक्रम के सम्बन्ध में क्या कहा जाये? इसे क्या कर्म के सार्वभौम नियम के रूप में संकल्पित किया जा सकता है? इसे कम-से-कम सार्वभौम प्राकृतिक नियम के रूप में तो संकल्पित नहीं ही किया जा सकता। किन्तु अतिप्राकृतिक स्तर पर भी इसे नियम के रूप में संकल्पित नहीं ही किया जा सकता। केवल यह प्रतिपादित किया जा सकता है कि यदि कोई इस प्रकार की लोकोत्तर मनःस्थिति में अवस्थित होकर इस प्रकार देह-त्याग करता है तो वह नैतिक रूप से एक महत् कर्म होगा। कुछ लोग इसे नैतिक कर्म नहीं कहना चाहेंगे, वे इसे धार्मिक कर्म कहना चाहेंगे। किन्तु यह सही नहीं होगा। केवल ऐसे आनुष्ठानिक कर्मों को ही अतिनैतिक रूप से धार्मिक कहा जा सकता है जिनका सम्बन्ध मनुष्य की अन्तश्चेतना के क्रियान्वयन से नहीं होता : जैसे मन्दिर में घंटी बजाना, आरती करना, हवनकुण्ड में घी डालना आदि, अन्यथा धर्म नैतिकता का ही उच्चतर स्तर होता है। किन्तु इसके सम्बन्ध में हम आगे धर्म-विषयक अध्याय में विचार करेंगे। यहाँ केवल यह द्रष्टव्य है कि रोग अथवा किसी अन्य दुःख से हताश व्यक्ति द्वारा आत्महत्या नैतिक सन्दर्भगत : अनैतिक : और अनात्म-परिक्षय-निमित्तिक देह-त्याग या अ-नैतिक कृत्य नहीं है, बल्कि दोनों समान रूप से नैतिक सन्दर्भगत हैं। किन्तु दूसरे के नैतिक होने की कसौटी उसको सार्वभौम नियम के रूप में संकल्पित कर सकना अथवा नहीं कर सकना नहीं होकर उसका आध्यात्मिक रूप से उन्नयन होना है, जिस उन्नयन की एक उपलब्धि अहंकार-क्षय और इस प्रकार सार्वभौम हो जाना है।

वास्तव में सार्वभौम नियम का बोध निराशा से देह-त्याग के अनौचित्य को सिद्ध नहीं कर सकता, न उस प्राकृतिक नियम से उसका विपरीत होना ही इसके अनौचित्य को सिद्ध कर सकता है जो प्राकृतिक नियम आत्मानुरक्ति का आधार है। वास्तव में हताशा से, निरर्थकता-बोध से देह-त्याग सदैव अनुचित ही होता है, ऐसा

---

1. ग्राउण्डवर्क ऑफ दि मैटाफिज़िक्स ऑफ मॉरल्स, 52.

2. वही, 54

भी नहीं कहा जा सकता। उदाहरणतः यदि कोई पाता है कि उसे कोई असाध्य रोग है और उसके शेष जीवन के लिए दैहिक यातना के अतिरिक्त दूसरा कोई विकल्प नहीं है, तब यदि वह अपने दैहिक अस्तित्व से चिपका रहता है तो वह उसका संकल्प-रहित प्राकृतिक जीवन ही होगा जबकि मृत्यु का वरण मुक्त संकल्पपूर्वक कर्म होगा। यद्यपि इसके समर्थन में भी प्राकृतिक नियम से संगति का सहारा लिया जा सकता है कि "जो उत्पन्न हुआ है उसकी मृत्यु निश्चित है और असाध्य रोग-ग्रस्त देह का जीवन आत्मबाधित जीवन है", किन्तु देह-त्याग के सब निर्णयों को सार्वभौम नियम के रूप में प्रतिष्ठित करने का संकल्प किया जा सकता है या नहीं यह प्रश्न इसमें अप्रासंगिक है, क्योंकि ऐसे नियमों की परिस्थितियाँ, जिनमें व्यक्ति के व्यक्तित्व की संरचना भी सम्मिलित होती है, विशिष्ट होती हैं और उनमें प्रमाण व्यक्ति का विवेक ही होता है। उदाहरणतः आत्मानुरक्ति देह-त्याग के निर्णय का आधार है अथवा देह-रक्षा के निर्णय का, यह व्यक्ति आत्मावलोकन से ही जान सकता है। किन्तु यहाँ कांट के इस सूत्र का आधार ही सन्देहास्पद हो सकता है : "आत्मानुरक्ति देह-रक्षा का प्राकृतिक उपाय है न कि संकल्प का शासन।" किन्तु उपर्युक्त परिस्थिति में प्राकृतिक उपाय का नियम संकल्प का नियम स्वतः ही कैसे हो जायगा?

यहाँ कांट द्वारा प्रस्तुत एक और उदाहरण पर विचार भी स्थाने होगा। उसके अनुसार, वचन देकर उससे फिरना और असत्य भाषण, इन्हें सार्वभौम नियमों के रूप में प्रतिष्ठित नहीं किया जा सकता, क्योंकि ये स्वरूपतः आत्मबाधित हैं। किन्तु द्रष्टव्य है कि यह बात असत्य भाषण के सम्बन्ध में जबकि सरलता से कही जा सकती है, वचन-दान के सम्बन्ध में यह उतनी सरलता से नहीं कही जा सकती। वचन-दान के सम्बन्ध में कांट ने ऋण लेकर उसे चुकाने का उदाहरण दिया है। यह अपेक्षाकृत सरल उदाहरण है, यद्यपि इसमें भी कहा जा सकता है कि यदि कोई वचन देकर उसके अनुसार बाध्यतावश ऋण नहीं लौटा पाता तो उसे दोषी नहीं कहा जा सकता। इसके उत्तर में कांट कह सकता है कि नियम का बाध बाह्य बाध्यता से नहीं, संकल्प से होता है। किन्तु बहुत-सी ऐसी परिस्थितियाँ सोची जा सकती हैं जिनमें वचन का पालन अकर्त्तव्य हो जाय। उदाहरणत: दशरथ के कैकयी को दिये गए वचन के पालन से राम और दूसरे बहुत-से लोग प्रभावित होते थे, इसलिए दशरथ का वचन-पालन उचित था ऐसा नहीं कहा जा सकता। इस पर कहा जा सकता है कि वचन देने वाले को वचन देते समय इस बात का ध्यान रखना चाहिए कि वह मर्यादित वचन दे, अमर्यादित वचन नहीं दे। यह सही है, किन्तु तब कोई भी वचन नहीं दिया जा सकेगा, क्योंकि उसके पालन के क्या परिणाम होंगे यह पहले से निर्धारित नहीं किया जा सकता। उदाहरणतः मेरा ऋण चुकाना मेरे रोगी बच्चे के इलाज में बाधक हो सकता है और वह उसकी मृत्यु का कारण भी हो सकता है। बच्चे को मरता देखकर भी वचन पालन : ऋण चुकाना : मुझे बच्चे की मृत्यु के लिए उत्तरदायी बना देता है जो बहुत बड़ा दोष है। बच्चे का मेरा होना इसे मेरा आत्म-बलिदान नहीं बना सकता। प्राचीन जन-मानस इसका समाधान देवताओं के हस्तक्षेप की कल्पना द्वारा करता था : वचन के पालन के लिए राजा हरिशचन्द्र के कष्टों में उसकी पत्नी और बच्चा भी भागी बने और अन्त में बच्चे की मृत्यु भी हो गई और उसकी पत्नी को उसको ढँकने के लिए परिधान फाड़ना पड़ा, जो भी हरिशचन्द्र ने श्मशान में जलाने के नियम के अनुसार ले लिया। इस पर देवताओं ने पुष्पवर्षा कर उन सब कष्टों को समाप्त कर दिया और उन्हें पुरस्कार में बदल दिया। इस प्रकार प्राचीन नैतिक बोध वचन-पालन को निरपेक्ष कर्त्तव्य मानते हुए भी उसके परिणामों की अवांछनीयता देखता है और उन्हें स्वीकृति नहीं देता और देवताओं के हस्तक्षेप के उपाय द्वारा उस पर विचार से बच जाता है। यही बात सत्य-भाषण के सम्बन्ध में भी है। सत्य-भाषण सामान्यतः अन्यों को प्रभावित नहीं करता, किन्तु जहाँ वह करता है वहाँ हम कुछ भी बोलने से मना कर ही असत्य-भाषण से बच सकते हैं। सत्य-भाषण के दुष्परिणामों के सम्बन्ध में प्रायः ही यह उदाहरण दिया जाता है कि यदि कोई निर्दोष व्यक्ति किसी हत्यारे से बचने के लिए आपके पास आकर छिपा है और आप उस हत्यारे को रोक पाने में असमर्थ हैं, तब हत्यारे के यह पूछने पर कि वह व्यक्ति कहाँ छिपा है, आपको सत्य बोलना चाहिए या असत्य? इसका उत्तर होगा कि आपको न सत्य बोलना चाहिए न असत्य, बल्कि, क्योंकि वह व्यक्ति ग़लत कार्य के लिए आपसे पूछ रहा है इसलिए आपको उसके प्रश्न का उत्तर देने से मना ही कर देना चाहिए। किन्तु यहाँ एक अत्यन्त महत्त्वपूर्ण प्रश्न है जिसका समाधान उतना सहज

नहीं है। वह यह कि ऐसी अवस्था में वह व्यक्ति आपकी हत्या कर सकता है। क्या ऐसी स्थिति में, जिसके होने में आपका कोई उत्तरदायित्व नहीं है, आपको अपनी जान जोखिम में डालनी चाहिए? इसका उत्तर 'हाँ' में सरलता से केवल तभी दिया जा सकता है यदि आप जीवन और मृत्यु को आत्मा के अस्तित्व में आगन्तुक और बाह्य घटनाएँ मात्र मानते हैं। किन्तु यदि आप आत्मा के अस्तित्व को देह-पर्यन्त ही मानते हैं तब जीवन के इस प्रकार अन्त को इतनी सरलता से उचित स्वीकार कर लेना सम्भव नहीं होगा। यहाँ यह तथ्य भी महत्त्वपूर्ण है कि सत्यासत्य बोलने का यह प्रसंग महत्त्वहीन है और पूछने वाला व्यक्ति नैतिक व्यक्तित्व से लगभग रहित है। अब, यदि यहाँ कांट की कसौटी को लागू करना हो तो किया जा सकता है कि ऐसी परिस्थिति में असत्य बोलना सबके लिए उचित होगा। यदि कहा जाय कि एक आपत्ति यह भी है कि "असत्य बोलना वचन को आत्मबाधित बनाना है परिणामतः इसे सार्वभौम नियम के रूप में प्रतिष्ठित नहीं किया जा सकता" तो इसका उत्तर होगा कि यहाँ कर्म केवल बोलना नहीं है बल्कि वह सारी परिस्थिति उसका अंग है जो इस कर्म से सम्बन्धित है और जिसमें बोलना घटित हो रहा है। स्वयं कांट के अनुसार भी कर्म का बाह्य आकार नहीं बल्कि उसका प्रयोजक संकल्प कर्म को शुभ या अशुभ बनाता है। तब फिर सत्यासत्य की शुभाशुभता वचन-वाच्य के सम्बन्ध मात्र से कैसे निर्धारित की जा सकती है? यहाँ महाभारत में युधिष्ठिर के 'अश्वत्थामा हतः' कथन और श्रीकृष्ण द्वारा उसे उसके लिए प्रेरित करने का प्रसंग बहुत उद्‌बोधक हो सकता है। युधिष्ठिर के लिए सत्य बोलना अपने बाह्य आकार में परिसीमित था किन्तु श्री कृष्ण के लिए यह सम्पूर्ण परिस्थिति का एक अंग मात्र था। यहाँ फिर कहा जा सकता है कि हम अपने संकल्प को परिणाम के अधीन नहीं कर सकते परिणामतः सत्य बोलने का औचित्य परिस्थिति-सापेक्ष नहीं हो सकता। किन्तु ये दोनों ही प्रतिप्रत्तियाँ सन्देहोपरि नहीं हैं। संकल्प अनिवार्यतः किसी परिणाम का ही संकल्प होता है, वह परिणाम बाह्य हो या आध्यात्मिक। सब मूल्य किसी उत्कर्ष की सिद्धि-विषयक, अथवा अपकर्ष के निवारण-विषयक ही होते हैं। इनमें बाह्य और आध्यात्मिक परस्पर वियुक्त या विपरीत नहीं होते। उदाहरणतः सत्य, अहिंसा, अस्तेय, ब्रह्मचर्य, धृति, क्षमा, दम, इन्द्रियनिग्रह आदि में चतुर्थ, पंचम और सप्तम जबकि व्यक्ति से अपने से ही सम्बन्धित प्रतीत होते हैं, शेष आत्म और अन्य उभयसम्बद्ध प्रतीत होते हैं। किन्तु वास्तव में ऐसा नहीं है, सबमें कर्त्ता का उत्कर्ष प्रथम साध्य होता है। सबसे बड़ा साध्य तो निरहंकार भाव है; और वह नैतिक कर्म में ही नहीं सौन्दर्य और ज्ञानान्वेषण में भी समानरूप से साध्य होता है, और यह निरहंकारता और कुछ नहीं सिवाय आत्मा की व्यक्त्युपाधि-मुक्ति और उसके सार्वभौमीकरण के, आत्म-पर-भेद के लय के, अपने को ऋत के अधीन समर्पित कर देने के। यदि कहें कि यहाँ अभिप्राय बाह्य परिणाम से है, तो भी यह सही नहीं है। क्योंकि सब बाह्योन्मुख कर्म फलनिमित्तिक होते हैं : मैं कहीं पहुँचने के लिए ही चलता हूँ, कुछ रखने, उठाने आदि के लिए ही हाथ उठाता हूँ, रोगी को स्वस्थ अथवा सुखी बनाने के लिए ही परिचर्या करता हूँ आदि। स्वयं गीता के अनुसार ईश्वरावतार भी धर्म के उत्थान के लिए होता है, निष्प्रयोजन नहीं। इस प्रकार यह नहीं कहा जा सकता कि कर्म परिणाम-निरपेक्षभाव से ही करना चाहिए। अब, यदि कोई कहे कि "रोगी की परिचर्या करना कर्त्तव्य है, उसे स्वस्थ करना या सुख देना नही।" तो यह मूर्खता होगी, क्योंकि तब यदि हमारी परिचर्या-विध से रोगी को कष्ट भी हो रहा हो तो हमारे लिए उसमें सुधार करना आवश्यक नहीं होगा और सुधार नहीं करने में कोई दोष नहीं होगा। इसलिए फल-निरपेक्षता का अर्थ इससे भिन्न है। इसके अर्थ दो हैं : एक यह कि कर्म को फल सदसद् नहीं बनाता, केवल संकल्प सदसद् बनाता है, अर्थात् स्वास्थ्य देने के लिए किये गए कर्म का परिणाम यदि हमारे प्रयत्न के बावजूद विपरीत हो जाता है तो वह कर्म उससे अनुचित नहीं बनेगा, वह उचित तो स्वास्थ्य को लक्षित करने मात्र से ही होगा। किन्तु यह लक्षित करना अनिवार्य होगा। दूसरा अर्थ यह है कि फल को लक्षित करके भी उसके असिद्ध या विपरीत सिद्ध होने पर खिन्न होना उचित नहीं होगा। क्योंकि खिन्न होने का अर्थ होगा अपने को सर्वशक्तिमान् मानने का दंभ करना, जो हम नहीं होते। गीता का निष्काम कर्मयोग यही है। अब, फल-निरपेक्षता को इस अर्थ में लेते हुए : और दूसरा कोई अर्थ इसका हो भी कैसे सकता है? : सत्य बोलने की अनिवार्य कर्त्तव्यता को परिस्थिति-निरपेक्ष नहीं कहा जा सकता है।

किन्तु तब भी असत्य-भाषण ऐसा कृत्य है जो नैतिक रूप से निरपेक्षतः हेय ही प्रतीत होता है : हम यह कल्पना भी नहीं कर सकते कि महात्मा बुद्ध, कबीर या गाँधी कभी, किसी भी परिस्थिति में, असत्य बोल सकते थे। तब इस विरोध का परिहार कैसे होगा? कर्म के अवांछनीय परिणामों और कर्त्तव्य की निरपेक्षता के बीच समन्वय कैसे होगा? इसके समाधान के लिए सत्य बोलने के उपर्युक्त सम्भावित परिणामों पर पुनर्विचार आवश्यक होगा।

उपर्युक्त अवांछनीय परिणामों में एक परिणाम अपनी हत्या होना था। किन्तु मनुष्य के नैतिक बोध ने अपना जीवन दाँव पर लगाने को नैतिक कर्मों में परमोच्च स्थान दिया है, और यह उन्होंने ही नहीं दिया जो पुनर्जन्म में विश्वास करते हैं, उन्होंने भी दिया है जो पुनर्जन्म में विश्वास नहीं करते। यह बोध सहज, तर्क-युक्ति से प्राक्तन और और स्वतःप्रमाणवत् होता है। इसकी कर्त्तव्यता का आधार सार्वभौमीकरण का सूत्र नहीं होकर कायरता के मानव की गरिमा के विपरीत होने का, और अपनी जान बचाने के लिए झूठ बोलने में कायरता होने का बोध है। देखना यह है कि आत्म-सम्मान के इस बोध का समर्थन युक्ति से भी होता है या नहीं?

हमने ऊपर देखा कि पुनर्जन्म में विश्वास होने पर अपा जीवन दाँव पर लगाने में वैसी अवांछनीयता नहीं रहती। किन्तु यह द्रष्टव्य है कि पुनर्जन्म में विश्वास करने वाले भी परम पुरुषार्थ : परमोच्च मूल्य : पुनर्जन्म को नहीं मोक्ष को ही मानते हैं, और वास्तव में जीवन का साहस के साथ उत्सर्ग मोक्ष का ही प्रथम चरण है। इसलिए अपने जीवन को बाजी पर लगाने के लिए पुनर्जन्म कोई युक्ति नहीं हो सकता। इस पर कहा जा सकता है कि मोक्ष में आत्मा की अमरता तो स्वीकृत है ही, वह एक भिन्न प्रकार से सामी धर्मों में भी स्वीकृत है, तो इसका उत्तर होगा कि वास्तव में मोक्ष में आत्मा की अमरता का उससे सर्वथा भिन्न अर्थ है जो स्वर्ग में उसके विद्यमान रहने का है। मुक्त आत्मा किसी भी अर्थ में वैयक्तिक 'आत्मा' नहीं रहता, वह निरुपाधिक, ब्रह्म हो जाता है। मोक्ष वास्तव में नैतिक कर्म की पूर्वापेक्षा और उसका साध्य दोनों है, वह न नैतिक कर्म का पुरस्कार है और न मरने के लिए पुरस्कार, इनके लिए पुरस्कार और सान्त्वना दोनों स्वर्ग ही हो सकता है।

किन्तु कर्त्तव्य की निरपेक्षता और कर्म के अवांछनीय परिणामों के बीच समन्वय की समस्या का पूर्ण समाधान इससे नहीं होता। इसके लिए यहाँ एक दूसरा उदाहरण अहिंसा का लेना स्थाने होगा। पहले यह निश्चय करना आवश्यक है कि अहिंसा भाव में है या क्रिया में? अहिंसा क्रिया में मानने पर उसकी परिभाषा क्या होगी? दैहिक कष्ट देना ही हिंसा होगी या मानसिक कष्ट देना भी हिंसा होगी? यदि मानसिक कष्ट देना भी हिंसा होगी तो कटु सत्य कहना भी हिंसात्मक हो सकता है, दुर्जन को उसकी दुर्जनता में बाधित करना भी हिंसात्मक हो सकता है, दण्ड देना तो उस अवस्था में सदैव कष्टकर हो सकता है यदि दण्डित अपने को दोषी नहीं माने, और अपने को दोषी मानने के लिए उच्च नैतिक आत्मबोध की अपेक्षा होती है जो सब समय नहीं होता। गाँधी जी के सत्याग्रह को भी तब अहिंसा नहीं कहा जा सकेगा। यदि हिंसा को दैहिक कष्टपरक मानें और उनमें कर्त्ता की भावना और क्रिया के प्रसंगों का विचार हटा दें तो पुराणों-महाकाव्यों के असुर-हनन के सब प्रसंग भी हिंसात्मक हो जाएंगे। यदि उन्हें प्रतीकात्मक कहकर इससे उन्हें अलग करना चाहें तो यह इसलिए युक्त नहीं होगा क्योंकि प्रतीक रूप में भी हिंसा के रूपकों का सहारा ही क्यों लिया जाय? यदि अहिंसा को कर्त्ता की मानसिकता तक ही सीमित मानें और असुर-हनन की कर्त्ता दिव्य शक्तियाँ होने से उस हनन को अहिंसात्मक मानें, तब **गीता** से अभिसंस्कृत अर्जुन द्वारा प्रतिपक्षियों का हनन अहिंसात्मक ही होगा और तब न्याय के लिए वे सब युद्ध अहिंसात्मक हो जाएंगे जिनमें युद्ध करने वाला निष्काम हो। उस अवस्था में जैनों और गाँधीजी का अहिंसा के क्रियात्मक पक्ष पर इतना बल देना अयुक्तिसंगत हो जायगा। किन्तु जैसाकि हमें विदित है, चौरी-चौरा हत्याकांड पर सत्याग्रह निरस्त करने वाले और मित्र राष्ट्रों पर आक्रमण का निशशस्त्र प्रतिरोध करने का उपदेश देने वाले गाँधी जी ने पाकिस्तान द्वारा काश्मीर पर आक्रमण होने पर भारत के सशस्त्र प्रतिरोध को समर्थन दिया था। ऐसा क्या इसलिए था कि प्रथम में गाँधी जी अपनी और अपने देशवासियों की मानसिकता के सम्बन्ध में सन्देह में थे और दूसरे में मित्र राष्ट्रों के मन

को पुनीत करना चाहते थे, किन्तु तीसरे में वे अपनी भारतीय सरकार तथा सैनिकों की मानसिकता के सम्बन्ध में आश्वस्त थे? याकि वे अपनी मानसिकता के सम्बन्ध में पूर्णतः असंदिग्ध होने पर भी इस सम्बन्ध में सन्देह में थे कि कर्म में अहिंसा का क्या अर्थ है? सम्भवतः इसमें दूसरी बात ही थी : भावना में पूर्णतः निष्काम होकर भी कोई कर्म के परिणामों के सम्बन्ध में तटस्थ नहीं हो सकता और उनको लेकर किंकर्त्तव्यविमूढ़ हो सकता है। सम्भवतः **गीता** में कृष्ण द्वारा विराट् रूप-दर्शन की सार्थकता यही है कि व्यक्ति अपनी चेतना में पूर्णतः निष्काम और बुद्धि में युक्तिसंगत होकर भी निस्सन्दिग्ध नहीं हो सकता, ऐसा वह परिणामों को ईश्वर के विश्वनियामकत्व का विषय मानकर और अपना अधिकार अपने संकल्प तक सीमित मानकर ही कर सकता है। वास्तव में इसके बिना कर्म सम्भव नहीं हो सकता, क्योंकि परिणामों का नियमन हमारी शक्ति के बाहर की बात ही होती है। जहाँ तक परिणामों के सम्बन्ध में पूर्वानुमान का प्रश्न है : "ऐसा करने पर ऐसा हो सकता है और ऐसा नहीं करने पर वैसा" तो इसमें एक पूर्वमान्यता रहती है कि "हमारे कर्मों का क्षेत्र स्थिर नियमों के अधीन है", जोकि वास्तव में वह नहीं होता। कर्म-क्षेत्र या तो स्वयं हमारी अपनी प्रकृति होती है अथवा अन्य व्यक्ति होते हैं और ये दोनों ही किन्हीं पूर्वनियत प्राकृतिक नियमों के अधीन नहीं होते, प्राकृतिक जगत् भी एक सीमा के बाहर हमारा वशवर्ती नहीं होता। इस तथ्य के सम्मुख आत्मसमर्पण भाव ही नैतिक कर्त्ता को अपने भीतर मुक्त और स्थिर कर सकता है। निश्चय ही इस मान्यता में कुछ कठिनाइयाँ प्रतीत होती हैं। मुख्य कठिनाई यह है कि यह हमारे कर्म को परिणाम से नितान्त विच्छिन्न कर कर्म को निराधार बना देता है। किन्तु जैसाकि हमने पीछे देखा, कर्म अनिवार्यतः परिणामलक्षी होता है। कर्म के आत्म-चेतन होने से कर्म का लक्ष्य वास्तव में चेतना का आत्म-सर्जन, अथवा कहें आत्मक्रियान्वयन ही होता है, परिणामतः कर्म का परिणाम कर्म के अन्तर्गत ही होता है। उदाहरणतः एक मूर्त्तिकार, गायक, कवि अथवा विचारक क्रमशः मूर्त्ति, गीत, कविता और विचार की अभिव्यक्ति में ही अपना कर्त्तव्य-लाभ करता है। इस प्रकार इन कर्मों में परिणाम कर्म से अविच्छेद्य होता है। किन्तु नैतिक कर्म में इन कर्मों से एक मौलिक अन्तर है। यद्यपि नैतिक कर्म भी इन कर्मों के समान परिणाम को लक्षित करता है किन्तु वह अपने परिणाम से प्रमाणित नहीं होता, वह केवल अपने संकल्प से ही प्रमाणित होता है। इस प्रकार यद्यपि परिणाम विपरीत होने पर नैतिक कर्म विफल माना जाएगा किन्तु उसका कर्त्ता विफल नहीं माना जायेगा। परिणामतः नैतिक कर्म का तत्त्व कर्त्तव्य में ही पर्यवसायी होता है, कर्म की निष्पत्ति में नहीं। कुछ नैतिक कर्म तो केवल कर्त्तव्य तक ही सीमित होते हैं। उदाहरणतः सत्य बोलना, उसका दूसरा कोई लक्ष्य नहीं होता। यद्यपि उसका लक्ष्य परिणाम होता है, और जैसाकि हमने पीछे देखा, उससे हम उपरत भी नहीं हो सकते। किन्तु कर्त्तव्य-कर्म का यह वैशिष्ट्य इसे अन्य कर्मों से भिन्न करता है। इस भेद का कारण यह कहा जा सकता है कि नैतिक कर्म का वास्तविक साध्य आत्म-सायुज्य, अथवा कहें आत्म-लाभ होता है। इस प्रकार महात्मा गाँधी के अहिंसा-विषयक उपर्युक्त तीन निर्णय परस्पर भिन्न होने पर भी अपनी प्रामाणिकता में भिन्न नहीं थे, उनकी प्रामाणिकता इस बात में थी कि गाँधी जी अपने भाव में निर्वैर थे या नहीं, और कि निर्णयों में उनकी प्रेरणा जन-हित के अतिरिक्त कोई दूसरी तो नहीं थी? यहाँ जन-हित भी केवल जन के दैहिक सुखों तक सीमित नहीं किया जा सकता, इसमें उनका नैतिक अभ्युदय भी सम्मिलित करना आवश्क होता है। इस प्रकार गाँधी जी के उपर्युक्त तीन निर्णयों में प्रथम दो का लक्ष्य मृत्यु की विभीषिका से बचने के ऊपर जन-मानस को अहिंसक बनाना था, क्योंकि जन-कल्याण जन के दैहिक सुख में ही नहीं उससे कहीं अधिक उसके नैतिक अभ्युदय में है। किन्तु इन तीन निर्णयों में गाँधी जी की प्रेरणा जन-हित की थी और वे पूर्णतः निर्वैर थे, ऐसा हम कैसे जानें? वास्तव में यहाँ प्रश्न का यह रूप भ्रामक है। यह प्रामाणिकता अन्य की अन्य के लिए नहीं होती, यह विषयात्मक प्रामाणिकता विज्ञान की विषय होती है। नैतिक कर्म का स्रोत और साध्य आत्मा ही होने से उसकी प्रामाणिकता आत्म-निरीक्षण से, आत्म-विवेचन से ही आती है।

यह 'आत्म-विवेचन' पद नैतिक सन्दर्भ का सबसे आधारभूत पद है। आत्म-विवेचन का अर्थ है आत्मा और अनात्म में विवेक करना, जो नैतिक चेतना का मेरुदण्ड है। आत्म-चेतन चेतना का यह सर्वाधिक प्रकृष्ट,

सर्वाधिक सूक्ष्म और सर्वाधिक सृजनात्मक पक्ष है। इसका सर्वाधिक मौलिक सृजन स्वयं आत्मा ही होती है, वह प्रतीक जिसके माध्यम से यह उस परम तत्त्व का साक्षात्कार करता है जो तत्त्व इस प्रतीक का अभिव्यंग्य अर्थ होता है। इसी प्रतीक को आधार बनाकर यह अपने में अध्युषित अनात्म को पहचानता है। किन्तु इसमें जो महत् आश्चर्य की बात है वह यह कि यह बोध मनुष्य में उत्पन्न होता है। आत्म–चेतन में आत्म–अनात्म–विवेक का यह बोध उत्पन्न हो ही, यह तर्कतः अनिवार्य नहीं है, क्योंकि यह बोध ज्ञानात्मक प्रकार का : स्वप्रकाशक विषय–बोध का : भी हो सकता है। इस ज्ञानात्मक आत्मज्ञापकता : स्वप्रकाशकता : के ऊपर अभिमान का, अस्मिता का, बोध भी हो और यह अभिमान अनात्म से विविक्त उस आत्मा के प्रतीक के रूप में अपने को आक्षिप्त करे जो प्रतीक कर्मों के औचित्य को प्रमाणित करता है, यह चेतना का एक सर्वथा भिन्न आयाम है जो परम गुह्य है। इसकी गुह्यता, रहस्यमता, इस बात से स्पष्ट होती है कि इसके प्रतीकभूत आत्मा को न केवल विभिन्न संस्कृतियाँ ही विभिन्न रूप से कल्पित करती हैं बल्कि प्रत्येक संस्कृति के भीतर भी इसके स्वरूप–विषयक विभिन्न मत रहते हैं। तब भी, इन विभिन्न मतों में इसकी गुह्यता और साध्य सत्ता का प्रांजलतम बोध मूल्यों (पुरुषार्थों) की उस व्यवस्था में लक्षित होता है जिसके अनुसार अन्य सब मूल्य मोक्ष में उपसंहृत होते हैं। मोक्ष का अर्थ आत्मा का अनात्म से पूर्णतः विविक्त या विशुद्ध होना है। यह विशुद्धि जिस सीमा तक किसी व्यक्ति में घटित होती है उसी सीमा तक उसके कर्म उचित और युक्त होते हैं। दूसरी ओर यह भी कहा जा सकता है कि व्यक्ति के जो कर्म इस परिशुद्धि में उपकारक होते हैं वे ही उचित और नैतिक होते हैं। इस प्रकार अर्थ और काम, अथवा कला, विज्ञान और शिल्प सब अपना औचित्य, अपनी युक्तता, मूल्य के रूप में अपनी सार्थकता, मोक्ष से ही पाते हैं। **महाभारत** में जो कहा है : "धर्मादर्थश्च कामश्च, सः धर्म किं न सेव्यते" उसका यही अर्थ समझना चाहिए।

पीछे हमने सुख के प्रश्न पर विचार किया था। अर्थ और काम सुखपरक मूल्यों के रूप में ही कल्पित होते हैं। आर्थिक सम्पन्नता, इच्छाओं की तुष्टि, कीर्ति और शक्ति ये ही सब सुख के विभिन्न स्रोत माने जाते हैं। किन्तु **गीता** में दुःख का एक अत्यन्त महत्त्वपूर्ण निरूपण है : 'कृपणाः फलहेतवः' अर्थात् फलाकांक्षी ही मनोदैन्य से, दुःख से, पीड़ित होते हैं। सुख–दुःख का यह निरूपण अद्भुत अन्तर्दृष्टि का परिचायक है। उदाहरणतः धन सांसारिक सुखों की प्राप्ति का एक मुख्य साधन है, किन्तु यदि यह अधिक धन के अर्जन और उसके रक्षण की चिन्ता और उद्विग्नता को, और ये उद्विग्नताएँ कलह, द्वेष और कामुकता आदि को उत्पन्न करती हैं तो अर्थ को सुख का साधन समझने से बड़ी दूसरी भ्रान्ति नहीं हो सकती। अर्थ और काम–मूलक सुखों के आकर्षण से मुक्ति चित्त को जिस निरुद्विग्न, जिस शान्त भाव में अवस्थित कर देती है वही सुख वास्तव सुख है, ऐसा निस्संकोच कहा जा सकता है। यह मुक्ति आत्मा को अपनी निजता में अवस्थित करती है। इसका अनिवार्य आशय अर्थ और कामपरक सिद्धियों का त्याग नहीं है, इसका आशय केवल मन की इनकी अधीनता से मुक्ति है।

यहाँ प्रश्न हो सकता है कि ये अनात्म क्यों हैं? यहाँ सर्वप्रथम इस तथ्य पर विस्मय होना आवश्यक है कि मनुष्य को अनात्म का यह बोध, यह विवेक होता है। किन्तु जब यह होता है तब इसे अपनी प्रामाणिकता के लिए किसी बाह्य हेतु की अपेक्षा नहीं होती। इस बोध का घटित होना स्वप्रमापक भी होता है। यह स्वप्रामाणिकता ज्ञानात्मक स्वतःप्रामाणिकता के जैसी नहीं होती, क्योंकि ज्ञान में वास्तव में स्वतःप्रामाणिकता होती ही नहीं। ज्ञान में केवल प्रमाण की अपेक्षा ही स्वतःप्रमाण होती है। (कृमि–कीट को भी भोज्यवत् वस्तु का भोज्यवत्व आभासित होता है और इसके आभासन के लिए किसी प्रमाण की अपेक्षा नहीं होती) किन्तु ज्ञान–विषय स्वतःप्रमाण नहीं होते : भोज्यवत् वस्तु अभोज्य और अभोज्य भोज्यवत् प्रकट हो सकती है। ऐसा इसलिए होता है क्योंकि विषय प्रमाण–बाह्य होता है : किन्तु नैतिक चेतना में विषय बोध–बाह्य नहीं होता। अवश्य नैतिक बोध में, बल्कि कहें मूल्यबोध मात्र में ही, भ्रान्ति भी होती है। किन्तु यह भ्रान्ति अनात्मोपहितता से होती है जो चेतना के देहावतरण का ही मूल है। नैतिक बोध का आविर्भाव इस उपाधि से उस सीमा तक मुक्त होना है जिस सीमा तक यह बोध स्पष्ट होता है। किन्तु यह बोध मनुष्य में प्रकट होकर भी अपने स्वरूप को ईषत् ही देख पाता है। अर्थ और काममूलक आकर्षण सामान्यतः इन उपाधियों के रूप में ही देखे गए हैं।

किन्तु वास्तव में केवल अर्थ और काममूलक आकर्षण ही नैतिक चेतना को उपहित नहीं करते, यह चेतना प्रतीकों के द्वारा भी उपहित होती है। अर्थ और काममूलक आकर्षण चेतना को मुख्यतः वैयक्तिक स्तर पर उपहित करते हैं, किन्तु मानव-चेतना सांस्कृतिक स्तर पर भी उपहित दृष्टिगोचर होती है और यह उपाधि बहुत बार अर्थ-काम मूलक नहीं होती। तब यह कैसी होती है? यह उपाधि शुद्ध बौद्धिक आयामों में प्रकाश और विवेक की उपकरण होती है। इस उपकरण का स्वरूप प्रतीकात्मक होता है, अथवा कहें यह उपकरण प्रतीकों के माध्यम से ही उपचरित होता है। प्रतीक इन्द्रियग्राह्य अथवा मनोग्राह्य आकार होते हैं, जिन्हें आश्रित कर चेतना उन आत्मगत अर्थों का अन्वेषण करती है जो देहावतरण के क्रम में उससे व्यवहित हो गए रहते हैं। इस प्रकार प्रतीकों का कार्य अपने से परे और अपनी आकृति से अनुपहित अर्थ का प्रदर्शन होता है। किन्तु बौद्धिक चेतना प्रायः ही इन प्रतीकाकारों को अर्थों के निजी आकार मान बैठती है और आत्मव्यवहित रहती है। उदाहरणतः भाषा और धार्मिक अनुष्ठानों की व्यवस्था आदि लिये जा सकते हैं। यही बात सामाजिक आचरण के नियमों में होती है : उदाहरणतः पितृ-भक्ति और अग्रज-भक्ति, शरणागत-भक्ति की रक्षा आदि। विवेक का कार्य कामोपाधियों के समान इन प्रतीकोपाधियों के व्यवधान का भी निवारण करना होता है। उदाहरणतः राम पितृ-भक्ति के अधीन राज्य छोड़कर वन में चले गए, उन्होंने राज्य-धर्म के अधीन सीता को गृह-निष्कासन दे दिया। इन कार्यों में उनकी दृढ़ता और अद्भुत मनोबल उनके नैतिक व्यक्तित्व की अद्वितीय उत्कृष्टता को तो प्रदर्शित करते हैं किन्तु उनके ये कार्य पूर्णतः विवेक-सम्मत भी थे यह एक पृथक् प्रश्न रह जाता है। विवेक की यही अक्षमता अथवा उपहितता उन नैतिक दृष्टियों में देखी जा सकती है जो कर्त्तव्य का प्रत्यक्ष दर्शन करके भी उसे उसकी निरपेक्षता में नहीं देख पातीं। इसके उदाहरणों के रूप में वचनपालन और सामाजिक न्याय को लें। वचन-बद्धता एक प्रायः सर्वस्वीकृत नैतिक कर्त्तव्य है, किन्तु जैसाकि हमने पीछे देखा, इसकी कुछ मर्यादाएँ भी हो सकती हैं, यह प्राचीन समाजों में प्रायः नहीं देखा गया। दशरथ द्वारा कैकेयी को दिये गए वचन और उसके फलस्वरूप उनके द्वारा राम को राज्य से वंचित करना और वनवास देना इसका एक आदर्श उदाहरण है। इस प्रकार अमर्यादित वचन देना अयुक्त है, यह उन्होंने, और वास्तव में पूरे समाज ने ही, नहीं देखा। इसी प्रकार भीष्म द्वारा हस्तिनापुर-राज्य की रक्षा की निरपेक्ष प्रतिज्ञा की अयुक्तियुक्तता सामाजिक स्तर पर बुद्धि की विवेकहीनता थी। दशरथ को वचन देने का अधिकार उसी सीमा तक था जिस से दूसरों के अधिकार-क्षेत्र में प्रवेश नहीं होता। इसी प्रकार भीष्म के लिए हस्तिनापुर-राज्य की रक्षा हस्तिनापुर के राजा की पर्यायवाची नहीं हो सकती थी और इनमें से किसी की भी रक्षा न्याय और औचित्य का विचार त्याग कर करणीय नहीं हो सकती थी। किन्तु यह विवेक सामाजिक स्तर पर प्रतीकों द्वारा अवरुद्ध था। दृष्टि की यह अस्पष्टता और भी अधिक गहरे रूप में अनेक प्रचीन समाजों में प्रचलित दास-प्रथा में और भारतीय समाज में प्रचलित शूद्र-प्रथा में परिलक्षित होती है। इन प्रथाओं में क्या नैतिक दोष है इस पर विचार के लिए कांट का एक सूत्र उद्धरणीय है। सूत्र है : "मनुष्य, और साधारण रूप से प्रत्येक विवेक-समर्थ सत्त्व, का अस्तित्व स्वयं में एक साध्य है, किसी अन्य के यादृच्छिक संकल्प के लिए साधन नहीं है : इस तत्त्व को अपने सब कर्मों में, वे कर्म चाहे अपनी ओर उद्दिष्ट हों और चाहे अन्य विवेकवान् सत्त्वों की ओर उद्दिष्ट हों, स्वयं में साध्य लक्ष्य के रूप में ही देखना चाहिए।"[1] अब, इस सूत्र के अनुसार ऐसे किसी भी सत्त्व को दास बनाने का अनौचित्य स्पष्टतः सिद्ध है जो विवेकशील है। किन्तु यहाँ प्रश्न हो सकता है कि विवेकी कौन है? कांट का उत्तर होगा जो निष्काम है, जो इन्द्रियानुग्राही नहीं है। किन्तु तब, जो विवेकी नहीं है यह सूत्र उस पर लागू नहीं हो सकता। अब, यदि ऐसा है तो अधिकांशतः सभी मनुष्य अविवेकी ठहरेंगे! इस पर कहा जा सकता है कि कांट का विवेकी से अभिप्राय विवेक-समर्थ से था और इस प्रकार यह सूत्र मनुष्य मात्र पर और ऐसे अन्य सम्भावित सत्त्वों पर लागू होता है जो विवेक-समर्थ हैं। यही सही है, किन्तु ग्रीकों और रोगवारियों का मानना था कि दास इस कोटि में नहीं आते, और यही भारतीयों का शूद्रों के सम्बन्ध में मानना था। अब, स्पष्टतः यह धारणा अयुक्तिसंगत

---

1. ग्राउण्डवर्क ऑफ दि मैटाफिज़िक्स ऑफ मॉरल्स, 65

थी और यह अयुक्तता और अविवेक सामाजिक चेतना पर अध्यस्त थे। इसका प्रमाण यह है कि प्लेटो और अरस्तू जैसे महानतम दार्शनिक भी इस धारणा से मुक्त नहीं थे।[1]

दृष्टि की इस अस्पष्टता का क्या स्रोत होता है? यद्यपि इस प्रश्न पर हम पीछे भी विचार कर आये हैं किन्तु यहाँ इस पर आगे और विचार अपेक्षित है। अस्पष्टता के दो स्तर कहे जा सकते हैं : संकल्पमूलक और विचार-मूलक। इनमें प्रथम का स्रोत आसक्ति होता है और दूसरे का स्रोत चेतना में द्रष्टव्य, प्रकाश, प्रत्यक्ता, पारदर्शिता के विकास की न्यूनता को कहा जा सकता है। इन दो प्रकार की अस्पष्टताओं में अधिष्ठान-भेद भी होता है। इनमें प्रथम का अधिष्ठान जबकि चित्त या मन को कहा जा सकता है जो सांख्य की पदावली में अहंकार-परवर्ती विकार है, दूसरे का अधिष्ठान बुद्धि है जो सांख्यीय पदावली में अहंकार से पूर्ववर्ती विकार है। अहंकार से पूर्ववर्ती होने से यह अतिवैयक्तिक और अतिसामाजिक भी होता है। इस दूसरे आवरण को अनादि अविद्या, अनादि वासना आदि नाम भी दिये गए हैं। यह द्रष्टव्य है कि "अनादि अविद्या आदि पद जिस के वाचक हैं उसे वस्तु-रूप में नहीं देखकर प्रतीक-रूप में ही देखना उपयुक्त है, अन्यथा ये पद स्वयं भी वास्तवता के आवरक हो जाएंगे। इनमें प्रथम प्रकार की : संकल्पमूलक : अस्पष्टता व्यक्तियों और समाजों दोनों में देखी जा सकती है : हिन्दुओं के विरुद्ध मुस्लिमों और मुस्लिमों के विरुद्ध हिन्दुओं की भावनाएँ प्रथम स्तर के उदाहरण कहे जो सकते हैं। दूसरे स्तर की अस्पष्टता चेतना द्वारा अपने भीतर सत्य, सौन्दर्य और शिवत्व के ईषत् दर्शन और इनके अधिक पूर्ण दर्शन की आकुलता के रूप में हम पर प्रकट होती है। चेतना के अनात्मचेतन स्तर पर सत्य, सौन्दर्य और शिवत्व का बोध प्राकृतिक मात्र होता है और इसमें अस्पष्टता का बोध नहीं रहता, इसमें अविवेक का कोई प्रश्न ही नहीं होता, क्योंकि विवेक सत्य-सौन्दर्यादि के बोध की प्रत्यङ्मुखता के क्रम में ही उत्पन्न होता है।

अस्पष्टता भी अनुभव अथवा अवगमन की अस्पष्टता ही होती है जो अनुभव तथा अवगमन मैं, अथवा कहें अनुभव तथा अवगमन की प्रत्यङ्मुखता मैं, अवगत होती है। किन्तु सत्य, सौन्दर्य तथा शिवत्व की चेतना तमसाच्छन्न अवस्था में भी इनका आकुलता से अनुसन्धान करती है। इसका अनुमान इस तथ्य से होता है कि जैव जगत् में चेतना की एक विकासात्मक क्रमिकता परिलक्षित होती है जिसमें सत्यादि की स्फुटता उसके आत्मचरितार्थन के रूप मैं, उसके अपने आलोड़न में नवनीत के रूप में उद्भूत होती है। इसी के सत्य विज्ञान, दर्शन अथवा आत्म-साक्षात्कार में, सौन्दर्य काव्य और कलाओं में तथा शिवत्व योग में ('योग' के गीता में प्रयुक्त व्यापक अर्थ में) अपना प्रकर्ष पाता है।

कुछ लोग नैतिकता का सन्दर्भ एक मात्र समाज में देखते हैं, क्योंकि परोपकार, सहानुभूति, क्षमा आदि अनिवार्यतः समाज में ही आचरित हो सकते हैं।[2] किन्तु जैसाकि हमने पीछे प्रथम अध्याय में देखा, आत्म-चेतन

---

1. यहाँ द्रष्टव्य है कि भारत में शूद्र की स्थिति लगभग दास जैसी ही होने पर भी विचार में शूद्रत्व को गुण-कर्मपरक ही स्वीकार किया गया था और इस कारण बहुत-से शूद्रों ने भारतीय आध्यात्मिक-सांस्कृतिक परम्परा में उच्चतम पद भी पाये। यहाँ शंकराचार्य के जीवन की एक घटना उल्लेखनीय है जो वास्तव में भारतीय मानस की द्योतक एक प्रतिनिधि घटना है : "एक बार काशी में अपने शिष्यों के साथ गंगा-स्नान के लिए जाते हुए आचार्य का सामना एक चाण्डाल से हुआ। आचार्य ने उसे मार्ग से हटने के लिए दुत्कारा। इस पर उस चाण्डाल ने उन्हें उत्तर दिया : जब सैकड़ों उपनिषदें अद्वितीय, शुद्ध, पूर्ण और अखण्ड ब्रह्म को ही सच्चिदानन्द स्वरूप कहती हैं (सत्यं, बोधं, सुखरूपमखण्डम्) तब आपकी यह भेद-कल्पना पर मुझे आश्चर्य होना स्वभाविक है।...जब आपने मुझे दूर हटने को कहा तब आप देह को सम्बोधित कर रहे थे या कि आत्मा को? सब देह अन्न से बनते हैं, वे सब भौतिक होते हैं, इसलिए उनमें कोई भेद नहीं होता। जहाँ तक द्रष्टा आत्मा का सम्बन्ध है, उसमें ब्राह्मण और चाण्डाल का भेद कैसे हो सकता है? जिस प्रकार सूर्य-किरणों का प्रकाश गंगा-जल और नाले के जल में समान रूप से प्रतिबिम्बित होता है उसी प्रकार अद्वय ब्रह्म सब देहों में समान रूप से प्रतिबिम्बित होता है! उस पूर्ण और निरन्वय अद्वय तत्त्व को छोड़कर देह-भेद का यह मिथ्याभिमान क्यों करते हो?" यह सुनकर शंकर का अज्ञान जाता रहा और उन्होंने उसे गुरु रूप में स्वीकार किया।

2. द्रष्टव्य प्रोफेसर दयाकृष्ण : **सोश्यल फिलोसोफी, पास्ट एण्ड फ्यूचर**, अ. 2, तथा इस पर हमारी आलोचना 'समाज-दर्शन : भूत और भाव्य', **उन्मीलन** जनवरी-जुलाई, 1987, पृ. 32-33.

चेतना स्वरूपतः सामान्यात्मक और अतिवैयक्तिक होती है इसलिए आवेग और अन्त:संवेद भी इसके अधीन अतिवैयक्तिक भावनाओं और अनुभूतियों में रूपान्तरित होने में समर्थ हो जाते हैं। यों जैविक स्तर पर भी संवेद अन्यापेक्षी होते हैं, जैसे क्रोध और काम। किन्तु अन्यसम्बद्ध होने पर भी संवेद जैव स्तर पर अतिवैयक्तिक नहीं होते, आत्म-चेतन स्तर पर भी ये स्वत: अतिवैयक्तिक नहीं होते, तब भी नहीं जब ये आत्म-चेतन सम्प्रेषण के विषय होते हैं। ये संवेद अतिवैयक्तिक स्वयं अपने पर प्रत्यावर्तित होने से होते हैं। इस प्रकार करुणा, क्षमा, सहानुभूति, मैत्री, श्रद्धा आदि भाव आत्म-प्रत्यावर्तित आवेग और अन्त:संवेद होते हैं जो विशेषोद्दिष्ट होने पर भी अपने तत्त्व में सामान्य होते हैं। अपने इसी तत्त्व के कारण ये विशेषोद्दिष्ट होते हैं और सामान्यामक होने के कारण ये सामाजिकता के आधार बनते हैं। यहाँ कांट की दृष्टि का दोष देखा जा सकता है। वे भावनाओं को केवल आसक्तियों के रूप में और इस प्रकार दृष्टि-दोषजनक ही देखता है।[1] तब सामाजिक सम्बन्धों का तत्त्व या तो शुद्ध प्रागनुभविक (अ-प्रायराइ) आकार हो जायगा अथवा वे अनैतिक हो जायेंगे। किन्तु वस्तुस्थिति में हम पाते हैं कि ईर्ष्या, द्वेष, क्रोध, क्रूरता, लोभ, कामुकता आदि भाव अपने स्वरूप में ही कुत्सित और व्यक्तित्व-विघटनकारी होते हैं, जबकि करुणा, सहानुभूति, मैत्री, प्रेम, श्रद्धा, भगवत्भक्ति, प्राकृतिक सौन्दर्य से अभिभूतता आदि भाव स्वरूपतः उन्नायक, उदात्त, और पुरस्कारक होते हैं। इन भावों के ये गुण किन्हीं बाह्य प्रमाणों से अपने को प्रदर्शित नहीं करते, आत्म-चेतन चेतना द्वारा लक्षित होने पर वे स्वत:प्रमाण रूप से ही प्रकाशित होते हैं : स्वस्य च प्रियमात्मनः। वास्तव में इनके इस स्वरूप के बोध के लिए किसी बहुत प्रशिक्षित और संस्कारित चेतना की भी आवश्यकता नहीं होती, असंस्कृत और कुत्सा-लिप्त व्यक्ति भी प्रायः ही आत्मालोचन के क्षणों में इनके इन गुणों को प्रत्यक्ष देखते हैं। अब भावनाओं में यह विवेक और उदात्त भावनाओं तथा कुत्सित भावनाओं के बीच निरन्तर और भीषण संघर्ष में उदात्त भावनाओं की अपराजय ही सामाजिक अस्तित्व को आधार देते हैं और स्वयं समाज को विवेक तथा मूल्यावेषण की परम्परा के रूप में एक मूल्यवान् सत्ता बनाते हैं।

1. यहाँ कहा जा सकता है कि **क्रिटीक् ऑफ जज्मेन्ट** में वह हमारे से मिलती जुलती बात ही कह रहे हैं। यदि ऐसा भी हो तो भी नैतिकता के सन्दर्भ में वे वैसा स्वीकार नहीं करते।

न्याय

न्याय साधारण रूप से अर्हता के अनुसार दण्ड और पुरस्कार की निरपेक्ष व्यवस्था को कहा जाता है। इस व्यवस्था में किसी भी प्रकार का अपवाद, किसी भी प्रकार की यादृच्छिकता स्वीकार्य नहीं होती। इस प्रकार समाज में इस व्यवस्था के धारक राजा को और विश्व में इस व्यवस्था के धारक ईश्वर को इस व्यवस्था से बाहर वे ही मानते हैं जो इसके तत्त्व के सम्यक् बोध में समर्थ नहीं होते। हमारे देश में कर्म और फल की अटूट व्यवस्था के सिद्धान्त का आधार न्याय की इस निरपेक्षता की ही स्वीकृति है। समाज में राजा को और ब्रह्माण्ड में ईश्वर को भी इसके ऊपर नहीं माना गया,[1] तब उन्हें अन्यों के लिए इस व्यवस्था का यादृच्छिक निर्धारक मानने का तो प्रश्न ही नहीं रहता। अवश्य ईश्वर को दण्डनीय नहीं माना गया। किन्तु यह इसलिए क्योंकि उसे इस नियम से अभिन्न माना गया है। उसके लिए यह सम्भावना स्वीकार ही नहीं की गई कि इस नियम का भंग कर सके : नियम ही उसकी इच्छा है, इच्छा नियम नहीं! यह बोध मनुष्य में सर्वत्र समान रूप से मिलता हो ऐसी बात नहीं है, भारत में ही यह सर्वत्र नहीं मिलता, अन्य कुछ समाजों में यह और भी नहीं मिलता। ईश्वर की न्यायपरता के साथ उसकी भक्तवत्सलता, दयालुता आदि की अवधारणाएँ भी हैं जो न्याय की शुद्ध अवधारणा से संगत नहीं ठहरतीं। किन्तु मनुष्य ने ईश्वर में वत्सलता और दयालुता को उतना ही आवश्यक पाया है जितना न्यायपरता को। ऐसी अवस्था में या तो मनुष्य में एक सहज अन्तर्विरूद्धता होनी चाहिए अथवा न्याय को अपने तत्त्व में ही आत्म-अपर्याप्त होना चाहिए, अथवा इसका तत्त्व उससे गहनतर और गुह्य होना चाहिए जैसा व्यवहार-बुद्धि को साधारणतः गम्य होता है।

वास्तव में न्याय के सम्बन्ध में ये तीनों बातेa सही कही जा सकती हैं। बल्कि, यदि इसकी परिभाषा को थोड़ा गहराई में जाकर देखें तो इसके स्वरूप में ही गम्भीर दोष दिखाई देने लगते हैं और इसकी तात्त्विकता सन्देहास्पद प्रतीत होने लगती है। उदाहरणतः 'अर्हता' का क्या अर्थ है? एक योग्य और कर्त्तव्यपरायण अध्यापक और एक कुशल और ईमानदार व्यापारी की अर्हताओं के लिए पुरस्कारों के निर्धारण की कोई एक व्यवस्था क्या हो सकती है? दो समान रूप से योग्य और समान रूप से कर्त्तव्यपरायण ऐसे अध्यापकों में भी जिन में एक पुरस्कार को आर्थिक तुला पर आँकता है और दूसरा सामाजिक प्रतिष्ठा की अथवा विद्यार्थियों के प्रेम की तुला पर, अर्हता और पुरस्कार का निर्धारण समान रूप से कैसे किया जा सकता है? उदाहरण के लिए मनु ने ब्राह्मण का आदर्श धर्माचरण और विद्यानुराग के साथ निर्धनता को कहा है, उसकी उत्कृष्टता का पुरस्कार समाज का उसके प्रति सम्मान ही था और उसकी अर्हता का एक महत्त्वपूर्ण लक्षण भौतिक सुखों के प्रति उसमें उपेक्षाभाव का होना। इसमें कुछ दूसरे प्रकार की कठिनाइयाँ भी हैं : अर्हता का स्वयं के द्वारा निर्धारण और अन्यों के द्वारा निर्धारण भिन्न हो सकता है, अन्यों में भी प्रासंगिक और अधिकारयुक्त अन्यों और अप्रासंगिक किन्तु समानरूप से विवेकी अन्यों का निर्धारण भिन्न हो सकता है। पुरस्कार की मात्रा सीमित होने पर अर्हता में नितान्त नगण्य अन्तर पुरस्कार में अत्यन्त महत् अन्तर का कारण हो सकता है। उदाहरणतः लाख रुपये का पुरस्कार पाने वाली पुस्तक और नहीं पाने वाली कुछ पुस्तकों में केवल इतना अन्तर हो सकता है कि सात में से चार निर्णायकों का मत एक के पक्ष में हो और शेष तीन का किसी दूसरे के पक्ष में। किन्तु पुरस्कृत पुस्तक के लेखक को जो प्रभूत प्रत्यक्ष और अप्रत्यक्ष लाभ होता है उससे दूसरी पुस्तक का लेखक नितान्त वंचित रहता है। किन्तु इसके आगे मौलिक प्रश्न यह हो सकता है कि किसी सर्जनात्मक कर्म के साथ आर्थिक पुरस्कार का सम्बन्ध क्या हो सकता है,

---

1. उदाहरणतः **मनुस्मृति** (8.336) में राजा के लिए अर्थ-दण्ड की व्यवस्था हैं, श्री राम द्वारा सीता-त्याग भी इसी के अन्तर्गत है।

सिवाय एक सामाजिक रूढ़ि के? आचार्य शंकर ने **ब्रह्मसूत्र भाष्य** में कहीं लिखा है कि कर्म के साथ फल का योग ईश्वर करता है। किन्तु किस कर्म के साथ कौन-से फल का योग होना चाहिए इसका निर्णय कैसे हो? कवि ने अच्छी कविता लिखी। कविता लिखने का कर्म स्वयं चेतना में भावोद्रेक का फल है और इस कर्म का फल कविता के रूप में न्यून या अधिक सफल अभिव्यक्ति का घटित होना है। अब, ईश्वर का योगदान यदि हो तो वह यहीं तक उचित रूप में सीमित रह सकता है। इसके आगे इस कविता की श्रोताओं-पाठकों में प्रतिक्रिया और उस प्रतिक्रिया-स्वरूप अर्थोपलब्धि आदि का सम्बन्ध यदि हम ईश्वर में स्थापित करें तो बड़ी कठिनाई होगी, क्योंकि ये फल नितान्त आगन्तुक बाह्य परिस्थितियों पर आश्रित होते हैं। उदाहरणतः मुंशी प्रेमचंद आजीवन अत्यन्त निर्धन रहे और निर्धन ही मरे और अनन्तर उन्हीं की पुस्तकों के विक्रय से उनके पुत्रों को बहुत धन-लाभ हुआ। दूसरे शब्दों में, उनकी कृतियों की अर्थार्जन-अर्हता उनके जीवन में कुछ और रही और उनके देहावसान के बाद कुछ और सिद्ध हुई। इस प्रकार अर्थार्जन का अर्हता से कोई भी आंतरिक सम्बन्ध कल्पनीय नहीं है। उदाहरणतः, कम-से-कम भारत में, किसी काव्य-कृति पर कहानी उपन्यास की तुलना में रायल्टी प्राप्त नहीं हो सकती और किसी उपन्यास के लेखक को किसी फिल्मी अभिनेता को एक चलचित्र में अभिनय के लिए मिली राशि की तुलना में रायल्टी नहीं मिल सकती, रद्दी उपन्यास को अच्छे उपन्यास की तुलना में अधिक रायल्टी मिलना इसका दूसरा पक्ष है : किन्तु जब हम सामान्यतः समाज में न्याय की बात करते हैं तब अर्हताओं को आर्थिक पुरस्कार से ही प्रायः जोड़ते हैं।

यही कठिनाइयाँ दण्ड के सम्बन्ध में हैं। दण्ड की अर्हता साधारणतः किसी अपराध से अर्जित की गई मानी जाती है। उदाहरणत: चोरी अपराध और इस प्रकार दण्डनीय कर्म मानी जाती है। किन्तु किसी कर्म को 'अपराध' मानने के पीछे क्या युक्ति हो सकती है और उस अपराध के लिए दण्ड के प्रकार और मात्रा-निर्धारण के लिए क्या युक्ति हो सकती है? उदाहरणतः चोरी सर्वसम्मत रूप से एक अपराध है और उसके लिए विभिन्न समाजों में दण्ड के विभिन्न विधान रहे हैं : हाथ काटने से लेकर साधारण कारावास तक, कुछेक समाजों में मृत्युदण्ड तक भी। इनमें कौन सा दण्ड युक्ति युक्त है? यदि दण्ड हाथ काटना भी हो सकता है, मृत्यु भी और साधारण कारावास भी तब विशेष अपराध और विशेष दण्ड में कोई आन्तर सम्बन्ध तो नहीं हो सकता। किन्तु क्या अपराध और दण्ड में कोई साधारण आंतर सम्बन्ध होना अनिवार्य है? वास्तव में इसमें बहुत कुछ आंतर सम्बन्ध जैसा ही हम सब मानकर चलते हैं। उदाहरणतः व्यक्तिगत सम्बन्धों में झूठ बोलने को हम इसलिए अपराध नहीं मानते क्योंकि किसी दण्ड-संहिता में पारस्परिक सम्बन्धों में झूठ बोलने को दण्डनीय नहीं माना जाता। किन्तु ईश्वर दण्ड-संहिता में इसे और ऐसे दूसरे कार्यों को भी दण्डनीय माना जाता है और इस प्रकार अपराध माना जाता है। इन दो अपराधों को क्रमशः 'धार्मिक' और 'कानूनी' विशेषण दिये जा सकते हैं, किन्तु दण्ड-संहिता धार्मिक हो या सामाजिक दोनों में यह प्रश्न प्रासंगिक है कि कर्म और दण्ड के बीच सम्बन्ध के लिए आधार क्या है?

अपराध और दण्ड के बीच सम्बन्ध पर विचार करने से पहले अपराध के अर्थ का निर्धारण उचित होगा। ऊपर हमने देखा कि चोरी प्रायः निरपवाद रूप से अपराध मानी जाती है और झूठ बोलना साधारणतः अपराध नहीं माना जाता। भारत में गाड़ी सड़क की दायीं और चलाना और अमरीका में बायीं ओर चलाना दण्डनीय है, यद्यपि इसे अपराध केवल कानूनी अर्थ में ही कहा जाता है, साधाणतः नहीं। अब, नैतिक दृष्टि से असत्यभाषण और चोरी समान हैं, जबकि चोरी और सड़क पर नियम के विपरीत गाड़ी चलाना पूर्णतः असमान हैं, किन्तु दण्ड की दृष्टि से प्रथम दो असमान और दूसरे दो समान हैं। इसका क्या कारण है? इसका कारण यह कहा जा सकता है कि साधारणतः असत्यभाषण में सामाजिक परिणाम दो व्यक्तियों के पारस्परिक सम्बन्धों तक ही सीमित होते हैं और एक प्रकार से उनके सम्बन्ध के गुण को परिभाषित करते हैं, जबकि चोरी और गाड़ी नियम-विरुद्ध चलाने के सामाजिक परिणाम व्यापक होते हैं और साधारणतः ये उन व्यक्तियों को प्रभावित करते हैं जिनसे आपके कोई निजी सम्बन्ध नहीं होते। इस प्रकार कहा जा सकता है कि अपराध ऐसे कार्य हैं जो सामाजिक व्यवस्था के लिए हानि-प्रद होते हैं। तब अपराध और दण्ड के बीच सम्बन्ध का आधार भी इसी को बनाया जा सकता है और

कहा जा सकता है कि दण्ड का अपराध से सम्बन्ध सामाजिक प्रयोजनमूलक है और किस अपराध के लिए क्या दण्ड होना चाहिए यह निर्धारण सामाजिक परिस्थिति और समाज के मानसिक स्तर पर निर्भर करता है। साधारणतः सांस्कृतिक रूप से एक उत्कृष्टतर समाज में कम कठोर दण्ड भी पर्याप्त होता है जबकि सांस्कृतिक रूप से कम उत्कृष्ट समाज में अधिक कठोर दण्ड अपेक्षित होता है। यदि 'सांस्कृतिक उत्कृष्टता-अपकृष्टता' समस्यात्मक अवधारणा प्रतीत हो तो इसके स्थान पर 'संवेदनशीलता' पद रखा जा सकता है। जो भी हो, दण्ड का औचित्य स्वयं अपराधमूलक नहीं है, बल्कि इसकी आवृत्ति और प्रसार रोकने के प्रयोजन से सम्बन्धित है। किन्तु वास्तव में दण्ड की प्रेरणा में प्रतिशोध की भावना भी काम करती है जो केवल वैयक्तिक स्तर पर ही नहीं सामाजिक स्तर पर भी मानसिकता का निर्धारण करती है। प्राचीन समाजों की दण्ड-व्यवस्थाओं के पीछे यह मनोवृत्ति अधिक दिखायी देती है। चोरी करने पर हाथ काटना, पर-स्त्री-पुरुष का यौन सम्बन्ध होने पर कोड़े मारना अथवा जमीन में गाड़ कर कुत्तों से मरवा देना आदि दण्ड इसी प्रकार के हैं। मुस्लिम दण्ड-संहिता का—'आँख के बदले आँख और खून के बदले खून' सिद्धान्त इसी मनःस्थिति से प्रेरित प्रतीक होता है। किन्तु यदि दण्ड-संहिता का प्रयोजन शुद्ध रूप से सामाजिक अनीति रोकना भी हो तो भी इसे अनीति रोकने में उपयोगी तो कहा जा सकता है किन्तु इस अर्थ में नैतिक नहीं कहा जा सकता कि यह समाज या व्यक्ति की नैतिक चेतना का उन्नयन करता है। इसका आधार भय होने से इसे यदि अनैतिक कहें तो भी अनुचित नहीं होगा। इसके विरोध में यहाँ कहा जा सकता है कि समाज का सन्धारण भी एक नैतिक मूल्य ही है। इसलिए यदि दण्ड-संहिता का उद्देश्य समाज का सन्धारण करना ही है तो भी अपराध के दण्ड से सम्बन्ध का आधार नैतिक ही हो जाता है।

किन्तु यह प्रतिपादन जितना प्रकटतः युक्तिसंगत प्रतीत होता है उतना यह वास्तव में है नहीं। यह बात एकाएक स्पष्ट नहीं है कि समाज का निःश्रेयस् किसमें होता है और उसके सन्धारण के लिए कैसी दण्ड-संहिता होना युक्तियुक्त हो सकता है। न्याय को समाजमूलक रख कर इसकी एक न्यूनतम अवधारणा यह कही जा सकती है कि दण्ड और पुरस्कार की जो भी व्यवस्था मानी जाय उसमें यह आवश्यक है कि उसके नियम सब के लिए समान होंगे : समानों के लिए समान और असमानों के लिए असमान। यही सही है, किन्तु दुर्भाग्यवश कोई दो व्यक्ति समान नहीं होते। इसी प्रकार पुरस्कार के लिए भी है। दो व्यक्तियों की मानसिक योग्यताएँ जन्मतः समान नहीं होतीं और जन्मतः समान होने पर उनके विकास की सुविधाएँ समान नहीं होतीं। प्रथम परिस्थिति में समाज साधारणतः योग्यतर के प्रति अन्यायी होता है और दूसरी परिस्थिति में वह सुविधा-भेद का कारण होने से अन्यायी होता है।

किन्तु दण्ड का उद्देश्य समाज-रक्षा मानने में दूसरी बड़ी कठिनाई यह है कि दण्ड भविष्य-विषयक हो जाता है और इस प्रकार अतीत अपराध से, जिसका कि वह दण्ड होता है, उसका कोई सम्बन्ध नहीं रहता। अपराध के अतीत होने से यह पूर्णतः सम्भव होता है कि अपराध करने वाला व्यक्ति स्वयं अपने अपराध के लिए अत्यन्त खिन्न हो और वह स्वयं ही उस मनोऽवस्था से उबरना चाहे अथवा उबर ही चुका हो। ऐसी अवस्था में अपराधी दण्डित नहीं होगा बल्कि अतीत अपराधी ही दण्डित होगा। ऐसी अवस्था में यह पूरी सम्भावना रहती है कि दण्ड उस व्यक्ति में पश्चात्ताप की भावना और आत्म-परिष्कार के संकल्प के स्थान पर भावी दण्ड के प्रति भय और समाज के प्रति शत्रुता का भाव ही उत्पन्न करे। वास्तव में अधिकांशतः ऐसा ही होता है। इसमें और भी बहुत-सी कठिनाइयाँ हैं : यदि समाज के अधिकांश व्यक्ति विवेक-सम्पन्न नहीं हैं, अथवा समाज में परिवार-व्यवस्था पर्याप्त सुदृढ़ है, तब एक के अपराध के दण्ड के भागी परिवार के दूसरे सदस्य भी सहज ही हो जायेंगे, चाहे ये दूसरे सदस्य कितने भी निरपराध और भले क्यों नहीं हो। हमारे समाज में परिवार की एक लड़की या लड़के के द्वारा कोई अविहित कर्म कर देने पर कैसे उस परिवार के सब लड़के-लड़कियों का विवाह असम्भव प्राय हो जाता था यह हम जानते ही हैं। यदि इस परिस्थिति को युक्ति-तर्कात्मक मानसिकता के विकास द्वारा समाप्त भी कर दिया जाय तो भी पारिवारिक सम्बन्धों के बहुत-से पक्ष हैं जिनके रहते एक सदस्य को दिया गया दण्ड दूसरों को भी प्रभावित करता ही है।

इस प्रकार न्याय को दण्ड और पुरस्कार की व्यवस्था के रूप में परिभाषित करने में अनेक कठिनाइयाँ हैं, किन्तु ये कठिनाइयाँ एक सहज पूर्वमान्यता पर आधारित हैं। यह पूर्वमान्यता यह है कि किसी व्यवस्था के न्यायसंगत होने के लिए उसका किसी अन्य गहनतर औचित्य से प्रमाणित होना आवश्यक होता है। यह औचित्य क्या है? क्या यह स्वयं न्याय के ही अन्तर्गत है और इस प्रकार व्यवस्थाओं को न्याय से संगत और असंगत के रूप में प्रमाणित करता है या कि यह न्याय से बहिर्भूत है और न्याय को बाहर से उचित अथवा अनुचित के रूप में प्रमाणित करता है?

वास्तव में यदि उपर्युक्त विवेचन और आपत्ति पर थोड़ा गहराई से विचार करें तो यह स्पष्ट हो जाता है कि न्याय स्वयं ही औचित्य का एक आधारभूत मानदण्ड है और दण्ड तथा पुरस्कार–व्यवस्था को एक उचित तथा युक्त व्यवस्था स्वीकार करने में कठिनाई उस व्यवस्था के न्याय से ही संगत नहीं होने के कारण होती है। डॉ. राजेन्द्र प्रसाद ने यूटीलिटेरियनिज़्म विषयक अपने एक लेख के अन्त में नैतिकता विषयक इस बहुजनहितायवादी सिद्धान्त की आलोचना इस आधार पर की है कि यह सिद्धान्त न्याय की हमारी सहज धारणा से संगत नहीं है और परिणामतः इसे नीति–विषयक एक युक्त सिद्धान्त नहीं कहा जा सकता।[1] इस प्रकार देखने पर न्याय नैतिक औचित्य का एक प्रमाणक सिद्धान्त हो जाता है। प्लेटो ने भी इसे श्रेयस् का एक अंग कहा है।[2] इसके विपरीत इधर एक आधुनिक पाश्चात्य विचारक कॉफमान ने न्याय को दण्ड और पुरस्कार के युक्त वितरण की एक व्यवस्था के रूप में परिभाषित करते हुए और व्यवहार में इसे असम्भव दिखाते हुए इसे एक नितान्त अनुपयुक्त और अनावश्यक अवधारणा कहा है।[3] किन्तु हमारे विचार में, उसके इस प्रतिपादन में नावीन्य के चमत्कार का आकर्षण अधिक है, यथार्थ दृष्टि कम।

निश्चय ही न्याय दण्ड और पुरस्कार की व्यवस्था भी है, किन्तु यह एक अन्य आधारभूत नैतिक दृष्टि पर आधारित है जिसे निरहंकार और सामरस्य–दृष्टि कह सकते हैं। इसके अनुसार मानव–व्यक्तियों के पारस्परिक सम्बन्ध, अथवा मनुष्य के विश्व के अन्य जीवों : कृमि–कीट से लेकर देवताओं तक के साथ सम्बन्ध : परस्परोपजीविता–परस्परोपकारकता की व्यवस्था में धारित होते हैं। व्यक्ति इस व्यवस्था में एक अवयव मात्र होता है और इस अवयव के रूप में ही उसके अन्यों के प्रति कर्त्तव्य एक सापेक्षता में निर्धारित होते हैं। निश्चय ही कर्त्तव्य–कर्म का मूल या अधिष्ठान व्यक्ति ही होता है, किन्तु उसके कर्त्तव्य का निर्धारण परस्परता की आवयविक व्यवस्था से होता है। समाज की प्राचीन भारतीय अवधारणा तथा प्लेटो की **रिपब्लिक** में समाज की आदर्श कल्पना इसी आधार पर थी। यह अवधारणा आधुनिक यूरोप की समाज की अवधारणा के आदर्श से सर्वथा विपरीत है, जिसके अनुसार "न्याय की दृष्टि से प्रत्येक व्यक्ति अनतिक्रमणीय है, उसका अतिक्रमण समाज के बृहत्तर हित के लिए भी उचित नहीं कहा जा सकता।"[4]

इस प्राचीन दृष्टि के अनुसार न्याय को मनुष्य की सार्वभौम कर्त्तव्य–व्यवस्था कहा जा सकता है। अवश्य इस कर्त्तव्य–व्यवस्था में मनुष्येतर सत्त्व भी मनुष्य को कुछ देते हैं, कुछ अधिक और कुछ कम, किन्तु इस दान को उनका कर्त्तव्य नहीं कहा जा सकता, क्योंकि उनका कर्म आत्म–चेतन नहीं होता। इसी से इस व्यवस्था का आधार दान–प्रतिदान की स्वार्थमूलक आनुपातिकता नहीं होकर सामरस्य–दृष्टि है, जिस सामरस्य का स्रोत व्यक्ति नहीं होकर वैश्व सावयवता होती है। इस दृष्टि के अनुसार इस सार्वभौम समरसता में योगदान न्याय कहा जायगा। अवश्य हम इसमें यह अपेक्षा भी कर सकते हैं कि हमें अपनी अर्हता के अनुसार युक्त व्यवहार मिले, किन्तु

---

1. राजेन्द्र प्रसाद "यूटीलिटैरियनिज्म : ए कॉसेप्चुअल ओवर–व्यु" **एस्सेज़ इन सोश्यल एण्ड पुलिटिकल फिलोसोफी**, सं. कृष्ण रॉय तथा छन्दा गुप्ता में संकलित।
2. प्लेटो — **'रिपब्लिक'**, 343 बी, 344 सी.
3. वाल्टर कॉफमान — **विदौट गिल्ट एण्ड जस्टिस**, प्रका. पीटर एच. वाइडन, न्यूयार्क 1973.
4. जोह्न राल्स — **ए थ्योरी ऑफ जस्टिस**, ऑक्सफोर्ड यूनीवर्सिटी प्रेस, 1972, पृ. 3

कर्त्तव्य के रूप में युक्त व्यवहार की अपेक्षा हम केवल मनुष्य से ही कर कसते हैं, कृमि-कीट से भी नहीं और देवताओं से भी नहीं। इसलिए कहा जा सकता है कि यद्यपि कर्त्तव्य का सन्दर्भ अपनी व्यापकता में सार्वभौम है, किन्तु न्याय का सन्दर्भ केवल मानव-समाज ही है, विशिष्ट मानव-समाज भी और सार्वभौम मानव-समाज भी।

किन्तु यहाँ न्याय के सन्दर्भ की सार्वभौमिकता के लिए मानव-समाज से ही एक युक्ति दी जा सकती है : अपने अतीत पूर्वजों के प्रति हम जो निर्णय देते हैं वे युक्त या अयुक्त होते हैं। इन निर्णयों को तदनुसार न्यायपूर्ण कहा जाता है। इसी युक्ति से मरणोपरान्त पुरस्कार और दण्ड भी दिये गए है। अब, वे पूर्वज हमारे प्रति कुछ भी करने में अक्षम होते हैं। ऐसी अवस्था में उनके प्रति हमारे व्यवहार को न्यायोचित अथवा अन्यायोचित केवल हमारे अपने भाव और विचार की युक्तता अथवा अयुक्तता के आधार पर ही कहा जा सकता है। न्याय के सन्दर्भ की सावयव व्यापकता इस बात पर निर्भर करती है कि हम अपने कुटुंब को कहाँ तक व्यापक अथवा अव्यापक देखते हैं, अथवा कहें हमारी संवेदना किस सीमा तक अमन्द अथवा मन्द है। जैसाकि हम जानते हैं, बहुत बार मनुष्य ने न्याय का सन्दर्भ सांस्कृतिक, धार्मिक, राजनीतिक अथवा भौगोलिक आधारों पर परिभाषित अपने समाज तक ही सीमित माना है और इस परिधि से बाहर के समाजों को इस सन्दर्भ से बाहर रखते हुए उसके प्रति न्याय की बात अप्रासंगिक मानी है। उदाहरणतः मुसलमानों और ईसाइयों ने अन्यों को केवल अधार्मिक और अतएव वध्य ही माना था, इसी प्रकार बहुत-से प्राचीन समाज अपने ही भीतर रहने वाले दासों को न्यायान्याय की परिधि से बाहर मानते थे और यूरोपीय साम्राज्यवादियों ने अमरीका और अफ्रीका के मूल निवासियों को इस परिधि से बाहर माना था। दक्षिण अफ्रीका में अभी तक बलात् जाकर बसे यूरोपीय अफ्रीका के मूल निवासियों को समान अधिकार के योग्य नहीं मानते हैं। स्त्रियों के प्रति पुरुषों का व्यवहार लगभग सार्वभौमिक रूप से अनुचित असमानता का रहा है।

न्याय के अधिकार या पात्रता विषयक ये ऐसे उदाहरण हैं जो आचरणगत दुर्बलता के उदाहरण नहीं होकर दृष्टिगत आवरण के उदाहरण हैं, बहुत कुछ मुलाविद्या के जैसे : उदाहरण के लिए प्लेटो और अरस्तू जैसे उत्कृष्टतम दार्शनिकों ने भी दासों को 'नागरिकता' के योग्य नहीं माना था और इधर तुलसीदास जैसे उच्चतम नैतिक बोध-सम्पन्न और संवेदनशील कवि ने भी नारी को स्वभावतः मूर्ख और निम्न कोटि की मानव माना और इनके साथ ढोर, गँवार और शूद्र को भी। मनु और याज्ञवल्क्य जैसे स्मृतिकार ऋषियों ने शूद्रों को अत्यन्त हीन कोटि के मनुष्य माना। इनकी ये मान्यताएँ व्यक्तिगत नहीं होकर सांस्कृतिक और इस प्रकार दृष्टिगत अतिक्रामी आवरण की उदाहरण कही जा सकती हैं।

यहाँ यह स्पष्टीकरण आवश्यक है कि न्यायविषयक उपर्युक्त सीमित दृष्टियाँ अयुक्त हैं, यह बात हम स्वतःसिद्ध मानकर चल रहे हैं, जबकि इसके लिए विस्तृत विवेचन और तर्क अपेक्षित होना चाहिए कि ये दृष्टियाँ क्यों सदोष हैं, क्योंकि आख़िर प्लेटो, अरस्तू और तुलसीदास (वास्तव में तुलसीदास ने यह बात मंथरा के मुँह से एक प्रसंग में कहलायी है जिसमें यह लोकोक्ति जैसी है अनिवार्यत: उनका अपना मत नहीं।) जैसे विचारकों ने जिन दृष्टियों को अयुक्त नहीं पाया उनका अनौचित्य स्वतःस्पष्ट और स्वतःसिद्ध तो नहीं हो सकता। और जिस प्रकार हम उन दृष्टियों को युग-निर्धारित और इस प्रकार अविद्यामूलक देख रहे हैं उसी प्रकार हमारी दृष्टि भी युग-निर्धारित और इस प्रकार अविद्यामूलक हो कसती है। किन्तु वास्तव में उपर्युक्त दृष्टियों का दोष इतना स्पष्ट है कि उसके लिए किसी गहरे विवेचन की आवश्यकता नहीं है। इनमें मनुष्यों के एक वर्ग को जन्म या लिंग के आधार पर न केवल कुछ अधिकारों और पुरस्कारों के वितरण में ही पीछे रखा गया था बल्कि मनुष्य के मौलिकतम अधिकार आत्म-सम्मान से भी वंचित रखा गया था। इस दृष्टि के दोष-दर्शन में वह युक्ति सबसे आधारभूत कही जा सकती है जो पिछले अध्याय में उल्लिखित चाण्डाल-शंकर-संवाद में चाण्डाल द्वारा दी गई थी। वास्तव में भारत में प्राचीनतम युगों से यह दृष्टि एक समानान्तर दृष्टि के रूप में विद्यमान रही है। उस युक्ति के सामने आज का सब मनुष्यों की समानता का सिद्धान्त नितान्त उथला और पूर्वाग्रह-ग्रस्त जैसा ही प्रतीत होता है, क्योंकि व्यक्तियों

की असमानता अनुभव में प्रत्यक्ष है और समानता-सिद्धान्त के प्रतिपादकों ने इसके समर्थन में इसके सिवाय दूसरी कोई युक्ति नहीं दी है कि यह 'न्याय' के प्रत्यय की अनिवार्य घटक है।

किन्तु वास्तव में मनुष्य की समानता का सिद्धान्त अपने आप में अकेला नहीं है, यह मनुष्य के स्वरूप-विषयक एक पूरी सिद्धान्त-व्यवस्था, अथवा कहें तत्त्वमीमांसा का एक अंग मात्र है। ऊपर हमने व्यक्ति की अनतिक्रमणीयता विषयक राल्स की एक उक्ति उद्धृत की थी। वह उक्ति इस सिद्धान्त-व्यवस्था की अंगभूत है। इस सिद्धान्त के अनुसार व्यक्ति अपनी गरिमा में ही अनतिक्रमणीय नहीं है, अपने तत्त्व में भी अनतिक्रमणीय है और इस प्रकार उसके लिए प्रत्येक अन्य व्यक्ति बाह्य और इतर है। किन्तु तब व्यक्तियों की समानता की प्रतिज्ञा का क्या आधार है? इसके लिए आधार व्यावहारिक अनुबन्ध है जिसके अनुसार व्यक्ति एक समाज के रूप में अपने को संगठित करते हैं। अपने विचारों को सुनिश्चितता देने के लिए यहाँ हम यह मानकर चलेंगे कि "समाज व्यक्तियों का एक न्यूनाधिक आत्मपर्याप्त संगठन है जो एक-दूसरे के साथ सम्बन्धित होने के लिए (पारस्परिक व्यवहार के लिए) परस्पर के प्रति आचरण के कुछ नियमों को प्रतिबद्धता (ऑब्लीगेशन) के रूप में स्वीकार करते हैं और जो अधिकांशतः इन नियमों के अनुसार आचरण भी करते हैं। इसके आगे हम यह भी मानकर चल सकते हैं कि ये नियम परस्पर सहयोग की ऐसी व्यवस्था को भी निर्धारित करते हैं जिस व्यवस्था का उद्देश्य इसमें भाग लेने वालों के लिए लाभप्रद है। ऐसी अवस्था में, यद्यपि समाज पारस्परिक लाभ के उद्देश्य से स्थापित सहयोगात्मक उपक्रम है, किन्तु यह पारस्परिक विग्रह और स्वार्थों की अनुरूपता से उपलक्षित होता है।"[1] किन्तु जैसाकि हमने कहा, वास्तव में तो सब मनुष्य समान नहीं हैं, वास्तव में तो कोई भी दो व्यक्ति समान नहीं हैं, और जब सब व्यक्ति अस्तित्व और तत्त्व में नितान्त विशिष्ट और इतरव्यावर्तक हैं, अपने अधिकारों और कर्त्तव्यों में अनतिक्रमीणीय हैं, तब उनकी समानता केवल गणितीय संख्याओं के समान उद्ग्रहणात्मक या आकारिक ही हो सकती है। ऐसा नहीं कि सर्वसमानता और अनुबन्ध-सिद्धान्त के प्रतिपादक ऐसा मानते हैं कि व्यक्ति परस्पर समान हो सकते हैं। उनका कहना है कि न्याय-व्यवस्था के लिए यह पूर्वग्रह आवश्यक है। अब स्पष्टतः व्यक्ति-समानताविषयक यह अभ्युपगम आकारिक है इसलिए इस पर आधारित न्याय-सिद्धान्त भी आकारिक ही हो सकता है। किन्तु तब इस अवधारणा के साथ कुरानी न्याय का विधान, 'आँख के बदले आँख' और 'खून के बदले खून' भी पूर्णतः संगत होगा।

वास्तव में व्यक्तिमूलकता और व्यक्ति-समानता के सिद्धान्त के प्रतिपादकों का उद्देश्य सुविधाओं के वितरण पर सबके न्यूनतम अधिकार को सुरक्षित करना है। इस सिद्धान्त के अनुसार सुविधाओं के वितरण में केवल वे ही भेद स्वीकार्य हो सकते हैं जो सामाजिक व्यवस्था के माध्यम से प्रत्येक व्यक्ति के लिए अधिकतम लाभप्रद हो सकते हैं। यहाँ प्रश्न हो सकता है कि सामाजिक व्यवस्था के माध्यम से क्यों? प्रत्येक व्यक्ति ही अपने लिए अधिकतम लाभ की आकांक्षा क्यों नहीं करे? इसके लिए इनका उत्तर है कि, क्योंकि सामाजिक व्यवस्था के बिना व्यक्ति के लिए कोई भी सुख सुरक्षित नहीं है, और यह बात सब व्यक्ति जानते हैं। यह सही है, किन्तु तब इस व्यवस्था में न्याय एक नैतिक अवधारणा नहीं रह जाता, यह केवल व्यावहारिकता का प्रश्न हो जाता है। जैसाकि रूसो ने इस आपत्ति को प्रस्तुत किया है : " यह सही है कि मैं उस नियम को स्पष्टतः देखता हूँ जो अन्य के साथ व्यवहार का मानदण्ड होना चाहिए....किन्तु तब भी मुझे इसके लिए कोई युक्ति दिखाई नहीं देती कि मैं क्यों अपने को इस नियम के अधीन करूँ? यहाँ प्रश्न मुझे यह सिखाने का नहीं है कि न्याय मेरे लिए कैसे लाभप्रद है।"[2] इसका उत्तर मनुष्य की उपर्युक्त अवधारणा के अन्तर्गत कोई नहीं दिया जा सकता। और इसका कोई संतोषजनक उत्तर नहीं होने पर न्याय को एक नैतिक बोध के रूप में स्थापित नहीं किया जा सकता। तब न्याय का

---

1. राल्स — वही, पृ. 4
2. रूसो — **दि सोश्यल कांट्रैक्ट एण्ड डिस्कोर्सेस**, पृ. 154-60, यहाँ एग्नेस हैल्लर कृत **बियॉण्ड जस्टिस**, बेसिल ब्लैकवैल, ऑक्सफोर्ड, 1987, पृ. 85 से उद्धृत।

नैतिक आधार क्या हो सकता है? इसके आगे जाकर यह प्रश्न भी हो सकता है कि क्या स्वयं नैतिकता का भी कोई आधार है?

इनमें अन्तिम प्रश्न पर हम पिछले अध्याय में विचार कर चुके हैं। हमने वहाँ पाया था कि कर्म की सार्थकता-विषयक परिपृच्छा मानव-चेतना में मौलिक है और वही नैतिकता की आधार है। वास्तव में यह आधार इससे भी व्यापक है : कर्म की ही नहीं अपने अस्तित्व की ही सार्थकता विषयक परिपृच्छा आत्म-चेतन चेतना में हो सकती है और यह परिपृच्छा ही मूलतम नैतिक परिपृच्छा है, और कर्म का इस परिपृच्छा के समाधान के अनुसार नियोजन नैतिक कर्म है। किन्तु मेरे अस्तित्व की सार्थकता किसमें है? ऊपर रूसो के शिष्ट मनुष्य ने न्याय के सम्बन्ध में यही परिपृच्छा की है : 'न्याय के अनुसरण में मुझे क्या लाभ है?' राल्स का उत्तर है कि न्याय सामाजिकता के लिए आधारभूत है और समाज से व्यक्ति को लाभ ही लाभ है, उसके बिना वह असंख्य सुविधाओं से वंचित रह जायगा। यह सही है, किन्तु यह भाव तो जीवमात्र में ही समूहीकरण का आधार है, यह बात दूसरी है कि ये समूह और उनके द्वारा सुविधाओं का उत्पादन अत्यन्त निम्न स्तर के होते हैं। मनुष्य में जो विशिष्ट है वह यह कि वह 'लाभ' की जैविक अवधारणा से सन्तुष्ट नहीं होता और यही कारण है कि हम देखते हैं कि जैविक सुविधाओं की अतिशयता सार्थकता-विषयक किसी दूसरे आधार के बिना समाज के अस्तित्व तक की रक्षा में असमर्थ रहती है। प्रश्न तो यही है कि 'मेरा लाभ किसमें हैं?' किन्तु इस प्रश्न में 'लाभ' के युक्त अर्थ को लेकर ही समस्या है। इस लाभ की बहुत महत्त्वपूर्ण और सुन्दर चर्चा **बृहदारण्यक** उपनिषद् में है। उसके अनुसार, सब प्रकार के धन-धान्य प्रस्तुत किये जाने पर मैत्रेयी उन्हें अस्वीकार करती हुई कहती है कि "जिसमें मैं अमृत पद नहीं पा सकती उसे पाकर मैं क्या करूँगी?"[1] निश्चय ही व्यक्तिगत स्तर पर अधिकांश मनुष्य अधिकांशतः जैविक सुखों का ही अन्वेषण करते हैं और समाज का समूह-पक्ष इसमें इनके लिए उपयोगी होता है, किन्तु कोई समूह संस्कृति-अनुविद्ध होने पर ही समाज बनता है और संस्कृति उसकी चेतना के दूसरे स्तर को व्यक्त करती है और इस स्तर पर उसका अन्वेष्य लोकोत्तर ही रहा है। समाज चेतना के इन दोनों स्तरों को धारण करता है। नैतिक नियम, अथवा कहें आचरण की युक्तता के प्रतिमान, जिनमें न्याय भी सम्मिलित है, चेतना के जैविक स्तर को उसके लोकोत्तर स्तर से संयुक्त करते हैं और स्वयं जैविक सुख को एक दूसरा आयाम देते हैं। यही कारण है कि काम गृहस्थाश्रम का विषय है और गृहस्थाश्रम ब्रह्मचर्य और वानप्रस्थ तथा संन्यास के बीच की कड़ी है, और सन्तानोत्पत्ति जैविक जाति-संवर्द्धन की सहज प्रवृत्ति का 'पितृऋण' में रूपान्तरण है। अब, ऋणों की यह अवधारणा आधारभूत रूप से न्याय से सम्बन्धित है। पितृ-ऋण का अर्थ है कि "तुम अपने अस्तित्व के लिए भी दूसरे के ऋणी हो और इस ऋण से मुक्ति केवल तभी सम्भव है यदि तुम सन्तानोत्पादन और सन्तान-पालन के द्वारा मानव-अस्तित्व का संवर्द्धन करो।" इस व्यवस्था से एक सहज जैव प्रकृति नैतिक कर्त्तव्य में रूपान्तरित हो जाती है जिसका साध्य वैयक्तिक लाभ नहीं होकर वैश्व संगति में सम्मिलित होना है। यह बात दो दूसरे ऋणों से और भी स्पष्ट हो जाती है। ये हैं ऋषि-ऋण और देव-ऋण। इनमें ऋषि-ऋण जबकि शिक्षा और ज्ञान : इनके व्यापकतम अर्थ में : विषयक है देव-ऋण सम्पूर्ण मानवेतर सृष्टिविषयक है : कीट-पतंगों और पशु-पक्षियों को भोजन देना तथा सूर्य, चन्द्र आदि को हवि देना समान रूप से देव-ऋण चुकाने में सम्मिलित हैं। न्याय-विषयक इस बोध का आधारभूत प्रत्यय यज्ञ को कहा जा सकता है। द्रष्टव्य है कि इस प्रत्यय का बोध मनुष्य में वैज्ञानिक युग के आविर्भाव से पूर्व सर्वत्र मिलता है, किन्तु विभिन्न समाजों में अन्य प्रत्ययों के अवधारण में प्रकार-भेद और स्तर-भेद के समान इस प्रत्यय के अवधारण में भी ये भेद दिखायी देते हैं। **गीता** के निम्न श्लोकों में इसका अवधारण शुद्धतम और सम्यक्तम कहा जा सकता है:—

"यज्ञ-भावना से भिन्न किसी प्रयोजन से किया गया सब कर्म बन्धन का कारण होता है, इसलिए हे अर्जुन, तू सब सगे-सम्बन्धों और कामनाओं से मुक्त होकर कर्म कर।

---

1. **बृहदारण्य उपनिषद्** 2-4.

सृष्टि के आरम्भ में प्रजापति ने यज्ञपूर्वक ही चराचर जगत् की रचना की थी और वैसा करके उसने इस भाव से मनुष्य को आगे सृजन का निर्देश दिया था। यह यज्ञ-भाव ही वास्तव में सब युक्त फलों को देने वाला है।

जो यज्ञ से शेष बचा हुआ भोजन ग्रहण करता है वह सब पापों से मुक्त होता है। जो अपने लिए ही भोजन पकाते हैं वे पाप-भोगी हैं।"[1]

किन्तु **वेद** में यज्ञ की अवधारणा इससे भिन्न है, जैसे "पुत्र-कामः यजेत।" किन्तु ऐसा नहीं है कि इसके तात्त्विक अर्थ का बोध वहाँ है ही नहीं। शिव की एक अलौकिक सामरस्य में अवस्थिति और इस सामरस्य की परमात्मा में प्रतिष्ठा का बोध वेद में उतना ही है जितना उपनिषद् और गीता में, और यज्ञ का प्रत्यय उसी से सम्बद्ध है। किन्तु प्रत्ययों के शुद्ध स्वरूप तक पहुँचने में, अथवा कहें अपने शुद्ध स्वरूप के साक्षात्कार की अवस्था तक पहुँचने में, मानव-चेतना को प्रायः ही सुदीर्घ और कठोर प्रयत्न करना पड़ता है। **वेद** में भी यज्ञ की अवधारणा 'तस्मै देवाय हविषा विधेम' (हम उस देवता को हवि देते हैं) ही है। अब, "जो अमुक वस्तु चाहता है वह इस प्रकार यज्ञ करे" इसमें भी "यदि कुछ प्राप्त करना चाहते हो तो पहले विश्व-शक्तियों को दो, तभी लेने की बात सोचो" दृष्टि ही है। इस प्रकार इस दृष्टि के अनुसार न्याय वैयक्तिक अधिकारों के सन्तुलन की व्यवस्था के बजाय विश्व और समाज की व्यवस्था में आत्मदान, उसके सामरस्य में तादात्म्य की सिद्धि हो जाता है। द्रष्टव्य है कि कार्ल पॉप्पर ने अपनी पुस्तक **ओपन सोसाइटी एण्ड इट्स एनीमीज़** में जो प्लेटो और हेगल के समाज-सिद्धान्तों पर आपत्तियाँ उठायी हैं वे उपर्युक्त दृष्टि पर लागू नहीं हो सकतीं, यद्यपि उसकी प्लेटो और हेगल की आलोचना भी कम पूर्वाग्रहग्रस्त नहीं है।

किन्तु यहाँ प्रश्न हो सकता है कि यदि जगत् को प्रजापति की यज्ञात्मक सृष्टि के रूप में देखा जाता है तो इसमें असन्तुलन, उत्पीड़न और स्वार्थ होना ही नहीं चाहिए : किन्तु हम देखते हैं कि ये वास्तव में प्रभूत मात्रा में हैं। अवश्य विश्व किसी सन्तुलन पर ही अवस्थित होगा, भौतिक जगत् में यह सन्तुलन हम स्पष्टतः देखते हैं और इससे जैव जगत् में भी हम इसके होने का अनुमान कर सकते हैं। यद्यपि इस सन्तुलन के सिद्धान्त को हम जान नहीं पाये हैं, किन्तु इस जगत् का नियम परार्थता और अहिंसा में प्रतिष्ठित है, ऐसा कहीं दिखायी नहीं देता। परार्थता : अहिंसा और न्याय : नैतिक बोध हैं और नैतिक बोध का तत्त्व सहज-प्राकृतिक प्रवृत्तियों का रूपान्तरण है। हमारा सहज भाव ऐन्द्रिक-मानसिक सुखों के अर्जन और संवर्द्धन का होता है और इनमें हम किसी बाधा को सहन नहीं कर सकते। वह बाधा मनुष्य या अन्य जीव होने पर हम उसे मार कर भी अपने मार्ग से हटाना चाहते हैं। सम्पूर्ण जैव सृष्टि का यही नियम है। इस सृष्टि में सन्तुलन का एक सूत्र यह भी प्रतीत होता है कि जीव परस्पर के भक्षक हैं। इस प्रक्रिया में अन्य की पीड़ा के लिए कोई विचार नहीं है। मनुष्य भी इस व्यवस्था में पशु-वध और पशु-भोजन द्वारा योगदान करता है। इसे आप चाहें तो प्रजापति का यज्ञ भी कह सकते हैं। किन्तु मनुष्य नैतिक बोध में, न्याय-विचार में, जो देखता है वह इसके ठीक विपरीत है। वह यह है कि वह वैयक्तिक रूप से कर्त्ता है और उसके लिए परोपकार पुण्य-प्रदायक और पर-पीड़न पाप-प्रदायक होता है और इस पुण्य और पाप का दायित्व उसका अपना है, वह आत्म-नियोक्ता है इसलिए उसे अपने को पुण्य और पाप के विचार के अनुसार नियुक्त और वियुक्त करना है, फिर चाहे सम्पूर्ण सृष्टि इस विचार से वंचित हो और सम्पूर्ण मानव-समाज इस बोध में विमुख हो। नैतिक बोध की अपेक्षाएँ उस प्रत्येक व्यक्ति से हैं जो नैतिक बोध-समर्थ है और ये अपेक्षाएँ व्यक्ति

---

1. यज्ञार्थात् कर्मणोऽन्यत्र लोकोयं कर्मबन्धनः।
तदर्थं कर्म कौतेये मुक्तसंगः समाचर।।2.9।।

सहयज्ञाः प्रजाः सृष्ट्वा पुरोवाच प्रजापतिः।
अनेन प्रसविष्यध्वमेष वोऽस्त्विष्ट कामधुक्।।2.10।।

यज्ञशिष्टाशिनः सन्तो मुच्यन्ते सर्व किल्वषैः।
भुंजन्ते त्वघं पापाः ये पचंत्यात्म कारणात्।।2.13।।

से निरपेक्षरूप से हैं। सृष्टि और समाज का स्वरूप कैसा होना चाहिए यह अवश्य इस कर्त्ता का दायित्व है, किन्तु 'जैसा है' से भिन्न 'जैसा होना चाहिए' का आधार क्या है? और 'कैसा होना चाहिए' इसका निर्णय कैसे हो?

'जैसा होना चाहिए' के बोध का आधार 'जैसा है' में अपूर्णता का, दोष का दिखायी देना है। ऐसा नहीं है कि यह बोध मनुष्य से अन्यत्र नहीं है। भौतिक से जैविक और जैविक में एक-कोशीय से असंख्यकोशीय जीवों का विकास, जड़ से चेतन और चेतन से आत्म-चेतन का विकास, यह सब 'है' का 'होना चाहिए' के अनुसार निरूपण भी कहा जा सकता है और इस प्रकार मूल्य को अस्तित्व-जगत् में नितान्त मूलगामी कहा जा सकता है। मनुष्य में जो वैशिष्ट्य है वह इस मूल्य-बोध का आत्म-चेतन होना है, जो आत्म चेतना स्वयं वैश्व-चेतना के स्वरूपान्वेषण की प्रक्रिया की निष्पत्ति कही जा सकती है। किन्तु आत्म-चेतना के अधिष्ठान के रूप में मनुष्य पूर्णता और निर्दोषता के, अन्वेष्य और काम्य के नये आयाम देख पाता है और उसका यह दायित्व हो जाता है कि वह इस अन्वेषण में प्रवृत्त हो। वास्तव में दायित्व स्वयं मूल्य का एक आयाम है जो आत्म-चेतन चेतना के बोध का विषय होता है। यह द्रष्टव्य है कि भाव्य-निर्दोषता विषय और विषयी के, चित् और अचित् के बीच व्यवधान के आर-पार अपने को अवस्थित करती है। प्रस्तुत में दोष का और अप्रस्तुत निर्दोषता का अनुसन्धान चेतना को अपने भीतर ही करना होता है और प्रस्तुत का उसके अपने आदर्श रूप के अनुसार रूपान्तरण करना होता है। नैतिक कर्म का अन्य कर्मों से यह वैशिष्ट्य है कि यह कर्म का और कर्म के अपने ही रूप के निदर्श के अनुसार रूपान्तरण करता है। न्याय को भी इसी सन्दर्भ में देखना चाहिए। इसे इस रूप में देखे बिना "कबिरा आप ठगाइये और न ठगिये कोय" का और सुकरात के "अन्यायी को उसी प्रकार में प्रतिदान नहीं देकर स्वयं अन्याय सहने" का अर्थ नहीं समझा जा सकता। गाँधी के सत्याग्रह का तत्त्व भी न्याय की इसी अवधारणा में है। इसके अनुसार न्याय अनतिक्रमणीय व्यक्तियों के अनतिक्रमणीय अधिकारों की व्यवस्था नहीं है, बल्कि उस मूल्य की रक्षा है जो वस्तु का सत्य है—विश्व का सत्य, मानव का सत्य, समाज का सत्य और व्यक्ति का अपना सत्य। इनमें कोई भी सत्य अन्य सत्य से बाधित नहीं होता। जहाँ प्रकटतः होता है वहाँ समझना चाहिए कि कोई दोष है, व्यक्ति या समाज, अथवा दोनों, अपने सत्य में व्यवहित हैं। यहाँ उदाहरणतः व्यक्ति और समाज के बीच किसी विषमता को लें : "रमेश का सुधा से प्रेम-विवाह हुआ किन्तु अब रमेश सुधा के बजाय सीता को प्रेम करने लगा है।" अब, यह एक अत्यन्त जटिल परिस्थिति है जो व्यक्तियों के बीच और व्यक्ति तथा समाज के बीच प्रायः ही उत्कट तनाव की कारण बनती है। इसके समाधान के लिए विभिन्न समयों में विभिन्न समाजों ने अनेक उपाय सोचे किन्तु इसका कोई समाधान नहीं निकल पाया है। यहाँ हमारा उद्देश्य इसका समाधान प्रस्तुत करना नहीं है, इस पर विचार करना भी इस लेख में सम्भव नहीं है, किन्तु इस समस्या के स्वरूप पर थोड़ा दृष्टिगत सत्य विषयक हमारे इस प्रतिपादन के औचित्य को समझने में सहायक हो सकता है। प्रथम यह द्रष्टव्य है कि यह समस्या अन्न-प्राण-मनोमय मनुष्य की है, अन्न-प्राणमय अधिक और मनोमय कम, अधिकांश में केवल अन्न-प्राणमय ही। मनुष्य का यह स्तर ही उसके सत्य से अत्यधिक व्यवहित है, इस स्तर पर इसका समाधान केवल आंशिक और व्यावहारिक ही हो सकता है : प्राचीन समाजों ने इसका समाधान मनुष्य के व्यक्तिमूलक पक्ष को अभ्यास और शिक्षा द्वारा समाज से गौण बनाकर प्रस्तुत किया, आधुनिक समाज उसके सामाजिक पक्ष को गौण बनाकर करने का प्रयत्न कर रहे हैं। प्रथम व्यवस्था को आधुनिक मनोविश्लेषणवाद मनुष्य का आत्मव्यवहितत्व कहता है, यह मानकर कि चेतना समाजीकरण में आत्मव्यवहित हो जाती है, वह केवल अपनी वैयक्तिक सहज अभिव्यक्तियों में ही अव्यवहित रहती है, और इसके अनुसार वास्तव में चेतना अन्न-प्राणमय ही है। किन्तु वास्तव में ऐसा नहीं है। समाज संस्कृति के रूप में मनुष्य के मनोमय जीवन की अभिव्यक्ति है, जिसे उसके अन्न-प्राणमय स्तर का उन्नयन और नियोजन करना होता है। इसके अतिरिक्त, स्वयं यह मनोमय अभिव्यक्ति अपने स्वरूप के और अन्न-प्राणमय स्तर से अपने सम्बन्ध के बारे में स्पष्ट नहीं होती, क्योंकि इसे अपनी व्याख्या के लिए जिस 'व्यक्ति' का आश्रय लेना होता है वह मनोमय-सामाजिक व्यक्ति ही नहीं होता वह अन्न-प्राणमय असामाजिक व्यक्ति भी होता है। उपर्युक्त, और इस प्रकार की सब, समस्याओं की अवस्थिति इसी मध्यवर्ती प्रदेश में होती है। मनुष्य जहाँ तक अपने मनोमय सामाजिक स्तर पर उठ पाता है उस सीमा तक ही उपर्युक्त प्रकार की समस्याएँ कम होती हैं। प्राचीन

समाजों में मनुष्य वैयक्तिक कम और सामाजिक अधिक था, आधुनिक समाजों में वह वैयक्तिक अधिक है। इनमें प्रथम को आत्मव्यवहितता की स्थिति कहना उसे दूसरी के मानदण्ड से देखना है। किन्तु प्रथम स्थिति में यह दोष है कि इसमें समाज का अधिकांश भाग बोधपूर्वक सामाजिक नहीं होता, केवल अभ्यासपूर्वक ही सामाजिक होता है। किन्तु कुछ भाग बोधपूर्वक भी सामाजिक होता है और वास्तव में यह भाग ही मनोमय समाज–पुरुष होता है। इस प्रकार यह भाग ही यह सिद्ध करता है कि सामाजिक मनुष्य की श्रेष्ठता का क्या अर्थ है। **अभिज्ञान शाकुन्तलम्** में दुष्यन्त का यह कथन कि "शकुन्तला को क्षत्रिय–कन्या ही होना चाहिए, क्योंकि अन्यथा मेरा मन इसके प्रति आकर्षित नहीं हो सकता था" अन्न–प्राणमय व्यक्ति–मनुष्य का मनोमय समाज–मनुष्य के अधीन उसके साथ समन्वय कहा जा सकता है। किन्तु शुद्ध मनोमय भूमि पर समाज–चेतना के आदर्श प्रतिमानों के रूप में भारतीय संस्कृति में हरिश्चन्द्र, शिव, राम और भीष्म आदि प्रतिष्ठापित हैं और अनेक ऐतिहासिक व्यक्ति इन प्रतिमानों के अनुसार अपने को साधने में न्यूनाधिक सफल होते रहे हैं।

न्याय भी सामाजिक मनुष्य द्वारा अपने जीवन की व्यवस्था के रूप में और उस जीवन के सत्य के रूप में साक्षात्कृत प्रत्यय है, इसे वास्तव में इस जीवन का आधारभूत प्रत्यय भी कह सकते हैं। इसमें व्यक्ति की अनतिक्रमणीयता एक अनवधार्य विचार होगा। यहाँ **गीता** में कृष्ण द्वारा अर्जुन को सब समझा देने के बाद यह कहना कि "अब जैसा तुझे उचित लगता है वह कर" एक उल्लेखनीय प्रसंग होगा। इस प्रसंग को व्यक्ति की अनतिक्रमणीयता के प्रतिपादन के रूप में भी देखा जा सकता है, किन्तु वास्तव में इसका यह प्रतिपाद्य नहीं है। इसका प्रतिपाद्य निस्संग, निष्काम, निरहंकार मनोमय पुरुष को स्वयं सामाजिक मनोमयता के स्तर से भी मुक्त करना है। व्यक्ति की अनतिक्रमणीयता न्याय के आधार के रूप में कैसा समस्यात्मक विचार है, यह देखने के लिए हम एक सांप्रतिक उदाहरण प्रस्तुत करेंगे : इधर आतंकवादी लोग किसी भी व्यक्ति को पकड़ ले जाते हैं और तब उसे छोड़ने के बदले में अपने बंदी साथियों को छोड़ने की मांग करते हैं। अब, यदि व्यक्ति को अनतिक्रमणीय माना जाय तो राज्य के लिए इस अपहृत व्यक्ति की रक्षा के लिए उन आतंकवादियों की कोई भी शर्त मानना अनिवार्य होगा, इसमें राज्य को कोई अधिकार नहीं हो सकता कि वह दूसरी कोई बात सोचे भी। इसके विरोध में यह युक्ति भी नहीं दी जा सकती कि इससे अन्य व्यक्तियों की सुरक्षा का प्रश्न सम्बन्धित है, क्योंकि वह व्यक्ति के मौलिक अधिकार : अपने जीवन की सुरक्षा के अधिकार : का अतिक्रमण होगा, जहाँ उसके किसी अपराध के बिना जीवन जाने की सम्भावना हो वहाँ तो उसके सम्बन्ध में किसी अन्य द्वारा निर्णय ले सकने का प्रश्न ही नहीं उठता। किन्तु यह विचार वास्तव में व्यक्ति–केन्द्रक मनुष्य का है, समाज–केन्द्रक मनुष्य इसे स्वीकार नहीं कर सकता। अवश्य सहज रूप में एक अपहृत व्यक्ति तो यही चाहेगा कि वह किसी भी शर्त पर छूट जाय, किन्तु इस मनोभूमि पर वह अपनी इस इच्छा को उचित नहीं मानेगा।

हमारे इस प्रतिपादन को 'खुले समाज' के समर्थक भयावह पायेंगे। निश्चय ही हिटलर और स्टालिन जैसे लोग ऐसे विचार को आधार बनाकर एक भयानक आसुरी समाज की स्थापना कर सकते हैं, किन्तु समाज का वह स्वरूप वास्तव में हमारे प्रतिपाद्य विचार से उससे कहीं अधिक विपरीत है जितना 'खुला समाज' है, क्योंकि यह तानाशाही समाज या राज्य समाज–पुरुष अथवा समाज–मानव की अभिव्यक्ति नहीं होकर अत्यन्त स्फीत अहंकारमूलक असामाजिक मानव की अभिव्यक्ति होता है। समाज–मानव की श्रेष्ठतम अभिव्यक्तियाँ वास्तव में गाँधी द्वारा प्रतिपादित, अथवा तुलसी, कालिदास और सुकरात द्वारा कल्पित एवं महाराजा अशोक द्वारा उदाहृत समाज एवं राज्य को ही कहा जा सकता है। प्लेटो की **रिपब्लिक** और **मनु–स्मृति** भी समाज–मानव की ही व्यवस्थाएँ थीं, यह बात दूसरी है कि उनकी दृष्टि के बहुत–से पक्ष, विशेषतः मनुस्मृति के, आत्म–संगत नहीं थे। दृष्टिदोष या दृष्टि का धुँधलापन मनुष्य में सहज है, जिसके सम्बन्ध में हम कुछ विचार पिछले अध्यायों में कर आये हैं।

यहाँ यह आपत्ति की जा सकती है कि ऊपर हमने जिन राजनीतिक अभिव्यक्तियों को श्रेष्ठतम कहा है उनमें : प्लेटोवाद और गाँधीवाद के अतिरिक्त : निर्देश और निर्णय का अधिकार व्यक्ति को ही है, अन्य सब तो उसके

अनुपालक ही होते हैं। इस प्रकार एक प्रकार से ये व्यवस्थाएँ आकारतः व्यक्तिवादी व्यवस्थाएँ ही हैं। किन्तु यह सही नहीं है। उन व्यवस्थाओं में राजा व्यक्ति रूप में कल्पित नहीं है। वह निरंहकारता और धर्म की प्रतिमा है, जबकि तानाशाही असीमतः स्फीत आहंकारिकता और यादृच्छिकता को प्रतिमूर्तित करती है। इसी से गाँधीजी का राम-राज्य वह था जिसमें समाज-मानव स्वशासित था। यह स्वशासन वास्तव में अन्त:प्रेरित ही हो सकता है, बाह्यारोपित नहीं, अन्त:प्रेरणा और बाह्यरोपण को उस व्यापक अर्थ में लेते हुए जिसमें प्रचार-प्रशिक्षण द्वारा आरोपण बाह्यारोपण में ही सम्मिलित हैं। आध्यात्मिक दृष्टि-विहीन आज के खुले समाजों और खुली विपणन-व्यवस्था में प्रतिमा-स्फार (इमेज-बिल्डिंग)—कौशल और विज्ञापन-कौशल ने जैसे व्यवस्थात्मक स्वीकृति प्राप्त की हुई है उसके रहते खुलेपन की बात एक प्रवंचना ही हो जाती है। आवरण-रहित, अन्त:प्रेरित स्वशासन का उपयुक्ततम व्यवस्थात्मक रूप केवल आध्यात्मिक दृष्टि-समन्वित पंचायती या गणात्मक राज्य ही हो सकता है। द्रष्टव्य है कि प्रजातन्त्रवाद को इन्हीं का आधुनिक रूप समझा जाता है। किन्तु यह सही नहीं है। प्रजातन्त्रवाद की मानसिकता व्यक्ति-मानवपरक मानसिकता है, इसके विपरीत पंचायती राज की मानसिकता समाज-मानवपरक। प्राचीन राज-तन्त्र भी मूलतः समाज-मानव की ही संस्थापना था, यह बात दूसरी है कि वह इस मानसिकता की अनुपयुक्त व्याख्या था और इस व्याख्या में राज्य-संस्था के आत्म-भ्रष्ट हो जाने की सम्भावनाएँ बहुत रहती थीं।

यहाँ संक्षेप में यह विचारणीय है कि कोई अभिव्यक्ति असम्यक् या भ्रान्त कब होती है और सम्यक् तथा अभ्रान्त कब? अभिव्यक्ति सम्यक् और अभ्रान्त तब होती है जब वह अपने प्रत्यय के अनुरूप होती है, और जितनी ही वह अपने प्रत्यय का तात्पर्य ग्रहण करने में भ्रान्त होती है, अथवा तात्पर्य ग्रहण कर उसकी व्याख्या और अवगाहन में असमर्थ रहती है, उसके अनुसार ही वह भ्रष्ट कही जाती है। अब, 'राजनीतिक संगठन' के प्रत्यय का मूलभूत तत्त्व अथवा सत्य समाज के अपने स्वरूप-सिद्धि के उपक्रम को निर्विघ्न बनाये रखना कहा जा सकता है। इसमें यह एक अन्तर्निहित प्रतिपत्ति है कि आत्मा स्वरूप-व्यवहित है। पिछले अध्याय में हमने इसे ही अनैतिकता का मूल कहा था। यह व्यवधान विमर्श के उपक्रम का भी कारक बनता है और इस उपक्रम के पथ-भ्रष्ट होने का भी। विमर्श के इस अपने सत्य की उपलब्धि को अपने तत्त्व के साक्षात्कार की सिद्धि कहा जा सकता है। इस प्रकार सृजन और विमर्श चैतन्य के आत्म-व्यवहितत्व के निवारण के प्रयत्न हैं और आत्म-व्यवहितत्व की विद्यमानता के द्योतक हैं। इस आत्म-व्यवहितत्व का दूसरा पक्ष इस प्रयत्न को बाधित करना है। इसे चैतन्य का प्रतिपक्ष : प्रति-चैतन्य : भी कह सकते हैं। पुराणों ने इसे ही असुर, दानव या शैतान का प्रतीक दिया है। राजनीति समाज-मानव द्वारा इस विघ्न से संघर्ष का ही एक उपाय है। न्याय इस उपाय का एक मूलभूत अंग है, यद्यपि यह साथ ही समाज-मानव की आत्मसाधना का साध्य भी है। उदाहरणतः समाज में न्याय की स्थापना का प्रयत्न और उसके लिए व्यक्ति द्वारा आत्म-सुख-त्याग, आत्मबलिदान, इसी श्रेणी में आते हैं। क्रान्तियाँ और सशस्त्र संघर्ष भी इसी श्रेणी में आते हैं। पुराने समयों में ऐसे दस्युओं की कथाएँ, जो धनाढ्यों का अनुचित रूप से अर्जित धन छीनकर निर्धनों में बाँट देते थे, भी इसी श्रेणी में आती हैं। किन्तु इनमें एक दृष्टि-दोष है, यह बात गाँधी जी से पहले किसी ने नहीं देखी थी। ग्राम-स्वराज, अहिंसा और सत्याग्रह इस मौलिक दृष्टि का ही एक अद्भुत और मौलिक उपाय-कौशल है। ये उपाय न्याय की अवधारणा को पूर्णतः और आधारभूत रूप से नैतिकता के भीतर स्थापित कर देते हैं और नैतिक बोध को कहीं अधिक गहराई और व्यापकता दे देते हैं। इस दृष्टि की मौलिकता इस बात में है कि यह न्याय को समाज में "लाभ-हानियों के समान वितरण' की अवधारणा के स्तर से उठा कर 'समाज-मानव के मनोरोग के निदान' के स्तर पर ला देती है और सामाजिक व्यक्ति से गहनतम आत्म-बोध की, अदम्य और निरुद्विग्न साहस की तथा दृढ़तम संकल्प की अपेक्षा करती है।

यहाँ इसके विरुद्ध आपत्ति की जा सकती है कि 'ग्राम-स्वराज्य' मनुष्य के सामाजिक इतिहास की विकास-यात्रा की यांत्रिक-औद्योगिक स्तर तक की सुदीर्घ प्रगति को नकार कर उसे पुनः उसके आदिम-अविकसित स्तर पर लाने का अनुचित और असम्भव प्रयत्न करना है। यह युक्ति बहुत व्यापक रूप से मान्य और

प्रथम दृष्टि में अकाट्य भी प्रतीत होती है। सम्भव है यह वास्तव में भी अकाट्य ही हो। यों इसकी अकाट्यता का इससे बड़ा प्रमाण क्या हो सकता है कि स्वयं गाँधी जी के जीवन-काल में ही और स्वयं उन्हीं के अनुयायियों द्वारा इसे व्यवहार और आदर्श किसी भी रूप में स्वीकार नहीं किया गया था। यह सही है, किन्तु यह युक्ति ऐसी ही है जैसी यह होगी कि 'यन्त्र-विज्ञान' का विकास हुआ तो परमाणु-यान्त्रिकी का विकास भी होगा ही और तज्जन्य प्रदूषण और बम भी बनेंगे ही। यह एक ऐतिहासिक अनिवार्यता है जिसका प्रमाण यह है कि उसके असंख्य विरोध होने पर भी उसकी प्रगति अप्रतिरुद्ध है और मनुष्य शान्ति की व्यवस्था को भी उसी की संहारक शक्ति के सन्तुलन के आधार पर ही खड़ी कर रहा है। किन्तु तब यह निष्कर्ष भी मनुष्य की ऐतिहासिक नियति के रूप में स्वीकार्य होना चाहिए कि मनुष्य का आसुरी संघर्षों द्वारा आत्म-हनन उसकी अनिवार्य नियति है। इसी युक्ति से प्रदूषणों की वृद्धि और तज्जन्य रोगों का प्रसार भी उसकी अनिवार्य नियति होगी। वास्तव में ऐतिहासिक विकास के इन दूसरे परिणामों की तुलना में प्रथम परिणाम : उपभोक्तावाद, जटिल अर्थ-तन्त्र, जटिल समाज-व्यवस्था और तब परिणाम में सब सिद्धान्तों और उपकरणों का समर्थों द्वारा दुरुपयोग और अन्याय : कहीं अधिक अनिवार्य होंगे। क्योंकि सम्भव है यन्त्र प्रदूषणों का कोई निदान खोज सके, किन्तु आर्थिक-सामाजिक जटिलता और उपभोक्तावाद-जन्य मनोरोगों का निदान इसके भीतर अचिन्त्य हैं। इसके भीतर से इसके उपचार का एक प्रमुखतम प्रयत्न मार्क्सवाद के रूप में सामने आया था और इसके स्टालिनवाद और माओवाद के रूप में जो परिणाम हुए वे हम देख ही चुके हैं। तब इसका और क्या उपाय हो सकता है? सम्भवतः इसका उपाय जीवन-दृष्टि में परिवर्तन के द्वारा ही हो सकता है : यान्त्रिक-औद्योगिक प्रगति के साथ इन्द्रियार्थवादी-उपभोगवादी दृष्टि भी हो यह कोई अनिवार्य बात नहीं है न व्यक्तिवाद अथवा उसके विपरीत समाज-सत्तावाद या नाज़ीवाद ही आवश्यक हैं। इनके बजाय अध्यात्मवादी-त्यागवादी, सर्वात्मवादी-निरहंकारवादी दृष्टि भी हो सकती है। राजनीति के मूल मन्त्र छल-छद्म, युद्ध और आतंकवाद, अथवा प्राचीन पदावली में कहें तो सन्धि, विग्रह, यान, आसन, संशय और द्वैधीभाव के बजाय भ्रातृत्व, विश्वास, अहिंसा और सत्य भी हो सकते हैं। यदि यह सब नहीं हो सकता तब न्याय की बात वैसी ही होगी जैसी शस्त्रों के सन्तुलन के द्वारा शान्ति (आर्मामेन्ट फार पीस) की बात है।

राज्य

राज्य समाज की अन्य अनेक संस्थाओं के समान ही एक संस्था है, यद्यपि प्रभाव और आकार की दृष्टि से यह अन्य संस्थाओं की तुलना में बहुत अधिक महत्त्वपूर्ण होती है। इसका एकमात्र अपवाद मध्यकालीन यूरोप के चर्च को कहा जा सकता है, जिसके विस्तार-क्षेत्र में यूरोप की विभिन्न सरकारों के क्षेत्र सम्मिलित थे। किन्तु संस्थाओं के अन्ततः सामाजिक होने से विस्तार का यह प्रश्न थोड़ी कठिनाई उत्पन्न करता है, क्योंकि तब किसी संस्था का क्षेत्र अपने आधार समाज से व्यापकतर नहीं होना चाहिए। किन्तु देखने में आता है कि अतीत में राज्यों के विस्तार-क्षेत्र नित्य बदलते रहते थे और कभी-कभी समाज के विस्तार से बहुत विस्तृततर हो जाते थे। अभी पीछे द्वितीय महायुद्ध के समय ही रूसी राज्य ने आस-पास के बहुत-से देशों को अपने अधीन कर लिया था और रूस का ही भाग बना लिया था, किन्तु यह नहीं कहा जा सकता कि वे भाग रूसी समाज के भी भाग बन गए थे। किन्तु इसके उत्तर में कहा जा सकता है कि राज्य का अपने मूल समाज से व्यापकतर क्षेत्र वास्तव में राज्य का भी क्षेत्र नहीं होता बल्कि वह उसका उपनिवेश होता है और वह समाज उस राज्य को अपने पर आरोपित ही मानता है। किन्तु यह सदैव सम्भव है कि किसी समाज का विस्तार-क्षेत्र किसी भी एक राज्य के विस्तार-क्षेत्र से बहुत व्यापकतर हो और राज्यों में विभक्त हो। उदाहरणतः भारतीय समाज का विस्तार-क्षेत्र प्राचीनकाल से हिमालय से कन्याकुमारी तक और काश्मीर से बंगाल की खाड़ी तक विस्तृत रहा है, किन्तु किसी राज्य का विस्तार इतना नहीं रहा, सिवाय अंग्रेज़ों के राज्य के।

अब यह 'राज्य' क्या है? इसे उचित रूप से समाज के आत्मनियमन के और आत्मसंरक्षण के कार्यों की सम्पादक संस्था कहा जा सकता है। सामाजिक आत्मनियमन के दो आयाम हैं : एक, समाज की आत्मा की अपने स्वरूप की सिद्धि, स्वधा में प्रतिष्ठा, और दूसरा सामाजिक संगठन में शिथिलता और बिखराव का निवारण। पहला आयाम संस्कृति के विकास के रूप में प्रतिफलित होता है और दूसरा समाज के घटक व्यक्तियों और समूहों द्वारा सामाजिक नियमों और परम्पराओं के पालन के रूप में। यह द्रष्टव्य है कि सामाजिक नियमों और परम्पराओं का भंग जबकि साधारणतः सामाजिक शिथिलता और बिखराव का कारण होता, जिसका निवारण समाज का : समाज के एक उपकरण राज्य का : कर्त्तव्य होता है। यह नियम-भंग सामाजिक आत्मा के स्वरूप की सिद्धि में उपकारक भी हो सकता है और इस प्रकार सामाजिक स्वधा की सिद्धि में भी उपकारक हो सकता है, और परिणामतः सामाजिक संगठन में भी उपयोगी हो सकता है। प्रथम परम्परा-भंग का मूल जबकि चेतना का प्रमाद होता है जो काम, क्रोध, लोभ, मोह आदि के रूप में लक्षित होता है, दूसरे परम्परा-भंग का मूल चेतना का प्रमादमुक्त होना, अपने अव्यवहित स्वरूप में प्रतिष्ठित होना, सृजनात्मक होना, होता है। बुद्ध, शंकर, कबीर, विवेकानन्द, गाँधी आदि इसके प्रमाण हैं। निश्चय ही ये समाज नहीं होकर व्यक्ति हैं, किन्तु ये सामाजिक चेतना के स्फोट-स्थल भी हैं। कभी-कभी राज्य इन व्यक्तियों, अथवा कहें सामाजिक चित्स्फोटों, को भी सामाजिक अस्तित्व के लिए आपद्-रूप में ही देखने की भूल करता है : सुकरात और गेलिलियो इसके प्रखरतम उदाहरण हैं : किन्तु इसे समाज या राज्य की भ्रान्त-दृष्टि और अपनी सीमा का अतिक्रमण ही कहा जा सकता है। धर्मान्ध समाज और अधिनायकवादी राज्य दमन का उग्रतम रूप प्रदर्शित करते हैं। स्थापित परम्पराओं और नियमों के ये उल्लघंन राज्य के हस्तक्षेप के उस समय अनुचित विषय बनते हैं जब इनके कारण समाज में कलह और अव्यवस्था उत्पन्न नहीं होती है। तब भी, राज्य के हस्तक्षेप का उचित क्षेत्र इस कलह को रोकना और कलह करने वालों को दण्डित करना ही होता है, उस विचार को रोकना और विचारकों को दण्डित करना नहीं। किन्तु कभी-

कभी कुछ विचार ऐसे भी हो सकते हैं जो समाज अथवा राज्य के अस्तित्व को ही चुनौती देते हों, जैसे सांप्रदायिक वैमनस्य अथवा अलगाववादी विचार, अथवा अश्लीलता अथवा अन्य असामाजिकतावादी विचार, जिनको रोकना समाज और राज्य के लिए आवश्यक हो सकता है। किन्तु इन्हें भी यथासम्भव तब तक छूट देना ही उचित होता है जब तक ये कार्य-रूप में परिणत नहीं किये जाते अथवा प्रतिक्रिया उत्पन्न नहीं करते। यहाँ भी वास्तव में दो स्तर हो सकते हैं : इन विचारों का किसी वैचारिक-सैद्धान्तिक दृष्टि के रूप में उद्भूत होना और किसी दृष्टि के बिना आवेगात्मक स्तर पर ही उद्भूत होना। इनमें पहले स्तर पर तो राज्य के हस्तक्षेप के औचित्य का तब तक कोई प्रश्न ही नहीं उठता जब तक ये व्यवहार में परिणत होकर अशान्ति और अव्यवस्था उत्पन्न नहीं करते, किन्तु दूसरे स्तर पर भी राज्य को यथासम्भव समाज को इनसे अपने ही विवेक से निपटने का अवसर देना चाहिए। प्रजातन्त्रवादी देशों में सामान्यतः यही स्थिति है। उनमें यदि कोई सम्प्रदाय या वर्ग अपने विचारों या कार्यों की आलोचना से उग्र होता है तो राज्य उसी को दोषी मानता है और परिणामतः सरकार उसी को रोकती है, आलोचक को नहीं। इसके लिए रशदी का उदाहरण अभी हाल ही की बात है जिसके उपन्यास **सेटेनिक वर्सेज़** में मुस्लिम धर्म की आलोचना से विश्व भर के मुसलमान भड़क उठे थे और जिसके कारण ईरान की सरकार ने उसकी हत्या के आदेश जारी कर दिये थे। इसमें इंग्लैंड की सरकार ने रशदी को दोषी नहीं माना और न उसके उपन्यास को प्रतिबन्धित किया। किन्तु हमारे देश की सरकार ने उस उपन्यास को प्रतिबन्धित कर दिया। हमारे देश में भी जनता रशदी को दोषी नहीं मान सकती, किन्तु सरकार का व्यवहार इसके विपरीत था। उसने सर्वथा बाह्य और असैद्धान्तिक कारणों से इसके विपरीत व्यवहार किया।

वास्तव में अधिकार-क्षेत्र का यह निर्धारण औचित्य की दृष्टि से राज्य के विधान से नहीं होता बल्कि राज्य के उस अर्थ से होता है जो इसके आविर्भाव का मूल हेतु है। इसी से हम एक राज्य को युक्त तथा उचित और दूसरे को अयुक्त तथा अनुचित कहते हैं। इस दृष्टि से राज्य के कार्यक्षेत्र में उचित रूप से आत्मनियमन का प्रथम आयाम ही आता है। सामाजिक आत्मनियमन की यह आवश्यकता मनुष्य की प्रकृति के सम्बन्ध में एक अत्यन्त आधारभूत तथ्य को प्रकाश में लाती है : कि मनुष्य एक ओर प्राकृतिक जीव-धर्म से जुड़ा है किन्तु दूसरी ओर वह इस धर्म को मानव-धर्म के लिए बाधक के रूप में देखता है। राज्य इस मानव-धर्म से ही सम्बन्धित होता है।

जैसाकि हम देखते हैं, अधिकांश पशु भी समूहों में ही रहते हैं। और कुछ कृमि-कीट तो पर्याप्त संरचित और व्यवस्थित बस्तियों में रहते हैं। किन्तु इनके समूहन का आधार केवल अस्तित्व-रक्षा होता है और इनके घटकों में परस्पर सम्बन्ध आवेगात्मक अथवा केवल सहवर्तित्व का होता है। मानव-समाज के आविर्भाव और अस्तित्व में भी ये तत्त्व रहते हैं। इन्हें यहाँ हम 'सामूहिकता' का नाम दे सकते हैं। यह सामूहिकता उसी प्रकार एक प्राकृतिक स्थिति है जिस प्रकार काम, क्रोध आदि आवेग होते हैं। समूह के घटक व्यष्टियों में संघर्ष भी होते हैं। किन्तु उन संघर्षों से समूह के अस्तित्व को कोई ख़तरा नहीं होता, इसलिए उनमें किसी प्रकार के आत्मनियमन के बिना भी समूह अक्षुण्ण बने रहते हैं। मनुष्य-समाज को इसकी आवश्यकता पड़ने का कारण मनुष्य-समाज का आधार और स्वरूप इस सामूहिकता से नितान्त भिन्न होना है। समाज का यह स्वरूप नैतिक है। व्यक्तियों और उनके समुदायों से जिस आत्मा के नियमन की अपेक्षा होती है उनमें आधारभूत वैयक्तिकता और आकांक्षाओं की स्वार्थपरता की प्रवृत्ति है : सामाजिक मनुष्य से विचार में आत्म-पर का अभेद और व्यवहार में परार्थ का अनुसरण, कम-से-कम एक सीमित स्तर पर, अपेक्षित होता है। उदाहरणतः सारे पारिवारिक सम्बन्ध और शील की सब मर्यादाएँ इसी परार्थता-विषयक होती हैं। अब, परार्थता भी निर्वैयक्तिकता को, व्यक्ति-निष्ठ दृष्टि के त्याग को, पूर्वापेक्षित करती है। जैसाकि हमने प्रथम अध्याय में देखा, मनुष्य में बोध की सामान्यात्मकता और इस प्रकार समाज की सम्भावना योग्यता के रूप में एक सीमा तक सहज ही होती है। समाज के अस्तित्व के लिए इस बोध का भावन और उसका आचरण में अवतरित होना आवश्यक होता है। किन्तु भावानात्मक स्तर पर मनुष्य की प्रवृत्ति इसके प्रतिकूल अधिक होती है, इस स्तर पर वह सहज रूप से जीव-धर्म के ही अधीन होता है और जीव-धर्म का निरोध उसके लिए साध्य मूल्य होता है। अब, जबकि मनुष्य में व्यक्तिनिष्ठता-स्वार्थपरता

आवेगात्मक-भावनात्मक स्तर पर सहज होती है और वह उन्हीं का अनुसरण करना चाहता है, समाज के रूप में वह इनको अतिक्रमणीय और नियम्य देखता है। राज्य उसकी इसी दृष्टि का, अपनी जैव प्रवृत्ति की नियम्यता की वांछनीयता के बोध का, अपनी मानव-धर्मता के साक्षात्कार का बाह्य आविर्भाव होता है। मनुष्य के सामाजिक जीवन के उन युगों में जिनमें वह उतना जटिल और बाह्य आकार में उतना कठोर नहीं हुआ था, राज्य का रूप पंचायत का था और बाह्य आक्रमणों से संरक्षण पंचायत का उत्तरदायित्व नहीं था, वह पूरे समाज का उत्तरदायित्व था। ये दोनों व्यापार : आत्मनियमन और आक्रमणों से संरक्षण : एक ही संस्था में बहुत बाद में एकत्र हुए होंगे और तब इस संस्था ने क्रमशः समाज के भीतर, और एक प्रकार से समाज के ऊपर और पृथक् अपना एक ठोस रूप लिया होगा। यहाँ द्रष्टव्य है कि बाह्य आक्रमण-कर्त्ता भी मानव-समुदाय ही होते हैं। इन आक्रमणों का मूल भी जैव ही होता है, यद्यपि अन्य जीवों की अपेक्षा ये कहीं अधिक दुर्दान्त और विनाशक होते हैं। ऐसी परिस्थिति में आत्मनियमन का उपर्युक्त विचार विभिन्न समाजों के बीच सम्बन्धों के स्तर पर भी उसी प्रकार उपचरित होना चाहिए था जिस प्रकार यह समाज के बीच होता है और एक सार्वभौम समाज के निर्माण का नहीं तो कम-से-कम अन्यान्य सब समाजों-राज्यों के बीच बन्धुत्व का ही आधार होना चाहिए था। किन्तु आश्चर्य है कि ऐसा कभी नहीं हुआ, बल्कि अपने क्षेत्र के प्रसार को ही राज्य के लिए कर्त्तव्य माना गया। अवश्य इस शताब्दी में मनुष्य का ध्यान इस ओर भी गया है और उसने इसे साम्राज्यवाद का नाम दिया है और इसे निन्दात्मक ध्वनि से उपरंजित किया है, किन्तु आज भी प्रत्येक राज्य के लिए अन्वेष्य उसका अपना स्वार्थ ही माना जाता है, परार्थ नहीं। निश्चय ही आज राज्यों के लिए आदर्श विश्वशान्ति और पारस्परिक सहयोग को ही माना जा रहा है, किन्तु इसे नैतिक मूल्य के रूप में नहीं देखकर प्रत्येक राज्य के अपने स्वार्थ के रूप में ही देखा जा रहा है। तब भी इस सन्दर्भ में आज सब से अधिक साम्राज्यवादी माने जाने वाले एक अत्यन्त शक्तिशाली देश के राज्याध्यक्ष गुर्बाचेव के माध्यम से कम-से-कम इस शताब्दी की महानतम क्रान्ति घटित हो रही है। इस व्यक्ति ने न केवल अपने देश के साम्राज्य को स्वतः विघटित कर दिया है बल्कि सम्पूर्ण संसार के लिए राष्ट्रों के बीच सम्बन्धों को देखने और उस दृष्टि के अनुसार व्यवहार करने के लिए बाध्य कर दिया है। रूस और उसके सहयोगी देशों के विरुद्ध गठित सैन्य-संघ नाटो द्वारा रूसी राज्याध्यक्ष गुर्बाचेव को इस संघ के राज्याध्यक्षों को सम्बोधित करने के लिए आमंत्रित करना इसका प्रमाण है। और यह आमन्त्रण अमरीकी राज्याध्यक्ष के सुझाव पर दिया जा रहा है यह इस प्रक्रिया को और अधिक महत्त्वपूर्ण बना देता है। लेनिनवाद-स्टालिनवाद से एक ओर और डलसवाद-मैकार्थीवाद से दूसरी ओर यह मुक्ति वास्तव में अन्तर्राष्ट्रीय सम्बन्धों की अब तक की सम्पूर्ण अवधारणा को ही एक नया मोड़ दे देती है—यदि यह मोड़ चिरस्थायी रह सका तो। यह आशा 1994 में की गयी थी। पीछे गुर्बाचोव रूस से विघटन का कारण सिद्ध हुआ और इससे अमरीका अद्वितीय महाशक्ति हो गया। यह अद्वितीयता प्राप्त कर वह आज अन्तर्राष्ट्रीय स्वेच्छाचारी हो रहा है।

किन्तु इस प्रसंग को यहाँ छोड़ते हुए यह द्रष्टव्य है कि राज्य का समाज के ऊपर एक पृथक् संस्था बन जाना क्यों आवश्यक हुआ और उसके क्या परिणाम हुए। इसका बहुत सुन्दर निरूपण हेरोडोटस ने प्राचीन मेडिया के राज्य के रूप में गठित होने के ऐतिहासिक वृत्तान्त के रूप में किया है। उसके अनुसार मेड लोग अराजकता की स्थिति में रह रहे थे और असुरक्षा का जोखम उठा रहे थे। उनकी इस परिस्थिति ने यह अवसर प्रस्तुत किया कि कोई बुद्धिमान और नेतृत्व के गुणों के युक्त व्यक्ति उनके लिए इसका उपयोग कर सके। उसके अनुसार : "मेडों में एक बुद्धिमान व्यक्ति था, जिसका नाम डीओसस था, जिसके पिता का नाम फाओर्टेस था। डीओसेस निर्बाध अधिकार और शक्ति चाहता था और उसने वह प्राप्त करने के लिए इस परिस्थिति का उपयोग किया। उस समय मेड लोग पृथक्-पृथक् गाँवों में रहते थे और उस सम्पूर्ण क्षेत्र में बहुत अराजकता थी। डीओसेस अपने गाँव में बहुत प्रतिष्ठित था और यह जानता था कि न्याय-प्रिय अन्याय-प्रिय का शत्रु होता है। इस अशान्ति और अराजकता की परिस्थिति में उसकी न्याय के प्रति आस्था और भी दृढ़ हो गई। अपने गाँव के साथ उसके इस व्यवहार को देखकर ग्रामवासी अपने विवादों को निपटाने के लिए उसके पास जाते थे। शक्ति की कामना के कारण वह उन्हें अपने न्याय-संगत और तटस्थ निर्णय ही देता था। उसके इस आचरण के कारण नागरिकों की सभा में

उसकी प्रतिष्ठा बहुत बढ़ गई। परिणामस्वरूप दूसरे गाँवों के उन लोगों को, जो अपने यहाँ अन्याय के भाजन हो चुके थे, जब पता चला कि डीओसेस एकमात्र ऐसा व्यक्ति है जिसके निर्णय न्यायानुसार होते हैं, सहर्ष न्याय पाने के लिए उसके पास जाने लगे। अन्त में ऐसी स्थिति आ गई कि उन्होंने न्याय के लिए दूसरे किसी के पास जाना पूर्णतः छोड़ दिया। जब न्याय के लिए आने वाले विवादों की संख्या बहुत बढ़ गई तब डीओसेस ने समझ लिया कि सब कुछ उसकी महत्त्वाकांक्षा की पूर्त्ति की दिशा में ही अग्रसर है। इस पर उसने आगे ये न्याय सभाएँ करने से मनाह कर दिया। उसने कहा कि उसके लिए यह सम्भव नहीं है कि वह सब समय अपने पड़ोसियों के विवाद ही निपटाता रहे और अपने कामकाज की उपेक्षा कर दे। इस पर उस क्षेत्र के गाँवों के बीच अराजकता की स्थिति उससे भी अधिक विकट हो गई जितनी (डीओसेस की मध्यस्थता के समय से) पहले थी। ऐसी स्थिति में मेड लोग इस परिस्थिति पर विचार करने के लिए एकत्र हुए और मैं समझता हूँ कि, उनमें अधिकांश वक्ता डीओसेस के मित्र थे। उन्होंने निर्णय किया कि, क्योंकि इस देश में इन परिस्थितियों में रहना असम्भव है इसलिए हमें अपने में से किसी को अपने राजा के रूप में प्रतिष्ठित करना चाहिए। इससे यह प्रदेश सुचारु रूप से शासित होगा और हम अपने कार्य अराजकता से मुक्त होकर कर सकेंगे। इस प्रकार वे इन युक्तियों से राज्य-संस्था की स्थापना को तैयार हुए। इसके बाद जब उन्होंने राजा के पद के लिए नाम प्रस्तावित करने आरम्भ किये तब डीओसेस के नाम के समर्थक और प्रशंसक सब से अधिक थे। इस प्रकार उन्होंने डीओसेस को राजा के पद पर आसीन किया।"[1]

प्रथम राजा के आविर्भाव के इस वृत्तांत में राज्य-संस्था के उद्भव और उसके स्वरूप के मुख्य गुण-धर्म बहुत सम्यक् रूप से आकलित देखे जा सकते हैं। यहाँ द्रष्टव्य है कि इसके अनुसार बाह्य शत्रु से अपनी रक्षा, अथवा बाह्य क्षेत्रों पर अपना आधिपत्य स्थापित करने के प्रयोजन से अपने को संघबद्ध करने के लिए लोगों ने राजा को अपने ऊपर प्रतिष्ठित नहीं किया बल्कि अपनी भीतरी अराजकता और असंयतता पर विजय पाने और अपने न्यायान्याय-अविवेक को विवेक के अधीन करने के लिए प्रतिष्ठित किया। यहाँ यह भी द्रष्टव्य है कि डिओसेस ने उन्हें संयम और विवेक की शिक्षा नहीं दी, इनका स्वरूप और मूल्य उन्हें पहले से और अपने आपसे पता था, किन्तु यह बोध उनकी भावना और आचरण का नियामक नहीं था। इस नियामक के रूप में इस बोध के प्रतीक के रूप में ही राजा की प्रतिष्ठा कर उन्होंने अपने को उसके अधीन सौंप दिया। किन्तु यदि डीओसेस ही इस बोध से च्युत हो जाय तो क्या हो? और उसका यह च्युत हो जाना उससे भी अधिक सहज है जितना साधारण जन का, विशेषतः तब जब उसके पास निर्बाध अधिकार, शक्ति और प्रलोभन हो। तब इस संस्था का अभिशाप हो जाना स्वाभाविक है, जोकि यह अधिकांशतः रही है। किन्तु यह संस्था एक बार अस्तित्व में आ जाने पर समाप्त नहीं हो सकती थी। राजाओं या राज्याध्यक्षों के अन्यायी और अत्याचारी होने पर उनके विरुद्ध विद्रोह हो सकता था और कभी-कभी होता भी था, किन्तु उनके पास शासन तथा बाह्य आक्रमण से सुरक्षा के लिए जो पुलिस और सेना होती थी उसका उपयोग वे इस विद्रोह-दमन के लिए भी करते थे। यह आज भी होता है और सभी प्रकार के राज्य-तन्त्रों में होता है।

पुलिस और सेना के अतिरिक्त इस संस्था के अन्य भी अनेक कार्य होते हैं जो इस संस्था के रूप के अनुसार या अधिक हो सकते हैं। उदाहरण के लिए पिछले सामन्ती के युगों में राज्य का कार्यक्षेत्र पर्याप्त सीमित था जबकि आज बहुत व्यापक है। आज भी पूर्णतः खुले बाजार की अर्थव्यवस्था वाले देशों में राज्य का कार्य-क्षेत्र नियंत्रित बाज़ार वाले देशों की तुलना में बहुत-सीमित है। इन सब कार्यों के लिए राज्य को वित्त की आवश्यकता होती है। इसके लिए भी विभाग होता है, जिसमें असंख्य कर्मचारी रहते हैं जिनके वेतनों और अन्य कार्यों के लिए भी वित्त की आवश्यकता होती है। सब कार्यों की व्यवस्था के लिए व्यवस्थापिकाएँ होती हैं। वे व्यवस्थापिकाएँ, जिन्हें आजकल सचिवालय कहा जाता है, राज्य के दैशिक विस्तार और कार्य-क्षेत्र के अनुसार आकार में

1. हिरोडोटस् **हिस्ट्रीज़**, 1, अध्याय 96-98। यहाँ लेस्लीलिप्सन की पुस्तक **दि ग्रेट इश्यूज़ ऑफ पॉलिटिक्स**, तृतीय संस्करण, जैको पब्लिशिंग हाउस, बम्बई, पृष्ठ 58-59 से उद्धृत।

छोटी-बड़ी होती हैं। इनका आकार अनावश्यक रूप से ही बृहत् हो जाता है। किन्तु व्यवस्थापिकाओं का आकार जितना ही बृहत् और जटिल होता है उतनी ही अधिक ये अपने अस्तित्व के प्रयोजन से दूर, और बहुत बार विपरीत भी, हो जाती हैं। इनके अपने अस्तित्व के प्रयोजन से दूर और विपरीत होने का अर्थ है इनका क्रमशः अकर्मण्य, भ्रष्ट तथा अत्याचारी होना। इन दोनों बातों का अर्थ है आत्मानुशासन का अभाव, उसके विपरीत आचरण। किन्तु अपने इसी दोष को मर्यादित करने के लिए समाज राज्य-संस्था की अपने ऊपर प्रतिष्ठा करता है। यदि स्वयं यह संस्था ही अपने क्रियान्वयन में अमर्यादित, भ्रष्ट और अत्याचारी हो जाय तो यह समाज के लिए और भी भयावह बात हो जाती है, क्योंकि इसके बिना जो कलह, संघर्ष और बलवान् द्वारा निर्बल का दमन होता था वह सामाजिक रूप से अरूप-अनाम और निर्वैयक्तिक था, राज्य इसके विपरीत रूप, नाम और संकल्पवान् अवयवी होता है। यदि यह अत्याचार और अन्याय करता है तो मानो समाज ने अपने ऊपर अपने शासन के लिए जो अपने सत्संकल्प को व्यक्तित्व दिया था वही संकल्पित अस्तित्व दानव के रूप में परिणत हो गया। इस प्रकार 'अन्यायी और अत्याचारी राजा' वैसा ही वदतोव्याघातपरक पद है जैसा 'असत्य कथन'। किन्तु दुर्भाग्यवश अधिकांश राजा, चाहे वे राजतन्त्रात्मक राज्य के प्रतिनिधि हों और चाहे प्रजातन्त्रात्मक राज्य के, अनैतिक और अत्याचारी ही होते हैं। ऐसे में यह प्रश्न स्वाभाविक है कि तब समाज को इस संस्था को ही समाप्त क्यों नहीं कर देना चाहिए? कुछ विचारक ऐसे हैं जो यही मानते हैं। इन अराज्यवादी (अनार्किस्ट) विचारकों के अनुसार राज्य का क्रियान्वयन कभी अपने स्वरूप के अनुरूप नहीं हो सकता : "राज्य का रूप चाहे प्रत्यक्षपरक हो और चाहे परोक्षपरक, सरल हो चाहे जटिल, लोगों पर शासन का परिणाम केवल उनको ठगना और लूटना ही हो सकता है, और कुछ नहीं। यह सदैव मनुष्य द्वारा मनुष्य को आदेश करना है। यह एक ऐसे मिथ्यात्व पर आधारित है जो व्यक्ति के स्वातन्त्र्य को समाप्त कर देता है, यह ऐसी आसुरी शक्ति है जो प्रश्नों का जन्मते ही गला घोट देती है, ऐसी शक्ति जो न्याय के स्थान पर यादृच्छिकता को प्रतिष्ठित करती है, यह ऐसी महत्त्वाकांक्षा है जो दूसरों की निष्ठा और विश्वास को अपने अधिरोहण के लिए सीढ़ी बनाती है।"[1] प्रूधों ने राज्य की यह अवांछनीयता सैद्धान्तिक आधार पर ही प्रतिपादित की है और इस प्रकार यह हमारे प्रतिपादन से भिन्न है। क्योंकि हमारा प्रतिपादन इस संस्था में मूर्त्त विचार के व्यवहार में क्रियान्वयन की असफलता के सम्बन्ध में है, जो अफसलता कम या अधिक हो सकती है। इस अर्थ में सफलता पूर्ण भी हो सकती है कि कम-से-कम राजा, प्रधानमंत्री अथवा राष्ट्रपति पूर्णरूप से सत्य-परायण और धर्मानुसारी हों। प्रूधों ने इसमें एक और बात कही है कि, राज्य-संस्था होने का अनिवार्य आपादान है कि कुछ आदेश देने वाले और दूसरे उसका पालन करने वाले होंगे और पालन करने वाले स्वाभावतः अस्वतन्त्र होंगे। किन्तु यह अस्वतन्त्रता तो समाज के होने में भी होगी, क्योंकि समाज में कुछ व्यक्ति बड़े, कुछ छोटे, कुछ अधिक समर्थ कुछ कम समर्थ होंगे और छोटे बड़ों का तथा कम समर्थ अधिक समर्थों का क्रमशः शीलवश और बाध्यतावश आदेश पालन करेंगे। किन्तु राज्य में यह आदेश-सम्बन्ध आदर्शतः इस प्रकार का नहीं होता, राजा जन की अपनी नैतिक चेतना का प्रतीक होने से वह सामाजिक रूप से निम्नतर आत्मा द्वारा अपने को उच्चतर आत्मा के अधीन करने का उपक्रम होता है। प्रजातन्त्र में तो वास्तव में कोई किसी को आदेश करने के लिए अधिकृत ही नहीं होता छोटा और बड़ा दोनों विधान के अधीन होते हैं। वास्तव में आदर्श रूप से राज-तन्त्र में भी यही स्थिति है।

किन्तु तब भी यह सच है कि प्रूधों ने जो दोष राज्य-संस्था में अन्तर्निहित बताये हैं वे व्यवहारतः अधिकांश राज्य-शासनों में होते ही हैं। इतना ही नहीं, बाह्य आक्रमणों से बचने के लिए निर्मित इस संस्था के कारण ही अधिकांश युद्ध होते हैं। किन्तु तब भी इधसर पिछली शताब्दी में उठे कुछ अराज्यवादी विचारकों को छोड़कर इतिहास में प्रायः कभी मनुष्य ने इस संस्था के विलय की बात नहीं सोची और पिछली शताब्दी में भी अधिकांश राजनीतिक चिन्तक अराज्यवाद के विरोधी ही रहे। इसका क्या कारण है? इसका उत्तर यह हो सकता है

---

1. पीअर्रे जोसेफ प्रूधों — **जनरल आइडिया ऑफ दि रेवोल्यूशन इन दि नाइंटींथ सेंचुरी**, अंग्रेजी अनुवाद : बीवलीं राबिंसन, फ्रीडम प्रेस, लंदन, 1923, पृ. 126 हिन्दी अनुवाद में मैंने थोड़ी स्वतन्त्रता बरती है।

कि राज्य का स्थान समाज में वही है जो व्यक्ति संकल्प या अधिष्ठाता आत्मा का होता है। इनके बिना व्यक्ति अच्छा या बुरा कुछ भी नहीं होता, वह व्यक्ति ही नहीं होता। वास्तव में अनैतिक व्यक्ति या तो संकल्प में, अधिष्ठातृत्व में, दुर्बल होता है अथवा दृष्टि-दोष-ग्रस्त होता है। किन्तु व्यक्ति के नितान्त अनैतिक होने पर भी हम उसके अधिष्ठातृत्वरहित होने को उचित नहीं मानते, क्योंकि अधिष्ठातृत्व होने पर ही उसमें अनैतिकता से मुक्त होने और नैतिक होने की सम्भावना रहती है। यही बात राज्य में है। राज्य के बिना समाज संहत और नैतिक व्यक्तित्व-सम्पन्न नहीं हो सकता। एक गाँव तक सीमित होने पर भी समाज को पंचायत की और पंचायत को मुखिया की स्थापना करनी होती है और अपने को उसके अधीन करना होता है। यह वह अवस्था है जो व्यक्ति में तब प्रतिफलित होती है जब उसका प्रकृति-अंश पूर्णतः सत्त्वगुणाधीन हो जाता है। अथवा कहें जब उसकी वासनाएँ और आवेग अपने को पूर्णतः विवेक के अधीन समर्पित कर देते हैं। दूसरे शब्दों में, यह केवल उस समाज में सम्भव है जिसमें अनुशासन उसका स्वभाव बन गया हो। यह कार्ल मार्क्स के समाज में तो सम्भव नहीं है किन्तु बहुत-सीमा तक गाँधी के ग्राम-स्वराज में यह सम्भव है।

किन्तु ग्राम-स्वराज बहुत विकसित मानव-चेतना को पूर्वकल्पित करता है और परिणामतः यह बहु सुदूरवर्ती आदर्श है। वस्तुस्थिति में राज्य ग्राम-पंचायत के स्तर से मौर्यों, लिच्छवियों, मुग़लों सीज़रों ज़ारों तथा बर्तानिया के साम्राज्यों तक बढ़ा फैला और मूर्त्त हुआ है। राज्य का यह विस्तार और ठोसपन उसे अपने अर्थ के लिए अपारदर्शी बना देता है और समाज से पृथक् तथा उसके ऊपर स्थापित कर देता है। इस प्रकार राज्य समाधान से अधिक समस्या बन जाता है। इस समस्या के समाधान के लिए वैसे तो अत्यन्त प्राचीनकाल से ही विचार होता आया है, किन्तु आरम्भिक गणतन्त्र-व्यवस्था के बाद यूरोप में औद्योगिक क्रान्ति तक राज्य की प्रणाली सर्वत्र राजतन्त्रात्मक ही रही, यद्यपि इस राजतन्त्र के अर्थ के सम्बन्ध में प्रत्येक संस्कृति के अनुसार धारणा-भेद रहा। उदाहरण के लिए भारत में राजा को कभी सर्वतन्त्र स्वतन्त्र रूप में नहीं देखा गया, बल्कि धर्म के प्रतिनिधि के रूप में और धर्म के अधीन देखा गया। उदाहरणतः चाणक्य के अर्थशास्त्र के अध्याय 5 में राजा में इन्द्रिय-जयी होने की अपेक्षा की गई है और इन्द्रिय-जय की दुहरी परिभाषा की गई है : (1) काम, क्रोध, लोभ, मान, मद और हर्ष का त्याग तथा विद्या और विनयशीलता, और (2) शास्त्रविहित कर्त्तव्य का अनुष्ठान। आगे छठे अध्याय में कहा गया है : "राजा अपनी इन्द्रियों को वश में रखता हुआ परायी स्त्री, पराये धन और हिंसावृत्ति का सर्वथा त्याग करे। कुसमय शयन करना, चंचलता, झूठ बोलना, अविनीतवृत्ति बनाये रखना इन दुर्गुणों और इन दुर्गुणों से युक्त लोगों की संगति को वह छोड़ दे।" आदि। ठीक यही विचार महाभारत के शान्तिपर्व में मिलते हैं। वाल्मीकि के राम इन गुणों के मूर्त्तिमान रूप हैं ही। अर्थशास्त्र का यह निरूपण प्लेटो के दार्शनिक राजा के आदर्श के अनुरूप है। किन्तु प्लेटो और चाणक्य की व्यवस्था एक आदर्श राजा के लिए थी। इसके विपरीत एशिया के दूसरे देशों और रूस में राजा परिभाषया अपना कानून स्वयं था। यूरोप के देशों में भी स्थिति कोई बहुत सन्तोषजनक नहीं थी।

यूरोप में औद्योगिक क्रान्ति और वैचारिक क्रान्ति (रिनेसॉं) ने आर्थिक और सामाजिक क्षेत्रों में एक उद्दाम गति का संचार कर दिया जिसके साथ कठोर खोल में बंद राजतन्त्र के लिए चलना असम्भव हो गया। इस तन्त्र के लिए सबसे बड़ी चुनौती मनुष्य और जगत् विषयक वैज्ञानिक दृष्टि ने प्रस्तुत की, जिसने दिव्यता में ही आस्था समाप्त नहीं कर दी बल्कि सामाजिक स्तर-भेद मात्र की तात्त्विकता में आस्था समाप्त कर दी। इस प्रकार आर्थिक क्रिया की तीव्रता और विचार के लौकिकीकरण के फलस्वरूप राज्य-संस्था व्यवहारतः अवरोधक और सिद्धान्ततः निरर्थक बन गयी। इस नयी परिस्थिति के फलस्वरूप राज्य के तत्त्व और सरकार के रूप पर नये सिरे से विचार आरम्भ हुआ और इस पर न केवल अनेक राजनीतिशास्त्रियों ने ही विचार किया बल्कि प्रायः सभी दार्शनिकों ने भी विचार करना अपना कर्त्तव्य माना। इस नयी परिस्थिति में आरम्भ में प्रजातन्त्रवाद उभर कर आया और अनन्तर समाजवाद का सूत्रपात हुआ, जिसे मार्क्स-एंजल्स ने एक सुव्यवस्थित दर्शन के रूप में स्थापित किया।

यद्यपि इन सिद्धान्तों के अनुसार बनी सरकारों में राज्य के रूप में एक आमूल परिवर्तन कर दिया, किन्तु ये सरकारें भी समाज के नैतिक आत्मानुशासन के अर्थ से लगभग उतनी दूर कही जा सकती हैं जितनी राजतन्त्रपरक सरकारें थीं। प्रजातन्त्रात्मक सरकारों को कुछ चतुर और स्वार्थी लोग हथिया कर व्यवस्थित रूप से प्रजा का दोहन उसी प्रकार करते हैं जिस प्रकार राजतन्त्र में करते थे। इसके अतिरिक्त इस व्यवस्था में भी दूसरे देशों के साथ युद्ध और शान्ति-विषयक वहीं अवधारणाएँ और व्यवहार की वही विधियाँ हैं जो पहले थीं।

आज भी राज्य पहले के समान ही, यद्यपि पहले की तुलना में बहुत अधिक बड़ी मात्रा में, सेनाएँ रखते हैं और सन्धि, विग्रह, यान, आसन, संशय, द्वैधीभाव के उपायों द्वारा प्रायः निरन्तर युद्धरत रहते हैं। इस प्रकार राज्य, जोकि बाह्य आक्रमण से प्रतिरक्षा का उपकरण था, अब आक्रमण का हेतु और बाह्य आक्रमणों का निमित्त बन गया है, और यह स्थिति आज उससे भी अधिक भयावह है जितनी पहले थी। परिणामस्वरूप सैनिक इस संस्था के अधीन अपनी और अपने समाज की रक्षा के लिए नहीं लड़ता बल्कि यन्त्रवत् निष्प्रयोजन लड़ता है, यद्यपि सरकारें अपने सैनिकों को यह धोखा देने का निरन्तर प्रयत्न करती हैं कि वे अपनी जाति, धर्म या देश की रक्षा के लिए लड़ रहे हैं। राज्य के इस पक्ष को इस शताब्दी से पहले प्रायः किसी ने चुनौती नहीं दी। सम्पूर्ण मानव-इतिहास में इसका एकमात्र अपवाद महाराजा अशोक ही दिखायी देता है। किन्तु उसने भी राज्य के इस पक्ष की गर्हणीयता केवल एक भावनात्मक स्तर ही देखी, उसे कोई वैचारिक आधार नहीं दिया। इसी कारण उसकी वह भावना और दृष्टि कभी राजनीतिक चिन्तन की विषय नहीं बनी। इस शताब्दी में वैज्ञानिक यान्त्रिकी के कारण युद्धों की विभीषिका के बहुत बढ़ जाने और यातायात-साधनों के अद्भुत विकास के कारण युद्धों के क्षेत्रों का विस्तार बहुत बढ़ जाने से राज्यों में परस्पर सह-अस्तित्व की ओर भी विचारकों और राजनेताओं को ध्यान गया है, किन्तु व्यवहार में अब भी अन्तर्राष्ट्रीय सम्बन्धों के वही आधार हैं जो पहले थे। राज्य की इस भयानक परिणति को वैचारिक आधार पर सम्भवतः पहली बार चुनौती महात्मा गाँधी ने दी, जो विचार पुनः उनके ग्राम-स्वराज की अवधारणा के अनुरूप ही नैतिक-आध्यात्मिक रूप से उससे कहीं अधिक उन्नत मानव की पूर्वापेक्षा करता है जितना पर्याप्त सुदूर भविष्य में भी होने की सम्भावना दिखायी नहीं देती। इसलिए उनका एतत्सम्बन्धी विचार भी अभी केवल बहुत सुदूर कल्पना है। मनुष्य के वर्तमान आध्यात्मिक स्तर के अनुकूल बिल्कुल अभी हाल ही में क्रान्ति का सूत्रपात रूस के राष्ट्रपति गुर्बाचोव ने किया है। अब तक विश्व के वैज्ञानिक और औद्योगिक रूप से विकसित लगभग सभी देश को परस्पर शत्रु-गुटों में बँटे हुए थे और अपने सैन्य क्षेत्रों का विस्तार उनकी अन्तर्राष्ट्रीय नीति का एकमात्र लक्ष्य था। इन गुटों से बाहर के देशों का पारस्परिक व्यवहार वही था और ळै जो इस शताब्दी के पहले के इतिहास में राज्यों का परस्पर रहा है। गुर्बाचोव से पहले पण्डित जवाहरलाल नेहरू ने भी सका विकल्प देने का प्रयत्न किया था, किन्तु न तो वे इस स्थिति में थे और न सम्भवतः वे उतने सबल नैतिक व्यक्तित्व-सम्पन्न थे जितने गुर्बाचोव हैं। किन्तु गुर्बाचोवीय क्रान्ति के पीछे अभी कोई सैद्धान्तिक आधार नहीं है, केवल नैतिक साहस है। अथवा यह भी कह सकते हैं कि इसके लिए किसी नये सैद्धान्तिक आधार की आवश्यकता नहीं है, वह आधार तो मनुष्य को सहज नैतिक चेतना के रूप में सदा से ही उपलब्ध है, केवल उसके लिए नैतिक साहस की ही अपेक्षा थी जो महाराजा अशोक के बाद आज गुर्बाचोव ने दिखाया है और जो वर्तमान परिस्थितियों में एक वास्तव नये युग का प्रवर्तक सिद्ध हो सकता है। किन्तु इंग्लैंड और अमरीका की सरकारों के नेता जिस प्रकार इस नवीन नैतिक बौध को ग्रहण करने में झिझक रहे हैं उससे इसकी सफलता का मार्ग कुछ लम्बा हो सकता है किन्तु अब इसके असफल होने की सम्भावना कम लगती है, जिसका प्रमाण गुर्बाचोव की अमरीका में लोकप्रियता है। किन्तु इस बोध को धारण करने वाला कोई विचार-तन्त्र अभी उभर कर सामने नहीं आया है। अन्तर्राष्ट्रीय संघ-राज्य की बात बहुत समय से लोग करे रहे हैं, किन्तु ऐसे राज्य की अपनी हानियाँ हैं जिनको ध्यान में रखकर ही महात्मा गाँधी ने राज्य की ईकाई ग्राम को रखने का विचार दिया था। किसी भी मानवीय संस्था के आकार की एक सीमा से अधिक विशालता उसमें प्राणिक और आध्यात्मिक ह्रास उत्पन्न

करती है जैसाकि स्पैंग्लर[1] और श्री अरविन्द[2] ने दिखाया है, वह चाहे विशाल नगर ही क्यों नहीं हो। इसमें सबसे बड़ी हानि होगी सामाजिक जीवन में राज्य का महत्त्व व्यापक से व्यापकतर होते जाना, जबकि राज्य को समाजिक जीवन में क्षीण से क्षीणतर होना चाहिए, जब तक वह नैतिक संकल्प का ही पर्याय नहीं हो जाय।

अन्तर्राष्ट्रीय व्यवस्था पर इतना कम विचार हो पाने का कारण इसकी आवश्यकता का पहले कभी अनुभव नहीं हुआ होना है। यह आवश्यकता पहली बार यूरोप के प्रथम महायुद्ध के बाद अनुभव की गई और इसके अनुभाव होने के कारण यातायात-साधनों का अभूतपूर्व विकास था। किन्तु समाज की आन्तरिक व्यवस्था पक्ष में राज्य के स्वरूप को लेकर बहुत विचार हुआ है और उसमें अनेक मत-मतान्तरों का आविर्भाव, विशेषतः आधुनिक पश्चिम में हुआ है इस दिशा में सर्वप्रथम महानतम ग्रीक दार्शनिक प्लेटो ने अपने प्रसिद्ध ग्रन्थ रिपब्लिक में तथा एक अन्य ग्रन्थ लॉज़ में नितान्त व्यवस्थित विचार किया। इधर पुनर्जागरण युग के आरम्भ के साथ तो अनेकानेक दार्शनिकों और अन्य चिन्तकों ने विचार प्रस्तुत किये हैं। हमारे देश में वेदों, ब्राह्मण ग्रन्थों, महाभारत तथा शुक्र-नीति और अर्थशास्त्र आदि में विचार हुआ है। किन्तु इसे व्यवस्थित सिद्धान्तपरक विचार नहीं कहा जा सकता। किन्तु इससे इस दृष्टि के सत्य और युक्त होने पर कोई बट्टा नहीं लगता।

भारत में वैदिक काल से ईसवी शताब्दी के आरम्भ तक गणतन्त्र-व्यवस्था भी थी और राजतन्त्र-व्यवस्था भी। यद्यपि राजाओं के राज्य के विस्तार-क्षेत्र छोटे-छोटे ही थे किन्तु तब भी भारत के एक देश होने और उस चक्रवर्ती सम्राट् होने की कल्पना बहुत प्राचीन थी, जैसाकि वैदिक राजसूय यज्ञ से स्पष्ट है। गणतन्त्र में तो राज्य का न्याय और धर्म पर आधारित होने का सिद्धान्त स्वाभाविक ही है, राजा को भी इस देश में कभी न्याय और धर्म का स्रोत स्वीकार नहीं किया गया, उसे उसके अधीन ही स्वीकार किया गया। न्याय और धर्म को स्रोत श्रुति, और सदाचार : अर्थात् प्रामाणिक लोक-व्यवहार : को ही माना गया।

किन्तु व्यवहार में राजतन्त्र उस विचार का अनुसारी रहे, इसके लिए कोई व्यवस्थात्मक प्रावधान और नियन्त्रण-विधि उस तन्त्र में नहीं थी। इसीलिए अधिकांश राजा यदृच्छ, विलासी और विवेकहीन होते थे। इसमें बचत केवल यही थी, जहाँ तक वह भी, कि राज्य का कार्य-क्षेत्र तब पर्याप्त सीमित था और समाज पर्याप्त मात्रा में अपनी स्वतन्त्र व्यवस्था से परिचालित होता था। सांस्कृतिक क्षेत्र में राजा कोई हस्तक्षेप नहीं करता था, सिवाय इसके कि जिस राजा की रुचि होती वह उसमें अपना योगदान करता था। उसमें बाधक होना न उसके वश में था और न इस देश में इसकी कोई कल्पना थी। केवल कुछेक राजाओं के द्वारा धार्मिक सम्प्रदायों के बीच पक्षपात और अत्याचार के उदाहरण मिलते हैं, किन्तु ऐसे उदाहरण केवल अपवाद हैं। किन्तु प्रजा के कल्याण के प्रति विमुखता, उनके द्वारा और उनके द्वारा और उनके अधिकारियों-कर्मचारियों द्वारा नितान्त मनमाना और अत्याचारपूर्ण व्यवहार एक सामान्य बात थी। स्वयं महाभारत, जिसमें राज-धर्म की विस्तृत चर्चा है, राजाओं की विलासिता, धर्म-भ्रष्टता और प्रजा-विमुखता का एक अत्यन्त विदग्ध वृत्तान्त है। राज-धर्म की उस चर्चा में इस सम्बन्ध में कोई भी विचार नहीं है कि यदि राजा धर्म के अनुसार आचरण नहीं करे तो उसका प्रतिकार क्या है। युधिष्ठिर द्वारा द्यूत में अपने राज्य को लगा देना राज्य को राजा की व्यक्तिगत सम्पत्ति मानने का द्योतक है, इसी प्रकार कौरवों को द्रौपदी के साथ व्यवहार राजाओं की विलासिता और मर्यादा-हीनता की पराकाष्ठता का! यह सब अनुचित है, राज-धर्म के विपरीत है—यह विचार महाभारत में स्पष्ट और अत्यन्त गम्भीर है, किन्तु "राज्य प्रजामूलक है, समाज की चेतना में ही उसका अधिष्ठान है अन्यत्र कहीं नहीं, इस चेतना से बाहर इसका अस्तित्व केवल इसके वास्तविक अर्थ का बाधक है", इस सम्बन्ध में वहाँ कोई व्यवस्थित विचार नहीं मिलता।

---

1. दि डिक्लाइन ऑफ दि वैस्ट (जर्मन से अंग्रेजी अनुवाद), इंट्रोडक्शन।
2. **मानव-एकता का आदर्श,** भाग 1 अध्याय 4।

जैसाकि हमने पीछे देखा, राज्य सामाजिक न्याय की व्यवस्था के, अधिक उपयुक्त शब्दों में, समाज-पुरुष में आत्मप्रतिष्ठापन अथवा नैतिक कर्त्तव्य और अधिष्ठातृत्व के प्रत्यय का मूर्त्तरूप है। किन्तु कैसी व्यवस्था इस प्रत्यय के अनुसार उपयुक्तम होगी, इसका समाधान मनुष्य की पकड़ से सदैव बाहर रहा। प्लेटो ने दार्शनिक प्रशासक का और ऐसी समाज-व्यवस्था का विचार दिया जिसमें मानव-व्यक्ति को सामाजिक अवयवी के एक अवयव के रूप में, अथवा कहें सामाजिक यन्त्र के एक कल के रूप में रखा गया; किन्तु हमारे लिए महत्त्वपूर्ण केवल यह देखना है कि प्लेटो ने राजा के लिए दार्शनिक होने की शर्त रखी। दार्शनिक उसके अनुसार वह था जो शिव-सत् का साक्षात्कारी और उस साक्षात्कार के अनुसार अपने जीवन में अनुशासित हो। इसी प्रकार प्रत्येक व्यक्ति के लिए एक नागरिक होने और प्रत्येक नागरिक के लिए राज्य-व्यवस्था में अपने स्थान के अनुसार कर्त्तव्यपरायण रहने की अपेक्षा थी। कोई शासन राज्य के प्रत्यय की सम्यक् अनुकृति हो इसके लिए आवश्यक है कि उसका अध्यक्ष ऐसा ही हो जैसा प्लेटो ने उसके लिए विधान किया है, अन्यथा तो अनर्थ अनिवार्य ही है। किन्तु व्यवहार में वास्तव में प्रायः ही राजा अत्यन्त साधारण बुद्धि और संस्कारों के होते हैं और वे निर्बाध अधिकार और प्रभूत शक्ति तथा सम्पादा के कारण असाधरण रूप से यदृच्छं, विलासी और अत्याचारी हो जाते हैं।

इस परिस्थिति के प्रतिकार के लिए आधुनिक युग ने प्रजातन्त्रवाद के सिद्धान्त की उद्भावना की। यद्यपि यह सिद्धान्त अपनी मूल दृष्टि में नितान्त नवीन नहीं था, गण-राज्य और नगर-राज्य (सिटी स्टेट) व्यवस्थाओं में यही विचार निहित था और प्लेटो ने इसी व्यवस्था को अनुपयुक्त बताया था। किन्तु प्रजातन्त्रवाद का आधुनिक विचार अपने साथ मनुष्य और समाज के सम्बन्ध में दूसरा मूलगामी विचार-तन्त्र भी लेकर आया जिसके मुख्य सूत्र थे व्यक्ति-स्वातन्त्र्य, मानव-समता, सामाजिक न्याय प्राकृतिक न्याय और ऐहिकतावाद (सैक्युलरिज़्म)। ये विचार आधुनिक प्रजातन्त्रवाद को प्राचीन गणतन्त्रवाद और नगर-राज्य से बहुत भिन्न बना देते हैं।

मनुष्य और समाज विषयक इस विचार-तन्त्र ने प्रजातांत्रिक राज्य-व्यवस्था को इस प्रकार परिभाषित किया : जनता के द्वारा, जनता के लिए और जनता का राज्य। अब, इस सिद्धान्त के आधार में व्यक्तिवाद में रहते 'जनता' का अर्थ 'समष्टि जन' नहीं होकर 'प्रति व्यक्ति' हो जाता है। यही सिद्धान्त मताधिकार के आधार में था : प्रत्येक वयस्क व्यक्ति का शिक्षा, आर्थिक स्थिति, जाति-वर्ण-कुल-भेद आदि से निरपेक्ष रूप से राज्य-निर्माण में समान अधिकार। किन्तु व्यवहार में इससे क्या प्रतिफलित होता है, यह हम सब जाते ही है। आदर्श परिस्थितियों में, जहाँ व्यक्तियों पर मतदान के लिए किसी प्रकार का कोई भौतिक दबाव नहीं डाला जाता, वहाँ भी उनके सामने विकल्प नितान्त सीमित होते हैं : कुछ राजनीतिक दलों के रूप में संगठित कुछ ऐसे व्यक्त जो राजनीति को व्यवसाय के रूप में अपना पाते हैं। ये लोग जन-प्रतिनिधि कहे जाते हैं। इन मतापेक्षी व्यक्तियों और इनके लिए मतदान करने वाले व्यक्तियों के बीच सम्बन्ध इतना परोक्ष और इतना निर्वैयक्तिक होता है कि इसमें 'प्रति व्यक्ति' का कोई अर्थ नहीं रह जाता और 'प्रतिव्यक्तिमूलक जन' व्यक्ति के लिए केवल जड़ बोझ और विवशता का पर्याय हो जाता है।

इसमें दूसरी बड़ी कठिनाई व्यक्ति होने के लिए अपेक्षित व्यक्तित्व की दुर्लभता की है। अधिकांश लोग अत्यधिक अपर्याप्त रूप से व्यक्ति होते हैं, वे केवल सामूहिक मानसिकता के व्यष्टि रूप ही होते हैं। इस मानसिकता के भी अनेक स्तर रहते हैं, सृजनात्मक-विचारात्मक से जड़ात्मक-आवेगात्मक तक। मत-दान के प्रसंग में अधिकांशतः यह दूसरी मानसिकता ही सक्रिय होती है और राजनीतिक दलों और मतार्थियों का प्रयत्न किसी प्रकार विजय प्राप्त करना होने से वे इसी मानसिकता का उद्दीपन करते हैं। इस प्रकार विधान-सभाओं और लोक-सभाओं में पहुँचे हुए जन-प्रतिनिधि अपवाद रूप में ही न्याय, औचित्य और जन-कल्याण का विचार करने वाले होते हैं, अन्यथा उनकी एकमात्र रुचि स्वार्थ-संवर्धन में ही होती है। इनके लिए 'जन-हित' का अर्थ भी अधिक-से-अधिक अपने मतदाताओं के स्वार्थमूलक हितों की रक्षा करना ही होता है, सम्पूर्ण समाज और सब व्यक्तियों के हितों की न्यायसंगत रक्षा नहीं। वास्तव में इस सिद्धान्त का आधार नैतिकता और औचित्य नहीं होकर ऐसी लाभ-सुख-व्यवस्था है जिसका आधार व्यक्तिगत है। सामुदायिक स्वार्थ, अन्वेष्य हो सकता है,

किन्तु वह भी व्यक्ति के स्वार्थ के अन्वेषण में उपकरण के रूप में ही। इसमें धारणा यह है कि यदि सब एक व्यवस्था को स्वीकार कर उसमें अपने-अपने स्वार्थों के लिए प्रयत्न करेंगे तो इससे वैयक्तिक स्वातन्त्र्य भी रहेगा, सामाजिक व्यवस्था भी बनी रहेगी। और समाज आर्थिक और सांस्कृतिक समृद्धि की ओर भी प्रगति करेगा।

किन्तु इस सिद्धान्त में भी कुछ मौलिक विरोधाभास हैं : सर्वप्रथम, 'प्रत्येक व्यक्ति के द्वारा' होने वाला राज्य न तो वास्तव में 'प्रत्येक व्यक्ति के द्वारा' होता है और न 'प्रत्येक व्यक्ति के लिए' रहता है, क्योंकि व्यक्ति-व्यक्ति में बुद्धि, कौशल, विवेक तथा बोधपरक सामर्थ्य में बहुत भेद होता है और यह भेद सामाजिक साधनों के सहारे असीमतः अधिक हो जाता है : एक व्यक्ति जबकि वाल्मीकि, कालिदास, पाणिनी, दिङ्नाग या अरविन्द हो सकता है, दूसरा नितान्त मूढ़ हो सकता है, एक जबकि कुबेर हो सकता है, दूसरा नितान्त रंक : दो जून रोटी से भी वंचित : हो सकता है; एक जबकि गाँधी या रमण महर्षि हो सकता है, दूसरा चोर और लंपट हो सकता है। अब, ये योग्यता-भेद रहते कुछ परिस्थितियों के अधिष्ठाता होते हैं और दूसरे मात्र दास। यह परिस्थिति व्यक्ति-स्वातन्त्र्य या खुले समाज के सिद्धान्त के साथ मिलकर न 'प्रत्येक व्यक्ति के द्वारा' का कोई अर्थ रहने देती है और न 'प्रत्येक व्यक्ति के लिए' का। क्योंकि यह राज्य केवल "समर्थ व्यक्तियों के द्वारा और समर्थ व्यक्तियों के लिए" ही हो सकता है। इस परिस्थिति के प्रतिकार के लिए 'संघ-शक्ति' का प्रत्यय आविर्भूत हुआ जो निर्बल व्यक्तियों के लिए अस्त्र और ढाल हो सकता है। किन्तु द्रष्टव्य है कि इसका नैतिक औचित्य ढाल होने में ही हो सकता है, अस्त्र होने में नहीं। अस्त्र होने पर यह जंगल-राज को ही जन्म दे सकता है। किन्तु प्रजातन्त्रवाद के पास इसको अस्त्र बनने से रोकने के लिए न तो राज्य-सिद्धान्त में कोई प्रावधान है और न नैतिक सिद्धान्त में। समाजवाद-मार्क्सवाद तो इसके हिंस्रतम अस्त्र के रूप में प्रयोग को भी उचित मानता है। संघ-शक्ति की वैधता का स्वीकार वास्तव में मताधिकार की समानता और व्यक्ति-केन्द्रक तत्त्व-दृष्टि के तर्क की अनिवार्य परिणति था : यह तर्क है कि अपने स्वार्थों की रक्षा और उनके संवर्द्धन का सबको समान अधिकार है। किन्तु यह शक्ति-सन्तुलन सामरस्य का जनक नहीं होकर केवल संघर्ष और विग्रह का जनक ही हो सकता था, और इसका साध्य न्याय नहीं होकर अर्थ और प्रभुत्व की छीनाझपटी ही हो सकता था। इस छीनाझपटी के तर्क को कार्ल मार्क्स ने मुखरतम वाणी दी और मानव के इतिहास को छीनाझपटी के तर्क से ही परिचालित देखा। विग्रहमूलक संघ-शक्ति का यह तर्क व्यवहार में किस प्रकार क्रियान्वित होता है इसे स्पष्टतम रूप में हम हड़ताल में देख सकते हैं। इसकी मूल अवधारणा उद्योगपतियों और श्रमिकों के स्वार्थों के बीच संघर्ष के प्रसंग में की गई थी, किन्तु पीछे इसका विस्तार सरकार और उसके कर्मचारियों के बीच सम्बन्धों के क्षेत्र में भी हो गया। इस विस्तार का क्या औचित्य हो सकता है? सर्वप्रथम तो इसे औचित्य के प्रश्न की परिधि के बाहर ही देखा गया, अथवा कहें इसका औचित्य स्वतःसिद्ध माना गया, क्योंकि उनके अनुसार यह अस्त्र एक शोषण-व्यवस्था में शोषकों के विरुद्ध शोषितों द्वारा प्रयोग के लिए है। अब, क्योंकि शोषण-व्यवस्था कभी औचित्यमूलक हो ही नहीं सकती और शोषक का पक्ष कभी उचित नहीं हो सकता इसलिए उसके विरुद्ध इस अस्त्र के प्रयोग में भी कभी कोई अनौचित्य नहीं हो सकता।

अब, सब व्यक्तियों के समान होने और व्यक्ति का साध्य केवल सुख होने, और सुख केवल अर्थमूलक होने पर इस 'शस्त्र' के प्रयोग की कोई सीमा नहीं रह सकती। इसका प्रयोग सर्वत्र और उचित-अनुचित के विचार के बिना होना अनिवार्य है। उदाहरणतः सरकारी कर्मचारी कम-से-कम कार्य के लिए अधिक-से-अधिक वेतन लेने का प्रयत्न करेंगे, टैक्सी-चालक टैक्सी में बैठने वालों से अधिक-से-अधिक किराया लेना चाहेंगे और विद्यार्थी बिना पढ़े परीक्षा में अधिक-से-अधिक अंक प्राप्त करना चाहेंगे। इसमें बाधा होने पर हड़ताल करेंगे—यदि उन्हें इसमें सफलता की आशा हो तो। हमारे देश में हम यह सब प्रभूत मात्रा में और कुरूपतम रूप में देख रहे हैं। इस तन्त्र के पास इनको ऐसा नहीं करने के विरुद्ध समझाने के लिए केवल एक ही युक्ति है कि इस शस्त्र का इस प्रकार प्रयोग आत्मघातक है, और दूसरी युक्ति दण्ड है, कर्त्तव्यनिष्ठा और सौहार्द इसके लिए युक्ति नहीं है। अब ऐसी व्यवस्था में, जहाँ सामाजिक सन्तुलन शक्ति के आधार पर टिका हुआ हो, वास्तव में सब परस्पर

शोषक ही हो सकते हैं—उद्योगपति श्रमिक का और श्रमिक उद्योगपति का, स्वामी भृत्य का और भृत्य स्वामी का; यह बात दूसरी है कि इस छीनाझपटी में कौन किसका अधिक शोषण कर पाता है और कौन कम।

स्वभावतः इसमें अधिक शोषण वही करेगा जो अधिक समर्थ है, और उद्योगवाद के आरम्भिक युगों मे केवल उद्योगपति ही समर्थ था। उस समय इसकी कोई कल्पना ही नहीं थी कि श्रमिक संगठन द्वारा समर्थ हो सकता है और उद्योगपति का जीना हराम कर सकता है, और न राज्य के विधान में इसके लिए अनुमति थी। इसलिए कार्ल मार्क्स ने उस युग में उद्योगपतित्व को ही समाप्त करने और उद्योगों का स्वामित्व श्रमिकों के पास होने का सिद्धान्त दिया। किन्तु उसने पाया कि ऐसा तब तक सम्भव नहीं है जब तक राज्य का नियन्त्रण श्रमिकों के पास नहीं हो, और परिणामतः उसने राज्य पर श्रमिकों के अधिकार की बात की। यहाँ उल्लेखनीय है कि उसकी व्यक्ति और समाज की अवधारणा भी प्रजातन्त्रवादी अवधारणा के मूलतः विपरीत थी। उसका समाज व्यक्तियों का समूह नहीं था, इसमें व्यक्ति इतिहास के द्वन्द्वात्मक प्रवाह में युगीन सामाजिक परिस्थितियों की एक विशिष्ट सामाजिक अभिव्यक्ति मात्र था। वास्तव में इसके अनुसार काल-विशेष पर कोई समाज भी द्वन्द्वात्मक ऐतिहासिक प्रक्रिया की एक कड़ी मात्र ही होता है। इस प्रकार मार्क्सवाद इस दृष्टि से प्रजातन्त्रवाद के मूल सूत्र के एक प्रकार से ठीक विपरीत है। किन्तु एक दूसरे प्रकार से यह उसी की न्याय-राज्य की परिभाषा के दूसरे सूत्र : जनता के लिए : का क्रियान्वयन था। जैसाकि हमने पीछे देखा, 'जनता के द्वारा' राज्य तब 'जनता के लिए' नहीं हो सकता जब 'जनता' का अर्थ 'व्यक्ति समूह' हो और व्यक्ति योग्यता और बल में असमान हों। और, जैसाकि हमने पीछे देखा, इसी प्रकार यह 'जनता के द्वारा' भी नहीं हो सकता। 'जनता के लिए' कोई राज्य तभी हो सकता है जब व्यक्ति-भेद सामाजिक प्रयोजन और राज्य-व्यवस्था के अधीन निष्प्रभाव हों और राज्य-शासन व्यक्तिमूलक मताधिकार के द्वारा संचालित नहीं होकर जन-चेतना द्वारा जन-हित की व्यवस्था के अनुसार संचालित हो। इसे ही मार्क्स ने 'सर्वहारा का अधिनायकत्व' कहा था।

किन्तु कोई भी समाज वैयक्तिक सामर्थ्य-भेद के परिणामों से कैसे बच सकता है? यदि कोई समाज इस भेद के तथ्य को स्वीकार कर राज्य-व्यवस्था को इसके अधीन कर देता है तो शोषित के लिए कम-से-कम यह अवसर है कि वह अपनी इस स्थिति से निकल सके, अन्यथा शोषक के विरुद्ध संघर्ष कर सके, और नहीं तो कम-से-कम उसके विरुद्ध शोर मचा सके, चिल्ला सके। मूल तत्त्व समाज को मानने पर, और समाज का आधार श्रेयस् और धर्म को नहीं रख कर केवल अर्थ को रखने पर, समाज वास्तव में कुछ समर्थ व्यक्तियों के हाथ एक उपकरण मात्र ही बन सकता है, जिसका वे अपने लाभ के लिए उपयोग कर सकते हैं और शेष व्यक्तियों का अपने अनुसार नियोजन कर सकते हैं। इस प्रकार यह व्यवस्था वास्तव में 'जनता के लिए' भी नहीं रहती, 'जनता के द्वारा' तो यह रहती ही नहीं, यह केवल कुछ व्यक्तियों के हाथों शेष के दमन का उपकरण मात्र बन जाती है। इस व्यवस्था के तर्क का संगततम रूप हम स्टालिन के रूस में देख चुके हैं। स्टालिन के बाद रूस की वह व्यवस्था उतनी कठोर नहीं रही, यह केवल इस कारण कि उसके उत्तराधिकारी व्यक्तियों में कुछ उसकी कठोरता और नृशंसता के नीचे स्वयं भयानक घुटन अनुभव करते रहे थे और उन्हीं के हाथों में शासन की बागडोर आयी। उनके द्वारा जो नियन्त्रण में थोड़ी ढील आयी और स्टालिन के अत्याचारों की निन्दा की गई उसका व्यापक स्वागत इस बात का प्रमाण है कि 'जनता के लिए' कल्पित यह राज्य वास्तव में न केवल 'जनता के द्वारा' ही नहीं था बल्कि 'जनता के लिए' भी नहीं था। अब गुर्बाचोव के द्वारा इस व्यवस्था का नियन्त्रण शिथिल कर देने के संकेत मात्र से इसका एकबारगी ढह जाना इस बात को अन्तिम रूप से प्रमाणित कर देता है।

किन्तु वास्तव में राज्य का 'जनता के लिए' होना तो सदैव राज्य का आदर्श रहा है, यही उसका मूल अर्थ, प्रयोजन और औचित्य देखा गया है, यह कोई मार्क्स द्वारा साक्षात्कृत सत्य नहीं है। उदाहरणतः शुक्ल यजुर्वेद के अनुसार राज्याभिषेक के समय राजा को यह स्मरण कराने का विधान था कि "यह राष्ट्र तुम्हें सौंपा जाता है। तुम इसके संचालक, नियामक और उत्तरदायित्व के दृढ़ वाहक हो। यह राज्य तुम्हें कृषि के कल्याण, सम्पन्नता, और प्रजा के पोषण के लिए दिया जाता है।" (9/22) संस्कृत काव्यों में भी राजा का आदर्श इस रूप में ही देखा गया

है। राजा राम तो इस आदर्श के मूर्त्त उदाहरण के रूप में ही कल्पित हैं, जिनके कारण प्रजाहिताय राज्य के आदर्श रूप का नाम 'राम-राज्य' पड़ा। महाराजा अशोक इसका एक भास्वर ऐतिहासिक उदाहरण हैं। इस प्रकार मार्क्स की दृष्टि का नावीन्य राज्य को 'जनता के लिए' देखने में नहीं है बल्कि समाज की उस कल्पना में है जिसके अनुसार समाज आर्थिक सम्बन्धों की संरचना है और शेष उन सम्बन्धों के आधार पर उद्भूत धारणामूलक अतिसंरचना। इस प्रकार उसके आदर्श राज्य : राज्य-मुक्त समाज : में चोर, लंपट और मद्यप इसलिए नहीं होंगे क्योंकि इसमें कोई शोषक-शोषित का भेद नहीं रहेगा। राम-राज्य में भी चोर-लंपट नहीं होने का कारण सबका सम्पन्न होना ही है, किन्तु साथ ही स्तेय (चोरी करना) के अनैतिक होने और अनीति को जगत् की ईश्वरीय व्यवस्था के विपरीत देखने के कारण भी है। इस प्रकार मार्क्स की मौलिकता राज्य को 'जनता के लिए' देखने में उतनी नहीं थी। जितनी यूरोप की उद्योगवादमूलक समस्याओं के विवेचन और पूँजीवादमूलक प्रजातन्त्रवाद में राज्य के 'जनता के द्वारा' होने पर भी 'जनता के लिए' नहीं होने के विरोधाभास को देखने में थी। पूँजीवादी प्रजातन्त्रवाद में राज्य के 'जनता के लिए' होने पर पक्ष सैद्धान्तिक रूप से निषिद्ध है।[1] मार्क्स ने पूँजीवाद का, और इस प्रकार तन्मूलक प्रजातन्त्रवाद का, यह दोष प्रकट कर उद्योगवाद-पूँजीवाद इस नयी परिस्थिति में वह दिखा दिखायी जिस दिशा से राष्ट्र भ्रष्ट हो गया था। राजतन्त्र और प्राचीन प्रजातन्त्र में यह दिशा-भ्रष्टता सैद्धान्तिक रूप से नहीं थी, बल्कि उनमें उचित दिशा-बोध आधारभूत था, फिर चाहे विशिष्ट राजा व्यवहार में इससे जितने भी दूर रहे हों।

किन्तु राज्य का 'प्रजा-हिताय' होना जबकि इसकी अवधारणा का मूल है और इस कारण राज्य जबकि व्यक्ति और समाज दोनों के लिए उपकारक है, यह अपनी इसी अवधारणा के कारण दोनों के लिए अपकारक भी हो सकता है और आज यह ऐसा प्रायः ही हो रहा है। पिछले युगों में इसके कुछ उदाहरण मिलते हैं कि राजा द्वारा अपना धर्म-मत बदल लेने पर प्रजा ने भी अपना धर्म-मत बदल लिया। इसी प्रकार, राजा कवियों को अपने दरबार में रखते थे और कुछ दरबारों में कुछ कवि राजा का यशोगान भी करते थे। किन्तु थोड़े से उदाहरणों को छोड़कर, राजा का समाज के धार्मिक, सांस्कृतिक और आर्थिक क्षेत्रों में कोई हस्तक्षेप नहीं था। उन युगों में राजा इन क्षेत्रों में सहायक तो हो सकते थे किन्तु इन्हें नियंत्रित नहीं कर सकते थे। किन्तु राजा के दुराचारी, अन्यायी, प्रमादी या अयोग्य होने पर राज्यव्यवस्था भ्रष्ट हो जाती थी और परिणामस्वरूप समाज भी अपने सभी पक्षों में उससे प्रभावित होता था। किन्तु आज परिस्थिति उससे भिन्न है : आज कुछेक देशों में राज्य का क्षेत्र अत्यधिक व्यापक है : अर्थनीति और उस नीति के क्रियान्वयन, शिक्षा, संस्कृति और विधि-विधान सब क्षेत्र राज्य के अधीन हैं। ऐसा साम्य और अधिनायकवादी राज्य-व्यवस्थाओं वाले देशों में है, किन्तु पूँजीवादी देशों में शिक्षा, संस्कृति तथा विचार-प्रचार-माध्यम राज्य की सीमा में नहीं हैं। इन दो प्रकार की व्यवस्थाओं के बीच अर्धनियोजित व्यवस्थायें भी हैं, जैसे नेहरू जी के भारत में, जिसमें राज्य के क्षेत्र की व्यापकता उपर्युक्त दो कोटियों के बीच की है। किन्तु जिन देशों में राज्य का क्षेत्र पर्याप्त सीमित भी है उनमें भी अर्थ-व्यवस्था और समाज-व्यवस्था इतनी जटिल और आकार में इतनी बृहत है कि वह व्यक्ति और समाज के सांस्कृतिक-आध्यात्मिक जीवन के लिए कोई अवकाश नहीं छोड़ती। इसी से समाज में वह आत्मव्यवहितत्व अथवा आत्मबहिष्कृति (एलिअनेशन) की परिस्थिति उत्पन्न होती है जो व्यक्ति को अपने से और समाज से विच्छिन्न और संत्रस्त बनाती है। उदाहरणतः अमरीका और जापान में अर्थ-तन्त्र पूर्णतः खुला है और प्रचार-साधन, शिक्षा, विज्ञान, दर्शन और कला के क्षेत्र राज्य के नियमन से मुक्त हैं। किन्तु तब भी सब कुछ जैसे एक बृहद् यन्त्र का छोटा पुर्जा और किसी अदृश्य बाह्य शक्ति से परिचालित है। प्रचार-साधन राज्य से स्वतन्त्र हैं, किन्तु वे व्यक्ति और समाज से भी स्वतन्त्र हैं। वे संगति-विहीन स्तरों के विराट् आयोजन जैसे हैं जो व्यक्ति और समाज दोनों को अभिभूत रखते हैं।

---

1. द्रष्टव्य — यशदेव शल्य : **समसामयिक चिन्ताएँ,** राका प्रकाशन, इलाहाबाद, 2005।

दूसरी ओर समाजवादी राज्य अपने अधीनस्थ समाज पर सर्वव्यापक होता है। इस सर्वव्यापकता के पीछे यह अवधारणा रहती है कि समाज (सिविल सोसाइटी) व्यक्ति-समुदाय के रूप में वैयक्तिक स्वार्थों के संघर्ष-विघर्ष का रंगस्थल मात्र है जिसके ऊपर राज्य मनुष्य के नैतिक चेतनामूलक अधिष्ठातृत्व के रूप में उसके वैयक्तिक स्वार्थमूलक अनुसरणों को नैतिक बोध के अधीन संयत और व्यवस्थित कर उच्चतर ऐतिहासिक उपलब्धि की दिशा में नियुक्त करता है। राज्य की यह अवधारणा हेगेलीय है जिसे मार्क्स ने अपनी इतिहास और समाज-दृष्टि के साथ अनुकूलित किया। अब यदि हेगल की सिविल सोसायटी और राज्यविषयक अवधारणा को स्वीकार कर भी लें तो भी यह मानने के लिए कोई आधार नहीं है कि राज्य एक नैतिक अधिष्ठाता के रूप में ही व्यवहार करेगा। व्यवहार में हम देखते हैं कि वास्तव में स्थिति इसके ठीक विपरीत होती है। राज्य विराट् आसुरी अहंकार के रूप में समाज और व्यक्ति से एक पृथक् और ठोस अस्तित्व ले लेता है और व्यक्ति तथा समाज दोनों से पूर्ण आत्मसमर्पण ही अपेक्षा करता है। जर्मन और रूसी राष्ट्रवाद इसके ज्वलन्त और वीभत्सतम उदाहरण हैं, अन्य देश भी इससे पूर्णतः मुक्त नहीं रहे।

वास्तव में राज्य देश-भक्ति, युद्ध में वीरता के महत्त्व आदि को उच्च आदर्श के रूप में स्थापित कर अपने अस्तित्व को सुरक्षित और प्रवर्द्धित करने का प्रयत्न आरम्भ से ही करता रहा है। किन्तु तब भी आधुनिक युग से पहले राष्ट्र उस प्रकार का एक ठोस अस्तित्व नहीं था और परिणामत: उसकी जकड़ व्यक्ति और समाज पर वैसी कठोर नहीं थी। राज्य की इतनी कठोर जकड़ एक आधुनिक वस्तुस्थिति है जो उद्योगवाद और यातायात-साधनों के विकास से सम्भव हुई है। इसी से आधुनिक युग में कुछ विचारकों ने राज्य के औचित्य पर ही प्रश्न-चिह्न लगाया है। उनके अनुसार मनुष्य के लिए सबसे अधिक मूल्यवान् स्वातन्त्र्य है और राज्य के होने पर वह सम्भव नहीं है। इसका उत्तर हो सकता है कि "सब व्यक्ति तो स्वतन्त्रता के योग्य नहीं होते, और जो होते हैं उन्हें न राजतन्त्र में कोई बाधा थी और न प्रजातन्त्र में कोई बाधा है। भारत में तो संन्यास एक सर्वाधिक सम्मानित संस्था थी, जो न केवल आध्यात्मिक मुक्ति का मार्ग थी बल्कि लौकिक स्वातन्त्र्य का मार्ग भी थी। आज भी प्रजातन्त्रवादी देशों में व्यक्ति चाहे तो राज्य और समाज से पर्याप्त मुक्त होकर रह सकता है, इसमें बाधा ही क्या है?"

किन्तु यह सही नहीं है। आज की उद्योगवादी-यन्त्रवादी अर्थव्यवस्था में न अराज्यत्व सम्भव है और न, किसी प्रकार ऐसा सम्भव हो जाने पर, व्यक्ति-स्वातन्त्र्य ही सम्भव है। यह व्यवस्था विशाल व्यवस्थापिकाओं (कार्पोरेशन्स) और प्रतिष्ठानों को अनिवार्य करती है और ये प्रतिष्ठान व्यक्ति को निर्वैयक्तिक-असामाजिक यन्त्र के कल के रूप में अपचित कर देते हैं। यही कारण है कि आज प्रजातन्त्रवादी देशों में भी व्यक्ति न आध्यात्मिक रूप से स्वतन्त्र है और न आर्थिक रूप से। वह केवल सामाजिक और वैचारिक रूप से इस अर्थ में स्वतन्त्र है कि वह सामाजिक परम्पराओं और कर्त्तव्यों को स्वीकार करने से इन्कार कर सकता है और प्रायः करता है। किन्तु यह वास्तव में वैसा स्वातन्त्र्य नहीं होकर बिखराव है, एक सामाजिक अजनबीपन, जो व्यक्ति को आधार-हीन और केन्द्रच्युत बनाता है और एक खोखलापन और संत्रास देता है। यह प्रजातन्त्रवादी व्यक्ति आज पड़ोसी से ही अजनबी नहीं है बल्कि अपनी पत्नी, अपने माता-पिता और बच्चों से भी अजनबी है। किन्तु यह दोष प्रजातन्त्रवाद का नहीं है बल्कि उस दर्शन और परिस्थिति का है जो उद्योगवाद-यन्त्रवाद-पूँजीवाद में मूलित है।

इस उद्योगवाद-यन्त्रवाद ने सामाजिक और राजनीतिक स्तर पर एक और परिस्थिति को जन्म दिया है जो व्यक्ति को आत्म-विस्थापित करती है, और वह है सामाजिक, आर्थिक और राजनीतिक परिधियों का इतना विस्तार कि वह अवयवीयता, जो अवयवों को एक प्राण और आत्मा से अनुविद्ध करती है, इसमें शिथिल या विलुप्त हो जाती है। उदाहरणतः यूरोप के देश आकार में लघु होने पर भी अपने सामाजिक-आर्थिक-राजनीतिक विस्तार में विश्व-व्यापी हैं जबकि भारत, चीन और रूस आदि देश अपने भौगोलिक विस्तार में अत्यन्त बेडौल हैं।

ऐसी ही परिस्थिति में महात्मा गाँधी ने ग्राम-स्वराज का विचार दिया था। उन्होंने जब यह विचार दिया था उसकी तुलना में आज परिस्थिति अकल्पनीय रूप से विकट है और परिणामतः वह विचार आज अधिक प्रासंगिक हो गया है। किन्तु यह विचार आज अव्यावहारिक प्रतीत होता है, क्योंकि बृहद् उद्योगों और आधुनिक

यातायात-साधनों के रहते आज कोई बड़ा देश भी आत्मपर्याप्त नहीं रह सकता और इन उद्योगों आदि का नहीं रहना अब सम्भव नहीं है। ऐसे में ग्राम-स्वराज की बात एक पूर्णतः अव्यावहारिक कल्पना मात्र हो जाती है। 'ग्राम-स्वराज' निरुद्योगीकरण-अयन्त्रीकरण से अवियोज्य रूप से जुड़ा हुआ है, इसका प्रमाण महात्मा गाँधी द्वारा इसके लिए उद्योगवाद-यन्त्रवाद का पूर्ण निषेध करना है। वास्तव में वह निषेध केवल आर्थिक-सामाजिक-राजनीतिक सन्दर्भ में इन स्तरों के कुशलतर व्यवस्थापन की दृष्टि से ही नहीं किया गया था बल्कि वह एक पूरी विश्वदृष्टि-जीवनदृष्टि के अनुसार किया गया था। उस दृष्टि में बृहद् यन्त्र, बृहद् उद्योग, भोगाकांक्षा, आर्थिक समृद्धि ये सब अवांछनीय और मनुष्य को पतन की ओर ले जाने वाले हैं। वे जीवन के सौरस्य और सामंजस्य को समाप्त कर देते हैं।

इस दृष्टि के विरुद्ध यहाँ दो आपत्तियाँ हो सकती हैं : एक यह कि यदि आधुनिक उद्योगों और यन्त्रों का परित्याग वांछनीय भी हो तो भी यह ऐतिहासिक रूप से असम्भव है—मानव-इतिहास कभी पीछे की ओर नहीं लौट सकता। दूसरे, यह वांछनीय भी नहीं है, क्योंकि यन्त्र के कम-से-कम कुछ लाभ ऐसे हैं जिन्हें छोड़ना किसी भी दृष्टि से वांछनीय नहीं हो सकता। उदाहरणतः चिकित्सा, दूरवीक्षण तथा सूक्ष्मवीक्षण यन्त्र, जिनसे हम भौतिक प्रकृति के रहस्यों को अधिक सम्यक् रूप से समझ सकते हैं, और यातायात के साधन आदि। यदि इनमें से दूसरे तो तीसरे, तथा इसी प्रकार के, यन्त्रों को जाने भी दें तो भी प्रथम की वांछनीयता में कोई सन्देह नहीं हो सकता। किन्तु यदि हम इस प्रकार के यन्त्रों को भी रखना चाहते हैं तो यह यन्त्र-विज्ञान को उसकी सम्पूर्णता में रखे बिना सम्भव नहीं है, क्योंकि प्रत्येक यन्त्र पूरी यन्त्र-व्यवस्था को पूर्वकल्पित करता है : एक प्रकार के विकसित यान्त्रिक तन्त्र के लिए उनको बनाने वाले दूसरे यन्त्रों की और उनको बनाने के लिए अन्य यन्त्रों की आवश्यकता होती है। यह यन्त्र-विषयक अत्यन्त समृद्ध ज्ञान के बिना सम्भव नहीं होगा और यह ज्ञान अपने सर्वतोमुखी विकास के बिना सम्भव नहीं हो सकता। दूसरे शब्दों में, यन्त्र-विद्या का विकास एक सम्पूर्ण मानसिकता को, सम्पूर्ण मूल्य-व्यवस्था को, सम्पूर्ण संस्कृति को पूर्वापेक्षित करता है। गाँधी जी यह जानते थे इसी से वे इस संस्कृति को इसकी सम्पूर्णता में ही अवांछनीय मानते थे, इसलिए वे आधुनिक चिकित्सा को भी अवांछनीय मानते थे।[1] कहा जा सकता है कि भैषज्य को अधिक कुशल और अधिक प्रभावशाली बनाने का उपाय केवल यन्त्र-मूलक ही है किन्तु यह सही नहीं है, और दूसरे, स्वयं यन्त्र ने भी मृत्यु के अन्यान्य मार्गों और नये-नये रोगों को जन्म दे दिया है : उदाहरणतः दुर्घटनाएँ, भीषण शस्त्रास्त्र, प्रदूषण-जन्य रोग और मनोव्याधियाँ। रोगों और मृत्यु के इन नये कारणों के भविष्य में क्या परिणाम हो सकते हैं यह हम अभी नहीं जानते। जहाँ तक यातायात का सम्बन्ध है, उस सुविधा को सुविधा मान लेने पर तो हम फिर सभी सुविधाएँ प्राप्त करना चाहेंगे और तब फिर वे सब परिणाम होंगे ही जो आज हो रहे हैं। तब इसका दूसरा समाधान अपने को इस दौड़ में संयत करना हो सकता है। यदि यह कहा जाये कि यन्त्र-विज्ञान के रहते यह संयम सम्भव नहीं है, तो इसका उत्तर हो सकता है कि उस अवस्था में इस विज्ञान : ज्ञान : का त्याग और भी असम्भव है, क्योंकि इसके लिए इस ज्ञान की ही निरर्थकता, इस जीवन-दृष्टि की ही भ्रामकता मनुष्य पर प्रकाशित होनी अपेक्षित होगी।

इस समस्या का दूसरा उत्तर हो सकता है कि यन्त्र-विज्ञान और तज्जन्य समस्याओं से मुक्ति का उपाय यन्त्र-विज्ञान से मुक्ति पाना नहीं है बल्कि एक नयी मानसिकता का विकास है जो मनुष्य को सामाजिक स्तर पर अभी अनुपलब्ध है। यह मानसिकता मनुष्य से सामाजिक, बल्कि कहें सार्वभौम, स्तर पर वासनाओं के नियमन और अविवेक के निवारण की अपेक्षा करती है। राज्य वास्तव में इसी प्रकार के आत्मनियमन का एक महत् प्रतिफल है। विज्ञान ने न केवल इस नियमन को दुस्साध्य बना दिया है, बल्कि और अधिक आवश्यक भी बना दिया है। किन्तु इस दुस्साध्यता और आवश्यकता ने राज्य की शक्ति को और इस शक्ति ने इसकी व्यापकता, जकड़ और समाज से इसके पार्थक्य को अपरिमित रूप से बढ़ा भी दिया है। किन्तु उद्योग और यन्त्र के विकास के लिए, और अधिकाधिक भोगों को भोगने के लिए भी, व्यवस्था और एक प्रकार के आत्मानुशासन की

---

1. द्रष्टव्य — **हिन्द-स्वराज** तथा अपने पुत्र हरिलाल को लिखे उनके पत्र, जो अभी हाल ही में 19.07.1990 को इंग्लैंड में नीलाम किये गए।

आवश्यकता होती है। इस परिस्थिति, अथवा कहें इस मनःस्थिति से संगत नीतिशास्त्र की रचना भी हुई जिसे यूटीलिटेरियनिज़्म नाम दिया गया। इस नैतिक दृष्टि का तत्त्व व्यक्तियों के बीच "अधिकाधिक संख्या के लिए अधिकाधिक सुख" के विचार से परस्पर सहयोग स्थापित करना है। 'सुख' का अर्थ इस दृष्टि में मनोदैहिक आत्मानुकूल्य : ऐसी परिस्थितियों का संवर्द्धन जो आवेगात्मक और दैहिक सन्तोष देने वाली हों : है। इसमें राज्य को व्यवस्थापक के रूप में ही देखा गया और इस प्रकार उसकी भूमिका यथासम्भव कम की गई। किन्तु जैसाकि हमने ऊपर देखा, उद्योगवाद-यन्त्रवाद-जनित जटिल समाज और जटिल अन्तर्राष्ट्रीय परिस्थितियाँ राज्य के महत्त्व और कार्यों को कम नहीं होने देतीं।

किन्तु राज्य का इस प्रकार एक ठोस और स्वायत्त अस्तित्व ले लेना उसका अपने वास्तव प्रयोजन और स्वरूप से च्युत हो जाना है, क्योंकि यह सामाजिक मनुष्य के नैतिक आत्मानुशासन के अपने प्रयोजन को तभी पूरा कर सकता है यदि वह अपने भौतिक अस्तित्व में क्षीण से क्षीणतर रहे। मानव-सभ्यता के आरम्भिक युगों में इसका अपने अर्थ के अपेक्षाकृत अनुरूप होना स्वाभाविक ही था। किन्तु इसने क्रमशः अपने को एक स्वतन्त्र शक्ति और अधिकार के केन्द्र के रूप में स्थापित कर लिया और अपने उस अर्थ से दूर हो गया जिसमें इसके अस्तित्व का औचित्य था। आज जो हम सर्वत्र भीषण उग्रवाद-आतंकवाद देख रहे हैं, राज्याध्यक्षों को कड़ी सुरक्षा-व्यवस्था के घेरे में देख रहे हैं, ये सब इसी रोग के लक्षण हैं। निश्चय ही मनुष्य ने राज्य के उचित अर्थ को अपनी दृष्टि से ओझल नहीं होने दिया, किन्तु व्यवहार में इसके इस अर्थ की निरन्तर अवहेलना होती रही है। आधुनिक युग के आविर्भाव-काल में इसका प्रायः विकृततम रूप ही उपलब्ध था : निरंकुश सम्राटों और महाराजाओं-राजाओं के अधिराजत्व के नीचे उनसे भी अधिक निरंकुश और अनुत्तरदायी सामन्तों का शासन। ऐसी परिस्थिति में विज्ञान के विकास, उद्योगवाद और वैचारिक कारणों से राज्य का यह रूप अपने वास्तव अर्थ के विपरीत देखा गया और इसके स्थान पर 'कानून के शासन' (रूल ऑफ लॉ) के रूप में प्रजातन्त्रवाद का विचार उद्भूत हुआ। जैसाकि हम पीछे देख चुके हैं, कम-से-कम हमारे देश में राजा को स्वायत्त नहीं माना गया था, धर्मायत्त ही माना गया था, वह सामाजिक ऋत का प्रतीक और माध्यम ही देखा गया था। किन्तु आधुनिक युग से पूर्व कभी और कहीं व्यक्ति मात्र को समान नहीं माना गया था और परिणामतः राजा को भी अन्य व्यक्तियों के समान नहीं माना गया था। किन्तु तब उसे सर्वोच्च भी नहीं माना गया था, उसे केवल एक सन्दर्भ में ही सर्वोच्च माना गया था। अन्यथा वह, कम-से-कम भारत में, क्षत्रिय के रूप में ब्राह्मण से निम्नतर स्तर पर था, मार्ग-दर्शन लेना वांछनीय था—जब तक कि वह स्वयं राजा जनक के समान ब्राह्मण-तुल्य ही नहीं हो। किन्तु वह आनुवंशिक होता था और परिणामतः उसके निरंकुश और अन्यायी होने पर उसे पदच्युत करने का कोई व्यवस्थापक उपाय नहीं था। इसके विपरीत प्रजातन्त्रवाद ने एक साथ व्यक्तियों में स्तर-क्रम और राजा की आनुवंशिकता की परम्परा समाप्त कर दी। ये दोनों बातें वास्तविकता के साथ अधिक संगत हैं, क्योंकि वास्तव में मानव-व्यक्तियों में उच्चावचता आनुवंशिक नहीं होती, वह उससे निरपेक्ष होती है, और दूसरी ओर राज्याध्यक्ष अनुवंशतः निर्धारित होने पर, राजा धर्म और ऋत का प्रतीक और माध्यम नहीं रह जाता बल्कि उसका वंश इसका माध्यम हो जाता है और उसका सम्बन्ध धर्म और ऋत से परोक्ष हो जाता है। किन्तु जनमत द्वारा प्रत्यक्षतः निर्वाचित होने पर वह अभिप्रेतार्थ का पारदर्शी प्रतीक रहता है। इस प्रकार प्रजातन्त्रवाद राज्य के अर्थ के अनुकूलतम व्यवस्था ठहरती है। किन्तु जैसाकि हमने ऊपर देखा, वह अन्य कारणों से आज व्यवहार में वैसी नहीं है। इन कारणों के निवारण का एकमात्र युक्त और मूलगामी उपाय महात्मा गाँधी ने ग्राम-स्वराज के रूप में प्रस्तुत किया, किन्तु उसकी अपनी कठिनाइयाँ है जिनका उल्लेख हमने ऊपर किया है।

धर्म

साधारणतः चेतना की प्राकृतिक से इतर लोक-विषयकता और उस लोक के प्रति उदात्त भावापन्नता को धर्म कहना युक्त है। उदाहरणतः देवता, दानव, ईश्वर, ब्रह्म और बुद्ध आदि पद अतिप्राकृतिक लोक-विषयक और उदात्त आयाम के वाचक हैं। चेतना जब इस अतिलोक में अधिष्ठित होती है, अथवा कहें इस लोक की सत्ताओं से भावात्मक सम्पर्क में होती है, तब उसे धार्मिक कहा जाता है। इस अधिस्थिति या सम्पर्क में चेतना की अनेक प्रकार की अभिवृत्तियाँ हो सकती हैं, जैसे कार्यात्मक, रागात्मक, मननात्मक, अन्वीक्षात्मक, विचारात्मक और साक्षात्कारात्मक, और उनके अनुसार धार्मिकता के रूपों में बहुत अन्तर हो सकता है। उदाहरणतः वैदिक ऋषि की अभिवृत्ति मुख्यतः कर्मात्मक और साक्षात्कारात्मक थी, औपनिषद ऋषि की मुख्यतः मननात्मक-साक्षात्कारात्मक, तुलसी, कबीर आदि की रागात्मक थी और नागार्जुन, वसुबन्धु और शंकर आदि की अन्वीक्षात्मक-विचारात्मक। धर्म की अतिप्रकृति-विषयकता अथवा इतरलोक-विषयकता का यह अर्थ नहीं है कि इसमें प्राकृतिक लोक निषिद्ध रहता है, इसका केवल इतना ही अर्थ है कि प्राकृतिक लोक अतिलोक के अन्तर्गत और क्षीणमूल्य रहता है। इसका यही मूल्य-क्षय इसके अन्वीक्षात्मक-विचारात्मक रूप में इसके निषेध का रूप ले लेता है। उदाहरणतः कोई वर्षा के समुचित या असमुचित होने के कारणों को प्राकृतिक रूप में भी देख सकता है और देव-कृपा, देव-कोप के रूप में भी देख सकता है। किन्तु ये कृपा और कोप प्राकृतिक नियमों को साधन बनाकर ही उपस्थित होते देखे जाते हैं, प्रायः ही सीधे उपचरित होते नहीं देखे जाते। इस प्रकार धार्मिक चेतना का लोक केवल अनैहिक नहीं होता बल्कि ऐहिक और अनैहिक दोनों का समावेशी होता है। अनैहिक का भी एक ही स्तर हो यह आवश्यक नहीं है, इसके दो या अधिक स्तर भी हो सकते हैं। आदिम मनुष्य के लिए अनैहिक केवल एक स्तरीय ही होता है, किन्तु विकसित धार्मिक चेतना अनैहिकता के प्रायः दो या तीन स्तर देखती है। जैसे ईसाई, मुस्लिम और वैदिक यज्ञीय चेतना अनैहिकता के दो स्तर : देव-लोक और पारमेश्वर-लोक : देखती है जबकि उत्तरवैदिक चेतना देव-लोक, ईश्वर-लोक तथा ब्रह्म-लोक ये तीन स्तर देखती है। किन्तु सम्भवतः इन दोनों दृष्टियों में ये एक ही चित् के भिन्न-भिन्न स्तर हैं। अभारतीय धर्मों में, और कुछ भारतीय धर्मों में भी, ये एक ही चित्तत्व के विभिन्न स्तर नहीं देखे गए हैं। किन्तु इन धर्मों में जब कि जीव और ईश्वर को दो पृथक् तत्त्व माना गया है, देवताओं के सम्बन्ध में कुछ नहीं कहा गया है।

यह कोई आवश्यक नहीं है कि सभी विकसित धर्मों में अतिलोकों की संख्या दो से अधिक ही देखी गई हो, वास्तव में बौद्ध और उत्तरवेदान्तमूलक धर्मों में प्रायः दो ही स्तर देखे गए हैं, किन्तु देवलोक से उत्तरवर्ती लोक का स्वरूप धार्मिक दृष्टि की सूक्ष्मता-स्थूलता को प्रकट करता कहा जा सकता है। उदाहरणतः शांकर वेदान्त में एक प्रकार से देव-लोक, ईश्वर-लोक और ब्रह्म-लोक ये तीन स्वीकृत हैं किन्तु उसमें ये तीनों लोक, और चौथा जीव-लोक, ये एक ही चित्तत्त्व के चार स्तर हैं। शंकर का देव-लोक-विषयक प्रतिपादन[1] इस दृष्टि से कहाँ तक संगत है, यह दूसरी बात है, जिस पर विचार यहाँ प्रासंगिक नहीं है। बौद्धों में भी दो ही अतिलोक स्वीकृत हैं। द्यु-लोक और बुद्ध-लोक, किन्तु और बौद्धों के ये ब्रह्म-लोक या निर्वाण-लोक ईसाई-मुस्लिम ईश्वर-लोक से तुल्य नहीं हैं, ये ईश्वर-लोक से अतिक्रामी लोक हैं। देव-लोक के सम्बन्ध में भी वास्तव में सब दृष्टियाँ समान नहीं होतीं। एक प्रकार से बौद्धों और जैनों में देव-लोक-विषयक दृष्टि नहीं है, किन्तु इनमें भी इह-लोक

---

1. **ब्रह्मसूत्रभाष्य**, देवताधिकरणम्।

अतिलोक में अधिष्ठित और अतिलोक का बाह्यावरण मात्र है। इन देव-लोक, ईश्वर-लोक आदि के अतिरिक्त एक और लोक भी प्रायः सभी धर्मों में माना गया है और वह है प्रेत-लोक या पितर लोक। द्रष्टव्य है कि देव-लोक और प्रेत-लोक आदि विषयक दृष्टियाँ सैद्धान्तिक रूप से विकसित नहीं हैं, किन्तु ये ऐतिहासिक रूप से बहुत प्राचीन और प्रायः सभी धर्मों में व्यापक दृष्टियाँ हैं।

यहाँ यह द्रष्टव्य है कि हमने इन लोकों के अवगमन के सम्बन्ध में 'ज्ञान' के विरुद्ध 'विश्वास' शब्द का प्रयोग नहीं किया है, जैसाकि आज प्रायः ही वैज्ञानिक और ईसाई दृष्टियों के अनुसार करने का प्रचलन है। इनके अनुसार इन्द्रियम्य और इन्द्रियारूढ़ तर्कगम्य विषयों को हम 'जानते' हैं जबकि इन्द्रिय और तर्क के लिए अगम्य विषयों में 'विश्वास' (या अन्धविश्वास) करते हैं। किन्तु आदिम मानव की धर्म-दृष्टियाँ और भारतीय धर्म-दृष्टियाँ आत्मा, देवता, ईश्वर आदि को उतने ही, अथवा उससे भी अधिक निश्चित रूप से सद्वस्तु मानती हैं जितने निश्चित रूप से इन्द्रियगम्य विषयों को मानती हैं। **एक योगी की आत्मकथा**, गोपीनाथ कविराज के ग्रन्थ, तथा रामकृष्ण परमहंस का जीवन-वृत्त (रामकृष्ण लीलामृत) अतिलोकपरक अस्तित्व के ऐसे समकालीन विवरण हैं जिन्हें अन्धविश्वास या 'विश्वास' कहना ऐसा ही होगा जैसा वैज्ञानिक उपग्रहों से प्राप्त अन्य ग्रहों विषयक जानकारियों को मनगढ़न्त कहना। यही बात वेद, उपनिषद्, रामायण, महाभारत आदि के सम्बन्ध में कही जा सकती है। उनमें देवादि लोक प्राकृतिक लोक से विच्छिन्न और विश्वास-विषयवत् नहीं हैं। वैदिक ऋषि देवताओं की ऐसे ही चर्चा करते हैं जैसे वे प्राकृतिक विषयों की चर्चा करते हैं, बल्कि उनकी दृष्टि में कोई वस्तु शुद्ध रूप से प्राकृतिक है ही नहीं, वह एक साथ द्विस्तरीय है। उदाहरण के लिए, जब हम कहते हैं कि "अमुक व्यक्ति दुर्घटना से मर गया" और तब साथ ही कहते हैं "सब भाग्य के अधीन है," या "सब कर्म-फल है" तब हम एक ही घटना को एक-साथ दो स्तरों पर देख रहे होते हैं। वास्तव में यह 'स्तर-द्वयता' भी हमारी भाषा का पद है, धर्म-दृष्टि इसे केवल कारण-कार्य रूप में ही देखती है। यहाँ श्री रामकृष्ण लीलामृत से एक उद्धरण देना उपयोगी होगा—

"माँ काली की पूजा करते-करते उनके मन में देवी के प्रत्यक्ष दर्शन के लिए तीव्र उत्कण्ठा जगी और वे व्याकुल हो उठे। इस घटना का विवरण उन्हीं के शब्दों में निम्न प्रकार है : माँ का दर्शन न मिलने से मेरे मन में असह्य यातना हो रही थी।...यह सोचकर कि माँ का दर्शन सम्भवतः मुझे कभी प्राप्त नहीं होगा, मैं वेदना से तड़पने लगा। व्याकुल होकर सोचने लगा कि इस जीवन से क्या लाभ है? उसी समय सहसा मेरी दृष्टि माँ के मन्दिर में रखी हुई तलवार पर जा टिकी। तत्काल अपने जीवन को समाप्त कर देने की भावना से उन्मत्त की भाँति दौड़ता हुआ। मैं वहाँ जाकर उसे पकड़ ही रहा था कि उसी समय अचानक मुझे माँ का अद्भुत दर्शन मिला तथा में बेसुध होकर गिर पड़ा। घर, द्वार, मन्दिर ये सब न जाने कहाँ विलुप्त हो गए। मानो कहीं कुछ भी न था। मुझे एक अनन्त, असीम चेतन ज्योति-पुंज दिखायी देने लगा। में जिधर, जहाँ देखता उधर ही चारों ओर से गुज़रती हुई उसकी उज्ज्वल करुणापूर्ण तरंगें मुझे ग्रस्त करने के निमित्त अत्यन्त तीव्र वेग से बढ़ी आ रही थीं।"...उनकी इस जीवन-कथा में उनके द्वारा देव-दर्शन की ऐसी अनेक घटनाओं का उनके अपने शब्दों में विवरण है। यहाँ उनकी इस जीवन-कथा में बाल श्रीराम के दर्शन का विवरण उल्लेखनीय है : "1864 ईस्वी के लगभग जटाधारी नाम के एक रामभक्त साधु दक्षिणेश्वर पधारे। उनके पास श्रीरामचन्द्र की एक बालमूर्त्ति थी जिसे वे स्नेहपूर्वक 'रामलला' कहते थे। रामलला सचमुच भोजन कर रहा है या कोई वस्तु खाने के लिए मांग रहा है, टहलने जाना चाहता है या प्रेमपूर्वक हठ कर रहा है इत्यादि उन्हें प्रत्यक्ष दिखायी देता था। उस मूर्त्ति को लेकर सदा वे आनन्द-विह्वल तथा मस्त रहा करते थे। मुझे भी रामलला के इस तरह के आचरण दृष्टिगोचर होते थे तथा प्रतिदिन चौबीसों घंटे उन साधु के समीप बैठा-बैठा मैं रामलला को देखा करता था। ज्यों-ज्यों दिन बीतने लगे त्यों-त्यों रामलला का भी मेरे प्रति प्रेम बढ़ने लगा।"...वास्तव में परमहंस विषयक इन वृत्तान्तों में कोई नितान्त अनोखापन नहीं है। 'जटाधारी' साधु का उल्लेख तो यहाँ है ही, सूर, तुलसी, मीरा, वल्लभ आदि अन्य सन्तों के लिए भी ऐसे अनुभव साधारण थे ऐसा कहा जाता है। जो प्राकृतिक लोक के अतिरिक्त कोई दूसरा लोक नहीं जानते वे इस

प्रकार के 'प्रत्यक्षों' को ऑटोसजेशंस् कहते हैं। किन्तु स्पष्टतः यह पदावली अस्तित्व के स्वरूप-विषयक एक मान्यता पर आधारित है जिसकी प्रामाणिकता के लिए कोई स्वतःसिद्ध और पूर्वग्रह-रहित युक्ति नहीं है।

किन्तु तब यहाँ कुछ ऐसे प्रश्न उपस्थित होते हैं जिनका समाधान बहुत कठिन जान पड़ता है। सर्वप्रथम, क्या देवता शरीरी होते हैं? यदि शरीरी होते हैं तो उनका रूप सर्वत्र एक-सा ही होना चाहिए! यदि वे शरीरी होते भी हैं तो राम कोई देवता नहीं थे, वे नारायण का, ईश्वर का, अवतार थे। अब, अवतार के रूप में उनकी एक ऐतिहासिकता भी हो जाती है, और उसमें दैहिक विकास-क्रम भी स्वाभाविक हो जाता है। ऐसी अवस्था में जटाधारी बाबा और परमहंस को प्रकट उनका रामलला-रूप, और विशेषतः मूर्त्ति-सम्बद्ध रामलला रूप, 'ईश्वर के अवतार के प्रयोजन' से मेल खाता प्रतीत नहीं होता। तब क्या 'रामलला' अवतारी राम से भिन्न थे और जटाधारी बाबा और परमहंस की भावना के बल से, उनकी अपेक्षानुसार, नारायण रूप में मूर्त्ति के माध्यम से आविर्भूत होते थे? सम्भवतः इस प्रसंग में यही कहना अभिप्रेत है। यहाँ प्रश्न उठाया जा सकता है कि यह कैसे सम्भव है? इसका क्या अर्थ है? यह ऑटोसजेशन कैसे नहीं है? इस अनुभव का अनुभविता कहेगा, 'जैसे चक्षुरिन्द्रिय काठिन्य-मार्दव का अनुभव नहीं कर सकती उसी प्रकार प्राकृतिक विचार अलौकिक बोधों का अवगमन नहीं कर सकता।' हमें नहीं पता इस कथन को अयुक्त दिखाने के लिए क्या युक्ति हो सकती है। यहाँ द्रष्टव्य है कि परमहंस ने माँ काली के दर्शन ज्योति-पुंज और करुणा-प्लावन के रूप में किये जबकि चतुर्भुज आदि के चतुर्भुज मानवरूप में और त्रिपुरा सुन्दरी के षोडषी कन्या की मानवाकृति के रूप में किया। देव-दर्शन इन दोनों रूपों में सम्भव है।

किन्तु यहाँ श्री अरविन्द की शिष्या श्री माँ का अनुभव उल्लेखनीय है—"श्री माँ जब अभी भारत में नहीं आयी थीं तब उन्होंने सुना कि भारतीय एक ऐसे देवता को मानते हैं जिसका मुख हाथी के मुख के समान है और पेट बहुत स्थूल है। यह सुनकर वे सोचने लगीं कि भारतीयों ने अपने देवताओं की कैसी विचित्र आकृति की कल्पना की है? कुछ वर्ष पश्चात् वे अपनी दिव्य नियति के वश दक्षिण भारत में पाँडिचेरी श्री अरविन्द-आश्रम में पधारीं। वहाँ माताजी श्री अरविन्द के पास वाले कमरे में बैठ कर नियमित ध्यान करने लगीं। एक दिन उन्होंने ध्यान के समय अन्तर्नेत्र से देखा कि सीढ़ी के मार्ग से कोई मूर्त्ति उभर कर ऊपर आ रही है। वह मूर्त्ति उन्हीं गणेश देवता की थी। वे देव माताजी के अन्तर्नेत्र के सम्मुख प्रकट होकर बोले—मैं तुम्हारी भक्ति से प्रसन्न हूँ। तुम अभीष्ट वर मांगो।"[1] इस पर टिप्पणी करते हुए इस लेख का लेखक कहता है : "इस प्रकार हमारे भारतीय योगियों ने अन्तर्जगत् में योग-दृष्टि से देवताओं की आकृतियों का साक्षात्कार करके उनका जो वर्णन किया है वह सच ही है, न कि कपोल-कल्पित।" यह व्याख्या युक्त प्रतीत नहीं होती। सर्वप्रथम यह बात सही नहीं जान पड़ती कि देवताओं की आकृतियाँ ऋषियों-योगियों द्वारा साक्षात्कृत हैं। सम्भवतः इन देवताओं के नामों और रूपों का मूल आदिम मानस में है जो साक्षात्कारी नहीं होता, यद्यपि इसका यह अर्थ भी नहीं है कि उनका देव-दर्शन आवेगात्मक आक्षेपमूलक ही होता है। सम्भवतः यह कहना अधिक युक्त प्रतीत होता है कि उस मानस को देव-तत्त्व गम्य था जिसे वह अपनी कल्पनानुसार नाम-रूप देता था।

इसी देव-तत्त्व का पीछे योगियों और ऋषियों को स्फुट और कल्पनावरण विरहित बोध था। यहाँ श्री वेदालंकार द्वारा ही उद्धत एक वैदिक मन्त्र को देखना उपयोगी होगाः—

> य ईशिरे भुवनस्य प्रचेतसो विश्वस्य स्थातुर्जगतश्च मंतवः।
> ते नः कृतादकृतादेनसस्पर्यद्या देवासः पिपृता स्वस्तये। ऋग्वेद (10.63.8)

"हे देवगण! आप ज्ञानमय मन की शक्ति से सम्पन्न होकर उस शक्ति से सम्पूर्ण भुवन पर शासन करते हैं। आप चराचर में विद्यमान सभी तत्त्वों को ठीक-ठीक जानते हैं। अतः आप हमें पहले किये गए और आगे किये जाने वाले कायिक और मानसिक पापों से मुक्त कर कल्याण और आनन्द प्रदान करें।"

---

1. जगन्नाथ वेदालंकार, **देवतातत्त्व-मीमांसा,** कल्याण का देवतांक, वर्ष 64, अंक 1, पृ. 101.

अब इस निरूपण के अनुसार देवता कायिक व्यक्ति, अथवा विशिष्ट आकृति से निर्धारित जीव नहीं होकर भौतिक और मानसिक तत्त्वों के लौकिक और इस प्रकार देश-कालावच्छिन्न अस्तित्वों की देश कालावच्छिन्न अधिष्ठातृ शक्तियाँ हैं। तब प्रश्न हो सकता है कि परमहंस आदि द्वारा उनके प्रत्यक्षीकरण के साथ इस व्याख्या की क्या संगति होगी? इसका उत्तर होगा कि मनुष्य भावना के अलौकिक स्तर पर अधिष्ठित होकर उनका अव्यवहित रूप से, या किसी आकृति के माध्यम से अपनी अभिवृत्ति के अनुसार साक्षात्कार कर सकता है। इस प्रकार वैदिक और औपनिषद ऋषि और निर्गुणिये सन्त इनका निराकार रूप में साक्षात्कार करते थे और तुलसी, सूर और परमहंस आदि आकृतियों के माध्यम से। किन्तु वे इन आकृतियों की कल्पनारूपता के सम्बन्ध में भी स्पष्ट थे यह बात 'सियाराममय सब जब जानी' से और ऊपर उल्लिखित परमहंस को प्रकट माँ काली के दर्शन से स्पष्ट है।

यहाँ प्रश्न हो सकता है कि प्राकृतिक से अतिक्रामी लोकों की विद्यमानता स्वीकार करने के पीछे क्या युक्ति है? ऊपर हमने इसके लिए आर्ष वचन-प्रामाण्य की बात की थी। किन्तु आर्षवचन को प्रामाणिक स्वीकार करने के पीछे क्या युक्ति हो सकती है? इसके लिए दो युक्तियाँ हो सकती हैं : एक यह कि मानव-चेतना स्वरूपतः ही अतिक्रामी है : यह विचार, भाव और प्रत्यक्ष तीनों में प्राकृतिक का अतिक्रमण करती है, जिसके प्रमाण-रूप में क्रमशः दर्शन, नैतिक बोध, धर्म और विज्ञान को देखा जा सकता है। इनमें प्रथम और चतुर्थ क्षेत्रों में भी विश्लेषणात्मक-विमर्शात्मक विचार और सूक्ष्मातिसूक्ष्म और नितान्त व्यवस्थित प्रेक्षण मात्र महत्त्वपूर्ण और क्रान्तिकारी उपलब्धि नहीं दे सकते, इनमें भी एक प्रकार का साक्षात्कारात्मक ज्ञान अपेक्षित होता है। इस साक्षात्कार को सृजनात्मक कल्पना कहा जाता है। सृजन को "चेतना का निरतिशय रूप से आत्मावस्थित होकर सत्य का साक्षात्कार करना" आदि प्रकार से निरूपति किया जा सकता है। 'कल्पना' शब्द का प्रयोग भी यहाँ इसी लोकोत्तर अर्थ में होता है : जहाँ मन सत्य को अपनी वासनाओं से आवृत नहीं करता बल्कि उस सत्य का साक्षात्कार करता है जो एक-साथ चित् और सत् होता है। नैतिक क्षेत्र में तो विचार और प्रेक्षण केवल गौण उपकरण ही होते हैं, इसका तत्त्व और सत्य केवल मनुष्य द्वारा अपने स्वरूप का साक्षात्कार ही होता है जो स्वरूप अपने प्रयोजनों, अपेक्षाओं, इच्छाओं आदि के भीतर से अपने को प्रकट करता और इनसे नियुक्त कर्म को प्रमाणित करता है। धार्मिक जीवन विचार और कर्म दोनों को संयुक्त करता है, यह बुद्धि या विचार द्वारा लक्षित को भाव और कर्म द्वारा चरितार्थ करता है, यह अपने लौकिक अस्तित्व का बुद्धिविलोकित तत्त्व से तादात्म्य सिद्ध करने का प्रयत्न करता है। किन्तु द्रष्टव्य है कि यह बुद्धि अस्तित्व के साध्य तत्त्व, नैतिक कर्म में प्रतिभासित सत्य, का साक्षात्कार लोकोत्तर स्तर पर बैठे बिना नहीं कर सकती। वास्तव में लौकिक जीवन के भी अनेक पक्ष लौकिक विचार-बुद्धि द्वारा अग्राह्य होते हैं : उदाहरणतः कवि और कलाकार द्वारा साक्षात्कृत तत्त्व एवं सामाजिक, राजनीतिक या सैन्य संघर्ष के नेता द्वारा दृष्ट साधन-साध्यपरक सम्भाव्य वस्तुस्थिति आदि विचार-ग्राह्य तत्त्व नहीं होते। तब जीवन और जगत् के अस्तित्व का अर्थ और नैतिक कर्म का साध्य तो इस बुद्धि के विषय कैसे हो सकते हैं? इसी को लक्षित कर केनोपनिषद् ने 'ज्ञान' के सम्बन्ध में कहा है—

> यास्यामतं तस्य मतं, मतं यस्य न वेद सः,
> अविज्ञातं विजानतां, विज्ञातमविजानताम्। 2.3
>
> प्रतिबोध विदितममृतत्वं हि विन्दते
> आत्मना विन्दते वीर्यं विद्यया विन्दतेऽमृतम्। 2.4

(जो यह जानता है कि वह (ब्रह्म) जाना नहीं जा सकता, वही उसे जानता है; जो यह मानता है कि वह उसे जानता है, वह उसे नहीं जानता। वह (ब्रह्म) ज्ञानवालों के लिए अविज्ञात ही रहता है और ज्ञान-रहितों के लिए ज्ञात होता है।

इस प्रतिबोध से प्राप्त मत (प्रज्ञा) अमृतत्त्व का ज्ञापक (प्रापक) होता है। आत्मा में प्रतिष्ठित होकर उसमें निहित शक्ति का साक्षात्कार होता है और इस साक्षात्कार से अमृतत्व का बोध होता है।)

यह बोध या प्रज्ञा साधारण ज्ञान से इस बात में भिन्न कही जा सकती है कि यह विषय की निश्चायक या निरूपक नहीं होकर विषयी के विषय के साथ तादात्म्य के रूप में सिद्ध होती है और विषय विषयी में प्रकाश और प्रसाद के रूप में अन्त:स्फुट होता है। यहाँ प्रश्न हो सकता है कि यह कैसे जाना जाय कि कोई व्यक्ति इस ज्ञानोत्तर ज्ञान में प्रतिष्ठित है, कि वह तत्त्व-साक्षात्कारी है? इसका उत्तर होगा कि निश्चय ही किसी को इसमें भ्रान्ति भी हो सकती है, किन्तु अधिकांशतः हम ऐसे व्यक्ति के जीवन को देखकर, उसके सान्निध्य से, उसके प्रति अभिमुखता से, यह जान पाते हैं कि वह व्यक्ति ऋषि है, वह क्रांत-द्रष्टा और तत्त्व-साक्षात्कारी है। इस प्रकार, यदि सूर कहते हैं कि वे कृष्ण की बाल-लीला देखते और उसका वर्णन करते हैं, यदि महात्मा गाँधी कहते हैं कि उन्होंने कर्म के सत्य का साक्षात्कार किया है, (अन्तरात्मा की आवाज़ सुनी है) तब इन कथनों के सत्य में सन्देह के लिए कोई अवकाश नहीं रहता। इसे असत्य या भ्रान्ति कहने का आधार ज्ञान-विषयक वैज्ञानिक दृष्टि ही हो सकती है। किन्तु जैसाकि हमने कहा, इस दृष्टि की प्रामाणिकता के लिए कोई आधार नहीं है। निश्चय ही बहुत-से मिथ्याचारी लोग भी हैं जिन को लोग भ्रमवश ऋषि मानने लगते हैं, किन्तु इससे यह सिद्ध नहीं होता कि कोई आर्षदृष्टि-सम्पन्न नहीं होता। किन्तु यहाँ एक दूसरा महत्त्वपूर्ण प्रश्न हो सकता है जो विचारणीय है, और वह यह है कि यदि इन साक्षात्कारी व्यक्तियों की दृष्टि निस्संदिग्ध रूप से सत्य ही हो तो उनकी दृष्टि समान भी होनी चाहिए, क्योंकि सत्य तो एक ही हो सकता है। किन्तु ऋषि या सिद्ध समझे जाने वाले विभिन्न व्यक्तियों की दृष्टियाँ न केवल परस्पर समान नहीं हैं बल्कि कभी-कभी परस्पर विरुद्धवत् भी प्रतीत होती हैं—महात्मा बुद्ध देव-दर्शन नहीं करते, वे शुद्ध निर्गुण भाव में निवास करते हैं, जबकि परमहंस रस-भाव में रहते हैं और देवादि के दर्शन करते हैं। ईसा, मुहम्मद आदि इन दोनों से और भी अधिक भिन्न हैं।

इसका उत्तर यह है कि आर्ष सत्य वस्तु-विषयक नहीं होकर आत्म-विषयक होता है। "ईश्वर, ब्रह्म, देवता, चित्, अचित् आदि का क्या स्वरूप है? तत्त्व एक है या अनेक? आदि" वस्तु-विषयक निर्णय भी हो सकते हैं और आत्म-विषयक साधना के फल भी। वस्तु-विषयक निर्णयों के रूप में ये उचित रूप से दर्शन के विषय होते हैं, जबकि धर्म या नैतिकता के लिए अन्वेष्य आत्मा होती है जो अनात्म-निवारण की साधना के फल के रूप में अधिगत होती है। इसी के धर्म ज्ञानात्मक नहीं होकर साधनात्मक, प्रज्ञा-फलात्मक होता है। हमारे दर्शनों में, विशेषतः वेदान्त में, अधिकार की जो बात की गई है वह महत्त्वपूर्ण है। दृष्टिवान् दार्शनिक होने के लिए अधिकारी होने की साधना आवश्यक होती है और यह अधिकार आत्मान्वेषण और अनात्मनिवारण की साधना से ही प्राप्त होता है। अन्यथा भी, विचार के लिए अनुभव की अपेक्षा होती है और अनुभव के लिए संवेदनशीलता, चेतना की प्रांजलता और उत्कट अवधान की अपेक्षा होती है। यह सब पूरे अस्तित्व की साधना को पूर्वपेक्षित करता है। कुछ लोगों में इसकी योग्यता सहज दृष्टिगत होती है, किन्तु वह योग्यता विचार में ही नहीं सभी पक्षों में सहजसिद्ध, पूर्वसिद्ध दृष्टिगत होती है। कबीर, रवीन्द्र, अरविन्द या परमहंस शिक्षा और परिवेश से निर्मित नहीं कहे जा सकते। इसकी व्याख्या पूर्वजन्म के संस्कारों : जन्म-जन्मान्तर की साधना : के आधार पर की जाती है। इसी प्रकार अन्ततः विचार भी अपने उच्च स्तरों पर पूरे व्यक्तित्व की सिद्धि को पूर्वपेक्षित करता है। किन्तु तब भी एक गहरा अन्तर है जो इनमें धार्मिक और अन्य सिद्धियों से प्राप्त कहा जा सकता है : बहुत बार वैज्ञानिक, दार्शनिक, कवि, कलाकार अपने-अपने क्षेत्रों में बहुत उत्कृष्ट होते हैं, किन्तु अन्यथा बहुत साधारण नैतिक गुणों से भी रहित देखे जाते हैं। उदाहरणतः इन सब क्षेत्रों के उत्कृष्ट व्यक्ति क्रूर, क्षुद्र, असत्यभाषी आदि कुछ भी हो सकते हैं, बहुत बार होते हैं, ऐसा देखा गया है। किन्तु एक धार्मिक व्यक्ति में ऐसा कोई दोष वदतोव्याघात होगा। इसका कारण है, और वह यह कि धर्म जिस भी रूप में अतिलोक की साधना हो, उस अतिलोक का दिव्य होना आवश्यक है। उदाहरणतः एक प्रकार से असुर भी अलौकिक अस्तित्व ही हैं, प्रेत तो हैं ही, किन्तु इनकी साधना करने को धार्मिक नहीं कहा जाता। कुछ लोग धर्म और नैतिकता को पृथक् रखते हैं और

धार्मिक के लिए नैतिक होना आवश्यक नहीं मानते और प्रेतादि की साधना को भी धार्मिक ही मानते हैं। अवश्य साधारण नैतिकता के लिए धार्मिक होना आवश्यक नहीं है और न उच्चतर धार्मिक स्तरों पर नैतिकता के साधारण मानदण्ड लागू किये जा सकते हैं : बुद्ध के यशोधरा और राहुल को सोते छोड़कर निकल जाने को नैतिकता के साधारण नियमों से नहीं आँका जा सकता : किन्तु धार्मिकता किसी दिव्य लक्ष्य के आदर्श पर अपने को ढालने, दिव्य लक्ष्य के सान्निध्य का अधिकारी होने, अथवा स्वयं अपनी ही आत्मा में निहित दिव्यता को पाने की साधना ही है।

ऊपर हमने धर्म का लक्षण 'अतिलोक-विषयकता' को कहा। किन्तु यह अतिलोक क्या है? अधिक उचित शब्दों में, इस लोक की अतिक्रान्तता का क्या लक्षण है? दूसरा महत्त्वपूर्ण प्रश्न यहाँ यह है कि यह विषयकता ज्ञानात्मक है या कि भावनात्मक, अथवा कर्मात्मक?

जहाँ तक पहले प्रश्न का सम्बन्ध है, पीछे हमने देवता, ईश्वर आदि को अतिलौकिक कहा। किन्तु वास्तव में थोड़ा गहराई से देखें तो अतिलोक का क्षेत्र इससे कहीं अधिक व्यापक है। एक अर्थ में जातियाँ : मनुष्यत्व, गोत्व, अश्वत्व आदि; मानदण्ड : जिनसे हम वस्तुओं, विशेषतः कृतियों की उत्कृष्टता-निष्कृष्टता का निर्णय करते हैं; और नैतिक आदर्श : जिनसे हम मनुष्य की उत्कृष्टता-निकृष्टता को नापते हैं, ये सब अतिलौकिक सत्ताएँ कही जा सकती हैं। वास्तव में यह तीसरी सत्ता मनुष्य के अपने स्वरूप की ही अतिलौकिकता की वाचक है और उसकी इस अतिलौकिकता का स्पष्टतम आख्यान 'तत्त्वमसि' और 'अहं ब्रह्मस्मि' आदि औपनिषद वाक्यों में हुआ है। ये सत्ताएँ अतिलौकिक इसलिए हैं क्योंकि ये इन्द्रियग्राह्य या देश-काल-विषयक नहीं हैं। लौकिकता के अन्तर्गत बाह्येन्द्रियग्राह्य विषय और मनोभाव दोनों आते हैं। अब द्रष्टव्य है कि जबकि बाह्येन्द्रियों के विषय अस्तित्ववान् ही नहीं अस्तित्व के आदर्श माने जाते हैं अन्तरेन्द्रिय : मनोभावी : के विषय कल्पित माने जाते हैं। इस विसंगति को दूर करने के लिए कुछ दार्शनिकों ने बाह्येन्द्रिय-विषयों को भी वास्तव नहीं मानकर कल्पित ही माना है। उनके अनुसार रूप, रस, गन्ध आदि तो वास्तव हैं किन्तु घट, पट आदि वास्तव नहीं हैं, ये कल्पित हैं। किन्तु कहा जा सकता है कि रूप, रस, गन्ध आदि ही उचित रूप से इन्द्रिय-विषय हैं, घट-पटादि तो अन्तरेन्द्रिय : मन : के विषय हैं। कुछ दार्शनिक इसके भी आगे गए हैं और उन्होंने इस रूपादि, रसादि को भी कल्पित ही माना है। भारत में इस आत्यन्तिक मत के प्रतिपादक बौद्ध दार्शनिक वसुबन्धु हुए हैं। उनके अनुसार रूप, रसादि प्रदत्त रूप में कल्पित ही हैं। वेदान्त-दार्शनिक इसके भी आगे जाते हैं : वे विज्ञप्ति और विज्ञप्ति-प्रदत्त दोनों को एक ही चित् की दो वृत्तियाँ मानते हैं और दोनों को समान रूप से असत् मानते हैं। इन दार्शनिकों के साथ शून्यवादी नागार्जुन को भी रखा जा सकता है। इन युक्तियों, अथवा कहें इस दृष्टि, से अस्तित्व की समस्या तो समाप्त हो जाती है किन्तु तब इन्द्रियाँ और मन के द्वारा, वास्तव में कहें तो मन के द्वारा, अपने से पृथक् वस्तुओं के आक्षेप की आवश्यकता की समस्या उपस्थित हो जाती है। किन्तु वास्तव में इस समस्या का समाधान बहुत कठिन नहीं है और इस समाधान के साथ अन्य अनेक समस्याओं का समाधान भी सहज हो जाता है। इस क्रम में यह कहा जा सकता है कि चित् स्वभावतः सृजनात्मक है और इस सृजन के प्रथम चरण में वह जगद्भाव को और इस भाव के क्रियान्वयन में विज्ञप्ति और उसके विषयों को आविर्भूत करता है और दूसरे चरण में आत्म-चेतना को और इस प्रक्रिया के प्रथम चरण के रूप में स्वरूप-बोध और अन्ततः आत्मबोध को आविर्भूत करता है।

अतिलोक-भाव का यही मूल है। आत्म-चेतना के दो पक्ष कहे जा सकते हैं : एक प्रस्तुत अर्थ को अप्रस्तुत की सापेक्षता में देखना और दूसरा विषयता के साथ विषयिता की प्रस्तुति। अब, एक प्रकार से इन प्रस्तुत और अप्रस्तुत में से प्रस्तुत इहलोक है और अप्रस्तुत अतिलोक। उदाहरणतः यह कथन लें कि "वातावरण में तापादि के ऐसे दबाव होने पर वर्षा होती है।" यह प्रस्तुत वर्षा के अप्रस्तुत कारणों का कथन है। अब, इस प्रस्तुत-अप्रस्तुत का परस्पर क्या सम्बन्ध है? नागार्जुन के अनुसार यह सम्बन्ध यह है कि प्रस्तुत अर्थ का भाव : सत् : अप्रस्तुत-सापेक्ष है और इस प्रकार प्रस्तुत निस्स्वभाव है। किन्तु यहाँ अप्रस्तुत करण प्रस्तुत के समान प्राकृतिक ही है, इसके सम्बन्ध में आधुनिक नितान्त वैज्ञानिक दृष्टि के अतिरिक्त कोई दृष्टि निश्चित नहीं रही।

किसी भी बड़े कार्य का आरम्भ जो हम देव-कृपा या भगवत्कृपा की अभ्यर्थना के साथ करते हैं उसमें यह धारणा ही निहित है कि कारण-कार्य के बीच उचित सम्बन्ध भगवत्-कृपा से ही स्थापित होता है, अन्यथा यह सम्बन्ध अनुचित और अवांछनीय प्रकार का भी स्थापित हो सकता है। इस दृष्टि की युक्तता-अयुक्तता के बीच निर्णय यहाँ प्रासंगिक नहीं है, यहाँ केवल द्रष्टव्य यह है कि मनुष्य की दृष्टि युग-युगान्तर से और प्रायः सार्वभौमिक रूप से यही रही है।

प्रस्तुत अर्थ की यह अप्रस्तुत-सापेक्षता अनेक सन्दर्भों में घटित देखी जाती है, कम-से-कम निम्न चार सन्दर्भ तो इसके हैं ही : प्राकृतिक, जादुई, दैविक, तात्त्विक या तत्त्वमीमांसीय। इनमें दो : प्राकृतिक और जादुई : में एक समानधर्मता है, कि इन दोनों के अर्थों का अप्रस्तुत आयाम क्रियाकारित्वपरक होता है। इसलिए ये दो सन्दर्भ परस्पर स्पर्धी भी कहे जा सकते हैं। किन्तु पिछले दो प्रथम के समानधर्मा नहीं हैं। दैविक सन्दर्भ का चर्मोत्कृष्ट रूप गीता के 'निमित्तमात्रं भव सव्यसाची' में उपलब्ध होता है। अर्जुन से निमित्तमात्र होने की अपेक्षा उस भगवत्कृपा से सीधे सम्बन्धित है जो अपना विराट् रूप प्रकट करने के रूप में भगवान् उस पर करते हैं। यहाँ यह द्रष्टव्य है कि भगवान् के विराट् रूप का दर्शन केवल प्रतीकात्मक नहीं है, यह एक-साथ प्रतीकात्मक और वास्तविक है : प्रतीकात्मक इसलिए कि भगवान् का विराट् रूप कोई मूर्त्त वस्तु नहीं है, किन्तु वास्तविक इसलिए क्योंकि उत्कट उद्विग्नता होने पर यह विराट्ता अपने को मूर्त्तरूप में अवलोक्य भी बना सकती है, जो रूप उस तत्त्व का सजीव प्रतीक होगा जो अपनी विराट्ता में निस्सीम और अतएव अरूप है। ऊपर रामकृष्ण परमहंस को माँ काली द्वारा आत्म-दर्शन देने का यही अर्थ है। दिव्य तत्त्व का स्वतः कोई मूर्त्त रूप नहीं है किन्तु यदि हृदय को उसका भावन करना है और चक्षु को उसका दर्शन करना है तो वह और किस प्रकार सम्भव होगा? किन्तु एक और विधि है जिससे इस निस्सीम और दिव्य तत्त्व का रूप-दर्शन भक्त करता है और वह है 'सब जग को सियाराम मय' देखकर, "उसके रूप से वृक्षों और लताओं को हरित कान्ति" देखकर (तस्याः रूपेणेमे हरिताः वृक्षाः हरित स्रजः) जहाँ हृदय को उसके मूर्त्त भावन की अपेक्षा नहीं है वहाँ वह अपनी मूल दिव्यता में ही साक्षात्कार्य होता है। औपनिषद ऋषि और निर्गुणिये भक्तों को वह इसी प्रकार, किसी मूर्त्त प्रतीक के माध्यम के बिना ही, साक्षात्कार्य होता है—'पुहुपबास ते पातरा, ऐसा तत्त अनूप' (कबीर)। यहाँ तुलसीदास की यह उक्ति बहुत उद्बोधक है कि "निगुनहि, सगुनहि नहिं कछु भेदा, उभय हरहिं भव-सम्भव खेदा।" भव से खेद होने पर, अनात्म की अनात्मता प्रकट हो जाने पर, आत्म-तत्त्व उत्क्रामी विचारात्मक चित्त के माध्यम से अपने को प्रकट करता है या उत्क्रामी विचारात्मक चित्त के माध्यम से अपने को प्रकट करता है या उत्क्रामी रागात्मक चित्त के माध्यम से, इस बात से कोई अन्तर नहीं पड़ता। क्योंकि विचारात्मक चित्त या बुद्धि और रागात्मक चित्त या हृदय दोनों ही प्रतीक के आश्रय से संचरित होते हैं, किन्तु ये प्रतीक अपनी प्रतीकात्मकता के बोध के साथ ही अपने को प्रकट करते हैं, साक्षात्कार्य सत्य के रूप में नहीं।

सत्य का यह साक्षात्कार धर्म का चरम साध्य है, इस साध्य के लिए साधना और इस साधना की सिद्धि दोनों धर्म हैं। इस प्रकार ऐसा नहीं है कि यह सिद्धि होने तक व्यक्ति धार्मिक नहीं होता, यह साधना भी धार्मिक ही होती है। किन्तु इसका यह अर्थ भी नहीं है कि इस साक्षात्कार पर्यन्त धार्मिक व्यक्ति केवल इस साक्षात्कार में आस्था के साथ ही अग्रसर होता है और इस आस्था के लिए उसके पास कोई स्वकीय आधार नहीं होता, केवल सिद्ध अथवा सिद्ध समझे जाने वाले पुरुषों के वचनों में विश्वास ही आधार होता है। या वास्तव में सभी अन्वेषण सिद्धि में आस्था के साथ ही प्रवर्तित होते हैं उस आस्था के लिए स्वकीय आधार उनके साथ रहता है। सच पूछा जाय तो विज्ञान और दर्शन में तो चरम साध्य की असाध्यता ही पूर्वगृहीत रहती है : सर्वव्यापक प्राकृतिक नियम की विद्यमानता में वैज्ञानिक की आस्था होती है, किन्तु ऐसा नियम न वैज्ञानिक को अवगत होता है और न उसे इसकी कोई आशा होती है कि वह कभी उसे अवगत हो पायेगा। अनुभववादी दार्शनिकों ने ऐस किसी नियम की सम्भावना से ही इन्कार किया है और आज पाश्चात्य दर्शन-क्षेत्रों में इन्हीं की प्रमुखता है, किन्तु वैज्ञानिक प्रतिपद पर प्रकृति को नियमित देखता भी है और उसके अन्वेषण अधिकाधिक प्रयत्न के साथ अधिकाधिक फलप्रद भी

होते हैं। इसी प्रकार दार्शनिक अपनी पर्येषणा में गहनतर उतर पाता है और यह अवगाहन उसे उसके अन्वेष्य सत्य की ओर अधिकाधिक आगे भी ले जाता है, किन्तु दार्शनिक ऐसे आधार सत्य पर पहुँचने की आशा नहीं रखता जहाँ पहुँचकर उसके अवगाहनों का अन्त हो जायेगा। यही बात कला–साधना में भी होती है : संगीतकार, कवि या चित्रकार की साधना एक साध्य की ओर लक्षित होती है और वे इसमें क्रमशः अपने अन्वेष्य सत्य की ओर अग्रसर भी होते हैं, किन्तु इन अन्वेषणों का पर्यवसान–स्थल कोई नहीं होता। इस प्रकार ये सब अन्वेषण एक चरमता में आस्था के साथ ही अग्रसर होते हैं यद्यपि इन सब साधनाओं के चरम साध्य की सिद्धि की असम्भवता पूर्वगृहीत जैसी ही होती है। किन्तु तब भी साधना का कोई चरण सत्य के संस्पर्श के बिना नहीं होता। धर्म में इसके विपरीत चरम साध्य या परमपद की सिद्धि की असाध्यता पूर्वगृहीत नहीं होती, यहाँ यह पद बिना क्रम के भी प्राप्य, और अपनी पूर्णता में प्राप्य, माना जाता है। कोई ऋषि, कोई कबीर, कोई परमहंस इस परमपद पर आरूढ़ होते देखे जाते हैं। यदि कोई कहे कि "तुलसी के सिया–राम और कबीर का निरंकार और बुद्ध का निर्वाण एक ही नहीं हैं इसलिए यह नहीं कहा जा सकता कि उन्होंने परमपद पा लिया, क्योंकि ये तथाकथित 'परमपद' परस्पर के व्यावर्तक जैसे हैं, अथवा ये सत्य के पक्षों जैसे है", तो यह धर्मभाव की भ्रान्त समझ का द्योतक होगा। धार्मिक सिद्धि एक प्रकार से 'पूर्णात् पूर्णमादाय' को ही पाती है किन्तु प्रत्येक प्राप्ति पूर्ण ही को शेष छोड़ती है—पूर्णात् पूर्णमादाय पूर्णमेवावशिष्यते। इस पक्ष में इसकी तुलना बहुत–सीमा तक प्रेम से की जा सकती है : रांझा और महीवाल क्रमशः हीर और सोहनी में तल्लीन होकर प्रेम की पूर्णता पा लेते हैं। वहाँ यह कहना कि हीर और सोहनी परस्पर भिन्न और सीमित हैं परिणामतः उनसे तादात्म्य प्रेम की पूर्णता नहीं दे सकता, निरर्थक बात होगी। यहाँ अन्वेष्य वास्तव में हीर की पूर्णता नहीं, भाव की पूर्णता होती है। किन्तु धर्म में तो राग का आलम्बन अथवा साधना का साध्य भी सीमित नहीं होता, सिया–राम, ओंकार, माँ काली या निर्वाण केवल प्रतीक होते हैं और इस रूप में वे पूर्णतः पारदर्शी भी होते हैं। जिसके लिए ये प्रतीक, और इस प्रकार परमार्थ के पारदर्शी माध्यम, नहीं होते उसे भ्रान्त अथवा अनाड़ी ही कहना होगा। यहाँ कबीर का एक पद बहुत व्यंजक और सटीक है—

> माया महा ठगिनी हम जानी।
> तिरगुन फाँस लिये कर डोलै बोलै मधुरी बानी।
> जोगी के जोगिन ह्वै बैठी राजा के घर रानी।...

किन्तु कोई व्यक्ति धार्मिक अन्वेषण में निर्भ्रान्त है या नहीं, यह कैसे जाना जाय? निश्चय ही इसमें कोई बाह्य प्रमाण नहीं हो सकता, स्वयं अन्तःकरण ही प्रमाण होता है, किन्तु क्या अन्तःकरण का प्रामाण्य इतना सहज है? क्या सबसे दुर्विज्ञेय प्रामाण्य अन्तःकरण का ही नहीं होता? धर्म का अन्वेष्य, अथवा कहें धार्मिक अन्तःकरण प्रवृत्ति, तो बहुत जटिल तत्त्व है, इसकी तुलना में बहुत सरल अन्तःकरण प्रवृत्ति : प्रेम : के सम्बन्ध में ही हम कहाँ निश्चित हो पाते हैं कि हम भ्रान्ति में नहीं हैं? अपने सम्बन्ध में कोई यह पूर्णतः निश्चित रूप से नहीं कह सकता कि वह क को प्रेम करता है, चाहे वह ख की एक पल की जुदाई भी सहन कर पाने में असमर्थ हो। उदाहणतः यदि ख का चेहरा जलने से कुरूप हो जाय तो भी वह उसके प्रति वैसी ही अनुरक्ति अनुभव करेगा या नहीं, यह वह नहीं कह सकता। यहाँ कहा जा सकता है कि प्रेम की दृष्टि से किसी के चेहरे की तद्रूपता उसके व्यक्तित्व की तद्रूपता का सबसे महत्त्वपूर्ण घटक होती है; मैत्री और वात्सल्य की दृष्टि से, अथवा अन्य व्यवहार की दृष्टि से चाहे वह नहीं हो! किन्तु क्या यह सही है? सम्भवतः सर्वसम्मति से यही कहा जायगा कि ऐसा नहीं है, चेहरे की कुरूपता से प्रेम में कोई भी अन्तर पड़ना इस बात का प्रमाण होगा कि क की ख के प्रति अनुरक्ति प्रेम नहीं थी। यहाँ रवीन्द्रनाथ ठाकुर की 'चित्रांगदा' नाटिका का स्मरण स्थाने होगा। शारीरिक सौन्दर्य अन्य के हृदय में प्रेम–भाव के उद्दीपन के लिए एक प्रथम और बाह्य हेतु तो हो सकता है किन्तु वह स्वयं प्रेम का विषय नहीं हो सकता। तब आगे प्रश्न किया जा सकता है कि प्रेम–विषय का मानसिक व्यक्तित्व उसकी अभिन्नता का अनिवार्य घटक होता है या नहीं? उदाहरणतः यदि क जिस ख के प्रति आकृष्ट हुआ था वह मृदु और शांत स्वभाव का था किन्तु अनन्तर वह पाता है कि वह वास्तव में ऐसा नहीं था, वह उग्र स्वभाव का व्यक्ति है। तब उसके ख के प्रति भाव–

परिवर्तन को उसके प्रति वास्तव प्रेम नहीं होने का द्योतक माना जायेगा या नहीं? उसके भी आगे, ख की स्वयं अपने प्रति ईमानदारी को प्रेम के लिए प्रासंगिक अनिवार्यता माना जाय या नहीं? ये सब बातें स्पष्ट नहीं हैं। यहाँ कहा जा सकता है कि ये सब प्रसंग तो बाह्य और सामान्य : उद्गृहीत (एब्स्ट्रेक्ट) : मानदण्ड हैं, प्रेम तो एक नितान्त निजी और विलक्षण मनोभाव है जिसकी प्रामाणिकता स्वयं उस भाव में प्रतिष्ठित होकर ही कोई पा सकता है : क ख के सम्बन्ध में अपने मनोभाव में पैठकर ही जान सकता है कि वह उससे प्रेम करता है या नहीं! किन्तु क्या यह सही होगा? स्मृति-विषय के रूप में तो वह सामान्य लक्षण ही हो जायेगा। वास्तव में वर्तमान में भी अनुभव केवल सामान्य लक्षणता में ही विवेचन का विषय होता है। इस प्रकार प्रेम के अनुभव की प्रामाणिकता सद्यः प्रदत्त नहीं होती। किन्तु इसका यह अर्थ भी नहीं है कि इसके लिए प्रमाण वास्तव में 'अपने सान्निध्य' में अपने आवरणों को पहचानने और हटाने से ही उपलब्ध होता है, किन्तु दुखसाध्य सबसे अधिक प्रमाण यही होता है। अब, आकर्षण होने पर यह क ही प्रमाणित कर सकता है कि वह वास्तव में ख को प्रेम ही करता है, और ख का मुख झुलस जाने पर हुए विकर्षण से वही देख सकता है कि अपनी पिछली अनुरक्ति को वह कोई और नाम दे अथवा नहीं! किन्तु इस विवेक में वह निर्भ्रान्त है या नहीं यह सदैव संशयास्पद ही रहेगा, क्योंकि क के लिए भी यह जानना कि वह पूर्णतः आत्म-सन्निधि में है या नहीं, अत्यधिक दुर्विज्ञेय होता है। किन्तु यहाँ आपत्ति की जा सकती है कि मुख की कुरूपता से विकर्षण होने पर पहले के आकर्षण को प्रेम कहा जाय या नहीं, यह निर्णय प्रत्येक व्यक्ति के लिए पृथक् नहीं हो सकता, अन्तःकरण का साक्ष्य सामान्य मानदण्ड से भिन्न होने पर उस साक्ष्य को युक्त कहना कठिन ही होगा। यहाँ सामान्य मानदण्ड और व्यक्ति के अन्तर्मन के साक्ष्य की प्रामाणिकता की तुलना पर विचार प्रासंगिक नहीं होगा, यहाँ हमारे लिए विचार्य केवल यह है कि धर्म के अन्वेष्य विषय की युक्तता के सम्बन्ध में सन्देह होने पर निर्णय कैसे सम्भव है और इस सन्देह, अथवा कहें धार्मिक भ्रान्ति का क्या स्वरूप है?

हम देखते हैं कि सांसारिक सुखों की अपेक्षा से पूजा-पाठ आदि को भी धार्मिक कहा जाता है और निष्कामता की साधना को भी। इसी प्रकार स्वर्ग-कामना और मोक्ष-कामना, जो वास्तव में क्रमशः "अतिशयता में लौकिक सुख-कामना" और "अतिशयता में निष्कामभाव की सिद्धि की पर्येषणा" की ही पर्यायवाची हैं, समान रूप से धर्म-लक्षण मानी गई हैं। सच पूछा जाय तो, अधिकांश धर्म स्वर्ग-नरक के दाता ईश्वर की आराधना को ही लक्षित करते हैं और ये मोक्ष या निर्वाण-भाव की साधना को धर्म का उचित साध्य नहीं मानते। उदाहरणतः पाश्चात्य धर्म-दार्शनिक अद्वैत वेदान्ती और बौद्ध धर्मों को समस्यात्मक पाते हैं। इसी प्रकार, कुछ लोग नैतिक आचरण को धर्म का आवश्यक अंग मानते हैं और दूसरे धर्म और नैतिकता में कोई सम्बन्ध नहीं देखते। इनमें कौन-सी दृष्टि युक्त है और कौनसी अयुक्त?

यह द्रष्टव्य है कि मोक्ष और निर्वाण केवल भारत में ही धार्मिक भाव के उच्चतम शिखरों के रूप में देखे गए हैं, अन्यत्र इनकी कल्पना नहीं है। किन्तु स्वर्ग-प्राप्ति और ईश्वर-सान्निध्य की प्राप्ति ये दो भिन्न साध्य धर्म में सर्वत्र देखे गए हैं। इनमें प्रथम प्रायः जन-साधारण का साध्य रहा है और दूसरा सन्तों और साधकों का। किन्तु इन दोनों को "धार्मिक कहने का औचित्य लोकोत्तर लोक और लोकोत्तर तत्त्व में विश्वास, अथवा कहें लोक और परम तत्त्व को दो पृथक् स्तर देखने में समानता का होना कहा जा सकता है। किन्तु इस दृष्टि को धर्म की न्यूनतम अपेक्षा तो कहा जा सकता है पर्याप्त लक्षण नहीं। धर्म की दूसरी, और अधिक महत्त्वपूर्ण, अपेक्षा सुख-दुःख को भी इनके लोकोत्तर अर्थ में ही देखना है। सुख-दुःख के अलौकिक अर्थ को नहीं समझना अलौकिता की समझ की न्यूनता और इस प्रकार धर्म-दृष्टि की सदोषता होगी। यह दृष्टि-दोष कामुकता को प्रेम समझने से तुलनीय है। वास्तव में स्वर्ग को धर्म का फल मानने वाले लौकिक सुखों की हेयता और अलौकिक सुख की वरेण्यता के सम्बन्ध में नितान्त दृष्टि-हीन रहे हों, ऐसी बात नहीं है। निःस्वार्थता, त्याग, अनिन्द्रियता और सत्य-निष्ठा की उत्कृष्टता और आचरणीयता का बोध सब युगों और सब सांस्कृतिक स्तरों पर उतना ही सहज और निस्सन्दिग्ध रहा है जितना इन्द्रियविषयों की वस्तुता का रहा है, केवल इस बोध के सम्बन्ध में वैसी स्पष्टता नहीं रही है। यह स्पष्टता कैसे आती है?

यह देखने के लिए ज्ञान के किसी अन्य क्षेत्र का अवलोकन सहायक होगा : हम जानना चाहते हैं कि काव्य क्या है? इसके लिए हम काव्य कही जाने वाली कृतियों और कवि-कर्म को अपने अवधान के केन्द्र में लाते हैं और तब हम जितना ही उस कर्म में प्रवृत्त चेतना के साथ तादात्म्य स्थापित कर पाते हैं उतना ही काव्य के तत्त्व को समझ पाते हैं। इसे "बूड़ा चाहे समुँद में उतरा चाहे अकास" की विधि कह सकते हैं : जितना ही गहरा आप डूबेंगे उतना ही ऊँचा और उन्मुक्त आकाश में विचरण कर सकेंगे। किन्तु यह तादात्म्य स्थापित करने वाली चेतना जितनी अधिक परिष्कृत, जितनी अधिक समृद्ध होगी उतना ही समृद्ध और प्रामाणिक उसका साक्षात्कार होगा। यहाँ अनुभववादी-प्रयोगवादी आपत्ति करेंगे कि ज्ञान वस्तु-सम्पर्कमूलक और इस प्रकार विवरणात्मक होता है, अन्तश्चित्तवृत्तिमूलक नहीं। किन्तु यह इन्द्रियविषयक ज्ञान के लिए तो एक सीमा तक सही है अन्य प्रकार के ज्ञानों के लिए इसे सही नहीं कहा जा सकता। वास्तव में प्रयोगात्मक विज्ञान में भी ज्ञानार्जन वस्तु-सम्पर्क तक सीमित नहीं होता। अनुभव की व्यापकता और अन्तर्दृष्टि की गहराई अतीन्द्रिय अर्थ से मण्डित हुए बिना 'भानमती के कुनबे' से अधिक नहीं हो सकती। निश्चय ही वैज्ञानिक ज्ञान प्रेक्षण से ही प्रमाणित होता है, किन्तु वह आगे अभ्युपगमों के सहारे ही बढ़ता है, और अभ्युपगम प्रेक्षण से उतना ही आगे देख पाते हैं जितनी चित्त में उर्वरता और सृजनात्मकता होती है। न्यूटन और आईंस्टाईन के, अथवा डार्विन और लामार्क के सिद्धान्त इस सृजनात्मक दृष्टि के ही फल हैं, संकलनात्मक बहुलता के नहीं। वास्तव में स्वयं प्रेक्ष्य भी अन्तर्दृष्टि की गहराई के अनुपात में ही व्यापकता और समृद्धि पाता है और प्रेक्षित की इस समृद्धि के सहारे प्रेक्षण अर्थ-विपुलता को। अब, इस ज्ञानार्जन और अर्थावगाहन का एक और महत्त्वपूर्ण पक्ष है। वह यह कि यह अर्जन और अवगाहन इतना निरवधिक होता है कि पूरे समाजों की युगों की साधना भी इसके अन्तिम छोर तक नहीं पहुँच पाती। किन्तु यहाँ पुनः एक महत्त्वपूर्ण अन्तर है : विज्ञान में प्रेक्षण और अर्थावगाहन जबकि पूर्णतः क्रमिक और सामूहिक होते हैं, काव्य, दर्शन और धर्म में चेतना का विकास अथवा अन्वेष्य सत्य का अवगमन इस प्रकार क्रमिक और सामूहिक नहीं होता। किन्तु इनमें भी दर्शन में और शेष दो में अन्तर होता है : दर्शन में एक सीमा तक क्रमिकता होती है जो प्रायः ही तर्क-युक्तिमूलक अर्थ-विस्तार और गाम्भीर्य की वृद्धि के साथ सत्य के सजीव सम्पर्क की क्षीणता में पर्यवसित होती है। इसके अनन्तर, किन्तु इसे पृष्ठभूमि में रखकर, एक दूसरा प्रयत्न आरम्भ होता है जो पूर्व से क्रमिक होने पर भी क्रान्तिकारी, साक्षात्कारात्मक-सृजनात्मक होता है और सत्य के अव्यवहित तथा सजीव सम्पर्क में होता है। धर्म और काव्य में इतनी भी क्रमिकता नहीं रहती, किन्तु तब भी ये पूर्णतः व्यक्तिमूलक सद्योत्पत्तियाँ नहीं होते। कवि और धार्मिक द्रष्टा अपने सांस्कृतिक परिवेश से निकटता से सम्बन्धित होता है और अपने समाज के दीर्घ सांस्कृतिक अनुभव, अर्थ-परिष्कार और अर्थावगाहन के इतिहास से उसकी चेतना रूपायित होती है। इस प्रकार परमहंस, रमण महर्षि और श्री अरविन्द भारत में ही हो सकते थे, जिस भारत की सांस्कृतिक परम्परा वैदिक-औपनिषद ऋषियों, गीता और श्रीमद्भागवत से, बुद्ध, गोरखनाथ और अभिनवगुप्त से रची और गढ़ी हुई है। किन्तु वैदिक ऋषि और बुद्ध तथा कबीर-तुलसी से परमहंस तक की कोई विकास-परम्परा नहीं है, ये सब अपनी-अपनी स्वायत्त सिद्धियाँ हैं। बहुत कुछ यही बात काव्य और कलाओं में भी होती है यद्यपि काव्य और कलाएँ धर्म की अपेक्षा अधिक युगीन होती हैं और इनके युगों में एक प्रकार की क्रमिकता भी रहती है। यहाँ कहा जा सकता है कि हमने परमहंस और रमण महर्षि का ही नाम लिया, स्वामी विवेकानन्द, दयानन्द और गाँधी का नाम नहीं लिया। यह सही है, किन्तु ये लोग शुद्ध धर्म-चेता नहीं होकर धर्ममूलक सामाजिक परिस्थिति से सम्बन्धित थे। किन्तु तब बुद्ध, ईसा और मुहम्मद भी थे। वास्तव में कबीर और तुलसी भी इस प्रकार अपने सामाजिक परिवेश से घनिष्ठ रूप से सम्बन्धित थे। यदि ये शुद्ध धर्म-चेता नहीं माने जायें तो धर्म-चेतना की परिभाषा बहुत-सीमित हो जाएगी और वास्तव में वह तब शुद्ध परिभाषा ही अधिक रह जायगी, वस्तुस्थिति का निरूपण कम। यद्यपि यहाँ बुद्ध की सम्बोधि और उनके धर्म-चक्र-प्रवर्तन में भेद किया जा सकता है, इसी प्रकार कबीर की ब्रह्मभावलीनता और सामाजिक कुरीतियों और अन्धविश्वासों के विरोध में भी भेद किया जा सकता है, किन्तु वास्तव में वे उतने भिन्न नहीं हैं : क्योंकि तब तुलसी के राम का क्या करेंगे जो अवतारी हैं और जो अवतार ही लोक-मर्यादा के लिए लेते हैं? सारे पुराणों का क्या करेंगे जो देव-दानव द्वन्द्वों और देवताओं की

रक्षा के लिए ईश्वरावतार की ही कथाएँ हैं? इसी प्रकार बुद्ध भी संसार को दुःख-मुक्त करने के लिए करुणावश निर्वाण से संसार में 'अवतरित' होते हैं और उनकी यह करुणा सम्बोधि से ही जनित है। अब, बुद्ध की सम्बोधि या कबीर की निरंकार-लीनता, तुलसी की राम-भक्ति या परमहंस का देव-दर्शन ये सब प्रतीकों के माध्यम से ही भवित या प्रकाशित होते हैं और ये प्रतीक सांस्कृतिक परम्परा से प्राप्त होते हैं। किन्तु तब भी धर्म-साधना या धर्म-सिद्धि वैयक्तिक चेतना का एक विलक्षण स्फुरण ही होती है। अवश्य प्रतीक उसके अवधारण और अवगमन के लिए अनिवार्य होते हैं और ये प्रतीक चेतना के उस स्फुरण को सांस्कृतिक परम्परा में अवस्थित करते हैं और चित्स्फुरण को रूप, आकार और प्रकार भी देते हैं, किन्तु यह स्फुरण इस रूप, आकार, और प्रकार में निश्शेष नहीं होता, यद्यपि समाज में ये प्रतीक ही धर्म-स्थानीय हो जाते हैं और क्रमशः अपनी पारदर्शिता खो कर अभिव्यंग्य अर्थ का स्थान ले लेते हैं। 'धर्म' के हिन्दू, बौद्ध, ईसाई, मुस्लिम आदि विशेषण इसके प्रतीक पक्ष से ही सम्बन्धित हैं। ऐसा नहीं है कि धर्म के भावक, चित्स्फुरण को अपने चित्त में धारण करने वाले, प्रतीक से पूर्णतः मुक्त होते हैं : यहाँ मैथिलीशरण गुप्त का पद उल्लेखनीय है:—

> धनुर्बाण या वेणु लो, श्याम-रूप के संग,
> मुझ पर चढ़ने से रहा, राम, दूसरा रंग।

अवगमन और भावन दोनों के लिए प्रतीक अनिवार्य है, किन्तु तब भी वे प्रतीकों के परे देखने में दूसरों की अपेक्षा अधिक समर्थ हो सकते हैं। धर्म के ये प्रतीक एक तत्त्वमीमांसा, एक उपासना-विधि और एक आचार-व्यवस्था का रूप लेते हैं और एक सामाजिक संगठन के आधार बनते हैं। इन संगठनों का एक ही रूप-प्रकार नहीं होता, वास्तव में इन संगठनों का रूप-प्रकार आधारभूत धार्मिक मतवाद से भी सम्बन्धित होता है, किन्तु कभी-कभी यह नहीं भी होता। उदहारणतः हिन्दुओं की संगठनात्मक शिथिलता और अन्य मतों के प्रति सहनशीलता इस मत की तत्त्वमीमांसा में ही निहित हैं और इसी प्रकार ईसाई और मुस्लिम मतों की आक्रामकता और असहिष्णुता उनके धार्मिक मतवादों की तत्त्वमीमांसाओं में : वे सत्य को क्रमशः ईसा और मुहम्मद द्वारा साक्षात्कृत और उनके वचनों : बाइबिल और कुरान : में उद्घाटित मानते हैं जबकि हिन्दू न किसी एक को सत्य-द्रष्टा मानते हैं और न किसी एक पुस्तक को पूर्ण सत्य की अभिव्यक्ति। किन्तु हिन्दुओं में ही कुछ नवीन उदित सम्प्रदाय हैं जो मुस्लिमों और ईसाइयों के चारित्रिक गुण प्रदर्शित करते हैं : उदाहरणतः आर्यसमाजी स्वामी दयानन्द को लगभग मुहम्मद के अनुरूप ही मानते रहे हैं और सिक्ख ग्रन्थ साहिब को पवित्र ग्रन्थ मानते हैं : इसके बावजूद कि **गुरु ग्रन्थ साहिब** अनेक सन्तों की वाणियों का संकलन है जिनमें बहुत-से सिक्ख पंथ से सम्बन्धित नहीं हैं और ये सब सन्त निरपवाद रूप से नितान्त निराग्रही और उदार थे। इन दोनों सम्प्रदायों में एक आक्रामकता भी है, यद्यपि सिक्खों में यह आक्रामकता आरम्भ से नहीं होकर पिछले कुछ दशाब्दों में ही प्रकट हुई है, दूसरी ओर आर्यसमाज में यह आक्रामकता पीछे बहुत कम हुई है। इधर यह सम्प्रदाय क्रमशः क्षीण हो रहा है, जिसका कारण इसका एक हिन्दू-सम्प्रदाय होना ही है। दूसरी और सिक्ख अपने को संगठनात्मक रूप से हिन्दुओं से पृथक् करने का प्रयत्न कर रहे हैं, जिससे ये अपने इस आधार-समाज के चारित्रिक गुणों से बच सकें और इसकी असंख्य धाराओं में खो नहीं जायें।

अब यहाँ दो प्रश्न प्रस्तुत होते हैं : प्रथम यह कि यद्यपि ये संगठन एक उपासना-विधि और तत्त्वमीमांसा के आधार पर गठित होते हैं (हिन्दू धर्म को, यदि इसे कोई धर्म-मत मानें तो, इस प्रकार के संगठन के रूप में भी नहीं देखा जा सकता) किन्तु क्या इन उपासना-विधियों और तत्त्वमीमांसाओं में स्वतः ऐसा कुछ होता है कि ये समूह-गठन को अनिवार्य करें, अथवा कहें जिनमें अनेक व्यक्तियों की एकत्रता इनमें एक अन्तर्गत अनिवार्यता के रूप में विद्यमान हो? दूसरा यह कि धर्म के इस सामाजिक रूप का इसके ऊपर विचारित रूप से क्या कोई सम्बन्ध है?

इनमें प्रथम प्रश्न का उत्तर होगा कि धर्म सम्पूर्ण जीवन का किसी लोकोत्तर लक्ष्य की सिद्धि के लिए और किसी लोकोत्तर लक्ष्य को अपने जीवन के माध्यम से चरितार्थ करने के लिए नियोजन और व्यवस्थापन है। इस नियोजन के वैयक्तिक और सामाजिक दोनों ही सन्दर्भ समान रूप से होते हैं जिस प्रकार मनुष्य के व्यक्ति और

समाज के युगपद् रूप से दो आयाम हैं। इस प्रकार सामाजिकता धर्म की और धर्म सामाजिकता का उतना ही घटक होता है जितना वैयक्तिक चरित्र वैयक्तिक स्तर पर धर्मभाव का और धर्म-भाव वैयक्तिक चरित्र का घटक होता है। उदाहरणतः वैदिक यज्ञ को लें। एक ओर इन यज्ञों का अनुष्ठान अनेक व्यक्तियों में सहयोग को पूर्वापेक्षित करता है और दूसरी ओर इन यज्ञों के उद्देश्य भी सामाजिक होते हैं : कृषि, परिवार, कुल और राष्ट्र का कल्याण। इसी प्रकार धर्म-विहित आचार-नियम भी समाज को पूर्व कल्पित करते हैं। किन्तु ऐसा इसलिए नहीं है कि धर्म-प्रत्यय में सामाजिकता अन्तर्निहित है, बल्कि इसलिए है क्योंकि समाज पूर्वतः है और वह अपने इस अस्तित्व में प्रतिष्ठित रहने के लिए और अपने श्रेयस् तथ प्रेयस् के लिए एक पराशक्ति के वरदहस्त की अपेक्षा करता है : सर्वे भवन्तु सुखिनः, सर्वे सन्तु निरामया सर्वे भद्राणि पश्यन्तु, मा कश्चिद्दुःखभाक् भवेत। "भूमि उर्वर हो और गौएँ भरपूर उजला दूध दें", निश्चय ही यह कामना मनुष्य के भरपूर और कुशल प्रयत्न की अपेक्षा करती है, किन्तु मनुष्य के ये प्रयत्न सफल भी हों इसके लिए स्वयं प्रयत्नों में ऐसा कुछ नहीं है जो यह सफलता निश्चित कर सके। इससे भी अधिक, ईश्वरीय कृपा की आवश्यकता व्यक्ति और समाज में विद्यमान आसुरी शक्तियों के हनन के लिए भी है, इसलिए 'सर्वे भद्राणि पश्यन्तु' की प्रार्थना है। यह 'सर्वे' व्यक्ति में अन्यों के प्रति अनन्यभाव की अनुभूति का अभिव्यंजक भी है और एक कीअभिसंख्यकता का भी। एक की अधिसंख्यकता आत्म-चेतन चित्क्रिया का ही प्रतिरूप है : जैसाकि हम पीछे देख आये हैं, प्रत्यय मात्र अनेक आयामात्मक और अतल गहन होता है, इसलिए उसका अवगमन या चरितार्थन देश और काल में समाज की : अनेकता में विभक्त एक-मनुष्यता की : अपेक्षा करता है। किन्तु इसमें धर्म दर्शन और काव्य आदि से भिन्न नहीं है, केवल धर्म जीवन को उसकी समग्रता में आवेष्टित करने वाला होने के कारण सामाजिकता को भी उसकी समग्रता में आवेष्टिता करता है।

आज धर्म के सम्बन्ध में कुछ दूसरी दृष्टि है। पश्चिम में विज्ञान की प्रगति के प्रसार के कारण सत् को प्रायः एक भौतिक आयामात्मक अथवा भौतिक-चैत्य द्वि-आयामात्मक किन्तु एक स्तरीय : प्राकृतिक : ही देखा जाने लगा है और यह दृष्टि प्रायः-प्रायः सब समाजों के अभिजात वर्गों में प्रथित हो गई है। किन्तु विश्वमानव ने इस दृष्टि को स्वीकार कर लिया है, अथवा यह भावी विश्वमानव की दृष्टि होने जा रही है, ऐसा समझने का कोई कारण दिखायी नहीं देता। वैज्ञानिक दृष्टि की इस विश्वव्यापी प्रथितता के दो कारण कहे जा सकते हैं : एक, इसके माध्यम से आधुनिक यूरोप में अद्भुत सृजनात्मक शक्ति का उद्वेलित होना, जो समाजों के इतिहास में बहुत कम ही कभी होता है, और दूसरा यन्त्र-कौशल के इसका अंग होने और इस कौशल के परिणाम ठोस और प्रत्यक्ष होने से इसकी प्रामाणिकता का अधिक सहज ग्राह्य होना। "आसुरों से त्रस्त देवताओं की प्रार्थना पर ईश्वर उनकी रक्षा के लिए अवतार लेते हैं।" इसके लिए कोई प्रत्यक्ष प्रमाण सम्भव नहीं है, किन्तु उत्कृष्टतर शस्त्रों और वाहनों से सज्जित यूरोपीय लोग भले और बुरे सबको समान रूप से परास्त कर सकते हैं, इसके लिए प्रत्यक्ष प्रमाण उपलब्ध है। किन्तु इस प्रकार की अद्भुत सफलता के बावजूद विज्ञान दृष्टि के रूप में प्रायः चुक गया है, इसकी पर्याप्तता में सन्देह बढ़ता चला जा रहा है, यह स्पष्टतः देखा जा सकता है।

धर्म का समाज से एक और गहरा सम्बन्ध भी है। स्पष्टतः समाज एक और अनेक दोनों होता है : विभिन्न व्यक्तियों में अनेक और इस विभिन्नत्व की धारक संस्कृति के रूप में और एक भावनात्मक-आवेगात्मक अन्तर्धारा के रूप में एक। अब, धर्म एकता के इन दोनों पक्षों को एक प्रतीक और व्यक्तिवाचक संज्ञा देता है। अवश्य इधर सांस्कृतिक परम्परा, जैसे 'यूरोप', अथवा राजनीतिक संहति, जैसे 'अमेरीका' और 'भारत माता' आदि को भी प्रतीक रूप से स्थापित करने के प्रयत्न किये गए हैं, किन्तु आज भी धार्मिक प्रतीक इन नये प्रतीकों की तुलना में अधिक सबल दिखायी देते हैं।

दूसरा प्रश्न था कि धर्म-मतपरक रूप का इसके साक्षात्कारात्मक रूप से क्या सम्बन्ध है जिसका तत्त्व औपनिषद श्वेतकेतु, बुद्ध और परमहंस के साक्षात्कारों में चरितार्थ होता है? इसका उत्तर होगा कि मनुष्य सांस्कृतिक परम्पराओं द्वारा इन्हीं साक्षात्कारों के अर्थ का लौकिक चेतना में अनुवाद करने, उसका अवगाहन करने और इस चेतना में लोकोत्तर का आभास पाने तथा इस चेतना को उस स्तर तक उठाने का प्रयत्न करता है।

उसका दर्शन, काव्य, कलाएँ, पुराण-कथाएँ और पूजा-अर्चनाएँ ये सब इस साक्षात्कार के ही अनुवाद और व्याख्याएँ कहे जा सकते हैं। समाज इन सांस्कृतिक परम्पराओं के वाहक बनते हैं। निश्चय ही समाज और संस्कृति की विकास-यात्रा या इतिहास के दूसरे आयाम, प्रसंग और कारण भी होते हैं और समाज की धार्मिक चेतना इनके अनुसार बनती, बिगड़ती, विकसित या विकृत होती है, किन्तु इसी को आधार बनाकर एक अतिलौकिक अनुभूति, अतिलौकिक साक्षात्कार और अतिलौकिक सृजनशीलता का किसी व्यक्ति में आविर्भाव होता है जो पूरे समाज को एक नयी सप्राणता और नयी धर्मानुभूति देता है। इस प्राण का स्फुरण व्यक्ति के माध्यम से ही होता है, किन्तु यह चेतना वास्तव में वैयक्तिक नहीं होती, यह अपनी अन्तर्वस्तु में सर्वात्मक होती है, यद्यपि यह प्रकट और कार्यान्वित व्यक्ति-देह के माध्यम से ही होती है।

सामाजिक परिवर्तन और आधुनिक भारत

'जगत्' शब्द की व्युत्पत्ति गत्यर्थक 'गम्' धातु से है, जिसका अर्थ है कि जगत् अपनी समग्रता में और अपने प्रत्येक अंश में गतिमान् है। 'सब्बं खनिकं खनिकं, जातस्य हि ध्रुवं मृत्युः' इन सबमें भी इसी जगत्-स्वभाव का कथन किया गया है। इस सबमें यह भी एक अन्तर्निहित विचार है कि कुछ ऐसा भी है जो गतिमान् नहीं है, परिवर्तमान् नहीं है, शाश्वत है। किन्तु वह कुछ जगत् से उत्तर अथवा उसका आधार है : "धर्मो हि विश्वस्य जगतः प्रतिष्ठा।" ऐसे में "समाज परिवर्तनशील हैं" इस प्रतिपत्ति में कोई वैशिष्ट्य नहीं रहता। किन्तु जगत् में परिवर्तन का रूप एक ही नहीं हैं : भौतिक वस्तुओं में परिवर्तन का रूप एक है, जैविक में दूसरा और मानसिक में तीसरा। वास्तव में 'मानसिक' शब्द का विस्तार भी एकार्थक नहीं है, इसके अन्तर्गत कम-से-कम तीन अर्थ वाच्य होते हैं : आवेग और वासनाएँ, अन्तःकरण तथा विचार। इन तीनों की परिवर्तनशीलता एक ही प्रकार की नहीं होती, यह आधारभूत रूप से भिन्न-भिन्न प्रकार की होती है। वास्तव में थोड़ा गहराई में जाकर देखें तो हम पायेंगे कि अन्तःकरण और विचार की प्रवृत्ति शाश्वतिक की ओर है और परिणामतः मन के ये दो आयाम जबकि अपने एक पक्ष में परिवर्तनशील हैं, दूसरे पक्ष में ये परिवर्तन का अतिक्रमण करते हैं। इनके इन दो पक्षों को क्रमशः अस्तित्वात्मक और अवगमनात्मक कहा जा सकता है। अन्तःकरण अपने अस्तित्वात्मक पक्ष में केवल परिवर्तनशील होता है, यह परिवर्तन उसे अनुभूत भी होता है। स्मृति इस कालात्मकता, परिवर्तमानात्मकता को अनुभव के स्तर से उठा कर ज्ञान : अवगमन : के स्तर पर ले आती है। किन्तु यह अन्तःकरण बाह्येन्द्रिय-मूलक संवेदों को जिन वस्तु-आकारों से संकलित और व्यवस्थित करता है; उनका लक्षण परिवर्तन नहीं होकर स्थायित्व होता है। निश्चय की पुस्तक, पैन और मेज़ आदि सब परिवर्तनशील हैं किन्तु पुस्तक, पैन और मेज़ के रूप में नहीं बल्कि बाह्येन्द्रिय विषयों : रूप, रंग आदि : के रूप में। पुस्तकत्व, पैन्नत्व आदि अकालिक वस्तुएँ हैं। किन्तु सब मानसिक अपने अस्तित्व पक्ष में परिवर्तनशील ही है और इस प्रकार अवगमन भी परिवर्तनशील है। अवगमन स्वयं में क्रिया है और इस प्रकार आदि-अन्तवान् है। किन्तु यह क्रिया विषय-पर्यवसायी और विषय-ग्राही होती है जिनमें कुछ विषय अकालिक भी हो सकते हैं। उदाहरणतः सब वस्तुओं के तत्त्व अकालिक कहे जा सकते हैं। किन्तु मानसिक की परिवर्तनशीलता भौतिक और जैविक जैसी नहीं होती। भौतिक की परिवर्तनशीलता निरन्तर ह्रासात्मक होती है जबकि जैविक की आरम्भ में अभिवर्द्धनात्मक और अनन्तर क्षयात्मक होती है : बाल्य, कैशोर्य, यौवन ये इसके अभिवर्द्धनात्मक चरण हैं और इसके अनन्तर क्षय का आरम्भ होता है और जरा के क्रम से मरण घटित होता है। मन का भी यद्यपि विकास और ह्रास होता है, किन्तु वास्तव में यह ह्रास मन के अपने स्वभाव में नहीं होकर उसके जैव आधार में होता है और इसके स्वभाव में प्रतिफलित होता है। इसी से यौवन के अनन्तर मन अधिक अभिसंस्कृत और उज्ज्वल होता है और वार्द्धक्य में इसकी यह उज्ज्वलता और अधिक प्रकृष्ट और उदात्त होती है। यह क्रम जन्मान्तर में भी जारी रहता है, ऐसा इसके सम्बन्ध में कल्पनीय होता है (यह वास्तव में भी होता है या नहीं, यह प्रतिपादन या उसका निषेध यहाँ प्रासंगिक नहीं है।) अब, समाज में परिवर्तन का क्या रूप होता है? भौतिक, जैविक, मानसिक या इन तीनों से भिन्न किसी प्रकार का? इसका उत्तर इस पर निर्भर करता है कि समाज को हम किस प्रकार का सत्त्व देखते हैं। पश्चिम के कुछ इतिहासकारों ने संस्कृतियों को जैव देहों के समान बाल्य-यौवन-वार्द्धक्य के क्रम से मरणशील माना है, इसके बावजूद कि संस्कृति समाज का मनोमय कोश होती है। कैसे मनोमय सत्ता जैव सत्ता के समान अवस्था-क्रमात्मक हो सकती है, इस प्रश्न पर उन्होंने विचार नहीं किया। इसका उत्तर हो सकता है कि संस्कृतियाँ जैव अवस्था-क्रम से व्यतीत होती हैं या नहीं यह उनके इतिहासों

से परिलक्षित होता है। अब, यदि उनके इतिहासों में यह अवस्था-क्रम परिलक्षित होता है तब इससे यह अनुमान करने के लिए आधार मिलता है कि उनका सत्त्व किस प्रकार है, न कि उनके सत्त्व के सम्बन्ध में पहले से कोई धारणा बनाकर उनमें परिवर्तन-अपरिवर्तन के प्रत्यक्ष-गम्य रूप का अनुमान करना उचित है। क्योंकि जबकि परिवर्तन प्रत्यक्षगम्य हो सकता है, सत्त्व का प्रकार प्रत्यक्षगम्य नहीं हो सकता। उदाहरणतः भावना और विचार का स्वरूप मनोमय है या जैव इसके सम्बन्ध में एक आधुनिक पाश्चात्य दर्शन-सम्प्रदाय ने पूर्णतः निर्द्वन्द्व भाव से कहा कि यह जैव है : मन व्यवहारमात्र है : इस सम्प्रदाय की यह बात चाहे लोगों को कितनी भी उपहासास्पद क्यों नहीं लगे, किन्तु मन व्यवहार मात्र है अथवा कुछ और, यह निर्णय करने के लिए एक प्रमाण मानसिक परिवर्तनों के स्वरूप को देखने से भी मिल सकता है। जो भी हो, हमने प्रथम दो अध्यायों में देखा कि संस्कृति की सत्ता मनोमय है जो देहात्मक व्यक्ति-समूह को अपने में अधिष्ठित कर उसके द्वारा एक दैहिक-भौतिक आयाम को भी धारण करती है। परिणामतः सामाजिक परिवर्तन का रूप मूलतः मानसिक प्रकार का ही होना चाहिए। किन्तु यहाँ हम सामाजिक परिवर्तन के स्वरूप को देखकर समाज के स्वरूप के सम्बन्ध में अनुमान करने को उचित विधि कह रहे हैं। निश्चय ही यदि हम समाज के स्वरूप का अनुमान किन्हीं और प्रमाणों के आधार पर कर सकें तब सामाजिक परिवर्तन के स्वरूप का निर्धारण भी अधिक निश्चयात्मक हो जाता है, किन्तु अन्यथा समाज के स्वरूप-निश्चय में सामाजिक परिवर्तन के स्वरूप को देखने में एक अत्यन्त आधारभूत कठिनाई यह है कि इसके सम्बन्ध में यही निर्धारित करना सहज नहीं है कि जिसके परिवर्तन को हम देखना चाहते हैं वह क्या है? किस की और कौन-सी अवस्थाएँ हैं? जिन्हें हम सामाजिक परिवर्तन कह सकते हैं? क्योंकि यदि संस्कृति को समाज की आत्मा, उसका चित्ताधिष्ठान, अथवा मनोमय जीवन कहें, जैसाकि पीछे हमने कहा, तो संस्कृति परिवर्तन से नहीं बल्कि परिवर्तनों के बीच स्थिर मूल्य या मूल्यों से परिभाषित होती है। तब क्या इस स्थिर मूल्य को चरितार्थ और क्रियान्वित करने के प्रयत्नों को समाज में परिवर्तन मापने का आधार बनाया जा सकता है? किन्तु जब हम इस दृष्टि से देखने लगते हैं तब पाते हैं कि 'समाज' 'संस्कृति' से बहुत व्यापकतर अर्थ-वाचक पद है, अथवा 'संस्कृति' केन्द्रीय प्रतीकभूत मूल्य से कहीं अधिक विस्तृत अर्थवाचक पद है। उदाहरणतः परिवार-संस्था, शिक्षण-संस्थाओं, आर्थिक संस्थाओं तथा आर्थिक सम्बन्धों आदि के रूपों में परिवर्तन को भी सामाजिक परिवर्तन कहा जाता है, अथवा सम्भवतः इसी प्रकार के परिवर्तनों को सामाजिक परिवर्तन कहा जाता है, किन्तु ये केन्द्रीय प्रतीकभूत मूल्य को चरितार्थ करने से सम्बन्धित प्रयत्न-रूपों में परिवर्तन नहीं कहे जा सकते। दूसरी ओर इस मूल्य से अधिक प्रत्यक्षरूप से सम्बन्धित प्रयत्नों, समाज के मनोमय जीवन के अभिव्यक्ति-रूपों : साहित्य, संगीत, दार्शनिक युक्ति, तर्क-विधि और दार्शनिक मतों के बलाबल : में परिवर्तनों को हम किसी समाज में परिवर्तन देखने के लिए उतना महत्त्व नहीं देते। इस प्रसंग में ये वास्तव में ही सुपर स्ट्रक्चर या गौण प्रतिफल जैसे ही प्रतीत होते हैं, जैसाकि कार्ल मार्क्स ने इन्हें कहा है। परिवार-संस्था तथा शिक्षा आदि विषयक संस्थाओं और इनसे सम्बन्धित धारणाओं में परिवर्तन यदि सम्पूर्णतः नहीं तो बहुत दूर तक आर्थिक उत्पादन के साधनों और तन्मूलक सम्बन्धों के प्रकार पर निर्भर करते हैं, इसे भी अस्वीकार करना कठिन ही जान पड़ता है। उदाहरणतः भारत में आज संयुक्त परिवार की क्रमशः समाप्ति का सबसे बड़ा कारण अर्थ-तन्त्रमूलक समकालीन परिवर्तनों को ही कहा जा सकता है, वैचारिक और मूल्यात्मक परिवर्तनों को नहीं। इसके विपरीत परिवार विषय मूल्यात्मक परिवर्तन पारिवारिक ढाँचे में परिवर्तन के अनुगामी ही कहे जा सकते हैं। किन्तु यदि मूल्य और दृष्टि-विषयक परिवर्तन को इस प्रकार आर्थिक परिस्थितिपरक परिवर्तनों से ही निर्धारित मानें तो यह मनुष्य पर बहुत अधिक खेदजनक टिप्पणी होगी। यह सही है कि मूल्यात्मक परिवर्तन इस प्रकार अविचारित और अबोधात्मक रूप में भी होते हैं, किन्तु ऐसा पूर्णतः सही नहीं है। उदाहरणतः संयुक्त परिवार-प्रथा के ह्रास के साथ पितृ-प्रेम समाप्त ही हो यह किसी भी प्रकार से आवश्यक नहीं हैं, और यह परिवर्तन नहीं होने पर संयुक्त परिवार की परिस्थिति-जन्य समाप्ति केवल एक बाह्य परिवर्तन ही कही जाएगी, वास्तविक परिवर्तन नहीं। इसमें मूल्यात्मक परिवर्तन एक दूसरे प्रकार से भी हो सकता है : यदि पितृ-भक्ति का स्थान पितृ-कर्त्तव्य और प्रेम, तथा परम्परामूलक भ्रातृ-प्रेम का स्थान प्रबुद्ध भ्रातृ-प्रेम लेता है तो यह एक मूल्यात्मक विकास होगा, और यदि पितृ-भक्ति और भ्रातृ-प्रेम आदर्श

के रूप में समाप्त होकर उसका स्थान सहज भाव लेता है जिसमें भाई प्रेम का पात्र हो भी सकता है और नहीं भी, तो यह आधारभूत मूल्य-परिवर्तन होगा और इस विकासात्मक परिवर्तन अथवा आधारभूत परिवर्तन का कारण पारिवारिक गठनगत बाह्य परिवर्तन को नहीं कहा जा सकेगा। बाह्य परिवर्तन मूल्यात्मक परिवर्तन में बहुत बार उसका कारण हुए बिना भी सहायक हो सकता है, जैसे संयुक्त परिवार की समाप्ति पितृ-भक्ति और भ्रातृ-प्रेम की आदर्श मूल्य के रूप में निराधारता को प्रकट करने में सहायक हो सकती है। किन्तु इस दृष्टि-परिवर्तन को कारणात्मक परिवर्तन नहीं कहा जा सकता। कारणात्मक परिवर्तन इसे तभी कहा जा सकता है यदि यह अर्थ-बोधमूलक नहीं होकर पारिवारिक संरचना में परिवर्तनमूलक हो। उदाहरणतः संयुक्त परिवार के विघटन का कारण आर्थिक कारणों से लोगों का स्थानान्तर-गमन बने और यही गतिशीलता परम्परागत धारणाओं की समाप्ति की कारण भी बने, इसमें अतिरिक्त कारण के रूप में पृथक् हुए पुत्रों में से किसी एक को माता-पिता को सँभालना पड़े और यह सँभाल उस पर आर्थिक बोझ की कारण बने। किन्तु यह मूल्य-परिवर्तन किस प्रकार का होगा? कारणात्मक या बोधात्मक, यह कैसे जाना जाए? समाजशास्त्री की सहज प्रवृत्ति सम्बन्धों के बाह्य रूपों में परिवर्तनों और उन परिवर्तनों के बाह्य कारणों को देखने की होती है, और जब वह इन परिवर्तनों के साथ इन सम्बन्धों-विषयक मूल्यों को भी परिवर्तित देखता है तब इनमें परिवर्तन को सहज़ रूप से प्रथम परिवर्तन के साथ जोड़ देता है। किन्तु यह सरलीकरण मात्र है। उदाहरणतः यूरोप में औद्योगीकरण के साथ श्रमिक के रूप में एक बहुत बड़ा विस्थापित, विपन्न और शोषित वर्ग उत्पन्न हुआ और परिणामतः कुछ सम्बन्ध समाप्त हुए और कुछ दूसरे सम्बन्ध उत्पन्न हुए। इस परिवर्तन से स्वभावतः समाप्त या परिवर्तित सम्बन्धों विषयक धारणाएँ भी बदलेंगी और नवोत्पन्न सम्बन्धों के साथ उन विषयक नयी धारणाएँ भी उत्पन्न होंगी। किन्तु मनुष्य द्वारा मनुष्य के शोषण की वीभत्सता के प्रति विद्रोह और इस परिस्थिति को समाप्त करने की वह उद्विग्नता जिसने मार्क्स और एंजल्स के जीवन को सामाजिक न्याय के लिए संघर्ष में बदल दिया और सामाजिक न्यायविषयक एक सम्पूर्ण दृष्टि के अन्वेषण में सन्नद्ध कर दिया, उसका कोई भी सम्बन्ध इस आर्थिक सम्बन्धात्मक परिवर्तन से नहीं है। अब, मार्क्स-एंजल्स की इस दृष्टि ने, जो वास्तव में उस युग के यूरोप में उदित हो रही दृष्टि के व्यापक सन्दर्भ की एक अंग थी, जो क्रान्तिकारी परिवर्तन घटित किये वास्तव में वे ऐसे परिवर्तन थे जो उस युग की आर्थिक परिस्थितियों और सम्बन्धों को इस प्रकार से देखने के लिए जिस प्रकार से उन्होंने उसे देखा, उत्तरदायी थे।

सामाजिक परिवर्तन के कारणों विषयक यह विवाद पुराना है। किन्तु वास्तव में इससे भी मूल कठिनाई यह निश्चित करने की है कि जिस समाज के परिवर्तन की हम बात करते हैं उसका निर्धारण कैसे सम्भव है और उसके किस परिवर्तन को इस समाज का परिवर्तन कहा जा सकता है? परिवर्तन के निर्धारण के लिए पहली अपेक्षा उस के अपने स्वरूप और अन्यों से उसके भेद-विधायकत्व का निर्धारण करना होती है। दूसरे, उसमें परिवर्तन के विषय का, उस तत्त्व का जिसमें परिवर्तन को हम उसका परिवर्तन कहते हैं, निर्धारण करना आवश्यक होता है। ऊपर हमने आर्थिक उत्पादन के साधनों और मानसिकता के सम्बन्ध में जो चर्चा की है उसमें परिवर्तन दो पृथक् प्रकारक विषय हैं। इनमें कौन कारण है और कौन कार्य, यह एक पृथक् प्रश्न है, किन्तु उसमें मौलिक प्रश्न है कि क्या आर्थिक उत्पादनों को समाज अथवा समाज का अंगभूत कहा जा सकता है? अथवा क्या मूल्यों और अवधारणाओं को समाज कहा जा सकता है? मान लें कि संस्कृति मूल्य-व्यवस्था ही है, जो व्यक्तियों की संहति को एक समाज के रूप में धारण करती है, किन्तु क्या इस मूल्य-व्यवस्था को समाज कहा जा सकता है या कि इस मूल्य-व्यवस्था के आधार पर अवस्थित मानव-संहति को समाज कहना उचित है? भौतिक वस्तुओं और वनस्पतियो के सम्बन्ध में इस प्रश्न को लेकर कोई कठिनाई नहीं है, यद्यपि वनस्पतियों के अस्तित्व के भी दो पक्ष हैं—देह और प्राण, किन्तु मनुष्य को लेकर इस सम्बन्ध में निर्णय सहज नहीं है कि उसकी चेतना को ही हम मनुष्य कहेंगे या कि चेतना और देह को संयुक्त रूप से, या कि केवल चेतना-युक्त देह को मनुष्य कहेंगे? यह कठिनाई समाज के सम्बन्ध में और बढ़ जाती है, क्योंकि सामाजिक अस्तित्व में एक आयाम और जुड़ जाता है : संहति के घटकों के अपने पृथक् और पर्याप्त सीमा तक स्वतन्त्र जीवन होने का। वास्तव में संहति के घटकों का

जीवन पर्याप्त सीमा तक स्वतन्त्र होने से, अधिकांश में समाज को इन घटक व्यक्तियों का समूह मात्र माना जाता है, उसकी कोई स्वतन्त्र सत्ता नहीं मानी जाती, जैसाकि हमने पहले अध्याय में देखा था। उस अवस्था में सामाजिक परिवर्तन का अर्थ हो जाता है इन व्यक्तियों में से संख्या की दृष्टि से पर्याप्त बड़े अथवा प्रभाव की दृष्टि से पर्याप्त महत्त्वपूर्ण वर्ग के विचारों, मूल्यों आदि में परिवर्तन। किन्तु जैसाकि हमने वहाँ देखा था, समाज को व्यक्तियों की संहति कहना उचित नहीं है। किन्तु यहाँ उसके प्रतिवाद में कहा जा सकता है कि किसी समाज में परिवर्तन जिस प्रकार नितान्त भिन्न-भिन्न मात्रा में व्यक्तियों को प्रभावित करता है उससे यह स्पष्ट सिद्ध होता है कि समाज कोई एक अस्तित्व, कोई आवयविक सत्त्व, नहीं है, यह व्यक्तियों की संहति ही है। इसका समाधान यह हो सकता है कि एक देह में ही जरा अंगों को समान रूप से प्रभावित नहीं करती। किसी की दृष्टि का पहले और श्रवण-शक्ति का पीछे ह्रास होता है, किसी के दाँतों का पहले क्षय होता है और किसी के किसी अन्य अंग का। इस प्रकार समाज के एक अवयवी नहीं होने के लिए समाज के भिन्न-भिन्न घटकों का भिन्न-भिन्न मात्रा में प्रभावित होना कोई प्रमाण नहीं हो सकता। किन्तु यहाँ महत्त्वपूर्ण यह देखना है कि समाज में परिवर्तन, सामाजिक परिवर्तन के अर्थ में, कोई एकरूप प्रक्रिया नहीं होती। उदाहरणतः पारिवारिक सम्बन्धों में परिवर्तन के साथ तत्त्व-चिन्तन, वैज्ञानिक अनुसन्धान अथवा संगीत-शैलियों में परिवर्तन भी हो, यह कोई आवश्यक नहीं है, न तत्त्व-चिन्तन आदि में दृष्टि या रुचि के परिवर्तन के साथ संगीत आदि में परिवर्तन होना आवश्यक है। इसकी अनुरूपता भी व्यक्ति में देखी जा सकती है : किसी संगीतज्ञ के दार्शनिक, सामाजिक या नैतिक विचार या व्यवहार में परिवर्तन उसकी संगीत-शैली, अथवा संगीत-कौशल अथवा संगीत-सृजनशीलता को भी प्रभावित करे यह आवश्यक नहीं है। किन्तु एक परिवर्तन है जो किसी समाज को व्यक्ति के समान ही पर्याप्त व्यापक रूप से प्रभावित करता है और वह है विघटन या क्षय और सप्राणता या उज्जीवन। सामाजिक विघटन जब आरम्भ होता है तब राजनीति, प्रशासन, शिक्षा, नैतिकता, सामाजिक मर्यादा, दार्शनिक और कलात्मक सर्जन सभी को एक-साथ आक्रांत करता है और इन सब से सम्बन्धित संस्थाओं में परिलक्षित होता है। यही बात उज्जीवन के सम्बन्ध में भी कही जा सकती है। इसके होने पर विचार और व्यवहार के सभी पक्षों और सब संस्थाओं में गठन, व्यवस्था और सृजनात्मकता परिलक्षित होती है। किन्तु यहाँ पूर्वापर का अन्तर हो सकता है : समाज का कोई पक्ष पहले प्रभावित होता है और कोई पीछे। किन्तु कभी-कभी एक दूसरी बात भी होती है : कुछ संस्थाओं का विघटन होने और समाज के मूलभूत तत्त्व सामाजिक मर्यादाओं और नैतिक आचरण का ह्रास होने पर भी कुछ समाज दूसरे पक्षों में उज्जीवन को और इस प्रकार एक मौलिक उज्जीवनात्मकता को ही प्रकट करते हैं, बल्कि यह भी कहा जा सकता है कि ये ह्रास इस उज्जीवन के ही परिणामस्वरूप घटित होते हैं। उदाहरणतः द्वितीय महायुद्ध के बाद जापान में अद्भुत औद्योगिक, आर्थिक और सैन्य विकास के साथ परिवार-संस्था तथा नैतिक आचरण में ह्रास हुआ, बहुत कुछ यही बात अमरीका के सम्बन्ध में भी कही जा सकती है। इसके उत्तर में कहा जा सकता है कि यह ह्रास सामाजिक सप्राणता के ह्रास का प्रतिफल नहीं होकर दृष्टि में परिवर्तन का द्योतक है और कुछ अवस्थाओं में नयी परिस्थितियों के साथ समायोजन के प्रतिफल रूप में होता है। उदाहरणतः समाज में आर्थिक गतिविधियों में गति और विस्तार के साथ संयुक्त परिवार का ह्रास और उसके परिणामस्वरूप पितृ-भक्ति आदि में क्षीणता, अथवा आर्थिक-राजनीतिक क्रिया में स्त्री के प्रवेश के परिणामस्वरूप पति-पत्नी सम्बन्धों में मौलिक परिवर्तन और प्रतिफलित निष्ठा-ह्रास सामाजिक विघटन के लक्षण नहीं होकर सामाजिक और आर्थिक गतिशीलता के ही द्योतक होते हैं। इस प्रकार सामाजिक परिवर्तन के प्रभाव की व्यापकता-अव्यापकता समाज को व्यक्ति-मूलक संहति सिद्ध नहीं करती। बल्कि, इसके विपरीत कहा जा सकता है कि परिवर्तन से भिन्न-भिन्न व्यक्तियों का भिन्न-भिन्न रूप और मात्रा में प्रभावित होना इस परिवर्तन की समाजात्मकता को ही प्रदर्शित करता है और इस प्रकार समाज को स्वतन्त्र सत्त्व।

यद्यपि उपर्युक्त प्रतिपादन में निहित रूप से सामाजिक परिवर्तन का स्वरूप मानसिक प्रकार का स्वीकार किया गया है, किन्तु इस पर थोड़ा और गहराई से विचार करना अपेक्षित है।

इतिहास-दार्शनिकों ने इतिहास के स्वरूप-विषयक जो सिद्धान्त प्रतिपादित किये हैं वे मुख्यतः जैव या दैहिक सिद्धान्त, चक्रात्मक सिद्धान्त, अभ्युदय-क्षय-पुनरुदय-क्षय-क्रम का सिद्धान्त और उत्पादन-साधन-मूलक सिद्धान्त हैं। इन सिद्धान्तों में उत्पादन-साधनमूलक सिद्धान्त को छोड़कर शेष सब उतने सामाजिक-परिवर्तन-मूलक सिद्धान्त नहीं हैं जितने ये वैश्वमानव के इतिहास-विषयक हैं। इनमें चक्रात्मक सिद्धान्त, और अभ्युदय-क्षयपरक (राउट-रैल्ली) सिद्धान्त को जैव, मानसिक और भौतिक इनमें किसी कोटि में नहीं रखा जा सकता। किन्तु तब भी ये वैश्व मन के स्वभाव का निरूपण करने वाले सिद्धान्त ही कहे जा सकते हैं, किसी आयाम में देह के स्वभाव का निरूपण करने वाले नहीं। उदाहरणतः सतयुग, द्वापर, त्रेता, कलियुग और इनकी पुनरावृत्ति नैतिक चेतना के क्रमिक ह्रास और इस ह्रास की चरम स्थिति के उपरान्त (अपने पतन पर मनन के परिणामस्वरूप?) पुनः नैतिक बोध और संकल्प के उदय की ही कथा कहते हैं। इसी प्रकार अभ्युदय-क्षय की आवृत्तियों का सिद्धान्त भी मुख्यतः मन-विषयक सिद्धान्त ही है, यद्यपि क्षय के उपरान्त पुनरुद्भव का कारण इसमें बाहरी चुनौती को ही माना गया है। किन्तु चुनौती के सामने अपने को संकलित करना संकल्प का ही लक्षण है, जैव या भौतिक तत्त्व का नहीं। जहाँ तक उत्पादन-साधनमूलक परिवर्तनों का सम्बन्ध है, यद्यपि मार्क्सवादी इन्हें भौतिक शक्तियाँ ही कहते हैं, किन्तु वास्तव में ये भी मनोमय सत्ता में अन्तर्निहित हुए बिना सामाजिक अर्थ में नहीं पाते। उदाहरणतः उत्पादन-साधन मनुष्य की अस्तित्व-रक्षा और अस्तित्व-संवर्द्धन की सबसे आद्य चिन्ता के प्रतिफल होते हैं और ये साधन कृतियों (उपकरणों) के रूप में चेतना के आत्मक्रियान्वयन के नियामक बनते हैं। चित्त का यह स्वभाव उसकी सभी क्रियाओं में देखा जा सकता है : भाषा में ध्वनि-रूप, वाक्य-रचना-रूप और शब्द-रूप ये सब समाज-मन की भाषिक कृतियाँ हैं। एक बार इनके अस्तित्व में आ जाने पर ये भाषिक चित्त के नियामक बन जाते हैं और इनमें परिवर्तन का क्रम न तो शुद्ध रूप से मनोमय रहता है और न दैहिक, और न भौतिक, यह मुख्यतः किन्तु अंशतः, मनोदैहिक होता है : मन अभिव्यक्ति की नयी प्रेरणाओं के द्वारा वाक्यों और शब्दों को नये रूप और नये अर्थ देता है और दैहिक आयाम भाषा के ध्वनि-रूपों में परिवर्तन में प्रतिफलित होता है। किन्तु उत्पादन-साधनों के परिवर्तन-क्रम में भौतिकता या जैविकता का कोई अंश नहीं रहता, सिवाय किसी भौतिक सामग्री के आकस्मिक रूप से मिल जाने की परिस्थिति के। ये अस्तित्वमूलक मूल्यों और उपाय-कौशल दोनों के संयुक्त फल होते हैं और ये मूल्य उस समाज की सम्पूर्ण मूल्य-व्यवस्था के अंग होते हैं। निश्चय ही इस प्रकार आविष्कृत होकर ये मन के भी नियामक होते हैं और यह भी कि ये मानसिकता को अनेकानेक अप्रत्याशित रूपों में प्रभावित, प्रेरित और निर्धारित करते हैं और इस प्रकार सामाजिक परिवर्तन के कारण बनते हैं। किन्तु प्रभाव, प्रेरणा और निर्धारण के नियम और रूप भौतिक या दैहिक नहीं होते, जैसाकि कार्ल मार्क्स के इन्हें 'उत्पादन की भौतिक शक्तियाँ' कहने में निहित है। निश्चय ही यन्त्र का भौतिक पक्ष भी है : यन्त्र अपने-आप में भौतिक ही होते हैं और परिणामतः भौतिक उपादानों : लकड़ी, धातुओं आदि : की उपलब्धि इसमें एक हेतु बनती है : यदि लोहा होता ही नहीं तो लोहे के यन्त्र नहीं बन सकते थे : किन्तु यन्त्र-कौशल के विकास के इतिहास में लकड़ी या लोहे में परिवर्तन के नियमों की भौतिकता या जैविकता का उतना भी अंश नहीं रहता जितना भाषा में ध्वनि-रूप और लिपि-रूप में परिवर्तन का रहता है। किन्तु नये यन्त्र का विकास नये सामाजिक गठनों और सम्बन्धों का कारण हो सकता है और इस प्रकार सामाजिक परिवर्तन का कारण हो सकता है। किन्तु जैसाकि इस विवेचन से स्पष्ट होना चाहिए, यन्त्र उत्पादन का भौतिक साधन नहीं है बल्कि मानवीय कर्म की कृति है, उसके आत्मचरितार्थन की प्रक्रिया का प्रतिफल।

ऐसा माना जाता है कि मानव-सभ्यता के इतिहास का आरम्भ हल के आविष्कार के साथ हुआ। किन्तु हल के आविष्कार तक मानव-मन तमसावरण में निश्चेष्ट पड़ा रहा और इस आविष्कार ने कहीं ऊपर से आविर्भूत होकर उसके प्रकाश के अन्तःस्रोतों को उन्मुक्त कर दिया, इस बात का कोई अर्थ नहीं है, और न इस बात का ही कोई अर्थ है कि इस आविष्कार ने समाज के सब पक्षों को एक नया रूप और विधान दे दिया। यद्यपि यह सही है कि हल कृषि का आधार बनकर सामाजिक इतिहास में एक नितान्त क्रान्तिकारी युगारम्भ का कारण बना, किन्तु इस पर से समाज के युगों का उत्पादन-सम्बन्धों या आर्थिक संस्थाओं के रूप और विकास के

अनुसार नामकरण पूर्वाग्रहमूलक दृष्टि का ही द्योतक कहा जा सकता है। ये निर्धारण सर्वथा भिन्न आधारों पर भी हो सकते हैं : उदाहरणतः सतयुग, द्वापर, त्रेता, और कलियुग नैतिक आधार पर विभाजन है और वैदिक युग, औपनिषद युग और बौद्ध युग आदि तत्त्व-दृष्टि अथवा वैचारिक विकास के आधार पर। किन्तु सामाजिक युगों का निर्धारण आर्थिक सम्बन्धों या उत्पादन-साधनों के बजाय नैतिक आधार पर हो यह बात अधिक उचित जान पड़ती है, क्योंकि व्यक्तित्व : वह वैचारिक हो या सामाजिक : का आधार नैतिक ही होता है, आर्थिक या उपकरणमूलक नहीं। यह बात दूसरी है कि यह युग-विभाजन हम सतयुग आदि नाम और रूप में करें या किसी दूसरे नाम और रूप में।

सामाजिक परिवर्तन के सम्बन्ध में दूसरा महत्त्वपूर्ण प्रश्न परिवर्तन के स्वरूप-विषयक है : यह परिवर्तन केवल एक स्थिति से दूसरी स्थिति में संक्रमण के रूप में होता है या कि क्रमशः उत्कृष्टतर अवस्थाओं की ओर विकास के रूप में, जैसाकि जैव सृष्टि में दृष्टिगोचर होता है, या यह निहितार्थ के उन्मेष के रूप में होता है, या किसी साध्य अर्थ की ओर उद्दिष्ट गति के रूप में, या कि सिद्ध अर्थ द्वारा स्वरूप-दर्शन के लिए कल्पित आत्म-व्यवधान के निवारण की प्रक्रिया के रूप में, जैसाकि सांख्य ने प्रकृति के जगत्-व्यापार को देखा है? यहाँ हम इन विकल्पों के बीच निर्णय करने का प्रयत्न नहीं करेंगे, यह सामाजिक परिवर्तन की तत्त्वमीमांसा के विषय हैं और यहाँ हमें वह करना अभिप्रेत नहीं है। किन्तु यहाँ यह प्रश्न प्रासंगिक जान पड़ता है कि यदि परिवर्तन केवल एक आस्था से दूसरी में संक्रमण मात्र है तब इसमें विचारणीय क्या है और इसमें गौरव क्या है? इस प्रश्न पर गहराई से और पूर्णता से विचार वास्तव में इस तत्त्व-मीमांसा से बचकर नहीं हो सकता, क्योंकि यहाँ कोई इस 'यदि' पर तुरन्त रोक कर कह सकता है कि सामाजिक परिवर्तन केवल अवस्थानान्तरण मात्र है ही नहीं, यह विकास, उन्मेष या स्वरूप-साधनात्मक ही होता है।

किन्तु यहाँ इन प्रश्नों का औचित्य स्वीकार करते हुए भी हम परिवर्तन को अवस्थान्तरण मात्र मानकर विचार आरम्भ कर सकते हैं। अब, यह अवस्थान्तरण भी दो प्रकार का हो सकता है : स्वतः और संकल्पतः। समाज में हम इन दोनों प्रकार के परिवर्तन घटित होते देखते हैं। किन्तु इनमें किस प्रकार के परिवर्तनों को स्वतः कहा जाय और किस प्रकार के परिवर्तनों को संकल्पतः? सम्भवतः इसमें भेद करना कठिन नहीं होना चाहिए। उदाहरणतः कहा जा सकता है कि जो परिवर्तन किसी व्यक्ति अथवा समुदाय द्वारा समाज की अथवा उसके किसी भाग की स्थिति से असन्तुष्ट होकर उसके निवारण और उसके स्थान पर दूसरी स्थिति लाने के उद्देश्य से घटित किये जाते हैं वे परिवर्तन संकल्पतः होते हैं और शेष स्वतः। इस प्रकार बाह्य आक्रमणों अथवा भीतरी संघर्षों या युद्धों के फलस्वरूप, अकाल, महामारी आदि के फलस्वरूप, अथवा उत्पादन-साधनों के नये आविष्कार के फलस्वरूप हुए परिवर्तन स्वतः प्रकार के कहे जा सकते हैं। किन्तु स्वतः घटित परिवर्तन आगे बहुत शीघ्र मनुष्य के संकल्प के विषय हो जाते हैं, क्योंकि उनसे जो स्थिति उत्पन्न होती है वह मनुष्य को वांछनीय होती है अथवा अवांछनीय। किन्तु इससे प्रायः ही समाज में एक बहुत बड़ा अन्तर्द्वन्द्व उत्पन्न हो जाता है। एक ओर वांछनीय क्या है, इस प्रश्न को लेकर और दूसरी ओर वांछनीय के बोध के अनुसरण में असफलताओं को लेकर।

मनुष्य के लिए क्या वांछनीय है और क्या अवांछनीय यह निर्णय सबसे अधिक दुरूह होता है। उपनिषद् में जिस सत्य के तत्त्व को 'गुहा में निहित' या 'हिरण्यमय पात्र से पिहित' कहा गया है वह सत्य यही है : कि शाश्वत रूप से या तात्कालिक रूप से मनुष्य के लिए वरेण्य क्या है? यन्त्र-वैज्ञानिक क्रान्ति के आरम्भिक काल में यूरोप में भी, जहाँ के मानस में से इस विज्ञान का उदय हुआ, यन्त्रों के प्रति एक आतंक की भावना थी और इस क्रान्ति से जिन आर्थिक-सामाजिक परिस्थितियों का आविर्भाव हुआ उसके प्रति एक जुगुप्सा। आज हम उन प्रतिक्रियाओं का उल्लेख उपहासात्मक आश्चर्य के साथ करते हैं, किन्तु इस क्रान्ति से जो फलित हुआ है और आगे होने वाला है वह मनुष्य के लिए वांछनीय है, यह बात आज भी निर्विवाद नहीं है। किन्तु यन्त्र और यन्त्र-मूलक परिस्थितियों के विरुद्ध तत्कालीन जनसाधारण की वह प्रतिक्रिया वास्तव में कोई अनोखी बात नहीं थी, सभी देशों और सभी कालों में समाज में अपनी वर्तमान परिस्थिति से असंतोष और अतीत की उत्कृष्टता की

कल्पना रहती रही है और इस वर्तमान का प्रतीक युवा वर्ग तथा इसका असन्तुष्ट प्रेक्षक उससे पहली पीढ़ी का वर्ग रहा है। यह स्थिति इस बात की द्योतक है कि समाज निरन्तर परिवर्तन के क्रम में रहता है और इस परिवर्तन से उत्पन्न परिस्थितियों की वांछनीयता का प्रश्न सदैव समाज के सम्मुख रहता है। इस वांछनीयता का सन्दर्भ सदैव नैतिक ही रहता है, जिसका अर्थ है कि मनुष्य के मन में अपने श्रेयस्, और प्रातीतिक के विरुद्ध वास्तविक सुख के मानदण्ड का एक अस्पष्ट किन्तु तब भी स्थिर बोध रहता है, यद्यपि उसके अनुसरण में वह प्रायः ही अपने को असमर्थ पाता है।

किन्तु इस परिवर्तन के सम्बन्ध में एक अत्यन्त आधारभूत महत्त्व की बात है जो यहाँ ध्यातव्य है। वह यह कि इस परिवर्तन का क्रम संकल्प से जड़ता की ओर, साक्षात्कार से परोक्षता की ओर तथा नैतिक उत्कर्ष से अपकर्ष की ओर होता है, और यह क्रम तब तक जारी रहता है जब तक इस व्यापक ह्रास का बोध समाज को चौंका नहीं देता, इस स्थिति के प्रति उसे जुगुप्सा और ग्लानि से नहीं भर देता। परिवर्तन का यह स्वरूप समाज की समग्रता में और उसके प्रत्येक अंग में पृथक्-पृथक् देखा जा सकता है। उदाहरणतः भारत में वैदिक ऋषि की साक्षात्कारात्मक धर्म-दृष्टि क्रमशः आनुष्ठानिक औपचारिकता में, बुद्ध की साक्षात्कारात्मक प्रज्ञा बौद्ध दार्शनिकों के तार्किक विवेचन और बौद्ध धार्मिकों की आनुष्ठानिक रूढ़ियों में, औपनिषद ऋषि की साक्षात्कारामक दार्शनिक दृष्टि सांख्य-वेदान्त दार्शनिकों के तार्किक प्रस्थानों में परोक्ष और विजड़ित हो गईं। दार्शनिकों में भी शंकर, रामानुज आदि में साक्षात्कारात्मक प्रातिभ का एक सान्निध्य दृष्टिगोचर होता है जो इनके अनुगामी दार्शनिकों में दृष्टिगोचर नहीं होता। चेतना की जड़ता में इस परिणति का एक अनिवार्य कारण है और वह यह कि दृष्टि की अभिव्यक्ति में और संकल्प की कर्म में परिणति होना और इनकी क्रमशः विमर्श और कृति में परिणति होना अनिवार्य होता है और तब विमर्श तर्क की ओर, कर्म आनुष्ठानिक आकारिकता के सफल निर्वाह की ओर तथा कृतिपरक कौशल की ओर प्रवृत्त होता है। सत्य और जीवन के सम्पर्क का यह विच्छेद बहुत बढ़ जाने पर इसकी चेतना पुनः साक्षात्कार की प्रेरणा उत्पन्न करती है और तब पुनः किसी कबीर, किसी विवेकानन्द, किसी अरविन्द, किसी गाँधी का आविर्भाव होता है और फिर वही जड़ायन का क्रम आरम्भ होता है। यही ऐतिहासिक क्रम वर्तमान यान्त्रिक विकास और वैज्ञानिक दृष्टि में भी देखा जा सकता है। यद्यपि यन्त्र साधारणतः दैहिक कर्म की सामर्थ्य-वृद्धि के क्रम में उपाय-कौशल के रूप में ही आविर्भूत होता है, किन्तु रिनेसां का यन्त्र मुख्यतः इस रूप में आविर्भूत नहीं हुआ था, बल्कि यन्त्र-वैज्ञानिक औत्सुक्य और आविष्कारोत्साह के रूप में उसका विस्फोट हुआ था। किन्तु क्रमशः इसकी परिणति व्यावसायिक, राजनीतिक और सैनिक उपयोगिता और उपभोग-सुख-संवर्द्धन की उन्मत्त दौड़ में हो गई। सैद्धान्तिक विज्ञान, जिसका आरम्भ भौतिक-जैविक जगत् की गवेषणा के रूप में हुआ था, उसने एक ओर चेतना का प्रकृतीकरण कर दिया और दूसरी ओर यह गवेषणा भी, कम-से-कम समाज के लिए, एक जड़ता-जन्य रूढ़ि बनकर रह गई। इस गतिरोध और ऊब से त्रस्त चेतना ने फिनोमिनलोजी और अस्तित्ववाद के रूप में पुनः अपनी सन्निधि में जाने का प्रयत्न किया। किन्तु ये उससे वास्तव में नहीं निकल पाये हैं। अब फिनोमिनलोजीवादी और अस्तित्ववादी दार्शनिक क्रमशः चेतनागत संरचनाओं और अस्तित्वगत संत्रासों से विस्मित या उद्विग्न नहीं होते बल्कि हुस्सर्ल और सार्त्र-पोंती आदि के विवेचनों और विवेचनों के विवेचनों में व्यस्त रहते हैं। किन्तु इस यान्त्रिक विकास ने अस्तित्व के स्तर पर और चेतना के निम्न स्तरों पर परिवर्तन की गति अत्यधिक तीव्र कर दी है, इतनी तीव्र कि कहीं पैर ही नहीं जम पाते और रुक कर सोचने के लिए अवसर ही नहीं रहता। सामाजिक, राजनीतिक, आर्थिक, वैचारिक, भावनात्मक सभी स्तरों पर बदहवास दौड़ जैसी चल रही है। इसका एक कारण यह कहा जा सकता है कि दृष्टि और संकल्प जिस अभिव्यक्ति और कर्म में अपने को प्रतिबिम्बित कर आत्मदर्शन करते हैं वे अभिव्यक्ति-रूप और कर्म-रूप ही अब इतनी तीव्र गति से दौड़ रहे हैं कि दृष्टि तथा संकल्प के लिए कहीं अवकाश ही शेष नहीं रह गया है। पीछे हमने अभिव्यक्ति और कर्मानुष्ठान की जड़ता को दृष्टि और संकल्प के अवरोध और जाड्य का कारण कहा था। तब अभिव्यक्ति और कर्मानुष्ठान की गतिमयता दृष्टि और संकल्प के लिए उपकारक ही होनी चाहिएँ। किन्तु ऐसा है नहीं। यह गति चेतना की नहीं है बल्कि स्वयं जड़ता की ही है, जो दृष्टि के लिए अपनी ओर लौटने को और भी कठिन बना देती है।

आज विचार और भाव के सभी क्षेत्रों : दर्शन, विज्ञान, साहित्य और कला : में एक युग की अवधि लगभग एक से दो दशाब्द की रहती है। ये युग जड़ता से चेतना की ओर लौटने और पुनः अपनी संसार-यात्रा आरम्भ करने के नहीं होकर शैली, फैशन, विधि आदि प्रकारक जड़ता की एक स्थिति से दूसरी स्थिति में संक्रमण के हैं। उदाहरणतः हिन्दी-काव्य में छायावाद के बाद प्रायः प्रत्येक दशाब्द नयी शैली, नयी उपमाएँ, उत्प्रेक्षाएँ और रूपक लेकर आया है। किन्तु ये नवीनताएँ या परिवर्तन किसी चिद्गत उन्मेष या विकास के द्योतक हैं, यह कहना वास्तविकता के विपरीत ही होगा। पाश्चात्य दर्शन के क्षेत्र में 20वीं शताब्दी के आरम्भ में प्रवृत्तियों और रुचियों में अनेक अन्तर आये हैं। इनमें रसल-मूर के बाद लोक-भाषाविश्लेषक विट्गिंस्टाईन में दृष्टि की ओर लौटने का एक प्रयत्न दिखायी देता है, किन्तु यही प्रयत्न आगे दृष्टि-विहीन कौशल में परिणत होता देखा जा सकता है।

सामाजिक परिवर्तन की दृष्टि से ये सब एक रूप में लक्षित होते हैं, जबकि वास्तविक-आधार सामाजिक सम्बन्ध, आर्थिक व्यवस्था और परिस्थितियाँ, समाज में व्याप्त प्रवृत्तियाँ, मूल्य और रुचियाँ होते हैं। यान्त्रिक-वैज्ञानिक युग के साथ इनमें परिवर्तन की गति बहुत अधिक द्रुत हो गई है। यान्त्रिक विकास के द्वारा विभिन्न विचार-तन्त्रों में परस्पर निरन्तर सम्पर्क बढ़ रहा है और इसके परिणामस्वरूप पाश्चात्य संस्कृति अपने उपभोगवाद, व्यक्तिवाद, वैज्ञानिक-प्राकृतिक युक्तिवाद आदि के द्वारा अन्य संस्कृतियों को गम्भीर रूप से प्रभावित कर रही है। यान्त्रिक विकास के साथ वैज्ञानिक युक्तिवाद और उपभोगवाद स्थिति और ठहराव के लिए कोई अवकाश नहीं छोड़ते।

पूर्वतन युगों में परम्परा के प्रति समाज में और ज्ञान में युक्ति के ऊपर श्रद्धा का महत्त्व ऐसे गुण थे जो परिवर्तन के अवरोधक थे। इनमें अपने-आपमें कोई दोष नहीं होने पर भी ये जन-सामान्य में अन्धविश्वास और गतिहीनताजन्य सड़ांध के कारण बनते थे। ऐसा नहीं है कि प्राकृतिक युक्तिवाद और अनियत गति अन्धता और जड़ता से मुक्त करते हैं। प्राकृतिक युक्तिवाद की युक्तता में विश्वास का आधार स्वयं अन्धविश्वासमूलक हो सकता है, और जैसाकि पिछले अध्यायों में प्रसंगवश हमने देखा, वह वास्तव में वैसा ही है, और अनियत गति जड़ात्मक हो सकती है : गति जड़ प्रकृति का धर्म ही है। किन्तु इसके बावजूद समाज को ये कम-से-कम ठहराव-जन्य सड़ांध से बचाते हैं और उसे ऐसे रोगों से मुक्त रखते हैं जो गतिहीनता से उत्पन्न होते हैं। उदाहरणतः भारतीय समाज में बाल-विवाह, सती-प्रथा, देवदासी-प्रथा आदि एक ऐसी मानसिकता के द्योतक हैं जिनका मूल शुद्ध रूप से गतिहीनता में ही है। इसका यह अर्थ नहीं है कि प्राचीन युगों में गति थी ही नहीं और कि परम्परा के प्रति सम्मान और ज्ञान की अपेक्षा के रूप में श्रद्धा का महत्त्व रहते गति और स्वास्थ्य सम्भव ही नहीं हैं। उपनिषद्, बुद्ध, शंकर, कबीर आदि इस धारणा की निराधारता के स्पष्ट प्रमाण हैं। किन्तु स्वभावतः वैज्ञानिक-यान्त्रिक मानसिकता की तुलना में इस मानसिकता से अवरुद्धता और सड़ांध अधिक संगत हैं, बजाय भविष्योन्मुखता और संकल्प के।

किन्तु वर्तमान युग केवल भोगवाद, प्राकृतिक तर्क और स्थिति-हीनता से ही लक्षणीय नहीं है, इसके कुछ अपने आदर्श भी हैं जिनमें यह मानव का श्रेय देखता है। इन आदर्शों को संयुक्त रूप से मानववाद की संज्ञा दी जा सकती है जिसके अंग सामाजिक न्याय और मानव-समानता कहे जा सकते हैं। ये आदर्श इस बात के द्योतक हैं कि किस प्रकार मनुष्य परमार्थ के स्वरूप-विषयक किसी भी धारणा को रखकर अपने अन्वेष्य के रूप में किसी नैतिक आदर्श का ही आक्षेप करता है। नैतिक अन्वेष्य का अर्थ है मनुष्य के स्वरूप-विषयक ऐसा मानदण्ड जो उसके कर्मों को एक आध्यात्मिक अर्थ दे, एक ऐसी आदर्श प्रतिमा दे जिसकी अनुकृति में वह अपने प्रस्तुत रूप को ढाल सके और उसका रूपान्तरण करने में प्रयत्न द्वारा अपने कर्मों को अर्थ दे सके।

'मानववाद' का स्थूलतः अर्थ है कि मानव का तत्त्व, उसका आधार और अर्थ कोई मानवोत्तर सत्ता नहीं है बल्कि वह स्वयं है, इसलिए उसका उसके इस प्रस्तुत रूप में ही कल्याण साध्य है। और 'मानव-समता' का अर्थ है, मनुष्य मात्र समान रूप से सम्मान के अधिकारी हैं। ये आदर्श व्यवहार में उतने ही दुस्साध्य और पहचानने में दुरवगम्य हैं जितने धार्मिक आदर्श होते हैं, और परिणामतः वर्तमान युग को हम सर्वत्र और प्रतिपग इनसे उतना

ही भ्रष्ट पाते हैं जितने भ्रष्ट प्राचीन युग अपने-अपने अन्वेष्य अर्थों से रहते रहे हैं। वास्तव में इन आदर्शों के उद्भावक यूरोप का आचरण इनसे जितना विपरीत रहा है उतना प्राचीन यूरोप अथवा अन्य किसी संस्कृति का अतीत में या वर्तमान में रहा है यह कहना कठिन ही होगा। प्राचीन युगों के ईसाई और इस्लाम-धर्मावलम्बियों के मतों के समान ही आधुनिक यूरोप के लिए ये मानववादी आदर्श ही अन्य जातियों और संस्कृतियों के प्रति हीन-भाव के आधार बन गए और इन्होंने इन आदर्शों को उसी बर्बरता से अन्यों पर आरोपित किया जितना प्राचीनों ने ईसाइयत या इस्लाम को किया था। आज भी इंग्लैण्ड और अमरीका प्रजातन्त्रवादी विचार का आरोप अन्य देशों पर उसी प्रकार बलात् कर रहे हैं जिस प्रकार प्राचीन युगों में ये अपने धार्मिक मत का कर रहे थे। इन्हीं के समान रूस कल तक विश्व को साम्यवादी विचारतन्त्र में बलात् दीक्षित करने को अपना धर्म मानता था। यह मताग्रह स्वतः मानववाद और प्रजातन्त्रवादी विचार-स्वातंत्र्य के विपरीत है, किन्तु विचार-स्वातन्त्र्य को मताग्रहपूर्वक अपनाने और आरोपित करने के इस स्पष्ट अन्तर्विरोध को ये लोग उसी प्रकार नहीं देख पा रहे हैं जिस प्रकार प्राचीन धार्मिक धर्म से धर्मान्धता के अन्तर्विरोध को नहीं देख पाते थे।

जो भी हो, यहाँ ध्यातव्य यह है कि सामाजिक मनुष्य किसी आदर्श को प्रतिष्ठित कर उसके अनुसरण में निरत होता है और यह आदर्श उसकी गति का नियोजक होता है। निश्चय ही विचार और आदर्श उसकी भौतिक, आर्थिक तथा अन्य बाह्य परिस्थितियों से भी प्रभावित और रूपायित होते हैं, क्योंकि ये उसके कर्म के प्रसंग और प्रमाण-प्रमेय के सन्दर्भ बनते हैं। किन्तु एक तो ये इनके प्रसंग और सन्दर्भ को समग्रता में परिव्याप्त नहीं करते और दूसरे ये स्वयं आदर्श या साध्य नहीं होते। उदाहरणतः मनुष्य न्याय को अपने कर्म का प्रमापक बनाता है, किन्तु अन्याय की परिस्थिति उसके इस विषयक कर्म की प्रसंग बनती है और न्यायान्याय-विवेक को सन्दर्भ देती है। किन्तु ये प्रसंग और सन्दर्भ न्याय के आदर्श और उसकी अनुसरणीयता की दृष्टि के आधार नहीं होते और न यह दृष्टि इनसे पूर्णतः परिव्याप्त होती है। उदाहरणतः एक कथा है कि गुरु नानक ने भोजन के लिए निर्धन और धनी द्वारा एक साथ आमंत्रित होने पर निर्धन के यहाँ भोजन किया धनी के यहाँ नहीं, और धनी द्वारा इसका कारण पूछने पर उसका अन्न निचोड़ कर उसे रक्त-पूर्ण और निर्धन के अन्न को दुग्धपूर्ण दिखाया। इसमें मानव के शोषण के सम्बन्ध में वही दृष्टि है जो मार्क्स की दृष्टि है, किन्तु मार्क्स की दृष्टि का प्रसंग वे परिस्थितियाँ थीं जो तत्कालीन यूरोपीय समाज के अस्तित्व को समग्रता में व्याप्त कर रही थीं और उस युग की चेतना के केन्द्र में थीं, यह प्रसंग गुरु नानक की दृष्टि में कहीं दूर पर भी नहीं था और न उसके समाज के लिए उसका कोई अर्थ था। गुरु-नानक की चिन्ता का विषय ऐन्द्रिक सुखों के अनुसरण की हेयता का प्रदर्शन था। इसी से मार्क्स के लिए, और वास्तव में तत्कालीन और उत्तरवर्ती सम्पूर्ण यूरोप के लिए भी, मानव-कल्याण का आधारभूत सन्दर्भ और मानदण्ड अर्थ और मनुष्य का ऐहिक अभ्युदय बना। उसके अनुसार यह अभ्युदय होने पर आध्यात्मिक अभ्युदय स्वतः अनुगत होता है, और वह नहीं भी हो तो भी क्या अन्तर पड़ता है? इस प्रसंग-परिवर्तन में आर्थिक परिस्थितियों और सम्बन्धों के योगदान की महत्त्वपूर्ण भूमिका है, किन्तु ये उसमें आधारभूत और उसे पूर्णता में व्याप्त करने वाली नहीं हैं। वास्तव में यदि परिस्थिति दृष्टि को पूर्णतया व्यापृत करे तो आदर्श के लिए कोई स्थान ही नहीं रहे, क्योंकि आदर्श का मूल ही प्रस्तुत परिस्थिति में दोष या न्यूनता के दर्शन में होता है। अब, मार्क्स की और उसके उत्तरवर्ती युग की आदर्श दृष्टि में आर्थिक-उत्पादन और वितरण की भूमिका एक महत्त्वपूर्ण प्रसंग बनती है, किन्तु प्राचीन युगों में इसका योगदान वैसा महत्त्वपूर्ण नहीं था। समाज में यह आदर्श-पर्येषणा उस में अग्र गति की प्रेरक ही नहीं उसके अस्तित्व की सन्धारक भी बनती है और इस पर्येषणा का अभाव अथवा क्षीणता उसके बिखराव और क्षीणता की कारक।

यहाँ प्रश्न हो सकता है कि सामाजिक आदर्श-विहीनता का क्या अर्थ है? क्योंकि समाज के सामने कोई न कोई आदर्श तो रहता ही है, केवल आदर्श में अन्तर की बात है जो होती है। प्राचीन भारत में धार्मिक आदर्श समाज के सम्मुख रहे और अंग्रेजी साम्राज्य-काल में विदेशी शासन से मुक्ति आदर्श रहा। इस मुक्ति के बाद नवभारत की आदर्श-विहीनता का क्या अर्थ है? यह सही है, किन्तु समाजों को उनके आदर्श सदैव समान रूप से

अनुप्राणित नहीं करते। आदर्श से अनुप्राणितता के युग वही होते हैं जब समाज चेतना की सन्निधि में होता है और इस चेतना के लोकावतरण में अभी उस चेतना का स्रोत सूख नहीं गया होता। उदाहरणतः यूरोप में वैज्ञानिक चेतना की सन्निधि के काल में विज्ञान, दर्शन, शास्त्र, कला, राजनीति, सैन्यबल सभी क्षेत्रों में एक अद्भुत गति और सृजनात्मकता परिलक्षित होती है जो बीसवीं शताब्दी के उत्तरार्ध में प्रायः-प्रायः लुप्त हो गई। इस शताब्दी में वहाँ हम अधिकांशतः भावना-विच्छिन्न रीति, वस्तु-विच्छिन्न विवेचन, सुख-विच्छिन्न उपभोग यही सब देख रहे हैं।

भारत की स्थिति इससे कहीं अधिक विकट है। इसके सुदीर्घ इतिहास में अनेक जातियाँ बाहर से आयीं और वे अपने वैशिष्ट्य को बनाये रख कर भी इसमें इसके अविभाज्य अंगों के रूप में अधिस्थित होती रहीं। इसका कारण इसकी विशेष जीवन-दृष्टि थी : जगत् को व्यवहार, उपाधि और आगन्तुक अभिव्यक्ति मानना : 'एको देवः बहु देवा बभूव,' 'तस्याः रूपेणेमे हरिताः वृक्षाः हरित स्रजः', 'एको देवः सर्वभूतेषु गूढ़ः र्स्वव्यापी, सर्व भूतान्तरात्मा', 'ईशावास्यमिदं सर्वं यत्किंच जगत्यां जगत्' आदि। यहाँ तक कि 'निगुनहि सगुनहि नहिं कछु भेदा, उभय तरहिं भव-सम्भव खेदा', 'ये यथा माम् प्रपद्यन्ते तांस्तथैव भजाम्यहम्।' बौद्ध और जैन भी इस दृष्टि के अपवाद नहीं है। जैन स्याद्वाद में इसकी पराकाष्ठा देखी जा सकती है। इस समाज के इस आध्यात्मिक पक्ष के समान ही इसका बाह्य संरचनात्मक पक्ष था : समाज चार वर्गों में व्यवस्थित था जो समाज-देवता के देह के चार अंग थे। यद्यपि ये वर्ण अपनी मूल दृष्टि : गुण-कर्म विभाग : से बहुत आरम्भ में ही विच्छिन्न हो गए थे, किन्तु तब भी जो भी जाति बाहर से आयी वह इनके उपांगों के रूप में व्यस्थित होती चली गई। यहाँ एक विचित्र विरोधाभास दिखायी देता है : वर्ण-व्यवस्था जब संरचनात्मक रूप से अविचल थी, इसमें व्यवस्थित समाज अविचिल नहीं था। यदि यह अविचल होता तो बाहर से आयी जातियाँ इस संरचना में व्यवस्थित नहीं हो सकती थीं ऐसा नहीं है कि ये जातियाँ इन चार वर्णों में व्यवस्थित हो गईं। वे अपने-अपने नाम से नये वर्ण बन गईं और जिस जाति ने चाहा उसने किसी प्रतिष्ठित वर्ण में भी अपने को उपनीत कर लिया। इस मनःस्थिति ने गति और स्थिति का एक विचित्र किन्तु समंजस सम्मिश्र उपस्थित किया। इस समाज में एक दूसरा अचल तत्त्व जीवन के साध्य के रूप में परिलक्षित होता है : मोक्ष इसमें व्यक्ति के लिए साध्य के रूप में और संन्यास इसके लिए उपयुक्त जीवन-विधि के रूप में प्रायः आरम्भ से स्वीकृत रहा है। अवश्य मोक्ष की अवधारणा आरम्भिक वैदिक युग में परिलक्षित नहीं होती, किन्तु यह अवधारणा वैदिक युग के ही अवधारणात्मक विकास के क्रम में आविर्भूत हुई, कहीं बाहर से इसका आयात नहीं हुआ। सम्भवतः मुनि-परम्परा में यह वैदिक काल में ही थी।

इसका अर्थ यह नहीं है कि यह सामाजिक-सांस्कृतिक परम्परा वैसी ही समंजस थी जैसा उपर्युक्त निरूपण से प्रतीत होता है। वास्तव में परम्परा सब प्रकार से नितान्त असमंजस रही है और इसमें चार वर्णों के अन्तर्गत और उनके साथ, अनेकानेक जातियों का आविर्भाव और आरोप एक ओर और अनेकानेक विचारधाराओं और मतमतान्तरों का आविर्भाव और आरोप दूसरी ओर होता रहा है : न्याय-वैशेषिक और शून्यवाद-विज्ञानावाद तथा मीमांसा और वेदांत जैसे परस्पर प्रतिरूप दर्शन-सम्प्रदाय तो रहे ही, लोकायत और वाम मार्ग आदि नितान्त विरुद्ध दृष्टियों वाले सम्प्रदाय भी रहे। यह सब घात-प्रतिघात सामाजिक-सांस्कृतिक परम्परा में होना इस बात का द्योतक है कि यह परम्परा निरन्तर गतिमान् रही। केवल यह गति बाह्य और व्यावहारिक स्तर पर नहीं होकर वैचारिक स्तर पर रही। किन्तु सम्भवतः यह घात-प्रतिघात, अपवादों को छोड़कर, कभी सामूहिक हिंसा के स्तर पर नहीं उतरा।

मुस्लिम आक्रमण और मुसलमानों द्वारा इस समाज में सम्मिलित होने से इन्कार के बावजूद इस समाज ने उसे चुनौती के रूप में नहीं लिया, उसे केवल निरादर और उपेक्षा के योग्य ही समझा। सांस्कृतिक स्तर पर मुस्लिम प्रभाव केवल वास्तुशिल्प में दिखायी देता है। मुसलमानों के जिस वर्ग ने आध्यात्मिक उदारता और सहजता का प्रदर्शन किया उसे इस समाज ने वैसा ही आदर दिया जैसाकि अपने सन्तों को। एक प्रकार से इसने उन्हें अपने धर्म-गुरुओं की श्रेणी में ही सम्मिलित कर लिया। कबीर और दूसरे सूफी संत मुस्लिम के रूप में देखे ही नहीं गये। इस प्रकार मुस्लिम आक्रमण और मुस्लिम साम्राज्य भारतीय संस्कृति और समाज को गहराई से प्रभावित नहीं कर

सका, सिवाय इसके कि इसके कारण सामाजिक स्तर पर इसमें आत्मरक्षा की दृष्टि से एक गतिहीनता आयी। यहाँ यह विशेष रूप से द्रष्टव्य है कि दर्शन, धर्म, काव्य, संगीत और शिल्प आदि के स्तर पर जबकि भारतीय परम्परा में निरन्तर गति दिखायी देती है, सामाजिक सम्बन्धों और संस्थाओं के स्तर पर पिछली कई शताब्दियों से निरन्तर एक गतिहीनता बनी रही है। भारतीय इतिहास का मध्यकाल इस सामाजिक गतिहीनता से ही लक्षित किया जा सकता है।

इस देश की सामाजिक और सांस्कृतिक परम्परा को झकझोर कर अपने आधारों पर मनन करने के लिए बाध्य करने वाला आघात पहली बार अंग्रेज़ों के भारत में आगमन के साथ लगा। इस आघात के साथ इस परम्परा में एक नये युग का सूत्रपात हुआ जिसे इसका आधुनिक युग कहा जा सकता है। इस आत्ममनन में इस परम्परा ने पाया कि न केवल इस परम्परा में कोई दोष नहीं है बल्कि इस परम्परा से अधिक अर्थ-गर्भ, अधिक सम्भावनापूर्ण, अधिक सूक्ष्म, अधिक उदार और उस सत्य के निकटतर है। जो मानव-चेतना का आधार कोई और परम्परा नहीं और अन्वेष्य है। इस आत्मावगाहन ने अपनी परम्परा को अनेक पक्षों से देखा : स्वामी दयानन्द ने यज्ञ और लोक-संग्रहमूलक आरम्भिक वैदिक पक्ष से, स्वामी विवेकानन्द और श्री अरविन्द ने उत्तर वैदिक या वेदान्त पक्ष से, तिलक ने गीता के न्याय के लिए संघर्ष के आह्वान के पक्ष से, और गाँधी ने भागवत पक्ष से। इनके अतिरिक्त भी अनेकानेक सन्धान के उपक्रम हुए और सभी ने पाया कि इस परम्परा में चाहे जिस भी दिशा से प्रवेश करें यह विपुल फलप्रदा है। इस आत्मवगाहन में जो दूसरी विशिष्ट बात थी, और जिसे भारतीय इतिहास में लगभग पूर्णतः नवीन घटना कहा जा सकता है, वह यह कि इसने अपनी परम्परा के तत्कालीन सामाजिक रूप को अवरुद्ध, सड़ांधपूर्ण और अंधकार-ग्रस्त पाया। किन्तु यहाँ पुनः इन्हें दोष इस परम्परा के वैचारिक मूल में नहीं बल्कि उस मूल के तमसावृत हो जाने में दिखायी दिया। परम्परा के इन सभी आत्मद्रष्टाओं ने छूआछूत, बाल-विवाह, विधवा-अविवाह, सति-प्रथा, जाति-प्रथा, स्त्री-अशिक्षा, पर्दा-प्रथा, स्त्री की पुरुष से हीनता आदि का विरोध किया और इन्हें भारत के तत्त्व के, भारतीय परम्परा के स्वरूप के विपरीत पाया।

भारत का यह नये युग में प्रवेश आत्मनवीकरणात्मक, आत्म-सर्जनात्मक था। इसमें मानव और जगत् का तत्त्व गवेष्य था, अनुभव और साक्षात्कार सत्य के प्रमापक थे और भौतिक समृद्धि तथा ऐन्द्रिक सन्तोष के बजाय भाव और विचार की समृद्धि और आध्यात्मिक सन्तोष अन्वेष्य थे। यह था नवयुग जिसमें भारत जागा था और जिसका कारण यूरोपीय संस्कृति से भारत को चुनौती मिलना था। इसमें श्रेय यूरोपीय संस्कृति को भी जाता है, क्योंकि यह इस बात का द्योतक है कि वह संस्कृति भी अत्यन्त समृद्ध और प्राणवान् थी। किन्तु यह द्रष्टव्य है कि विचार के क्षेत्र में जिस यूरोप ने भारत को प्रभावित किया वह आंग्ल दार्शनिकों : लॉक, ह्यूम, बैंथम और मिल : का यूरोप नहीं था बल्कि जर्मन दार्शनिकों-कांट, हेगल और शोपेनहावर का यूरोप था। केवल काव्य के क्षेत्र में आंग्ल कवियों ने रवीन्द्र नाथ ठाकुर के माध्यम से भारतीय कवियों को प्रभावित किया। किन्तु यहाँ भी प्रभाव-ग्रहण पूर्णतः मौलिक था, क्योंकि रवि ठाकुर में इन कवियों ने औपनिषद और निर्गुणिये भक्त-कवियों की परम्परा की स्मृति को ही उद्वेलित किया, स्वयं उन कवियों के अनुकरण को प्रेरित नहीं किया। यही बात हम हिन्दी के छायावादी कवियों में भी पाते हैं, अंशतः पन्त को छोड़ कर। किन्तु हिन्दी-काव्य में नवजागरण के प्रथम वैतालिक भारतेन्दु हरिश्चन्द्र थे जो यूरोपीय कवियों के प्रभाव से वैसे ही अछूते थे जैसे स्वामी दयानन्द कीथ या पॉल डायसन के प्रभाव से।

किन्तु यह स्थिति देर तक नहीं रही। अंग्रेज़ों ने भारत में शिक्षा का माध्यम अंग्रेज़ी को बना दिया और देश का सांस्कृतिक नेतृत्व इस आंग्ल-भाषा में शिक्षित वर्ग के हाथ में आ गया। संस्कृत और भारतीय भाषाएँ अतीतोन्मुखता की प्रतीक हो गईं और भारतीय परम्परा भी अतीत परम्परा हो गई। वास्तव में श्री अरविन्द, तिलक और गाँधी को छोड़कर देश का सम्पूर्ण प्रबुद्ध वर्ग आधुनिकता का प्रतीक पश्चिम को ही मानने लगा। इस प्रकार तत्कालीन दार्शनिकों ने स्वामी विवेकानन्द और श्री अरविन्द से भिन्न जर्मन दार्शनिकों के प्रकाश मे वेदान्त की व्याख्या आरम्भ की। यह उस समय के प्रमुखतम दर्शन-लेखकों—कृष्णचन्द्र भट्टाचार्य, राधाकृष्णन् तथा

जी.आर. मल्कानी आदि सब में देखा जा सकता है। इसके एक अपवाद डॉ. भगवानदास थे जो विश्वविद्यालय-क्षेत्रों से बाहर थे। उन्हें वैसी प्रतिष्ठा भी नहीं मिली। कवि इस परिस्थिति से इसलिए मुक्त रह सके क्योंकि वे विश्वविद्यालयों में न शिक्षक थे और न वहाँ से शिक्षित। विचार के अन्य क्षेत्रों में तो भारतीय परम्परा में कुछ देखने योग्य ही नहीं समझा गया।

भारत की स्वतन्त्रता के युग तक हम इस मनःस्थिति में पहुँचे। ऐसे में भारत के भविष्य की बागडोर पण्डित जवाहरलाल नेहरू ने सँभाली। उन्होंने भारत का भविष्य भारत के यूरोपीकरण में देखा। यह कहना नितान्त भ्रामक होगा कि उन्होंने भारत के आर्थिक निर्माण के लिए यूरोपीय विज्ञान को भारत के लिए ग्राह्य बनाया, उन्होंने उससे कहीं अधिक यूरोपीय मनोवृत्ति को भारत का आदर्श ग्राह्य बनाया। किन्तु ऐसा वे केवल अपने बूते पर कर सके यह कहना भ्रामक होगा। निश्चय ही सांस्कृतिक और सामाजिक संक्रान्ति के काल में एक व्यक्ति का नेतृत्व भी निर्णायक महत्त्व का हो सकता है, और यह नेतृत्व किस व्यक्ति के हाथ में आता है यह नितान्त संयोग की बात होती है : यदि इसे दैवयोग की बात नहीं कहना चाहें तो : किन्तु वह व्यक्ति देश में उभरती हुई प्रवृत्तियों का ही प्रतिनिधि होता है। स्वतन्त्रता के अवसर पर भारत में जो प्रवृत्तियाँ और प्रतिवृत्तियाँ उभार में थीं उनमें एक का नेतृत्व नेहरू जी करते थे और वही वास्तव में प्रमुख और भविष्योन्मुख प्रवृत्ति थी, किन्तु एक दूसरी का नेतृत्व सुभाष कर रहे थे। और एक तीसरी और पर्याप्त व्यापक किन्तु संकुचित और अतीतोन्मुख के रूप में लांछित प्रवृत्ति वह थी जिसका प्रतिनिधित्व बल्लभ भाई पटेल और डॉ. राजेन्द्रप्रसाद प्रभृति कर रहे थे। यह प्रवृत्ति वास्तव में ही भविष्योन्मुख भारत के मन के अनुकूल नहीं थी। इसलिए यह एक प्रकटतः विरोधाभास होते हुए भी कि गाँधी जी ने नेहरू जी को भावी भारत का नेता चुना, यह कहीं गहरे में विरोधाभास नहीं था, यह जैसे 'भारत-भाग्य-विधाता' की ही शास्ति थी। या शायद विश्व-इतिहास के ही भाग्यविधाता की यह शास्ति है कि यूरोप इस इतिहास का निर्माण और नेतृत्व करे, जैसाकि हम विश्व के अधिकांश देशों में इस दिशा में अग्रसर होने में देख रहे हैं। चीन ने देर तक इसका प्रतिरोध किया : आधुनिक चीन के निर्माता सनयात सेन और चांगकाई शेक यूरोपीयकरण के विरोधी थी और अनंतर माओत्से तुंग भी थे, किन्तु आज चीन अपना 'आधुनिकीकरण' यूरोप के अनुकरण में ही कर रहा है। इसका प्रतिरोध जहाँ शेष बचा है वे देश दुर्भाग्यवश मुस्लिम हैं। परिणामतः ये देश जैसे इस भ्रामक युक्ति के लिए प्रमाण का कार्य करते हैं कि संसार का भविष्य केवल यूरोपीकरण में ही है। किन्तु जैसाकि हम ऊपर देख चुके हैं, स्वामी दयानन्द, विवेकानन्द, श्री अरविन्द, रवीन्द्रनाथ ठाकुर, भारतेन्दु हरिश्चन्द्र और जयशंकर प्रसाद तथा लोकमान्य तिलक आदि एक ऐसा विकल्प प्रस्तुत करते हैं जो आधुनिक भारत के लिए कहीं अधिक प्रामाणिक और कहीं अधिक प्रबुद्ध आधुनिकता का वाहक हो सकता था। गाँधी जी इन सबसे पृथक् थे, वे प्रभाव और शक्ति में सबसे बहुत ऊपर होने पर भी किसी ऐसी प्रवृत्ति का नेतृत्व नहीं करते थे जो तत्कालीन भारत के लिए भावी प्रवृत्ति कही जा सके। वे भारत की उस आत्मा को प्रतिबिम्बित कर रहे थे जिसे शाश्वत अथवा कालातीत कहा जा सकता है। इसलिए वे स्वातन्त्र्योत्तर भारत के लिए अप्रासंगिक हो गए, यद्यपि वे सम्पूर्ण मानवता के लिए सार्वकालिक रूप से प्रासंगिक हो गए।

किन्तु हमने स्वतन्त्रता के निर्णायक मोड़ पर जो विकल्प चुना उसके लिए भारत पूरी तरह तैयार था। स्वतन्त्रता के लिए संघर्ष के समय स्वदेशाभिमान के रूप में अतीत भारत के गौरव का स्मरण और विदेशी शासक के प्रति मन में निहित उत्कृष्टता और आदर्शभाव का अस्वीकार स्वाभाविक था। किन्तु इसके विपरीत ये दोनों भाव : यूरोप की उत्कृष्टता और आदर्शरूपता का : भारत के मन में भरपूर थे। स्वतन्त्रता मिलते ही यह अवरोध समाप्त हो गया और नेहरू जी के साथ भारत उन मूल्यों और उस जीवन-विधि को अपनाने के लिए उतावला हो उठा जो उसकी कल्पना में यूरोप के थे। भारत का आर्थिक निर्माण निश्चय ही स्वतन्त्र भारत का प्रथम कर्त्तव्य होना चाहिए था, किन्तु उसका अर्थ बृहद् उद्योग, अधिकाधिक आर्थिक समृद्धि, धर्म-दृष्टि के प्रति निरादर और वैज्ञानिक युक्तिवाद के प्रति आदर का भाव होना, यह सब आवश्यक नहीं था। आज जो भारतीय समाज में हम

परिवर्तन की लहर देख रहे हैं उसके मूल में उत्पादन-साधन और आर्थिक व्यवस्था नहीं है बल्कि आर्थिक-उपभोगात्मक मूल्य-दृष्टि और यूरोपीय जीवन-विधि के प्रति आदर-भाव की पराकाष्ठा भी है।

यहाँ प्रश्न हो सकता है और यह प्रश्न भारत के वर्तमान और भविष्यत् के सम्बन्ध में आधारभूत है, कि इसमें बुराई क्या है, अयुक्तता और अवांछनीयता क्या है? इसका एक उत्तर यह हो सकता है कि यूरोप का वर्तमान उसके सुदीर्घ अतीत से सम्बद्ध है। उसकी मूल्य-दृष्टि हेराक्लाइटस, स्टोइक दार्शनिक, प्लेटो, अरस्तू, ऑगस्तीन एक्वीनस, डेकार्ट, गेलिलियो, लॉक, ह्यूम, कांट, हेगल और बर्ट्रण्ड रसल की; होमर, दांते, गोएटे और शैली तथा इलियट की; रोमी विधि-चिन्तन और इतालवी-फ्रांसीय चित्रकारों की परम्परा में विकसित और अभिव्यक्त हुई है, उसके पीछे वह सम्पूर्ण इतिहास है जो उसकी भाषा, रीति-रिवाज़ और रुचियों में निगूढ़ है। हम उनकी तलछट को तो जान और देख सकते हैं, उसकी गहराइयों में नहीं पैठ सकते।

यूरोप से हमारी संस्कृति का आदान-प्रदान हो यह उसी प्रकार स्वास्थ्य-प्रद और वांछनीय हो सकता है जिस प्रकार दो व्यक्तियों में होता है, किन्तु उसके लिए आदाता का पूर्णतः आत्मप्रतिष्ठित व्यक्ति होना आवश्यक होता है, जैसे हम स्वामी विवेकानन्द, दयानन्द और गाँधी में थे, हीनता-ग्रन्थि-ग्रस्त, व्यक्तित्व-शून्य व्यक्ति या जाति के लिए यह आदान स्वास्थ्यकर नहीं हो सकता, जो हममें स्वतन्त्रता के बाद दिख रहा है।

इसके अतिरिक्त, कम-से-कम अपने आधुनिक चरण में यूरोपीय संस्कृति की जीवन-दृष्टि एक युक्त दृष्टि नहीं कही जा सकती, विशेष रूप से उसका वह पक्ष जो एक बाहरी प्रेक्षक के लिए प्रकट है और जिस के पीछे हम दौड़ रहे हैं। इसका यह पक्ष रावण की लंका से उपमेय है। हमारी परम्परा ने रावण को स्वर्णमय साम्राज्य के अधिपति के साथ-साथ महान् शास्त्र-विद् भी निरूपित किया है। राम इसके विपरीत तपस्वी और मर्यादानुगामी और भीलनी के जूठे बेर खाने वाले हैं, विद्वत्ता और ऐन्द्रिय वैभव से विशिष्ट नहीं हैं। मनुष्य के तत्त्व-विषयक यह हमारी सांस्कृतिक दृष्टि है, इसी दृष्टि से गाँधी जी ने उद्योगवाद-यन्त्रवाद से लक्षित यूरोपीय सभ्यता को शैतानी सभ्यता कहा था। इस प्रकार जो परिवर्तन हमारे समाज को गति दे रहा है वह एक दिशाहीन वात्याचक्र है, मानव के प्रतिष्ठापक सत्य की ओर उद्दिष्ट परिवर्तन-क्रम नहीं है। यदि दो संस्कृतियों के उत्कर्षापकर्ष के बीच निर्णय की बात को जाने भी दें और रावण को असत्यप्रतिष्ठ नहीं भी मानें तो भी कम-से-कम रावणता का अनुसरण हमारी दृष्टि के अनुकूल नहीं है, यह इस देश को आत्मच्युत ही कर सकता है।[1]

1. द्रष्टव्य **सत्ताविषयक अन्वीक्षा** में 'प्रकृतितत्त्व' अध्याय।

नैतिक चिन्तन : भारतीय दृष्टि

कहा जाता है कि भारत में तत्त्विचन्तन जबकि बहुत उत्कृष्ट कोटि का हुआ है, नैतिकता विषयक चिन्तन वैसा नहीं हुआ है। यह बात इसी रूप में सही कही जा सकती है कि इस विषय पर भारत के दार्शनिकों ने विचार नहीं किया, और न नैतिकता विषयक उस प्रकार से दार्शनिक लेखन हुआ है जिस प्रकार आधुनिक पश्चिम में हुआ है। किन्तु **श्रीमद्भगवद्गीता** महकाव्य का भाग होने पर भी नैतिक कर्मविषयक बहुत उत्कृष्ट दार्शनिक ग्रन्थ भी है और यह नैतिक कर्म को एक जीवन-दृष्टि विषयक तत्त्वचिन्तन के अंग के रूप में भी प्रस्तुत करता है। इस पर अनेक भाष्य भी लिखे गये हैं जिनके माध्यम से मानव-जीवन और मानव के कर्म पर गहरा विचार हुआ है। कर्मविषयक गीता की यह तत्त्वमीमांसीय दृष्टि भारत में बहुत व्यापक रूप से स्वीकृत रही है, जिसे वैदिक यज्ञदृष्टि के विकासक्रम में देखा जा सकता है और कर्मविषयक ऋणदृष्टि के आधार में भी देखा जा सकता है। किन्तु तब भी यह कहना ठीक है कि इस पक्ष पर दार्शनिकों ने वैसा व्यवस्थित विचार नहीं किया जैसा ग्रीक दार्शनिकों और आधुनिक पाश्चात्य दार्शनिकों ने किया है। इसका कारण यह कहा जाता है कि यहाँ के दार्शनिक नैतिकता को लोक-व्यवहार का विषय मानते रहे हैं और दर्शन का विषय परमार्थ-विचार को मानते रहे हैं। इस प्रकार उनके अनुसार कर्म का उचित-अनुचित राजनीति आदि व्यवहार-नीतियों में से एक नीति के रूप में ही देखा जाता रहा है। उदाहरणत: छान्दोग्य **उपनिषद्** में कहा गया है कि ब्रह्मवेत्ता पाप-पुण्य से ऊपर उठ जाता है, ये उसका स्पर्श नहीं करते। स्वयं **भगवद्गीता** में भी, जिसका विषय कर्म है, यही दृष्टि है। गीता में श्रीकृष्ण अर्जुन से कहते हैं कि तू सब धर्मों को छोड़कर यदि पूर्णत: मेरी शरण ही ग्रहण करे तो तू सब पापों से मुक्त हो जायेगा-

सर्व धर्मान् परित्यज्य मामेकं शरणं व्रज।
अहं त्वां सर्व पापेभ्य: मोक्षयिष्यामि मा शुच:।।

कहा जा सकता है कि निष्काम कर्मयोग का भी अन्तत: यही अर्थ है, क्योंकि इसके अनुसार निष्काम भाव से आप जो भी करेंगे वह उचित-अनुचित के साधारण मानदण्डों से ऊपर होगा। यह इससे भी सिद्ध है कि निष्कामता को गीता ने निस्त्रैगुण्य से परिभाषित किया है और हमारी शरीर-क्रियाएँ ही नहीं, मन और बुद्धि भी प्रकृति के तीन गुणों के संघात के रूप में ही देखे गए हैं। इस दृष्टि को बहुत से आधुनिक विवेचक इसी रूप में देखते हैं कि इसके अनुसार धर्माधर्म (नैतिक-अनैतिक) सब लोक-व्यवहार है और परमार्थ इससे अलग है। परमार्थान्वेषी मनुष्य को भी लोक में कर्म, या कहें व्यवहार तो करना ही होता है, वह व्यवहार उसे लोक के नियमों के अनुसार ही करना चाहिए और ये नियम लोक की सुविधा, या लोक-जीवन के सफल संचालन के अनुभव के अनुसार बनते हैं। इस कारण इस धारणा के अनुसार भारतीय दार्शनिकों ने नैतिकता, या कहें धर्म-नीति, पर विचार नहीं किया और नैतिकता के नियमों को स्थिर करने का कार्य इस व्यवहार-परम्परा की संग्राहक स्मृतियों के लिए छोड़ दिया।

किन्तु यह आलोचना ठीक नहीं है। नैतिकता को, जिसे यहाँ धर्म (मनुष्य का धर्म) की संज्ञा दी गई थी, मनुष्य के अवच्छेदक लक्षण के रूप में ही देखा गया था, जैसा कि निम्न श्लोक से स्पष्ट है—

आहार, निद्रा, भय, मैथुनं च, सामान्यमेतत् पशुभिर्नराणाम्।
धर्मोहि तेषामधिको विशेष:, धर्मेण हीना: पशुभि: समाना।।

अर्थात् मनुष्य में शेष सब पशुसुलभ लक्षमण ही हैं, किन्तु एक लक्षण ऐसा है जो पशुओं में नहीं है, केवल मनुष्य में ही है। वह लक्षण धर्म (सदसद् का विवेक) है। दूसरे शब्दों में, मनुष्य उचित-अनुचित विवेक से ही

परिभाषित होता है। यह दृष्टि चार पुरुषार्थों की अवधारणा में भी देखी जा सकती है। मनुष्य अर्थ और काम का (पशु-सुलभ वृत्तियों के रूप में) भी अनुसरण करता है और करेगा भी, किन्तु ये अनुसरण पुरुषोचित तभी बनते हैं जब ये धर्मानुशासित होते हैं-धर्माविरुद्धो कामोऽहम् (श्रीमद्भगवद्गीता)। किन्तु धर्म (विवेक) का विषय जहाँ लोक-व्यवहार है वहाँ परमार्थ-विचार भी है। वास्तव में परमार्थ-विचार मनुष्य के स्वरूप-विचार से अभिन्न है, जैसा कि चार्वाक के निम्न प्रतिपादन से स्पष्ट है-

> यावज्जीवेत् सुखं जीवेत्, ऋणं कृत्वा घृतं पिबेत्।
> भस्मीभूतस्य देहस्य, पुनरागमनं कुतः।।

इस श्लोक में नैतिकता या धर्म विषयक एक सिद्धान्त का प्रतिपादन है जिसका आधार मनुष्य के स्वरूपविषयक सिद्धान्त है और मनुष्य के स्वरूपविषयक सिद्धान्त का आधार यह सिद्धान्त है कि सब तत्त्व भौतिक तत्त्व में समाहार्य हैं। इसके ठीक विपरीत ईशावास्य उपनिषद् का आरम्भिक मन्त्र है-

> ईशावास्यमिदं सर्वं यत्किंच जगत्यां जगत्,
> तेनत्यक्तेन भुंजीथा, मा गृधः कस्यस्विद्धनम्।

अर्थात् इस गतिमान्-अनित्य संसार में जो भी कुछ है वह परिपूर्ण नित्य चित्तत्त्व से अध्युषित-निवसित है। इसलिए हमें सब वस्तुओं का भोग यह ध्यान में रखते हुए ही करना चाहिए कि ये उस परमात्मा द्वारा प्रदत्त हैं, और अन्य किसी की भोग्य वस्तु का लोभ नहीं करना चाहिए। इस मन्त्र का प्रथम भाग अस्तित्व मात्र के आधार तत्त्व के स्वरूप विषयक है और दूसरा भाग मनुष्य के कर्त्तव्य के स्वरूप विषयक, और कर्त्तव्य का यह स्वरूप परम तत्त्व के स्वरूप से निगमन के रूप में प्रतिपादित है। यह बात पश्चिम के नैतिक चिन्तन में भी देखी जा सकती है-सुकरात, कांट, हेगल, नीत्शे, हॉब्स, मिल, मूर और तार्किक प्रत्यक्षवादी सब का नैतिक दर्शन उनके तत्त्वदर्शन पर आधारित है। यह बात श्रीमद्भगवद्गीता में भी देखी जा सकती है। वह कर्त्तव्य विषयक धर्म-संकट से उद्विग्न अर्जुन को उस संकट या दुविधा से निकालने के लिये मार्ग-निर्देश का एक प्रयत्न है। वह मार्ग-निर्देश नितान्त व्यावहारिक प्रकार का, आर्थिक (अर्थ पुरुषार्थ मूलक) हानि-लाभ पर आधारित भी हो सकता था, किन्तु गीता विचार के उस स्तर को नहीं अपनाती, वह आरम्भ ही तत्त्वमीमांसीय प्रतिपत्ति से करती है-अर्जुन, तू कर्त्तव्य-निर्णय में जिस प्रतिज्ञा को आधार बना रहा है कि 'कौन मरेंगे और कितने मरेंगे', कर्त्तव्य-निर्णय के लिए यह आधार ही ग़लत है, क्योंकि प्राज्ञ व्यक्ति जीवन-मृत्यु के विचार को कोई महत्त्व नहीं देता-

> अशोच्यानन्वशोचस्त्वं प्रज्ञावादांश्च भाषसे।
> गतासूनगतासूंश्च नानुशोचन्ति पण्डिताः।।

अब यह ऐसी प्रतिपत्ति है जिसके बाद आप जीवन और मृत्यु, स्वरूप और पर-रूप, संसार और परमार्थ सम्बन्धी प्रश्नों से नहीं बच सकते-ठीक उसी प्रकार जिस प्रकार चार्वाक और इशोपनिषद् की प्रतिपत्तियों के बाद नहीं बच सकते। निश्चय ही साधारणतः हम चेतना के साधारण स्तर पर ही रहते हैं और उस स्तर पर ही उचित-अनुचित का विवेक करते हैं, किन्तु कुछ लोग गहरे में भी उतरना चाहते हैं। 'मनुष्य का उसके मर जाने के बाद कुछ शेष नहीं रहता' यह प्रतिपत्ति किसी को स्वीकार्य हो सकती है, दूसरे को नहीं भी हो सकती। अब, जिसे यह स्वीकार्य नहीं है उसे इसका उत्तर खोजना होगा कि तब मनुष्य देह के अतिरिक्त और क्या है और उस अतिरिक्त का क्या स्वरूप है? चार्वाक के समान सार्त्र भी यह नहीं मानते कि हम इस जन्म से पहले भी होते हैं और मरने के बाद भी रहते हैं, किन्तु तब भी वे मनुष्य का अस्तित्व भौतिक नहीं मानते और परिणामतः उनकी नीतिमीमांसा चार्वाक, हॉब्स और पाश्चात्य तार्किक प्रत्यक्षवादियों-तार्किक भौतिकवादियों से आधारभूत रूप में भिन्न है। इस प्रकार नैतिक चिन्तकों को तत्त्वविचार तो करना होता ही है, या किसी तत्त्वमीमांसा को पूर्वगृहीत करके चलना होता है, जैसे गीता भी मान कर चली है। अब, जो चेतना के व्यावहारिक स्तर से ऊपर के स्तर पर होते हैं उनके कर्मों के औचित्य के लिए व्यावहारिक स्तर के मानदण्ड का उपयोग नहीं किया जा सकता। उदाहरणतः गौतम

बुद्ध अपनी पत्नी और बच्चे को सोते छोड़ कर वन में 'सत्य की खोज' के लिए निकल गये। उससे पत्नी और बच्चे को कष्ट हुआ, इस प्रकार बुद्ध ने उनके प्रति अपने उत्तरदायित्व का निर्वाह नहीं किया। किन्तु तब भी उनका 'अभिनिष्क्रमण' अकर्त्तव्य-कर्म नहीं कहा जाता, क्योंकि चेतना के जिस स्तर पर से ऐसे कर्म अकर्त्तव्य बनते हैं वे उससे बहुत ऊँची बोध-भूमि पर थे। यहाँ भारतीय नैतिक या धर्म-दृष्टि पर इस आरोप का उल्लेख अस्थाने नहीं होगा कि यह या तो बहुत परम्परारूढ़ है अथवा बहुत आध्यात्मिक। कुछ इस पर व्यक्तिनिष्ठ-असामाजिक होने का आरोप भी लगाते हैं। किन्तु इस पर ये सब आरोप अयुक्तियुक्त हैं। नैतिकता विषयक भारतीय दृष्टि का तात्त्विक आधार यज्ञ और 'ऋण' को कहा जा सकता है। वास्तव में इन दोनों को पृथक् नहीं कह कर एक ही अर्थ के दो वाचक पद भी कह सकते हैं। अब, पितृऋण और गुरुऋण दोनों कर्त्तव्य-कर्म को समाजमूलक बनाते हैं और देवऋण इसे सम्पूर्ण सृष्टि से सम्बद्ध करता है—जिस सृष्टि का तत्त्व भौतिक नहीं होकर दिव्य है। इस ऋणदृष्टि में यह सिद्धान्त निहित है कि हम जो कुछ हैं वह दूसरों के योग-दान से हैं और यह सब अस्तित्व पारस्परिक योगदान पर ही टिका हुआ है। इसलिए इसमें अन्यों को देना, अन्यों के प्रति उत्तरदायित्व का निर्वाह करना, हमारा कर्त्तव्य है। यह दृष्टि ईशावास्य उपनिषद् के उपर्युद्धृत मन्त्र में भी निहित देखी जा सकती है।

यह एक सामान्य जीवन-दृष्टि है जो नैतिकता के लिए सैद्धान्तिक और मानसिक आधार प्रस्तुत करती है। किन्तु व्यक्ति के सामने नैतिक निर्णय की विशिष्ट परिस्थिति प्रस्तुत होने पर वह कैसे निर्णय करे? ऊपर हमने गीता का उल्लेख किया, जिसके अनुसार इसके लिए व्यक्ति अपने अन्त:करण को देखे कि वह निष्काम है या नहीं! किन्तु **मनुस्मृति** चार प्रमाणों का उल्लेख करती है-

> श्रुति, स्मृति, सदाचार:, स्वस्य च प्रियमात्मन:।
> एतच्चतुर्विधं प्राहु: साक्षाद्धर्मस्य लक्षणम्।।

अब, नैतिक रूप से सतर्क व्यक्ति के लिए निर्णय में संकट की परिस्थितियाँ पदे-पदे प्रस्तुत होती हैं; कहें, उसके लिए पूरा जीवन युद्ध-क्षेत्र, धर्म-क्षेत्र होता है, उसमें वह कैसे यह निर्णय करे कि कर्त्तव्य क्या है? उस पर मनु ने ये चार प्रमाण बताये हैं जिनसे व्यक्ति सहायता ले सकता है। किन्तु इसमें अन्त में बताया गया प्रमाण पहले तीन से बहुत भिन्न प्रतीत होता है। इसी को **अभिज्ञान शाकुन्तलम्** में कालिदास ने प्रमाण कहा है-सतांहि सन्देहपदेषु वस्तुषु प्रमाणमन्त:करणप्रवृत्तय:। धर्माधर्मनिर्णय में सन्देह की स्थिति में शुद्धचित्त व्यक्तियों के अन्त:करण की प्रवृत्ति ही प्रमाण होती है। इस प्रमाण का स्वरूप क्या है? 'अपने को जो अच्छा लगे' यह तो बहुत भयावह मनमानेपन को मान्यता देने वाली बात हो सकती है। किन्तु वास्तव में ऐसा नहीं है, यह वास्तव में निर्णय करने वाले व्यक्ति पर बहुत बड़ा उत्तरदायित्व डाल देना है। यह उसे 'श्रुति या स्मृति के अनुसार मैंने किया' यह कह कर छुट्टी पाने का अवसर नहीं देता, न किसी के उदाहरण का प्रमाण प्रस्तुत कर छुट्टी पाने का अवसर देता है, यह अन्तिम उत्तरदायित्व डालता है। यह उसे 'श्रुति या स्मृति के अनुसार मैंने किया' यह कह कर छुट्टी पाने का अवसर नहीं देता, न किसी के उदाहरण का प्रमाण प्रस्तुत कर छुट्टी पाने का अवसर देता है, क्योंकि अन्तिम उत्तरदायित्व उसका है। इसका एक बड़ा कारण यह है कि कर्म की प्रत्येक परिस्थिति अनन्य, बहुत विलक्षण होती है जिस परिस्थिति की जटिल रचना में एक घटक कर्त्ता स्वयं होता है, जो नितान्त अनन्य होता है। ऊपर हमने महात्मा बुद्ध के अभिनिष्क्रमण का उल्लेख किया, जिसे 'महाभिनिष्क्रमण' कहा जाता है और ठीक ही कहा जाता है। उस निष्क्रमण की परिस्थिति के केन्द्रीय घटक स्वयं सिद्धार्थ थे, उत्तरा या राहुल, या दोनों, नहीं जबकि साधारणत: ये दोनों समतुल्य घटक भी हो सकते हैं और अधिक महत्त्वपूर्ण भी हो सकते हैं। वैसी परिस्थिति में निर्णय में श्रुति और स्मृति भी प्रमाण हो सकते हैं। एक-दूसरे लेख[1] में हमने ऐसे ही निष्क्रमण के एक और उदाहरण का उल्लेख किया था—चित्र-कलाकार पॉल गॉगिन का। पॉल गॉगिन भी इसी प्रकार घर छोड़ कर चला गया था। किन्तु वह बुद्ध नहीं था, गॉगिन था, इसलिए उसके कर्त्तव्य-निर्णय की परिस्थिति प्रकटत: सिद्धार्थ

---

1. 'सत् का स्वरूप : सापेक्षता का प्रश्न', उन्मीलन, जुलाई, 2005

की परिस्थिति के अनुरूप होते हुए भी भिन्न थी। उसके निष्क्रमण को किसी ने महाभिनिष्क्रमण नहीं कहा, किन्तु किसी ने उसे श्रुति-स्मृति के प्रमाण पर परख कर कर्त्तव्यच्युत भी नहीं कहा। किन्तु तब भी दर्शन के लिए यह प्रश्न होगा कि 'स्वस्य आत्मन: की प्रियता' का क्या अर्थ है और इसे नैतिक निर्णय में, धर्माधर्म विचार में, प्रमाण कैसे बनाया जा सकता है?

इसके लिए सर्वप्रथम 'आत्मा' का अर्थ समझना आवश्यक है। इसका अर्थ समझने के लिए 'आत्मानं विद्धि' और 'अप्प दीपो भव' में 'आत्मा' के अर्थ की ओर ध्यान देना आवश्यक है। इसी आत्मा के लिए 'त्यजेदेकं कुलस्यार्थे, ग्रामस्यार्थे कुलं त्यजेत्, ग्रामं जनपदस्यार्थे, आत्मार्थे सर्वं त्यजेत्' श्लोक में बात की गई है। सो, नैतिक निर्णय में सर्वोपरि प्रमाण होने के लिए जिस आत्मा की बात की गई है उसे स्व-प्रकाश (अप्प दीप) होना चाहिये और उसे जनपद (सम्पूर्ण ब्रह्माण्ड) से भी व्यापकतर होना चाहिये। इस आत्मा तक पहुँचने के लिए जिन आवरणों का उच्छेद करना आवश्यक है उनमें सबसे पहला आवरण अहंकार का है, जो मनुष्य को अणु (एक) बनाता है। जहाँ तक श्रुति, स्मृति का सम्बन्ध है, वे भी प्रमाण हो सकते हैं, क्योंकि वे भी ऐसे ऋषियों-द्रष्टाओं के परामर्श हैं जो आत्म-दर्शी हैं, यह बात सदाचार के सम्बन्ध में भी सही है। किन्तु ये सब सहायक ही हो सकते हैं, जिस प्रकार अपने प्रत्यक्ष प्रमाण में अन्यों के प्रत्यक्ष-प्रमाण। द्रष्टव्य है कि साधारण वस्तुओं विषयक निर्णयों में हमें अन्यों के प्रत्यक्षों से पुष्टि की आवश्यकता नहीं होती, किन्तु थोड़ी भी जटिल वस्तुस्थिति के निर्णय में अन्यों के सहयोग की आवश्यकता होती है, फिर नैतिक स्थितियाँ (कर्त्तव्य-निर्णय की स्थितियाँ) तो बहुत अधिक जटिल होती हैं। उदाहरणत: अर्जुन के सामने युद्ध-क्षेत्र में जो निर्णय का प्रश्न था उसका गीता में श्रीकृष्ण द्वारा प्रस्तुत समाधान युक्त ही है, यह कोई अन्तिम रूप से नहीं कहा जा सकता। यदि वह युक्त हो भी तो वह तभी युक्त हो सकता है यदि कोई उस चित्त-भूमि पर अध्यारूढ़ हो सके जिस पर श्रीकृष्ण थे। किन्तु यहाँ जो बात प्रासंगिक है वह यह है कि अर्जुन किंकर्त्तव्यविमूढ़ होते हैं और श्रीकृष्ण से मार्ग-दर्शन प्राप्त करते हैं। इस प्रकार कर्त्तव्य-निर्णय में श्रुति, स्मृति और सत्-जनों का परामर्श उपयोगी होने की बात ठीक ही है। किन्तु यहाँ भारतीय दृष्टि उन संस्कृतियों, सभ्यताओं से एकदम भिन्न है जो किसी एक तथाकथित युग-पुरुष या धर्म-पुस्तक को प्रमाण मानकर चलती हैं। उपर्युक्त श्लोक में ही जिन श्रुतियों और स्मृतियों की बात की गई है, वे इतनी अनेक हैं कि इनकी कोई संख्या नहीं बतायी जा सकती, और ये अनेक हैं तो स्वाभाविक है कि इनमें मतभेद भी होगा-

श्रुतयोऽपि भिन्ना: स्मृतयोऽपि भिन्ना:, नैको मुनिर्यस्य मत: प्रमाणम्।
धर्मस्य तत्त्वं निहितं गुहायां, महाजनो ये गता: स पंथ:॥

किन्तु महाजन कौन हैं? कहेंगे वे जिनका बताया मार्ग धर्म का मार्ग है। किन्तु जब स्वयं इस श्लोक में ही पहले ऋषियों-मुनियों के मतों को अनेक और परस्पर विरुद्ध या भिन्न होने से अप्रामाणिक कह दिया गया है तब ये महाजन दूसरे कौन होंगे? इस प्रकार इस श्लोक में एकमात्र प्रतिपत्ति धर्म के तत्त्व की गुह्यता की है, और ऐसी परिस्थिति में धर्म-निर्णय का एकमात्र स्रोत अप्प-दीप (अन्त:साक्ष्य) ही रह जाता है। किन्तु दीप के प्रकाशक होने के लिए उसका निरावृत होना आवश्यक होता है, अन्त:साक्ष्य के प्रामाणिक होने के लिए अन्त:करण का निर्मल होना आवश्यक होता है। किन्तु यह निर्मलता मनुष्य को बहुत कम ही उपलब्ध होती है। अवश्य यह साध्य होती है और मनुष्य को सहज रूप से इसका बोध सिद्ध है कि इस बोध की साधना की दिशा क्या है, किन्तु यह सहज बोध साधारणत: नितान्त असम्यक् और नितान्त धुँधला ही होता है। धर्माधर्म-विवेक की इस अत्यन्त दुराराध्यता का यह बोध भी भारतीय परम्परा में बहुत व्यापक रूप से मिलता है। ऊपर उद्धृत श्लोक में इसकी गुह्यता की बात हमने देखी, गीता में यही बात और भी गहराई से कही गई है—

किं कर्म किमकर्मेति कवयोऽप्यत्र मोहिता:॥ 4.16॥
कर्मणोह्यपि बोद्धव्यं, बोद्धव्यं च विकर्मण:।
अकर्मणश्च बोद्धव्यं, गहना कर्मणो गति:॥ 4.17॥

कर्मण्यकर्म य: पश्येदकर्मणि च कर्म य:।
स बुद्धिमान्मनुष्येषु स युक्त: कृत्स्नकर्मकृत।। 4.18।।[1]

इन श्लोकों का साधारण अर्थ हम नीचे दे रहे हैं, किन्तु इनकी व्याख्या अपेक्षित है जो हम यहाँ नहीं कर रहे हैं, क्योंकि इसके लिए तत्त्वमीमांसा विषयक अवान्तर चर्चा में जाना होगा। वह चर्चा अन्यथा अनावश्यक नहीं है, जैसाकि हमने पीछे देखा, क्योंकि मनुष्य के स्वरूप विषयक विचार के बिना कर्म की नैतिकता के विषय में विचार नहीं किया जा सकता। किन्तु नैतिक बोध पर विचार तात्त्विक प्रश्नों के विस्तार में जाये बिना मनुष्य में पाये जाने वाले सहज नैतिक बोध पर विचार से भी आरम्भ किया जा सकता है।

नैतिकता का सम्बन्ध कर्म से माना जाता है। साधारणत: यह ठीक है, किन्तु इसका सम्बन्ध मनुष्य के (व्यक्ति रूप में या सामाजिक रूप में) अपने होने मात्र से भी माना जा सकता है। यों भी मनुष्य का कर्म उसके होने का एक भाग या पक्ष ही होता है। फिर, कर्म के भी ऐसे रूप हैं जो नैतिकता की परिधि में प्रत्यक्षत: नहीं आते। उदाहरणत: 'आज मैं यदि नहीं नहाऊँ तो कैसा रहे?' इस निर्णय में नैतिकता की बात सामान्यत: नहीं आती। किन्तु आ भी सकती है। गाँधीजी ने अपनी पौत्री द्वारा पैर साफ करने का प्रस्तर-खण्ड भूल से छोड़ आने पर उसे उसका प्रमाद माना था। इसी प्रकार निरन्तर तलवार की धार पर रहने वाले व्यक्ति के लिए ऐसे ही नहीं नहाने की बात सोचना तो बहुत बड़े प्रमाद की बात होनी चाहिये। और यह व्यक्ति-भेद नैतिकता के प्रश्न से जुड़ा है-'मनुष्य को कैसा होना चाहिए?' इस से। 'मनुष्य को कैसा होना चाहिए?' यह नैतिकता विषयक आधारभूत प्रश्न कहा जा सकता है। विभिन्न संस्कृतियाँ मनुष्य विषयक इस मूल प्रश्न के उत्तर के रूप में एक आदर्श मानव-प्रतिमा की कल्पना के साथ अस्तित्व में आती हैं और उस कल्पना के वास्तवीकरण के प्रयत्नों के रूप में अपने को चरितार्थ करती हैं। यही बात व्यक्तियों के लिए भी कही जा सकती है। व्यक्ति के व्यक्तित्व की प्रतिष्ठा उसकी एक आत्म-प्रतिमा की कल्पना में ही होती है जिसके वास्तवीकरण के प्रयत्नों की सफलता-असफलता में वह अपने को सफल-असफल देखता है। इस प्रतिमा की कल्पना उसमें कितनी स्पष्ट है और इसके वास्तवीकरण का संकल्प उसमें कितना दृढ़ है, यह बात उसके नैतिक व्यक्तित्व को रूप देती है। 'आत्म-प्रतिमा' चेतना के आत्मचेतन होने को पूर्वगृहीत करती है जो कि मानव-चेतना का वैशिष्ट्य है। इस आत्मचेतना को मनुष्य का अवच्छेदक लक्षण भी कहा जा सकता है, जिससे उसमें अन्य बहुत से ऐसे लक्षण प्रकट होते हैं जो अवच्छेदक लक्षण कहे जा सकते हैं।[2] इनमें एक आधारभूत लक्षण नैतिक (धर्म) बोध है।

यह धर्म-बोध क्या है? पीछे उद्धृत 'आहार, निद्रा' आदि श्लोक से जो व्यंजित होता है वह यह है कि चित्त की प्राकृतिक प्रवृत्तियाँ पाशव प्रवृत्तियाँ हैं, उन प्रवृत्तियों का बाध कर प्रवृत्त होना धर्म है। अब, द्रष्टव्य है कि आत्मचेतन व्यक्ति या समूह भी ऐसा हो सकता है जो प्राकृतिक प्रवृत्तिपरक हो। क्या ऐसे आत्मचेतन व्यक्ति को, जो धर्माधर्म बोध से नितान्त शून्य हो और प्राकृतिक रूप से ही प्रवृत्त हो, मनुष्य कहा जा सकता है? यहाँ यह द्रष्टव्य है कि धर्माधर्मबोध होना और इस बोध के अनुसार धर्म का आचरण करना और अधर्म के आचरण से विरत होना ये दो अलग बातें हैं। महाभारत में दुर्योधन का प्रसिद्ध कथन है कि-"धर्म को जानता हूँ, किन्तु उसमें मेरी प्रवृत्ति नहीं है, अधर्म को भी जानता हूँ, किन्तु उससे अपने को निवृत्त नहीं कर पाता-जानामि धर्मं न मे प्रवृत्ति:, जानाम्यधर्मं न च मे निवृत्ति:। एक अर्थ में अधर्म में प्रवृत्त किन्तु धर्माधर्म-विवेक से युक्त व्यक्ति को भी मनुष्य ही कहेंगे, केवल उसे मनुष्यता में असफल या मनुष्यता से भ्रष्ट कहेंगे। द्रष्टव्य है कि मनुष्य में धर्म-बोध या

1. **कर्म क्या है और अकर्म क्या है, इसे समझने में क्रान्त-दर्शी व्यक्ति भी भ्रान्ति में पड़ जाते हैं। कर्म का स्वरूप भी समझना चाहिये और विपरीत कर्म का स्वरूप भी समझना चाहिये और अकर्म का स्वरूप भी समझना चाहिए, क्योंकि कर्म का स्वरूप बहुत गहन है। जो मनुष्य कर्म में अकर्म और अकर्म में कर्म देखता है वही बुद्धिमान् और सब कर्मों को सम्यक् रूप से करने वाला है।**

2. द्रष्टव्य-हमारा 'आत्म-चिन्तन' लेख, तत्त्व-चिन्तन, दर्शन प्रतिष्ठान, 2004 में संकलित।

धर्माधर्म-विवेक उतना ही सहज है जितना सत्-असत् (अस्तित्व-अनस्तित्व) का बोध। यह दूसरा बोध जीव मात्र में सामान्य है, यद्यपि विभिन्न जीवों में इसके रूप, इसकी अन्तर्वस्तु में भेद होता है,[1] किन्तु प्रथम बोध अन्य किसी जीव में नही है, केवल मनुष्य में ही है, और मनुष्य में यह उतना ही सहज है जितना सत्-असत् का बोध। हमारी इस प्रतिपत्ति से अधिकांश विचारक सहमत नहीं होंगे। यह प्राय: सर्वसम्मत जैसा ही है कि सद्-असद्, धर्म-अधर्म कुछ नहीं होता, यह केवल हमारी धारणाओं का ही आरोप होता है। यह एक प्रकार से ठीक भी है—सद्-असद् गुण ईंट-पत्थर के समान बाह्य देश में नहीं होते। किन्तु ईंट-पत्थर का बाह्य देश में होना हमारी ज्ञानेन्द्रियों की अपेक्षा से और सत्ता-बोध की अपेक्षा से ही होता है,अपने-आप से नहीं होता।"[2] इसलिए बाह्य लोक में होना किसी बोध-विषय की वास्तविकता को कोई आधार नहीं देता। यदि ध्यान से देखें तो इन्द्रिय विषयों के अस्तित्व में भी प्रकार-भेद होता है-पृथ्वी-जल, मेज़-मकान, मूर्ति-चित्र-गीत, मनुष्य-पशु इन सबमें प्रकार-भेद है और सब को स्वायत्त वस्तुएँ नहीं कहा जा सकता। फिर ऐन्द्रिक संवेद, भावनाएँ और विचार आदि हैं, ये बाह्य वस्तुएँ नहीं हैं किन्तु तब भी हैं और अधिक प्रत्यक्षगत हैं। किन्तु किस रूप में? ये विषयिताएँ भी हैं और विषय भी—मेरी वेदना वेदना रूप में भी है और विदित रूप में भी, पशु में यह वेदना रूप में ही होती है विदित रूप में नहीं। किन्तु मनुष्य के लिए विदित रूप में ही 'अस्तित्व' धारण करती है, पशु में यह अस्तित्व धारण करती ही नहीं। इस प्रकार अस्तित्व का बोध सहज होने पर भी अस्तित्ववान् की स्वायत्तता या वस्तुता धर्माधर्म से अधिक ठोस सिद्ध नहीं होती और न इस बोध : वस्तुता-बोध : की काल्पनिकता ही सिद्ध होती है। अब, मनुष्य ने सर्वसामान्य रूप से, सभी संस्कृतियों में और वैचारिक विकास के सभी स्तरों पर, अपना स्वरूप दैहिकता-ऐन्द्रिकता के विपरीत किसी प्रकार के अतिलौकिक भावनात्मक, बौद्धिक और आध्यात्मिक अर्थों के अन्वेषण में देखा है—साहित्य, संगीत, कला-विहीन:, साक्षात्पशु: पुच्छ-विषाणहीन:। यह दृष्टि भारत की ही विशेष नहीं है, यह मनुष्य मात्र में सहज है। मनुष्य सहज रूप से आकृष्ट चाहे भोगों की ओर ही होता हो और उन्हीं को पाने में प्रयत्नशील रहता हो किन्तु वह उतने ही सहज रूप से जानता है कि इन एषणाओं को जीवन की सार्थकता का और कर्म के औचित्य का आधार नहीं बनाया जा सकता और कि मानव-कर्म स्वरूपत: औचित्य-अनौचित्य से विशिष्ट होता है। इसी प्रकार, यद्यपि वह इस भूमि और इस आकाश के बीच ही रहता है,किन्तु वह अपने अस्तित्व को इस धरती तक सीमित नहीं देख पाता—वह अपने अर्थ (परमार्थ) को अपने ऐहिक रूप में निश्शेष नहीं देख पाता। इसी प्रकार, वह यद्यपि अन्य जीवों के समान वर्तमान काल में ही जीता है, किन्तु वह अपना जीवन वर्तमान-पर्यन्त नहीं देख पाता। उसका काल अतीत में अनादि और भविष्यत् में अनन्त रहता है। इसी से वह मर कर भी नहीं मरता और न वर्तमान जन्म में अपने आरम्भ को देख पाता है। यह बोध चाहे मनुष्य में सर्वत्र उतना स्फुट परिलक्षित नहीं होता हो जितना भारत में, किन्तु यह विद्यमान मनुष्य की सभी आदिम संस्कृतियों में देखा जा सकता है। अवश्य ऐसे भी विचारक हैं, और आधुनिक यूरोप में उनकी संख्या पर्याप्त बड़ी है, जो इस लोक और इस जीवन की सीमाओं के बाहर देखना स्वीकार नहीं करते, किन्तु उनका यह विचार मनुष्य के सहज बोध में प्रतिष्ठित नहीं होकर इस बोध के निषेध पर ही प्रतिष्ठित है।

साधारण रूप से मनुष्य में धर्म-बोध अपने दोनों अर्थों (कर्त्तव्याकर्त्तव्य-विवेक और परतत्त्वानुशीलन) में सब संस्कृतियों में विद्यमान दिखायी देता है। नैतिक बोध में धर्म के ये दोनों अर्थ सम्मिलित रहते हैं। नैतिकता विषयक कोई भी सूत्र लें (सत्य, अहिंसा, नि:स्वार्थता, अस्तेय, दम, इन्द्रिय-निग्रह आदि), इनके औचित्य के लिए युक्ति भी दी जाती है, किन्तु इनकी कर्त्तव्यता और श्रेयोमयता का मनुष्य अपरोक्षत: भी साक्षात्कार करता है। अब, यदि इनकी कर्त्तव्यता या पालनीयता के लिए युक्तियों को ध्यान से देखें तो ये अन्तत: श्रेयस् के अपरोक्ष बोध में ही पर्यवासी मिलेंगी। यहाँ किसी एक नैतिक नियम या निर्देश पर विचार स्थाने होगा। इसके लिए नि:स्वार्थता को लिया जा सकता है। नि:स्वार्थता अन्य को स्व के तुल्य देखने की योग्यता को पूर्वगृहीत करती है

1. 'सत् का स्वरूप : सापेक्षता का प्रश्न' उन्मीलन, जुलाई, 2005

2. वही

और यह योग्यता अहं के विषयकरण की और अन्य को उसकी विषयिता में ग्रहण कर सकने की योग्यता को पूर्वगृहीत करती है। मनुष्य की यह योग्यता उसकी भाषा में 'मैं' के सार्वनामिक प्रयोग में अपना ठोस आधार पाती है जिससे 'मैं' पद 'तू' और 'वह' की समकक्षता में स्थित होकर वक्ता के मदीयत्व से मुक्त हो जाता है। यह बोध स्वभावत: परार्थ को स्वार्थ की समकक्षता में देखने की योग्यता देता है, किन्तु यह योग्यता स्वार्थ के परित्याग की योग्यता ('आत्मवत् सर्वभूतेषु' देखने की योग्यता) नहीं देती। स्वार्थ के परार्थ के लिए परित्याग की योग्यता में एक दूसरे प्रकार का, दूसरे स्तर का, बोध निहित है जिसे वरेण्यता का बोध कह सकते हैं। यह बोध परार्थ को स्वार्थ के तुल्य ही प्रतिष्ठित नहीं करता बल्कि परार्थ के लिए स्वार्थ के परित्याग को अपने उच्चतर स्वार्थ के रूप में, वरेण्य के रूप में, आत्म-श्रेयस् के रूप में भी प्रतिष्ठित करता है। यह बोध किसी और प्रतिज्ञा में अपचेय नहीं होता। उदाहरणत: कुछ विचारक परोपकार को इसलिए करणीय मानते हैं क्योंकि यह अन्तत: स्वार्थ की रक्षा और संवर्द्धन के लिए उपयोगी होता है। उनके अनुसार, समाज में व्यवस्था से रहने के लिए दूसरों के स्वार्थों का ध्यान रखना आवश्यक है और यह व्यवस्था व्यक्ति के अपने अर्थों की रक्षा और संवर्द्धन के लिए आवश्यक है। नैतिकता विषयक यह दृष्टि मनुष्य के स्वरूप विषयक इस सिद्धान्त में प्रतिष्ठित है कि मनुष्य का स्वरूप और उसके जीवन का अर्थ वही है जो पशु का है। इनमें भेद केवल यही है कि मनुष्य पशु से अधिक चतुर है—जिस प्रकार पशु रहने के लिए घोंसले या माँद से अधिक कुशल व्यवस्था नहीं कर सकता किन्तु मनुष्य बहुत अधिक कुशल व्यवस्था कर सकता है, उसी प्रकार वह अपने अर्थों को बहुत संवर्द्धित और परिष्कृत कर सकता है और उनकी सिद्धि की बहुत कुशल व्यवस्था कर सकता है। परार्थ कर्म उसी व्यवस्था का एक अंग है, एक उपायकौशल मात्र। किन्तु 'परार्थ' विषयक यह अवधारणा नैतिक बोध के आधारभूत रूप से विपरीत है। सहज नैतिक बोध में परार्थ भाव निरपेक्षत: ही परार्थपरक होता है, उसमें पर का लाभ स्व की हानि करके भी वरणीय होता है। यह बोध निम्न श्लोक में परिभाषित देखा जा सकता है—

> उपकारिषु य: साधु: साधुत्वे तस्य को गुण:?
> अपकारिषु य: साधु: स: साधु: सद्भिरुच्यते।[1]

यहाँ प्रश्न हो सकता है कि वरेण्यता का यह बोध यदि मनुष्य में सहज मान भी लिया जाय तो भी इसके लिए युक्ति क्या है? क्यों किसी को अपकारी के प्रति भी साधु (उपकारी) होना चाहिए? इसका प्रथम और अकाट्य उत्तर तो यह होगा कि यह बोध एक सर्वथा पृथक् और अन्यानपचेय कोटि विषयक है, उसी प्रकार जैसे सत्-असत् का बोध। वस्तुओं में सत्ता का भाव मूल बोधगत नहीं होने पर अन्य किसी प्रकार से नहीं हो सकता था और वस्तुओं के सत् होने या उससे रहित होने के लिए दूसरी कोई युक्ति नहीं हो सकती, इसलिए सब युक्तियाँ इस बोध को पूर्वगृहीत करती हैं। उदाहरणत: 'मेज़ यहाँ है, क्योंक सब को दिखायी दे रहा है' यह प्रत्यक्ष प्रमाण सत्ता को पूर्वगृहीत कर प्रवृत्त हो रहा है। यही बात नैतिक सद्-असद् के लिए है—परोपकार पुण्यकारक है और पर-पीडन पापकारक (परोपकार: पुण्याय पापाय पर-पीडनम्) क्योंकि...। यहाँ वाक्य-पूर्ति में जो युक्तियाँ दी जायेंगी वे सद् की सद्ता को पूर्वगृहीत करके ही प्रवृत्त होंगी। इस पर कहा जा सकता है कि 'यह बोध केवल मनुष्य में ही उपलब्ध होता है, शेष जीवों में इसका अणु मात्र भी उपलब्ध नहीं होता, और मनुष्य में भी यह सर्वत्र और समान उपलब्ध नहीं होता' तो यह कोई इसके विरुद्ध युक्ति नहीं है, क्योंकि सत्ता का बोध भी जीवों में समान रूप से स्फुट और समान-रूप उपलब्ध नहीं होता।[2] इस प्रकार, यदि यह प्रश्न किया जाये कि क्यों हमें अपकारी के प्रति भी साधु होना चाहिए? तो इसके लिए कोई दूसरी युक्ति नहीं हो सकती सिवाय इसके कि ऐसा व्यक्ति सहज ही इस भाव से रहित व्यक्तियों से चेतना में अधिक उत्कृष्ट दिखायी देता है। इसे बौद्धिक आधार देने के लिए

1. **जो अपने प्रति उपकार करने वालों के प्रति उपकार करता है, उसके उपकार में क्या अच्छाई है? अच्छाई तो उसके उपकार कर्म में है जो अपने प्रति अपकार करने वाले के भी प्रति उपकार करता है।**

2. वही, उन्मीलन, जुलाई 2005.

मानव-जीवन की सार्थकता पर, मनुष्य के स्वरूप पर विचार करना आवश्यक हो जाता है और उसके लिए ऐसी अवधारणाओं को विचार्य स्वीकार करना आवश्यक हो जाता है जिनके अनुसार यह धरती और आकाश अस्तित्व की पर्यन्त परिधि नहीं ठहरते। उदाहरणत: पर के हित को अपने हित के बराबर ही निरपेक्ष महत्त्व देने के लिए यह आवश्यक है कि व्यक्ति अपनी उस प्रवृत्ति का निर्देश अस्वीकार करे जो उसके पाशव जीवन के तारतम्य में होने से उसमें सहज है और कि वह इस प्रकट सत्य की वास्तविकता को अस्वीकार करे कि वह पाशवता के तारतम्य में ही एक जीव है। अब, मनुष्य के पशु-जीवन के तारतम्य में नहीं होने को स्वीकार कर लेने पर उसमें वरेण्यता के बोध के लिए यह एक युक्त आधार हो जाता है। द्रष्टव्य है कि भारतीय परम्परा ने मनुष्य को दैहिक रूप से पशु-योनियों में से ही एक योनि माना है, किन्तु चेतना के स्तर पर मनुष्य-योनि को पशु-योनि के विपरीत माना है। इस विपरीतता को यह परम्परा भोग-योनि और कर्म-योनि की संज्ञा देती है। किन्तु यहाँ प्रश्न हो सकता है कि यह भेद स्वीकार कर लेने पर भी इस चेतना के वस्तुपरक होने के लिए क्या युक्ति है? क्यों यह नहीं माना जाये कि उचित-अनुचित का विवेक अवस्तुपरक (काल्पनिक) है? इस प्रश्न के उत्तर के लिए यहाँ यह प्रतिप्रश्न किया जा सकता है कि इस पाशव प्रवृत्ति के वस्तुपरक होने के लिए क्या युक्ति है कि 'स्वार्थ ही साध्य है और ऐन्द्रिय सुख ही अन्वेष्य है?' अब, इसके लिए और कोई युक्ति नहीं हो सकती कि यह जीव में, मनुष्य सहित, सहज प्रवृत्ति है कि वह सुख की आकांक्षा ही करता है, क्योंकि इस पर प्रतिवाद किया जा सकता है कि पतंगे अपने को आग की भेंट करते भी देखे जाते हैं जो उनके लिए सुखकर नहीं हो सकता। किन्तु हम इस सुखान्वेषण की प्रवृत्ति के लिए इतने आश्वस्त हैं कि हम पतंगों के अपने को आग में झोंकने में भी किसी प्रकार का सुख ही देखेंगे, इसे दु:खान्वेषण की प्रवृत्ति स्वीकार नहीं करना चाहेंगे।

भारतीय परम्परा सुखान्वेषण को निरपवाद प्रवृत्ति मानने के लिए इतनी आश्वस्त है कि वह मनुष्य में भी इसका अपवाद नहीं देखती, जबकि मनुष्य में इसका अपवाद स्पष्टत: देखा जा सकता है। इस अपवाद-दृष्टि का प्रतिकार यह पतंगों के आग में जलने में सुख देखने के जैसी युक्ति से ही करती है। किन्तु वास्तव में मनुष्य में इसमें भी पशु से तारतम्य का विच्छेद है। इस विच्छेद की पराकाष्ठा सांख्य और बुद्ध में देखी जा सकती है। प्रथम सांसारिक सुखों को दु:ख-परिणामी मानता है और द्वितीय संसार को ही दु:ख मानता है, और इस संसार से मुक्ति के लिए दोनों सहज सांसारिक सुखों के त्याग और दु:खों के वरण का परामर्श देते हैं। वास्तव में संसार को मिथ्या मानने में भी यही दृष्टि देखी जा सकती है। किन्तु इन दृष्टियों को जाने भी दें, तो भी देखा जा सकता है कि मनुष्य मनोमय और आध्यात्मिक अर्थों के अन्वेषण में पशु-सुलभ सुखान्वेषण के विपरीत जाता ही है और प्राय: ही जाता है। साहित्य, संगीत और कलाओं की साधना, धर्म और अन्य आध्यात्मिक अन्वेषणों के लिए सुखों का परित्याग, बल्कि कष्ट-सहन, यह मनुष्य में प्राय: ही मिलता है। उदाहरणत: धर्म के लक्षण, जो भारतीय परम्परा में ही स्वीकृत नहीं हैं बल्कि सार्वभौमिक मानवीय बोध में निहित कहे जा सकते हैं, वे सब पशु-सुलभ सुखान्वेषी सहज प्रवृत्ति के निरोध-मूलक ही कहे जा सकते हैं। ये लक्षण हैं-धृति, क्षमा, दम, अस्तेय, शौच, इन्द्रिय-निग्रह। इनमें सुख रूप में दृष्ट सहज पाशव प्रवृत्तियों को हेय देखा गया है। अब, पशु में वरेण्यता-अवरेण्यता के इस बोध का नितान्त अभाव और मनुष्य में इस बोध की विद्यमानता को इस बात के लिए प्रमाण कहा जा सकता है कि मनुष्य में पशु से भिन्न एक ज्ञानेन्द्रिय है जो पशु के लिए अगम्य वस्तु-धर्म को उसी प्रकार देख सकती है जैसे बहुत से जीव मनुष्य के लिए अदृश्य किरणों को देख सकते हैं। इस इन्द्रिय का अधिष्ठान चेतना की आत्मचेतनता में है, चेतना की जो शक्ति केवल मनुष्य को ही उपलब्ध है। इस 'इन्द्रिय' के नहीं होने पर मनुष्य में वरेण्यता का, धर्म का, औचित्य-अनौचित्य-विवेक का बोध होना सम्भव नहीं था।[1] वास्तव में यहाँ 'इन्द्रिय' शब्द का प्रयोग लाक्षणिक ही कहा जा सकता है, इसके लिए 'बोध' शब्द का प्रयोग ही युक्त है। बोध इन्द्रिय के

---

1. धर्म अथवा औचित्य-बोध पर डॉ. मुकुन्द लाठ ने **उन्मीलन** में प्रकाशित अपने अनेक लेखों में बहुत विशद विचार किया है। इन लेखों में से कुछ **धर्म-संकट** संज्ञक पुस्तक में प्रकाशित हुए हैं।

समान चेतना की बाह्यार्थ ग्राहक शक्ति नहीं हो कर अर्थों के अन्तर्गत धर्म की ज्ञापक या अर्थों को उनके याथार्थ्य की प्रदायक शक्ति होती है जो चेतना की ज्ञानेन्द्रिय शक्ति से इस अर्थ में भिन्न कही जा सकती है कि इन्द्रिय केवल उन वस्तुओं के लक्षण देखती है जिन लक्षणों को उनका वस्तुपरक आधार चेतना का वस्तु-बोध (अस्तित्व-बोध) देता है, स्वयं इन्द्रिय किसी वस्तु को नहीं देखती। वस्तुसत् विषयक यह बोध न्यूनाधिक विकसित रूप में जीव मात्र में सहज होता है कि जो किसी ज्ञानेन्द्रिय से ग्राह्य है वह सत् है, जब तक वह किसी बाध से असत् सिद्ध नहीं हो जाता। चिड़िया को काँच की दीवार दिखायी नहीं देती इसलिए उसके लिए वह तब तक असत् होती है जब तक वह उसकी गति को बाधित नहीं करती। किन्तु गति की बाधा इन्द्रिय-ग्राह्य होने पर भी सम्भवत: चिड़िया के लिए वस्तु-प्रापक नहीं होती, इसलिए वह उससे बार-बार टकराकर भी उसे सद्वस्तु रूप में ग्रहण नहीं कर पाती। जिसका अर्थ है कि उसके लिए वस्तु-लक्षण रूप में दृश्यता मौलिक है, स्पर्श या बाधा मौलिक नहीं हैं। इसके विपरीत चिमगादड़ के लिए ध्वनि-तरंगें ही वस्तु-प्रापक हैं जिस कारण वह उड़ते हुए बिना दिखे भी दीवारों से नहीं टकराता। किन्तु चिड़िया की गति तो बाधित होती ही है, जिस बाधा को वह दिखायी देने के वस्तु-लक्षण या वस्तु-लक्षण के अभाव के साथ समन्वित नहीं कर पाती। किन्तु मनुष्य यह समन्वय अपेक्षाकृत सरलता से कर पाता है और आँख से दिखायी नहीं देने पर भी स्पर्श से देखी गयी वस्तु से आँख से उसकी अदृश्यता को समन्वित कर पाता है, और आँख से दिखायी नहीं देने पर टकरा जाने को भ्रान्तिमूलक मान लेता है। इस प्रकार कहा जा सकता है कि वस्तसत् विषयक बोध दोनों में विद्यमान है, किन्तु मनुष्य में यह बोध अधिक विकसित है।

द्रष्टव्य है कि ऐन्द्रिक ग्रहण की योग्यता बहुत से जीवों में मनुष्य से बहुत अधिक विकसित होती है और तत्सम्बद्ध वस्तु-बोध भी उनमें रहता है जो मनुष्य से अतिरिक्त होता है, किन्तु इन्द्रियविषयक वस्तुसत्-बोध मनुष्य में अन्य जीवों की तुलना में बहुत अधिक विकसित होता है। इसका कारण यह है कि ऐन्द्रिक ग्रहण स्वयं में सदात्मक नहीं होता, वह सद्बोध के लिए एक संकेत बनता है। रज्जु में सर्प-भ्रम या सर्प में रज्जु-भ्रम का कारण यही होता है। रज्जु और सर्प दोनों के लिए ऐन्द्रिक ग्रहण संकेत बनते हैं जो भ्रान्त भी हो सकते हैं। किन्तु यह स्पष्ट है कि वस्तुसत्-बोध पशुओं और मनुष्यों में उसी प्रकार सामान्य होता है जिस प्रकार आहार-निद्रा आदि, और यह बोध ही वस्तुसत् के लिए प्रमाण होता है, जब तक दार्शनिक किसी अन्य प्रमाण की माँग नहीं करते। इसी प्रकार वरेण्य-अवरेण्य के बोध की विद्यमानता वरेण्य-अवरेण्य की वास्तविकता के लिए प्रमाण कही जा सकती है और इसमें वस्तु-बोध के समान ही हमें भ्रान्ति भी होती है। यदि वरेण्यता-अवरेण्यता का बोध मानव-चेतना में अन्तर्गत और मौलिक नहीं होता तो वह ऐद्रिक कामनाओं से पृथक् ही नहीं बल्कि विपरीत भी इसका ग्रहण नहीं कर सकता था। पशु को अभ्यास से आप बहुत कुछ सिखा सकते हैं-बन्दर, रीछ, हाथी, कुत्ते आदि को बहुत कुछ सिखाया जाता ही है, प्रिय-अप्रिय का चुनाव उनमें सहज होता है और इसे कुछ विकसित जीवों में आगे विकसित भी किया जा सकता है, किन्तु उन्हें वरेण्य का बोध नहीं दिया जा सकता। यहाँ यह द्रष्टव्य है कि मनुष्य में यह बोध सहज होने पर भी असीमत: परिष्कार्य होता है और अधिकांशत: हम इसमें भ्रान्त ही होते हैं। उदाहरणत: दोषी के लिए दण्ड की माँग में हम न्याय देखते हैं जबकि अधिकांशत: उसके मूल में प्रतिशोध की भावना ही रहती है। 'आँख के बदले में आँख' के न्याय में यही रहता है। अब, प्रतिशोध का भाव अनैतिक है और न्याय एक नैतिक बोध है, यह सभी लोग सहज ही मान लेंगे, किन्तु हमारी कौनसी भावना प्रतिशोधात्मक है और कौन सी न्यायात्मक, यह देख पाना हमारे लिए बहुत बार बहुत कठिन होता है। बहुत बार पूरे समाजों में यह दृष्टि भ्रान्त मिलती है और समाज शताब्दियों तक इन भ्रान्तियों से ग्रस्त रहते हैं। हमारी परम्परा ने भ्रान्ति की इस सम्भावना को बहुत अच्छी तरह पहचाना है, जैसाकि हमने पीछे देखा। **गीता** में 'गहना कर्मणो गति:' इसी अर्थ में, बल्कि इससे भी सूक्ष्मतर अर्थ में, कहा गया है। कर्म का बोध साधारण कार्यों में उचित-अनुचित विवेक से बुद्ध की सम्बोधि,गाँधी के सत्याग्रह और अर्जुन के कुरुक्षेत्र में संशय के श्रीकृष्ण द्वारा निवारण तक व्यापक और गहरा है। अर्जुन को कर्त्तव्य-निर्णय करने में सहायता के लिए श्रीकृष्ण ने जो इतना बड़ा विवेचन प्रस्तुत किया

और तब भी अन्त में कहा कि—"अब यह निर्णय तुझे करना है कि तुझे क्या करना चाहिए"[1] वह व्यर्थ की बात नहीं है। धर्मविषयक सामान्य सिद्धान्त व्यक्ति से निर्णय करने के विशेष अवसर पर उससे अपनी चेतना में गहरा पैठ कर देखने की अपेक्षा करता है,और व्यक्ति धर्म को उसी सीमा तक सम्यक् रूप में देख पाता है जिस सीमा तक उसकी चेतना उजली और निर्मल होती है।

मनुष्य की धर्म-चेतना दो प्रकार के मलों से आवृत हो सकती है-एक तो पाशव मलों (काम, क्रोध आदि) से और दूसरे सांस्कारिक मलों (शिक्षा, सामाजिक परम्परा आदि) से। दूसरे आवरणों को मल नहीं कह कर आवरण ही कहना चाहिए, क्योंकि ये दूसरे आवरण एकसाथ चेतना के दृष्टि-पथ के अवरोधक भी होते हैं और परिष्कार के हेतु भी हो सकते हैं। शिक्षा और संस्कार के बिना वरेण्य-अवरेण्य का बोध तो अंकुरित भी नहीं हो सकता। किन्तु इस बोध के अंकुरण का हेतु तब आवरण का हेतु हो जाता है जब व्यक्ति की चेतना अपने को अन्तर्गत प्रकाश से प्रकाशित नहीं कर पाती, इसी प्रकार समाज भी तन्द्रा में आचरण करता रहता है। उदाहरणत: अद्वय और निर्गुण ब्रह्म को ही सत्य और जगत् को नाम-रूप और मिथ्या मानने वाले भी वेदान्ताचार्य वर्ण-भेद को पारमार्थिकवत् मानते थे और शूद्रों तथा स्त्रियों को वेद का ही नहीं साधारण पठन-पाठन तक का अधिकारी भी नहीं मानते थे। इसी प्रकार एक सूक्ष्मतर और व्यापकतर आवरण का उदाहरण महात्मा बुद्ध के अनुयायी हो सकते हैं। बुद्ध ने सम्बोधि-प्राप्ति के बाद अन्यों को उसके विषय में बताया। उन्होंने वह जो बताया वह अन्यों के लिए एक प्रतिपादित मत ही हो जाता है जिसे उन्होंने दिट्ठी (दृष्टि) कहा। किन्तु उन्होंने अपने शिष्यों को बताया कि वे उनकी या किसी की भी दृष्टि से नहीं बँधें—स्वयं उनकी उपदिष्ट दृष्टि से भी नहीं—वे अपना दीपक आप बनें—अप्प दीपो भव। अब, यह स्पष्टत: एक विरोधाभास जैसा है, किन्तु यह विरोधाभास प्रकट ही है, वास्तव नहीं है, क्योंकि कोई भी सम्बोधि 'दिट्ठी' नहीं होती और सम्बोधि का उपदेश सम्बोधि के सम्प्रेषण के लिए ही होता है। किन्तु सब उपदेशों की यह नियति है कि वे भाषा में व्यक्त हो कर ही अन्यों को सम्प्रेषित हो सकते हैं। किन्तु तब वे उन सब के लिए दिट्ठियाँ ही हो सकते हैं जो सम्बोधि के प्रेषक शब्दों के पार सम्बोधि का साक्षात्कार नहीं कर पाते। इसी से बुद्ध ने अपने शिष्यों को चेताया कि वे किसी दिट्ठी से (स्वयं उनकी दिट्ठी सहित) नहीं बँधें। किन्तु सामान्यत: ऐसा नहीं होता। सामान्य जन आत्म-प्रकाश (अप्प दीप होने) के अयोग्य होते हैं और किसी अन्य के प्रकाश के सहारे ही रास्ता देख पाते हैं। किन्तु बहुत जल्दी वह अन्य से आने वाला प्रकाश भी बुझ जाता है और अनुयायी उस मार्ग पर आँख मूँद कर चलते रहते हैं।

द्रष्टव्य है कि वरेण्य-बोध या धर्म-बोध मनुष्य में सहज होने पर भी यह बोध इसके लक्षण-निर्णय के लिए आधार नहीं हो सकता। किसी कर्म, भाव या परिणाम में वरेण्यता की प्रतीति भ्रामक भी हो सकती है। तब वे कौन से लक्षण हैं जिनसे कोई कर्म या भाव या परिणाम वरेण्य बनता है? अर्जुन को यह स्पष्ट दिखायी दिया कि युद्ध अवरेण्य है, हेय है, विशेषरूप से तब जब अपने किसी लाभ के लिए करना हो। और भी अधिक तब जब वह अपने भाई-बन्धुओं और गुरुजनों से करना हो। महाभारतकार द्वारा अर्जुन के सम्मुख प्रस्तुत धर्म-संकट की स्थिति वास्तव में ही अत्यन्त जटिल और मार्मिक है और उसमें अर्जुन का युद्ध से विरत होना ही अधिक वरेण्य और अधिक साहसपूर्ण विकल्प प्रतीत होता है। हिटलर के आक्रमण पर गाँधी जी ने मित्र राष्ट्रों को युद्ध नहीं करने का परामर्श ही दिया था और चोरीचौरा में किसानों द्वारा हिंसा कर देने पर गाँधी जी ने सत्याग्रह वापिस ले लिया था। किन्तु श्रीकृष्ण अर्जुन को युद्ध करने का परामर्श देते हैं और उसके लिए एक सिद्धान्त प्रतिपादित करते हैं—कर्म को पूर्णत: निष्काम भाव से करने का। यह सिद्धान्त उतना सरल नहीं है, इसके पीछे पूरी तत्त्वमीमांसा है—मनुष्य, जगत् और सत् के स्वरूप विषयक। किन्तु वह तत्त्वमीमांसा स्वीकार कर लेने पर भी अर्जुन के धर्म-संकट का वही समाधान वरेण्य है जो श्रीकृष्ण ने बताया, यह कहना कठिन है। सर्वप्रथम, यह कैसे निश्चय हो, स्वयं

---

1. इति ते ज्ञानमाख्यातं, गुह्याद्गुह्यतरं मया। विमृश्यैतदशेषेण, यथेच्छसि तथा कुरु।।18.63।। मैंने तुझे अत्यन्त गहरा-रहस्याच्छन्न ज्ञान बता दिया है। अब तू इस पर सम्यक् रूप से विचार कर स्वयं निर्णय कर कि तुझे क्या करना चाहिए।

अर्जुन और श्रीकृष्ण को भी, कि वे निष्काम हैं?[1] यह निश्चय हो जाने पर भी, युद्ध करना ही कैसे वरेण्य विकल्प है, नहीं करना कैसे नहीं?[2] ये प्रश्न कर्त्तव्य-निर्णय को अत्यधिक जटिल और दुस्साध्य बना देते हैं। किन्तु हमारी परम्परा में **गीता** पर कभी इन प्रश्नों को ले कर विचार हुआ है, इसकी हमें जानकारी नहीं है।

यहाँ अर्जुन के धर्म-संकट और **गीता** के समाधान के प्रश्न को छोड़ कर हम वरेण्य के हमारे द्वारा पीछे प्रतिपादित लक्षण पर विचार करेंगे। पीछे हमने देखा था कि प्रवृत्ति की प्राकृतिकता उसके अवरेण्य होने का और उससे विमुखता उसके वरेण्य होने का एक आधारभूत लक्षण कही जा सकती है। निष्कामता, अहिंसा, धृति, क्षमा आदि को वरेण्य कहने में यह स्पष्ट लक्षित है। किन्तु इस पर यदि यह प्रश्न किया जाये कि ये क्यों वरेण्य हैं? तो इसे एक अनुचित प्रश्न नहीं कहा जा सकता। इस प्रश्न के औचित्य के लिए वात्सल्य का उदाहरण दिया जा सकता है, जो उतना ही पशु-सुलभ है जितना काम, किन्तु इसे कोई हेय नहीं कहेगा। न कोई वत्स के वध या उसके प्रति उपेक्षा भाव को श्रेय कहेगा। एक गहरे तात्त्विक अर्थ में, जिस गहराई पर **गीता** का उपदेश दिया गया है, दया और करुण भी प्राकृतिक माने जायेंगे, और बहुत से चिन्तक उन्हें सिद्ध योगियों के लिए अतिक्रमणीय भी कहेंगे, किन्तु इन भावों को कोई अवरेण्य नहीं कहेगा। दूसरी ओर अहिंसा को परम धर्म कहते हैं—मा हिंस्यात् सर्व भूतानि-किन्तु **गीता** में श्रीकृष्ण अर्जुन को शत्रुओं का हनन करने के लिए ही कहते हैं और इसके लिए देह के नाश में मनुष्य का वास्तविक नाश देखने को भ्रान्ति कहते हैं। वास्तव में युद्ध धर्म-चेतना के लिए बहुत बड़ी चुनौती है, व्यक्तिगत स्तर पर आत्मरक्षा इसी प्रकार की चुनौती है। यदि अपकारिषु साधुत्व धर्म है तो आत्म-रक्षा के लिए भी पर का हनन अधर्म होगा। ये सब धर्म-चेतना के लिए बहुत चुनौतीपूर्ण प्रश्न हैं। विभिन्न संस्कृतियों को ऐसे प्रश्नों के समाधान के विभिन्न प्रयत्न कहा जा सकता है।

किन्तु विभिन्न संस्कृतियों के धर्म-बोध बहुत भिन्न-भिन्न हैं, जो इस बोध को सापेक्ष या विषयिनिष्ठ बना देते हैं। किन्तु यह ठीक नहीं है। यों वस्तु-बोध या सत्-बोध भी वैसा-संस्कृति-निरपेक्ष नहीं होता जैसा सामान्यत: हम समझते हैं। काण्ट ने इन्द्रिय-ग्राह्य सत् के मानवीय रूप की एक रूपरेखा दी है। उसे यदि स्वीकार कर भी लिया जाये तो भी सत् के मानवीय ग्रहण की समग्रता में वह केवल एक उद्गृहीत रूप ही है। आज के विज्ञाननिष्ठ युग में भी बहुत लोग हैं जो भौतिक अस्तित्व या विषयता को इन्द्रिय-ग्राह्य अस्तित्व की पर्यन्तता नहीं मानते। ईसाई ईसा या मरियम के चित्रों या मूर्तियों में अश्रु-स्राव या रक्त-स्राव देखते हैं, अपने सन्तों में बहुत सी चामत्कारिक शक्तियाँ देखते हैं, इसी प्रकार अन्य भी प्राय: सभी धर्मानुयायी लोग दैविक, आसुरी और अन्य प्रकार के अतिभौतिक अस्तित्वों को स्वीकार करते हैं। और सब से बड़ी बात यह कि स्वयं विज्ञान ऐन्द्रिक विषयता को वास्तविक अस्तित्व या सत् का केवल प्रातीतिक रूप ही मानता है और वास्तविक अस्तित्व में वह वे कोटि-रूप स्वीकार नहीं करता जो काण्ट ने इन्द्रिय-ग्राह्य अस्तित्व (सत्) में देखे हैं। फिर अस्तित्व के इन्द्रिय-ग्राह्य मानवीय रूप में यदि एकरूपता मान भी ली जाये तो भी वह मानवीय है, सार्वभौम नहीं, जबकि ऐन्द्रिक ग्रहण तो जीव मात्र में सामान्य हैं। दूसरी ओर, जैसाकि हमने पीछे देखा, धर्म-बोध में मनुष्यमात्र में कुछ मौलिक समानताएँ दृष्टिगत होती हैं, यद्यपि यह सही है कि इस बोध की स्फुटता में और अन्तर्वस्तु में बहुत अन्तर भी दिखायी देता है। तो भी आनृशंस्य, धृति, क्षमा, सत्य-परायणता, न्यायोचितता आदि गुण सब में समान रूप से नैतिक गुण स्वीकृत मिलेंगे। भेद इनके रूप-निर्णय में दिखायी देता है, और भ्रान्ति तो सर्वसुलभ ही देखी जाती है। इस भेद के सम्बन्ध में यह कहना युक्त लगता है कि इसका कारण मुख्यतया चेतनागत मल या आवरण भी होते हैं और सांस्कृतिक और वैयक्तिक स्वभाव-भेद भी। जैसे, कहा जा सकता है कि बालि-वध श्रीराम के चरित्र से (रामत्व से) प्रकटत: संगत नहीं है, ख़िलाफत आन्दोलन गाँधीजी के चरित्र से (गाँधीत्व से) प्रकटत: संगत नहीं है। अथवा यह कहना होगा कि राम और गाँधी अपने इन कार्यों में स्वरूप-भ्रष्ट थे। यह भी हो सकता है कि वे

---

1. इस निश्चय की दुराराध्यता के लिए द्रष्टव्य हमारा लेख-'सत्य', उन्मीलन, जनवरी, 2004.
2. इस पर विचार के लिए द्रष्टव्य यशदेव शल्य — **मूल्यतत्त्व-मीमांसा** में 'धर्म-नीति' अध्याय।

कर्म की वरेण्यता को पहचानने में असफल रहे, अथवा यह भी हो सकता है कि उनका प्रकट कर्म वास्तव कर्म का केवल एक बाहरी ओप मात्र हो जिसे उनका सम्पूर्ण कर्म समझना देखने वालों की भ्रान्ति हो। अब, कर्म की इस सम्पूर्णता के कई आयाम हो सकते हैं—बालि-बध राम-रावण युद्ध की समग्रता के एक अंग के रूप में देखा जा सकता है, जो युद्ध स्वयं विष्णु के अवतार लेने के प्रयोजन का एक अंग था और जिसमें बालि-वध केवल एक उपाय था। खिलाफत-आन्दोलन भारतीय स्वतन्त्रता-संग्राम के अंग के रूप में देखा जा सकता है। किन्तु समग्रता का एक दूसरा आयाम सिद्धार्थ के पत्नी और बच्चे को सोते छोड़ कर जाने में देखा जा सकता है, जो उसकी चेतना में दिव्य आलोक के आविर्भाव के परिप्रेक्ष्य में उसके उस कर्म को प्रतिष्ठित करता है, और एक तीसरा आयाम श्रीकृष्ण द्वारा अर्जुन को युद्ध करने के लिए कहने में देखा जा सकता है, जिसमें युद्ध केवल एक अवान्तर बात है, मूल बात व्यक्ति-चेतना का भागवत चेतना के स्तर पर उठना है। कर्म को चेतना के साधारण लौकिक आयाम के स्तर पर ही देखते हुए भी यह सहज में ही देखा जा सकता है कि इसके तत्त्व को समझने में संस्कृतियाँ और व्यक्ति बहुत बार भ्रान्त होते हैं। उदाहरणत: स्त्रियों और दासों को 'व्यक्ति' नहीं मान कर 'वस्तु' मानना लगभग सभी बड़ी सभ्यताओं के अतीत में देखा जा सकता है, राज्य का विस्तार करना राजा का कर्त्तव्य माना जाता रहा है, कर्मकाण्ड या दूसरी औपचारिकताओं का अलौकिक मूल माना जाता रहा है आदि। इस प्रकार कर्म के अनेक नियम हैं जो संस्कृतियों-सभ्यताओं में देखे जा सकते हैं जिन्हें धर्म-दृष्टिगत भ्रान्तियाँ कहा जा सकता है। जहाँ तक व्यक्तियों का प्रश्न है, वे अधिकांशत: इन सामाजिक भ्रान्तियों में तो सहभागी होते ही हैं, व्यक्तिगत स्तर पर वे काम-क्रोधाधि प्राकृतिक प्रवृत्तियों के वश भी कर्म के तत्त्व को देख पाने में असमर्थ रहते हैं। वास्तव में व्यक्ति अधिकांश में तो धर्म-दृष्टि को स्थगित कर व्यावहारिक हानि-लाभ की दृष्टि से ही कार्य करते हैं।

कर्म की धर्मानुकूलता के आधार के सम्बन्ध में हमने देखा कि भारतीय दृष्टि में एक अद्भुत उदारता है, क्योंकि इसमें कर्त्तव्य-निर्णय विषयक निर्देश केवल सामान्य मार्ग-दर्शक के रूप में ही हैं, किसी एक पुस्तक या व्यक्ति के द्वारा निर्धारित नियमों के रूप में नहीं हैं। सब से बड़ी बात यह कि इन निर्देशों में सब से आधारभूत निर्देश अपने निर्मल चित्त का साक्ष्य पाने का है। यही दृष्टि युक्त भी है, क्योंकि कर्म की धर्मता का, नैतिकता का, निर्णय अनिवार्यत: परिस्थिति की अपेक्षा से होता है, जिस परिस्थिति के घटकों में व्यक्ति का अपना स्वभाव, अपनी पर्येषणा, अपना पुरुषार्थ-बोध भी होते हैं। इसी से नैतिक विचार के लिए जितना दार्शनिक विवेचन सहायक हो सकता है उससे कहीं अधिक कथा-साहित्य हो सकता है। क्योंकि दर्शन जबकि बाह्यत: एक सामान्य तत्त्व-दृष्टि प्रस्तुत करता है, कर्म की परिस्थिति सदैव विशेष होती है। उदाहरणत: हमारे यहाँ आपद्धर्म की बात भी की गई है, जो धर्म किसी सामान्य तत्त्व-दृष्टि में आकलित नहीं हो सकता। काण्ट ने नैतिक कर्म विषयक कुछ सार्वभौम और आकारिक नियम प्रतिपादित किये हैं जिनका मूल सूत्र उसने बनाया है कि उस कर्म को व्यक्ति सार्वभौम नियम के रूप में स्थापित कर सके। इसी से उसने सत्य बोलने का कोई अपवाद स्वीकार नहीं किया और *सत्य बोलने से अलग सत्य होने* की सम्भावना पर विचार नहीं किया, जबकि शुभ, और इस प्रकार नैतिक वह केवल शुभ संकल्प को ही मानता था। निरपवाद सार्वभौमता में स्वभावत: विशिष्ट व्यक्ति की विशिष्ट परिस्थिति के लिए कोई अवकाश नहीं रहता, जब कि किसी भी व्यवहार की नैतिकता के लिए वह निर्णायक रहती है। दूसरी ओर **महाभारत**, जिसे नैतिकता विषयक विचार के आधार ग्रन्थ के रूप में भी देखा जा सकता है, ऐसे उदाहरणों से भरा पड़ा है जिनमें सामान्य नैतिक नियमों (सत्य, अहिंसा, क्षमा आदि) का स्थूल निर्वाह स्पष्टत: औचित्य का अपघात प्रतीत होता है और स्वयं योगिराज श्रीकृष्ण वहाँ उन नियमों के परित्याग का निर्देश करते हैं। यहाँ **महाभारत** में सत्य बोलने के सामान्य नियम की परिस्थितिविशेष में परीक्षा का एक उदाहरण लिया जा सकता है। परिस्थिति है कि द्रोणाचार्य के आक्रमण के सामने पाण्डव सेनाएँ असहाय हैं और उनका पराजित होना निश्चित है। जब पाण्डव-सेना की पराजय निश्चित दिखने लगी तब श्रीकृष्ण ने एक उपाय सोचा कि यह घोषणा कर दी जाये कि द्रोणाचार्य का पुत्र अश्वत्थामा, जो कि कौरव-सेना की ओर से लड़ रहा था, युद्ध में मारा गया और यह घोषणा धर्मराज युधिष्ठिर करें, जिससे द्रोणाचार्य को इसमें कोई सन्देह नहीं हो। किन्तु युधिष्ठिर यह झूठ बोलने के लिए तैयार नहीं हुए, क्योंकि वे कभी असत्य नहीं बोलने के लिए दृढ़प्रतिज्ञ थे। संयोगवश उस समय सेना में

अश्वत्थामा नाम का एक हाथी भी सम्मिलित था। तब श्रीकृष्ण ने उस हाथी को मरवा दिया और युधिष्ठिर को मनाया कि वे ऊँचे स्वर में अश्वत्थामा के मारे जाने की घोषणा करके धीरे से कह दें कि 'शायद हाथी अश्वत्थामा'–अश्वत्थामा हत:, नरो वा कुंजरो वा। सो, युधिष्ठिर ने ऐसा ही किया, जिसे सुन कर द्रोणाचार्य स्तब्ध रह गए और उन्होंने युद्ध बन्द कर दिया। इस प्रकार युधिष्ठिर ने असत्य नहीं बोलने की अपनी प्रतिज्ञा की रक्षा कर ली। किन्तु युधिष्ठिर असत्य नहीं बोल कर भी असत्य तो हो ही गये थे, जिसे महाभारतकार ने स्वीकार करते हुए उनके, उनकी पूर्ण सत्यनिष्ठा के कारण पृथ्वी से चार अंगुल ऊपर चलने वाले रथ की उच्चता समाप्त कर दी। किन्तु उसी महाभारतकार ने श्रीकृष्ण को योग–भ्रष्ट नहीं बताया, वे पूर्ववत् योगिराज ही रहे, क्योंकि वे सत्यवादी होने के उपचार से ऊपर सत्य–सन्ध थे। वास्तव में **महाभारत** में ऐसे और भी अनेक स्थल हैं जहाँ श्रीकृष्ण औपचारिक धर्म का वास्तव धर्म के लिए परित्याग करते हैं। इसके पीछे क्या युक्ति है? इसके पीछे युक्ति श्रीकृष्ण की पूर्ण निष्कामता और पाण्डव–पक्ष की धर्मानुकूलता तथा कौरव–पक्ष की अधर्मपरायणता कही जा सकती है।[1] किन्तु वास्तव में मानवीय चेतना की गहराई उससे कहीं अधिक है जितनी गहराई में धर्म–विचार अपनी परिभाषाओं की सीमा में रहते हुए किया जा सकता है। इन गहराइयों का अवगाहन साहित्य करता है। यहाँ एक चलचित्र–कथा का उल्लेख स्थाने होगा जिसमें झूठ बोलना ही चरित्र के गौरव को प्रकट करता है। इस कथा का नाम 'रेन कोट' है। इसमें एक लड़का–लड़की परस्पर बहुत प्रेम करते हैं, किन्तु उनका विवाह नहीं हो पाता, क्योंकि लड़का कोई आजीविका उपार्जन नहीं करता। लड़की का विवाह किसी अन्य से हो जाता है, किन्तु उसका पति भी कुछ उपार्जित नहीं कर पा रहा है। ऐसे में उस लड़की का प्रेमी लड़का कुछ ऋण ले कर अर्थोपार्जन की कोई व्यवस्था करने के लिए बम्बई पहुँचता है जहाँ कि वह लड़की रहती है। वहाँ उस लड़की से मिलने वह उसके घर जाता है। लड़की इस विचार से उससे अपनी दुर्दशा झूठ बोलकर छिपाती है कि उसे सच्चाई पता चलेगी तो उसे कष्ट होगा, इसी कारण से लड़का भी उससे अपनी दुर्दशा छिपाता है। किन्तु किसी तरह दोनों को दूसरे की दुर्दशा का पता चल जाता है, पर यह पता नहीं चलता कि दूसरे को पता चल गया है, और ऐसे में लड़की दो दिन बाद किराये के मकान से निकाल दिये जाने की सम्भावना के बावजूद उस लड़के से छिपा कर उसकी जेब में सोने का वह आभूषण डाल देती है जो उसके पास बची एकमात्र सम्पत्ति है और लड़का उस लड़की से छिपा कर वह सारा पैसा उसके लिए छोड़ जाता है जो वह कुछ काम करने के लिए ऋण रूप में लाया था। इस कहानी का सार 'प्रेम के स्वरूप को दर्शाना' कहा जा सकता है, जिसमें प्रेमी प्रिय के लिए अपने समर्पण में ही अपनी चरितार्थता देखता है। इसमें 'सच बोलना' और 'झूठ नहीं बोलना' के धर्म बहुत छोटे पड़ जाते हैं। जीवन में ऐसे बहुत से प्रसंग आते हैं जिनसे धर्म के शास्त्रोक्त नियम निरर्थक हो जाते हैं। अब, इस कथा में 'सत्य–भाषण' का परित्याग एक ऐसे भाव–गत सत्य के लिए किया गया है जिसकी वृत्ति राग है, जिसे शास्त्र चेतना का आवरक कहते हैं। किन्तु यही रागात्मिका वृत्ति भक्ति में भी होती है। अब, राग के प्रथम उदाहरण में भी राग को आवरक कहना चाहिए या कि गहनतर बोध का हेतु, यह कहना कठिन होगा। निश्चय ही बुद्ध का पूर्ण निर्मोह चेतना की उच्चतर, या कहें उच्चतम स्थिति है, किन्तु लौकिक चित्त–भूमि पर राग–हीनता या राग की न्यूनता चेतना की विपन्नता की ही स्थिति होती है। प्रेम को लोक में रागात्मक औदात्य का एक अद्वितीय उदाहरण कहा जा सकता है जो धर्म की सीमाओं का अतिक्रमण करता है और एक निरपेक्ष मूल्य है।

महाभारत में श्रीकृष्ण द्वारा उपाय–कौशल का आश्रयण धर्म के आकारिक नियमों की अकिंचनता एक–दूसरे प्रकार से उद्घाटित करता है। वहाँ प्रसंग इससे नितान्त भिन्न है। वहाँ सद्–असद् से उपलक्षित दो सेनाओं के बीच युद्ध की परिस्थिति है जिसके सामाजिक–ऐतिहासिक परिणाम होने वाले हैं। इसमें धर्माधर्म–विवेक का जो निकष बनता है उसे **महाभारत** ने आनृशंस्य की संज्ञा दी है। इसमें ऐसी हिंसा को भी आनृशंस्य कहा गया है जो

---

1. **महाभारत** के इस प्रकार के प्रसंगों को उदाहरण बनाते हुए डॉ. मुकुन्द लाठ ने अपने **धर्म–संकट** ग्रन्थ में धर्म के स्वरूप का बहुत गहरा विवेचन किया है।

बृहत्तर प्राण-रक्षा और बृहत्तर शुभ की रक्षा में सहायक होती है।[1] किन्तु कोई प्रकटत: धर्म-विरुद्ध कार्य, जैसे उपर्युक्त 'अश्वत्थामा-हत:' प्रसंग में, धर्म-सम्मत है या नहीं, इसका निर्धारण कैसे होगा? अभी पीछे अमरीका-इंग्लैण्ड द्वारा ईराक पर आक्रमण इसी प्रकार के विवेक के दावे के साथ किया गया था, पाकिस्तान उग्रवादी कार्यवाहियाँ इसी विवेक के नाम पर कर रहा है, वास्तव में सब व्यक्ति और समाज प्राय: स्वार्थ का ही अनुसरण करते हैं किन्तु यह कहते हुए ही नहीं बल्कि स्वयं भी यह समझते हुए ही करते हैं कि वे धर्म-नीति का अनुसरण कर रहे हैं। ऐसी अवस्था में यह कैसे निर्णय हो कि कार्य धर्म-सम्मत हुआ या नहीं? निश्चय ही इसके निर्णय में तर्क, युक्ति, विश्लेषण का आश्रय ही लिया जायेगा, किन्तु इस आधार-प्रतिज्ञा पर पहुँचने के लिए ही कि कर्त्ता की चेतना क्या थी! कानून अपने निर्णय इस पूर्वप्रतिज्ञा के आधार पर नहीं करता, वह विषयनिष्ठ कसौटियों को ही स्वीकार करता है, किन्तु वह इसलिए कि वह न्याय विषयक सामाजिक निर्णयों में 'कर्त्ता की चेतना' की कसौटी को व्यवहार्य नहीं पाता। **महाभारत** में भी धर्म के विषयनिष्ठ नियमों के अतिक्रमण का अधिकार केवल योगिराज श्रीकृष्ण को ही दिया गया है, धर्मराज युधिष्ठिर को भी नहीं दिया गया, क्योंकि केवल वही ऐसे हैं जो "कर्म में अकर्म और अकर्म में कर्म देख सकते हैं, जो कवियों को भी सम्भ्रम में डालने वाले कर्म की गुह्यता का अन्तर्दर्शन कर सकते हैं और जिनकी प्रज्ञा प्रतिष्ठित है।"

यहाँ यह द्रष्टव्य है कि **गीता** में जिस निष्कामता की बात की गई है और जिसे हमने भी धर्म-चेतना के आधार के रूप में देखा है, वह भारतीय धर्म-चिन्तन परम्परा में कोई सर्वस्वीकृत दृष्टि नहीं है। यह औपनिषद और श्रमण-परम्परा की दृष्टि ही रही है, श्रौत-स्मार्त-परम्परा की दृष्टि नहीं रही है। यहाँ इस परम्परा के प्रतिनिधि के रूप में मनुस्मृति को उद्धृत करना स्थाने होगा। इसके अनुसार—

कामात्मता न प्रशस्ता, न चैवेहास्त्यकामता।
काम्यो हि वेदाधिगम:, कर्मयोगश्च वैदिक:।। 2.22।।
अकामस्य क्रिया काचिद् दृश्यते नेह कर्हिचित्।
यद्यद्धि कुरुते किञ्चित्तत्तत्कामस्य चेष्टितम्।। 2.4।।[2]

मनु की यह दृष्टि वैदिक-धर्म-शास्त्रीय दृष्टि की प्रतिनिधि है और व्यावहारिक-लौकिक चित्त-भूमि पर अभ्युदय और नि:श्रेयस् के समन्वित लक्ष्य से निर्दिष्ट है। यह दृष्टि ऋत, यज्ञ और ऋण (पितृ ऋण, ऋषि ऋण और देव ऋण) की अवधारणाओं के अनुसार लोक-जीवन को देवाधिष्ठित और दिव्य नियम से शासित देखती है जिसमें व्यक्ति को पारस्परिकता के भाव से रहते हुए सुखी और समृद्ध जीवन जीना चाहिए। किन्तु **गीता** की दृष्टि इससे अतिक्रान्त चित्त-भूमि की है। यह दृष्टि पातञ्जल योग, सांख्य, वेदान्त और इनसे भी अधिक श्रमण-परम्परा में स्वीकृत है। द्रष्टव्य है कि गीता ने वेदों को लौकिक चित्तभूमिपरक (त्रैगुण्य विषय) कहा है और अर्जुन को इससे अतिक्रान्त चित्तभूमि पर आरूढ़ होने को कहा है-त्रैगुण्यविषया वेदा: निस्त्रैगुण्यो भवार्जुन। ये दो दृष्टियाँ भिन्न तो हैं किन्तु परस्पर विरुद्ध नहीं हैं। मनु का विषय लोक-चित्त है, लोक-व्यवहार की चित्त-भूमि, जबकि गीता और उपर्युक्त दृष्टियों का विषय लोकातिक्रान्त चित्तभूमि है। नैतिकता, या कहें धर्म-नीति, का सम्बन्ध दोनों भूमियों से है, किन्तु प्रथम भूमि (लोक-व्यवहार की चित्तभूमि) से अधिक है। मनुष्य साधारणत: लोक-चित्तभूमि पर ही रहता है, किन्तु यह भूमि भी प्राकृतिक चित्तभूमि (चेतना के पाशव स्तर) के अतिक्रमण से ही सिद्ध होती है। स्वयं इस भूमि के भी अनेक स्तर होते हैं—पाशवी स्तर से पूर्ण अतिक्रान्ति के स्तर तक, रोज़ी-रोटी की दौड़ के राग-द्वेष-छल-छद्म में निमग्नता के स्तर से बोधिसत्त्व के स्तर तक। मनु का सम्बन्ध इनमें निम्न स्तरों के उच्च स्तरों के अनुसार नियोजन से ही है। किन्तु मनुष्य स्तरारोहण में पूर्णप्रायता के स्तर, बोधिसत्त्व के स्तर, पर ही नहीं रुकता,

1. इसका अत्यन्त विस्तृत और सूक्ष्म दार्शनिक विवेचन डॉ. मुकुन्द लाठ ने अपनी पुस्तक धर्म संकट में किया है।

2. **कर्म-फल की इच्छा करना श्रेष्ठ नहीं है, किन्तु इच्छा के बिना कर्म सम्भव भी नहीं है। वेद का ज्ञान और वैदिक कर्म इनके प्रति कामना होना वाञ्छनीय है। कोई क्रिया काम के बिना दिखायी नहीं देती। मनुष्य जो कुछ भी करता है वह कामना से प्रेरित हो कर ही करता है।**

वह अपनी पर्येषणा में पूर्णता को, परम बुद्ध के स्तर को, ही लक्षित करता है—भावना के आयाम में वह 'रेन कोट' में निरूपित चित्तभूमि से लैला-मजनूँ की, राधा-कृष्ण की, कबीर और मंसूर की भूमि को, कर्म के आयाम में साधारण समाज-सेवी की भूमि से अशोक, गाँधी और बोधि-सत्त्व की करुणा की भूमि को और तब उससे आगे की रचना-काय बुद्ध की महाकरुणा की भूमि को, और ज्ञान के आयाम में साधारण आत्मचिन्तक, स्वाध्यायी की चित्तभूमि से परमयोगी की भूमि को लक्षित करता है। भारतीय नैतिक दृष्टि : धर्म-दृष्टि : ऐसी पर्यन्तगामी दृष्टि ही रही है। इस दृष्टि में कर्म का निषेध नहीं है, केवल इसमें कर्म का अर्थ बदल जाता है। औपनिषद ऋषि गृहस्थ भी थे और उनमें से कुछ राजा भी थे, बुद्ध करुणावश निर्वाण से संसार में अवतरित हुए थे, यही बात महावीर के लिए कही जा सकती है, ऐसे ही कबीर थे—गृहस्थ और जुलाहा, गाँधी गृहस्थ और राजनेता, और विनोबा सामाजिक-राजनैतिक कार्यों के नायक। **श्रीमद्भगद्गीता** को इस दृष्टि से भारतीय धर्म-दृष्टि : नैतिक दृष्टि : का आधार ग्रन्थ कहा जा सकता है। यह 'युद्धक्षेत्रे-धर्मक्षेत्रे' कर्त्तव्य-निर्णय से गम्भीर संकटापन्न अर्जुन को इस धर्म-संकट से उबरने के लिए दिया गया परामर्श है। नैतिक किंकर्त्तव्य-विमूढ़ता पर, धर्म-संकट पर विचार के लिए इससे अधिक मार्मिक परिस्थिति की कल्पना कठिन होगी और पूरे महाभारत-युद्ध में पदे-पदे व्यावहारिक उपाय-कौशल सुझाने वाले श्रीकृष्ण से अधिक उपयुक्त किसी उपदेष्टा की कल्पना असम्भव होगी। किन्तु इससे उबरने के लिए श्रीकृष्ण जो भूमि और परिप्रेक्ष्य प्रस्तुत करते हैं वह उससे एकदम अलग है जिस पर हम अपनी दैनन्दिन गृह-कलहों, या सामान्य सामाजिक, राजनैतिक और व्यक्तिगत समस्याओं और धर्म-संकटों की परिस्थिति में अपने को प्रतिष्ठित पाते हैं। **गीता** इसके लिए जो परिप्रेक्ष्य प्रस्तुत करती है वह जीवन और मृत्यु से अतीत, इहलोक और परलोक से अतीत, और तीनों भुवनों से अतीत है। इसमें कर्म कर्म-योग है और इसकी थाह पाने के लिए वे उस चित्तभूमि तक जाते हैं जिस पर इसकी सीमाएँ ज्ञान-योग और भक्ति-योग में तिरोहित हो जाती हैं।

यहाँ प्रश्न हो सकता है कि यह साधारण जन के लए साधारण परिस्थिति में प्रस्तुत धर्म-संकट से उबार के लिए कैसे सहायक होगा? इसका उत्तर होगा कि उसके लिए परम्परा-प्राप्त दृष्टि और उदाहरणों का (श्रुति, स्मृति और सदाचार का) आश्रय विहित है। किन्तु ये सब उस धर्मानुसन्धानी के लिए सहायक नहीं हो सकते जिसकी चेतना अपनी प्रकाश-किरणों से उन्मीलित हो चुकी है, जिसकी चेतना सहज में ही शास्त्र, परम्परा और संस्कारों की जड़ ओप को भेद कर अपने प्रकाश को देख सकती है, या केवल उसी का भरोसा करती हुई उसी का साक्षात्कार करना चाहती है। उसके लिए इस प्रश्न का समाधान शास्त्र और परम्परा प्रस्तुत नहीं कर सकते कि क्यों कोई कर्म कर्त्तव्य और अन्य अकर्त्तव्य है? क्यों अर्जुन को उस परिस्थिति में युद्ध ही करना चाहिए था जिसमें वह पड़ गया था? क्या अपने बन्धु-बान्धवों का वध तब भी कर्त्तव्य ही है जब वे विपथ पर हैं और उस विपथ को छोड़ने के लिए तैयार नहीं हैं? यदि वध कर्त्तव्य है तो क्या आप यह निर्णय करने के अधिकारी हैं कि वे विपथ पर हैं या नहीं? इस अधिकार के लिए क्या अपेक्षाएँ हैं? **गीता** उन अपेक्षाओं की बात ही करती है। वह अन्त:प्रकाश आपके पास होने पर आप जो भी कर्म करते हैं वह स्वत:प्रमाण धर्म ही होगा। कृष्ण द्वारा युधिष्ठिर से झूठ बुलाना इसी कारण धर्म है, किन्तु वही युधिष्ठिर के लिए धर्म नहीं है। किन्तु यदि उन अपेक्षाओं के सम्बन्ध में आपकी दृष्टि युक्त भी मान ली जाये तो क्या आपकी चेतना भाव में उन अपेक्षाओं की पूर्ति करती है? किन्तु कोई इसमें कैसे निश्चित हो कि उसकी चेतना उन अपेक्षाओं को पूरा करती है? कि वह वास्तव में किसी गुहागत स्वार्थ, मोह या क्रोध से उपहित नहीं है?

निश्चय ही ये प्रश्न कर्म की परिस्थिति में साधारणतया प्रस्तुत नहीं होते, यदि हों तो कर्म करना असम्भव हो जाये। साधारणत: तो हमें सहज रूप से ही यह बोध होता है कि कर्त्तव्य क्या है और क्या नहीं है। जहाँ दुविधा उपस्थित होती है वहाँ हम अपने अन्त:साक्ष्य का, या ऐसे व्यक्तियों के अन्त:साक्ष्य/अन्त:साक्ष्यों का सहारा लेते हैं जिनकी चेतना को हम निर्मल मानते हैं। श्रुति, स्मृति, सदाचार को धर्म का स्रोत कहने का यही अर्थ है। किन्तु तब भी कठिनाइयाँ उपस्थित होती हैं—अपने अन्त:साक्ष्य को लेकर या कर्म की परिस्थिति को लेकर, जो प्राय: ही विलक्षण होती है। अन्त:साक्ष्य और कर्म की परिस्थिति कितने दुरवगम्य हो सकते हैं इसके लिए महात्मा गाँधी

को उदाहरणस्वरूप देखना उपयुक्त होगा, क्योंकि उनके कर्म की परिस्थितियाँ बहुत बार बहुत जटिल होती थीं और वे अपने सम्बन्ध में भी पूर्णत: स्पष्ट हो लेना चाहते थे कि उनका चित्त उनसे छद्म तो नहीं कर रहा है? इसे वे 'आत्मा की आवाज़ सुनना' कहते थे। यह आवाज़ सुनने के लिए कभी-कभी वे पूर्णत: एकाग्र होने के लिए उपवास रख कर पूर्ण एकान्त में बैठते थे। किन्तु तब भी यह कहना कठिन होगा कि गाँधी जी के सब निर्णय निर्भ्रान्त थे, कि स्वयं उन्होंने कभी यह अनुभव नहीं किया होगा कि उन्होंने ग़लती की। **गीता** में श्रीकृष्ण अर्जुन को परामर्श देते हैं कि—"अपने धर्म में मरना भी वरेण्य है और परधर्म प्रकटत: लाभप्रद होने पर भी भयावह है।" यह परामर्श स्वयं में पूर्णत: युक्त प्रतीत होता है जब 'स्वधर्म' का अर्थ 'व्यक्ति का अन्त:साक्ष्य' हो, जो अन्त:साक्ष्य व्यक्ति-स्वभाव को भी पूर्वगृहीत करता है। किन्तु श्रीकृष्ण का 'स्वधर्म' से अर्थ 'अपना वर्ण-धर्म' है, जो एक बाह्यारोप ही हो सकता है। ऐसे बाह्यारोपों को हम प्राय: ही कर्म की वरेण्यता के निर्धारक गुण मान लेते हैं। त्रैगुण्य का अतिक्रमण करने का परामर्श देने वाले श्रीकृष्ण भी यह नहीं देख सके कि वर्ण-धर्म केवल कर्म की एक बाह्य परिस्थिति बनाता है, यह व्यक्ति का स्वधर्म नहीं हो सकता।[1] इसी प्रकार **अभिज्ञान शाकुन्तलम्** में 'सतां हि सन्देहपदेषु वस्तुषु प्रमाणमन्त:करण प्रवृत्तय:' कहने वाले दुष्यन्त (कालिदास) यह नहीं देख सके कि शकुन्तला के प्रति उनकी अनुरक्ति की धर्मानुकूलता इस बात से प्रमाणित नहीं हो सकती कि वह किस वर्ण की है। वर्ण केवल एक सामाजिक उपाधि है, वह मनोवृत्ति की धर्मानुकूलता के लिए प्रमाण नहीं हो सकता। इस विषय में कबीर का पद 'माया महाठगिनी हम जानी' अत्यधिक व्यञ्जक और विदग्ध है और अन्त:साक्ष्य के अन्वेषी के लिए सहायक हो सकता है। हम कब अपनी उदारता के आवरण में अपने अहंकार की सन्तुष्टि कर रहे हैं, कब परार्थ के आवरण में स्वार्थ की सिद्धि से प्रेरित हैं, कब प्रेम कामुकता के लिए आवरण का काम कर रहा है आदि हम प्राय: ही नहीं जान पाते, बड़े-बड़े प्राज्ञ नहीं जान पाते। यही बात श्रुति, स्मृति और सदाचार के लिए है। ये प्राय: ही हमारी जड़ता के, प्रमाद के स्थानीय हो जाते हैं। इनके नाम पर हम (व्यक्ति और समाज समान रूप से) प्राय: ही अपनी धर्म-चेतना को, औचित्य-बोध को स्थगित कर देते हैं। धर्म-दृष्टि को इस प्रकार उपहित करने के उदाहरण प्राय: सभी समयों में सभी समाज प्रस्तुत करते आये हैं, विशेष रूप से एक-डेढ़ सौ साल पहले के हिन्दू और मुस्लिम समाज। हमारी दार्शनिक-धार्मिक दृष्टि प्राय: वैदान्तिक अद्वैतवाद और संसार से परे परमार्थपरक रही है, किन्तु हमने व्यवहार में सामाजिक विभेदों और स्तरों को जैसा पारमार्थिक और इस प्रकार अलंघ्य माना वैसा भेद-दृष्टि रखने वाले भी किसी समाज में नहीं मिलेगा। 'आठ कन्नौजिये, नौ चूल्हे', छूआछूत और जाति-बिरादरी की दीवारें हमारे सामाजिक व्यवहार के ही नहीं, हमारी नैतिक चेतना के भी निर्धारक रहे हैं। अद्वय ब्रह्म को एकमात्र सत्य प्रतिपादित करने वाले हमारे भगवान शंकराचार्य तक वर्ण-भेद को अलंघ्य मानते थे, वेद पढ़ने का कौन अधिकारी है, कौन नहीं इस पर विचार करते हुए वे जगत् के नामाभिधेय मात्र होने की बात भूल जाते थे। मुसलमान शरीयत के नाम पर स्त्रियों पर जैसे अत्याचार करते हैं, वह सब कल्पना की पहुँच के भी बाहर है। जो हो, हम भारतीय नैतिक चिन्तन पर विचार कर रहे हैं। 'चिन्तन की इस परम्परा' ने धर्माधर्म-विवेक के चार में से दो सहायकों (श्रुति और स्मृति, धर्म-शास्त्र या सामाजिक रूढ़ि) को जैसे अपौरुषेय विधि बना दिया और स्वयं चिन्तन को इनके अधीन कर दिया वह इस बात का द्योतक है कि मनुष्य अधिकांश में नैतिक विवेक का उपयोग ही नहीं करता। वह या तो स्वार्थवश कार्य करता है या रूढ़ियों के अनुसार कार्य करता है।

1. यहाँ गीता की ओर से कहा जा सकता है कि उसके लिए वर्ण जन्ममूलक नहीं होकर गुण-कर्म-स्वभावमूलक हैं। इस प्रकार 'स्वधर्म को वर्ण' से जोड़ने का अर्थ उसे व्यक्ति के 'गुण-कर्म-स्वभाव' का वाचक कहना ही है। यदि **गीता** की यह व्याख्या स्वीकार की जाय तो यह आपत्ति उस पर नहीं की जा सकती। किन्तु **गीता** की यह व्याख्या ठीक नहीं जान पड़ती। **गीता** का प्रतिपादन यह प्रतीत होता है कि समाज में वर्ण-व्यवस्था व्यक्तियों के गुण-कर्म-स्वभाव को आधार बना कर की गयी है, यह नहीं कि व्यक्तियों के वर्ण उनके गुण-कर्म-स्वभाव को देख कर निर्धारित किये जाते हैं। वे तो जन्म से ही होते हैं।

साहित्य और समाज

जब साहित्य और समाज के सम्बन्ध की बात की जाती है तब इन दोनों को ही अपरिभाषित छोड़ दिया जाता है और प्राय: ही 'सामाजिक यथार्थ' की बात की जाती है, जिसे साहित्य को प्रतिबिम्बित करना चाहिए, 'सामाजिक दायित्व' की बात की जाती है, जिसका साहित्यकार को निर्वाह करना चाहिए। साहित्यकार के समाज के प्रति कर्त्तव्य विषयक यह चर्चा मार्क्सवाद के प्रचार-प्रसार के साथ आरंभ हुई थी और उसके अनुसार 'सामाजिक याथार्थ्य' का अर्थ 'वर्ग-संघर्ष' तय हुआ था। साधारण बातचीत में 'समाज' का अर्थ 'मनुष्य-समुदाय' मान लिया जाता है, हाथियों या हरिणों के झुण्ड या समुदाय की तरह। ये झुण्ड एक तरह के स्वार्थों के आधार पर बने देखे जाते हैं और वर्ग दूसरे प्रकार के स्वार्थों के आधार पर बने उपझुण्ड, जिनमें स्वार्थ-विरोध के कारण संघर्ष होता है। किन्तु मानव-समाज की यह समझ ठीक नहीं है। स्वार्थ के आधार पर बने ये झुण्ड भी अनेक-रूप दिखायी देते हैं, जिस अनेक-रूपता का मूल चेतना में ही होना चाहिए। उदाहरणतः मानवेतर जीवों में एक ओर शेर और चील-गीध आदि जैसे जीव हैं, जिनमें सामुदायिकता उनके घोंसले में पल रहे बच्चों और पालने वाले जनक-जननी तक सीमित रहती है और दूसरी ओर मधुमक्खियों और चींटियों की सामुदायिकता है जिसमें छत्ता और बांबी जैव देह जैसे होते हैं, जिसमें व्यष्टियों का स्थान जैवकोशों जैसा होता है।

सामाजिकता के सम्बन्ध में सबसे आधारभूत बात यह है कि मनुष्य की चेतना विशेषपरक नहीं होकर सामान्यपरक होती है, जो इस बात से देखा जा सकता है कि मनुष्य भाषा-भाषी प्राणी है और भाषा मूलत: सामान्यवाची होती है, विशेषवाची नहीं। यहाँ तक कि इसमें व्यक्तिवाचक संज्ञाएँ तक सर्वनामों की स्थानापन्न होती हैं और सर्वनामों में 'मैं' पद 'वह' और 'तू' से प्रतिवर्तनीय होता है। अन्य के द्वारा अपने लिए 'मैं' के और मेरे लिए 'तू' के प्रयोग को हम सहज ही ठीक प्रयोग समझते हैं। इतना ही नहीं, हमारा वस्तु-ग्रहण तक सर्वसामान्यात्मक होता है—सामने पड़े घट को हम सर्वग्राह्य विषय के रूप में ही देखते हैं, यहाँ तक कि अपने द्वारा देखी गई वस्तु या घटना के अन्यों से प्रमाणित नहीं होने पर हम अपने प्रत्यक्ष को अप्रामाणिक-भ्रान्त-स्वीकार करने को भी तैयार रहते हैं। चेतना का यह गुण मनुष्य को व्यष्टि से व्यक्ति बनाता है, जिसकी 'विशिष्टता' उसकी 'सामान्यता' की समानुपाती होती है। सामान्यता में न्यून व्यक्ति वैशिष्ट्य में भी उतना ही न्यून होता है-अपने आपसे अपरिचित और विखण्डित। बुद्ध की चेतना जीव मात्र पर व्यापक थी और गाँधी की मनुष्यमात्र पर, इसीसे दोनों व्यक्तित्व में सर्वाधिक आत्मप्रतिष्ठ थे। मानव-समाज के स्वरूप को समझने के लिए यह एक अत्यधिक महत्त्वपूर्ण तथ्य है, किन्तु यहाँ हम इसकी व्याख्या के विस्तार में नहीं जाकर इसकी ओर संकेतमात्र करेंगे।[1] इसके सम्बन्ध में यहाँ केवल इतना कहना ही आवश्यक है कि समाज कोई व्यक्ति-समूह की संज्ञा नहीं है और न व्यक्ति जैविक देह की संज्ञा है। किन्तु समाज के सम्बन्ध में साधारण धारणा यही है कि यह मानव-तन-धारियों की समष्टि है। यदि इस बात को तात्कालिक रूप से स्वीकार कर भी लें तो यह ध्यातव्य होगा कि ये तन-धारी केवल समूहित नहीं होते, ये विभिन्न नैतिक सम्बन्धों की व्यवस्था में समूहित होते हैं। यह सम्बन्ध-व्यवस्था उस समूह की मानसिकता की व्यंजक होती है, जो मानसिकता अपने को उस समूह के काव्य, दर्शन, धर्म, आस्था, विश्वास, उचितानुचित और सदसद्-विवेक आदि में व्यक्त करती है। इस मानसिकता को संस्कृति कहा जाता है। कोई मानव-समूह इस संस्कृति से ही समाज बनता है, ठीक उसी प्रकार जिस प्रकार ध्वनियाँ अर्थों की

---

1. इसकी विस्तृत व्याख्या के लिए द्रष्टव्य पीछे अध्याय 1.

व्यंजक होकर ही भाषा बनती हैं। अब, यदि यह स्वीकार कर लिया जाय तो साहित्य और समाज दो पृथक् वस्तुएँ या सत्ताएँ नहीं होकर अंग और अंगी ही ठहरती हैं। इस पर प्रतिवाद किया जा सकता है कि तब क्या साहित्यकार के सामाजिक दायित्व की, साहित्य के सामाजिक याथार्थ्य के प्रतिबिम्ब होने की बात का कोई अर्थ नहीं है? इसका उत्तर है कि एक अर्थ में ये वाचक निरर्थक ही हैं, किन्तु एक दूसरे अर्थ में ये निरर्थक नहीं भी हैं। ये उस अर्थ में निरर्थक हैं जिस अर्थ में इनको साधारणतः समझा जाता है। ऊपर के विवेचन में यही दिखाया गया है। किन्तु ये इस अर्थ में सार्थक हैं कि मनुष्य की चेतना आत्मचेतन होती है और उसमें सदसद्-विवेक की सहज प्रवृत्ति होती है, चाहे सद् और असद् की ठीक पहचान सहज नहीं होती। यह विवेक वह अपने कर्मों में भी करता है और दूसरों के कर्मों में भी। आत्मचेतना चेतना का आत्म-प्रतिबिम्बन ही है और सदसद्-विवेक मनुष्य में व्यक्ति रूप में अपने प्रति और सामाजिक रूप में समाज के प्रति दायित्व-बोध उत्पन्न करता है। उसकी इस प्रवृत्ति के कारण सभी सामाजिक सम्बन्ध उसके इस विवेक से अन्तर्निविष्ट रहते हैं और सभी सामाजिक और वैयक्तिक व्यापार सद् या असद् के रूप में मूल्यांकित होते हैं। हमारे प्राचीन साहित्यशास्त्र में नायक का धीरोदात्त होना एक नियम था, जिसमें यही दृष्टि थी। किन्तु नायक के अतिरिक्त अन्य पात्र सभी प्रकार के होते थे। आज नायक के भी धीरोदात्त होने का कोई नियम नहीं है। काव्य का मूल नियम यही है कि पात्रों का चरित्र आत्म-संगत हो और उनकी चित्तवृत्तियों का निरूपण गहन और मार्मिक, अथवा कहें प्रामाणिक हो। ये चित्तवृत्तियाँ स्वतः ही सदसद् रूप में मूल्यांकित होती चलती हैं, क्योंकि मनुष्य में चित्तवृत्तियों के ये स्वरूपगत गुण होते हैं। यदि लेखक और पाठक में इन वृत्तियों के मूल्यांकन में विरोध होता है तो पाठक उस कृति को अस्वीकार कर देता है। किन्तु साहित्य का कार्य किसी सामाजिक कर्त्तव्य को लक्षित करना नहीं है कि समाज में धर्म-अर्थ-काम की अभिवृद्धि हो क्योंकि साहित्य स्वयं सामाजिक अभ्युदय का एक अंग या आयाम है। वह अपने अस्तित्व में ही एक सांस्कृतिक व्यापार है और इस व्यापार के सम्यक् सम्पन्न होने में ही इसका औचित्य है। यह दर्शन और संगीत से अधिक सरलता से समझा जा सकता है। दर्शन का कार्य तत्त्व-विवेचन है, जो समाज के व्यावहारिक स्तर से पूर्णतः विच्छिन्न होता है। कोई दार्शनिक समाज के लौकिक अभ्युदय की सापेक्षता में या उसमें व्याप्त अन्यायों या कुरीतियों के प्रसंग में विचार नहीं करता। यही बात संगीत के सम्बन्ध में भी कही जा सकती है। संगीतकार रागों की रचना या उनका गायन सामाजिक अन्याय से लड़ने के लिए नहीं करता। किन्तु इनकी यह तथाकथित समाज-निरपेक्षता, निर्धनों की रोजी-रोटी के प्रश्न से निरपेक्षता इन्हें असामाजिक नहीं बनाती। दर्शन और संगीत उतनी ही, या उससे बड़ी सामाजिक उपलब्धियाँ माने जाते हैं जितनी रोजी-रोटी की व्यवस्था और सामाजिक अन्याय के निवारण के प्रयत्न आदि माने जाते हैं। निश्चय ही साहित्यकार समाज में अन्याय-अत्याचार से उद्विग्न होकर उसे अपनी साहित्यिक रचना का विषय भी बना सकता है, किन्तु ऐसा वह साहित्यिकता की शर्त पर ही कर सकता है। साहित्यिकता की शर्त यह है कि उसकी यह उद्विग्नता सच्ची होनी चाहिए और वह भावनात्मक विमर्श के स्तर पर उन्नीत होनी चाहिए। किन्तु काव्य का विषय कौन सी उद्विग्नता हो, काव्य के सामाजिक मूल्य के लिए यह पूर्णतः अवान्तर बात है, क्योंकि काव्य अपने आपमें समाज के आत्म-सर्जन का एक रूप होता है, उसे अपने अस्तित्व के औचित्य के लिए किसी और प्रमाण की अपेक्षा नहीं होती।

काव्य की प्रामाणिकता भावना के आत्म-विमर्श की प्रामाणिकता : भावना की सच्चाई और गहराई और कवि की उसके विमर्शात्मक अवगाहन की सफलता : में होती है। इस भावना की अन्तर्वस्तु आशा-निराशा, संसार-मोक्ष, मिलन-विरह, वर्ग-संघर्ष या ईश्वर-भक्ति कुछ भी हो सकती है। उदाहरणार्थ यहाँ जयशंकर प्रसाद की प्रसिद्ध कविता 'ले चल मुझे भुलावा देकर, मेरे नाविक धीरे-धीरे' ली जा सकती है। वे नाविक से वहाँ ले जाने को कहते हैं जहाँ नितान्त निर्जन है, जहाँ सागर-लहरी अंबर के कानों में गहरी प्रेम-कथा कहती है। प्रगतिवादी आलोचकों ने इसकी 'पलायनवादी' कहकर प्रताड़ना की थी। काव्यात्मकता की और सामाजिकता की समझ के अभाव, बल्कि कहें विपर्यास के इससे बड़े उदाहरण की कल्पना कठिन होगी। यों तो इसमें संसार से पलायन की कोई बात नहीं है, किन्तु यदि हो भी तो भी इसमें काव्य-दृष्टि से और इस प्रकार सामाजिक मूल्य-दृष्टि से कोई दोष है, यह कहना केवल दृष्टि-हीनता का ही द्योतक होगा। यदि थोड़ा ध्यान से देखें तो मनुष्य की

मूल्य–दृष्टि ने मनुष्य का उत्कर्ष संसार से बाहर, बल्कि कहें संसार–विमुखता में ही देखा है। बौद्ध धर्म का अपूर्व विस्तार इसका एक उदाहरण है। सिद्धार्थ को सम्बोधि संसार से 'पलायन' से ही सिद्ध हुई थी और समाज ने इसे इसी रूप में देखा था और इसमें मनुष्य का परम उत्कर्ष माना था। भारतीय समाज ने सामान्य रूप से ही मनुष्य का परम पुरुषार्थ मोक्ष को माना था। ऐसे में यह कहना कि सामाजिकता वर्ग–संघर्ष को उकसाने में ही है, मजदूरों के पक्ष में खड़ा होने में ही सबसे बड़ा पुरुषार्थ है और कवि को इसीका वैतालिक होना चाहिए, इससे बड़ा दृष्टि–विपर्यास दूसरा कोई नहीं हो सकता। स्वयं कार्ल मार्क्स की उत्कृष्टता उसके संसार–भाव या समाज–भाव में नहीं है बल्कि मज़दूरों की दुर्दशा देखकर उपजे क्षोभ, उस क्षोभ की गहराई और सच्चाई, उस दुर्दशा का उपचार खोजने में अपना पूरा जीवन झोंक देने और दृष्टि की तत्त्व–ग्राहिता में है। इसमें और बुद्ध की दृष्टि में एक अनुरूपता भी देखी जा सकती है—दोनों मनुष्य के दुःख से उद्विग्न हैं, एक आर्थिक–परिस्थिति–जन्य दुःख से और दूसरा जीव के मौलिक अविद्या–जन्य दुःख से। इनमें बुद्ध की दृष्टि को पलायनवादी या समाज–विमुख भी कहा जा सकता है। किन्तु यहाँ द्रष्टव्य है कि विशाल मनुष्य–समुदाय ने 'संसार से इस पलायन' में ही, इस संसार–विमुखता में ही मनुष्य का पुरुषार्थ, मनुष्य का वास्तविक सुख देखा था। कार्ल मार्क्स की भी व्यक्तिगत उत्कृष्टता 'मनुष्य के दृष्टि–दोष से उपजे मनुष्य के दुःख' के निवारण के लिए उसके त्याग और तपस्या में ही देखी जाती है, उसके संसार–भाव में नहीं। यहाँ आपत्ति की जा सकती है कि बात संसारोन्मुखता की नहीं कही जा रही है बल्कि समाजोन्मुखता की कही जा रही है। कवि से अपेक्षा यह है कि वह सामाजिक अन्याय, सामाजिक कुरीतियों के विरुद्ध लड़ेगा। बुद्ध संसार–भाव से विमुख थे, समाज–भाव से नहीं। यह ठीक हो सकता है यदि इसमें 'समाज' की समझ ठीक हो तो। मनुष्य–समाज निर्वाण की साधना को परमोच्च साधना देखने वाली दृष्टि का भी समावेशी है, जिस प्रकार वह गार्हस्थ्य, वाणिज्य, राज्य, पौरोहित्य आदि का समावेशी हैं। ये सब मिलकर समाज बनते हैं। सामाजिक इन गार्हस्थ्य आदि में ही रहते हैं और इन्हीं में आत्म–लाभ देखते हैं। किन्तु अपना परम पर्येष्य निर्वाण को ही देखते हैं। इस पर्येषणा को समाजातिक्रमण की पर्येषणा भी कह सकते हैं। यह अतिक्रांति उसी प्रकार सामाजिक अस्तित्व के बाहर किन्तु उससे जुड़ी हुई होती है जिस प्रकार गन्तव्य गमन–क्रिया से बाहर और उससे जुड़ा हुआ होता है। अधिकांश सामाजिक वाणिज्य आदि परक समाज में रहते हैं किन्तु बुद्ध की पूजा करते हैं और कुछ बुद्ध का अनुसरण भी करते हैं। बुद्ध इस सामाजिकता से विमुख नहीं हैं, किन्तु उस सामाजिकता को करुणा का विषय ही मानते हैं जो गार्हस्थ्य, वाणिज्य आदि में आत्मपर्याप्तता देखती है।

काव्य मनुष्य के मनोमय कोश के अर्थों के विमर्श से परिभाषित होता है। यह कोश भावनाओं, उद्विग्नताओं आदि से परिभाषित होता है। भावनाओं–उद्विग्नताओं का विषय कुछ भी हो सकता है–समाज में व्याप्त अन्याय–अत्याचार भी और अपनी विरह–वेदना भी। मिर्ज़ा ग़ालिब ने अंग्रेज़ी आक्रमण के सामने मुगलों की बेबसी की ताड़ना में शे'र नहीं लिखे तो इससे वे अनुत्तरदायी या पलायनवादी शायर नहीं हो गये। उन्हें यदि कोई अनुत्तरदायी कहे भी तो भी इससे उनके काव्य की श्रेष्ठता को कोई कम करके नहीं देख सकता। इसके विपरीत, उनके काव्य की श्रेष्ठता को उनके समाज की जीवन्तता के प्रमाण के रूप में भी प्रस्तुत किया जा सकता है और कहा जा सकता है कि सामाजिक चेतना के अनेक आयाम होते हैं, एक आयाम में जर्जरित दिखने वाला समाज दूसरे आयाम में जीवन्त भी हो सकता है। अन्तिम ज़ार कालीन रूसी समाज ने टाल्स्टाय, दोस्तोयोवस्की, चैख़व और गोर्की जैसे उपन्यासकार–कहानीकार उत्पन्न किये थे, यह उस समाज की अद्भुत जीवन्तता का प्रमाण है। बाबर–अकबर के काल का भारतीय भक्ति–काव्य सैनिक रूप से पराजित समाज की सांस्कृतिक रूप से अपराजेयता का ही उद्घोष है, यथार्थ का सामना नहीं कर सकने वाले कायर समाज की आत्म–वंचना का नहीं। वर्धमान चग़ेज़खां के अर्थ में वीर नहीं होकर भी महावीर थे और अपने समाज के परम शौर्य के प्रतीक थे। यहाँ एक शे'र का स्मरण स्थाने होगा—

> चंद तस्वीरें बुतां, चंद हसीनों के ख़तूत
> बाद मरने के मेरे घर से यह सामां निकला।

इस शेऽर में समाज-विमुखता या असामाजिकता की पराकाष्ठा देखी जा सकती है, किन्तु समाज स्वयं इसे ऐसा नहीं देखता। वह इसमें ऐसे मूल्य का चरितार्थन देखता है जिसके सामने करोड़ों रुपयों की संपत्ति तुच्छ दिखायी देती है। समाज ने ही राधा-कृष्ण, हीर-रांझा और विरह में शराब पी-पीकर आत्म-दाह करने वाले देवदास को अपने आदर्श के रूप में रचा जबकि ये उस नैतिक व्यवस्था के मूल को ही नकारते हैं जिस पर समाज प्रतिष्ठित है। समाज इनमें अपने नैतिक धरातल से उच्चतर धरातल की नैतिकता का साक्षात्कार करता है, और जैसे वह बुद्धत्व के लिए अपने धारक गार्हस्थ्य धर्म को न्यौच्छावर कर सकता है उसी प्रकार निरपेक्ष प्रेम की पराकाष्ठा पाने के लिए धर्म से मर्यादित काम की नैतिकता को भी न्यौच्छावर कर सकता है। मनुष्य-समाज इस प्रकार के आत्मातिक्रमणों की सम्भावनाओं के साथ ही समाज होता है।

2

संस्कृति : मानव–कर्त्तृत्व की व्याख्या

प्रवेश

पिटरिम सोरोकिन ने अपने विशाल ग्रन्थ **सोश्यल एण्ड कल्चरल डिनेमिक्स** में सांस्कृतिक विकास की बहुमुखीनता का सविस्तार और सोदाहरण विवेचन किया है। यह बहुमुखीनता कला, नीति और सत्य सभी क्षेत्रों में समान रूप से लक्षित होती है। ज्ञान के क्षेत्र में भी उसका निष्कर्ष है कि ज्ञान की सभी व्यवस्थाओं या सिद्धान्तों की समान प्रतिष्ठा है, सत्य पर सबका दावा बराबर है, इसके लिए केवल पूर्व-प्रतिज्ञाएँ चुनने की बात है। उसने ज्ञान अथवा सत्य की व्यवस्थाओं की परिगणना निम्न प्रकार से की है—(1) ऐन्द्रिय ज्ञान तथा इस पर आधारित सत्य, (2) बौद्धिक ज्ञान तथा बौद्धिक सत्य, (3) अतीन्द्रिय और अतिबौद्धिक ज्ञान तथा अतीन्द्रिय सत्य (आइडियेश्नल ट्रुथ), (4) समन्वित ज्ञान तथा सत्य की समन्वित व्यवस्था, और (5) व्यवस्थाहीन स्थिति। संस्कृति : मानव-कर्तृत्व की व्याख्या

इस प्रकार, सोरोकिन के अनुसार ज्ञान व सत्य सापेक्ष व्यवस्थाएँ हैं। हमने इस सापेक्षतावाद के औचित्य पर अपनी पुस्तक **ज्ञान और सत्** के चतुर्थ और पंचम अध्यायों में विचार किया है। यहाँ हमने सत्य, कला तथा नीति की विभिन्न व्यवस्थाओं की सापेक्षता पर विचार करने के बजाय अपने उन निष्कर्षों को ध्यान में रखते हुए मानव-संस्कृति की विभिन्न रचनाओं के स्वरूप पर विचार किया है।

मनुष्य को उसकी जो विशेषता पशु से पृथक् करती है वह यह है कि वह प्रदत्तों के विश्व में नहीं रहकर व्यवस्थात्मक या संरचनात्मक विश्व में रहता है। संरचना (स्ट्रक्चर) को हमने कहीं-कहीं अर्थ-सन्दर्भ भी कहा है। संरचना अथवा अर्थ-सन्दर्भ से हमारा तात्पर्य है चित् या मन की क्रिया, जो किसी विषय के होने की प्रागपेक्षा होती है। इस प्रकार जितने प्रकार के विषय हैं उतने ही प्रकार के अर्थ हैं; अथवा कहें, जितने प्रकार के अर्थ हैं उतने ही प्रकार के विषय हैं, क्योंकि अर्थ विषयों का रचयिता है। यद्यपि पशु-व्यवहार भी अर्थ-क्रियात्मक ही होता है, किन्तु उसके विषय 'अर्थ-क्रिया के क्षण' में प्रस्तुत होते हैं, मानव-विषय व्यवस्थात्मक होते हैं। 'मिथक' अध्याय में हमने इस संरचनात्मकता की उपमा कुम्हार और उसके चाक से दी है जिस पर गोचरताएँ (ऐन्द्रिय संवेद) विषयाकार लेती हैं। किन्तु यह उपमा कोई पूर्ण उपमा नहीं है, केवल अभिव्यंजक उपमा है, क्योंकि यह, अधिक-से-अधिक, ऐन्द्रिय विषयों के लिए ही उपयुक्त हो सकती है। 'विषय' से सामान्यत: 'ऐन्द्रिय विषय' ही अर्थ लिया जाता है—यह जो हम मेज़, कुर्सी, भोजन, कठोर, गंधवान् आदि के रूप में ग्रहण करते हैं। ये निश्चय ही विषय हैं, किन्तु ये एकमात्र विषय नहीं हैं, और पुन:, ये भी 'प्रदत्त' विषय नहीं हैं; कम-से-कम, ये भाषा से व्यवहित होते हैं। इनके रचना-तत्त्व अनेक हैं, इनमें ऐन्द्रिय विषयों के रचना-तत्त्वों का निरूपण हमने आगे 'प्राकृतिक विज्ञान' अध्याय में किया है। किन्तु जैसाकि हमने कहा, ये केवल एक प्रकार के विषय हैं, उतने ही ठोस विषय गणित, धर्म, भाषा और नीति के हैं। इनकी विभिन्नता इस बात में नहीं है कि इनकी पूर्व-प्रतिज्ञाएँ भिन्न हैं (पूर्व-प्रतिज्ञाओं का प्रश्न केवल सत्य के प्रसंग में ही उत्पन्न होता है) बल्कि इस बात में है कि इनमें रचनात्मक भेद हैं, ये विभिन्न आयामों के समान एकत्र और पृथक्कृत हैं। इनमें किसी विशिष्ट आयाम के प्रति विशेषाग्रह संस्कृति को विशिष्ट व्यक्तित्व देता है, यह आग्रह एक आयाम को प्रतिष्ठित कर अन्यों को तिरस्कृत भी करता है; उदाहरणत: कुरान में कलाएँ वर्जित हैं, प्रत्यक्षवादी दर्शन उन्हें संवेगात्मक मानता है; किन्तु रचनात्मक आयामों के रूप में इनके सम्बन्ध में इनकी प्रतिष्ठता-अप्रतिष्ठता के प्रश्न अप्रासंगिक होते हैं।

हमने 'संस्कृति' को 'रचनात्मक अर्थ' कह कर परिभाषित किया है। ये विभिन्न आयाम रचनात्मक अर्थों के आयाम हैं, इनमें मानव-चित् का अर्थ और वस्तुमूलक द्वैत विषय में एकत्व पाता है। इस प्रकार अर्थ को देखकर उसकी वस्तु का और वस्तु को देखकर उसके अर्थ का स्वरूप जाना जा सकता है। हमने अगले अध्यायों

में इन रचनात्मक अर्थों के स्वरूपों पर, और परिणामतः इनकी वस्तुओं के स्वरूपों पर, विचार किया है। इन विभिन्न रचनाओं को सांस्कृतिक वृत्तियाँ भी कह सकते हैं, क्योंकि ये सांस्कृतिक चेतना के आकार हैं, अथवा कहें, ये मन के संस्कृति-रूप संस्थान हैं। इस प्रकार, इनके विषय सांस्कृतिक विषय हैं (द्रष्टव्य प्रथम अध्याय)।

× × ×

अर्थ की संरचनात्मकता मनुष्य को कारण-कार्यात्मक शृंखला से मुक्त कर स्वातन्त्र्य में प्रतिष्ठित करती है, वह भोक्ता से कर्त्ता बनता है। उसकी सांस्कृतिक वृत्ति क्या आकार लेगी, इसका कोई निर्धारण नहीं हो सकता, क्योंकि अब वह कारण-शृंखला में मूलित नहीं होकर कारण-शृंखला उसमें मूलित होती है, यह उसके विषयावधारण का एक विकल्प (केटेगरी ऑफ अण्डरस्टैंडिंग) बनती है। किन्तु उसकी यह स्वतन्त्रता उसे एक दूसरे बन्धन में डालती है, वह है उसके अर्थ की तन्त्रमयता का बन्धन। वह इस तन्त्र का, संरचना के तर्क का, उल्लंघन नहीं कर सकता। आगे 'भाषा' अध्याय में हमने इस रचनात्मक 'निर्धारितता' पर विचार किया है, किन्तु यह उतना ही सही अन्य रचनाओं के लिए भी है। किन्तु यह निर्धारितता वास्तव नहीं होकर केवल प्रतीयमान होती है, क्योंकि इस निर्धारितता के बिना स्वतन्त्रता की प्रतिष्ठा ही सम्भव नहीं है—'स्व', 'तन्त्र' को पूर्वापेक्षित करता है। किन्तु यह स्वतन्त्रता मानव को केवल संस्कृति-मानव के रूप ही उपलब्ध होती है, व्यक्ति इसमें पूर्णतः परतन्त्र है, सांस्कृतिक प्राणी के रूप में उसका स्व स्वाधिष्ठित नहीं है, वह सांस्कृतिक स्व में अधिष्ठित है (द्रष्टव्य अध्याय 2)। इस प्रकार, व्यक्ति की स्वतन्त्रता का अधिष्ठान अन्यत्र है। यदि यह अधिष्ठान अन्यत्र नहीं हो तो 'व्यक्ति' का कुछ अर्थ नहीं रहेगा, तब वह व्यष्टि मात्र होगा। बहुत-से विचारक वैयक्तिक स्व को स्वीकार नहीं करते, दूसरे सांस्कृतिक स्व को स्वीकार नहीं करते, और तीसरे किसी स्व को स्वीकार नहीं करते—इन अन्तिम विचारकों के सिद्धान्त पर हमने दूसरे अध्याय में विचार किया है। स्वभावतः यदि अन्तिम विचारकों का मत माना जाये तो स्वातन्त्र्य का भी कोई अर्थ नहीं रह जाता और हम उतने ही कारण-शृंखला में निबद्ध हो जाते हैं जितने अन्य प्राणी और भौतिक वस्तुएँ। किन्तु जैसाकि हमने देखा, यह मत उचित प्रतीत नहीं होता। इसलिए ये विभिन्न सांस्कृतिक आयाम मानवीय स्वातन्त्र्य के प्रतिष्ठापक हैं, अथवा कहें, मानवीय स्व इनमें अपने को उपलब्ध करता है। इनके बिना मानव-समाज मधुमक्खी-समष्टि के अनुरूप होता—जैव कारणता में निबद्ध।

यहाँ सामान्य-रूप से उस सामाजिक सिद्धान्त की अयुक्तता देखी जा सकती है जो समाज को वैज्ञानिक विषय के रूप में देखता है। वह मानव-समाज और मधुमक्खी-समष्टि को पृथक् नहीं कर सकता, क्योंकि 'सर्जनात्मकता' का उसके लिए कोई अर्थ नहीं है, उसके लिए सामाजिक सम्बन्ध जैव-सामाजिक कारणता के कार्य हैं, मूल्य इन सम्बन्धों से संलग्न संवेग हैं। वह यह नहीं देख पाता कि मधुमक्खी-व्यष्टि में ये सम्बन्ध संवेगात्मक रूप से अधिक गहरे मूलित होते हैं, व्यष्टि-मक्खी अपनी समष्टि से पृथक् कर देने पर शीघ्र ही मर जाती है, उसका पृथक् अस्तित्व सम्भव ही नहीं है। तब मानवीय मूल्य और पाशव संवेग में क्या अन्तर है? वह कहता है, कोई अन्तर नहीं है सिवाय जटिलता की अधिकता के, अथवा कहें, उद्दीपन और प्रतिक्रिया के बीच व्यवधान अधिक दीर्घ होने के।

आप इस दैहिक व्याख्या का प्रतिवाद नहीं कर सकते, क्योंकि यह अपने में पूर्ण और अतएव अभेद्य है, किन्तु इसे स्वीकार करने का अर्थ होगा उस तन्त्र-व्यवस्था के स्वरूप का अस्वीकार जो अन्यथा स्पष्ट दीखता है। उदाहरणतः गणितीय अनिवार्यता को लें। यह अनिवार्यता कारणात्मक अनिवार्यता नहीं है यह स्पष्ट है, यह रचनात्मक अनिवार्यता है (द्रष्टव्य, अध्याय 8) ठीक यही रचनात्मकता सभी सांस्कृतिक व्यापारों में है। अन्तर केवल रूप का है। धर्म अपना रचनात्मक अर्थ उद्घाटित करता है, कला और नीति आदि अपने। इनकी मूल्यात्मकता इनकी सांवेगिकता में नहीं बल्कि मनुष्य के अपने कर्त्तव्य के अर्थ-बोध में है। सम्बन्धों की यह मूल्यात्मकता समाज की पूर्वापेक्षा है, इनके बिना यह समष्टि रहता है। इस प्रकार, समाज का जन्म सम्बन्धों के मूल्याविष्ट होने के साथ होता है। इसका अर्थ यह नहीं कि मैं अपने भाई से प्रेम अपने कर्त्तृत्व के अर्थ-बोध के रूप में करता हूँ, वह तो निश्चय ही संस्कारवश करता हूँ। इस प्रकार मनोवैज्ञानिक जिन्हें 'सामाजिक प्रवृत्तियाँ'

कहते हैं वे मनुष्य में अवश्य ही हैं, उनके बिना समाज की सम्भावना ही नहीं होती, किन्तु केवल ये हमें समष्टिता से आगे नहीं ले जा सकती थीं, समष्टि में समाज–तत्त्व का प्रवेश कर्त्तव्य–बोध के साथ होता है। कर्त्तृत्व का अर्थ–बोध अथवा अकर्त्तव्य–बोध पुन: मानव–धर्म के स्वातन्त्र्य का प्रतिष्ठापक है (द्रष्टव्य अध्याय 6)। समाजशास्त्री सामान्य रूप से यह भेद समझने में असमर्थता प्रदर्शित करते हैं जब वे मूल्यों को समाज–संस्कार सापेक्ष रूप में देखते हैं; दूसरे शब्दों में, वे मूल्य और संस्कार में भेद नहीं कर पाते। जैसाकि हमने 'नैतिक मूल्य' अध्याय में देखा है, कर्त्तव्य–निर्णय के प्रसंग अवश्य ही समाज–संस्कार–सापेक्ष होते हैं, किन्तु यह प्रश्न कि 'क कर्त्तव्य है या नहीं' समाज–संस्कार सापेक्ष नहीं होता। उदाहरणत:, महात्मा गाँधी के सम्मुख चौरी–चौरा में हत्याएँ होने के समय प्रस्तुत प्रश्न 'कि उन्हें सत्याग्रह बन्द करना चाहिये या नहीं?' समाज–संस्कार–सापेक्ष नहीं था, वह मौलिक प्रश्न था जो अपने उत्तर की माँग मानव–कर्म के परम अर्थ के सन्दर्भ में कर रहा था। गाँधीजी ने उसका असामान्य उत्तर देकर मानव–कर्म के अर्थ को नया उत्कर्ष दिया। कहा जा सकता है कि उन्होंने वह उत्तर भारतीय होने के कारण दिया; निस्सन्देह, किन्तु यह भी निश्चित है कि उनका पिता भी इसका यह उत्तर नहीं देता, अन्य भारतीयों की तो बात ही क्या है। किन्तु केवल यह वैशिष्ट्य या विलक्षणता ही इस उत्तर को संस्कार से पृथक् नहीं करती बल्कि इस प्रश्न और इसके उत्तर का स्वरूप करता है—यह प्रश्न और उत्तर स्वरूपत: कारण–कार्यात्मक नहीं हैं।

इसका अर्थ यह नहीं है कि हम समाजशास्त्र की सम्भावना का ही निषेध कर रहे हैं। सम्भवत: इससे समाजशास्त्र की सम्भावना बढ़ती ही है; क्योंकि, जैसाकि हमने पीछे कहा, मानव–संस्कृति स्व–निर्धारक है और इस निर्धारकता में एक अनिवार्यता भी है, इसमें चंचलता और अनियम के लिए कहीं स्थान नहीं है। आवश्यकता केवल मानव और समाज का अर्थ सही समझने की, और परिणामत: समाजशास्त्र का सही प्रयोजन समझने की है। इस समय समाजशास्त्र जिन नियमितताओं को नापने और जिन संस्थानों (पैटर्न्स) को अनुसूचित करने को अपनी इतिकर्त्तव्यता मानता है वे अयुक्त अवधारणाओं पर प्रतिष्ठित हैं। ये नियमितताएँ निश्चय ही उसे समाज में मिलेंगी, आप अपनी कोई भी परीक्षा–योजना बनाएँ आपको उसकी अनुरूपताएँ मिलेंगी ही। किन्तु यह तथ्य इस परीक्षा–योजना की युक्तता सिद्ध नहीं करता; परीक्षा–योजना की युक्तता, उस योजना से पृथक्, विषय के स्वरूप–निर्णय से आती है। मनोविज्ञान के एक उदाहरण से यह अधिक सहज रूप में समझा जा सकता है : बुद्धिमत्ता–भागफल–परीक्षा (आई–क्यू टैस्ट) के उत्तर कुछ तो निकलेंगे ही, और यह परीक्षा अपने अनुरूप विषय, अथवा कहें परीक्ष्य, को भी प्राप्त करेगी ही, किन्तु यह अनुरूपता ही इस योजना को युक्तता नहीं दे सकती; यह युक्तता इस परीक्षा की अवधारणा से स्वतन्त्र, बुद्धि के स्वरूप–निर्णय से आयेगी।

इसका यह अर्थ भी नहीं है कि मनुष्य संस्कार–बद्ध है ही नहीं। अधिकांशत: वह संस्कार–बद्ध ही है, इसीलिए रचनात्मक विचार अन्त में रूढ़ि में जड़ हो जाता है। मनुष्य के इस संस्कारमूलक पक्ष को बहुत बढ़ाया भी जा सकता है, किन्तु मनुष्य का व्यवच्छेदक गुण इसके ठीक विपरीत है, और समाजशास्त्र को उसकी उपेक्षा नहीं करनी चाहिए।

वर्तमान समाजशास्त्र की कठिनाई उसके विज्ञानाग्रह के कारण है, जो केवल मात्रा या परिमाण को ही देख सकता है। समाजशास्त्र की इस भ्रान्त धारणा के पीछे भ्रान्त मनोवैज्ञानिक सिद्धान्त है जो मन को सांख्यिकीय परीक्षण–विषय के रूप में ही देखता है। उदाहरण के लिए मूल्यों में परिवर्तन–विषयक परीक्षण की किसी सारणी को लें। समाजशास्त्री प्रश्न करता है कि लड़कियाँ किस प्रकार के पति चाहेंगी। एक सौ लड़कियाँ इस प्रश्न का उत्तर देती हैं और समाजशास्त्री अपनी सारणी में संख्याएँ भर देता है। अब यह सारणी क्या प्रदर्शित करती है? क्या समाजशास्त्री जानता है कि वह क्या प्रश्न कर रहा है? और क्या ये उत्तर मूल्य सम्बन्धी कुछ भी सूचना देते हैं? मान लीजिये कि पचास लड़कियाँ उत्तर देती हैं कि वे सैनिक को पति के रूप में चाहेंगी। क्या इससे समाजशास्त्री यह अनुमान कर सकता है कि वे वास्तव में सैनिक को ही चाहती हैं? 'सैनिक' का क्या अर्थ है? क्या यह समाजशास्त्री या लड़कियाँ समझती हैं? क्या कोई 'सैनिक' होता है? समाजशास्त्री इस उत्तर से निष्कर्ष निकाल

सकता है कि इन लड़कियों का विवाह यदि सैनिकों के साथ कर दिया जाय तो वह सफल होगा। यदि इनमें से कोई लड़की विवाह के बाद कहती है कि वह अब 'सैनिक' से घृणा करती है, तो क्या इसको वह कहीं अपने अवधारणात्मक संस्थान में स्थान दे सकता है?

किन्तु समाज-वैज्ञानिक की मुख्य और गम्भीरतर भ्रान्ति मूल्य का इच्छा या अभिनिवेश के साथ समीकरण करने में है। जैसाकि हमने 'नैतिक मूल्य' अध्याय में देखा है, 'मूल्य' इच्छा का ठीक विपरीतार्थक है, इसका स्रोत विवेक में है जो प्राय: ही इच्छा के विपरीत कर्म के लिए मानव-कर्त्ता को नियोजित करता है। कब व्यक्ति पराधीन भाव से इच्छाओं और अभिनिवेश का अनुसरण करेगा और कब वह मूल्यानुसरण के रूप में अपनी स्वाधीनता की प्रतिष्ठा करेगा, यह किसी प्रकार निश्चित नहीं किया जा सकता। सबसे बड़ी बात यह है कि समाज-वैज्ञानिक इस स्वाधीनता का कोई अर्थ नहीं समझता, इसलिए उसकी सारणी इस पूर्वधारणा पर प्रतिष्ठित है कि मनुष्य एक इच्छाबद्ध प्राणी है। इसलिए वह भविष्योक्ति में अपनी असफलता का कारण केवल अपने परीक्षण-विषय की जटिलता को मानता है। जैसाकि हमने पिछले अनुच्छेद में देखा, यह कठिनाई भी कम बड़ी नहीं है, और वास्तव में यह इतनी बड़ी है कि वैज्ञानिक के कार्य को असम्भव बना देती है। किन्तु तब भी इससे सैद्धान्तिक रूप से समाज-वैज्ञानिक का कार्य अयुक्त नहीं होता। मूल्य-चेतना की विद्यमानता उसके कार्य को सिद्धान्तत: असम्भव बना देती है। इसलिए, हमारे विचार में, समाजशास्त्र विज्ञान के रूप में असम्भव है। समाजशास्त्र के लिए उचित विधि ऐतिहासिक-दार्शनिक विधि है। यह विधि समाज को एक सांस्कृतिक व्यवस्था के रूप में दिखेगी, जिसका अधिष्ठान क्रिया-प्रतिक्रियात्मक शरीर-समुदाय नहीं होकर मूल्य और आदर्श में है, जो मूल्यादर्श ऐतिहासिक सन्दर्भ में अपने अर्थ का विकास करता है।

किन्तु हमने यहाँ संस्कृति पर ऐतिहासिक सन्दर्भ में विचार नहीं किया है, क्योंकि वह विशेष समाजों का अध्ययन ही हो सकता है, अथवा सोरोकिन और टायनबी के समान विशाल चित्रपट पर हो सकता है। हमने यहाँ उन अर्थों के स्वरूप पर विचार किया है जिनमें मूल्यादर्श रचित होते हैं। उदाहरणत: सोरोकिन जिसे सेंसेट कल्चर कहते हैं उसके मूल्यादर्श का क्या रूप है, यह हमने 'प्राकृतिक विज्ञान' अध्याय में देखा है और जिसे आइडियेश्नल कल्चर कहते हैं उसके अर्थ-रूप को 'धर्म' अध्याय में। हमारे अन्य अध्याय सोरोकिन के अन्य अर्थ-रूपों से सम्बन्धित नहीं किये जा सकते, किन्तु प्राकृतिक विज्ञान में हमने गणित के सम्बन्ध में जो कहा है वह उनके 'बौद्धिक सत्य' से मेल खाता है। भाषा और नीति प्रत्येक संस्कृति के आधारभूत अर्थ-रूप हैं और मिथक एक महत्त्वपूर्ण ऐतिहासिक सांस्कृतिक वस्तुस्थिति। इसलिए इस पर विचार किया गया है।

संस्कृति का स्वरूप

किसी भी वस्तु अथवा वस्तुस्थिति के स्वरूप पर विचार बड़े जटिल प्रश्नों को जन्म देता है। ऐसा क्यों है, यह जानना एक बहुत रोचक बात है, यद्यपि स्वयं में जटिल भी है। हम कभी मेज़ के, लोहे के या गाय के स्वरूप पर विचार नहीं करते, जबकि मानव के स्वरूप पर विचार करने में असंख्य ग्रन्थों का निर्माण हुआ है। गाय, मेज़ आदि को हम प्राणी और भौतिक वस्तु के उदाहरणों के रूप में ग्रहण कर इन पर विचार करते हैं, अर्थात् हम जीव और भौतिक वस्तु के स्वरूपों पर विचार करते हैं। इसी प्रकार से हम विज्ञान, धर्म, दर्शन, समाज, संस्कृति आदि के स्वरूपों पर भी विचार करते हैं। हम रमेश या सुरेश के स्वरूपों पर विचार नहीं करते, किन्तु व्यक्ति के स्वरूप पर विचार करते हैं।

इस स्वरूप-विचार में क्य निहित है, क्यों हम गाय के स्वरूप पर विचार नहीं करते पर मानव के स्वरूप पर विचार करते हैं? ऐसा नहीं है कि गाय का कोई स्वरूप ही नहीं है, सब वस्तुओं का स्वरूप-स्वभाव होता है, किन्तु गाय के स्वरूप में उससे अधिक कुछ निहित नहीं जो उसके शरीर-रचना अथवा/तथा आकृति में हम देखते हैं। कम-से-कम हमारे लिए गाय एक ऐसा ही विषय है जिसका स्वरूप हमें लगभग पूर्णत: ऐन्द्रिय रूप से प्रदत्त है। जीव-वैज्ञानिक और शरीर-वैज्ञानिक की, अथवा ग्वाले की भी, उसके स्वरूप-ज्ञान में रुचि होती है— जिससे उससे अधिक दूध लिया जा सके। इसके विपरीत, जब हम मानव के स्वरूप के सम्बन्ध में प्रश्न करते हैं तब यह प्रश्न उसकी शरीर-रचना अथवा उसकी शरीराकृति के सम्बन्ध में नहीं होता, तब हम उस विषय के स्वरूप को जानना चाहते हैं जो हमारी अन्तश्चेतना में हमें अर्ध-प्रत्यक्ष सा होता है, जिसका न शरीर है और न आकृति। आप पूछेंगे, जो विषय अन्तश्चेतना में उजागर होता है वह अर्ध-प्रत्यक्ष सा क्यों है? और वह रहस्यमय क्यों है? वह तो पूर्ण स्पष्ट होना चाहिए? यह प्रश्न सही है, किन्तु तब भी यह सही है कि इस मानव-विषय का स्वरूप अत्यन्त रहस्यमय है और इसे जानना अत्यन्त दुष्कर है। इसकी जाँच यहाँ हम नहीं करेंगे, किन्तु यहाँ इतना स्पष्ट कर देना आवश्यक है कि उसका स्वरूप मुख्य रूप से सैद्धान्तिक अर्थों से बना होता है। मानव-विषय एक ऐसा ही विषय है; इसी प्रकार विज्ञान, धर्म, संस्कृति आदि हैं। उदाहरण के लिए धर्म को लें, धर्म का क्या स्वरूप है? मन्दिर धर्म का प्रतीक है, आँख मूँद कर प्रार्थना करना भी है, या कि कोई वैसी अनुभूति है जैसी सिर दर्द या आह्लाद की अनुभूति होती है? स्पष्टत: यह ऐसा विषय नहीं है। तब कुछ लोग कहेंगे, ऐसी अवस्था में यह केवल शब्द है जिसका कोई अर्थ नहीं है। यदि इन लोगों को हम उत्तर देंगे तो बड़ी जटिल दार्शनिक चर्चा में उलझ जायेंगे, इसलिए हम यहाँ केवल इतना ही संकेत करेंगे कि यह प्रतिपादन भी, कि यदि कुछ इन्द्रियगोचर नहीं है तो वह कुछ नहीं है, और ऐसी वस्तु का वाचक शब्द एक निरर्थक शब्द है, एक अत्यन्त जटिल सिद्धान्त है, जिसकी कुछ चर्चा हम आगे करेंगे। यहाँ इतना ही कहना पर्याप्त है कि धर्म एक सैद्धान्तिक विषय है और इसी प्रकार मानव भी बहुत कुछ एक सैद्धान्तिक विषय है।

किन्तु विज्ञान, धर्म, संस्कृति आदि प्रत्यय, विशेषत: पिछले दो प्रत्यय, दुगने जटिल हैं, क्योंकि ये मानव की अवधारणा को पूर्वकल्पित करते हैं, अर्थात् जो हमारी मानव की अवधारणा होगी उसके अनुसार ही हमारी संस्कृति और धर्म की अवधारणा भी निर्धारित होगी। यहाँ सोरोकिन से एक उद्धरण देना रोचक होगा। सोरोकिन विशाल सांस्कृतिक व्यवस्थाओं (सिस्टम्स) की चर्चा करते हुए कहते हैं—"इनके मूलत: आत्मसंगत होने से, ये मानव की तार्किक (और अशंत: अति-तार्किक भी) सृजनशीलता की महद्-अभिव्यक्तियाँ हैं। इनका अस्तित्व मात्र उन सब सिद्धान्तों की भ्रान्तता सिद्ध कर देता है जो मानव को और उसकी संस्कृति को मुख्यत: तर्कहीन और

अ-तार्किक मानते हैं।"[1] इस उद्धरण में यद्यपि ऐसा प्रतीत होता है मानो संस्कृति के स्वरूप से मानव का स्वरूप निगमित किया जा रहा है, क्योंकि इसमें संस्कृति की तर्क-संगतता से मानव की तर्कात्मता निगमित की गयी है। किन्तु थोड़ा गहराई से देखने पर यह स्पष्ट हो जायेगा कि यह निगमन हमारी बात को सिद्ध ही करता है, क्योंकि यहाँ संस्कृति को, और विभिन्न सांस्कृतिक रूपों (फोर्म्स) (भाषा, विज्ञान, धर्म आदि) को, मानव की रचनाओं के रूप में देखा जा रहा है। यदि ये व्यवस्थित रचनाएँ हैं तब स्वभावत: उनका रचयिता तर्कात्मक स्वभाव-युक्त है, और यदि वह तर्कात्मक स्वभावयुक्त है तब उसकी रचनाओं में हमें केवल ऊपरी संगति ही नहीं बल्कि अन्तर्गत संगति और सार्थकता भी दिखनी चाहिए। इसके विपरीत यदि मानव स्वरूपत: तर्कहीन है तब संस्कृति आदि में प्रतीयमान संगति भी वास्तव में संगति नहीं है, यह केवल आरोपण है, ऊपर से लादी गई चीज़; उस अवस्था में 'संस्कृति' शब्द किसी ठोस यथार्थ (सत्) का वाचक नहीं है, बल्कि केवल अमूर्त कल्पना (एब्ट्रेक्शन) है, और जैसाकि इस शब्द का सामान्यत: प्रयोग किया जाता है, यह एक धुंधली अमूर्त कल्पना है।"[2]

इस उद्धरण से स्पष्ट है कि ब्राऊन संरचना (स्ट्रक्चर) को अथवा तर्क-संस्थान को यथार्थ (सत्) नहीं स्वीकार करते हैं, इसीलिए वे संस्कृति को भी यथार्थ स्वीकार नहीं करते हैं, और परिणामत: वे 'मानव' को भी यथार्थ स्वीकार नहीं करेंगे; क्योंकि, जैसाकि हमने पीछे देखा, 'मानव' भी उतना ही प्रत्यक्ष-अगम्य है जितनी संस्कृति। किन्तु इस तथाकथित ठोस यथार्थ तक सीमित रहने का अर्थ है अपने आपको एक ऐसे महत्त्वपूर्ण आयाम से वंचित कर लेना जिसके बिना संसार केवल सम्बन्धहीन वस्तुओं और अंध-घटनाओं का संघात मात्र रह जाता है। ब्राऊन के कथन के पीछे यही धारणा है, यह जीव-विज्ञान का विषय है, यह शरीर कुछ विशेष प्रकार का व्यवहार करता है, जिसको समझने और नियम देने के लिए मनोविज्ञान है। तब इस शरीर और उसके विशेष व्यवहार से अधिक और ऊपर क्या है? यह कुछ नहीं हो सकता, क्योंकि यह न प्रत्यक्षगम्य है और न प्रयोगगम्य, इसलिए यह केवल अमूर्त कल्पना ही हो सकता है।

ऊपर हमने देखा कि किसी विषय के स्वरूप-विचार में क्या निहित है। इसे हम सूत्ररूप में कहें तो कह सकते हैं कि वे ही विषय स्वरूप-विचार के उचित विषय हो सकते हैं जिनकी रचना और आकार अर्थमूलक होता है। उदाहरणत: घट मनुष्य-रचित है किन्तु इसकी आकृति देशमूलक है और रचना में पृथ्वी तत्त्व का उपयोग हुआ है, इसके विपरीत गणित की आकृति और रचना विशुद्धत: अर्थमूलक है। इस प्रकार गणित के समान विषय ही स्वरूप-विचार के विषय हो सकते हैं। इसे सोरोकिन 'अर्थ-मूल्य-आदर्श'[3] कहते हैं और कासीरर 'प्रतीक'।[4]

इसका अर्थ यह नहीं है कि घट में कुछ प्रतीकात्मकता नहीं है, अर्थ नहीं है; बहुत अधिक है, क्योंकि इसकी निर्माण-प्रक्रिया, सौष्ठव और उपयोग में कल्पना, धारणा और युक्ति मूर्त होते हैं, यह उस मन की रचना है जो उसी मिट्टी और उसी चाक से अन्य आकारों की सृष्टि करता है। किन्तु इसकी प्रतीकात्मकता अथवा अर्थमयता ठीक इसके इसी गुण में है कि यह उपयोगी और सुन्दर आकारों के सर्जक और उन्मेषक तत्त्व से उत्कीर्ण होता है। इस रूप में—अर्थात् प्रत्यय रूप में—इसका स्वरूप-विचार हो सकता है, किन्तु घट-रूप में नहीं।

संस्कृति का क्या स्वरूप है? इस प्रश्न की एक और उलझन है। जब हम भाषा, गणित और विज्ञान आदि के सम्बन्ध में ऐसा ही प्रश्न करते हैं तब एक न्यूनाधिक निश्चित वस्तुस्थिति हमें प्रदत्त होती है जिसकी अर्थ-रचना पर हमें विचार करना होता है, किन्तु 'संस्कृति' शब्द के वाच्य के सम्बन्ध में वह निश्चय भी नहीं है। संस्कृति को यदि कोई 'वस्तुओं तथा घटनाओं का ऐसा वर्ग' कहता है "जो कायिक सन्दर्भ से भिन्न प्रतीकात्मक

---

1. पिटरिम सोरोकिन — **सोश्योलॉजिकल थ्योरीज़ ऑफ टू-डे**, पृ. 13, न्यूयार्क, हार्पर एण्ड रो, 1966.
2. राबर्ट ब्राउन — **स्ट्रक्चर एण्ड फंक्शन इन प्रिमिटिव सोसाइटीज़**, पृ. 2, ग्लेंको, दि फ्री प्रेस।
3. पिटरिम सोरोकिन, वही, पृ. 12.
4. अन्स्र्ट कासीरर — **एन एस्से ऑन मैन**; येल, यूनिवर्सिटी प्रेस, 1954 तथा अन्स्र्ट कासीरर — फिलॉसफी ऑफ सिम्बालिक फार्म्स, जिल्द 1, 2, 3, मुख्यत: जिल्द 2, येल यूनिवर्सिटी प्रेस।

सन्दर्भ में उत्पन्न होती है"[1] तो दूसरा कहता है कि "संस्कृति के स्वरूप की जिज्ञासा वास्तव में अर्थ तथा मूल्य के स्वरूप की जिज्ञासा है। इसकी रुचि मानव के मानसिक तथा नैतिक स्वभाव के ज्ञान में है, क्योंकि यह (जिज्ञासा) संस्कृति को विचार-क्रिया के रूप में, अथवा ऐसी क्रिया के रूप में जो विचार द्वारा प्रेरित होती है, देखती है।"[2] एक अन्य के अनुसार "संस्कृति ऐसी संस्थानीकृत तथा क्रियात्मक रूप से ग्रथित प्रथाओं को कह सकते हैं जो किसी विशिष्ट सामाजिक समुदाय से सम्बन्धित विशिष्ट मानव-व्यक्तियों में सामान्य हों।"[3] बोआस के अनुसार, "संस्कृति ऐसी मानसिक तथा शारीरिक प्रतिक्रियाओं और क्रियाओं को कहा जा सकता है जो एक सामाजिक समुदाय के घटक व्यक्तियों के व्यवहार को विशेषित करती है।"[4] मैकाइवर तथा पेज जबकि संस्कृति को "हमारी जीवन-विधा तथा विचार-विधा में, प्रतिदिन के परस्पर आदान-प्रदान तथा कला, साहित्य, धर्म, विश्राम तथा मनोरंज की विशिष्ट विधाओं में व्यक्त हमारी प्रकृति"[5] कहते हैं और इसे 'सभ्यता का प्रतिध्रुव' कहते हैं तब सोरोकिन विचार-स्वभाव से लेकर उत्पादित वस्तुओं तक को एक ही सूत्र में रखते हैं जो 'धारणा-व्यवहार-वस्तुमय व्यवस्था' (आईडियलोजीकल-बिहेव्यरल-मैटीरियल सिस्टम) है।[6]

इन परिभाषाओं में देखा जा सकता है कि इनमें कितना आमूल मतभेद है : एक के अनुसार संस्कृति प्रतीकात्मक सन्दर्भ में रचित वस्तुएँ और घटनाएँ हैं, दूसरे के अनुसार ये संस्कृति हो ही नहीं सकतीं, वह इसे अर्थ तथा मूल्य-व्यवस्था के रूप में देखता है, एक संस्कृति को किसी जाति का 'इंगित, गति, चेष्टागत वैशिष्ट्य' मानता है तो दूसरा इन्हें संस्कृति स्वीकार न कर इनसे कल्पित अमूर्त प्रत्यय को संस्कृति कहता है, एक जीवन-दृष्टि को संस्कृति मानता है और इसे मानव-निर्मित वस्तु-घटना-सम्पत्ति का प्रतीप मानता है तो दूसरा इन सभी को 'संस्कृति' संज्ञा से विभूषित करता है। तब इस प्रश्न पर विचार आरम्भ ही कैसे हो कि संस्कृति क्या है? इसका एक उपाय नहीं हो सकता है कि हम इन तथा ऐसी अन्य परिभाषाओं का लघुत्तम खोजें और तब उस मूल उपकरण से पुन: एक पूरी मूर्त्ति गढ़ने का प्रयत्न करें। इसमें एक प्रकार की यादृच्छिकता अवश्य रहती है, किन्तु तब भी यथासम्भव वस्तुस्थिति के प्रति सही रहने का प्रयत्न करना चाहिए।

इन परिभाषाओं का लघुत्तम क्या है? वास्तव में इनका लघुत्तम खोजना अत्यधिक कठिन है, क्योंकि इनमें से कुछ परिभाषाएँ परस्पर पूर्णत: विरुद्ध हैं। ऐसी अवस्था में एक ऐसी धारणा ही सामान्य हो सकती है जो अपनी व्यापकता में सभी कुछ का समावेश कर ले और इस प्रकार कोई उपयोग सिद्ध नहीं करे। तब भी सम्भवत: प्रस्तुत प्रसंग में स्थिति उतनी निराशाजनक नहीं है। संस्कृति के सभी विवेचक यह स्वीकार करके चलते हैं कि मानवेतर जीवों में संस्कृति नहीं होती, संस्कृति केवल मानव-प्राणी की विशिष्टता है। दूसरे, वस्तु हो या व्यवहार, संवेद हो या अनुभूति, सभी, या इनमें से कोई भी, संस्कृति का वाहक तभी हो सकता है जब उस पर किसी अर्थ और कल्पना की छाप हो। जो लोग विचार-मूल्य-धारणा को संस्कृति नहीं मानकर वस्तुओं को या दृश्य वस्तुस्थितियों को संस्कृति मानते हैं वह इसलिए क्योंकि वे केवल दिखायी देने वाली वस्तुओं की ही सत्ता स्वीकार करते हैं, अथवा कम-से-कम, विज्ञान के प्रति अधिक वफादारी के कारण यह आवश्यक मानते हैं कि संस्कृति के अध्ययन के लिए हम इन्द्रियगोचर स्थितियों तक ही अपने को सीमित रखें। यद्यपि यह अन्तर मौलिक महत्त्व का है किन्तु तब भी दीमकों की बाम्बी को नगर से भिन्न करने के लिए तथा बया के घोंसले को मकान से या घट से

---

1. लेस्ली ए. ह्वाइट — **'कांसेप्ट ऑफ कल्चर'**, एम.एफ. एश्ले मांटेग द्वारा सम्पादित कल्चर एण्ड दि एवोल्यूशन ऑफ मैन, में संकलित, पृ. 40; न्यूयार्क, ऑक्सफर्ड यूनिवर्सिटी प्रेस, 1962.
2. एफ.आर. कोवेल — **कल्चर इन प्राइवेट एण्ड पब्लिक लाइफ**, पृ. 40, थैम्स एण्ड हडसन, लंदन, 1059.
3. जोह्न गिल्लिन — **दि वेज़ ऑफ मैन**, पृ. 178, एप्लेटन सेंच्युरी क्राफ्ट्स, 1948.
4. फ्रेंज़ बोआस — **दि माइंड ऑफ प्रिमिटिव मैन**, पृ. 159, न्यूयार्क, मैकमिलन एण्ड कं., 1938.
5. मैकाइवर तथा पेज — **सोसाइटी**, लंदन, मैकमिलन एण्ड कं., 1950.
6. सोरोकिन, वही, पृ. 20.

भिन्न करने के लिए हमें ऐसे कुछ की कल्पना करनी पड़ेगी ही जो नगर, मकान और घट में क्रियान्वित होता है और जिससे बया का घोंसला और दीमक की बाम्बी रहित हैं। इस प्रकार वस्तुओं और वस्तुस्थितियों को संस्कृति मानने वालों में एक ओर तथा अर्थ-मूल्य को संस्कृति मानने वालों में दूसरी ओर तत्त्वमीमांसा की दृष्टि से चाहे जितनी भी भिन्नता हो, यहाँ संस्कृति के विवेचन के सन्दर्भ में इसकी उपेक्षा की जा सकती है। इसलिए सोरोकिन का अर्थ-मूल्य को संस्कृति का एक पक्ष (धारणात्मक) तथा निर्मित वस्तुओं को उसका दूसरा पक्ष (भौतिक) कहना उचित ही है। किन्तु तब भी मैकाइवर-पेज-कृत भेद में कुछ विचार्य है। ये लेखक, तथा इसी प्रकार से सभ्यता और संस्कृति में अन्तर करने वाले दूसरे लेखक भी, कला-बोध (धारणा-पक्ष) तथा कलाकृति (भौतिक पक्ष) को एक ही शृंखला की दो कड़ियाँ मानते हैं, किन्तु इसके विपरीत टाइप-राइटर, मोटरकार आदि को संस्कृति नहीं मानते हैं। क्योंकि इनके अनुसार, कलाकृति मूल्यात्मक-अवधारणा की अभिव्यक्ति है। इन सब वस्तुओं (चित्र, नाटक, चलचित्र, फिल्म, खेल, एक दर्शन-सम्प्रदाय, मन्दिर) को हम अस्तित्व में लाते हैं क्योंकि हम इन्हें अपने आप में (निरपेक्षत:) मूल्यवान् मानते हैं, क्योंकि इनका प्रयोजन हमें अव्यवहित रूप से वह देना है जिसकी हम आकांक्षा करते हैं, जिसे हम चरितार्थ करना चाहते हैं, ये हमारी आकांक्षापूर्ति के लिए माध्यम मात्र नहीं हैं। ये (कलाकृतियाँ आदि) वे विधाएँ मात्र हैं जिनमें हम अपने को अभिव्यक्त करते हैं। ये एक ऐसी निवार्यता के प्रति प्रतिक्रियाएँ हैं जो हमारे अपने भीतर है, किसी बाह्य अनिवार्यता के प्रति नहीं। मौकाइवर-पेज़ इन्हें (टाइप-राइटर आदि उपयोगी वस्तुओं को) तथा कलाकृतियों को 'मानवीय अनुभव के दो महान् क्षेत्र'[1] कहते हैं।

प्रथम दृष्टि में इन दो क्षेत्रों में अन्तर स्पष्ट है, उपन्यास की पुस्तक में लेखक के अनुभव-कल्पना में तथा उसके भौतिक रूप (पृष्ठों पर अंकित स्याही की आकृतियों) में एक व्यवधान-रहित तारतम्य होता है, वास्तव में उपन्यास की पुस्तक में कागज़ आदि अप्रासंगिक है, अक्षरों के आकार आदि भी अप्रासांगिक हैं, केवल अनुभव-कल्पना ही प्रासंगिक है जो संयोगवश इस स्याही में, इस आकृति के अक्षरों में और इस काग़ज पर, मूर्त हुई है। इसके विपरीत टाइप-राइटर है जो उपयोगी है, जिसका भौतिक आकार महत्त्वपूर्ण है, जो अनुभव-कल्पना की अभिव्यक्ति न होकर अभिव्यक्ति का साधन भर है—आदि।

किन्तु जैसाकि हमने कहा, यह अन्तर केवल प्रथम दृष्टि में ही स्पष्ट है, ज़रा गहराई से देखने पर यह अन्तर वास्तविक अन्तर नहीं रहता। टाइप-राइटर उतना ही अर्थ, कल्पना और मूल्य-प्रसूत है जितना एक चित्र; यह अनुभव, कल्पना और मूल्य का विशेष स्तर और विशेष रूप प्राप्त हुए बिना अस्तित्व में नहीं आ सकता। अनेकानेक टाइप-राइटर उसी प्रकार प्रथम टाइप-राइटर की प्रतिकृतियाँ हैं जिस प्रकार से प्रथम लिखित उपन्यास की असंख्य प्रतियाँ होती हैं। तब भी एक अन्तर है—टाइप-राइटर अपने निर्माता के लिए भी उपकरण है जबकि उपन्यास उपकरण नहीं है। किन्तु चित्र क्या है? चित्रकार की आत्माभिव्यक्ति? किन्तु कौन कह सकता है कि चित्रकार ने चित्र अपने स्वामी या प्रेयसी का कमरा सजाने के लिए नहीं बनाया है? और मकान? और मन्दिर? क्या ये उपकरण नहीं हैं? इसी प्रकार आप राजनैतिक तथा आर्थिक संस्थाओं को किस वर्ग में रखेंगे? मैकाइवर-पेज इन्हें सामाजिक तकनीकी (सोश्यल टेक्नालॉजी) कहकर सभ्यता के अन्तर्गत रखते हैं। इसके पीछे उनका एक गहरा भ्रम छिपा है। वे ऐसा मानते प्रतीत होते हैं कि व्यक्तिगत सृजन तो अर्थ-मूल्य-कल्पना की अभिव्यक्तियाँ हैं, किन्तु सामाजिक संहति में हुए सृजन अर्थ-मूल्य-कल्पना की अभिव्यक्तियाँ नहीं हैं। नहीं तो राजनेतिक, आर्थिक और सामाजिक संस्थाएँ उतनी ही विशिष्ट विधाओं में अर्थ-कल्पना-मूल्य की अभिव्यिक्तयाँ होती हैं जितनी कविता, उपन्यास या चित्र हैं। आप कह सकते हैं कि इनमें चेतन प्रयत्न अथवा सृजनात्मकता कहीं दिखायी नहीं देती, इसके विपरीत इनमें एक प्रकार की बाध्यता है, जड़ता है, इसलिए इन्हें अर्थ-कल्पना-मूल्य प्रसूत नहीं कह कर बाह्य वस्तुस्थितियाँ कहना उपयुक्त है। किन्तु हमारे विचार में यह उचित नहीं है, ये अर्थ कल्पना-मूल्यपरक

---

1. **सोसाइटी**, पृ. 499.

अनुभव के दो भिन्न स्रोत मात्र हैं और एक में उतनी ही सृजनात्मकता है जितनी दूसरे में। एक का स्रोत सामाजिक है और दूसरे का व्यक्तिगत। वास्तव में, अनुभव का व्यक्तिगत स्रोत भी अनुभव के सामाजिक स्रोत से परिवेष्टित रहता है। **ठीक बात तो यह है कि सामाजिक अनुभव को ही संस्कृति कहते हैं, व्यक्तिगत अनुभव को नहीं। व्यक्तिगत अनुभव सामाजिक अनुभव के दर्पण के रूप में ही संस्कृति कहलाता है।**

यह प्रतिपादन एक नयी समस्या खड़ी कर देता है—सामाजिक अस्तित्व की, अथवा कहें समाज-मन की : व्यक्तियों से अतिरिक्त समाज का अस्तित्व कहाँ है? व्यक्ति-मनों से पृथक् समाज-मन की क्या सत्ता है? यह अत्यन्त जटिल प्रश्न है और इस पर हम अगले अध्याय में विचार करेंगे, यहाँ केवल इतना ही कहना अभिप्रेत है कि सभ्यता और संस्कृति में भेद, जैसाकि मैकाइवर-पेज तथा अन्य बहुत-से लोग करते हैं, उचित प्रतीत नहीं होता। यहाँ एक बात और द्रष्टव्य है : कोई एक उपन्यास या कविता, अथवा सभी उपन्यास और कविताएँ भी, संस्कृति नहीं हैं, ये सांस्कृतिक अभिव्यक्तियाँ हैं। इन्हें सांस्कृतिक अभिव्यक्तियाँ कहने का अर्थ है कि यदि किसी समाज ने उपन्यास नहीं रचे हैं तो यह तथ्य इस बात का संकेत है कि उस समाज की संस्कृति के अर्थ-मूल्य-आदर्श के आकार (रूप) में ऐसी कुछ विशिष्टता होनी चाहिये। यह भी सम्भव है कि यह तथ्य उस संस्कृति के सांस्कृतिक स्वभाव में किसी गहरे गुण का निदर्शक हो और यह भी हो सकता है कि यह एक आगन्तुक बात हो। प्रथम अवस्था में, बाहर का प्रभाव उसे सरलता से प्रभावित नहीं करेगा जबकि दूसरी अवस्था में बाहर का प्रभाव तुरन्त प्रभाव डालेगा और उस समाज में शीघ्र अच्छे उपन्यास-लेखक उत्पन्न होंगे। किसी संस्कृति के अर्थ-मूल्य-आदर्श के आकार की विशिष्टता इससे भी अधिक इस बात में झलकती है कि उसके उपन्यासों या अन्य साहित्य-रूपों में कैसे चरित्र, कैसी घटनाएँ, कैसे अलंकार और कैसा बोध प्रमुखता पाते हैं—ये कैसा समग्र प्रभाव उत्पन्न करते हैं। इस प्रकार कालिदास और शेक्सपियर के नाटकों में तुलना, जहाँ तक ये जातीय गुण का प्रतिनिधित्व करते हैं, रोचक हो सकती है। शेक्सपियर के नाटकों में संघर्ष, हत्या, विद्रूपता का दु:खान्ताक चित्रण और कालिदास के नाटक-काव्यों में माधुर्य, मार्दव, शृंगार-संन्यास की द्वाभा का सुखान्तक चित्रण दो संस्कृतियों की स्वभावगत विशिष्टताओं का जितनी गहराई से परिचय देते हैं उतनी गहराई से यह तथ्य परिचय नहीं देता कि जिस शताब्दी में कादम्बरी भारत में लिखा गया उस शताब्दी तक इंग्लैण्ड में अभी उपन्यास-रचना का आविर्भाव नहीं हुआ था। उससे भी कहीं कम सांस्कृतिक स्वभाव की विशिष्टता इस बात में झलकती है कि यन्त्र-घड़ियों का आविष्कार पहले स्वीडन में हुआ था। किन्तु तब भी, यान्त्रिकी का स्तर विशेष जाति के मानस से एकदम से विच्छिन्न नहीं होता, तकनीकी उद्भावनाओं की सामर्थ्य सांस्कृतिक स्वभाव की द्योतक है। जिस प्रकार एक व्यक्ति अवसर मिलने पर दूसरे से कहीं अधिक जल्दी शिल्प-कौशल सीख जाता है और उसमें नये आविष्कार की सामर्थ्य दिखाता है और यह तथ्य उसके मानस का, उसके व्यक्तित्व का, द्योतक होता है, उसी प्रकार संस्कृतियों में भी होता है। किन्तु पुन:, किसी जाति का शिल्प-कौशल में पिछड़े होना केवल एक आगन्तुक बात भी हो सकती है, और उस अवस्था में शिल्प-कौशल प्राप्त करना आवश्यक रूप से उसके स्वभाव को गहराई से प्रभावित नहीं करता।

किन्तु इस प्रश्न का एक दूसरा पक्ष भी है : हम सामाजिक अनुभव में तीन विधाएँ देखते हैं—एक विधा वह है जो वृद्धिशील है, अर्थात् उसमें क्रमिक प्रगति और अधिकता देखी जा सकती है, शिल्प-कौशल और वैज्ञानिक तथा अन्य प्रकार के ज्ञान इस कोटि में आते हैं। दूसरी विधा वह है जिसमें वृद्धि तो नहीं होती है किन्तु तब भी वह इतिहास बनाती है—सामाजिक-राजनैतिक-आर्थिक संस्थाएँ इस कोटि में हैं। तीसरी विधा वह है जो इस प्रकार से क्रमिक इतिहास भी नहीं बनाती है, वृद्धि का तो प्रश्न ही इसमें उत्पन्न नहीं होता। कलाएँ तथा दर्शन इस कोटि में आते हैं। वास्तव में दूसरी विधा भी केवल अंशत: ही इतिहास बनाती है, क्योंकि एक सामाजिक संस्था दूसरी से स्थानान्तरित हो जाती है और कभी-कभी यह स्थानान्तरण एक झटके से ही होता है, जैसे राजनैतिक संस्थाओं में; कानून बनाकर विवाह जैसी सामाजिक संस्थाओं के रूप में भी परिवर्तन किया जा सकता है। नयी संस्था पुरानी संस्था के इतिहास से प्राय: कुछ ग्रहण नहीं करती, यह प्राय: उसके निषेध पर प्रतिष्ठित होती

है। अब, क्योंकि दूसरी कोटि वृद्धि के बिना इतिहास बनाती है इसलिए प्राय: ही यह इतिहास इसके रूढ़ और जड़ होने का इतिहास होता है। इसको समाप्त कर नयी संस्था के उत्पन्न होने का अर्थ है किस उपयोग की सिद्धि के लिए इनका जन्म होता है। इस प्रकार कहा जा सकता है कि एक जीवन्त समाज में संस्थाएँ भी सृजनात्मकता से अन्त:प्रविष्ट रहती हैं और इस प्रकार निरन्तर नया रूप लेती रहती हैं, जबकि कम जीवन्त समाज में ये स्थिर हो जाती हैं। इसी को सांस्कृतिक पिछड़ा (कल्चरल लैग) कहते हैं। इस प्रकार से दूसरी कोटि तीसरी में मिलती सी प्रतीत होती है। किन्तु प्रथम और तृतीय में एक आमूल भेद प्रतीत होता है। इसका अर्थ यह नहीं है कि कलाओं और दर्शन आदि में कोई ऐतिहासिकता नहीं रहती, इनमें एक निश्चित परम्परा रहती है और इनका अपना एक स्पष्ट अस्तित्व होता है। किन्तु यह परम्परा न तो वैज्ञानिक ज्ञान के समान वर्द्धनशील होती है और न संस्थाओं के समान इनमें समय के साथ परिपाक ही होता है। इनमें उत्कर्ष का उच्चतम शिखर या तो किसी व्यक्ति में प्रतिभा-विस्फोट के रूप में निष्पन्न होता है या फिर जातीय जीवन में ही कोई ऐसा अविवेचनीय संयोग उपस्थित होता है कि उस काल में उस संस्कृति का सामान्य दार्शनिक या कलात्मक स्तर उन्नत होता है। किन्तु सृजनात्मकता के इस शिखर पर न कोई आरोहण का क्रम होता है और न अवरोहण का, यह नये पहाड़ के समान एकदम उठता है और नये भू-विस्फोट के समान एकदम गिरता है।

हमारे इस प्रतिपादन में एक पक्ष छूटता सा प्रतीत होता है। कालिदास में प्राप्त काव्योत्कर्ष का कोई इतिहास नहीं है किन्तु उस छन्द, अलंकार, ध्वनि आदि का इतिहास के द्वारा प्रयुक्त है; निरन्तर गम्भीर होता हुआ काव्यानुभव कालिदास के काव्य का उत्तराधिकार है। किन्तु इसकी सत्यता के बावजूद यह देखा जा सकता है कि इस पक्ष में भी कालिदास से कालिदासोत्तर काव्य का उत्कृष्टतर होना आवश्यक नहीं है, और प्राय: ही यह नहीं होता है। यहाँ यह ध्यान रखना आवश्यक है कि हम इन विधाओं के अपने अन्तर्गत इतिहास की बात कर रहे हैं, इनके निर्धारक ऐतिहासिक कारणों की बात नहीं कर रहे हैं। ऐसा भी सम्भव है कि कोई समाज प्रथम दृष्टि से तो बहुत समृद्ध हो किन्तु तीसरी दृष्टि से बहुत पिछड़ा हुआ हो, इसी प्रकार से इसके उलट भी। उदाहरणत: सम्भव है कोई यह कहना उपयुक्त समझे कि अमरीका इस समय प्रथम पक्ष में समृद्ध है किन्तु तीसरे पक्ष में विपन्न है, इसी प्रकार से भारत उपनिषत्, बुद्ध, वाल्मीकि, कालिदास-कालों में तीसरे पक्ष में समृद्ध था किन्तु आज उसमें विपन्न है। बल्कि, अनेक बार आदिम समाज कलात्मक दृष्टि से यान्त्रिकी आदि में समृद्ध समाजों से अधिक समृद्ध होते हैं। इस तीसरे पक्ष को कुछ लोग संस्कृति और प्रथम को सभ्यता कहना उपयुक्त समझते हैं। इस प्रकार से कहा जा सकता है कि भारत जितना सांस्कृतिक दृष्टि से बुद्ध-काल में समृद्ध था अमरीका आज उसकी अपेक्षा उस दृष्टि से नितान्त विपन्न है। अर्थात् अमरीका सभ्यता में समृद्ध तथा संस्कृति में विपन्न है।

यह सार्थक भेद है, किन्तु इसकी कुछ बड़ी जटिल कठिनाइयाँ हैं। इसकी सार्थकता इस बात में है कि यह वृद्धिशील पक्ष, विषयोन्मुख होने से, एक प्रकार की बाह्यता रखता है, यह अन्तर्मुखीनता से जो मानव का विशिष्ट लक्षण है, कभी-कभी वंचित भी करता है बाह्योन्मुख होने से यह अपने अधिष्ठान (जिसमें यह है) को समग्रत: प्रभावित या उजागर नहीं करता। उदाहरणत: एक व्यक्ति का महान् वैज्ञानिक होना और अत्यन्त नीरस, सहानुभूतिशून्य, अनैतिक और सौन्दर्य-दृष्टि से शून्य होना सम्भव है किन्तु एक आध्यात्मिक दृष्टि-सम्पन्न व्यक्ति का जिज्ञासा, सौन्दर्य-दृष्टि, सहानुभूति और नैतिक बोध से रहित होना संगत कल्पना नहीं है। हमारे इस प्रतिपादन में थोड़ी स्थूलता है, इसलिए इस पर आपत्ति की गुंजाइश है; यह दिखाया जा सकता है कि बहुत-से कलाकार अनैतिक होते हैं, धार्मिक लोग जिज्ञासा-रहित होते हैं, और दार्शनिक अनैतिक और सौन्दर्य-दृष्टि शून्य होते हैं। इसके स्पष्टीकरण के लिए हमें थोड़ा अधिक गहरे जाना होगा। ज्ञान (अधिक जानने के अर्थ में) व्यक्ति के अन्य पक्षों को भीतर से प्रभावित नहीं करता, वह इस रूप में प्रभावित कर सकता है कि ऐसे ज्ञान से प्राप्त निष्कर्षों को व्यक्ति अपने जीवन में अपनाने लगे। किन्तु वह इन्हें अपनाये ही, यह आवश्यक नहीं है, और यदि अपनाए भी तो यह व्यक्तित्व को बाहर से प्रभावित करना हुआ। दूसरे, ये निष्कर्ष कैसे भी हो सकते हैं—ऐसे भी कि "एक कुत्ते में और बुद्ध तथा ईसा में कोई मौलिक अन्तर नहीं है, मात्रात्मक अन्तर हो सकता है" आदि; वास्तव में

आधुनिक मनोविज्ञान, और बहुत बार अन्यान्य सामाजिक विज्ञानों के भी, ऐसे ही निष्कर्ष हैं भी। इसके विपरीत कला या धर्म व्यक्ति को भीतर से रूपान्तरित कर देते हैं, इनसे युक्त व्यक्ति समग्र रूप से इनके रंग से रंजित होता है। एक कलाकार दुराचारी हो सकता है, किन्तु कला–बोध से गम्भीर रूप में प्रभावित व्यक्ति का दुराचार व्यावहारिक (अर्थात् सामाजिक नीति के पैमानों से) दुराचार तो हो सकता है किन्तु उसके व्यक्तित्व की योजना में वह दुराचार नहीं होगा। और जब कहीं एक समाज ही कलात्मक अथवा धार्मिक व्यक्तित्व सम्पन्न हो तब तो उसमें एक भीतरी सामंजस्य होने से अन्तर और बाह्य में वैसा विरोध भी नहीं होगा जैसा व्यक्ति और समाज के व्यवहार और नीति के पैमानों में हो जाता है।

यहाँ दो आपत्तियाँ की जा सकती हैं। एक तो यह कि हम समाज को व्यक्तियों के ऊपर और पृथक् अस्तित्व दे रहे हैं, और दूसरी यह कि यदि समाज के पृथक् अस्तित्व को सिद्धान्तत: स्वीकार कर भी लिया जाय तब भी वास्तव में ऐसा समाज हमें कहाँ मिलता है? ऐसा समाज हमें शायद ही मिल सके जिसमें एक आन्तरिक सामंजस्य हो, एक दुर्निवार व्यवस्था हो, जैसाकि हम एक व्यक्ति में देखते हैं।

इनमें पहली आपत्ति पर हम अगले अध्याय में विचार करेंगे। जहाँ तक दूसरी आपत्ति का प्रश्न है, उसके सम्बन्ध में भी यद्यपि हम विस्तार से चर्चा अगले अध्याय में ही करेंगे, किन्तु तब भी यहाँ इतना कहना चाहते हैं कि ऐसा व्यक्ति भी एक आदर्श कल्पना ही है जिसके सब विचार, प्रतिक्रियाएँ, आकांक्षाएँ और आदर्श एक पूर्णत: समंजस व्यवस्था में हों। किन्तु तब भी एक केन्द्रीय संस्थान रहता है जो व्यक्ति–मन का निर्माण करता है और जो विभिन्न विचारों, प्रतिक्रियाओं, आकांक्षाओं, आदर्शों को एक विशिष्ट रूप देता है, अथवा कहें, जिसकी व्यवस्था उसके अधिकांश विचारों, आकांक्षाओं आदि में झलकती है। असमंजस को हम प्रतिरूप, विचित्र, अप्रत्याशित (अन–केरेक्टेरिस्टिक) कह देते हैं। यही बात समाज के लिए है। समाज के व्यक्तित्व को हम संस्कृति कहते हैं, जो अपनी मुख्य अभियोजक वृत्ति से जानी जाती है। किसी संस्कृति से विशेषित काया कितनी बड़ी होगी, यह निर्धारित नहीं किया जा सकता, यह कितनी भी बड़ी हो सकती है। किसी संस्कृति में दस–बीस ही मनुष्य सहभागी हो सकते हैं, उदाहरणत: किसी नष्ट होते हुए आदिम समाज में; किसी में करोड़ों मनुष्य भी हो सकते हैं, जैसे चीनी, भारतीय आदि समाजों में। संस्कृति का कलेवर इससे भी निर्धारित होता है कि हम किस अभियोजक वृत्ति (ऐसा विषय या वासना जो मुख्य निर्धारक है) को अपना प्रसंग बनाते हैं, उदाहरणत: पंजाबी–सिक्ख–संस्कृति, पंजाबी संस्कृति, हिन्दू संस्कृति, मुस्लिम संस्कृति, भारतीय संस्कृति, आंग्ल संस्कृति, फ्रेंच संस्कृति, अमरीकी संस्कृति और पाश्चात्य संस्कृति इन सबके कलेवरों के विस्तार भिन्न–भिन्न हैं। जितनी बड़ी किसी संस्कृति की काया होती है उसमें उस संस्कृति के वैशिष्ट्य से अंकित विचार–व्यवहार–आदर्श का अनुपात अविशिष्ट, अनपेक्षित विचार–व्यवहार–आदर्श के अनुपात से कम होता जाता है।

इस प्रकार, असमंजसताओं के बावजूद सामाजिक व्यक्तित्व की कल्पना वायवी नहीं है। अब, यह स्वीकार करने पर यह कहा जा सकता है कि कलात्मक व्यक्तित्वयुक्त समाज और, उससे भी अधिक, आध्यात्मिक व्यक्तित्वयुक्त समाज की योजना में अनैतिकता अविशिष्ट और अनपेक्षित केवल व्यवहार के रूप में ही हो सकती है, उसके व्यक्तित्व वैशिष्ट्य की वह भाग नहीं हो सकती। इसके विपरीत, एक वैज्ञानिक व्यक्तित्वयुक्त समाज में, अर्थात् एक ऐसे समाज में जिसकी मुख्य अभियोजक वृत्ति वैज्ञानिकता है, मूल्यहीनता आदि उसके व्यक्तित्व–वैशिष्ट्य से असंगत नहीं हैं। अब यदि अर्थ, मूल्य, आदर्श संस्कृति के लक्षण हैं तब वैज्ञानिक समाज सांस्कृतिक दृष्टि से निम्नतर स्तर का भी हो सकता है, जबकि आध्यात्मिक और कलात्मक दृष्टि से समृद्ध समाज उन्नततर स्तर का ही होगा।

किन्तु, जैसाकि हमने पीछे कहा, इसकी कुछ जटिल कठिनाइयाँ हैं। ये कठिनाइयाँ दो प्रकार की है। एक तो मूल्यांकन मात्र की ही कठिनाई है—किस प्रकार से मानदण्ड निश्चित किया जाय? और दूसरे, मानदण्ड निश्चित हो जाने पर, उसके प्रयोग की कठिनाई है। प्रथम कठिनाई की जटिलता से घबराकर अधिकांश नृतत्व–वैज्ञानिकों

ने मूल्यांकन की उपयुक्तता को ही स्वीकार करने से इन्कार कर दिया है; यद्यपि इसका दूसरा कारण यह भी हो सकता है कि मूल्य एक अवैज्ञानिक अवधारणा है।

संस्कृतियों के मूल्यांकन और मानदण्ड के प्रश्न पर हम अगले अध्यायों में विचार करेंगे। यह एक अत्यन्त जटिल प्रश्न है, और यह और भी जटिल इस कारण से हो जाता है कि आज संस्कृति का वैज्ञानिक अध्ययन होने लगा है, जो मूल्य-निरपेक्ष सन्दर्भ है। यहाँ हम उस प्रश्न पर पुन: लौटेंगे जिससे हमने यह प्रसंग आरम्भ किया था—कि क्या सामाजिक अनुभव की इन विधाओं में ऐसा अन्तर है जिसके आधार पर सामाजिक-अस्तित्व के सभ्यता और संस्कृति ये दो पक्ष माने जायें?

जैसाकि हमने पीछे देखा, टाइप-राइटर और उपन्यास में मौलिक अन्तर नहीं है। यह अन्तर और भी कम हो जाता है कि जब हम एक ओर इनकी उद्भावना में साम्य और दूसरी ओर एक विक्रेता के लिए इनके उपयोग-साम्य की ओर ध्यान दें। दूसरी ओर विज्ञान और कला में समानान्तरता है, कि ये दोनों दो प्रकार के बोध हैं। इनमें अन्तर है, जैसाकि हमने पीछे देखा, किन्तु सांस्कृतिक व्यक्तित्व की दृष्टि से ये एक ही कोटि के हैं—एक, जैसाकि सोरोकिन कहते हैं, ऐहिक संस्कृति (सेंसेट कल्चर) को जन्म देता है और दूसरा रसात्मक संस्कृति को। इस प्रकार से मैकाइवर-पेज कृत भेद उचित नहीं है।

निष्कर्ष रूप में यह कहा जा सकता है कि संस्कृति को सामाजिक व्यक्तित्व कहना उपयुक्त है। इस व्यक्तित्व को, व्यष्टि-व्यक्तित्व के समान ही, उसकी वह अभियोजक वृत्ति, जिसे यहाँ हम उसके समग्र जीवन-दर्शन का मूल सूत्र कह सकते हैं, धारण करती है। उदाहरण के लिए, दसवीं शताब्दी तक की भारतीय संस्कृति को आध्यात्मिक कहना और तदोत्तर काल की संस्कृति को धार्मिक कहना, मध्यकालीन यूरोप की संस्कृति को धार्मिक और आधुनिक काल की संस्कृति को ऐहिक कहना इसीलिए उपयुक्त है क्योंकि इन-इन युगों के इन-इन समाजों का व्यक्तित्व-निर्माण इन-इन समग्र जीवन-दृष्टियों के मूल सूत्रों के अनुसार हुआ था, इन-इन मूल अभियोजक वृत्तियों ने उनके सम्पूर्ण चरित्र को रंजित किया हुआ था—नृत्य, गीत, काव्य, शिल्प, परिवार, व्यापार सबके रूप में वह एक रूप झलकता था। रोबर्ट रैडफील्ड माया ग्राम (एक आदिम ग्राम) के सम्बन्ध में लिखता है : यदि आप उस ग्राम की संस्कृति का अध्ययन करते हुए कृषि जैसी चीज़ से भी यह अध्ययन आरम्भ करते और अन्य संस्थाओं तथा रीति-रूढ़ियों के साथ उसके सम्बन्ध की कड़ियों की परीक्षा करते तब आप पाते कि ये सम्बन्ध अनेक दिशाओं में बड़े गहरे थे। इनकी कृषि-व्यवस्था भी इनकी विश्वोत्पत्ति विषयक धारणाओं में झलकती थी।[1]

1. राबर्ट रैडफील्ड — **को-ऑपरेशन एण्ड कन्फ्लिक्ट**, पृ. 6; यहाँ ऑग्डन वोग्ट की **कल्ट एण्ड कल्चर**, पृ. 59 से उद्धृत; मैकमिलन एण्ड कम्पनी, 1951.

संस्कृति का अधिष्ठान

पिछले अध्याय में हमने संस्कृति को जातीय व्यक्तित्व कह कर परिभाषित किया था। संस्कृति को जातीय व्यक्तित्व कहने का अर्थ है कि समाजों में अनुभव, प्रवृत्ति, व्यवहार, चेष्टा आदि का एक ऐसा न्यूनाधिक निश्चित संस्थान (रूप-रचना-आकार) होता है जो मानव-व्यक्तियों से स्वतन्त्र विद्यमान होता है और उनके अस्तित्व का अतिक्रमण करता है। ये मानव-व्यक्ति उस अतिक्रामी (उनके व्यक्तिगत अस्तित्वों से ऊपर स्थित) व्यक्तित्व-संस्थान में उसी प्रकार से सहभाग लेते हैं जिस प्रकार से एक व्यक्ति की विभिन्न प्रवृत्तियाँ उसके व्यक्तित्व-संस्थान में सहभाग लेती हैं। यह अतिव्यक्ति (मानव-व्यक्तित्वों का अतिक्रमण करने वाला व्यक्तित्व) मानो अपने अंगभूत व्यक्तियों को, उनके बिना जाने, अपनी अनुसारिता के लिए नियोजित करता है। हम प्राय: ही कहते हैं कि अमुक व्यक्ति इसलिए इस-इस प्रकार का है क्योंकि वह अमुक-अमुक समाज अथवा समुदाय का सदस्य है, जिसका अर्थ है कि उस समुदाय या समाज का मानस (अनुभव, प्रवृत्ति, व्यवहार, चेष्टा आदि) उस व्यक्ति के मानस का निर्धारण करता है।

किन्तु संस्कृति को अति-व्यक्तित्व कहने में कुछ अत्यन्त जटिल कठिनाइयाँ हैं। पहले तो 'व्यक्तित्व' शब्द का अर्थ ही बहुत स्पष्ट नहीं है। किन्तु यदि तात्कालिक प्रयोजन के लिए इसे स्पष्ट मान भी लिया जाय तब भी 'जातीय व्यक्तित्व' इस पद-प्रयोग की कठिनाइयाँ बहुत जटिल हैं। 'व्यक्तित्व' शब्द के स्पष्ट अर्थ में यह भी निहित है कि इसका एक निश्चित और निर्धार्य केन्द्र होगा। इन्द्रियगोचर-ठोस और स्थायी मानव-शरीर इस प्रकार का एक आदर्श केन्द्र है। 'रमेश का व्यक्तित्व', 'सुरेश का व्यक्तित्व' में सामान्य रूप से इस शरीर-केन्द्र की ही अभीप्सा (निहित अर्थ) रहती है। 'जातीय व्यक्तित्व' में कौन-सा केन्द्र अभीप्सित है? अथवा कहें, जातीय व्यक्तित्व का अधिष्ठान क्या है? उदाहरणत:, भारतीय संस्कृति का अधिष्ठान क्या हो सकता है?

सामान्यत: जब हम 'भारतीय संस्कृति' पद का प्रयोग करते हैं तब केन्द्र अथवा अधिष्ठान के रूप में एक भौगोलिक क्षेत्र की धुँधली कल्पना हमारे मन में रहती है। वास्तव में इस एकत्व-कल्पना में भौगोलिक क्षेत्र का कितना महत्त्व है यह 'भारत माता', 'मातृभूमि' जैसे प्रयोगों से, और इन प्रयोगों के साथ जुड़ी भावनाओं से, देखा जा सकता है। इसलिए बहुत-से समाजशास्त्री और नृतत्व-शास्त्री संस्कृति का अधिष्ठान भू-भाग को भी मानते हैं। किन्तु इस कल्पना की अयुक्तता थोड़ा ध्यान देने से ही देखी जा सकती है। विभाजन से पूर्व भारत का भौगोलिक क्षेत्र पश्चिम में बलोचिस्तान तक और पूर्व में ढाका-चितागोंग सहित विस्तृत था और 'भारत' कहने से यही कल्पना हमारे मन में आती थी, किन्तु अब इस कल्पना में लाहौर और ढाका का भी समावेश नहीं होता है। इसका उत्तर हो सकता है कि सुरेश की दोनों टाँगें कट जाने पर भी वह सुरेश ही रहता है और 'सुरेश का व्यक्तित्व' वाक्य में 'सुरेश' संज्ञा एक शरीर का निर्देश उतने ही अनिश्चित और धुँधले रूप में करती है जितने में 'भारत' शब्द करता है। इसलिए कुछ क्षेत्रों के अलग हो जाने पर भी संस्कृति का अधिष्ठान प्रदेश को कहने में कोई असंगति नहीं है, जिस प्रकार सुरेश की टाँग कट जाने पर भी सुरेश के व्यक्तित्व का अधिष्ठान उसका शरीर कहना अयुक्त नहीं है।

यह तर्क एकदम से सही है, कोई संज्ञा पूर्ण रूप से स्पष्ट और निश्चित निर्देश नहीं करती, अथवा कहें, किसी वस्तु की अवधारणा में आकारादि का पूर्ण निश्चय नहीं रहता, और जितना निश्चय रहता है उसमें भी कितना और क्या उस वस्तु का अनिवार्य भाग होगा और कितना आनुषंगिक, यह अनिश्चित रहता है। उदाहरणत: एक टाँग, एक हाथ, एक कान और एक आँख से रहित असंख्य घावों वाला शरीर भी 'राणा सांगा' का उतना ही पूर्ण रूप से अधिष्ठान था जितना इन अंगों के कटने से पूर्व वह शरीर उसका अधिष्ठान था।

किन्तु संस्कृति का अधिष्ठान भौगोलिक क्षेत्र को स्वीकार करने के विरुद्ध कुछ और उदाहरण दिये जा सकते हैं जो किसी व्यक्ति का अधिष्ठान शरीर को मानने के विरुद्ध नहीं दिये जा सकते। उदाहरण: 'भारतीय संस्कृति का प्रसार अनेक सुदूर देशों में हुआ', 'किसी समय हिन्दचीन में भी भारतीय संस्कृति ही व्याप्त थी' जैसे प्रयोगों में स्पष्ट है कि संस्कृति और प्रदेश का सम्बन्ध बाहरी और आनुषंगिक ही है, अनिवार्य सम्बन्ध नहीं है। किन्तु यह कहा जा सकता है कि वास्तव में रमेश के व्यक्तित्व का भी सम्बन्ध रमेश के शरीर से आनुषंगिक ही है; किसी के मर जाने पर उसके प्रेत रूप में रहने की, इस प्रेत के दूसरे शरीर में प्रवेश की चर्चा प्राय: ही हम सुनते हैं, जिसका अर्थ है कि व्यक्तित्व-कल्पना शरीर के बिना भी की जाती है, और इस प्रकार रमेश के व्यक्तित्व और शरीर का सम्बन्ध भी आनुषंगिक ही हो जाता है।[1] यह ठीक है, किन्तु तब भी एक गम्भीर अन्तर है, वह यह कि रमेश का व्यक्तित्व जबकि किसी भी शरीर में, अथवा अशरीरी रूप में भी, रह सकता है, यह दो शरीरों में नहीं रह सकता, दूसरे शब्दों में, इसमें एक प्रकार का दैशिक एकत्व रहना आवश्यक है। यह बात संस्कृति के सम्बन्ध में सही नहीं है : भारतीय संस्कृति हिन्दचीन में और भारत में पायी जा सकती है और तब भी बर्मा, मलेशिया आदि अन्तरवर्ती प्रदेशों में यह नहीं भी हो सकती। किन्तु वास्तव में इतना अन्तर भी स्पष्ट नहीं है। यह कहना कठिन है कि हम किसी भी अवस्था में यह स्वीकार करने को तैयार नहीं होंगे कि 'ये दो शरीर रमेश के प्रेत (अशरीरी व्यक्तित्व) से अधिष्ठित हैं।' यदि सोहन और मोहन के शरीर अकस्मात् एक-साथ एक सा विचित्र व्यवहार करने लगते हैं और वे एक-साथ, एक ही ध्वनि-स्वर में एक ही बात कहते हैं तब हम इसके अतिरिक्त कुछ नहीं कहेंगे कि रमेश का प्रेत एक-साथ दो शरीरों में है। इसके विपरीत, यदि हम भारत से बाहर किसी विच्छिन्न प्रदेश में भारतीय संस्कृति की अनुरूपता देखते हैं तब यदि हम उसे 'भारतीय संस्कृति' की संज्ञा देते हैं तो हम अनिवार्य रूप से यह स्वीकार करेंगे कि किसी समय उस प्रदेश में भारत से कुछ लोग गये होंगे, अथवा उस प्रदेश के कुछ लोग भारत रह कर लौटे होंगे : अर्थात् हम दो पूर्णत: विच्छिन्न प्रदेशों में उस प्रकार से एक संस्कृति का अस्तित्व स्वीकार नहीं कर सकते जिस प्रकार से दो पूर्णत: विच्छिन्न शरीरों में एक व्यक्तित्व का अस्तित्व स्वीकार कर सकते हैं। इस प्रकार, वास्तव में 'व्यक्तित्व' की अवधारणा में आदर्श मानव-व्यक्तित्व के भौतिक अधिष्ठान के सम्बन्ध में उतनी भी निश्चितता नहीं है जितनी संस्कृति के भौतिक अधिष्ठान के सम्बन्ध में है। किन्तु उपर्युक्त विमर्श से यह स्पष्ट है कि शरीर और भौगोलिक क्षेत्र को क्रमश: मानव-व्यक्तित्व और सांस्कृतिक व्यक्तित्व के अधिष्ठान कहना उपयुक्त नहीं है।

यह निष्कर्ष अत्यन्त महत्त्वपूर्ण है, क्योंकि ऐन्द्रिय-प्रत्यक्षवादी तथा ऐकिकवादी-नाममात्रवादी (पॉज़िटिविस्ट, सिंगुलरिस्ट, नॉमिनलिस्ट) दार्शनिक, मनोवैज्ञानिक तथा समाजशास्त्री 'संस्कृति' अथवा 'सामाजिक अतिव्यक्तित्व' का कोई अर्थ नहीं देखते, वे संस्कृति को व्यक्तियों के व्यवहार-प्रवृत्तियों आदि के संघातमात्र के रूप में ही देखते हैं। हमारे यहाँ महात्मा बुद्ध और बौद्ध दार्शनिकों का भी ऐसा ही मत रहा है, उनका मत वास्तव में इससे बहुत अधिक मूलगामी था। वे एक देह को भी संघात रूप में ही देखते थे। इसका मुख्य कारण यही है कि जबकि वे व्यक्ति के व्यक्तित्व को एक भौतिक शरीर के रूप में देख सकते हैं, संस्कृति को इस प्रकार एक भौतिक शरीर के रूप में नहीं देख सकते। ऐसी अवस्था में वे निर्मित वस्तुओं तथा सामाजिक, राजनैतिक, सांस्कृतिक संस्थाओं आदि को ही अधिष्ठान के रूप में कल्पित करते हैं। किन्तु वास्तव में इनको अधिष्ठान मानने की कठिनाइयाँ भी कम नहीं हैं। सबसे बड़ी कठिनाई तो यही है कि ये सब सूत्रित होने की अपेक्षा रखते हैं, ये तब तक अधिक-से-अधिक एक संघात-मात्र हैं जब तक कि एक संयोजक तत्त्व उन्हें नहीं मिलता।

वास्तव में भौगोलिक क्षेत्र के बाद संस्कृति के अधिष्ठान के रूप में कल्पना को जो सबसे सहज रूप में उपलब्ध होता है वह है सांस्कृतिक समाज के सदस्य व्यक्तियों के मन। यह स्वाभाविक है, क्योंकि यदि संस्कृति

---

1. कुछ भारतीय दर्शनों में सूक्ष्म शरीर की कल्पना भी की गई है, जो शरीर की मरणोपरान्त आत्मा का सूक्ष्म भौतिक अधिष्ठान रहता है। इस कल्पना से स्पष्ट है कि किसी भौतिक अधिष्ठान के बिना यह कल्पना कितनी कठिन है। इस प्रश्न पर पी.एफ. स्ट्रॉसन की पुस्तक 'इंडीविडुअल्स' में बहुत विस्तार से विचार किया गया है।

सामाजिक व्यक्तित्व है तो उसका अधिष्ठान मानव-मन के सिवाय (अथवा शरीर के सिवाय, जिसके सम्बन्ध में हम ऊपर विचार कर आये हैं) और क्या हो सकता है? किन्तु इसमें भी कुछ दुर्लंघ्य कठिनाइयाँ हैं। सबसे बड़ी कठिनाई तो मन को परिभाषित करने की है। यदि व्यक्ति-मन को मानसिक क्रियाओं अथवा घटनाओं का संघात कहा जाय तो यह कठिनाई होगी कि सभी मानसिक क्रियाएँ संस्कृति का अधिष्ठान नहीं होतीं, इनमें से कुछ तो सांस्कृतिक रूप से अप्रासंगिक ही होती हैं, और कुछ दूसरी संस्कृति-विरुद्ध भी होती हैं। तब किन मनस्क्रियाओं को संस्कृति का अधिष्ठान कहा जाय? यदि कुछ विशिष्ट मनस्क्रियाओं को, जैसे कलाओं, दर्शन आदि रूप क्रियाओं को, संस्कृति का अधिष्ठान कहा जाय तब यह देखना होगा कि इनमें संस्कृति का अधिष्ठान होने का क्या अर्थ है? किस रूप में ये अधिष्ठान होती हैं। उदाहरणत: दार्शनिक मनस्क्रियाओं को लें—ये संस्कृति का अधिष्ठान इसी रूप में कही जा सकती हैं कि ये एक ऐसा संस्थान बनाती हैं जो व्यक्ति-मन रूप संस्थान का अतिक्रमण करता है, अथवा उससे भिन्न है। **इस प्रकार कहा जा सकता है कि मनस्क्रियाएँ दो प्रकार के संस्थान बनाती हैं—संस्कृति रूप और व्यक्ति रूप।**[1] उदाहरणत: एक विशेष संस्थान-निर्माण के रूप में हम कुछ दार्शनिक मनस्क्रियाओं को 'शंकर का दर्शन' कहते हैं और एक-दूसरे संस्थान-निर्माण के रूप में हम उन्हीं तथा अन्य मनस्क्रियाओं को 'भारतीय दर्शन' कहते हैं। यह और भी स्पष्ट रूप से सामूहिक लोक-नृत्य अथवा संगीत-शैली में देखा जा सकता है—आप ओंकारनाथ के गायन से सहगल का गायन अधिक पसन्द कर सकते हैं और इसी प्रकार पश्चिमी संगीत से भारतीय संगीत को अधिक पसन्द कर सकते हैं। **किन्तु तब संस्कृति का अधिष्ठान व्यक्ति-मन नहीं होकर स्वयं संस्कृति-मन हुआ, क्योंकि व्यक्ति-मन मनस्क्रिया-संस्थान मात्र है और यह संस्थान उस संस्थान से भिन्न है जो मनस्क्रियाओं का संयोजन संस्कृति के रूप में करता है।** किन्तु कठिनाई यह है कि ये संस्थान अधिष्ठान नहीं हो सकते, क्योंकि स्वयं इनको अधिष्ठानों की आवश्यकता है, अधिष्ठान पाकर ही ये व्यक्तित्व का स्तर पा सकते हैं, नहीं तो ये बिखरी हुई वस्तुएँ अथवा घटनाएँ हैं, **क्योंकि संस्थान हम अन्यथा स्वतन्त्र वस्तुओं अथवा घटनाओं पर, देखने वाले की अपेक्षा से, दैशिक अथवा कालिक व्यवस्था के आरोपण को कहते हैं** : सप्तर्षि और आकाशगंगा ऐसे ही संस्थान हैं।

ऊपर हमने देखा है कि जितनी और जो कठिनाइयाँ संस्कृति का अधिष्ठान प्राप्त करने में हैं उतनी ही और वैसी ही कठिनाइयाँ मानव-व्यक्तित्व का अधिष्ठान प्राप्त करने में भी हैं। किन्तु यह द्रष्टव्य है कि अधिष्ठान के इस प्रश्न पर हमने बाहरी द्रष्टा के पक्ष से ही विचार किया है, स्वयं अधिष्ठाता के पक्ष से विचार नहीं किया है। वास्तव में अधिष्ठाता का अपनी ओर से इस प्रश्न पर विचार अत्यन्त महत्त्वपूर्ण है। अधिष्ठाता स्वयं भी अपने को अधिकांशत: शरीराधिष्ठित (अथवा प्रेतावस्था में आकाशाधिष्ठित) ही पाता है। बाह्य विषयों (भौतिक वस्तुओं और व्यक्तियों) के साथ विनियोग के प्रसंग में वह अधिकांशत: अपना ग्रहण शरीराधिष्ठित रूप में ही करता है, क्योंकि ये विषय दैशिक गुण-युक्त होते हैं और अधिष्ठाता के शरीर की सापेक्षता में स्थित होते हैं। उदाहरणत: पुस्तक उठाते हुए, लिखते हुए, किसी के घर जाने का विचार करते हुए अथवा जाते हुए, किसी से बात करते हुए आदि अवस्थाओं में वह अधिकांशत: शरीराधिष्ठित ही होता है। किन्तु किसी वैचारिक समस्या में उलझे होने पर, साहित्य या संगीत का रसास्वादन करते हुए, अपमान से अवसन्न अथवा सम्मान से आह्लादित अवस्था में वह शरीराधिष्ठित नहीं होता, उन अवस्थाओं में वह उन-उन वृत्तियों में अधिष्ठित होता है।

किन्तु क्या शरीर अथवा अन्य वृत्तियों में इस अधिष्ठान को व्यक्तित्व की अधिस्थिति कहा जा सकता है? यदि वृत्ति-अधिष्ठान का यह अर्थ लिया जाय कि अधिष्ठाता तत्तद्-वृत्तिमय ही हो जाता है, तब अधिष्ठाता की अपनी ओर से व्यक्तित्व का कोई अर्थ ही नहीं रहेगा, 'अधिष्ठाता' शब्द का भी कोई अर्थ नहीं होगा; जैसे

---

1. प्रो. गोविन्दचन्द्र पाण्डे संस्कृति को जब बौद्ध पदावली में परिभाषित करते हुए कहते हैं कि "सांस्कृति-चेतना एक निरात्मक और प्रतीत्यसमुत्पन्न संस्कार प्रवाह है जोकि वैयक्तिक न होकर लोक-साधारण है", तब उनका कुछ ऐसा ही अभिप्राय है। (**पं. सुरतिनारायण त्रिपाठी अभिनन्दन ग्रन्थ** में उनका लेख 'संस्कृति और भारतीयता' पृ. 2) (पं. सुरतिनारायणमणि त्रिपाठी अभिनन्दन समिति, वाराणसी)।

'आकाशगंगा' का उसकी अपनी ओर से कोई अस्तित्व नहीं है, केवल बाह्य द्रष्टा की सापेक्षता में ही उसका अस्तित्व है। पश्चिम के अनुभववादी-प्रत्यक्षवादी दार्शनिकों का विचार ऐसा ही है—कि 'व्यक्तित्व' आदि शब्द रिक्त शब्द हैं, उनका निर्देश्य कुछ नहीं है। बौद्ध नैरात्म्यवाद का भी यही प्रतिपादन है। किन्तु यदि वृत्ति-अधिष्ठान का यह अर्थ लिया जाय कि अधिष्ठाता अपने सारूप्य (आइडेंटिटी) के साथ वृत्तियों में स्थित होता है तब वृत्ति में स्थिति का कुछ अर्थ नहीं रह जाता, क्योंकि वृत्ति में स्थिति मेज़ पर पुस्तक की स्थिति के अनुरूप अवधारणा नहीं है। वृत्ति में (शरीर वृत्ति में अथवा अन्य वृत्तियों में) स्थिति का अर्थ केवल एक ही है : तद्रूपता, अथवा अधिक ठीक शब्दों में, तद्वृत्तिकता। इस प्रकार, यदि अधिष्ठाता के उसकी अपनी ओर से व्यक्तित्व का कोई अर्थ है तो उसका अधिष्ठान किसी वृत्ति अथवा वृत्तियों में नहीं हो सकता। वास्तव में, इसके विपरीत, उस अवस्था में अधिष्ठाता विभिन्न वृत्तियों को अपने में स्थित देखेगा। जो दार्शनिक, अधिष्ठाता को केवल वृत्ति-संस्थान मानते हैं उनका यही अभिप्राय होता है कि 'अधिष्ठाता' शब्द एक रिक्त-निर्देशात्मक शब्द है, इसका कोई वाच्य नहीं है। उनके अनुसार, विभिन्न वृत्तियों में एक-शृंखलता अवश्य है, किन्तु यह वास्तव नहीं है, केवल प्रतीयमान है। किन्तु इस प्रतिपादन में एक स्पष्ट दोष है, वह यह कि यह कैसे निर्णय किया जाय कि जो प्रतीयमान है वह वास्तव में नहीं है? व्यक्ति में एक स्वगत एकत्व का अनुभव तो रहता ही है, यही स्मृति, प्रत्यक्ष, प्रमाण आदि का आधार है, इसके बिना कोई वृत्ति स्मृति रूप नहीं हो सकती और न ही प्रमाण, प्रमेय आदि अवस्थाएँ हो सकती हैं। तब, यह शृंखलता अवास्तविक है, यह कैसे सिद्ध होगा?

किन्तु यदि अधिष्ठातृत्वानुभव को वास्तव माना जाय तब कठिनाई यह है कि वृत्तियों के ऊपर अधिष्ठाता व्यक्ति का क्या स्वरूप है? यह प्रश्न निर्वृत्ति-चैतन्य की कल्पना को जन्म देता है। किन्तु निर्वृत्ति-चैतन्य न केवल एकत्व-विधान करने में ही असमर्थ है बल्कि स्वयं उसका अस्तित्व भी केवल तार्किक कोटि का ही रह जाता है।[1] क्योंकि न तो वृत्तियाँ निर्वृत्तिक में स्थित हो सकती हैं और न एकत्व-विधान ही निर्वृत्तिकता है। उदाहरणत: एक स्मृत घटना को लें कि यह क की स्मृति है। इसका अर्थ है कि एक विशिष्ट विषय इस सहगामी अनुभव के साथ प्रस्तुत है कि 'यह घटना मेरे साथ इस सन्दर्भ में घटित हुई थी', अर्थात्, मैं घटना और काल तथा देश को अपनी वृत्तियों की अन्तर्वस्तुओं के रूप में देखता हूँ। इस वृत्ति को हम अनुभूत एकत्वरूप वृत्ति कह सकते हैं जो अन्य सब वत्तियों का अपने में समावेश करती है। **स्वयं व्यक्ति के लिए अपने व्यक्तित्व का अधिष्ठान इस अनुभूत एकत्व में ही है जिसे हम ज्ञातृत्वाभिमान (मैं ज्ञाता हूँ, यह बोध) कह सकते हैं। इसका केन्द्र देश में नहीं है, काल में भी नहीं है, यह देश-कालातीत है, क्योंकि देश और काल स्वयं इसकी वृत्तियाँ होकर ही उपलब्ध हो सकते हैं। ये इसकी संधारक वृत्ति नहीं हो सकते।** तब क्या सांस्कृतिक व्यक्तित्व (अथवा कहें, अतिव्यक्तित्व) के अधिष्ठान के सम्बन्ध में भी यह कहा जा सकता है कि देश-काल में इसके अधिष्ठान की समस्या केवल बाहरी द्रष्टा के लिए है, स्वयं सांस्कृतिक अतिव्यक्ति के लिए इसका अधिष्ठान देश-कालातीत अनुभव में है?

किन्तु इस पर प्रत्यक्षवादी-वैज्ञानिकतावादी (पॉज़िटिविस्ट) आपत्ति करेगा कि हमने सामाजिक व्यक्तित्व का अस्तित्व तो पहले स्वीकार कर लिया और तब उसके अधिष्ठान की बात सिद्ध करने चले। उसकी दृष्टि से हमारी स्थिति में दूसरी ग़लती व्यक्तित्व को भौतिक अधिष्ठान से स्वतन्त्र मानकर चलने में है। प्रत्यक्षवादी के अनुसार, व्यक्तित्व का एकत्व केवल भौतिक अधिष्ठान का एकत्व ही है, किसी पृथक् व्यक्तित्व की एकता का कुछ अर्थ ही नहीं है। उसके अनुसार, किसी शरीर से सम्बद्ध व्यवहारों और व्यवहार-सम्भावनाओं (टेंडेंसीज़, डिस्पोज़ीशंस) को, उनका शरीराधिष्ठान एक होने के कारण, हम किसी एक स्रोत से आने वाली समझ लेते हैं और उनसे ऊपर एक अस्तित्व की कल्पना कर लेते हैं, किन्तु यह केवल 'मशीन में भूत' की जैसी कल्पना है।[2]

---

1. द्रष्टव्य : यशदेव शल्य — **ज्ञान और सत्**, पृ. 25, 103-104, 122-123.
2. द्रष्टव्य : गिल्बर्ट राइल — **दि कांसेप्ट ऑफ माइंड**। वास्तव में, अमरीका, इंग्लैण्ड और भारत में लगभग सभी मनोवैज्ञानिक इस धारणा को पूर्वमान्य करके चलते हैं।

'व्यक्तित्व' शब्द किसी वास्तव अस्तित्व का वाचक नहीं है। 'समाज' शब्द पर यह बात और भी अधिक लागू होती है : विभिन्न शरीरों में न्यस्त विभिन्न व्यवहारों और व्यवहार–सम्भावनाओं (डिस्पोज़ीशंस्) की प्रादेशिक एकत्व के आधार पर निर्मित समष्टि को हम समाज कह देते हैं। ये प्रत्यक्षवादी समाज–वैज्ञानिक संस्कृति जैसी किसी चीज़ को स्वीकार नहीं करेंगे। पिछले अध्याय में हमने रेडक्लिफ ब्राउन से उद्धरण दिया था, जो संस्कृति को अमूर्त कल्पना (एब्स्ट्रेशन) कहता है, इसे कुछ लोग उपयोगी कल्पना (फिक्शन) भी कहते हैं। वास्तव में इनके वरिष्ठ दार्शनिक तो एक–प्रत्यक्ष की वस्तु से अधिक सब कुछ को कल्पना कहते हैं, और इस प्रकार, उनके अनुसार, शरीर उतना ही कल्पना है जितना समाज,[1] अन्तर केवल इतना ही है कि शरीर की एकता अधिक वास्तविक प्रतीत होती है जबकि समाज की एकता प्रतीतिगत भी नहीं है, क्योंकि उसमें देश–कालगत निरन्तरता भी नहीं है।

किन्तु इस मत के अनुयायी समाजशास्त्री इतनी दूर तक नहीं जाते, वे अपने अध्ययन के लिए 'समष्टि–व्यवहार' को मूल तथ्य मान कर चलते हैं। अर्थात् उनके अनुसार कुछ प्रकार के मानव–व्यवहार को सामाजिक व्यवहार कहना उपयुक्त है। यद्यपि उनके अनुसार मूल इकाई तो व्यक्ति–व्यवहार ही है किन्तु इस व्यवहार को ठीक तरह से समझने के लिए व्यक्ति को समुदाय या समाज के सदस्य के रूप में देखना आवश्यक है। ये अपने अध्ययन की इकाई ऐसे छोटे समुदायों को बनाते हैं जो वैज्ञानिक–प्रयोग–परीक्षा के लिए सहज उपलब्ध हो सकते हैं। इस प्रकार का समुदाय सत्तात्मक इकाई नहीं है, किन्तु तब भी यह ऐसा व्यवहार प्रदर्शित करता है जो इसके सदस्यों के व्यक्तिशः व्यवहार से भिन्न होता है, और इसका इसी रूप में अध्ययन सुविधाजनक है। इस प्रकार से यहाँ विशिष्टतावादी और नाममात्रवादी (सिंगुलरिस्टिक–नॉमिनलिस्टिक) आग्रह दार्शनिक अर्थ में छोड़ दिया गया और वैज्ञानिक परीक्षा का आग्रह प्रमुख हो गया। वैज्ञानिक परीक्षा के लिए दो बातें आवश्यक हैं; पहली, **वस्तुस्थिति (फिनोमिना) का निर्धारण, और दूसरी, परीक्षा की सुविधा के अनुसार मूल ऐकिकों का निर्धारण, जिनमें उस वस्तुस्थिति को विश्लिष्ट किया जा सके और फिर ऐकिकों को प्रेक्षण–परीक्षा विधि से समझ कर इनके व्यवहार के सम्बन्ध में और सम्पूर्ण के व्यवहार के सम्बन्ध में भविष्यवाणी की जा सके।** अब भौतिक–विज्ञान में, जोकि वैज्ञानिक विधि का आदर्श है, एक ओर परमाणु विज्ञान है और दूसरी ओर बृहत्–पिण्ड–विज्ञान। वस्तुस्थितियों के निर्धारण का यह द्वैत प्रयोगात्मक सुविधा के आधार पर स्वीकार किया गया है। इसी प्रकार से मानवीय वस्तुस्थिति को भी समझा जा सकता है : इसमें एक ओर वैयक्तिक वस्तुस्थिति है और दूसरी ओर सामाजिक वस्तुस्थिति। ये दो वस्तुस्थितियाँ वास्तव में पृथक् नहीं हैं, ये केवल परीक्षण की सुविधा के लिए पृथक्–कल्पित हैं। आईंस्टाइन ने भौतिक–विज्ञान में दोनों वस्तुस्थितियों का एक समग्र सिद्धान्त स्थापित करने का प्रयत्न किया था। इसी प्रकार से मानवीय वस्तुस्थिति में भी हो सकता है। वास्तव में यहाँ यह उससे कहीं अधिक सरल है। किन्तु इससे भी मुख्य बात तो यह है कि अन्ततः सब विज्ञान एक समग्र विज्ञान में अन्तर्भाव्य (रिड्यूसीबल) हैं जिनका मूल भौतिक–विज्ञान है। ओट्टो न्यूराथ के अनुसार, "जिस प्रकार जीवों के व्यवहार का अध्ययन उतना ही सम्यक् रूप से किया जा सकता है जितना यन्त्रों, तारों और पत्थरों का, उसी प्रकार प्राणी–समुदायों का अध्ययन भी सम्भव है। व्यक्तियों में बाह्य उद्दीपनों से उत्पादित परिवर्तनों और उनके भीतर 'स्वतन्त्र' परिवर्तनों दोनों को परीक्षान्तर्गत लिया जा सकता है, जिस प्रकार से कि कोई रेडियम के विघटन का, जिसका कोई बाह्य कारण नहीं होता, अध्ययन कर सकता है, तथा ऑक्सीजन मिलाकर एक यौगिक रासायनिक द्रव्य से उत्पादित विघटन का अध्ययन भी कर सकता है।...समाज–विज्ञान एक प्राणी में, अथवा मानव–समुदायों में भी, विशुद्ध रूप से सांख्यिकीय परिवर्तनों (स्टेटिस्टिकल वेरियेशंस) का ही अध्ययन नहीं करता है, यह विशिष्ट व्यक्तियों के बीच घटित होने वाले **उद्दीपनों के सम्बन्धों** का भी अध्ययन करता है।...परमाणविक संरचनाओं (स्ट्रक्चर्स) को देखे बिना भी व्यापक सामाजिकीय सिद्धान्तों तथा लघु सामाजिकीय

---

1. द्रष्टव्य : यशदेव शल्य — **दार्शनिक विश्लेषण**, अ. 2 और 3, अखिल भारतीय दर्शन परिषद्।

क्षेत्रों सम्बन्धी सिद्धान्तों को खोज सकना पूर्णत: सम्भव है, और इस प्रकार इन सामाजिकीय सिद्धान्तों को भौतिक वैज्ञानिक सिद्धान्तों पर स्थापित किया जा सकता है।"[1]

इस उद्धरण में यद्यपि 'व्यापक सामाजिकीय सिद्धान्तों' की सम्भावना स्वीकार की गई है किन्तु यह स्पष्ट नहीं है कि ये सिद्धान्त पूरे समाज को अपना विषय बनायेंगे या कि 'लघु सामाजिकीय क्षेत्रों' को। वीयेना सम्प्रदाय की सम्पूर्ण विचार-विधि को और इसके पीछे हुए विकास को देखते हुए यही कहा जा सकता है कि इनके अध्ययन के मूल विषय परीक्षोपयोगी लघु सामाजिकीय क्षेत्र ही हो सकते हैं। यह 'लघु सामाजिकीय क्षेत्र' क्या है? इस क्षेत्र को ये लोग, भौतिक विज्ञान की भावना के अनुरूप, 'सामाजिक परमाणु' कहते हैं। ए.एल. मोरेनो सामाजिक परमाणु की परिभाषा इस प्रकार देते हैं—

"सामाजिकीय परमाणु (सोसीटल एटम) उन सब व्यक्तियों का एक केन्द्रक है जिनसे कि एक व्यक्ति आवेगात्मक रूप से सम्बद्ध है, अथवा जो उस व्यक्ति से एक-साथ आवेगात्मक रूप से सम्बद्ध हैं, (आवेगात्मक सम्बद्धता का अर्थ है आकर्षण अथवा विकर्षण)। यह सामाजिक विश्व में आवेगात्मक आधार पर निर्मित अन्तर्वैयक्तिक संस्थान का छोटे-से छोटा केन्द्रक होता है। ये सामाजिकीय परमाणु आकर्षण अथवा विकर्षण के केन्द्र होते हैं। 'छोटे-से छोटा' सामाजिक ऐकिक यह सामाजिक परमाणु ही होता है, व्यक्ति नहीं।"[2]

जैसाकि सहज में ही देखा जा सकता है, सामाजिकीय परमाणु की यह परिभाषा अनेक प्रकार से दोषपूर्ण है। इसका पहला दोष तो सामाजिकीय वर्ग और भौतिक-विज्ञान के परमाणु में उस मौलिक सामय का अभाव होने में है जोकि उपमा का आधार हो सकता है। समाज केवल आवेगात्मक परिवेश अथवा समष्टि नहीं है; वैज्ञानिक, दार्शनिक, धार्मिक, उपयोगात्मक आदि-आदि अनेक प्रकार के अर्थ-व्यवहार-वस्तुएँ इसके परिवेश को फलित करती हैं। इसलिए सब प्रकार के परमाणु होने आवश्यक हैं। किन्तु इनके आधार पर बने परमाणु उतने ही, अथवा उससे भी अधिक, जटिल और बृहत्तर हो सकते हैं जितना कि स्वयं समाज है। दूसरा दोष यह है कि स्वयं आवेगात्मक सम्बन्ध के आधार पर बने परमाणु भी एक पूरे समाज से भी बड़े हो सकते हैं। उदाहरणत: हिटलर से आकर्षण-विकर्षणात्मक आवेगों से सम्बद्ध वर्ग न केवल जर्मन समाज से ही बृहत्तर था, बल्कि यूरोपीय समाज से भी बृहत्तर था, यह वर्ग वास्तव में सम्पूर्ण विश्व के असंख्य मानव-व्यक्तियों से निर्मित था।

इस प्रकार मोरेनो की परिभाषा का दोष स्पष्ट है। किन्तु वास्तव में उसका दोष इससे गम्भीरतर है। यह दोष मानव-मन को उद्दीपन-प्रतिक्रियाओं के संघात के रूप में देखने में निहित है। यदि मानव-मन उद्दीपन-प्रतिक्रिया-संघात और मस्तिष्क के परमाणुओं का क्रिया-प्रतिक्रिया-संस्थान मात्र है तब 'संस्कृति' शब्द का कोई अर्थ नहीं है और समाज केवल एक कल्पना ही हो सकता है, तब सामाजिकीय वर्ग केवल उन व्यक्तियों का संघात ही हो सकता है जो भौतिक रूप से उद्दीपक-उद्दीप्त सम्बन्ध से सम्बद्ध हैं। तब जयपुर के एक व्यक्ति का पुस्तकों, समाचार-पत्रों आदि द्वारा जो विश्व-मानव से सम्बन्ध है वह सम्बन्ध वास्तव में कागज़ पर छपी विशेष प्रकार की काली आकृतियों का और उनसे उद्दीप्त मस्तिष्क नामक परमाणु-संघात का भौतिक सम्बन्ध मात्र हो जाता है। इस मनोसामाजिक वस्तुस्थिति को सिबर्नेटिक्स के निदर्श पर समझा जाता है। (सिबर्नेटिक्स का अर्थ है 'प्राणी तथा मशीन में नियन्त्रण तथा संचार तन्त्र।') इस सिद्धान्त के पीछे डेकार्ट से आरम्भ होकर लॉक-ह्यूम-हॉब्स के क्रम से आती हुई दीर्घ परम्परा है जो आधुनिक आंग्ल-अमरीकी, विशेषत: अमरीकी, प्रयोगात्मक यन्त्र-मानवीय मनोविज्ञान (रोबोट साइकोलॉजी) में प्रतिफलित हुई है।

वास्तव में पशु भी कहाँ तक मात्र एक मशीन है, यह विवाद का विषय है। इस सम्बन्ध में प्राणी-मनोवैज्ञानिकों में पर्याप्त मतभेद हैं। कोह्लर ने बन्दरों के अध्ययन में सृजनात्मक मानसिकता के लक्षण होने के

1. ओट्टो न्यूराथ : सोश्योलॉजी एण्ड फिज़िकलिज़्म, 1931, ए.जे. एयर द्वारा सम्पादित **लॉजीकल पोजिटिविज़्म** में संकलित।
2. मोरेनो — **साईकोड्रामा** (न्यूयार्क, 1946) जिल्द 1, पृ. 184.

अनेक प्रमाण पाये हैं।[1] किन्तु बन्दरों से निम्नतर श्रेणी के प्राणियों में भी प्रवृत्ति, उदासीनता, ऊब आदि के अभौतिकीय (भौतिक-विज्ञान की सीमा में नहीं आने वाले) लक्षण देखे जाते हैं। इन लक्षणों का भौतिकीय लक्षणों में अन्तर्भाव (रिडक्शन) करने के भरसक प्रयत्न किये जा रहे हैं। इसका सबसे सरल रास्ता है मस्तिष्क की परमाणु-क्रिया में सब प्रकार की मनोव्यवस्था का अन्तर्भाव करना। किन्तु मनुष्य में हम अर्थ, मूल्य, कल्पना, अमूर्तीकरण, साधारणीकरण आदि के जो अनेकानेक लक्षण पाते हैं उनका अन्तर्भाव भौतिकीयता (भूत-वैज्ञानिक वस्तुस्थितियों) में नहीं किया जा सकता। वास्तव में स्वयं भौतिक विज्ञान में भी अनेक वस्तुस्थितियों का अन्तर्भाव सम्यक्-रूप से भौतिकीय व्यवस्था में नहीं हो सकता;[2] तब अर्थ, मूल्य आदि पूर्णत: भिन्न कोटि की वस्तुस्थितियों का अन्तर्भाव कर सकने की तो बात ही क्या है। इसका एकमात्र उपाय है इस कोटि के होने का ही अस्वीकार करना, और यही ये लोग करते हैं।[3]

× × ×

हमने ऊपर संक्षेप में संस्कृति को ऐकिकवादी-विशिष्टतावादी तत्त्वों में अन्तर्भूत करने के प्रयत्नों का दोष-निरूपण किया। इस आलोचना में निहित रूप से यह धारणा रही कि समाज केवल यन्त्र-मानवों (रोबोट मैन) का संघात नहीं है और न संस्कृति उद्दीपनों का एक समवाय-सम्बन्ध ही है। इस अध्याय के आरम्भ में हमने मानव-व्यक्तित्व और सामाजिक व्यक्तित्व की तुलना की और देखा कि इनके अधिष्ठान क्रमश: मानव-शरीर और भौगोलिक क्षेत्र (अथवा वस्तुएँ, अथवा मानव-शरीर या मानव-मन भी) मानने में क्या कठिनाइयाँ हैं, और अन्त में हमने इस तथ्य की ओर संकेत किया कि अधिष्ठान की समस्या केवल बाहरी द्रष्टा के लिए है, स्वयं अधिष्ठाता के लिए इसकी समस्या नहीं है। इस पर शायद आपत्ति की जाय कि हम बिना बात के तत्त्वमीमांसा की दलदल में फँस रहे हैं। किन्तु जैसाकि हम देख चुके हैं, प्रत्यक्षवाद वास्तव में वैज्ञानिक मतान्धता से ग्रस्त है, यह अनुभव को ऐन्द्रिय प्रत्यक्ष तक सीमित रखता है और उसके लिए कला, धर्म और मूल्यों का सर्जक और भोक्ता मानव केवल उद्दीपनों-प्रतिक्रियाओं का असम्बद्ध पुंजमात्र है। यदि हम इन अनुभवों के अर्थ को एक ओर, और समग्र सांस्कृतिक वस्तुस्थिति को दूसरी ओर, इनके अविकल रूप में समझना चाहते हैं तब हमें ऐसी तत्त्वमीमांसा में प्रवेश करना होगा। सम्भवत: मानव-व्यक्तित्व के सम्बन्ध में हमारी बात उतनी विचित्र नहीं लगेगी, किन्तु सांस्कृतिक व्यक्तित्व के सम्बन्ध में यह बहुत विचित्र प्रतीत होगी। किन्तु आगे हम स्पैंग्लर-टॉयनबी आदि के विचारों के विश्लेषण के प्रसंग में देखेंगे कि हमारी यह कल्पना ही वास्तव में उनकी विचार-व्यवस्था को अर्थ दे सकती है।

यहाँ हम अभी बाह्य द्रष्टा की ओर से ही संस्कृति पर विचार करेंगे : हम विभिन्न मनुष्यों को देखते हैं, उनके आचार-व्यवहार, भाषा, धर्म, कला, हाट-मकान, सड़क-बाज़ार आदि को देखते हैं, ये सब अपने आपमें पृथक् सत्ताएँ हैं। केवल दृश्य रूप में ये बिखरी हुई और स्थिर आकृतियाँ हैं। 'बिखरी हुई' इसलिए क्योंकि एक हाट का दूसरी से कोई सम्बन्ध नहीं है, सिवाय देशगत समीपता के, इसी प्रकार सड़क और हाट का परस्पर कोई सम्बन्ध नहीं है। 'स्थिर' इसलिए क्योंकि गति और घटनाएँ भी अपने आपमें पृथक्-पृथक् हैं, सिनेमा की रील में

1. कोह्लर — **दि मेंटेलिटी ऑफ एप्स**, पेलिकन बुक्स; तथा ई.एस. रसल — दि बिहेव्यर ऑफ एनीमल्स, एडवर्ड आर्नल्ड कम्पनी, लण्डन, 1934.

2. इसके लिए द्रष्टव्य : रूडोल्फ कार्नप — टेस्टेबिलिटी एण्ड मीनिंग, **फिलॉसफी ऑफ साइंस**, जिल्द 3, 1936 तथा जिल्द 2, 1937; तथा उन्हीं का एक और लेख 'मैथेडोलॉजिकल केरेक्टर ऑफ थ्योरिटिकल कांसेप्ट्स', मिन्नेसोटा स्टडीज़ इन फिलॉसफी ऑफ साइंस, जिल्द 1, सं. फाइग्ल तथा स्क्रीवान।

3. द्रष्टव्य : राइल — **दि कांसेप्ट ऑफ माइण्ड,** बर्ट्रण्ड रसल — **दि एनेलेसिस ऑफ माइण्ड**; फाइग्ल — दि मेंटल एण्ड दि फिज़िकल (**मिन्नेसोटा स्टडीज़ इन फिलॉसफी ऑफ साइंस** की जिल्द 2 में) तथा आर.एफ. बील्स — ए सेट ऑफ केटेगरीज़ फॉर दि एनेलेसिस ऑफ स्माल ग्रुप इंटरेक्शन, **अमरीकन सोश्योलॉजिकल रिव्यू,** 1950. कार्नप आदि फिज़िकलिस्टों और स्टीवेन्सन आदि अन्य दार्शनिकों की कृतियाँ भी द्रष्टव्य।

जुड़ी हुई फिल्मों के समान इनकी व्यवस्था है। द्रष्टा के मन को उसकी इन्द्रियों के पीछे से और हटा दिया जाय तो हाट एक खोखली आकृति मात्र है जिसमें इधर-उधर विभिन्न रंगों और आकृतियों वाली वस्तुएँ पड़ी हैं, सड़क विशेष रंग की एक दीर्घ आकृति है, मनुष्यों का आचार-व्यवहार, अंग-संचालन मात्र है। वास्तव में काल का अंश निकाल दिया जाय तो, जैसाकि विज्ञान में किया जाता है, अंग-संचालन का भी कोई अर्थ नहीं है, यह अंगों का स्थान-परिवर्तन मात्र है। अब इन्द्रियों के पीछे मन आने दीजिए, अर्थात् द्रष्टा को इन्द्रिय-मन-संयुक्त कर दीजिये, तो स्थिति में एक गम्भीर अन्तर हो जायेगा : अंग-संचालन में गतितत्त्व का प्रवेश हो जायेगा, दुकानों और सड़कों में अर्थ का प्रवेश हो जायेगा, अर्थात् ये आकृतियाँ मात्र नहीं रह कर अर्थ-युक्त वस्तुएँ हो जाएंगी, इनमें एक व्यवस्था आ जायेगी और परस्पर सम्बन्ध जुड़ जायेगा। किन्तु कितना अर्थ और कितना सम्बन्ध इनमें जुड़ेगा? कुछ आकृतियाँ खाने की वस्तुएँ हो जाएंगी, कुछ आकृतियाँ पहनने की वस्तुएँ हो जाएंगी, कुछ पका कर खाने की वस्तुएँ हो जाएंगी, कुछ आकृतियाँ चलने की साधनभूत हो जाएंगी और कुछ आकृतियाँ उपयोगी वस्तुओं की व्यवस्था से सज्जित हो जाएंगी। किन्तु 'सड़क', 'दुकान', 'बाज़ार', 'वस्त्र' आदि में इससे बहुत अधिक गहरे अर्थ का प्रवेश है, यह अर्थ केवल देखने वाले के मन की ओर से आरोपित अर्थ नहीं है, यह स्वयं इन वस्तुओं-व्यवहारों के स्वरूप में प्रविष्ट अर्थ है—ये स्वयं मानस-वस्तुएँ हैं, ये देखने वाले से स्वतन्त्र रूप से अर्थ-युक्त हैं। पत्थर मकान बनाने की वस्तु, उठाकर मारने की वस्तु आदि द्रष्टा के प्रयोजन की सापेक्षता में है, किन्तु मेज़ केवल देखने वाले के प्रयोजन की सापेक्षता में 'मेज़' नहीं है, इसकी आकृति में 'मेज़पन' का, कहें मेज़-तत्त्व का, जोकि विशुद्ध अर्थ है, प्रवेश है। इस अन्तर की ओर प्राय: ध्यान नहीं दिया गया है, किन्तु यह एक अत्यन्त महत्त्वपूर्ण अन्तर है। इस अन्तर की स्वीकृति वैज्ञानिकतावाद-प्रत्यक्षवाद को जड़ से काट देती है। मेज़ एक सृष्ट वस्तु है, अनगढ़ लकड़ी में मन ने उसी प्रकार प्रवेश कर उसे रूपान्तरित कर दिया है जिस प्रकार दीमक मिट्टी में प्रवेश कर उसे रूपान्तरित कर देते हैं। सर्जन (बनाने) और दर्शन (देखने) में एक मौलिक अन्तर है, सर्जन मन की पदार्थ पर क्रिया है, जबकि दर्शन पदार्थ द्वारा मन का उद्दीपन है।[1] 'सर्जन' शब्द का प्रयोग यहाँ व्यापक अर्थ में किया जा रहा है : लकड़ी से मेज़ बनाना सर्जन है, उतना ही पत्थर पर फूल चढ़ा कर उसका शिव के प्रतीक रूप में ग्रहण सर्जन है। अब यहाँ कहा जा सकता है कि, **केवल वे ही वस्तुएँ सांस्कृतिक उपकरण हैं जो अर्थ-सृष्ट (अर्थ से निर्मित) हैं।** सड़क पर पड़ा पत्थर सांस्कृतिक उपकरण नहीं है किन्तु भाई, पिता, पुत्र, राजा, भृत्य रूप व्यक्ति सांस्कृतिक उपकरण हैं।

यहाँ हम अर्थ-सृष्ट वस्तु से सांस्कृतिक उपकरण पर कुछ सहसा रूप से पहुँच गये हैं। सांस्कृतिक उपकरण अर्थ-सृष्ट वस्तु से कुछ अधिक है, यद्यपि केवल अर्थ-सृष्ट वस्तु ही सांस्कृतिक उपकरण हो सकती है। यह 'कुछ अधिक' क्या है जो अर्थ-सृष्ट वस्तु के सांस्कृतिक उपकरण होने के लिए आवश्यक है? रेडक्लिफ ब्राउन इस सांस्कृतिक उपकरण को इस प्रकार परिभाषित करते हैं—"एक विशेष सामाजिक प्रथा का प्रकार्य (फंक्शन) वह है जो यह (प्रथा) **समग्र सामाजिक व्यवस्था** के प्रकार्य-संस्थान में योगदान करती है। इस प्रकार के दृष्टिकोण से यह लागू होता है कि एक सामाजिक व्यवस्था में एक विशेष प्रकार का एकत्व होता है, जिसे हम प्रकार्यात्मक एकत्व कह सकते हैं। हम इसे एक ऐसी अवस्था कह सकते हैं जिसमें एक सामाजिक व्यवस्था के सभी अंग पर्याप्त सामंजस्य तथा आन्तरिक संगति के साथ कार्य करते हैं।"[2] यहाँ प्रकार्यवाद को छोड़ते हुए, जिसकी आलोचना हम आगे करेंगे, हम कहना चाहेंगे कि **समाज-मानस द्वारा अर्थ-सृष्ट वस्तुएँ सांस्कृतिक उपकरण हैं।** उदाहरणत: मकान को लें, यह व्यक्ति द्वारा अर्थ-सृष्ट है, किन्तु इसमें एक विशेष शैली, एक विशेष प्रभाव, विशेष रुझान झलकता है जो अनेकानेक अन्य व्यक्तियों द्वारा उसी युग में और पूर्व के युगों में बनाए मकानों में भी झलकता है। यह शैली, प्रभाव और रुझान व्यक्ति के मानस का अतिक्रमण करते हैं; यही इसे सांस्कृतिक उपकरण बनाते हैं। यह एकत्व प्रकार्यात्मक नहीं है, अनेक वस्तुएँ सांस्कृतिक उपकरण होती हैं किन्तु ये प्रकार्यात्मक रूप

---

1. इस कथन को तात्त्विक अर्थ में नहीं समझना चाहिए, केवल मेज़ आदि से भेद के प्रसंग में ही देखना चाहिए।
2. रेडक्लिफ ब्राउन — **ऑन दि कांसेप्ट ऑफ फंक्शन इन सोश्यल साइंस**, पृ. 397.

से निबद्ध नहीं होतीं। उदाहरणत: भारत की शिल्पकला-शैली को समकालीन भारतीय राजनैतिक व्यवस्था से प्रकार्यात्मक रूप से निबद्ध नहीं दिखाया जा सकता। प्रकार्यात्मक एकत्व की अनुपयुक्तता सबसे अधिक हम अपने व्यक्तित्व के एकत्व में देख सकते हैं जिसमें भिन्नताएँ एक समग्र में प्रकार्यात्मक रूप से संयुक्त नहीं होतीं बल्कि समग्र में ही ये उत्पन्न होती हैं, ये समग्र में ही सहभागी होती हैं, ये समग्र की होती हैं। संगीत की तान, नृत्य आदि भी इसके उत्कृष्ट उदाहरण हैं। आर्केस्ट्रा में तो यह तत्त्व अत्यधिक मुखर रूप में देखा जा सकता है। आर्केस्ट्रा का एकत्व केवल इस बात में ही निहित नहीं है कि श्रोता पर यह एक समग्र प्रभाव डालता है, यह प्रभाव तीव्रता से घूमते हुए चक्र के अरे भी डालते हैं, इसका एकत्व उस रचनात्मक अनुभूति में है जो विभिन्न ध्वनियों को अपनी लय में जन्म देती है। यही बात एक बौद्धिक सिद्धान्त में देखी जा सकती है जिसके एकत्व में विभिन्न अवधारणाएँ उपजती हैं। क्या संस्कृति को भी ऐसा ही एक आंतर एकत्व, अथवा रचनात्मक एकत्व, कहा जा सकता है? ओस्वाल्ड स्पैंग्लर इसे लगभग इसी रूप में देखते प्रतीत होते हैं जब वे इतिहास के रूप में विश्व की कल्पना एक जीवन्त भवितव्यता (लिविंग पोटेंश्यालिटी) के रूप में करते हैं, जो काल-क्रम में अपनी विलक्षण नियति अथवा लक्ष्य को चरितार्थित करती है और अतीत से वर्तमान में होती हुई भविष्य की ओर प्रवाहित होती है।

किन्तु स्पैंग्लर तथा टॉयन्बी, और इसी प्रकार के कुछ अन्य इतिहास-दार्शनिकों की भूल संस्कृति को जैव शरीर के रूप में अवधारित करने में है, जो एक नियत भवितव्यता के रूप में जितना सम्यक् प्रकार से समझा जा सकता है प्रकार्यात्मक एकत्व के रूप में भी उतना ही सम्यक् प्रकार से समझा जा सकता है। दूसरी कठिनाई इस भवितव्यता को जन्म, कैशोर्य, यौवन, वार्धक्य के क्रम से मृयमान होने के रूप में देखने में है, जोकि शरीर का परम धर्म है। इस कल्पना में सैद्धान्तिक दृष्टि से दो गम्भीर दोष हैं। पहला दोष तो यह कि **नियति (चरितार्थ्यता के अर्थ में भवितव्यता) काल-क्रम की प्रतिष्ठा कालातीत में करने को बाध्य है। शरीर में एक अमानसिक, अर्थ-रहित भवितव्यता चरितार्थ होती है जिसमें 'नियति', और वास्तव में भवितव्यता और चरितार्थन भी, द्रष्टा की ओर से आरोपित होते हैं।** मृत्यु को नियत मानने का यही अर्थ है। दूसरे शब्दों में, शरीर में यह क्रम हम देखते हैं, तब हम सिद्धान्त का निर्माण करते हैं जो इस क्रम को एक व्यवस्था देता है किन्तु जिस सिद्धान्त का आधार आगमनात्मक (इंडक्टिव) है। इसको हम एक निश्चितता के रूप में मान कर नियति कह देते हैं। इसके विपरीत, जैव-विकास में भी, उसे समग्र रूप में लेते हुए, एक भवितव्यता दृष्टिगोचर होती है, जिसको यदि हम चरितार्थ्य नियति के रूप में अवधारित करते हैं तब इसमें एक अतिमानसिक चेतना का आरोपण अनिवार्य हो जाता है, जिसकी भवितव्यता इस अतिमानसिक चेतना के लक्ष्य-बोध में निहित है। यह भवितव्यता व्यक्ति-प्राणियों और जातियों के जन्म-मरण-वृद्धि-विकास के माध्यम से अपने लक्ष्य को चरितार्थित करती है। स्पैंग्लर और टॉयन्बी इन दो प्रकार की भवितव्यताओं में भेद नहीं करते प्रतीत होते। ये दोनों प्रकार की भवितव्यताओं को एक में घपला कर एक ओर संस्कृति को काल-क्रम में देखते हैं और इसे मरणोन्मुख मानते हैं, और दूसरी ओर इनमें निहित-प्रयोजन भी देखते प्रतीत होते हैं। उदाहरणत: स्पैंग्लर कहते हैं—"आदिम संस्कृति के सागर में मिस्र, बेबीलोन अथवा सुमेर की महासंस्कृतियों का सहसा उद्भव अपूर्व-कल्पित घटनाएँ हैं और कारणमूलक दृष्टिकोण से एक रहस्य हैं। इनके उद्भव किन्हीं विशिष्ट भौगोलिक, वंशगत अथवा अन्य कारणात्मक कारकों से नहीं हुए, क्योंकि कोई विशेष जाति अथवा नृवंश किसी संस्कृति का चुनाव नहीं करता, बल्कि यह सहसा रूप से उद्भूत होती हुई संस्कृति होती है जो यह चुनाव करती है कि कौन-सी जाति अथवा नृवंश उसके आत्म-चरितार्थन में निमित्त (साधन) बनेगी। यह चुनी गयी महासंस्कृति बनेगी।"[1] इस उद्धरण में यह देखा जा सकता है कि यह घपला किस मात्रा तक विद्यमान है। यदि जातियाँ या नृवंश महासंस्कृति के निमित्त बनते हैं तब शरीर से उपमा नृवंशों की होनी चाहिए और संस्कृति की उपमा जैव-तत्त्व से होनी चाहिए, जो शरीरों और प्राणी-वंशों को अपना निमित्त बनाता है, और तब कहना चाहिए कि ये नृवंश जन्म-यौवन-ज़रा-मृत्यु का क्रम प्रदर्शित करते हैं,

1. पिटरिम सोरोकिन — **सोश्योलॉजिकल थ्योरीज़ ऑफ टुडे**, पृ. 192 से उद्धृत।

किन्तु संस्कृति नहीं करती। टॉयन्बी इस धारणा के बहुत समीप प्रतीत होते हैं जब वे 'सिवलिज़ेशन ऑन ट्रॉयल' में सभ्यताओं को धर्म के उन्नततर धरातल पर आरोहण के लिए साधन मात्र कहते हैं और रूपान्तरण की कल्पना करते हुए कहते हैं कि सम्भवत: सभ्यताओं की गति चक्रिक है जबकि, सम्भवत:, धर्म की गति एक और अविच्छिन्न रूप से उत्कर्षात्मक है। यह गति अपने लोकोत्तर आरोहण में सभ्यताओं के जन्म और मृत्यु-चक्र से पोषित होती है। किन्तु टॉयन्बी नियति के उपर्युक्त अर्थ के सम्बन्ध में कहाँ तक स्पष्ट हैं, यह कहना कठिन है। दूसरा दोष इस बात में है कि ये इतिहास-दार्शनिक वर्णनात्मक निरूपण को सिद्धान्त के पद पर प्रतिष्ठित कर देते हैं। ये अपने इस प्रतिपादन का कोई सैद्धान्तिक आधार नहीं देते कि क्यों संस्कृतियाँ जन्म-मरण-यौवन-ज़रा-क्रम से मरणापन्न होती हैं, ये केवल वर्णनात्मक रूप से दिखाते हैं कि अमुक-अमुक संस्कृतियाँ इस प्रकार से मरणापन्न हुईं और हो रही हैं। किन्तु किसी सिद्धान्त के अभाव में न केवल यही नहीं अनिवार्य होता कि वर्तमान महासंस्कृति (जैसे पाश्चात्य संस्कृति) मरेगी ही, कि भावी संस्कृति ज़रा को भी प्राप्त होगी ही, मरने की बात तो दूर रही, बल्कि यह भी निश्चित नहीं होता कि किसी संस्कृति के मरने का क्या अर्थ है, और कि क्या अमुक संस्कृति मर ही गयी है अथवा केवल प्रसुप्त है। उदाहरणत: यूनानी संस्कृति योरोपीय संस्कृति में जीवित नहीं है, यह नहीं कहा जा सकता, और चीनी तथा भारतीय संस्कृतियाँ मर चुकी हैं, यह भी नहीं कहा जा सकता, क्योंकि इनके पुनरुज्जीवन की पूरी सम्भावनाएँ विद्यमान हैं।[1]

हमने पीछे सांस्कृतिक अतिमानस की कल्पना की ओर संकेत किया। 'मानस' (या 'अतिमानस') की पहली शर्त है एक ओर उसकी अभिव्यक्तियों (इंगित, गति, चेष्टा, भाषण) में एक एकसूत्रता होना, और दूसरी ओर उसमें एक अनुभूत एकत्व का होना। इनमें पहली एकता बाहरी द्रष्टा के लिए है और दूसरी स्वयं व्यक्ति (अथवा अधिष्ठाता) के लिए है। ऑर्केस्ट्रा तथा सिद्धान्त में हम एक अन्य एकत्व पाते हैं जो उतना ही आन्तर होता है जितना अनुभूत एकत्व। ऑर्केस्ट्रा में एक समंजस एकत्व रहता है, किन्तु जबकि समंजसता ऑर्केस्ट्रा की आत्मा है, व्यवहार में आत्यन्तिक समंजसता केवल एक आदर्श है जिसे चरितार्थ करने का प्रयत्न ऑर्केस्ट्रा का संयोजक कलाकार जीवन भर करता है। यह उतना ही सही तान और नृत्य के लिए भी है—कलाकार की साधना कभी पूरी नहीं होती। किन्तु तब भी, पूर्ण समंजसता तान, नृत्य और ऑर्केस्ट्रा की आत्मा है, यह इनके जन्म के साथ ही उपजती है, यह केवल अभिव्यक्ति के प्रयत्न में, अपने चरितार्थन की प्रक्रिया में, अनुपलब्ध होती है। यही बात सिद्धान्त के लिए भी कही जा सकती है। सिद्धान्त की आत्मा उसकी तार्किक समंजसता में है, उसके लिए यह स्वाभाविक है कि उसका जन्म आत्यन्तिक सामंजस्य के साथ हो, किन्तु इसकी यह निहित समंजसता अपने चरितार्थन की प्रक्रिया में केवल अपूर्णत: ही उपलब्ध होती है। इस प्रकार जबकि इनमें मूल में पूर्ण समंजसता इनका स्वभाव है, अभिव्यक्ति में पूर्ण समंजसता केवल पार्यन्तिक कल्पना है जिसके समीप से समीपतर आप पहुँच सकते हैं, किन्तु जिसे पूर्णत: सिद्ध आप नहीं कर सकते। व्यक्तित्व भी वास्तव में ऐसा ही एक एकत्व है, जो अपने मूल प्राणतत्त्व में समंजस होता है किन्तु तब भी जो असंगतियों से मुक्त नहीं होता। अनुभूत एकत्व और प्रकट असामंजस्य में विरोध-परिहार का यही मूल मन्त्र है।

क्या संस्कृति के लिए भी यही बात कही जा सकती है? हमें लगता है कि संस्कृतिगत एकत्व और असंगतियों को केवल इसी प्रकार से समझा जा सकता है। **यह एकत्व किसी संस्कृति के जीवन-दर्शन अथवा विश्व-दर्शन में निहित कहा जा सकता है, इस दर्शन को किसी संस्कृति का ज्ञातृत्वाभिमान[2] (अपनेपन का बोध) कहा जा सकता है, जिसमें उसकी अन्तर्निहित सप्राण समंजसता का मूल रहता है।** इस

1. टॉयन्बी वास्तव में पुनरुज्जीवन की सम्भावना को स्वीकार करते हैं, यह उनके राउट-रैली (आक्रमण से नाश और पुनरुज्जीवन) के सिद्धान्त से स्पष्ट है। किन्तु तब भी, इस क्रम का निश्चित अन्त नाश में है।

2. इस शब्द के व्यापक अर्थ के लिए द्रष्टव्य : यशदेव शल्य — **ज्ञान और सत्** में 'मानव प्रतिमा' अध्याय।

ज्ञातृत्वाभिमान को, इस अपने जीवन-दर्शन को, प्रत्येक संस्कृति अपने विशिष्ट धर्म, पुराण, भाषा, कला, शिल्प और दर्शन की अभिव्यक्तियों के माध्यम से चरितार्थ करने का प्रयत्न करती है।

इस मूल दृष्टि को किसी संस्कृति का मूल प्राणतत्त्व कहने से यह उपपन्न नहीं होता कि उसमें अन्य कोई रुचियाँ और प्रवृत्तियाँ होती ही नहीं। जिस प्रकार शरीर किसी व्यक्ति का व्यक्तित्व नहीं है, किन्तु तब भी शरीर-धर्मपालन प्रत्येक व्यक्ति करता है, उसी प्रकार प्रत्येक संस्कृति भी अपने भौतिक अस्तित्व के विभिन्न धर्मों का पालन करती है, और इस प्रकार प्रत्येक संस्कृति में अपने भौतिक परिवेश के विनियोजन के विविध प्रयत्न पाये जाते हैं—रसायन-विज्ञान, औषध-विज्ञान, राज्य-व्यवस्था, सैन्य-व्यवस्था, नीति-व्यवस्था आदि अनेक इसी प्रकार के विनियोजनात्मक प्रयत्न कहे जा सकते हैं और ये सभी समाजों में पाये जाते हैं। किन्तु ये सभी न्यूनाधिक मात्रा में सांस्कृतिक मूलदृष्टि-सांस्कृतिक-ज्ञातृत्वाभिमान—से प्रभावित होते हैं। कुछ प्रयत्न भीतर से प्रभावित होते हैं, जैसे नीति-व्यवस्था, बहुत सीमा तक राज्य-व्यवस्था भी, और कुछ बाहर से, जैसे सैन्य-व्यवस्था, औषध-विज्ञान आदि। बाहर से प्रभावित होने का अर्थ है इनकी वृद्धि का प्रभावित होना, इनके स्वरूप का प्रभावित होना नहीं। उदाहरणत: एक वैराग्य-प्रधान और ऐन्द्रिकता-प्रधान संस्कृति में सैन्य-व्यवस्थाएँ एक ही प्रकार की हो सकती हैं, किन्तु जबकि एक वैराग्य-प्रधान संस्कृति का किसी समय सैन्य-शक्ति में उन्नत होना असम्भव नहीं है, चिरकाल तक उन्नत रहना कठिन है; यह किसी बाहरी चुनौती के सामने या किसी आकस्मिक मन:स्थिति में ही एक उत्कृष्ट सैन्य-शक्ति को जन्म दे सकती है, किन्तु उसका शीघ्र ह्रास हो जाना आवश्यक है।

उदाहरणत: भारतीय संस्कृति का मूल आत्मबोध योग-साधनापूर्वक मोक्ष कहा जा सकता है और इसके लिए इस अन्तरंग एकत्व को हम असंख्य स्त्री-पुरुषों के तीर्थाटन में, साधुओं, रुण्ड-मुण्ड साध्वियों, बाल-विधवाओं, लुंजपुंज भिखारियों, वनस्थ संन्यासियों, धर्मार्थ अर्थ-दान करते धनिकों में, जनक के राज-ऋषित्व में, गौतम के बुद्धत्व में, अशोक के पश्चात्ताप में, हर्ष के राज-कोष दान में, आश्रम-व्यवस्था में, अजामील-गीध-व्याध की भक्ति में तथा मतवादों के प्रति आदर में, देख सकते हैं। ये सब एक संस्थान बनाते हैं जिसकी आन्तर एकता इस मूल दृष्टि में है। इसी मूल एकत्व में, इसी ज्ञातृत्वाभिमान में, संस्कृति का एकत्व होता है, जिस प्रकार कि व्यक्तित्व का अधिष्ठान अनुभूत एकत्व में, जिसकी अन्तर्वस्तु ज्ञातृत्वाभिमान होती है, होता है।

किन्तु इसमें एक बड़ी कठिनाई है : वैयक्तिक व्यक्तित्व का अधिष्ठान जबकि अनुभूत है, जोकि देशकालातीत होने पर भी कम-से-कम घटनात्मक है, क्या सांस्कृतिक व्यक्तित्व का अधिष्ठान भी इसी प्रकार अनुभूत, और अतएव घटनात्मक, कहा जा सकता है? यदि इसे अनुभूत नहीं माना जाय तो 'सांस्कृतिक अतिमानस' का अस्तित्व सन्देह में पड़ जाता है। यह एक अलंघ्य कठिनाई प्रतीत होती है, क्योंकि हम केवल बाहर से ही सांस्कृतिक एकत्व के द्रष्टा हो सकते हैं, भीतर से नहीं। व्यक्ति रूप में हम संस्कृति का अनुभव करते हैं, अथवा कहें, हमें सांस्कृतिक अनुभव घटित होते हैं, किन्तु ये हमें वैयक्तिक अधिष्ठान में ही प्रदत्त हो सकते हैं सांस्कृतिक अधिष्ठान में नहीं। इस प्रकार संस्कृति का अधिष्ठान अनुभूत एकत्व में देखा जा सकता, किन्तु यह अधिष्ठान हमारे लिए अन्य व्यक्ति के व्यक्तित्व के अनुरूप नहीं होता। हमारे से इसका सम्बन्ध वैसा ही होता है जैसा सामान्य प्रत्यय के साथ विशेष प्रत्यय का, जैसे राग आसावरी के साथ गीत (गाये गये) आसावरी का। किन्तु संस्कृति का अस्तित्व ठीक वैसा नहीं है जैसा सामान्य प्रत्यय का या राग आसावरी का होता है। यह अस्तित्व इनसे अधिक ठोस होता है, यह स्वत: एक गीत के जैसा होता है, जिसे हम उतना ही स्पष्टत: देखते हैं जितना गीत को, यह उतनी ही घटित होती है जितना गीत अथवा व्यक्तित्व।

यहाँ यह प्रश्न हो सकता है कि क्या यह सांस्कृतिक एकत्व उसी प्रकार किसी मानस में घटित होता है जिस प्रकार वैयक्तिक एकत्व किसी मानस में घटित होता है? वास्तव में यह एक भ्रामक प्रश्न है, क्योंकि मानस का एकत्व स्वत: केवल अनुभूत एकत्व ही है, जिसकी वृत्ति अभिमान है। यह वृत्ति अन्य सब वृत्तियों का किसी भी एक विशेष क्षण पर आकलन करती है और उनको कलित करती है। यही बात सांस्कृतिक एकत्व के लिए है—यह अन्य वृत्तियों में एक वृत्ति है, यह केवल अपने लक्षणों में भिन्न है। यह इस दृष्टि से अभिमान रूप है कि यह

जातीय स्मृतियों और आकांक्षाओं में व्यक्त होती है, किन्तु इसका लक्षण ऐसे संस्थानों और आकारों में व्यक्त होता है जो व्यक्ति के विशेष लक्षणों में साधारण रहते हैं। भाषा इसका उत्कृष्ट उदाहरण है। व्यक्ति अपनी भाषा का प्रयोग करता है, अपनी विशेष ध्वनियाँ और वाक्य-रूप प्रयुक्त करता है जिनके द्वारा वह अपने विचार व्यक्त करता है, किन्तु यह व्यक्ति-भाषा जाति-भाषा में उत्पन्न होती है, सागर में वीचि के समान, यह भाषा एक सामान्य भाषा के स्वरूप और लक्षणों से पूर्णत: निर्धारित होती है—ध्वनि-रूप, अर्थ-व्यंजना और वस्तु-अवधारण सभी दृष्टियों से। इसमें सभी व्यक्ति, जो उस भाषा-परिवार के हैं, सहभाग लेते हैं।

इसलिए संस्कृति रूप मानस-घटना की कल्पना में कोई कठिनाई नहीं होनी चाहिए, क्योंकि 'अनुभव-घटना' की अवधारणा के लिए यह कोई अनिवार्यता नहीं है कि वह रमेश या सुरेश के जैसे व्यक्ति की ही अधिष्ठान हो सकती है। यह क्षुद्र से क्षुद्रतर व्यक्तित्व से लेकर विशाल से विशालतर व्यक्तित्व की अधिष्ठान हो सकती है। यही वास्तव में पूर्ण-प्रत्यय अथवा ब्रह्म और विश्व-मन आदि की कल्पना का मूल है। इसे समझने में कठिनाई केवल उन्हीं को हो सकती है जो बोध को शरीरादि से पृथक् या देश-काल निरपेक्ष रूप में नहीं सोच सकते। किन्तु एक बार अनुभूत एकत्व अथवा ज्ञातृत्वाभिमान के इनसे निरपेक्ष रूप में कल्पित हो सकने पर इसमें कोई कठिनाई नहीं रहती। वास्तव में हमने गीत आदि के जिन एकत्वों से इस एकत्व को उपमित किया है वे भी वाद्य-वादक, विशिष्ट ध्वनि-समवाय आदि में निहित नहीं होकर स्वाधिष्ठित ही होते हैं। ऐसी अवस्था में ऐसे राग की असम्भवता नहीं है जिसकी तान असंख्य, और शायद सब भी, स्वरों का समावेश करे। इस प्रकार सांस्कृतिक मानस और उसके अधिष्ठानभूत अनुभव की कल्पना में कोई कठिनाई नहीं रह जाती। इसका अधिष्ठान व्यक्ति के व्यक्तित्व के समान अनुभूत एकत्व में नहीं होता, क्योंकि व्यक्ति अपना अतिक्रमण कर इस व्यक्तित्व के एकत्व का अनुभव नहीं कर सकता। इसलिए इसके एकत्व को गीत की उपमा पर कल्पित करना उपयुक्त है। इसे हम देखते भी हैं और भोगते भी हैं, किन्तु इसका भोग इसमें निहित होकर करते हैं, इसको निहित करके नहीं। दूसरे शब्दों में, यह वृत्तियों का ऐसा संस्थान है जो व्यक्ति-संस्थानों में अपना स्वरूप व्यक्त करता है, जिस प्रकार व्यक्ति में निहित विभिन्न वृत्ति-संस्थान व्यक्तित्व से कलित होते हैं।

भाषा

पीछे, दूसरे अध्याय में, हमने सांस्कृतिक अतिव्यक्तित्व के स्वरूप पर विचार करते हुए देखा था कि यह अतिव्यक्तित्व कला, दर्शन, भाषा आदि विभिन्न प्रतीक-रूपों में, अथवा कहें रचनात्मक सन्दर्भों में, अपनी अभिव्यक्ति करता है। मन संवेद में अपने को प्रकाशित करता है और अवधारण में क्रियान्वित करता है। अवधारण का अर्थ है—विषय-ग्रहण। मन विश्व से, और अपने से भी, इस विषय-ग्रहण के रूप में सम्पर्क स्थापित करता है। विषय के स्वरूप से हम मन के आकार को देख सकते हैं जो विषय-ग्रहण अथवा वस्तु-अवधारण में व्यक्त होता है। यह जितना मानव-मन के लिए सही है उतना ही पशु-मन के लिए भी सही है। किन्तु यहाँ एक रोचक तथ्य द्रष्टव्य है—पशु-मन हो या मानव-मन, दोनों के ज्ञान का आकार व्यक्ति-मन का अतिक्रमण करता है, यह जाति-मन में क्रियान्वित होता है। कुत्ते का वस्तु-अवधारण-प्रकार कुत्ता-जाति का वस्तु-अवधारण-प्रकार होता है, कुत्ता-व्यष्टि का नहीं। यह अवधारण यदि सहज प्रवृत्ति-रूप (इंस्टिंक्टिव) है तब भी है यह अवधारण ही, केवल यह व्यष्टि-मन का अतिक्रमण अधिक पूर्ण रूप से करता है। ऐसा भी कहा जा सकता है कि प्रवृत्यात्मक प्राणियों में संवेद का प्रकाश जबकि व्यष्टि-मन में होता है, अवधारण पूर्णत: जाति-मन में होता है, मानवीय वस्तु-अवधारण भी इसी प्रकार से जाति-मन में ही होता है। केवल इतना अन्तर है कि इसमें यह अवधारण वैयक्तिक चेतना का विषय भी होता है। पाशव अवधारणों तथा मानवीय अवधारणों में एक अन्य मौलिक अन्तर है। पशव-अवधारण जबकि जैव सन्दर्भ में होते हैं, मानवीय अवधारण सांस्कृतिक सन्दर्भ में होते हैं। दूसरे शब्दों में कहा जा सकता है कि, जबकि प्राणी-मन का आकार जैव है, मानव-मन का आकार सांस्कृतिक है। अवधारण के सन्दर्भ को 'सांस्कृतिक' कहने का अर्थ है कि यह जैव-प्रयोजनों का अतिक्रमण कर रचनात्मक सन्दर्भ में व्यापारित होता है। यदि विभिन्न सांस्कृतिक रूपों—भाषा, विज्ञान, धर्म, कला आदि—का जन्म 'प्रकृति के अभियोजन' के सन्दर्भ में भी हुआ माना जाय तब भी यह मानव की उस सृजन-चेतना का व्यापार है जो विश्व-योजना करती है। सभी मानवीय अभियोजन वासना और आवेग का सन्दर्भ छोड़कर रचनात्मक अर्थ के सन्दर्भ में व्यापारित होते हैं, जिसमें अभिनिवेश वासना-व्यय के बजाय व्यवस्थापन और मूल्य का रूप ले लेता है।

सांस्कृतिक रचनाओं में भाषा को शायद सबसे अधिक महत्त्वपूर्ण कहा जा सकता है, क्योंकि यह विश्व-योजना का व्यापकतम माध्यम है। वास्तव में यह ऐसी प्रतीक-व्यवस्था है जो व्यक्ति का सबसे अधिक व्यापक, अभेद्य और ठोस परिवेश बनाती है किन्तु तब भी जो सबसे अधिक पारदर्शी और लोचदार रहती है। बेंजामिन ली ह्वोर के शब्दों में—"यह व्यवस्था वैयक्तिक चेतना के संकीर्ण-वृत्त के बाहर से आरोपित होती है और वैयक्तिक चेतना को एक कठपुतली के समान नियन्त्रण में रखती है, उसकी सभी भाषीय क्रियाएँ इसके अदृश्य किन्तु अटूट सूत्रों के द्वारा निर्दिष्ट होती हैं। यह ऐसे होता है मानो वैयक्तिक मन, जोकि शब्दों का चयन करता है किन्तु संस्थान के प्रति अचेत रहता है, एक उन्नततर और कहीं अधिक विचार-समर्थ मन के नियन्त्रण में हो। इस मन में घरों, चारपाइयों और बर्तनों का कोई बोझ नहीं रहता, किन्तु यह इतने महत् स्तर पर व्यवस्थापन और गणितीकरण कर सकता है कि कोई गणितशास्त्री उसके समीप तक भी नहीं पहुँच सकता।"[1]

× × ×

---

1. इस सिद्धान्त की विस्तृत स्थापना हमने अपनी पुस्तक 'ज्ञान और सत्' में की है।

भाषा को ऐसी श्रव्य या दृश्य आकृतियाँ कह सकते हैं जो अर्थ-गर्भ हैं। श्रव्य या दृश्य आकृतियों का अस्तित्व विशुद्ध रूप से भौतिक है किन्तु अर्थ के वाहक के रूप में यह अस्तित्व पूर्णत: रूपान्तरित हो जाता है। किन्तु भाषा की यह परिभाषा कुछ स्पष्ट नहीं करती, इस दृष्टि से पशु की हुंकार और चीत्कार भी भाषा की कोटि की हो जायेगी, और इसी प्रकार से संगीत की तान भी। पशु की हुंकार भाषा से मूलत: भिन्न कोटि की है। यह भेद इस बात में है कि जबकि हुंकार मन:स्थिति को व्यक्त करती है, **भाषा विषय-निरूपण करती है, यह कथनात्मक है।** दूसरे शब्दों में, यह ऐसा माध्यम है जिसमें विषय-जगत् आकारहीन पिण्ड में से ऊपर उठकर अपना स्वतन्त्र रूप ग्रहण करता है। हमारा यह प्रतिपादन उस विचार-सम्प्रदाय से एकदम विपरीत जाता है जो भाषा का स्रोत संवेगों की अभिव्यंजक चीत्कार आदि को मानता है। यह संवेग-सिद्धान्त, जिसे 'पूह-पूह' सिद्धान्त भी कहा जाता है, भाषा का स्वरूप समझने में न केवल सहायक ही नहीं है बल्कि बाधक भी है, क्योंकि संवेग-निकास केवल एक शरीर-क्रिया है जो अधिक-से-अधिक चिह्न के स्तर तक तो उठ सकती है किन्तु जो प्रतीक का स्तर, जो संस्थानात्मक और अतएव व्यवस्थानात्मक है, नहीं प्राप्त कर सकती। "संवेगात्मक ध्वनि तथा शब्द के बीच इतनी बड़ी खाई है कि यह कहा जा सकता है कि संवेग-ध्वनि भाषा का निषेध है, क्योंकि यह ध्वनि उस समय की जाती है जबकि कोई या तो बोलने में असमर्थ हो, या बोलना नहीं चाहता हो।"[1] यही आपत्ति भाषा की उत्पत्ति सम्बन्धी उन अन्य सिद्धान्तों[2] के विरुद्ध भी सही है जो भाषा और पाशव-अभिव्यक्तियों में गुणात्मक तारतम्य देखते हैं और इनमें केवल मात्रात्मक अन्तर मानते हैं। जैस्पर्सन इन सिद्धान्तों की अपर्याप्तता सिद्ध करने के बाद लिखते हैं—

"मैं जिस विधि को उचित मानता हूँ, और जिसे प्रस्तुत करने वाला मैं प्रथम व्यक्ति हूँ, वह हमारी आधुनिक भाषाओं के पद-चिह्नों की खोज इतिहास में इतनी दूर तक करती है जितना सम्भव है...यदि इस प्रक्रिया से हम ऐसी ध्वनियों तक पहुँचते हैं जिन्हें भाषा नहीं कहा जा सकता, बल्कि उसका पूर्वगामी कहा जा सकता है, तब समझना चाहिए कि हमने समस्या का समाधान प्राप्त कर लिया है, क्योंकि हम रूपान्तरण को तो समझ सकते हैं किन्तु शून्य में से सृष्टि को नहीं समझ सकते।"[3]

इस सिद्धान्त के अनुसार यह रूपान्तरण तब हुआ जबकि मानवीय ध्वनियाँ, जोकि पहले केवल संवेगात्मक चीत्कार या किलक थीं, अथवा सम्भवत: संगीतात्मक पद थे, संज्ञाओं के रूप में प्रयुक्त की जाने लगीं, जो पहले अर्थहीन ध्वनि-समवाय था इस प्रकार से वह अकस्मात् विचार का वाहक बन गया। उदाहरण के लिए एक ध्वनि-समवाय, जोकि पराजित शत्रु के वध के अवसर पर संगीतात्मक ध्वनियों के रूप में फूट पड़ा, वह काल-क्रम में उस घटना की व्यक्ति-संज्ञा हो गया, और तब यह अनुक्रम में अनुरूप स्थितियों का सामान्य संज्ञापक बन कर अर्थ-युक्त बन गया।[4]

वास्तव में यह पूर्ण रूपान्तरण ही वह महत्त्वपूर्ण अन्तर है जो पाशव अभिव्यक्तियों और मानव-भाषा के बीच है, जो संकेत को प्रतीक से भिन्न करता है, और जिसे किसी मात्रात्मक सम्प्रत्यय द्वारा नहीं समझा जा सकता। पशुओं में यह चिह्नात्मक भाषा व्यापक रूप से पायी जाती है।[5] मात्रात्मक सम्प्रत्यय भौतिक और जैविक

---

1. बेंजामिन ली ह्वोर — **लैंग्वेज, थॉट एण्ड रियालिटी**, मेसाचुसेट इंस्टीट्यूट ऑफ टेक्नोलॉजी, पृ. 257.
2. ओट्टो जैस्पर्सन — **लैंग्वेज, इट्स नेचर, डिवेलपमेंट एण्ड ऑरिजिन**, ज्योर्ज एलन एण्ड अनविन, लंडन, पृ. 418.
3. वही, पृ. 418.
4. ओट्टो जैस्पर्सन — **लैंग्वेज, इट्स नेचर, डिवेलपमेंट एण्ड ऑरिजिन**, ज्योर्ज एलन एण्ड अनविन, लंडन, पृ. 437.
5. इसके कुछ विपरीत उदाहरण कृमियों के व्यवहार से दिये जा सकते हैं। उदाहरणत:, मधुमक्खियों में देखा जाता है कि वे एक नृत्य द्वारा अपनी साथी मधुमक्खियों को उस स्थान की दूरी और दिशा की सूचना देती हैं जहाँ से मधु के लिए रस मिल सकता है। द्रष्टव्य एन. टिन्बर्जन — 'ए स्टडी ऑफ इंस्टिंक्ट' ऑक्सफर्ड, क्लेरेंडन प्रेस, पृ. 55। इस नृत्य में प्रतीक-रूपता के सभी लक्षण देखे जा सकते हैं : क्योंकि यह नृत्य स्पष्टत: संवादात्मक है, और सामान्य निर्देशक है, और यह सामान्य निर्देश अत्यन्त जटिल प्रकार का भी है। किन्तु तब भी यह मानना अत्यन्त कठिन प्रतीत होता है कि यह नृत्य प्रतीक रूप है, क्योंकि नृत्य किसी संवाद-संस्थान में अनुस्यूत प्रतीत नहीं होता। तो भी, यह सम्भव है कि कृमि-विश्व में मधुमक्खियों और चींटियों आदि में एक अत्यन्त भिन्न प्रकार की प्रतीक-व्यवस्था विद्यमान हो।

विकास को समझने के लिए तो उपयुक्त हो सकता है, किन्तु मानसिक (चैतसिक) वस्तुस्थितियों को समझने के लिए उपयुक्त नहीं हो सकता। इसलिए मात्रात्मक तारतम्य जैविक अस्तित्व के स्तरों में—जैसे बन्दर और मनुष्य के भेजे के निर्माण में—देखना तो उपयुक्त हो सकता है किन्तु चेतना के दो स्तरों में देखना उपयुक्त नहीं हो सकता। उदाहरणत: हाथ उठाने की क्रिया के दो प्रकारों को देखा जा सकता है। वुंट के अनुसार—"मानव की अत्यन्त आदिम अवस्था से उसकी भुजाएँ और हाथ वस्तुओं को पकड़ने और उनको अधिकार में करने के अवयवों के रूप में सक्रिय रहे हैं। हस्तगत करने के इस आदि उपयोग के अवयवों से, जिसमें कि ऐसी ही क्रियाओं की दृष्टि से मनुष्य उन्नत स्तरीय प्राणियों से केवल मात्रात्मक रूप से उत्कृष्ट है गुणात्मक रूप से नहीं, अनुक्रम में ऐसे रूपान्तर होते हैं जो आरम्भ में तो प्रतिगामी होते हैं किन्तु जो अपने परिणामों में अग्रगामी विकास के तत्त्वों से समतवेत होते हैं और क्रमश: हस्त की अनुकरणात्मक क्रियाओं को सम्भव करते हैं। जनन विज्ञानपरक (जेनेटिक) दृष्टि से देखते हुए, यह केवल एक ग्रहणमूलक क्रिया का संकेतात्मक इंगित के रूप में सूक्ष्मीकरण है।"[1] और यह प्रकट रूप से एक सरल विकास वास्तव में पाशव से मानवीय स्तर पर संक्रमण में एक महत्त्वपूर्ण चरण है। मानव के नीचे उन्नतम प्राणी का भी हाथ ग्रहणात्मक स्तर की सीमा से मुक्त होकर इस संकेतात्मक स्तर पर नहीं उठ पाता, जोकि उत्सुकता के संवेग को व्यक्त करने की स्थिति से आगे विषय-निर्देश का स्तर है। इन दो स्तरों में कोई तारतम्य नहीं है।

इसके उत्तर में कहा जा सकता है कि मानव और पशु में जैव निरन्तरता तो है ही, और क्योंकि भाषा और अन्य सब मानसिक क्रियाएँ शरीर के जैवी विकास के स्तर पर, जैसे भेजे और तन्तुवाय के विकास के स्तर पर, निर्भर करती हैं इसलिए मानसिकता में भी तारतम्य देखना अनुचित नहीं कहा जा सकता। किन्तु यह दो कारणों से भ्रामक है—प्रथम तो, यदि विशुद्ध रूप से जैव व्याख्या की दृष्टि से भी अवयवों को प्रकार्यात्मक माना जाय, जैसाकि अनेक जीव-वैज्ञानिक मानते हैं, तब जितना मानसिकता का विकास जैव विकास का अनुषंगी कहा जा सकता है उतना ही जैव विकास भी मानसिक विकास का अनुषंगी कहा जा सकता है। डार्विन के प्राकृतिक चुनाव के सिद्धान्त की यह एक स्वाभाविक अर्थापत्ति है। इसके अनुसार, अवयव की वृद्धि और विकास इसके प्रयोग के अनुगामी हैं।

किन्तु दूसरा और महत्त्वपूर्ण कारण यह है कि मानसिकता के नियम जैव नियमों से भिन्न होते हैं और उन्हें मात्रात्मक तारतम्य में तथा जननात्मक व्याख्या (जेनेटिक एक्स्प्लेनेशन) द्वारा नहीं समझा जा सकता। मात्रात्मक तारतम्य देखने वाला मानव की हाथ द्वारा संकेत करने की सामर्थ्य को उसके भेजे में खोजेगा और इस प्रकार बन्दर और मानव के मस्तिष्क में साम्य और वैषम्य के आधार पर इसकी व्याख्या करेगा; किन्तु मानसिक क्षेत्र में, दूर स्थित वस्तु को पकड़ने की उत्सुकता में हाथ उठाने और उस ओर संकेत कर साथी को बताने की क्रियाओं में एक मौलिक अन्तर है। यह दो वृत्तियों में गुणात्मक अन्तर है। ये संज्ञान के दो मूलत: भिन्न रूप हैं। संकेत द्रष्टा और दृश्य के बीच एक पूर्ण व्यवच्छेद घटित हो जाने का द्योतक है जो मनुष्य को जैव जीवन के ऊपर एक मानसिक जीवन देता है। अब, मनुष्य के इस मानसिक जीवन में रूपान्तरण के ऐसे उदाहरण पाना अत्यन्त सहज है जिनका कोई सह-सम्बन्ध शरीर में पाना असम्भव है। गाँधीजी ने अपने स्कूल के दिनों के संस्मरण लिखते हुए बताया है कि किस प्रकार पहले उन्हें ज्यामिति समझ में नहीं आती थी और यह एक अत्यन्त अरोचक विषय लगता था। किन्तु एक दिन एक प्रश्न हल करते हुए उन्हें सहसा दिखायी दिया कि ज्यामिति एक अत्यन्त तर्कसंगत व्यवस्था है, और तब से उनके लिए वह एक सरल और रोचक विषय हो गया। इस घटना से स्पष्ट है कि गाँधीजी के मानसिक जीवन में क्रान्ति घटित हुई, एक नये बोध का जन्म हुआ और उसने उनकी मानसिक संरचना को एक नया रूप दे दिया। यह और भी चमत्कारी रूप से नया मूल्य-बोध प्राप्त होने पर देखा जाता है। उदाहरणत:

---

1. वुंट डी. स्प्राश, तथा वूकर — **साइकोलोजी**, द्वितीय संस्करण, पृ. 129। यहाँ कासीरर की **फिलॉसफी ऑफ सिम्बोलिक फोर्म्स**, भाग 1 से उद्धृत, पृ. 18.

कलिंग-विजय के उपरान्त हताहतों को देखकर अशोक को जो पश्चात्ताप हुआ उसने उसे एक नया मानसिक स्तर दिया जो पहले स्तर से उतना ही विच्छिन्न और उत्कृष्ट था जितना पाशव से मानव स्तर, किन्तु इसे शारीरिक अंगों से किसी भी प्रकार से सम्बन्धित नहीं किया जा सकता। यह जितना सही वैयक्तिक इतिहास के लिए है उतना ही सही जातीय इतिहास के लिए भी है—जातीय इतिहास में, चेतन स्तर के नीचे जन्म लेते हुए विचारों को जब कोई प्रतिभाशाली व्यक्ति नाम दे देता है तब जातीय चेतना एक झटके से नया रूप ले लेती है। विज्ञान में न्यूटन और आईंस्टीन के आविर्भावों के पश्चात् वैज्ञानिक प्रगति में नये आयाम और नयी त्वरा इसके लिए प्रमाण हैं।

× × ×

भाषा को हमने एक प्रतीक-संस्थान कहा, जो अन्य प्रतीक-संस्थानों में एक प्रतीक-संस्थान है। इसका वाहक संरचित ध्वनियाँ हैं, इसका स्वरूप अभिधानात्मक अर्थ-संस्थान है, और इसकी इकाई वाक्य है जो ध्वनि-संरचना और अर्थ-संरचना के अनिवार्य नियमों में सूत्रित होता है। वास्तव में जितनी पूर्ण संस्थानात्मकता और संरचितता भाषा के अर्थ-पक्ष में रहती है उतनी ही इसके ध्वनि-पक्ष में भी रहती है। इंगलिश भाषा की ध्वनि-संरचना का विश्लेषण करते हुए बेंजामिन ली ह्वोर कहते हैं—"इससे स्पष्ट है कि शब्द-निर्माण निर्बन्ध कल्पना का कार्य नहीं है—निरर्थकता की स्वच्छन्दतम उड़ानों में भी नहीं। यह पहले से निर्धारित संस्थानों में प्रदत्त सामग्री का ही उपयोग कर सकती है। यदि किसी वक्ता से ऐसे शब्द-रूपों की रचना करने को कहा जाये जो उसकी भाषा के संस्थान में पहले ही निरूपित नहीं हैं तो वह वक्ता उसी प्रकार से इसमें असमर्थ रहेगा जैसे कोई अण्डे के बिना आमलेट बनाने में।"[1] भाषा-ध्वनियों की यह संरचनात्मकता (स्ट्रक्चर एण्ड पैटर्न) इसे पाशव ध्वनियों से या संवेगात्मक ध्वनियों से पृथक् करने वाला उतना ही विशिष्ट लक्षण है जितना अर्थ की संस्थानात्मकता या शब्द-योजना की व्याकरणात्मकता है। पाशव ध्वनियों में कोई संस्थान नहीं देखा जाता, उनका रूप पूर्णत: पशु की शरीर-रचना से निर्धारित होता है। इसके विपरीत मानव-भाषा की ध्वनियों में एक व्यवस्था है और उसमें पूर्णत: एक तार्किक संरचना है, यह व्यवस्था या संरचना उसकी शरीर-रचना से निर्धारित नहीं होती। यदि यह शरीर-रचना से निर्धारित होती तो सब मनुष्यों की भाषा का ध्वनि-संस्थान एक सा होता, जबकि वह एक सा नहीं होता है। इतना ही नहीं, भाषा के ध्वनि-रूप में परिवर्तन भी एक निश्चित व्यवस्था में होता है।

जैसाकि हमने ऊपर कहा, भाषा अभिधानात्मक है—अपोहपूर्वक अर्थबोध कराती है, जिसका अर्थ है कि सर्जनात्मिका वृत्ति एक योजना में वस्तु ग्रहण करती है और व्यवस्थित रूप से शेष को छोड़ देती है। यहाँ 'शेष को छोड़ने' के दो अर्थ हैं : 'राम जाता है' वाक्य सम्पूर्ण वस्तुस्थिति में से एक अंश को उत्कीर्ण कर अलग कर लेता है, 'राम सुन्दर है', 'राम धनुर्धर है', 'राम श्याम वर्ण है' आदि स्थितियाँ इसके द्वारा अपोहित हो जाती हैं। किन्तु इसका एक दूसरा और अधिक महत्त्वपूर्ण अर्थ है, जिस अर्थ में यह सर्जनात्मक वृत्ति 'शेष को छोड़ती' है। यह 'शेष' कुछ वस्तु नहीं है, केवल सर्जन की विभिन्न तार्किक सम्भावनाएँ हैं। 'राम जाता है' वाक्य उस अर्थ संस्थान का एक वाक्य है जो देश, काल, गति, स्थिति, संयोग, विभाग, वस्तु, गुण, क्रिया आदि को एक विशेष प्रकार से संरचित करता है; ये अनेक प्रकार से संरचित हो सकते हैं, हमारी भाषा में असंख्य में से केवल एक रचना-प्रकार क्रियान्वित होता है। यह रचना-प्रकार शेष रचना-प्रकारों का निषेध कर देता है। उदाहरणत:, अनेक भाषाओं में उद्देश्य-विधेय नहीं होते, परिणामत: उनमें व्यक्तिवाचक संज्ञा का भी वही अर्थ नहीं हो सकता जो हमारी भाषा में है, क्रिया के वाच्य में तो इससे मूलत: अन्तर पड़ जायेगा। यह अपोहत्व ही भाषा को प्रतीकात्मक बनाता है। 'पानी' शब्द पानी वस्तु का वाचक है, इसकी यह वाचकता संकेतात्मकता से भिन्न प्रकार का सम्बन्ध है, क्योंकि

---

1. प्रकार्यवादी व्याख्या को सामान्य रूप से पीछे के जीव-वैज्ञानिकों ने छोड़ दिया है और वे भौतिकवादी यान्त्रिकतावादी व्याख्या का समर्थन करते हैं। द्रष्टव्य : डॉब्स हेंस्काई — **जेनेटिक्स एण्ड दि ऑरिजिन ऑफ स्पीसीज़**, तथा ज्योर्ज गेलार्ड सिंप्सन : **दि मीनिंग ऑफ एवोल्यूशन**, येल यूनिवर्सिटी प्रेस। किन्तु इससे हमारे प्रतिपादन में कोई अन्तर नहीं पड़ता, क्योंकि जैव विकास की एक या दूसरी व्याख्या को हम मानसिक विकास की व्याख्या के लिए आधार बनाना उपयुक्त नहीं समझते।

यह सम्बन्ध 'पानी' शब्द और पानी के किसी विशेष उद्दीपन के बीच नहीं है, शब्द और पानी के कल्पना-बिम्ब के बीच भी नहीं है, बल्कि यह अत्यन्त व्यवहित सम्बन्ध है। यह व्यवहितत्व इस बात में है कि यह शब्द विभिन्न वाक्यों में उनके अविभाज्य अंग के रूप में घटित होता है। वाक्य में कारक, वचन, काल और अन्वय आदि अनेक व्यवस्थानात्मक सम्बन्ध रहते हैं। यह तथ्य 'पानी' शब्द को नाम बनाता है। नाम का वस्तु अथवा उसके बिम्ब के साथ सम्बन्ध उसके सम्प्रत्यय के माध्यम से होता है, जो सम्बन्ध कि प्रत्येक शब्द में सम्पूर्ण भाषा में सक्रिय रचनात्मक सम्प्रत्यय के निवेश द्वारा घटित होता है। भाषा का यह स्वभाव विशेष रूप से आदिम जातियों की संस्कृतियों के अध्ययन के प्रसंग से ज्ञात हुआ है। इन संस्कृतियों, अथवा कहें जातीय जीवन-रूपों, के अध्ययन के प्रसंग में पाया गया कि ये रूप विभिन्न संस्कृतियों से बहुत भिन्न प्रकार के हैं और ये प्रकार-भेद उससे कहीं गम्भीरतर हैं जितने कि ऊपरी दृष्टि से प्रतीत हो सकते हैं। धार्मिक, दार्शनिक, कलात्मक आदि क्षेत्रों में भिन्न-भिन्न संस्कृतियों में भेद पहले से ही ज्ञात थे, किन्तु प्रथम दो क्षेत्रों में भेदों का समाहार उस साधारण दृष्टिकोण-भेद के अन्तर्गत हो जाता है जो हम दो व्यक्तियों के बीच देखते हैं। किन्तु जब यह पाया गया कि कुछ भाषा-परिवार भी हमारे भाषा-परिवार से मूलत: भिन्न हैं और यह भेद इतना गम्भीर है कि उनमें न केवल कुछ शब्दों के पर्याय शब्द ही नहीं मिल सकते बल्कि वाक्यों का अनुवाद भी सम्भव नहीं है, तब एक ओर सांस्कृतिक परिवारों में भिन्नता की गम्भीरता की ओर ध्यान गया और दूसरी ओर भाषा के स्वरूप को समझने में भी नयी दृष्टि मिली। भाषा यद्यपि सभी संस्कृतियों में एक ही कार्य सम्पादन करती है और वह है अभिधानीकरण द्वारा संवाद, किन्तु यह अभिधानीकरण शब्द नहीं करते, वाक्य भी नहीं करते, यह सम्पूर्ण भाषा करती है। यह प्रतिपादन कुछ रहस्यात्मक प्रतीत हो सकता है, किन्तु थोड़ा गम्भीरता से सोचने पर यह बहुत साधारण बात प्रतीत होगी। हमारे अधिकांश विषय और वस्तुस्थितियां देश, काल, सामान्य और विशेष से निर्मित होती हैं और कुछ अन्य—मानसिक—काल, सामान्य, और विशेष से निर्मित होती हैं। हमारी सब रचनाएँ (भाषा, धर्म, विज्ञान आदि) इन्हीं तत्त्वों के, और एक अन्य तत्त्व—अर्थ अथवा अभिनिवेश के—विभिन्न संयोजन कही जा सकती हैं। अभिनिवेश-भेद प्रतीक-रूपों के आकार-भेद का मूल है। उदाहरणत: अभिनिवेश-भेद से ध्वनि का संयोजन भाषा-रूप और संगीत-रूप दो रूपों में हो जाता है, और विषय-अवधारण धार्मिक, पौराणिक और वैज्ञानिक आदि विभिन्न आकार लेता है। किन्तु एक ही अभिनिवेश-रूप के आधार पर हुई प्रतीक-रचना (भाषा) में देश, काल, सामान्य और विशेष के अवधारण और संयोजन भिन्न-भिन्न प्रकार के हो सकते हैं और उनके अनुसार एक ही प्रतीक व्यवस्था अनेक प्रकार से संरचित हो सकती है।

भाषा के सम्बन्ध में हमने कहा कि यह अभिधानात्मक प्रतीक-रचना है; दो भाषाएँ जिन वस्तुस्थितियों का अभिधान करती हैं वे वस्तुस्थितियाँ बहुत भिन्न प्रकार से रचित हो सकती हैं। अब, भाषा में व्यक्त वस्तुस्थितियों के रचना-भेद के अनुसार उन भाषाओं में भेद किया जायेगा। इसीलिए एक भाषा से दूसरी भाषा में अनुवाद, विशेषत: यदि वे दो अत्यन्त भिन्न प्रकार की संस्कृतियों की भाषाएँ हैं, वाक्यश: नहीं हो सकता। इसके लिए उस सम्पूर्ण सांस्कृतिक सन्दर्भ को समझना आवश्यक होता है जिसमें वह भाषा प्रयुक्त होती है और साथ ही उस भाषा की व्याकरण-रचना के वैशिष्ट्य को समझना आवश्यक होता है।[1] ह्वोर ने भाषाओं में, और भाषा द्वारा वस्तु-अवधारणाओं में, इस विभिन्नता और विचित्रता पर बहुत उपयोगी अध्ययन प्रस्तुत किये हैं। भाषा के विश्लेषण के प्रसंग में वे बताते हैं कि "यह स्पष्ट था कि होपी भाषा में बहुवचन की कोटि इंगलिश, फ्रेंच, तथा जर्मन से भिन्न है। कुछ वस्तुएँ जो इन भाषाओं में बहुवचन में थीं, होपी में एकवचन में थीं।"[2] इसी प्रकार काल-अवधारण में भी

---

1. बेंजामिन ली ह्वोर — वही, पृ. 216.

2. मैलिनोवस्की ट्रब्रिएंड द्वीपवासियों की भाषा के अध्ययन के प्रसंग में कहते हैं कि ऐसी जातियों की भाषा का अध्ययन करते हुए, जो हमारे से बहुत भिन्न परिस्थितियों में रहती हैं और जिनकी संस्कृति हमारे से भिन्न है, उनके सम्पूर्ण सांस्कृतिक और भौतिक परिवेश का ध्यान रखना आवश्यक है (द्रष्टव्य : ब्रानिस्लाव मैलिनोवस्की — **मैजिक, साइंस एण्ड रिलीज्यन** में प्राब्लम ऑफ मीनिंग इन प्रिमिटिव लैंग्वेज, दि फ्री प्रेस ग्लैंको; इलिनोइस, 1942)।

होपी और इंडो-यूरोपीय भाषाओं में बहुत महत्त्वपूर्ण अन्तर है। इंडो-यूरोपीय भाषाएँ, ऐन्द्रिय विषयों के ही संस्थान पर काल की भी रचना करती हैं और इस प्रकार काल इनमें देश का समकक्ष हो जाता है। ह्वोर के ही शब्दों में, "हमारी भाषाएँ वस्तुओं पर गिनी गयी संख्याओं में तथा स्वयं संख्या-क्रिया में कोई भेद नहीं करती हैं। इसलिए हम अपने अभ्यस्त विचार से यह समझते हैं कि दूसरी अवस्था में भी संख्या उतनी ही वस्तुमूलक है जितनी पहली अवस्था में। यह वस्तूकरण है। हमारी काल की अवधारणाएँ 'पश्चाद्वर्तिता' के विषयगत अनुभव से सम्पर्क खो बैठती हैं और परिगणित मात्राओं के रूप में वस्तूकृत हो जाती हैं। किन्तु होपी में भाषीय स्थिति इससे भिन्न है। बहुवचन और गणना-वाचक संख्या-पद केवल उन वस्तुओं के लिए प्रयुक्त हो सकते हैं जो दृश्य समूह बनाती हैं या बना सकती हैं। (इस भाषा में) कोई कल्पनामूलक बहुवचन नहीं होते, बल्कि इनके स्थान पर एकवचन के साथ क्रमवाचक संख्या-पद जोड़े जाते हैं। 'दस दिन' इस प्रकार का पद-प्रयोग इस भाषा में नहीं होता। इसका पर्याय कथन क्रियात्मक प्रकार का होता है जोकि उपयुक्त क्रम से एक दिन पर पहुचँता है। 'वे दस दिन ठहरे' द्वारा वर्णित स्थिति इस भाषा में हो जाती है 'वे ग्यारहवें दिन तक ठहरे' अथवा 'वे दसवें दिन के बाद गये।'"[1] इसी प्रकार से दो संज्ञाओं के सम्बन्ध में भी। वे बताते हैं कि होपी भाषा में द्रव्य वाचक संज्ञा नहीं होती, उदाहरणत: इस भाषा में 'पानी' का कोई पर्याय शब्द नहीं मिलेगा, गिलास पानी या बाल्टी-पानी की वाचक संज्ञाएँ ही मिलेंगी।[2] 'भाषाओं' में यह भेद और भी अधिक उनके व्याकरणों में दिखायी देता है जो उन भाषाओं के अवधारण-प्रकारों में एक भिन्न प्रकार के मौलिक भेद का द्योतक है। उदाहरणत: नूट्का भाषा के वाक्यों में उद्देश्य और विधेय नहीं होते। "हमारे लगभग सभी वाक्यों में क्रिया शब्द का कोई कर्त्ता शब्द अवश्य होता है।"[3] वास्तव में ह्वोर का मत है कि यदि इंडो-यूरोपीय भाषाओं में देशकाल-अवधारण उससे भिन्न प्रकार का होता जो उनमें है तो गेलिलियो अथवा न्यूटन के वैज्ञानिक सिद्धान्त मूलत: भिन्न प्रकार के होते। उनके अनुसार आईंस्टीन का सापेक्षतावादी सिद्धान्त भी, जिसमें कि देश-काल का अवधारण न्यूटन से बहुत भिन्न प्रकार का है, इसी कारण सम्भव हो सका क्योंकि इंडो-यूरोपीय भाषाओं के संस्थान में उसकी सम्भावना विद्यमान थी। ह्वोर भाषा में एक ऐसा अन्तर्निहित गणितात्मक संस्थान देखते हैं जो एक पूर्ण वृत्त बनाता है और जिसका कोई सूत्र उसमें निहित तार्किक योजना से अलग नहीं जा सकता। उन्हीं के शब्दों में, "विचार भी किसी भाषा द्वारा निर्मित सरणियों में ही प्रवाहित होता है और इस प्रकार सत्ता के तथा बुद्धि-कौशल के कुछ विशिष्ट पक्षों पर ही व्यवस्थित रूप से दृष्टि केन्द्रित करता है, और परिणामत: व्यवस्थित रूप से अन्य पक्षों की उपेक्षा कर देता है। व्यक्ति इस व्यवस्था से पूर्णत: अचेत रहता है और इसके अभेद्य बन्धनों में पूर्णत: बँधा रहता है।"[4] और भिन्न-भिन्न भाषाएँ क्योंकि भिन्न-भिन्न प्रकार से संस्थान-निर्माण करती हैं इसलिए उनके प्रयोक्ता वस्तु-सत् का भिन्न-भिन्न अवधारण करने को बाध्य हैं। भाषीय सापेक्षतावाद का इससे बढ़ कर स्पष्ट प्रतिपादन मिलना असम्भव है।

यदि ह्वोर की उपर्युक्त स्थापना को स्वीकार किया जाये तो इसका अर्थ होगा कि भाषा सब सांस्कृतिक प्रतीक-रूपों की आधार है और वह उनकी सब सम्भावनाओं को पूर्व-नियत कर देती है। सम्भवत: ह्वोर यह स्वीकार करने को तैयार हैं कि एक ही भाषा-संस्थान में अनेक सम्भावनाएँ निहित होती हैं और उनमें से केवल कुछ ही क्रियान्वित होती हैं, और अन्य प्रसुप्त रहती हैं। क्यों अ, इ सम्भावनाएँ क्रियान्वित हुईं और उ, ए प्रसुप्त रहीं, इसका कोई कारण नहीं दिया जा सकता।

× × ×

1. ह्वोर — वही, पृ. 139.
2. ह्वोर —वही, पृ. 140.
3. ह्वोर —वही, पृ. 141.
4. ह्वोर —ह्वोर, पृ. 242.

भाषा को उस सम्पूर्ण मानवीय सन्दर्भ में समझना आवश्यक है जो ज्ञान, मूल्य और कलाओं के विभिन्न क्षेत्रों में अपने आपको प्रदर्शित करता है। भाषा का जन्म प्रकृति के अभियोजन के सन्दर्भ में हुआ किन्तु तब भी यह मानव की उस सृजन-चेतना का व्यापार है जो 'विश्व-योजना' करती है। किन्तु भाषा इतने मात्र से कहीं अधिक आगे जाती है, जैसे मनुष्य की सभी क्रियाएँ जैव-प्रयोजन का अतिक्रमण करती हैं। सभी मानवीय अभियोजन वासना और आवेग का सन्दर्भ छोड़कर रचनात्मक अर्थ के सन्दर्भ में व्यापारित होते हैं जिसमें अभिनिवेश वासना-व्यय के बजाय व्यवस्थान और मूल्य का रूप ले लेता है। यह व्यवस्थानात्मक और मूल्यात्मक अर्थ भाषा के अतिरिक्त जादू, पुराण, विज्ञान, दर्शन, धर्म तथा कला आदि विभिन्न रूपों में अपनी अभिव्यक्ति करता है। दूसरे शब्दों में, भाषा व्यवस्थान का अनेक में से केवल एक रूप है, अन्य रूप इसके समानान्तर हैं और पूर्णत: स्वायत्त क्षेत्र हैं। इनकी स्वायतता इनके रचना-नियमों में देखी जा सकती है। उदाहरणत: भाषा की रचनात्मकता का रूप अभिधानात्मक है, 'राम जा रहा है' में संवेदन क्षेत्र में से वस्तुस्थिति की विशेष प्रकार से रचना कर उसका अभिधान किया गया है, और जिसका यह वाक्य अभिधान करता है उसका संस्थान इस भाषा के रचना-संस्थान के रूप को व्यक्त करता है। इस प्रकार, यह अभिधान वस्तु-सत्-परक नहीं होता, बल्कि भाषा द्वारा कल्पित विषयों का होता है। इसके विपरीत, विज्ञान अभिधानात्मक नहीं है, विज्ञान अपने विषय तथ्यात्मक प्रमाणीकरण पर आधारित व्याख्या-सन्दर्भ में ग्रहण करता है। इसीलिए मेज़, कुर्सी किसी विज्ञान के 'विषय' नहीं होते, जबकि पानी पर लकड़ी के तैरने का तथ्य विज्ञान का विषय होता है। यद्यपि यह ठीक है कि विज्ञान भाषा का उपयोग करता है (यद्यपि अमूर्त्तीकरण के उन्नत स्तरों पर यह भाषा का भी वृत्त तोड़ कर शुद्ध गणित को अपना वाहन बना लेता है) किन्तु इसका यह अर्थ नहीं कि विज्ञान का रचना-सन्दर्भ वही है जो भाषा का है।

अब यह एक अत्यन्त महत्त्वपूर्ण निष्कर्ष है, क्योंकि यदि यह निष्कर्ष सही है तो भाषा का सर्वतायित्व (सब को आच्छादित करना) असिद्ध हो जाता है और ह्वोर के विपरीत यह कहा जा सकता है कि जितना ही भाषा का मूल-संस्थान विज्ञान को प्रभावित करता है उतना ही विज्ञान का मूल संस्थान भाषा को प्रभावित करता है। काल की न्यूटनीय और आईंस्टीनीय परिभाषाओं को लें। इन दोनों में एक मौलिक ऐक्य है जो हमारे भाषा-संस्थान में मूलित है, किन्तु इनमें अत्यन्त गम्भीर अन्तर भी है जो हमारे भाषा-संस्थान में मूलित नहीं है। इस भेद को हम भाषा से उत्पन्न कैसे मान सकते हैं? इसे हम एक उदाहरण द्वारा स्पष्ट करेंगे—मान लीजिये कि अ प्रश्न करता है "ग गाँव यहाँ से कितना दूर है?" अब इ इसका उत्तर देता है—"दस मील", और उ उत्तर देता है—"वैसे तो गाँव बारह-एक मील है, किन्तु आप कार पर हैं तो तीन-एक मील ही समझिये।" अब पहले उत्तर में देश और काल पूरी तरह से पृथक् कल्पित हैं जबकि दूसरे में ये एक ही आयाम बनाते हैं। अब यहाँ द्रष्टव्य है कि यह प्रश्न हमारी भाषा में इस प्रकार से किया जा सकता है कि यह तथ्य हमारी भाषा में देश-काल के विशेष भाषीय अभिधान के स्वरूप का द्योतक बनता है। जैसाकि हमने पीछे देखा था, होपी भाषा में देश-काल अवधारण हमारी भाषा से भिन्न प्रकार से होता है। इसी प्रकार से ट्रुबिएंड द्वीपवासियों की भाषा के एक वाक्य का विश्लेषण करते हुए मैलिनोवस्की कहते हैं कि इसे समझने के लिए इन "आदिवासियों के भौगोलिक अवधारण पर तथा भाषीय साधन के रूप में बिम्ब-कल्पनाओं आदि पर विमर्श करना आवश्यक है।"[1] किन्तु उपर्युक्त दो उत्तर सर्वथा भिन्न प्रकार के देश-काल निर्धारणों के द्योतक हैं। इनमें पहले में अमूर्त्तीकरण का स्तर दूसरे की अपेक्षा उन्नत है। किन्तु क्योंकि इन दोनों उत्तरों की रचना हमारी भाषा में सम्भव है इसलिए इनके भेद को भाषामूलक नहीं कहा जा सकता। यह बात और भी स्पष्ट तब हो जाती है जब हम विज्ञान में उसकी अपनी व्यावहारिक आवश्यकताओं के कारण, अथवा दार्शनिक दृष्टिकोण के कारण हुए देश-काल विषयक अवधारण में हुए परिवर्तन को देखते हैं। 'गाँव दस मील दूर है' वाक्य में व्यक्त देश-काल की अवधारणा भारतीय और पश्चिमी विज्ञानों में लगभग आरम्भ से लेकर बीसवीं शताब्दी के आरम्भ तक हमें मिलती है, किन्तु 1905 में

---

1. ह्वोर —ह्वोर, पृ. 256.

आईंस्टीन के सापेक्षतावाद के प्रतिपादन के पश्चात् 'कार से जायें तो तीन-एक मील ही है' में व्यक्त अवधारणा का विकास हुआ। विज्ञान में यह अवधारणा-परिवर्तन इसलिए नहीं हुआ कि हमारी भाषा में इसकी सम्भावना विद्यमान थी, बल्कि इसलिए हुआ कि पहली अवधारणा 'नये वैज्ञानिक तथ्यों' की व्याख्या नहीं कर सकी। यह इस बात से और भी स्पष्ट है कि जबकि दूसरे उत्तर में अमूर्त्तीकरण का स्तर निम्नतर है, सापेक्षतावाद में यह न्यूटनीय निरपेक्षतावाद से उन्नततर है। यह बात और भी स्पष्ट रूप से देश-काल विषयक दार्शनिक सिद्धान्तों में देखी जा सकती है। इनमें से अनेक सिद्धान्तों में कल्पित देश-काल को हमारी भाषा के रचना-संस्थान में नहीं देखा जा सकता। बर्गसां इसका एक उदाहरण है और बौद्ध दर्शन दूसरा। तब भी ह्वोर का यह प्रतिपादन एक सीमा तक ठीक है कि भाषा के विशेष रचना-संस्थान के कारण हमारा वैज्ञानिक और दार्शनिक चिन्तन गम्भीर रूप से प्रभावित हुआ, जो स्वाभाविक है। दूसरी ओर, काव्य में भाषा अपना अभिधानात्मक व्यापार छोड़कर ही स्वीकृति पाती है और अभिधार्थ लाक्षणिक और व्यंजनात्मक अर्थ को स्थान देता है।

कुछ पुराविदों ने मिथक को असभ्यों की कपोल-कल्पनाएँ मानते हुए उनका स्रोत भाषा को माना है। मैक्समूलर के अनुसार, "मिथक का विवेचन वास्तव में मनोवैज्ञानिक विवेचन पर आधारित है, और कयेंकि हमारा मानस भाषा के माध्यम से विषयाकार ग्रहण करता है इसलिए अन्ततः यह भाषा-विवेचन का प्रश्न हो जाता है। यही कारण है कि मैं पुराण को विचार के बजाय भाषा का एक रोग कहता हूँ।...प्राचीन भाषा का प्रयोग अत्यन्त दुस्साध्य है, विशेषत: अमूर्त धार्मिक प्रयोगों में प्रत्ययों को व्यक्त करना असम्भव है, ये केवल रूपकों द्वारा ही व्यक्त किये जा सकते हैं, और यह कहना अत्युक्तिपूर्ण नहीं होगा कि प्राचीन भाषा के शब्दकोश मुख्यत: रूपकों से भरे हैं...और यही निरन्तर भ्रान्तियों का अजस्र स्रोत है।"[1] यह देखना अधिक कठिन नहीं है कि यह दृष्टिकोण न भाषा के सम्बन्ध में सही है और न पुराण के सम्बन्ध में ही। यदि अमूर्त प्रत्ययों को भाषा के माध्यम से व्यक्त करना असम्भव है तब स्पष्ट है कि इनका स्रोत भाषा नहीं हो सकती। इसका अर्थ है कि इन अमूर्त प्रत्ययों की व्यवस्था एक स्वतन्त्र व्यवस्था है जो भाषा के बाहर जन्म लेती है। यदि ऐसा है तब पुराण भाषागत रूपकों से भ्रमित कैसे होता है? वह भी इतना भ्रमित कि सारी मिथकीय व्यवस्था ही उस भ्रम और रोग से ग्रस्त हो जाये? मिथकों के वे कौन-से अमूर्त प्रत्यय हैं जो भाषा में रूपकात्मक हो जाते हैं? क्या हम भाषा-जनित विकास हटा कर उनके शुद्ध रूप को प्राप्त कर सकते हैं, जैसे मनो-चिकित्सक मानसिक अवरोध हटा कर वास्तव प्रयोजन को चेतना में ला देता है? हमारे विचार में ऐसे कोई अमूर्त प्रत्यय नहीं हैं जो भाषा में ग़लत मूर्त्ति पाकर मिथकीय भ्रम को जन्म देते हैं, यह हम मिथक-विषयक अध्याय में देखेंगे। किन्तु मैक्समूलर की भ्रान्त स्थापना एक उपयोगी दिशा की ओर निर्देश करती है और वह है भाषा की अमूर्त्तीकरण की एक सीमा से आगे जा सकने की असमर्थता; यह हमें विज्ञान, दर्शन, धर्म और कला में निरन्तर अनुभव होती है। विज्ञान इसीलिए अन्ततः भाषा का अतिक्रमण कर गणित का आश्रय लेता है। धर्म भाषा को असमर्थ पाकर मन्त्र और उलटबांसियों आदि के उपायों का आश्रयण करता है, जहाँ भाषा सर्वथा नवीन क्षेत्र में प्रवेश करती है। भाषा का यह प्रयोग सिद्ध करता है कि धर्म का अपना प्रतीक-संस्थान भाषा से कितना स्वतन्त्र और समर्थ होता है कि यह अपने उपयोग के लिए भाषा को एक ऐसा आयाम दे देता है जो उसके मूल रूप से उतना ही दूर और विलक्षण है जितना गणित, विशेषत: विज्ञान में प्रयुक्त गणित। दर्शन यद्यपि भाषा का अधिक अतिक्रमण नहीं करता, किन्तु तब भी अनिर्वर्चनीय, अतिक्रामी आदि कोटियों का आश्रय लेता है, जहाँ उसके पाठक को भाषा की असमर्थता से संकेत लेना पड़ता है।

1. ह्वोर —ह्वोर, पृ. 256.

मिथक

('मिथक' शब्द यों हिन्दी में अंग्रेजी के 'माइथोलोजी' शब्द से बनाया गया है किन्तु हम यहाँ इसका प्रयोग केवल आदिम जातीय जगद्दृष्टि के अर्थ में कर रहे हैं। आदिम जातीय जगद्दृष्टि बाह्य जगत् को केवल भौतिक-प्राणिक लोक के रूप में नहीं देखती, जो केवल इन्द्रियगम्य वस्तुओं और कारण-कार्य रूप से सम्बन्धित घटनाओं का समवाय या व्यवस्था है, बल्कि अतीन्द्रिय वस्तुओं और जादुई शक्तियों से नियोजित घटनाओं की व्यवस्था-अव्यवस्था के रूप में भी देखती है। किन्तु जगत् को केवल प्राकृतिक (भौतिक-प्राणिक) आयाम तक सीमित नहीं देख कर इसके अतिक्रामी आयाम को भी लोक का एक और अधिक महत्त्वपूर्ण आयाम स्वीकार करने वाली दृष्टि केवल आदिम जातियों तक ही सीमित नहीं है बल्कि विकसित सभ्यताओं में भी यह मिलती है। विकतिस सभ्यताओं में यह दृष्टि एक धार्मिक-आध्यात्मिक अर्थ से समन्वित हो जाती है और प्रतीकात्मक देव-कथाओं का रूप ले लेती है। किन्तु इसमें भी देव-लोक और आध्यात्मिक अतिलोक का अस्तित्व स्वीकृत होता है। हमारे देश में पुराण, तन्त्र और योग इन अतिलौकिक अस्तित्वों या सत्ताओं का निर्वचन और विवरण देते हैं। यह पौराणिक दृष्टि क्या है, यहाँ हम इस पर विचार नहीं करेंगे, यहाँ हम केवल मिथक-दृष्टि पर विचार के क्रम में ही इसका संक्षेप में विवरण देंगे।)

'मिथक' की ऐसी व्यापक परिभाषा, जो इस विश्व-दृष्टि[1] के सब रूपों का आकलन कर सके, बहुत कठिन है। सब व्यक्तियों और समाजों में यह दृष्टि न्यूनाधिक मात्रा में विद्यमान देखी जा सकती है। किन्तु इसके इस व्यापक अर्थ पर हम केवल इस अध्याय के अन्त में संक्षेप में विचार करेंगे। यहाँ मुख्य रूप से हमारा प्रयोजन आदितम-मानव की दृष्टि के स्वरूप पर विचार करना है।

किन्तु 'आदिम-दृष्टि' कहने में यह धारणा पूर्व निहित हो जाती है कि आदिम मानव की अवधारण-कोटियाँ 'सभ्य' मानव से मूलत: भिन्न प्रकार की हैं। किन्तु हमारा ऐसा कोई अभिप्राय नहीं है। जैसाकि हमने पीछे कहा, मानव की मनोवृत्तियों के अनेक आयाम हैं, मिथक इनमें से एक है। आदिम मानव में यह आयाम प्रमुख रूप से विद्यमान मिलता है, किन्तु गौण रूप से उसमें आनुभविक अवधारण और तार्किक अवधारण की कोटियाँ भी स्पष्टत: हैं। सम्भवत: यह कहना उचित होगा कि उसमें धार्मिक अवधारण की कोटि का अभी विकास नहीं हुआ रहता।[2] किन्तु यह कोटि भी मिथक की प्रमुखता के युग में ही पीछे विकसित हो गयी थी, यह ऐतिहासिक खोजों से प्रमाणित है। बेबीलोन, मिस्र, भारत और ग्रीस के आदि-कालों में यह स्पष्टत: देखा जा सकता है।

इस आदिम अर्थ में मिथक दृष्टि को 'अप्राकृतिक शक्तियों, व्यक्तियों और तत्त्वों में विश्वास' कहा जा सकता है। यहाँ यह द्रष्टव्य है कि इस परिभाषा में 'अप्राकृतिक' शब्द का प्रयोग एक अन्य दृष्टि, कहें आनुभविक-तार्किक दृष्टि, की पूर्व धारणाओं का द्योतक है। वास्तव में मिथकीय दृष्टि सम्बन्धी अधिकांश नृतत्व-वैज्ञानिक सिद्धान्त इन बाहरी कसौटियों के आधार पर ही निर्मित हैं, जैसाकि हम अभी देखेंगे। किन्तु यदि इस सीमा का ध्यान रखा जाय तो ऊपर की परिभाषा को तात्कालिक प्रयोजन के लिए स्वीकार किया जा सकता है। यह ध्यान रखने पर 'अप्राकृतिक' शब्द 'काल्पनिक' अथवा 'मूढ़तामूलक' का पर्याय नहीं होकर स्वयं उस कोटि की वस्तु का वाचक होगा जो आनुभविक-तार्किक कोटि में अन्य किसी शब्द द्वारा व्यक्त नहीं की जा

---

1. आगे हम 'विश्व-दृष्टि' शब्द के स्थान पर केवल 'दृष्टि' शब्द का ही प्रयोग करेंगे।
2. नृततत्वशास्त्री और समाजशास्त्री मिथक और धर्म में कोई अन्तर नहीं देखते, किन्तु हमारे विचार में ये मूलत: भिन्न आयाम हैं। इसलिए हमने धर्म पर पृथक् विचार किया है और वहाँ मिथक से इसकी पृथक्ता दिखाई है। द्रष्टव्य आगे अध्याय 7.

सकती। कुछ नृतत्व-वैज्ञानिकों ने मिथकीय दृष्टि को इसी रूप में देखा है। उदाहरणत: जेम्स फ्रेज़र के अनुसार जादू और विज्ञान में इनकी पूर्व-प्रतिज्ञाओं के अतिरिक्त कोई मौलिक अन्तर नहीं है। वे कहते हैं—

"जब कभी सहानुभूतिक जादू (सिम्पेथेटिक मैजिक) अपने विशुद्ध और अमिश्र रूप में घटित होता है तब इसमें यह धारणा निहित रहती है कि एक घटना दूसरी का अनिवार्यत: अनुसरण करती है और इसमें कोई आध्यात्मिक (स्पिरिचुअल) या व्यक्तिगत (पर्सनल) कारक हस्तक्षेप नहीं करता। इस प्रकार से इसकी आधारभूत अवधारणा आधुनिक विज्ञान की अवधारणा से अभिन्न है। इसकी सम्पूर्ण व्यवस्था के मूल में एक विश्वास अन्तर्निहित रहता है, जो यद्यपि अव्यक्त रहता है किन्तु जो वास्तव और दृढ़ होता है, कि प्रकृति में नियम और एकरूपता है। जादूगर को इसमें कोई सन्देह नहीं होता कि समान कारण समान कार्य उत्पन्न करता है, उपयुक्त सम्मोहन (स्पैल) के साथ उपयुक्त आयोजन का सम्पदान अनिवार्यत: अपेक्षित परिणामों को ही फलीभूत करेगा।...इस प्रकार से, विश्व की जादुई और वैज्ञानिक अवधारणाओं में बहुत अनुरूपता है। इन दोनों में ही घटनाओं का अनुक्रम पूर्णत: नियमित तथा निश्चित होता है और अपरिवर्तनीय नियमों द्वारा नियत होता है। इन नियमों का क्रिया-व्यापार (ऑपरेशन) पहले से देखा और जाना जा सकता है। अनियमितता और आकस्मिकता के तत्त्व इसमें पूर्णत: बहिष्कृत रहते हैं...जादू का घातक दोष नियम-शासित घटनाओं के अनुक्रम की सामान्य धारणा में नहीं है, बल्कि उन विशेष नियमों के स्वरूप की पूर्णत: भ्रान्त धारणा में है जोकि इस अनुक्रम का निर्धारण करते हैं। जादू-टोने में विश्वास विचार के दो महान् मूल नियमों में से एक या दूसरे भ्रान्त व्यवहार का परिणाम है, वे हैं—विचारों का समता के आधार पर संयोजन तथा देश और काल में निकटता के आधार पर संयोजन...संयोजन के सिद्धान्त स्वत: अत्युत्तम हैं और वास्तव में मानव-मन के व्यापार के लिए अत्यन्त आवश्यक हैं। उचित रूप में इन्हें व्यवहार में लाने पर ये विज्ञान को सम्भव करते हैं, और अनुचित रूप से व्यवहृत होने पर ये जादू को सम्भव करते हैं।"[1]

फ्रेज़र एक मनो-विकासवादी नृतत्वशास्त्री था, जिसके अनुसार जादू, धर्म और विज्ञान एक विकासात्मक प्रक्रिया की कड़ियाँ हैं। उसके अनुसार, पहले मनुष्य के पास वैज्ञानिक ज्ञान नहीं था और वह प्राकृतिक शक्तियों की व्याख्या, विनियोजन और अनुमान के लिए जादू पर आश्रित था। समय बीतने के साथ जादूगर विशेषज्ञ हो गये और अपने समुदाय के लिए संस्कारादि कराने वाले बने। अब, इनकी शक्तियों की व्याख्या के लिए सामान्य लोगों ने इनमें अति-प्राकृतिक शक्तियों का आरोपण किया और उनके मरने पर उनकी आत्माओं की देवताओं के रूप में पूजा करने लगे। इस लोक में जादूगर दिव्य राजा हो गये और क्रमश: वे पुजारी बने, आदि—। अपनी इस प्राक्कल्पना को सिद्ध करने के लिए उन्होंने तथा अन्य विकासवादी नृतत्वशास्त्रियों (टेलर, लैंग, मैरेट आदि) ने अत्यन्त महत्त्वपूर्ण ऐतिहासिक विवरण प्रस्तुत किये हैं, किन्तु ये विवरण, उपयुक्त या मिथकीय पौराणिक मनोवृत्ति के स्वरूप की उचित व्याख्या नहीं करते। ये सिद्धान्त डार्विन की जैव तत्त्व की विकासवादी व्याख्या से प्रभावित थे, किन्तु दृष्टि के परिवर्तन को जैव परिवर्तन की अनुरूपता में देखने का औचित्य अत्यन्त सन्देहास्पद है।

फ्रेज़र और अन्य विकासवादियों से एकदम उलट लेवी ब्रूह्ल का मत है। वे आदिम और सभ्य दृष्टियों में पूर्ण व्यवच्छेद देखते हैं। उनके अनुसार, "आदिम दृष्टि तथा सभ्य दृष्टि में कोई समता या तारतम्य देखना निरर्थक है। ये एक जाति की हैं ही नहीं। आदिम मन में तर्क और युक्ति की वे प्रक्रियाएँ पूर्णत: अनुपस्थित हैं जो टेलर और फ्रेज़र इनमें देखते हैं। यह दृष्टि तर्कपरक न होकर 'प्राक्-तार्किक' अथवा रहस्यात्मक है। यह हमारे तर्क के अत्यन्त प्राथमिक सिद्धान्तों से भी वंचित है। असभ्य मानव अपने एक पृथक् संसार में रहता है—ऐसा संसार जो हमारे लिए पूर्णत: अगम्य है।"[2]

---

1. सर जेम्स फ्रेज़र — **दि गोल्डन बफ**, भाग 1 : दि मैजिक, आर्ट एण्ड दि एवोल्यूशन ऑफ किंग्स, पृ. 220.
2. लेवी ब्रूह्ल — **हाऊ नेटिव्ज़ थिंक**, प्रवेश।

ब्रूह्ल का यह प्रतिपादन एक दृष्टि से बहुत अनुचित प्रतीत होता है, क्योंकि मानव में अत्यन्त आदिम स्तर पर भी हम संसार के आनुभविक-तार्किक विनियोग के लक्षण भी देखते हैं। उसे हम अत्यन्त आरम्भिक अवस्थाओं में प्राकृतिक पदार्थों से उपकरण बनाते हुए, रोगों का उपचार करते हुए तथा ऋतु-परिवर्तनों का ध्यान रख कर अपनी यात्राओं और कृषि की योजना करते हुए, पाते हैं। कुछ अवस्थाओं में तो ज्यामिति और गणित तथा खगोल-विज्ञान के आरम्भिक सिद्धान्त भी उनमें दृष्टिगत होते हैं। किन्तु तब भी ब्रूह्ल पूर्णतः ग़लत नहीं हैं, क्योंकि जैसाकि हम आगे देखेंगे, 'मिथकीय दृष्टि' 'वैज्ञानिक दृष्टि' से भिन्न है, एक प्रकार से विपरीत है, कहना चाहिए, इनमें संरचनात्मक अन्तर है, यद्यपि उसे प्राक्-तार्किक कहना शायद उचित नहीं है। ब्रूह्ल की ग़लती केवल यह है कि वह आदिम मानव में केवल मिथकीय दृष्टि ही देखता है, अन्य दृष्टियाँ नहीं देखता है।

फ्रेज़र और ब्रूह्ल के मत दो विरोधी छोरों पर हैं, इन दो के बीच अन्य अनेक मत हैं जिनकी हम यहाँ चर्चा नहीं करेंगे और आगे अपने विवेचन-प्रसंग में यत्र-तत्र उनका उल्लेख करेंगे। ये मत आदिम दृष्टि की उसके भीतर से परीक्षा करते कहे जा सकते हैं, क्योंकि ये उस दृष्टि को यथावत् स्वीकार कर उसका स्वरूप-विवेचन करते हैं। दो अन्य व्याख्या-वर्ग हैं जिन्हें बाहरी आलोचक कहा जा सकता है। एक वर्ग मनोविश्लेषकों का है जो इस दृष्टि को सांवेगिक समस्याओं की ऐसी उपचार-व्यवस्था के रूप में देखता है जिसे मन का अवचेतन-स्तर बाह्य परिवेश के साथ अनुकूलन और सामंजस्य के लिए संरचित करता है। फ्रायड और युंग इस सम्प्रदाय के दो प्रमुख प्रस्तावक थे। दूसरा सम्प्रदाय प्रकार्यवादियों का है, जिसके प्रवर्तक दुर्खीम, मैक्स वेबर और ताल्कत पार्सन्स् हैं। इसके अनुसार धार्मिक-संस्थाएँ (जादू, टोटेम, कल्ट, संस्कार आदि) समाज के कुछ केन्द्रीय मूल्यों की प्रतीक होती हैं, जिनका कि आत्मसात्करण (इन्टर्नलाइज़ेशन) समाज के विभिन्न अंगों के उचित संगठन के लिए आवश्यक होता है।

इन मतों को हम 'बाह्यालोचक' इसलिए कहते हैं क्योंकि ये बाह्य प्रयोजनों के प्रसंग से इस दृष्टि को समझने का प्रयत्न करते हैं। ये दो व्याख्या-सन्दर्भ कितने भी उचित क्यों न हों, ये इस दृष्टि के स्वरूप को समझने में असमर्थ हैं। इनमें एक मूल भ्रामकता भी निहित है : ये एक अत्यन्त साधारणीकृत संरचना में इसको जाँचने का प्रयत्न करते हैं, फिर चाहे इसका अंग-भंग ही हो जाय। उदाहरणतः मनोविश्लेषक मिथक-दृष्टि को (धार्मिकता को भी) एक रोग-लक्षण (सिम्पटम) के रूप में देखते हैं जो अन्तर्मन की समाज-विरोधी माँगों तथा सामाजिक यथार्थ के बीच तथा/अथवा अन्तर्मन की प्रेरणाओं और आनुभविक-तार्किक यथार्थ के बीच सामंजस्य-विधान के प्रयत्न का द्योतक है। इसके अतिरिक्त, पितृ-ग्रन्थि आदि इनके विशिष्ट अभ्युपगम अत्यन्त विवादास्पद और अप्रमाणीय हैं। यह सिद्धान्त अपने मूलरूप में भी अनुचित प्रतीत होता है, क्योंकि यह उतना ही दाँत से नाखून काटने और बात करते हुए सिर खुजलाने के ऊपर भी लागू होता है जितना, और जैसा, मिथक पर। प्रकार्यवादी मत इस प्रकार से अनुपयुक्त नहीं है, किन्तु कोई संस्थाएँ कोई कार्य सम्पादित करती हैं, कोई प्रयोजन सिद्ध करती हैं, इसका अर्थ यह नहीं है कि ये इस प्रयोजन के कारण अस्तित्व में आयी हैं। यह सिद्धान्त यदि एक सीमा तक विकसित धार्मिक संस्थाओं के सम्बन्ध में सही भी हो, मिथक-दृष्टि के सम्बन्ध में यह बिल्कुल सही नहीं है, क्योंकि मिथक-दृष्टि एक सम्पूर्ण विश्व-दृष्टि है। एक सम्पूर्ण विश्व-दृष्टि कुछ प्रयोजन सिद्ध करने के लिए अस्तित्व में नहीं आती। यह प्रयोजनों की आधार बनती है; प्रयोजन इसमें उत्पन्न होते हैं।

× × ×

मिथक को हमने सम्पूर्ण विश्व-दृष्टि कहा। इसे 'विश्व-दृष्टि' कहने का अर्थ है कि यह वस्तु-सत् के अवधारण का एक प्रकार है, अथवा कहें, यह एक विधा है जिसके चाक पर गोचरताएँ विषयाकार ग्रहण करती हैं। अवधारणात्मक विधाएँ अथवा विश्व-दृष्टियाँ होने के कारण ये एक सैद्धान्तिक संस्थान बनाती है, इनमें एक

व्यवस्थात्मक एकत्व होता है जो बहुत्व का विनियोग करता है और जिसके सामान्यों में निरूपित होकर विशिष्ट संज्ञापित होते हैं। इस दृष्टि से यह विज्ञान और धर्म का समकक्ष है।[1]

संज्ञान मात्र की यह विशेषता है कि यह अर्थमूलक होता है, इसलिए यह कभी निष्क्रिय ग्रहण नहीं होता। किन्तु मानवीय संज्ञान एक बात में पाशव संज्ञान से (जिस रूप में हम उसे समझते हैं) आधारभूत रूप से भिन्न है; इसका अर्थ अत्यन्त संरचित प्रकार का और सर्वसंग्राहक होता है, यह व्याख्यात्मक सन्दर्भ में विषय-ग्रहण करता है। इसलिए इसके विषय केवल तात्कालिक प्रयोजन से निर्धारित नहीं होकर एक जटिल व्यवस्था की अनिवार्यता से उत्कीर्ण होते हैं। हमारे सरल से सरलतम निर्णय भी देश, काल, कारणता, अहं, इतर, जीव, जड़ आदि की विभिन्न कोटियों में संरचित होते हैं। ये कोटियाँ हमें इतने सहज रूप में प्रदत्त होती हैं कि इनमें हमें सामान्यत: कभी सन्देह नहीं होता, हम इन्हें सत्ता की ही कोटियाँ मानते हैं। यह स्वाभाविक है, क्योंकि ये कोटियाँ अनुभव की विषय नहीं होकर विषय की पूर्वापेक्षाएँ हैं, विषय की सम्भावना के लिए आवश्यक है कि वह इन कोटियों में संरचित होकर प्रस्तुत हो। इसलिए जब कभी हम ऐसी अवधारणात्मक योजना के सम्पर्क में आते हैं जिसमें इन कोटियों का रूप हमारी कोटियों से भिन्न प्रकार का होता है तब हम उस योजना को एक भ्रम अथवा विक्षिप्तता का परिणाम समझते हैं। मिथक के सम्बन्ध में सामान्यत: हमारी यही प्रतिक्रिया होती है, क्योंकि इसकी अवधारण-कोटियाँ हमारी कोटियों से इतनी भिन्न प्रकार की हैं कि हम उनको गम्भीर प्रयत्न के बिना और अपनी कोटियों से बाहर आये बिना समझ ही नहीं सकते, उनका हमारे लिए भ्रम प्रतीत होना स्वाभाविक है। यही वास्तव में आधुनिक विज्ञान से आकारित हमारी अवधारण-कोटियों के सम्बन्ध में भी कहा जा सकता है। आज विज्ञान का व्यापक आतंक होने के कारण हम उनमें अवधारित अत्यन्त विचित्र कोटियों को भी सत्य की कोटियाँ मान लेते हैं और उसके पक्ष में अपनी अवधारण-कोटियों को छोड़ने को तैयार हो जाते हैं, किन्तु युक्त ज्ञानमीमांसा के लिए ये दोनों कोटियाँ समतुल्य हैं।

किन्तु जिन्होंने मिथक को इस परिप्रेक्ष्य में नहीं देखा वे इससे अत्यन्त विस्मित और चकित होते रहे हैं। उनके पास केवल दो ही रास्ते इस अवधारणात्मक योजना को समझने के लिए थे, एक इसे विमूढ़ता कह कर इसका तिरस्कार कर देना और दूसरा रूपकात्मक मानकर इसकी धार्मिक, दार्शनिक या अन्यान्य व्याख्याएँ करना। पश्चिम में सोफिस्टों तथा मध्ययुगीन धर्म-दार्शनिकों ने मिथकों को रूपकात्मक मान कर ही इनकी व्याख्या की। रिनेसाँ काल तक पश्चिम में यही दृष्टिकोण पुराणों के प्रति भी रहा। हमारे देश में भी पुराणों की व्याख्या आर्य-समाज, ब्रह्म-समाज आदि के समय तक रूपकात्मक दृष्टि से ही होती रही है। वास्तव में हमारे यहाँ जो पुराण उपलब्ध होते हैं वे मिथकों के रूपकात्मक आख्यान ही उपलब्ध होते हैं। किन्तु वास्तव में मिथक और रूपकात्मकता में परस्पर पूर्ण प्रतीपता है। जो रूपकात्मक है वह मिथक नहीं है। उदाहरण के लिए, ऋग्वेद के पुरुष सूक्त का यह मन्त्र लें—"ईश्वर के मुँह से ब्राह्मण, भुजाओं से क्षत्रिय, जानुओं से वैश्य, और पैरों से शूद्र उत्पन्न हुए।" अब यदि यह मन्त्र रूपक मात्र है तब यह मिथक नहीं है, किन्तु यदि कोई सचमुच यह समझता है कि विभिन्न वर्णों की उत्पत्ति ठीक इसी प्रकार से हुई, तब यह मिथकीय कथन है। उदाहरण के लिए, इसके समकक्ष उत्पत्ति सम्बन्धी एक कहानी देखें जिसका मैलिनोवस्की ने उल्लेख किया है। मैलिनोवस्की के अनुसार, ट्रब्रिएंड द्वीपवासियों में "स्तर की समस्या, जोकि उनके समाज में एक महत्त्वपूर्ण समस्या है, एक विशेष बिल में से उद्भव की कथा द्वारा तय की गई। यह बिल, जिसका नाम ओबुकुला है, लबाई गाँव के निकट है। इस प्रकार के अन्य उद्भवों से इसकी यह विशेषता थी कि जबकि अन्यथा एक बिल से एक वंश की उत्पत्ति हुई, लबाई के इस बिल में से एक के बाद दूसरे चार वंशों के आदि-पूर्वज उत्पन्न हुए। उनके आविर्भाव के बाद, (मिथकीय दृष्टि से) एक अत्यन्त महत्त्वपूर्ण घटना घटित हुई। पहले केलवसी (एक छिपकला) बाहर निकला जोकि लुकुलाबुटा गोत्र का पूर्वज था।...उसके शीघ्र बाद कुत्ता आया, जोकि लुकुवा गोत्र का पूर्वज था, जोकि पहले सबसे उच्च स्तर पर

1. यशदेव शल्य — **ज्ञान और सत्**, अ. 3, 5, 8 (राजकमल, दिल्ली)।

था। तीसरा सूअर निकला जो मलासी गोत्र का पूर्वज था, जोकि इस समय स्तर में सबसे ऊपर है। अन्त में लुक्वासिसिगा (साँप या मगर) निकला। सूअर और कुत्ता इधर-उधर दौड़े, और कुत्ते ने नोकू पौधे के फल देखकर उन्हें सूंघा और फिर खा लिया। इस पर सूअर ने कहा—तुमने नोकू खाया है, तुमने मल खाया है, तुम निम्न स्तर के हुए, एक साधारण जन; मुखिया-गुमायु-मैं होऊँगा। और उसके बाद से मलासी गोत्र के उपगोत्रीय टाबलू लोग मुखिया होते हैं।"[1] उपर्युक्त आख्यान ट्रुब्रिएंड के आदिवासियों के लिए कहानी नहीं है, रूपक भी नहीं है, यह उनके लिए वास्तविकता है, वे इसमें उसी प्रकार से विश्वास करते हैं जिस प्रकार से हम किसी भी ऐतिहासिक घटना में करते हैं। मैलिनोवस्की के ही शब्दों में—"जिस रूप में आदिम समुदायों में मिथक का अस्तित्व है, अर्थात् अपने जीवित आदिम रूप में, उस रूप में यह कथा मात्र नहीं है, बल्कि जीया गया यथार्थ है।...जीवित रूप में देखने पर यह रूपकात्मक नहीं है बल्कि यह अपनी विषय-वस्तु की अपरोक्ष अभिव्यक्ति है।...आदिम संस्कृति में मिथक एक अपरिहार्य प्रयोजन को सिद्ध करता है, यह विश्वासों को व्यक्त करता है तथा उन्हें संवर्द्धित और नियमित करता है...।"[2]

मैलिनोवस्की ने अपने उक्त प्रतिपादन के समर्थन में ट्रुब्रिएंड द्वीपों में अपने अनुभवों के आधार पर अत्यन्त महत्त्वपूर्ण विवरण प्रस्तुत किये हैं। वास्तव में मैलिनोवस्की के ये विचार आधुनिक नृतत्वशास्त्रियों के प्रतिनिधि विचार कहे जा सकते हैं। ये वैज्ञानिक लोग मिथक को न तो प्रतीकात्मक (रूपकात्मक) कथाएँ मानते हैं और न विमूढ़ताजंन्य मनोवृत्ति। किन्तु मिथकीय विश्वासों को आदिम जीवन का अनिवार्य, अथवा उपयोगी भी, अंग कहना मात्र इसको एक विमूढ़ता-जन्य दृष्टि कहने के विरुद्ध तर्क नहीं कहा जा सकता, क्योंकि उनके अपने ही दिये उदाहरणों के अनुसार ये विश्वास इसलिए आदिमों के लिए उपयोगी कहे जा सकते हैं क्योंकि वे लोग विमूढ़ता की स्थिति में हैं। उदाहरणत: टोटेमिक विश्वास सामाजिक सामुदायीकरण में सहायक होते हैं, किन्तु, कहा जा सकता है कि वह केवल इसलिए क्योंकि आदिम व्यक्ति यह समझ सकने में असमर्थ है कि मानव, पशु, पौधे और जड़ वस्तुएँ एक ही कोटि में नहीं रखी जा सकतीं और इस प्रकार से वह अपने वंश या समुदाय का तादात्म्य किसी प्राणी-जाति अथवा वनस्पति अथवा किसी पदार्थ के साथ कर देता है। उदाहरणत: "आस्ट्रेलिया के आदिवासी विश्वास करते हैं कि गर्भ-धारण का सम्बन्ध कुछ विशिष्ट स्थानों के साथ है जिनमें कि पूर्वजों की आत्माएँ निवास करती हैं। जब कोई स्त्री इन स्थानों पर जाती है तब किसी पूर्वज की आत्मा उसके शरीर में पुनर्जन्म के लिए प्रवेश करती है।"[3]

अब, इस आदिम विश्वास को किसी भी प्रकार से वैज्ञानिक विश्व-दृष्टि के साथ संगत नहीं बैठाया जा सकता और परिणामत: (उस दृष्टि के अनुसार) इसका भ्रामक और विमूढ़ता-जन्य होना सिद्ध है। यदि नृतत्व-वैज्ञानिक इन विश्वासों को आदिमों के लिए उपयोगी पाते हैं तब यह उपयोगिता की कल्पना भी विज्ञान का सन्दर्भ है, मिथक का सन्दर्भ नहीं। मिथक-दृष्टि उनकी सत्यता में विश्वास करती है, इनकी उपयोगिता के कारण इन्हें प्रथित नहीं करती।

× × ×

मिथकीय दृष्टि के मूल्यांकन से पूर्व इसके विशिष्ट लक्षणों पर विचार करना उपयुक्त होगा। यहाँ हम मिथकीय अवधारण में बाह्य विषय, कारणता तथा अहं-बोध के स्वरूपों पर संक्षेप से विचार करेंगे—

हमारे बाह्य विषयों के अवधारण में तीन प्रत्यय मौलिक हैं—(1) इन्द्रिय-गम्यता, (2) देश-कालिक व्यावर्तकता और (3) निरन्तरता। देश-कालिक व्यावर्तकता का अर्थ है कि यदि वस्तु व देश-काल $द_1$ पर है तो

1. ब्रानिस्लाव मैलिनोवस्की — **मैजिक, साइंस एण्ड रिलीज्यन**, पृ. 90.
2. ब्रानिस्लाव मैलिनोवस्की — **मैजिक, साइंस एण्ड रिलीज्यन**, पृ. 79.
3. द्रष्टव्य : स्पेन्सर तथा गिलिना — **दि नेटिव ट्राइब्स ऑफ सेण्ट्रल आस्ट्रेलिया**, पृ. 235.

वह $द_2$ पर नहीं हो सकती। निरन्तरता का अर्थ है कि यदि वस्तु व काल $क_1$ $द_1$ पर है, और यदि वह वहाँ से उठा कर ले जायी नहीं गयी, तो वह काल $क_1$ पर भी वहीं होगी। तथा यदि व देश-काल $द_1$ से देश-काल $द_2$ पर स्थानान्तरित हुई है तो $द_1$ तथा $द_2$ के बीच निरन्तर-क्रम सम्बन्ध है।

ये तीन प्रत्यय बाह्य विषयों के हमारे अवधारण में इतने आधारभूत हैं कि इनमें से एक का भी निरास हमारे विषय-अवधारण के स्वरूप को पूर्णत: परिवर्तित कर देगा। मिथकीय विषय-अवधारणा में इन तीनों प्रत्ययों के लिए कोई स्थान नहीं है।

व्यावर्तकता का उल्लंघन मिथकीय विषय-अवधारण में तीन प्रकार से देखा जाता है—(1) उसके लिए व्यक्ति, उसके नाम, उसकी प्रतिमा अथवा उसके किसी अंश में स्पष्ट अन्तर नहीं होता। यह शब्द-जादू, नाम-जादू तथा प्रतिमा-जादू आदि के प्रयोगों में स्पष्टत: देखा जा सकता है। किसी के नाम का टोना कर देने पर उस व्यक्ति को हानि पहुँचायी जा सकती है। इसी प्रकार, मिथकीय अवधारण के लिए किसी मनुष्य का चित्र उसका दूसरा व्यक्तित्व होता है—जो उस चित्र के साथ घटित होता है वही उस व्यक्ति के साथ भी घटित होता है। विषय की यह धारणा प्रतिमा-जादू में देखी जा सकती है। वास्तव में इसीलिए आदिम लोग अपना फोटो किसी को नहीं लेने देते, क्योंकि उनके अनुसार, उनके चित्र को अपने वश में करने के द्वारा उन्हें भी वश में कर लिया जायेगा और यथारुचि उनसे व्यवहार किया जा सकेगा।[1] नाम और उसके धारक में एकरूपता अत्यन्त व्यापक मिथकीय अवधारणा है। हिन्दुओं में अभी तक पत्नी पति का नाम नहीं लेती, जिसके पीछे यही धारणा है कि यदि कहीं पति का नाम किसी शत्रु को ज्ञात हो गया तो वह उसका दुरुपयोग कर उसके पति को हानि पहुँचा सकता है। धर्म में नाम के जप का माहात्म्य और मन्त्र-सिद्धि आदि भी इसी धारणा के अवशेष हैं। वेद-पाठी के लिए तो ध्वनि-स्वर का पूर्ण शुद्ध उच्चारण प्राचीन शिक्षा का एक अत्यन्त महत्त्वपूर्ण अंग था, क्योंकि अशुद्ध उच्चारण से न केवल देवता की हानि हो सकती थी बल्कि हवि भी उस तक नहीं पहुँच पाती थी।

(2) अद्वितीयता का दूसरा उल्लंघन विषय के पूर्ण रूपान्तर में देखा जा सकता है। हमारे विषय क्रमश: परिवर्तित होते हैं, इसके विपरीत मिथकता में परिवर्तन की अवधारणा के लिए कोई स्थान नहीं है, उसके विषय कोई भी रूप क्षण भर में ही धारण कर सकते हैं—मनुष्य पशु, पक्षी, कृमि और यहाँ तक कि पेड़ अथवा पत्थर तक, बन सकता है।

(3) तीसरा उल्लंघन विषय के अन्य किसी भी विषय के साथ सापेक्ष अभेद-स्थापना के रूप में होता है। यह मुख्य रूप से टोटेम विषयक विश्वासों में देखा जा सकता है। उदाहरणत: आस्ट्रेलिया के आदिवासियों में 'ट्जुरूंगा' (लकड़ी अथवा पत्थर की ऐसी वस्तु जिसमें कि टोटेमिक पूर्वज ने अपने आपको रूपान्तरित कर लिया है) उस पूर्वज का शरीर मानी जाती है। पितामह अपने पौत्र को इन शब्दों के साथ ट्जुरूंगा दिखाता है—"यह तुम्हारा शरीर है, यह तुम्हारी ही दूसरी आत्मा है। यदि तुम इस ट्जुरूंगा को कही अन्यत्र ले जाओगे तो तुम्हें कष्ट का भागी होना पड़ेगा।"[2]

इसी प्रकार से देश-कालिक अविच्छिन्नता का अभाव भी मिथकीय विषय-अवधारण में देखा जा सकता है। वास्तव में मिथकीय व्यक्ति देश-काल को अत्यन्त भिन्न प्रकार से अवधारित करता है। उसका अनुक्रम तथा समकालिकता का अवधारण हमारे सामान्य अवधारण से, विशेषत: वैज्ञानिक अवधारण से, अत्यन्त भिन्न प्रकार का होता है। देश और काल दोनों ही अवस्थाओं में मिथकीय धारणा वस्तु-सत् का स्वतन्त्र और आंशिक

---

1. एक प्रतिमा, विशेषत: यदि वह चित्र या मूर्ति है और इस प्रकार से व्यक्ति के रूप के अधिक निकट है तो, उसे जीवित व्यक्ति का ही दूसरा व्यक्तित्व समझा जाता है—उसकी आत्मा का निवास-स्थान, बल्कि स्वयं वह व्यक्ति ही। असंख्य लोग मृतों की प्रतिमाएँ बनाते हैं, स्पष्टत: मृतों को अपने बीच में रखने के लिए।

   जे.एन.डी. ग्रूट — **दि रिलिज्यस सिस्टम्स ऑफ चाइना**, जिल्द 4, पृ. 340.

2. अर्न्स्ट कासीरर — **फिलॉसफी ऑफ सिम्बोलिक फोर्म्स**, जिल्द 2, पृ. 181 पर उद्धृत।

कारकों (फैक्टर्स) में विभाजन नहीं करके उन सब वस्तुओं को एक सामान्य कारणात्मक आवेष्टन में सन्निविष्ट कर लेती है जिनमें देशगत समीपता है, अथवा जो देश में कितने भी विलग होने पर द्रव्य अथवा आकृति की एकता के द्वारा, अथवा अंगांगीभाव से, सम्बद्ध हैं अथवा रहे हैं। इस प्रकार, एक व्यक्ति और उसका कोई अंश—नाखून और बाल तक—देश में कितने भी विच्छिन्न होने पर जादुई एकता में अविच्छिन्न रहते हैं। क्योंकि कोई भी दो या अधिक वस्तुएँ आनुभूतिक अथवा जादुई एकत्व में लय हो सकती हैं। इसलिए मिथक के लिए विषय देश-काल में स्पष्ट रेखांकित वस्तु नहीं होता।

देश-कालिक निरन्तरता के प्रति भी मिथकीय-अवधारण उपेक्षाशील होता है। कोई भी वस्तु एक स्थान से तिरोहित होकर दूसरे स्थान पर प्रकट हो सकती है, अथवा लुप्त की जा सकती है।

मिथकीय विषय-अवधारण के इस विश्लेषण से स्पष्ट है कि इस अवधारण का स्वरूप हमारे साधारण अवधारण से अत्यन्त भिन्न प्रकार का है—हम जिन्हें मेज़, कुर्सी आदि स्थिर-ठोस वस्तुओं के रूप में देखते हैं वे मिथक के लिए ठीक से वैसी ही वस्तुएँ नहीं होतीं, इनकी सीमाएँ देश में अनिश्चित और अस्थिर तथा काल में विशृंखल होती हैं। किन्तु यह अनिश्चितता तथा विशृंखलता केवल हमारे दृष्टिकोण से ही है, मिथक के दृष्टिकोण से इनमें एक पूर्ण नियमितता और सुस्थिरता होती है। इसका कारण है, मिथकीय वस्तु-अवधारण में विषय और विषयी के बीच पूर्ण विश्लेषण घटित नहीं होता और परिणामत: वस्तु की कोटि विषयी से स्वतन्त्र निर्धारित नहीं होती। हमारे अनुभव-विषय अनुभव से पृथक् कल्पित होकर भौतिक देश-काल में स्थान पाते हैं। उनसे हमारा सम्पर्क केवल उनके तथाकथित इन्द्रिय-ग्राह्य गुणों के माध्यम से होता है। हमारे लिए उनका मूल गुण संख्या और द्रव्यमान (मास) है और तार्किक सन्दर्भ सत्यासत्य है। सत्यासत्य सन्दर्भ में घटित होने के लिए यह आवश्यक है कि इनके निजी स्थायी और निश्चित गुण हों। मिथकीय चेतना को ये विषय सत्यासत्य के सन्दर्भ में प्रदत्त नहीं होकर शुभाशुभ, उपकारक-अपकारक, सुन्दर-कुरूप के सन्दर्भ में प्रदत्त होते हैं। इसलिए इनमें स्थायित्व और निश्चितता अपेक्षित नहीं हैं, इनका हमारी मनोदशा और अभिवृत्ति के साथ समंजस होना अधिक आवश्यक होता है। हनुमानजी क्षण में भूधराकार और क्षण में मत्कुणाकार रूप धारण कर अपने देवत्व को सहज सिद्ध कर सकते थे, क्योंकि वस्तु के दृश्य-गुण महत्त्वपूर्ण नहीं होकर उपकारक-अपकारक गुण अधिक महत्त्वपूर्ण होते हैं।

यही बात मिथक की कारण की अवधारणा में देखी जा सकती है। कारणता की अवधारणा विज्ञान के लिए आधारभूत है, क्योंकि इसके बिना घटनाओं में कोई व्यवस्था कल्पित नहीं की जा सकती। व्यवस्था के लिए आवश्यक है कि प्रत्येक घटना कारण-शृंखला में निबद्ध हो। घटना घ के घटित होने का कारण बताने का अर्थ है उसकी व्याख्या करना और कार्य के रूप में उसका स्वरूप निर्धारित करना। इस प्रकार से विज्ञान के लिए कारणता, और इस प्रकार निर्धारितता, एक आधारभूत अभ्युपगम है। किन्तु आकस्मिक घटनाएँ भी होती हैं। वैज्ञानिक-सैद्धान्तिक-चिन्तन इस आकस्मिकता को अपने नियत सन्दर्भ में कहीं आकलित नहीं कर सकता, ऐसी घटना कारणता के सन्दर्भ से निकल कर सोद्देश्य-क्रिया अथवा प्रयोजन के सन्दर्भ में स्थान पाती है। किन्तु मिथक के लिए कारणता जड़ घटनाओं का अनुक्रम नहीं होता, प्रत्येक घटना का कारण चेतन प्रयोजन होता है, वह शत्रु अथवा मित्र के जादू के कारण अथवा देवता या राक्षस के किसी प्रयोजन से घटित होती है। इसलिए मन्त्र, प्रार्थना और जादू से अशुभ घटनाओं के होने को रोका जा सकता है और शुभ घटनाओं को कारित किया जा सकता है।

इसका अर्थ यह नहीं है कि आदिमों में कारणता की वैज्ञानिक-सैद्धान्तिक अवधारणा का लेश मात्र भी नहीं होता। मैलिनोवस्की के अनुसार, आदिमों में ऐहिक परम्परा भी पायी जाती है जिसका आधार रूढ़ि तथा विधि-व्यवस्था होता है, जिससे आदिम-सामाजिक जीवन का निर्धारण होता है। "ये नियम जादू से और दैवी समर्थन अथवा आदेश से सर्वथा रहित होते हैं और इनमें कोई धार्मिक संस्कार आदि का योग नहीं रहता।...हमारे लिए महत्त्वपूर्ण बात यह जानने की है कि जादू तथा धार्मिक संस्कार को वहीं स्थान मिलता है जहाँ ज्ञान असमर्थ रहता है।"[1] इसी प्रकार वे **मैजिक, साइंस एण्ड रिलीज्यन** में लिखते हैं—

1. **दि फाउण्डेशंस् ऑफ फेथ एण्ड मॉरल्स**, पृ. 34.

"क्या इसका अर्थ यह समझा जाय कि आदिम लोग सब अच्छे परिणामों का कारण जादू को मानते हैं? निश्चित रूप से नहीं। यदि आप किसी आदिम से यह कहें कि वह अपना बाग मुख्य रूप से जादू से ही रोपे और अपना कार्य छोड़ दे, तो वह आपकी मूर्खता पर हँस देगा। आप ही के समान वह भी जानता है कि घटनाओं और वस्तुस्थितियों की प्राकृतिक परिस्थितियाँ और कारण होते हैं, और अपने अनुभव तथा प्रयोग के आधार पर वह यह भी जानता है कि वह इन प्राकृतिक शक्तियों का नियन्त्रण अपने प्रयत्नों से कर सकता है। निश्चय ही उसका ज्ञान सीमित है, किन्तु जितना यह ज्ञान है यह रहस्यवाद के विरुद्ध एक दृढ़ ढाल का कार्य करता है।"[1]

वास्तव में यह कहना कि आदिम व्यक्ति घटनाओं को कभी प्राकृतिक सन्दर्भ में देखता ही नहीं, यह कहने के बराबर है कि वह पत्थर से टकराने पर लगी चोट को किसी दैत्य का प्रहार समझता है। यह ठीक नहीं है। आदिम व्यक्ति प्राकृतिक कारण-कार्यों का भी अत्यन्त सूक्ष्म विवेचक होता है। किन्तु तब भी, यह कहना कि जादू उसके जीवन में वहीं प्रवेश करता है जहाँ उसका ज्ञान असमर्थ रहता है, अयुक्त है, क्योंकि जादू और पराशक्तियों में विश्वास उसके अवधारण में मूल उपकरण हैं। इसीलिए वह जबकि पत्थर से चोट खाने पर ठोकर को उसका कारण मान सकता है, वह यह भी मान सकता है कि वह पत्थर साधारण पत्थर नहीं है, वह जादू अथवा प्रेत-निविष्ट है। पत्थर उसके लिए 'पत्थर-देवता' भी है।

यहाँ मैलिनोवस्की का कारणता की मिथकीय अवधारण को अज्ञानजन्य मानना स्पष्ट है। जैसाकि हमने इस अध्याय के आरम्भ में ही कहा था, वैज्ञानिक दृष्टि के लिए यह धारणा अनिवार्य है, किन्तु यह युक्त नहीं है। कारणता की वैज्ञानिक अवधारणा भी अपोहात्मक अवधारणा ही है जिसमें कारण और कार्य अत्यन्त विश्लिष्ट और सिद्धान्तीकृत होते हैं। केवल एक पूर्वगामी घटना पश्चाद्गामी घटना की कारण नहीं हो सकती, चाहे उनमें यह सम्बन्ध कितना भी नियत क्यों न हो। उदाहरणत: नींबू का सेवन मसूढ़े और गले के घावों के लिए उपकारक है, इस प्रकार से नींबू का सेवन घाव दूर होने का कारण हुआ। किन्तु विज्ञान यहाँ तक ही सन्तुष्ट नहीं रहता, वह घावों के विशिष्ट स्वरूप और नींबू में विद्यमान विशिष्ट तत्त्व (विटामिन सी) में नियत और अनिवार्य सम्बन्ध स्थापित करता है।

कारण-कार्य की मिथकीय अवधारणा में कोई भी घटना अथवा वस्तुस्थिति किसी भी घटना अथवा वस्तुस्थिति की कारण हो सकती है। उदाहरणत: प्रवासी पक्षी नयी ऋतु के कारण हो सकते हैं, शत्रु द्वारा काले जादू का प्रयोग कृषि नष्ट होने का कारण हो सकता है। इस दृष्टि से वास्तव में ही कारणता की यह अवधारणा अज्ञानमूलक है, किन्तु इसका अर्थ यह नहीं है कि इस धारणा में स्वरूपत: कोई कमी है और परिणामत: इसका शोधन कर इसे युक्तियुक्त नहीं बनाया जा सकता। किसी घटना घ का कोई कारण क मानने का अर्थ है कि क घ के लिए कार्य-समर्थ है। आदिम व्यक्ति जब प्रवासी पक्षियों को ऋतु का वाहक मानता है तब वह निश्चित रूप से भ्रम में है, क्योंकि उसे दिखाया जा सकता है कि पक्षियों के आगमन के बिना भी ऋतु आयेगी, और परिणामत: वह (आदिम) झट से अपने भ्रम को स्वीकार कर लेगा। किन्तु अच्छे और बुरे शकुन, देव या दैत्य के प्रकोप तथा जादू को अज्ञान सिद्ध नहीं किया जा सकता, क्योंकि ये एक मौलिक अवधारण-वयवस्था का ही निर्माण करते हैं। एक अवधारण-व्यवस्था सत्य या असत्य अथवा सिद्ध या असिद्ध नहीं होती, सिद्ध या असिद्ध इसके सन्दर्भ में रचित विशिष्ट अपेक्षाएँ होती हैं। व्यवस्था होने से इनमें जादू की उतनी ही सम्भावना है जितनी आनुभविक-तार्किक व्यवस्था में। वास्तव में फ्रेज़र और मैलिनोवस्की जादू को विज्ञान का समतुल्य ही कहते हैं। तन्त्र-योग और फलित ज्योतिष को एक सैद्धान्तिक-व्यवस्थात्मक अर्थ में कारणता की पौराणिक अवधारणाओं पर आधारित विज्ञान ही कहा जा सकता है। तन्त्र के अनुसार, शब्द सिद्ध करके भावी का ज्ञान प्राप्त किया जा सकता है, मन्त्र सिद्ध करके इस सिद्धि की शक्ति प्राप्त की जा सकती है और प्रेत सिद्ध करके अनिष्ट की शक्ति प्राप्त की जा सकती है। ज्योतिष में ग्रहों की स्थिति शुभ-अशुभ घटनाओं का निर्धारण करती है, और यह ग्रह-स्थिति भी भौतिक ग्रहों की स्थिति न होकर उपकारक और अपकारक ग्रहों की मित्र या शत्रु घरों में स्थिति कल्पित की जाती

1. **दि फाउण्डेशंस् ऑफ फेथ एण्ड मॉरल्स**, पृ. 12.

है। कारणात्मक अवधारणा के इन परिष्कारों को पौराणिक अवधारणा के परिष्कार कह सकते हैं जबकि ऐहिक अवधारण का परिष्कार विज्ञान में निष्पन्न होता है। यद्यपि तन्त्रयोग और ज्योतिष में इस दृष्टि से मौलिक विरोध प्रतीत होता है कि तन्त्र संकल्प को कार्य-सामर्थ्य देता है जबकि ज्योतिष संकल्प को नियत मानता है, किन्तु यह विरोध वास्तव नहीं है, क्योंकि दोनों की घटनाएँ मानसिक स्वरूप की हैं, और दूसरे, कारक दोनों में इष्ट ही है— एक में इष्ट मानवीय है और दूसरे में अतिमानवीय है। ये दोनों विज्ञान अत्यन्त जटिल और परिष्कृत हैं, तन्त्र तो विशेष रूप से अत्यन्त जटिल और परिष्कृत विज्ञान है। इसमें मन, शरीर और विश्व की संरचना एक सूक्ष्म व्यवस्था का निर्माण करती है। यहाँ हम पं. गोपीनाथ कविराज की पुस्तक **'तान्त्रिक वाङ्मय में शाक्त दृष्टि'** से दो-एक उदाहरण देंगे। इस पुस्तक के 'संसार-मण्डल और विश्व-विस्तार' अध्याय में वे लिखते हैं—"अब भुवनों के विन्यास के सम्बन्ध में कुछ कहा जाता है। ब्रह्माण्ड में सबसे नीचे कालाग्नि भुवन है। वह अग्निमय रुद्रों से परिवेष्टित है। जब परमेश्वर की संहार-शक्ति की प्रेरणा होती है तब कालाग्नि का तेज उद्दीप्त होता है। उस समय सब अध्वाओं के भुवनों के जीवों के हृदय में त्रास उत्पन्न होता है। उसके अनन्तर धूम-राशि रहती है। उसके ऊपर नरक हैं। 32 प्रधान नरकों के नाम मिलते हैं। नरक आठ श्रेणियों में विभाजित किये जाते हैं।...रुद्रगण असंख्य परिवारों के साथ ब्रह्माण्ड को वेष्टित किये हुए हैं।...ये सब श्रीकण्ठनाथ से अधिष्ठित होकर देवताओं के विपक्ष में ईश्वर की सृष्टि करते हैं और संहार भी करते हैं, अर्थात् प्रसन्न होकर देवताओं को वांछानुरूप ऐश्वर्य प्रदान करते हैं एवं अपराधवश कुपित होकर ऐश्वर्य का हरण भी करते हैं"[1] आदि। इसी प्रकार से तन्त्रों में देह-विज्ञान का भी अत्यन्त सूक्ष्म और जटिल सिद्धान्त है।[2]

ज्योतिष तथा तन्त्रयोग को पौराणिक कहने के सम्बन्ध में यहाँ थोड़ा स्पष्टीकरण अपेक्षित है : ज्योतिष में वैज्ञानिकता के सब लक्षण विद्यमान हैं; इसमें घटनाओं की व्याख्या और भविष्यवाणी की जाती है, परिणामत: इसमें परीक्षा और प्रेक्षण स्थापनाओं को सिद्ध और असिद्ध करते हैं, इसमें तार्किक कठोरता (रिगर) भी है और मूल सैद्धान्तिक अभ्युपगमों और आक्षिप्तों (पोज़िट्स) से वे सब घटनाएँ निगमित की जा सकती हैं जो इसके क्षेत्र के तथ्य हैं। किन्तु तब भी यह विज्ञान अन्य विज्ञानों से एक महत्त्वपूर्ण अर्थ में भिन्न है। यह भेद इसके तथ्यों, घटनाओं और अभ्युपगमों के स्वरूप की विशिष्टता में है, ये सब शुभ-अशुभ तथा इष्ट-अनिष्ट के सन्दर्भ में अपना सत्य पाते हैं। इसके मूल सैद्धान्तिक आक्षिप्त शनि, चन्द्रमा, सूर्य आदि तथा इनके घर और सम्बन्ध, न तो ग्रहों की सामान्य स्थितियाँ हैं और न ये रूपकात्मक अथवा प्रतीकात्मक संकेत हैं, ये वास्तव सत्ताएँ हैं जो अभीष्टमूलक कारणता और आनुभूतिक वस्तु-अवधारण के सन्दर्भ में जन्म लेती हैं।

यही बात तन्त्र के लिए भी कही जा सकती है। तन्त्र-योग एक अन्य और सर्वथा भिन्न प्रकार का विज्ञान है। इसमें घटनाओं की व्याख्या और भविष्यवाणी अभीष्ट नहीं है, न परीक्षा-प्रेक्षण के लिए इसमें कोई विशेष स्थान है। यह शुद्ध रूप से एक व्यवस्थात्मक विज्ञान है। यद्यपि सामान्य व्यवस्थान की सफलता के लिए परीक्षा-प्रेक्षण आवश्यक है, किन्तु इसमें ये आवश्यक नहीं हैं, क्योंकि इस विज्ञान के विषय घटनाएँ और स्थितियाँ न होकर वृत्तियाँ हैं, यह अन्तर्गुहावर्त्ती चित्तवृत्तियों के विनियोग का विज्ञान है। पुन:, इसका सन्दर्भ इष्ट-अनिष्ट तथा शुभ-अशुभ है और कार्य-सामर्थ्य इसका लक्ष्य है। यद्यपि तन्त्र में एक सीमा तक रहस्यवाद भी है, किन्तु मुख्यत: यह शुभ-अशुभ तथा इष्ट-अनिष्ट के आधार पर वस्तु-अवधारण करता है। ऊपर संसार-मण्डल के विवरण से यह देखा जा सकता है। इसमें, पुन:, ये नरकादि केवल प्रतीक नहीं हैं, ये वास्तव सत्ताएँ हैं।

× × ×

मिथकता को हमने एक अवधारण-प्रकार कहा, जो अन्य अवधारण-प्रकारों का समकक्ष है। किन्तु इस पर यह आपत्ति की जा सकती है कि इसके अवधारण-प्रकार होने से यह सिद्ध नहीं होता कि यह एक अत्यन्त

---

1. पं. गोपीनाथ कवितराज — **तान्त्रिक वाङ्मय में शाक्त दृष्टि**, पृ. 142-143.
2. पं. गोपीनाथ कवितराज — **तान्त्रिक वाङ्मय में शाक्त दृष्टि**, पृ. 107-128.

भ्रान्त प्रकार नहीं है, जोकि एक विमूढ़ मनोवृत्ति का परिणाम है। कहा जा सकता है कि यह हमारे ही विवेचन से सिद्ध है कि यह विमूढ़ताजन्य है, क्योंकि इसमें एक भयानक कोटि-भ्रम निहित है—इसमें प्रयोजन और वस्तु, मूल्य और सत् में कोई अन्तर नहीं किया जाता; दूसरे शब्दों में, विषयीनष्ठि और विषयनिष्ठ में कोई अन्तर नहीं देखा जाता, बल्कि उसे घपला दिया जाता है। कवि फूल को 'मुस्काते हुए' देखता है, किन्तु वह 'फूल की मुस्कान' को उसके वर्ण के समान उसका गुण नहीं मानता, यह उसका व्यंजनात्मक भाषा-प्रयोग होता है। जैसाकि कांट कहते हैं—"कलात्मक अनुभव अपने विषय के अस्तित्व अथवा अनस्तित्व के प्रति पूर्णत: अनपेक्षी होता है।" मिथकता इसके ठीक विपरीत अपने विषय के अस्तित्व के प्रति पूर्णत: आश्वस्त होती है।

किन्तु यह आपत्ति सही नहीं है, क्योंकि इसमें पूर्वमान्यता है कि अवधारण का एक प्रकार वस्तु-सत् के अधिक निकट है और दूसरे प्रकार अत्यधिक दूराकृष्ट हैं। यहाँ हम इस प्रश्न के विस्तार में नहीं जा सकते, इस पर अंशत: विचार धर्म और प्राकृतिक विज्ञान विषयक अध्यायों में हम करेंगे, किन्तु यहाँ इतना कहना आवश्यक है कि किसी अवधारण को दूसरे से अधिक युक्त कहने वाले के ऊपर यह दायित्व है कि वह कोई ऐसी कसौटी बताए जो यह निर्णय कर सके।

विज्ञान यह कसौटी देता है। वह विषय में से ऐसे सब गुणों को निराकृत कर देता है जो विषयी-सापेक्ष हैं और इसलिए जो विषय के नहीं हैं। ये गुण कौन-से हैं? सुन्दर-असुन्दर विषयी-निरपेक्ष गुण नहीं हो सकते, क्योंकि कोई वस्तु यदि एक समय सुन्दर लगती है तो दूसरे समय वह असुन्दर लगती है, एक को यदि वह सुन्दर लगती है तो दूसरे को असुन्दर लगती है। वर्ण, गन्ध, कोमलता आदि भी ऐसे विषय नहीं हो सकते, क्योंकि ये भी इन्द्रियों के सापेक्ष हैं, आँख को वस्तु वर्ण-युक्त दिखायी देती है कान को नहीं, एक को कोई वस्तु लाल $ल_1$ प्रकार की दिखायी देती है और दूसरे को $ल_2$ प्रकार की। तब फिर वस्तु अथवा विषय के अपने गुण कौन-से हैं? विज्ञान के अनुसार केवल मात्राएँ—संख्याएँ—वस्तु के अपने गुण हैं। संख्याएँ विशुद्ध रूप से बुद्धि-ग्राह्य हैं और निरपेक्ष हैं, इसलिए ये वस्तु-सत् के गुण हैं। विज्ञान के लिए यह अनिवार्य धारणा है। किन्तु ड्युई ने अत्यन्त प्रामाणिक ढंग से इस प्रश्न का दूसरा पक्ष प्रस्तुत किया है। उनके अनुसार—

"वस्तुएँ करुण, दु:खी, सुन्दर, हास्यमय, स्थिर, विक्षुब्ध, सुखी, कष्टमय, ऊबपूर्ण, कठोर-चित्त, सहानुभूतिपूर्ण, कुतूहलपूर्ण तथा सभीत होती हैं, वे इस प्रकार की प्रत्यक्षत: स्वत: और निरपेक्षत: होती हैं—ये लक्षण अपने आप में ठीक उसी स्तर के हैं जिस स्तर के वर्ण, गंध, स्पृश्य तथा आस्वाद्य गुण। कोई भी ऐसी कसौटी, जो इन दूसरे लक्षणों को स्वायत्त और 'कठोर प्रदत्त' (ठोस तथ्य) स्वीकारती है, यदि निष्पक्ष भाव से लागू की जाय तो वह प्रथम लक्षणों के सम्बन्ध में भी उसी निष्कर्ष पर पहुँचाएगी। कोई भी लक्षण अपने आप में आत्यन्तिक होता है, वह एक-साथ मौलिक और परम होता है...प्रत्यक्ष-अनुभव के विषयभूत इन अर्थपूर्ण और संवेद्य लक्षणों का वैज्ञानिक विषयों के पक्ष में परित्याग...इन लक्षणों को वैसा का वैसा छोड़ देता है, क्योंकि ये तो ग्रहण होते ही हैं, उन्हें जानना आवश्यक नहीं है।"[1] किन्तु हम इससे आगे जाकर कहना चाहते हैं कि ये लक्षण भी विषयकृत होकर सिद्धान्त में स्थापित किये जा सकते हैं, तन्त्र-योग में ठीक यही हुआ है, और धर्म में एक अन्य प्रकार से होता है।

× × ×

क्रमश: तार्किक-मूल्यात्मक (धार्मिक) और तार्किक-आनुभविक (वैज्ञानिक) दृष्टियों के विकास के साथ मिथक दृष्टि अथवा मनोवृत्ति का ह्रास हो गया। इन दोनों दृष्टियों की एक सामान्य विशेषता कही जा सकती है निर्वैयक्तीकरण। पुराण सब वस्तुओं को व्यक्तियों के रूप में देखता है—अत्यादिम पुराण उपकारक-अपकारक शक्तियों के रूप में देखता है और विकसित पुराण (भारत, चीन, मिस्र आदि में) देव-राक्षस रूप निश्चित

---

1. **एक्सपीरियेंस एण्ड नेचर**, पृ. 96.

व्यक्तित्वों के रूप में। ये अवधारण-प्रकार धार्मिक और वैज्ञानिक दोनों मनोवृत्तियों के विपरीत हैं और इनके विकास के साथ इस अवधारण-प्रकार का ह्रास समानुपात में होता है। यह दोनों में भिन्न-भिन्न प्रकार से होता है—धर्म में मूल्य-समर्पित होकर और विज्ञान में वस्तु-सत् होकर।

किन्तु धार्मिक और वैज्ञानिक मनोवृत्तियाँ लोक-संज्ञान को कभी पूर्णत: व्याप्त नहीं करतीं, ये उसमें अधिकाधिक मात्रा में ही विकास करती हैं। इस प्रकार लोक-संज्ञान इन तीनों का ही सम्मिश्र होता है। इसमें धर्म और विज्ञान का मिथकीकरण, पुराण का वैज्ञानीकरण और धर्मीकरण और धर्म का वैज्ञानीकरण हो जाता है। किन्तु मिथक धर्म को कुछ समधिक मात्रा में ही अनुप्राणित करता है, धर्म विशेष रूप से मिथक रूप में ही लोक-संज्ञान को ग्राह्य होता है। इस प्रकार धर्म को निरन्तर अपने विरुद्ध पुराण से समझौता करना पड़ता है—वह अपने अर्थ को वैयक्तीकृत ईश्वर में, और अधिकांशत: अवतार, पैगम्बर या गुरु में प्रतिष्ठित करता है। सिख धर्म तक, जिसका उदय अट्ठारहवीं शताब्दी में (गुरु गोविन्द सिंह के साथ) हुआ 'दशमेश' और 'ग्रन्थ साहब' के रूप में अपने अर्थ का मिथकीकरण करता है। मिथक का अधिक स्थूल रूप साम्प्रदायिक चिह्नों के रूप में देखा जा सकता है जिनका धार्मिक अर्थ से कोई सम्बन्ध नहीं होता और एकमात्र प्रयोजन साम्प्रदायिक संगठन को संवेगात्मक आधार देना होता है। वास्तव में जबकि प्राय: ही किसी धार्मिक सम्प्रदाय का उदय एक नयी धार्मिक दृष्टि के साथ होता है, यह दृष्टि क्रमश: क्षीण होकर मिथक को समर्पित हो जाती है।किन्तु कुछ धर्म-सम्प्रदायों की दृष्टि अपने उद्भव के समय ही स्पष्ट नहीं होती—मुस्लिम और आर्य-समाजी सम्प्रदाय इसके अधिक स्पष्ट उदाहरण हैं—मुस्लिम धर्म उतना ही सामाजिक-राजनैतिक प्रयोजनों के मिथकीय प्रतीकीकरण के साथ उद्भूत हुआ जितना धार्मिक दृष्टि के साथ, और आर्य-समाज निष्प्राण प्रतीकों के स्थान पर नये और सप्राण प्रतीकों—वेद, आर्य-जाति, आदि—की स्थापना के रूप से आविर्भूत हुआ।

ये नये मिथक-प्रतीक आदिम प्रतीकों से कुछ भिन्न प्रकार के होते हैं। क्योंकि ये अधिकांशत: एक व्यक्ति द्वारा सप्रयोजन स्थापित होते हैं और प्राय: तर्क-समर्थित भी होते हैं; किन्तु तब भी ये उससे मूलत: भिन्न नहीं होते, और बहुत-से तो प्रत्यक्षत: ही भिन्न नहीं होते।

राजनीति में यह मिथकीयता एक और रूप लेती है। इसमें यह जातिवाद, राष्ट्रवाद, राष्ट्रीय या जातीय पुरुषोत्तम आदि के रूप में, और कभी-कभी 'प्रजातन्त्र', 'सर्वहारा', 'शोषक-शोषित' आदि जैसे सांवेगिक रूप से अनुप्राणित शब्दों के रूप में, प्रतिष्ठित होती है। नाज़ीवादी और साम्यवादी राजनीतियों में जबकि मिथकीयता को अत्यधिक स्पष्ट रूप में देखा जा सकता है, अन्यत्र भी इसका अभाव नहीं है। उदाहरणत: इंग्लैण्ड का राजतन्त्र और 'श्वेत-जाति की उत्तमता' देखे जा सकते हैं। 'प्रजातन्त्र' भी उतना वास्तव अर्थमूलक शब्द नहीं होकर संवेगात्मक शब्द ही अधिक है, जो अत्यन्त व्यवस्थात्मक प्रचार द्वारा एक प्रतीक रूप में परिणत हो गया है। इसका यह मिथक रूप द्वितीय विश्वयुद्ध के बाद विशेष रूप से प्रकट हुआ, जब अमरीका और पश्चिमी यूरोप ने इसे रूस के विरुद्ध संवेगात्मक आधार के रूप में प्रयुक्त किया। अमरीका में द्वितीय विश्वयुद्ध के बाद 'प्रजातन्त्र की रक्षा' के लिए साम्यवाद के समर्थकों, अथवा संदेहास्पद समर्थकों, का जैसा दमन किया गया वह स्टालिन के दमन की याद दिलाता था।

ये राजनैतिक मिथक-प्रतीक जातीय या राष्ट्रीय संगठन के लिए अनिवार्य होते हैं, किन्तु इनकी अनिवार्यता इस कारण से है कि मनुष्य आज भी अधिकांशत: तर्क-दृष्टि के बजाय संवेगों से परिचालित होता है। यदि कोई एक राजनैतिक राष्ट्र मिथकता का परित्याग करना चाहे भी तो दूसरा उसके सम्मुख उसके अस्तित्व को खतरा उत्पन्न कर उसे पुन: उसके लिए बाध्य कर देता है। ऐसी अवस्था में यदि कोई राष्ट्र ऐसा प्रतीक उत्पन्न करने में असफल रहता है तो यह केवल उसकी निर्जीवता का ही द्योतक होता है, उसकी तर्क-दृष्टि का नहीं। हमारा देश आज इस स्थिति में ही है।

प्राकृतिक विज्ञान

भाषा, पुराण और धर्म के समान ही विज्ञान भी एक मानवीय सर्जन है, और इसमें मानव की निरन्तर प्रवृत्ति और प्रगति इस बात की सूचक है कि यह भी अन्य आयामों के अनुरूप एक मौलिक मानवीय वासना का सन्तोषक है। स्थूलरूप में, यह वासना वस्तु-विषयों के विनियोजन की है। धर्म के विपरीत, इसका व्याख्या-केन्द्र शुद्ध वस्तु-सत् है, जिसके सन्दर्भ में यह ऐन्द्रिय विषयों का व्यवस्थापन करती है। ऐन्द्रिय विषय भी विषयी-सापेक्ष होते हैं, यहाँ 'विषय' का अर्थ ही है कि वह 'विषयी-निर्भर' हो। किन्तु प्रत्येक विषय में स्वरूपत: उसकी स्वतन्त्र सत्ता का भाव निहित रहता है। यह भाव ऐन्द्रिय विषयों में विशेष रूप से स्फुट होता है। इसीलिए बाह्य विश्व की सत्ता का बोध हममें सबसे अधिक सहज और आदिम है। इस भाव को विशेष बल भाषा के माध्यम से प्राप्त 'सार्वजनिकता' से मिलता है।बहुत बार तो सार्वजनिकता को विषयनिष्ठता (विषयी-निरपेक्षता) का पर्याय ही समझा जाता है। किन्तु सार्वजनिकता विषयनिष्ठता की दिशा में केवल प्रथम चरण है। प्रत्येक जिज्ञासा की पहली शर्त विषय के निरपेक्ष स्वरूप का निर्धारण है। विज्ञान ऐन्द्रिय-विषय के इस तत्त्व के निर्धारण का ही प्रयत्न करता है।

विषय के स्वरूप-निर्धारण का अर्थ है उसे एक तार्किक-व्यवस्था में संस्थापित करना। इससे नीचे का स्तर विषय-अवधारण है, इस स्तर पर स्वरूप-निर्धारण की कोई चेष्टा नहीं रहती। यह स्तर पशु को भी सुलभ है। इन दो स्तरों में भेद आवश्यक है, नहीं तो हमारे प्रतिपादन पर यह दोषारोपण किया जायेगा कि हम तर्क को अस्थाने महत्त्व दे रहे हैं। विज्ञान को ऐन्द्रिय विषयों की तर्क-व्यवस्था कह सकते हैं। ह्वाइटहैड के शब्दों में— "विज्ञान तथा दर्शन की दिशा में पहला कदम उस समय उठाया गया जब यह देखा गया कि प्रत्येक साधारण तथ्य (घटना विषय) किसी नियम को उदाहृत करता है, ये नियम इन उदाहरणों से स्वतन्त्र रूप से समझे जाते हैं और तथ्य इन नियमों को सिद्ध करने वाले उदाहरणों के रूप में देखे जाते हैं।"[1] उदाहरणत: जैसाकि ह्वाइटहैड कहते हैं, अरस्तू का यह प्रतिपादन कि 'भौतिक पदार्थों में पृथ्वी का केन्द्र-स्थान खोजने की प्रवृत्ति है' एक वैज्ञानिक प्रतिपादन है, क्योंकि इसमें पत्थर, फल आदि के गिरने की घटनाएँ ऐसे 'भौतिक पदार्थों' के रूप में रूपान्तरित हो गयी हैं जो 'पृथ्वी का केन्द्र खोजने की प्रवृत्ति' प्रदर्शित करते हैं। ह्वाइटहैड के इस प्रतिपादन से कोई असहमत नहीं होगा, किन्तु यह विज्ञान को अन्य मानवीय सर्जनाओं से पृथक् नहीं करता। व्यवस्था, अथवा तथ्यों को नियमों के संस्थान में देखना सभी मानवीय सर्जनों की विशेषता है, इन व्यवस्थाओं को ही हम पुराण, धर्म, दर्शन और विज्ञान कहते हैं। किन्तु व्यवस्था होने के कारण विज्ञान के लिए भी यह आवश्यक है कि वह अपने तथ्यों को तर्क-व्यवस्था में संस्थानित करे। इसकी विशिष्टता इसके तथ्यों में और इसकी व्यवस्था के स्वरूप में है।

जैसाकि हमने कहा, वैज्ञानिक व्यवस्थापन, अथवा कहें वैज्ञानिक ज्ञान, का केन्द्र वस्तु-सत् है और इसका तथ्य-जगत् ऐन्द्रिय विषय है। 'वस्तु-सत्' यहाँ एक अस्पष्ट पद है, जिसका अर्थ हमारे अनुगामी विवेचन में क्रमश: स्पष्ट होगा। यहाँ केवल इतना ही कहना अभिप्रेत है कि ऐन्द्रिय विषयों का विषयी-निरपेक्ष सत्य वस्तु-सत् है। 'वस्तु-सत् विषय-व्यवस्थापन का केन्द्र है' कहने का अर्थ है कि यह ऐन्द्रिय विषयों के व्यवस्थापन का प्रयोजनभूत है, अर्थात् यह व्यवस्था इसके अर्थ-सन्दर्भ में जन्म लेती है। इस प्रकार से, ऐन्द्रिय विषय स्वत: वैज्ञानिक तथ्य नहीं होते, ये किसी भी व्यवस्था के तथ्य हो सकते हैं। ये केवल वस्तु-सत् के सन्दर्भ में निरूपित होने पर ही वैज्ञानिक तथ्य बनते हैं।

---

1. **एडवेंचर ऑफ आइडियाज़** — मैंटर बुक्स, पृ. 145.

× × ×

मेज़, कुर्सी, चारपायी, पुस्तक आदि ऐन्द्रिय विषय हैं। किन्तु जैसे ही हम 'ऐन्द्रिय विषय' इस पद के अर्थ पर विचार करते हैं हम पाते हैं कि इन विषयों के अवधारण में 'ऐन्द्रियता' से बहुत कुछ अधिक सन्निविष्ट है। यह 'अतीन्द्रिय कुछ' वास्तव में इसमें उससे कहीं अधिक है जितना इसमें ऐन्द्रिय है। ऐन्द्रिय विषय वर्ण, स्पर्श, गंध आदि के गुण हैं जो संवेदाश्रित हैं। आकार भी ऐन्द्रिय हैं, **किन्तु ऐन्द्रिय विषय का आकार अनिश्चित और अस्पष्टत: सीमांकित रहता है। इसके विपरीत, अवधारित विषय स्थायी होते हैं। ये तब भी रहते हैं जब इन्हें कोई नहीं देखता, ये अपने से अभिन्न होते हैं, संख्या और स्थिति इनके घटक होते हैं और इनमें विशिष्ट कार्य-सामर्थ्य रहती है।** ये सभी तत्त्व इन विषयों के मूल घटक हैं और ये सब अतीन्द्रिय और अतएव आक्षिप्त (पोज़िटिड) हैं।[1] लोक-संज्ञान (कॉमन-सेंस) इन दो पक्षों (ऐन्द्रिय और अतीन्द्रिय) में भेद नहीं करता, ये दोनों पक्ष उसके लिए सहज संयुक्त रहते हैं। किन्तु विज्ञान में ये दो पक्ष परस्पर विरुद्ध कर्षणों के रूप में इसके 'तथ्य' अथवा विषय में तनाव उत्पन्न करते हैं।

यदि 'मेज़' मेरे देखने से स्वतन्त्र रहता है और मेरे चक्षु-समक्ष होने पर ऐन्द्रिय विषय के रूप में प्रस्तुत होता है तब उसका ऐन्द्रिय रूप केवल आनुषंगिक है, वास्तव में तो उसका यह आनुषंगिक (दृश्य) गुण भी उसकी निरपेक्ष कार्य-सामर्थ्य में निहित होना आवश्यक है। स्वयं चक्षु को भी उसकी कार्य-सामर्थ्य और अन्य निरपेक्ष गुणों की पदावली में समझना आवश्यक है। वान् ओर्मान क्वाइन, जोकि एक प्रथित वैज्ञानिकतावादी दार्शनिक हैं, इसका निरूपण करते हुए कहते हैं—"मैं भौतिक विश्व में अवस्थित एक भौतिक विषय (निरपेक्ष विषय) हूँ। इस भौतिक विश्व की कुछ शक्तियाँ मेरी सतह में प्रविष्ट होती हैं। प्रकाश-रश्मियाँ मेरी रेटिना (दृष्टि-पटल) पर आघात करती हैं, अणु (मालीक्यूल) मेरे श्रोत्र-पटल पर, अंगुलाग्रों पर आघात करते हैं, मैं संरचनात्मक (स्ट्रक्चर्ड) वायु-लहरों को प्रसारित करते हुए प्रत्याघात करता हूँ। ये लहरें मेज़ों, कुर्सियाँ, व्यक्तियों, मालीक्यूलों, प्रकाश-रश्मियों, दृष्टि-पटलों, मूल संख्याओं, असीम वर्गों, हर्ष तथा विषाद और शुभ तथा अशुभ के सम्बन्ध में वार्तालाप का रूप लेती हैं।"[2]

किन्तु ऐसी अवस्था में यह स्वरूप-स्थित निरपेक्ष विषय पूर्णत: रचना (कंस्ट्रक्शन) में रूपान्तरित हो जाता है : क्योंकि स्थायित्व या नैरन्तर्य वस्तु का गुण नहीं होकर मन का गुण है और इस प्रकार से 'मेज़' का स्थायित्व मेरी स्मृति का सापेक्ष है और मेरी अपेक्षा से उसमें आक्षिप्त है, इसकी अपने से अभिन्नता (आइडेन्टिटी) और स्थिति संख्या और ज्यामिति की कोटियों को पूर्वकल्पित करती है और इस प्रकार ये शुद्ध व्यवस्थात्मक रचनाएँ हैं, तथा कार्य-सामर्थ्य, नैरन्तर्य, संख्या, तथा ज्यामिति की व्यवस्थात्मक रचनाओं से निष्पन्न बलकृत गति (मैकेनिकल मूवमेंट) को पूर्वकल्पित करती है। इस प्रकार से, संवेद से पृथक्कृत भौतिक विषय संख्याओं और मात्राओं (क्वांटिटीव्स) में अन्तर्भूत हो जाते हैं। विज्ञान की इस सैद्धान्तिक भाषा का विवरण रूडोल्फ कार्नप इस प्रकार देते हैं—"हम यह मान कर चलते हैं कि सैद्धान्तिक भाषा $भ_{स}$ विशिष्ट देश-काल निर्देशांकों (कोआर्डिनेट्स) की योजना (सिस्टम) पर आधारित है, इस प्रकार से देश-काल बिन्दु वास्तविक अंकों (रीयल नम्बर्स) के व्यवस्थित चतुष्क (क्वाडरपल्ज़) हैं। एक देश-काल प्रदेश देश-काल बिन्दुओं का वर्ग है। कोई भी विशिष्ट भौतिकीय योजना, जिसके विषय में भौतिक विज्ञान चर्चा करता है, उदाहरणत: एक भौतिक पिण्ड (मैटेरियल बाडी) अथवा विकिरण की प्रक्रिया (ए प्रासेस ऑफ रेडीयेशन), किसी देश-काल प्रदेश में स्थानित होती है। जब भौतिक वैज्ञानिक किसी भौतिक योजना का, अथवा उसमें घटित होने वाली प्रक्रिया अथवा उसकी क्षणिक अवस्था का, वर्णन करता है तब वह या तो सम्पूर्ण प्रदेश को अथवा इसके बिन्दुओं को भौतिक परिमाण के (जैसे द्रव्यमान, वैद्युत् आवेश, तापमान, विद्युत्-चुम्बकीय क्षेत्र की तीव्रता, ऊर्जा तथा इसी प्रकार के अन्य)

---

1. द्रष्टव्य : यशदेव शल्य — **ज्ञान और सत्** में अध्याय 8, राजकमल प्रकाशन, 1967.
2. दि स्कोप एण्ड लैंग्वेज ऑफ साइंस, ब्रिटिश जर्नल फार द फिलॉसफी ऑफ साइंस, 1957, पृ. 91.

मूल्य देता है। भौतिक परिमाण के मूल्य या तो वास्तविक संख्याएं होती हैं अथवा इनके गुणन-फल। इस प्रकार से, भौतिक परिमाण एक फलन है जिसके घटक (आर्गूमेंट्स) या तो देश-काल बिन्दु हैं अथवा क्षेत्र हैं, और जिसके मूल्य या तो वास्तविक संख्याएं हैं अथवा इनके गुणन-फल।"[1]

इस प्रकार भौतिक-विज्ञान के सन्दर्भ में भौतिक द्रव्य प्रत्यक्ष का विषय नहीं होकर रचना, अथवा प्रत्ययीकरण (कांसेप्चुअलाइज़ेशन) का विषय है। "जब हम देश का अवधारण विषय रूप में करते हैं और द्रव्य का अवधारण उसमें अवस्थित होने वाले के रूप में, तब हम वास्तव में ज्यामितिक प्रतीकों पर आधारित कल्पना का निर्माण कर रहे होते हैं। हम सम्प्रत्ययात्मक आकार तथा घनत्व को प्रत्यक्ष पर आरोपित करते हैं और इस आरोपण के लिए हम इतने अभ्यस्त हो गये हैं कि हम इसे स्वयं प्रत्यक्ष के साथ ही व्यामिश्रित कर देते हैं।"[2]

विपर्यस्त (आबवर्स) विषयनिष्ठता (विर्यस्त इसलिए क्योंकि वास्तव में पूर्ण विषयीनिष्ठता ही विषयनिष्ठता का आधार है) की यह स्थिति न केवल विषयों के 'आश्रय' के निर्धारण की दिशा में ही हमें मिलती है बल्कि जहाँ यह ऐन्द्रिय संवेदों अथवा प्रत्यक्षों को भी अपने क्षेत्र में स्वीकार करती प्रतीत होती है वहाँ भी यह अत्यन्त रचनात्मक और विश्लेषणात्मक होती है। जैसाकि गेलिलियो ने कहा है—"केवल सत्य, और अनिवार्य (नेसेस्सरी) वस्तुएँ ही, जोकि दूसरी तरह की नहीं हो सकतीं, वैज्ञानिक अनुसन्धान के क्षेत्र में स्वीकृत हो सकती हैं।" यह स्थिति 'निर्बाधित: पतनशील पिण्ड' और 'नियत वेग' आदि जैसी अवधारणाओं में ही नहीं देखी जा सकती, जोकि पार्यन्तिक कल्पनाएँ (लिमिटिंग कांसेप्ट्स) हैं और प्रत्यक्ष या प्रयोग में अलभ्य हैं, बल्कि सामान्य कारण-कार्य सम्बन्ध के निर्धारण में भी यह स्थिति देखी जा सकती है। यद्यपि कारण-सम्बन्ध प्रेक्षण और प्रयोग के आधार पर ही हमें ज्ञात होते हैं, किन्तु विज्ञान इन्हें इस स्थिति तक नहीं रहने देता। आनुभविक आधार पर कारण-सम्बन्ध केवल अनुक्रम-सम्बन्ध है। दो प्रकार की घटनाओं को हम नियत रूप से अनुक्रम में देखते हैं तब प्रथम को दूसरे की कारण मान लेते हैं। अनुभव अथवा प्रत्यक्ष की सीमा में रहते हुए यह प्रतिपादन एकदम सही है। किन्तु विज्ञान प्रेक्षणात्मक अनुक्रम का लेखा-जोखा नहीं रखता, वह नित्य और अनिवार्य सम्बन्धों की खोज करता है, वह घटनाओं का वर्गीकरण ही इस आधार पर करता है कि एक घटना दूसरे की अनिवार्य कारण हो सके। इस प्रकार अ ब का कारण इस आधार पर स्वीकृत नहीं होता कि अ और ब अनुक्रम-सम्बन्ध एक से अधिक बार देखा गया है, बल्कि अ में वही वस्तुएँ वर्गीकृत होती हैं जो ब को कारित करने में अनिवार्यत: समर्थ हैं; अथवा कहें, विज्ञान 'अ' संज्ञा 'ब' के लिए कारक सामर्थ्य को ही देता है। इस प्रकार से विज्ञान ह्यूम और चार्वाकों की आपत्ति का उत्तर कारणता की कोटि को अनुभव के स्तर से रचनात्मक सम्प्रत्यय (कांस्ट्रक्टिव कांसेप्ट) के स्तर पर उठा कर देता है।

इस प्रकार से विज्ञान, जोकि प्रत्यक्ष के यथावत् वर्णन का आदर्श लेकर प्रवृत्त होता है, वास्तव में ठीक इससे विपरीत दिशा की ओर जाने को बाध्य है। यह अनिवार्य है, क्योंकि जैसाकि हमने कहा, इसका केन्द्र स्वयं ऐन्द्रिय प्रदत्त नहीं होकर, जोकि अन्ततः दौड़ते हुए और अव्यवस्थित वर्ण-गंध आदि संवेद मात्र हैं, वस्तु-सत् है जो इनसे उतना ही दूराकृष्ट है जितना संवेग और वासना से ब्रह्म।

तब भी विज्ञान का प्रस्थान-बिन्दु प्रत्यक्षगत विषय ही है। किन्तु प्रत्यक्ष विषय भी सद्य: प्राप्त संवेद मात्र नहीं है और न सद्य: प्रत्यक्ष विषय मात्र ही है। सद्य: प्रत्यक्ष रूप में पत्थर उतना 'भौतिक विषय' नहीं है जितना उठाकर मारने का साधन। जैसाकि पीछे 'मिथक' अध्याय में हमने देखा था, सद्य: प्रत्यक्ष-विषय संवेद, संवेग और अपेक्षाओं का युगपत् अधिष्ठान है। 'भौतिक विषय' के रूप में अवधारित होने के लिए इसका अपोहात्मिका बुद्धि के समक्ष प्रस्तुत होना आवश्यक है। यह बुद्धि इसे विशिष्ट प्रकार के कारक के रूप में अवधारित करती है

1. कार्नप — मेथेडोलोज़िकल केरेक्टर ऑफ थ्योरेटिकल कांसेप्ट्स, मिन्नेसोटा स्टडीज़ इन फिलॉसफी ऑफ साइंस, जिल्द 1.

2. कार्ल प्यर्सन — दि ग्रामर ऑफ साइंस, पृ. 250.

और इसके शेष 'तत्त्वों' को हटा देती है। काष्ठ में अग्नि की कारक सामर्थ्य है यह मानव–कल्प वानर भी जानता रहा होगा, किन्तु उसके लाखों वर्ष बाद तक भी मनुष्य अग्नि को देवता के रूप में कल्पित करता रहा। अरस्तू तक ने सब वस्तुओं को उनकी विशिष्ट भीतरी शक्तियों के साथ कल्पित किया था। मेकेनिस्टिक सन्दर्भ में क्रियाओं को मनुष्य ने बहुत देर में देखना सीखा था। किन्तु यह सन्दर्भ भी व्याख्या के लिए अतीन्द्रिय तत्त्वों का आक्षेप करता है—अणु–परमाणु, ईश्वर, गुरुत्वाकर्षण आदि ऐसे ही तत्त्व हैं। अनुभववादी दर्शन से प्रभावित दार्शनिकों ने इन तत्त्वों से मुक्ति पाने के लिए विज्ञान को प्रकार्यात्मक (ऑपरेशनल) व्यवस्था दी और इस प्रकार विज्ञान को अतीन्द्रिय तत्त्वों से मुक्त किया। किन्तु यह मुक्ति उसे उतनी सस्ती नहीं पड़ी। इस रूप में विज्ञान का कार्य अब वर्णन नहीं रह कर व्यवस्थापन हो गया और व्यवस्थापन स्वरूपत: प्रागनुभविक ही हो सकता है, विषयनिष्ठ (निरपेक्ष सत् के अर्थ में) नहीं।

इस पर आपित्त की जा सकती है कि विज्ञान अनुभव को व्यवस्था देता है, और उससे अधिक, आनुभविक विश्व के अनुसार अपने को निर्धारित करता है; इसकी व्यवस्था की युक्तता (वैलिडिटी) व्यवस्था की अपनी संगति से प्रतिष्ठित नहीं होती बल्कि प्रेक्षणों से प्रतिष्ठित होती है, जो स्वयं संगत–असंगत नहीं होकर संगति को आधार प्रदान करते हैं।

यह आपत्ति एक सीमा तक उचित है : विज्ञान शुद्ध आकारिक व्यवस्था नहीं है और न ऐसी शुद्ध गणितीय व्यवस्था ही है जिसके प्रतीक अपने रचना के नियमों में अशेषत: अन्तर्भूत होते हैं। यह इस दृष्टि से दर्शन से भी भिन्न है, क्योंकि इसकी अवधारणाएँ या सम्प्रत्यय रचनात्मक होते हुए भी बाह्य सत् में टँके होते हैं, इसके विपरीत दर्शन की कोई स्थापना प्रेक्षणों से बधित नहीं होती। दर्शन के विपरीत, विज्ञान के सब प्रतिपादन तब तक स्वीकृति की प्रतीक्षा में रहते हैं जब तक वे अपेक्षित प्रेक्षण से प्रमाणित नहीं हो जाते। इस प्रकार कहा जा सकता है कि विज्ञान प्रागनुभविक व्यवस्था नहीं होकर आनुभविक व्यवस्था ही है।

वास्तव में अनुभववादी इससे भी आगे जाते हैं। उनके अनुसार विज्ञान का व्यवस्थात्मक पक्ष स्वत: अप्रतिष्ठित है, उसका न कुछ सत्–मूल्य है और न अर्थ। सब शब्दों का अर्थ और सब प्रतिपादनों का सत्य अन्तत: प्रेक्षणमूलक है। विज्ञान के सिद्धान्त–वाक्य और सैद्धान्तिक 'वस्तुएँ' इसी दृष्टि से सार्थक और सत्य हैं कि ये प्रेक्षणों सम्बन्धी कथनों के सार रूप हैं।[1] यदि इस अनुभववादी सिद्धान्त का आत्यन्तिक रूप से समर्थन किया जाय तब विज्ञान को 'प्रदत्त का वर्णन' कहा जा सकता है। वास्तव में वे विज्ञान, जो अपनी व्यवस्था को पर्याप्त तार्किक कसाव (रिगर) नहीं दे पाये, वे वर्णन तक ही अपने को सीमित रखने का प्रयत्न करते हैं; समाज–विज्ञान इसका एक उदाहरण है। किन्तु वर्णनात्मकता विज्ञान के अविकसित स्तर की सूचक है; अपनी व्यवस्था को अधिकाधिक स्पष्ट–निर्धारित बनाने के लिए विज्ञान के लिए आवश्यक है कि वह अपने विषयों का गणितीकरण करे। जहाँ तक वह यह नहीं कर पाता वहाँ तक वह अपने आदर्श से दूर रहता है। यह इस बात से देखा जा सकता है कि कोई महत्त्वपूर्ण भौतिक वैज्ञानिक सिद्धान्त भाषा द्वारा व्यक्त नहीं किया जा सकता, वह केवल गणित द्वारा ही व्यक्त किया जा सकता है। अनुभववादियों का आग्रह है कि ये गाणितिक प्रस्थापनाएँ भाषा में अनूदित होकर ही अर्थ पाती हैं, और जिस सीमा तक ये अनुवाद्य हैं उसी सीमा तक ये सार्थक हैं। किन्तु यह क्रमश: स्पष्ट हो चुका है कि यह अनुवाद सम्भव नहीं है, और जिस सीमा तक भी यह सम्भव है वह केवल खींचातानी है, क्योंकि स्वयं 'प्रेक्षण' कहाँ तक ऐन्द्रिय संवेद मात्र हैं और कहाँ तक गणितात्मक, यह देखने की बात है। जैसाकि हम पहले ही देख आये हैं, ऐन्द्रिय संवेद स्वत: अत्यन्त अनिश्चित और अर्थापेक्षी होते हैं।

× × ×

---

1. विल्फ्रिड सैल्लर्स — **दि लैंग्वेज ऑफ थ्योरीज़**, करेंट इश्यूज़ इन फिलॉसफी ऑफ साइंस, 1961, पृ. 68.

वास्तव में अनुभववाद की समस्या दो ऐसे विरोधी आकर्षणों में सामंजस्य विधान करने की है जो इसके सिद्धान्त में तनाव उत्पन्न करते हैं। इसने अनुभव का साक्ष्य केवल ज्ञानमीमांसात्मक विश्लेषण की माँग के कारण ही स्वीकार नहीं किया था, क्योंकि यदि ऐसा ही होता तब उसने ऐन्द्रिय संवेद को ही एकमात्र अनुभव नहीं माना होता। यह दर्शन भौतिकवादी (मेटीरियलिस्टिक) अथवा इन्द्रियवादी संस्कृति की उपज होने से संवेद को एक विशेष अर्थ में ही स्वीकार करता है। यदि संवेद इसके लिए मौलिक होता तो इसका सत् चैतन्य तत्त्व होता। किन्तु इसके लिए मौलिक प्रकृति-द्रव्य था इसीलिए इसके लिए अनुभव का भौतिक रूप ही ग्राह्य था। स्थूल प्रकृतिवाद का त्याग इसने इसलिए किया क्योंकि वह प्रत्यक्ष से परे के तत्त्व की स्वीकृति को आवश्यक बनाता है और उसकी स्वीकृति अन्य अतीन्द्रिय तत्त्वों की स्वीकृति को नहीं रोक सकती। किन्तु संवेद के साथ 'ऐन्द्रिय' विशेषण का प्रयोग इसके प्रकृतिवादी आग्रह का स्पष्ट द्योतक है। बाह्य इन्द्रियों के अतिरिक्त एकमात्र जो अन्य संवेद इसने स्वीकार किया वह कायिक (सोमेटिक) संवेद था, जो हमारी बात को और पुष्ट करता है।

किन्तु तब भी इस लेख के आरम्भ में उद्धृत क्वाईन का प्रतिपादन अनौचित्यपूर्ण प्रतीत हो सकता है जिसमें सब कुछ भौतिक घटनाओं के रूप में कल्पित किया गया है। यह विशेष रूप से प्रत्यक्षवादी दर्शन में उस परम्परा की दृष्टि से अनुचित प्रतीत होता है जिसे, किसी अन्य उचित शब्द के अभाव में, हम ज्ञानमीमांसी परम्परा कह सकते हैं। इसके अनुसार 'भौतिक' एक रचनात्मक अवधारणा है और परिणामत: कल्पना है। यद्यपि इस परम्परा का प्रभाव यूरोपीय वैज्ञानिक दर्शन पर बहुत रहा। किन्तु यह वास्तव में यूरोपीय विचार में अपनी ही एक स्थापना के विरुद्ध अपने वास्तविक प्रयोजन का संघर्ष था। स्थापना ज्ञानमीमांसात्मक थी—कि हम इन्द्रियों से जानते हैं तो केवल ऐन्द्रिय प्रदत्त को जानते हैं, और ऐन्द्रिय प्रदत्त केवल रक्त, पीत आदि गुण हैं। किन्तु वास्तविक प्रयोजन तो वैज्ञानिक सत्य, अथवा कहें भौतिक सत्, का विमर्श ही था। इसीलिए वह तनाव निरन्तर इस दर्शन-परम्परा में विद्यमान है जिसकी चर्चा हम पीछे कर आये हैं। इस दर्शन में यह विवाद तक बड़ी गम्भीरता से चला कि "हम दूसरे के मन को कैसे जानते हैं?" किन्तु वास्तव में इस तर्क से 'दूसरे' का कोई अर्थ ही नहीं बनता था, क्योंकि 'अपना' भी कुछ नहीं था। यह एक व्यर्थकारी वृत्त था। मुख्य प्रश्न तो यह था कि सत् वह है जो प्रत्यक्षगत है, इसलिए सत्य वह है जो विज्ञान उद्घाटित करता है। इस बात पर किसी को आपत्ति नहीं थी, कहना चाहिए इस बात पर पूर्ण ऐकमत्य था, प्रश्न केवल यह था कि उस वृत्त को कैसे तोड़ा जाय जिसमें उसे एक स्थापना ने डाल दिया था। रसल उसमें वर्षों तक भटक कर अन्त में उससे यह कह कर बाहर निकले कि इसे तोड़ा नहीं जा सकता, किन्तु इससे बाहर निकलना आवश्यक है,[1] और कार्नप यह कह कर कि वह स्थापना ही अयुक्त थी (जोकि वास्तव में वह थी) इसलिए दर्शन को उस प्रयोजन को पूर्व-प्रतिज्ञा बनाना चाहिए जिसको लेकर वह प्रवृत्त हुआ था। इसे अत्यन्त स्पष्ट शब्दों में न्यूराथ ने रखा जब उसने कहा "हमारी मूल प्रतिज्ञाएँ (प्रोटोकोल सेंटेंसिज़) हमारी समकालीन संस्कृति के वैज्ञानिकों की स्थापनाएँ हैं।"[2]

× × ×

एक सांस्कृतिक पूर्वधारणा किसी दर्शन विशेष से कहीं अधिक शक्तिशाली होती है, दर्शन स्वयं उसकी पूर्वधारणा के स्वरूप-निरूपण के सन्दर्भ में ही उत्पन्न होता है। जैसाकि हमने कहा,[3] यह पूर्वधारणा वास्तव में सब

---

1. द्रष्टव्य : **ह्यूमन नॉलेज, इट्स स्कोप एण्ड लिमिट्स**, एलन एण्ड अन्विन लंडन।

2. द्रष्टव्य : कार्ल जी. हैम्पल — **ऑन दि लॉजिकल पोज़िटिविस्ट थ्योरी ऑफ ट्रुथ** (एनेलेसिस 4, जनवरी, 1935) यहाँ मुझे राजस्थान विश्वविद्यालय में दर्शन विषयक एक परिसंवाद में प्रो. कालीकृष्ण बैनर्जी द्वारा प्रस्तुत एक लेख का बर्बस ध्यान हो आता है। उन्होंने उसमें कहा है कि "दर्शन की पूर्वप्रतिज्ञाएँ अपनी संस्कृति से प्राप्त धारणाएँ होती हैं। मेरी संस्कृति की एक मुख्य धारणा पुनर्जन्म में विश्वास है। मैं उसे स्वीकार करता हूँ, और क्योंकि इसे मैं स्वीकार करता हूँ इसलिए प्रकृतिवाद असत्य है।" इस तर्क-विधि पर कुछ लोगों ने आपत्ति की, किन्तु प्रो. गोविन्दचन्द्र पाण्डे ने इसका समर्थन करते हुए कहा कि "संस्कृति दीर्घ अनुभव-परम्परा होने से सत्यमूलक होती है, और दूसरे, दर्शन किसी सांस्कृतिक मान्यता का ही समर्थन करता है"...आदि।

3. संस्कृति का अधिष्ठान, पीछे अध्याय 2.

सांस्कृतिक वृत्तियों का अधिष्ठान होती है। पुनर्जागरण युग के बाद की यूरोपीय संस्कृति का अधिष्ठान विज्ञानादर्श में है। विज्ञानादर्श या वैज्ञानिक जीवन-दृष्टि स्वयं विज्ञान से बहुत अधिक है। जैसाकि हमने आगे धर्म अध्याय के अन्त में कहा है, स्वयं विज्ञान का धर्म से कोई विरोध नहीं है, यह विरोध तब उत्पन्न होता है जब विज्ञान जीवन-दृष्टि हो जाता है। जीवन-दृष्टि हुए बिना विज्ञान की वैसी प्रगति सम्भव नहीं थी जैसी यूरोप में इसकी हुई, क्योंकि सांस्कृतिक मूल्य हुए बिना यह महान् प्रतिभाओं को अपनी ओर आकर्षित नहीं कर सकता था। जीवन-दृष्टि होने पर सत् की, और सम्पूर्ण जगत् (फिनोमिना) की, व्याख्या इसकी पदावली में होनी आवश्यक है—सब जगतों के लिए अनिवार्य है कि ये विभिन्न वृत्तियों के रूप में उसमें अधिष्ठित हों। अन्यथा विज्ञान भौतिक प्रकृति के विनियोजन तक अपना क्षेत्र सीमित रख सकता था और मन तथा आत्मा के क्षेत्र उससे स्वतन्त्र अन्वेषण के क्षेत्र रह सकते थे। इस सीमित रूप में विज्ञान वास्तव में सभी संस्कृतियों में सब समयों में रहा है। किन्तु जीवन-दृष्टि होने पर ये क्षेत्र स्वतन्त्र नहीं रह सकते, तब इनके लिए 'भौतिक' की कोटि में अन्तर्भूत होना आवश्यक हो जाता है। यहाँ प्रो. क्वाईन से एक उद्धरण देना उपयोगी होगा। वे कहते हैं—"भौतिक घटनाओं का अस्तित्व तो सिद्ध है ही, तब दूसरी कोटि को क्यों लाया जाये? इस प्रकार से यह कहा जा सकता है कि अन्तर्दर्शन (इन्ट्रोस्पैक्शन) अपनी भीतरी शारीरिक अवस्थाओं को देखना है, जैसे कहें, मेदे के तेज़ाब को।"[1] यह इस सांस्कृतिक दृष्टि की स्पष्टतम स्थापना है और यह उस सम्पूर्ण युगबोध का प्रतिनिधित्व करती है जो विज्ञान के सब क्षेत्रों में प्रसार के रूप में परिलक्षित होता है। अन्यथा भौतिक घटनाओं का अस्तित्व स्वत:सिद्ध कैसे है? कोई बात क्या स्वत:सिद्ध भी होती है? किन्तु तब भी यह स्वत:सिद्ध है, हम यह स्वीकार करते हैं, क्योंकि यह वैज्ञानिक संस्कृति की पूर्वप्रतिज्ञाओं से अनिवार्यत: अर्थापतित होता है। एक बार ये पूर्वप्रतिज्ञाएँ स्वीकार कर ली जाएँ तब सब जगत् के लिए मात्रात्मक सत् में रूपान्तरित होना अनिवार्य हो जाता है—'मन' के लिए अनिवार्य है कि वह 'व्यवहार'[2] में स्थापित हो और अन्ततः परमाणवीय संख्याओं में विघटित हो,[3] धर्म नृतत्व-वैज्ञानिक और मनोवैज्ञानिक प्रतिपत्तियों में चरितार्थ हो और कला, मूल्य और संस्थाएँ समाजवैज्ञानिक अध्येता की मात्रात्मक कल्पनाओं (कांस्ट्रक्शंस) के विषय बनें।[4]

× × ×

मानसिकता की कोटि का निरास विज्ञान के लिए अनिवार्य नहीं है, अर्थात् मानसिक तत्त्व का भी विज्ञान सम्भव है। वास्तव में योग मनस्तत्त्व का ही एक विज्ञान है। किसी व्यवस्था के विज्ञान होने के लिए आवश्यक है उसके विषयों में घटनात्मक नियमितता देखना और इस नियमितता के विनियोग की विधि का निर्माण करना। योग में ये दोनों बातें देखी जा सकती हैं। हमने 'मिथक' अध्याय में ज्योतिष-विज्ञान की चर्चा भी की थी जिसके विषय कर्म-फलात्मक घटनाएँ हैं। किन्तु विज्ञान की यान्त्रिकतावादी-भौतिकतावादी अवधारणा के लिए न केवल मनोजगत् ही एक समस्या है बल्कि जैव-जगत् और रसायन-जगत् भी समस्या हैं, क्योंकि जैव-जगत् में यान्त्रिक के बजाय लक्ष्योन्मुख स्वभाव व्यक्त होता है और रसायन-जगत् में नव्योत्क्रान्त गुण यान्त्रिक अवधारणा को चुनौती देते हैं। यान्त्रिकतावादी अवधारण के लिए 'नव्योत्क्रान्ति' क्यों एक समस्या है, यह देखना रोचक होगा। 'नवत्योत्क्रान्ति' का अर्थ है कि यदि कोई द्रव्य द अ, इ, उ तत्त्वों में तथा सम्बन्ध स में अपचेय है तब अ, इ, उ तत्त्वों में पृथक्त: जो गुण विद्यमान होते हैं उनसे अथवा अ, इ, उ तत्त्वों में द के सम्पूर्ण गुणों को निगमित नहीं

1. क्वाइन — **वर्ड एण्ड ऑब्जेक्ट**, पृ. 264, तथा 'दि मैंटल एंटिटीज़' **प्रोसीडिंग्स ऑफ अमरीकन ऐकेडेमी ऑफ आर्ट्स एण्ड साइंसेज़**, 1953, पृ. 198-203, इस पर हमारी आलोचना के लिए द्रष्टव्य **'ज्ञान और सत्'** में 'मानसिक और भौतिक' अध्याय।

2. कार्नप — साइकोलॉजी इन फिज़िकल लैंग्वेज, एयर द्वारा सम्पादित **लॉज़िकल पाज़िटिविज़्म** में।

3. द्रष्टव्य कार्नप — **मिन्नेसोटा स्टडीज़ इन फिलोसोफी ऑफ साइंस**, वही, पृ. 69.

4. द्रष्टव्य — एनसाइक्लोपीडिया ऑफ यूनीफाइड साइंसिज़।

किया जा सकता, अथवा कहें कि, द के कुछ गुण इसका घटक तत्त्वों में अपचय करते ही समाप्त हो जाते हैं। इतना ही नहीं बल्कि किसी तत्त्व अ के भौतिक गुणों को सम्पूर्णत: जानने पर भी उससे यह अनुमान भी नहीं किया जा सकता कि वह इ अथवा उ अथवा दोनों के साथ संयुक्त भी हो सकता है या नहीं। द के इस अनिगमनीय गुण अथवा गुणों को नव्योत्क्रान्त गुण कहते हैं। जल इसका एक उदाहरण है : हाइड्रोजन तथा ऑक्सीजन अणुओं में, तथा इनके मिश्रण में ऐसा कुछ नहीं है जिससे जलत्व के कुछ विशिष्ट गुणों—गीलापन तथा प्रवहमानता—को निगमित किया जा सके। अब यह तथ्य हमारी यान्त्रिकतावादी बुद्धि (अण्डरस्टैंडिंग) को एक चुनौती है जो व्याख्या और भविष्योक्ति को एक स्तर पर देखती है और जो 'नव्योत्क्रान्त' का अपनी व्यवस्था में कहीं आकलन नहीं कर सकती। किन्तु यह इसके लिए वास्तव चुनौती नहीं है, क्योंकि यह स्थिति ज्ञान की अपर्याप्तता की स्थिति मानी जा सकती है, अर्थात् यह माना जा सकता है कि अणुओं के ऐसे नियम खोजे जा सकेंगे जिनसे ये गुण, जिन्हें हम अभी तक न्वयोत्क्रान्त कहते हैं, निगमित किये जा सकें। कठिन चुनौती इसे जैव जगत् से है जिसमें कारण पुरोगामी न होकर अनुगामी होता है; अथवा अधिक उचित रूप से, जिसमें कोई कारण-कार्य सम्बन्ध नहीं होता। इसमें घटना अनुगामी घटना की कारण तो होती ही नहीं, यह भी कहना अयुक्त है कि अनुगामी घटना पुरोगामी की कारण होती है, यहाँ यह कहना युक्त है कि घटनाओं में एक अपेक्षात्मकता रहती है, जो जैव घटनाओं का विलक्षण गुण है और यान्त्रिक अवधारण में अनन्तर्भाव्य है।

जैसाकि हमने कहा, विज्ञान के लिए यह अनिवार्य नहीं है कि वह यान्त्रिकतावाद को एकमात्र अभ्युपगम स्वीकार करे। यदि विज्ञान के लिए कोई एक अभ्युपगम आवश्यक है तो वह कोई अन्य भी हो सकता है। किन्तु पाश्चात्य विज्ञान[1] का केन्द्र भौतिक स्वरूपात्मक वस्तु-सत् है, इसलिए उसने जैव-जगत् के इन गुणों को भी केवल अस्थायी स्थिति के रूप में ही स्वीकार किया, डार्विन की 'उपयोग-अनुपयोग', 'चुनाव' और 'प्रयोजन' की अवधारणाएँ क्रमश: छोड़ दी गईं और उन्हें जीव-कण की यान्त्रिकीय-सांख्यिकीय (मेकेनिस्टिक-स्टेटिस्टिकल) कल्पनाओं से स्थानान्तरित किया गया।[2] इसके पश्चात् प्राणी को उसके देकार्तीय स्वरूप (यन्त्र) में स्थापित करने में अधिक कठिनाई नहीं थी, उसकी स्वतन्त्र क्रियाएँ उसक प्रोटोप्लास्म और साइटोप्लास्म के परिणामों के रूप में और शेष उद्दीपनों के प्रति उसकी वैद्युत्-रासायनिक प्रतिक्रियाओं के रूप में कल्पित की गई।[3]

तब मानव? जिसे 'विवेकशील प्राणी' के रूप में परिभाषित किया गया था? मूल्यान्वेषण यदि 'मौलिक' गुण नहीं है तब विवेक केवल 'भूल-भुलैये में पुरस्कारक सरणियों के साथ स्वीकारात्मक प्रतिक्रिया की स्थापना' के सिद्धान्तानुसार व्याख्येय हो जाता है और इस प्रकार मूषिक और मनुष्य में पृष्ठोन्मुखी तारतम्य स्थापित हो जाता है। बुद्धि-भागफल परीक्षण (आई.क्यू. टेस्ट), परिवेश-अनुकूलन-परीक्षण तथा समस्या-समाधान-परीक्षण आदि पूर्णत: मात्रात्मक-यान्त्रिक मनोवैज्ञानिक अवधारणाएँ मानव की यन्त्र-कल्पना के स्पष्ट प्रमाण हैं। यद्यपि इन परीक्षणों की अप्रतिष्ठितता असन्दिग्ध रूप से प्रमाणित हो चुकी है किन्तु मानव की अन्य कोई कल्पना पाश्चात्य सांस्कृतिक पूर्वकल्पनाओं के साथ संगत नहीं होने के कारण इनका परित्याग सम्भव नहीं है; इसलिए इन परीक्षणों की असफलता का कारण स्वयं अवधारणा में दोष को नहीं मानकर परीक्ष्य-चरों (वेरीयेबल्ज़) के निर्धारण की अपूर्णता को मान लिया जाता है। किन्तु इस प्रकार से किसी भी व्यवस्था की रक्षा की जा सकती है, मिथकीय की भी। इसलिए मुझे यह कहने में तनिक भी संकोच नहीं है कि **विज्ञान मिथक का समकक्ष है।**

---

1. 'विज्ञान' के साथ 'पाश्चात्य' विशेषण शायद कुछ लोगों को चौंकाने वाला लगे, क्योंकि विज्ञान को सामान्यत: सार्वभौम माना जाता है। किन्तु जैसाकि हमारे उपर्युक्त विवेचन से स्पष्ट है, विज्ञान का पश्चिम में विकसित रूप उसकी विशिष्ट संस्कृति की उपज है।
2. इस प्रसंग में द्रष्टव्य : डोब्सहेंस्काई — **जेनेटिक्स एण्ड दि ऑरिजिन ऑफ स्पेसीज़** (कोलम्बिया), तथा यशदेव शल्य — **मनस्तत्त्व,** हिन्दुस्तानी एकेडेमी, इलाहाबाद।
3. मार्गन एण्ड स्टेलर्ज़ — **फिज़ियोलॉज़िकल साइकोलॉजी,** (मैक्ग्राहिल) तथा टिन्बर्जन, ए स्टडी ऑफ इंस्टिंक्ट (ऑक्सफर्ड)।

संस्कृति : मानव–कर्तृत्व की व्याख्या

मानव की यन्त्र–कल्पना पश्चिमी विज्ञान की तात्त्विक निर्धनता से अर्थापतित होती है। जैसाकि हमने आगे धर्म अध्याय के अन्त में देखा है, इसका सत्ता–सन्दर्भ ज्यामितिक बिन्दु, वेग और द्रव्यमान तक सीमित है और इसका अर्थ–सन्दर्भ ऐन्द्रिय प्रदत्तों तक। यह मूल्य और आदर्श को, जिनमें सत् और अर्थ के अत्यन्त समृद्ध तहखाने हैं, और इस प्रकार जो मानव–प्रतिमा को अनेक आयाम और विविध वर्ण देते हैं, स्वीकृति नहीं देकर मनोदैन्य का कारण हो रहा है।

(इसका अर्थ यह नहीं है कि पश्चिम में और कोई विचारधारा ही नहीं है। कुछ जर्मन मनोवैज्ञानिक यन्त्रवाद को स्वीकार नहीं करते, जुंग तो धर्म को मूल भाव ही मानते हैं, दर्शन में अस्तित्ववाद विज्ञानवाद के विरुद्ध प्रतिक्रिया है और अत्यन्त गहरी प्रतिक्रिया। किन्तु तब भी मुख्य स्वर अभी भी वैज्ञानिकतावाद ही है। इसका अन्त पाश्चात्य सभ्यता के पतन के रूप में होगा या रूपान्तरण के रूप में, यह अनुमान करना हमारा कार्य नहीं है।)

नैतिक मूल्य

नैतिक की न्यूनतम परिभाषा 'कर्त्तव्याकर्त्तव्य का क्षेत्र' यह दी जा सकती है और 'कर्त्तव्य' का अर्थ 'उचित कर्म' किया जा सकता है। 'कर्म' के अन्तर्गत शारीरिक के अतिरिक्त मानसिक का भी समावेश किया जा सकता है—मनसा, वाचा, कर्मणा शुभ करने का उपदेश बहुत पुराना है। अपने इस न्यूनतम रूप में यह परिभाषा निर्विवाद रूप से स्वीकृत हो सकती है, यद्यपि कुछ लोग इसमें 'मानसिक' का, 'भाव-विचार' का, समावेश नहीं करना चाहेंगे। इस परिभाषा की कठिनाइयाँ उस समय उत्पन्न होती हैं जब हम 'उचित' और 'कर्म' शब्दों के अर्थों पर विचार करना आरम्भ करते हैं। किन्तु तब भी कुछ दूर तक इनके अर्थों की व्याख्या में बिना विवाद के आगे बढ़ा जा सकता है—ज्ञात प्राणियों में केवल मनुष्य के व्यवहार या क्रियाओं को ही 'कर्म' कहा जा सकता है, अन्य किसी प्राणी की क्रिया को 'कर्म' नहीं कहा जा सकता, और 'उचित' या 'अनुचित' विशेषण केवल 'कर्म' के साथ ही प्रयुक्त हो सकते हैं, अन्य क्रियाओं या व्यवहारों के साथ नहीं। इस बात में भी सब सहमत होंगे कि मानव की सब क्रियाएँ 'कर्म' नहीं होतीं और परिणामत: वे 'उचित', 'अनुचित' भी नहीं होतीं।

परिभाषा की यह सहमति इससे तनिक भी आगे नहीं जाती, यहाँ तक कि इस बारे में भी सहमति नहीं है कि क्रियाओं का क्या गुण उन्हें 'कर्म' बनाता है। वास्तव में जितनी सहमति हमने देखी है उतनी भी प्रकट रूप में ही है, वास्तव में नहीं है, क्योंकि 'उचित' और 'कर्म' की अधिकांश अर्थापत्तियाँ 'कर्म' को 'क्रिया' से भिन्न नहीं करतीं। तो भी सम्भवत: प्रकट स्तर पर सब यह स्वीकार करेंगे कि 'ज्ञान' और 'प्रयोजन' के साथ 'साभिप्राय' विशेष का क्या अर्थ है। इस परिभाषा की कुछ कठिनाइयाँ हैं जिन पर हम आगे विचार करेंगे, किन्तु तब भी इस परिभाषा को स्वीकार किया जा सकता है। यह परिभाषा पाशव क्रियाओं तथा मनुष्य की अनेक क्रियाओं को 'कर्म' के वाच्य-क्षेत्र से निकाल देती है। किन्तु 'ज्ञान और प्रयोजन' पद को जिस अर्थ में सामान्यत: स्वीकार किया जाता है हम यहाँ उस अर्थ में इसका प्रयोग नहीं कर रहे हैं। सामान्यत: इसका अर्थ होगा, क्रिया के लक्ष्य का ज्ञान और लक्ष्य-सिद्धि के साधनों का ज्ञान, आदि। किन्तु जैसाकि हम आगे देखेंगे, यह गुण क्रिया को पर्याप्त रूप से कर्म का स्तर नहीं देता। इसलिए 'ज्ञान' से हमारा अर्थ यहाँ 'क्रिया का कर्त्ता होने के बोध' से है।

इस प्रकार, 'मानव कर्म करता है' का अर्थ है कि वह अपनी क्रियाओं का साक्षी होता है। क्रिया का यह साक्षित्व-कर्तृत्वाभिमान—उसे कर्त्ता के पद पर प्रतिष्ठित करता है, उसे 'क्रिया के कारक' मात्र से 'क्रिया के लिए उत्तरदायी' बनाता है।

एक अर्थ में 'उत्तरदायित्व' शब्द भ्रामक हो सकता है। 'उत्तरदायी' का अर्थ हो सकता है पुरस्कार और दण्ड का अधिकारी। किन्तु यह अर्थ सही नहीं है, क्योंकि दण्ड और पुरस्कार, प्रस्तुत अर्थ में, कर्त्ता को कर्त्ता से इतर कोई देता है। इस अर्थ को पुष्टि सामाजिक दण्ड-नियमों अथवा प्रशंसा-निन्दा से भी मिलती है जिनका पात्र केवल कर्त्ता अथवा उत्तरदायी को ही समझा जाता है, अबोध को नहीं। कर्मवाद की भी कुछ व्याख्याओं में यही धारणा निहित है। किन्तु वास्तव में यह सही नहीं है, क्योंकि उत्तरदायित्व केवल अपनी क्रियाओं के साक्षित्व से ही आता है। क्रिया का यह साक्षित्व कर्त्ता से अपने को व्याख्यायित करने की माँग करता है, जिस व्याख्या के सन्दर्भ में निरूपित होकर कर्म 'उचित' के विशेषण से मण्डित होता है और उससे भ्रष्ट होकर 'अनुचित' के विशेषण से। सामाजिक या दैविक दण्ड और पुरस्कार कर्तृत्वाभिमान (मैं कर्त्ता हूँ) के अर्थ-बोध से उत्पन्न उत्तरदायित्व के एक प्रकार से विपरीतार्थक हैं, क्योंकि ये व्यक्ति पर बाहर से उत्तरदायित्व लादते हैं, जैसे मानिये ढोर के खेत में जा घुसने पर उसे डण्डा मारा जाता है। किन्तु इसे एक दूसरे अर्थ में भी समझा जा सकता है—व्यक्ति जबकि इस अर्थ-बोध में समर्थ है, वह प्राय: ही या तो इस ओर देखता ही नहीं अथवा देख कर उसका अर्थ समझने में असमर्थ रहता है, अथवा अर्थ जानकर भी उसमें प्रवृत्त नहीं होता; उस अवस्था में उससे अधिक

अनुभवी, अधिक विज्ञ **सामाजिक अतिव्यक्ति** अपने इस बोध का आरोपण उस पर करता है। इस प्रकार, यद्यपि सामाजिक पुरस्कार और दण्ड कर्तृत्वाभिमान की, वैयक्तिक चेतना की, असामर्थ्य को पूर्वकल्पित करते हैं किन्तु स्वयं ये इसी अर्थ–बोध के परिणाम होते हैं। ये सामाजिक पुरस्कार और दण्ड भी इस अर्थ में सामाजिक नहीं होते कि ये सामाजिक सम्बन्धों के निर्देशक होते हैं, क्योंकि ये अत्यन्त निभृत वैयक्तिक आदर्शों और मूल्यों के भी पुरस्कारक होते हैं, ये इस अर्थ में सामाजिक होते हैं कि इनका अधिष्ठान सांस्कृतिक कर्तृत्वाभिमान होता है।

'कर्म' के इस अर्थ में 'औचित्य–अनौचित्य' उसके अर्थ के घटक हैं, अर्थात् कोई कर्म ऐसा नहीं हो सकता जो उचित या अनुचित नहीं हो; अथवा कहें, जिस क्रिया को उचित या अनुचित नहीं कहा जा सकता उसे कर्म नहीं कहा जा सकता।

इस दृष्टि से 'उचित' और 'अनुचित' शब्द 'सत्य' और 'असत्य' के समान हैं जो ज्ञान–विषयों के अर्थ–घटक होते हैं। विषयों का सत्यासत्यत्व एक निश्चित कसौटी पर पूरा उतरने में है। इस प्रकार से, कसौटी या प्रतिमान प्रकट रूप से विषय–बाह्य होते हैं। किन्तु वास्तव में कसौटियाँ या प्रतिमान विषय–बाह्य नहीं होते, विषय अपनी उत्पत्ति के साथ ही अपने सत्यासत्यत्व की कसौटी को भी जन्म देता है।[1] उदाहरणत: 'यह मेज़ है' ज्ञानात्मक निर्णय है और मेज़ इसमें विषय है। अब, यह निर्णय सत्य है यदि यह प्रस्तुत 'मेज़ होने' की कसौटी को सन्तुष्ट करता है। यह कसौटी मेज़ के विषय–बोध की घटक है, उससे पृथक् नहीं है। यदि इस कसौटी को बदल दिया जाय तब इस विषय का स्वरूप भी बदल जायेगा। उदाहरणत: वैज्ञानिक कसौटी और मिथकीय कसौटी भिन्न–भिन्न होती हैं और परिणामत: उनके विषय भी भिन्न–भिन्न होते हैं। (जैसाकि 'मिथक' और 'प्राकृतिक विज्ञान' अध्यायों में निरूपित विषयों के स्वरूप में देखा जा सकता है।[2])

इसी प्रकार से कर्मों के लिए भी—कर्मों के औचित्य–अनौचित्य की कसौटी इस अर्थ में प्रत्येक कर्म से बाह्य होती है कि प्रत्येक कर्म को उस कसौटी को सन्तुष्ट करना होता है, किन्तु तब भी वह उसकी घटक होती है, क्योंकि कर्म ही इस कसौटी को जन्म देता है और कसौटी–भेद के साथ कर्म में स्वरूप–भेद हो जाता है। उदाहरणत: 'चौर–कर्म' अथवा 'असत्य–भाषण' के अनौचित्य की कसौटी 'लोभ' अथवा 'कामुक वृत्ति' के अनौचित्य से भिन्न है, प्रथम में कर्त्ता अपने को अन्य कर्त्ताओं के बीच पाता है जबकि दूसरे में कर्त्ता का कर्म अन्य कर्त्ताओं को प्रभावित नहीं करता—जब तक कि यह कर्म मानसिक स्तर तक ही रहता है। सम्भवत: यह कहा जाय कि कोई ऐसा कर्म नहीं है जो अन्यों को प्रभावित नहीं करता। यदि कोई ऐसा कहता है तो वह 'प्रभाव' शब्द का प्रयोग अत्यन्त व्यापक अर्थ में कर रहा है। उसके अनुसार यदि मैं एकान्त वन में रहता हूँ तो भी मेरे विचार मेरे व्यक्तित्व को प्रभावित करेंगे और व्यक्तित्व विश्व की समग्रता में एक अंश होने के कारण विश्व की समग्रता को प्रभावित करेगा। 'प्रभाव' का यह अर्थ यहाँ अप्रासंगिक है, क्योंकि एक तो यह केवल कर्म की ही विशेषता नहीं है और दूसरे, कर्त्ता अपने ऐसे कर्मों के औचित्य को अन्य कर्त्ताओं के परिप्रेक्ष्य में नहीं आँकता। यदि मैं अत्यन्त भीरुता के कारण अपने लोभ को कभी चौर–कर्म में परिणत नहीं कर पाता, अथवा यदि मैं अपने धन से निरन्तर अपनी जिह्वा को सन्तुष्ट करने में प्रवृत्त रहता हूँ, तो कम–से–कम कुछ अवस्थाओं में, मेरे कर्म के औचित्य की कसौटी अन्य कर्त्ताओं के मध्य मेरे कर्तृत्व से निर्धारित नहीं होती, किन्तु तब भी ये कर्म 'उचित' अथवा 'अनुचित' होते हैं।

कुछ कर्म ऐसे भी होते हैं जो 'औचित्य' या 'अनौचित्य' के सन्दर्भ में घटित हो भी सकते हैं और नहीं भी हो सकते। उदाहरणत:, मेरा कला–कर्म उचित है, किन्तु यह कुशल या अकुशल भी है। कर्म की ये दो अत्यन्त भिन्न प्रकार की कसौटियाँ हैं और परिणामत: 'एक कला–कर्म' अत्यन्त भिन्न दो विषयों के रूप में रचित होता है।

---

1. यशदेव शल्य — **ज्ञान और सत्**, अध्याय 3.
2. **ज्ञान और सत्** में अध्याय 4, 5 तथा 8 भी द्रष्टव्य।

'उचित-अनुचित' केवल कर्तृत्वाभिमान का प्रसंग है, अर्थात् क्रिया के कर्त्ता के अर्थ-बोध के प्रतिमान पर परखे जाने का।

× × ×

'कर्तृत्वाभिमान' या 'कर्त्ता का अर्थ-बोध' पद का अर्थ 'नैतिक मूल्य' और 'उचित' के स्वरूप को समझने के लिए आधारभूत है। सब क्रियाएँ लक्ष्यपरक होती हैं, अर्थात् इनका जन्म अपेक्षामूलक होता है, और इस अपेक्षा के सन्तोषक विषय अथवा वस्तु अथवा अवस्था की प्राप्ति के साथ क्रिया पर्यवसित हो जाती है। लक्ष्यपरकता ही 'क्रिया' को 'घटना' से अलग करती है। इस लक्ष्यपरकता में कोई कर्तृत्व या लक्ष्य का विचार होना आवश्यक नहीं है, निद्रित अवस्था में खुजलाना तक एक क्रिया है। कुत्ते का रोटी की खोज में इधर-उधर घूमना भी एक क्रिया ही है, और एक प्रकार से निद्रा में खुजलाने और भूख लगने पर भोजन खोजने में कोई मौलिक अन्तर नहीं है, क्योंकि भूख और खुजली दोनों स्वतोजात अपेक्षाएँ हैं और ये दोनों अपने सन्तोष के लिए चेतनता की अपेक्षा नहीं करतीं। वास्तव में यह कहना कठिन है कि कुत्ता भोजन खोजते हुए उस अवस्था से कुछ मौलिक रूप से भिन्न अवस्था में होता है जिसमें कि वह निद्रा में खुजलाते हुए होता है। इनमें यह तारतम्य शरीरवैज्ञानिक दृष्टि से ही नहीं है बल्कि मनोवैज्ञानिक दृष्टि से भी है—दोनों अवस्थाओं में कुत्ते की चेतना प्रस्तुत-वृत्ति में निहित होती है। अधिक-से-अधिक यह कहा जा सकता है कि जागृत अवस्था में वह प्रस्तुत वृत्ति में पूर्णत: निहित नहीं होती। किन्तु यह सुषुप्तावस्था में भी एक ही वृत्ति में निहित होनी आवश्यक नहीं है। मुख्य बात यह है कि स्वत: इन अपेक्षाओं के स्वरूप में कोई मौलिक अन्तर नहीं है। मानवीय क्रियाएँ पाशव क्रियाओं से कुछ भिन्न होती हैं। खुजलाने आदि की क्रिया मनुष्य और पशु में एक ही स्तर की होती है, किन्तु मनुष्य में भूख और भोजन के बीच का व्यवधान मानसिक दृष्टि से बहुत दीर्घ है। यह व्यवधान, कुछ अवस्थाओं को छोड़ कर, अपेक्षा को इच्छा का रूप दे देता है। अपेक्षा जब ज्ञान-विषय बनती है और अपेक्षित के रुचि-अरुचित-भाव-संयुत बिम्ब को जन्म देती है तब वह इच्छा बनती है। इस प्रकार से 'अपेक्षा' और 'इच्छा' में एक गम्भीर अन्तर है। यह अन्तर मनुष्य को आवश्यकतानुसार शरीर-क्रिया को रोकने की सामर्थ्य देता है। इस सामर्थ्य के कारण ही मनुष्य अविहित कर्म (क्रिया) करने पर दण्ड का भागी समझा जाता है। किन्तु तब भी यह अन्तर मौलिक अन्तर नहीं है, इसे जटिलता का अन्तर कहा जा सकता है, क्योंकि कुत्ते को भी शरीर-क्रिया में प्रवृत्त होने से रुकना सिखाया जा सकता है। आंग्ल-अमरीकी मनोवैज्ञानिक और समाज-वैज्ञानिक 'मूल्य' को 'तरजीह' या 'अभिरुचि' का ही पर्याय समझते हैं, उस अवस्था में उनका मानव-मन सम्बन्धी निष्कर्षों को मूषिकों पर प्रयोग के आधार पर स्थिर करना ही है। इस प्रकार से इच्छा-पूर्तिमूलक मानवीय क्रियाएँ क्रिया के स्तर से ऊपर नहीं उठ पातीं।

कर्म विशिष्ट रूप में मानवीय, या कहें पाशवोत्तर, स्थिति है। इसका स्रोत आत्म-साम्मुख्य है। आत्म या अभिमान (ज्ञाता या कर्त्ता के रूप में 'मैं' का बोध) न केवल ऐन्द्रिय विषय ही नहीं है बल्कि बौद्धिक विषय भी नहीं है, यह विशिष्ट रूप से मूल्य-विषय है। इसका अर्थ यह नहीं कि यह प्रज्ञानात्मक (कोग्नीटिव) नहीं है, यह उतना ही प्रज्ञानात्मक है जितने अन्य विषय, यद्यपि यह केवल विरले लोगों को, या विरले क्षणों में ही, स्फुट प्रत्यक्ष के समान दुर्निवार रूप से प्रस्तुत होता है। किन्तु भिन्न प्रकार का विषय होने से इसके अर्थाभ्युपगम (अर्थ के घटक तत्त्व) भिन्न प्रकार के होते हैं, जिस प्रकार से 'गुरुत्वाकर्षण क्षेत्र' के अर्थाभ्युपगम 'मेज़' से भिन्न प्रकार के होते हैं। कर्तृत्वाभिमान का अर्थाभ्युपगम 'अपने कर्म की सार्थकता की जिज्ञासा है'। इसका प्रामाण्य इस प्रश्न के ऐसे समाधान में है जो विशिष्ट रूप से इस प्रश्न के अनुरूप हो। जब इसका समाधान 'ऋणं कृत्वा घृतं पिवेत' दिया जाता है तब इस प्रश्न का अभिप्राय ग़लत समझ लेने के कारण, क्योंकि घृत भूख को या जिह्वा को तो सन्तुष्ट करता है, जीवन की सार्थकता की माँग को नहीं। किन्तु ऋण लेकर घी पीने का यह परामर्श इस प्रश्न का ही उत्तर है, यद्यपि प्रश्न यह नहीं है कि भूख या आस्वाद-वासना कैसे तृप्त की जाये। इस पर आपत्ति की जा सकती है कि यह उत्तर भी 'घी पीने का परामर्श' नहीं है, उत्तर यह है कि 'जीवन का स्वरूप शरीरात्मक है।' किन्तु यह उत्तर भी

प्रश्न को ठीक नहीं समझने का परिचायक ही होगा, क्योंकि प्रश्न यह नहीं है कि जीवन का द्रव्य रूप क्या है ('जीवन' शब्द के किसी भी अर्थ में) अथवा कि, जीवन किस द्रव्य से निर्मित है, बल्कि यह कि इस विशिष्ट विषय—अभिमान—की क्या व्याख्या है, किस पदावली में यह समझा जाये?

उपर्युक्त परामर्श का एक और अर्थ भी हो सकता है, कि इस (कर्त्तृत्वाभिमान) के अर्थ की माँग भ्रामक है, यह उस चीज़ की माँग है जो है ही नहीं—शुभ, लोकोत्तर अथवा आत्मोत्तर–अन्वेष्य का कुछ अर्थ नहीं है, क्योंकि है तो केवल दृश्यमान, है तो केवल लोक। यह उत्तर ठीक प्रश्न का है, किन्तु यह भ्रान्त उत्तर है।

अभिमान रूप यह विषय उतना ही ठोस रूप से है जितना कुछ भी अन्य विषय। विषय के होने का प्रामाण्य विषय स्वयं है। हमने कहा, यह विषय मूल्यात्मक है, अर्थात् इसकी रचना सत्यासत्य के सन्दर्भ में नहीं होकर उचित–अनुचित और चरितार्थ–अचरितार्थ के सन्दर्भ में होती है। मूल्य द्रव्य या गुण नहीं होकर ऐसी अवस्था है जो न है और न नहीं है। यह है नहीं, क्योंकि यह प्राप्त अवस्था नहीं है, यह होने योग्य अवस्था है, यह नहीं है ऐसा भी नहीं, क्योंकि अन्वेषण उसे लक्ष्य कर अग्रसर होता है, यह हो जाने के लिए है। इसलिए चार्वाक जब कहते हैं कि यह असत्–वस्तु की माँग है तब वे इस भ्रम में हैं कि मूल्य सत् की माँग होती है; यह क्रिया के लक्ष्य को और कर्म के लक्ष्य को घपलाना है। **मूल्य अन्वेषक के वह होने की माँग है जो वह (अन्वेषक) नहीं है, और क्योंकि यह अवस्था अपने हो जाने के रूप में प्राप्तव्य है इसलिए वह कहीं विद्यमान नहीं होती।**

इससे मूल्य–प्रत्यक्षवादियों (जैसे मूर)[1] की भूल भी देखी जा सकती है। मूर शुभ या श्रेय को वस्तु का गुण मानते हैं, यद्यपि अप्राकृतिक प्रकार का गुण। उनके अनुसार, यह गुण उसी प्रकार से गम्य होता है जैसे प्राकृतिक गुण, यद्यपि यह इन्द्रियगम्य नहीं होता। यद्यपि मूर गम्यता के इस स्वरूप को परिभाषित नहीं करते किन्तु वे इसमें कोई सन्देह नहीं रहने देते कि यह गुण प्रत्यक्षगम्य (अनैन्द्रिय प्रत्यक्षगम्य) है। किन्तु वास्तव में 'श्रेय', 'शुभ' आदि उपयुक्त रूप से वस्तुओं के विशेषण ही नहीं होते, उपयुक्त रूप से ये कर्मों के ही विशेषण होते हैं। 'श्रेय' या 'शुभ' विशेषण जब वस्तुओं के साथ भी प्रयुक्त होते हैं तब केवल कर्म की प्रतिफल वस्तुओं के साथ ही प्रयुक्त होते हैं। 'सुन्दर' शब्द यद्यपि प्राकृतिक वस्तुओं के गुण के अर्थ में भी प्रयुक्त होता है, किन्तु ऐसे प्रयोगों में यह मूल्यार्थक नहीं होता। मूल्य के अर्थ में 'सुन्दर' शब्द विशेषण के रूप में नहीं संज्ञा के रूप में प्रयुक्त होना उपयुक्त है। इस प्रकार से 'सौन्दर्य मूल्य है' का अर्थ है 'सौन्दर्य चरितार्थ्य' है। कर्त्तृत्वाभिमान इस मूल्यात्मक सौन्दर्य को ही कलाओं के माध्यम से, और विभिन्न प्रकार से, चरितार्थ करता है।

× × ×

कांट ने 'कर्त्तव्य' को 'सार्वभौमिक उत्तरदायित्व' कहा है। किन्तु उसने इस सार्वभौमिकता की जैसी व्याख्या की है वह कसौटी को बाहरी भी बना देती है और अप्रयोज्य भी। 'सत्य बोलना' यह कर्त्तव्य है और इस प्रकार से, उसके अनुसार, यह 'सार्वभौमिक उत्तरदायित्व' है। 'सार्वभौमिक उत्तरदायित्व' का अर्थ है 'सबके लिए सब समय कर्त्तव्य'। यह क्यों उत्तरदायित्व है? कांट का उत्तर होगा, क्योंकि यह विवेकशील संकल्प (रैश्नल विल) का विधान है। यह प्रतिपादन कांट के इस प्रतिपादन के साथ रखने पर कि 'संसार में कुछ शुभ नहीं है सिवाय शुभ संकल्प के', कांट हमारी स्थापना के बहुत निकट प्रतीत होते हैं; किन्तु तब भी वे सत्य–भाषण को, और इसी प्रकार से अन्य कर्त्तव्यों को, अनिवार्य कर्त्तव्यों के रूप में स्थापित करते हैं और इस प्रकार से ये कर्त्तव्य आकारिक सिद्धान्त का रूप लेते हैं, जो संकल्प के विधान नहीं होकर स्वतन्त्र अनिवार्यताएँ हो जाते हैं। इसका स्पष्टीकरण मैं एक उदाहरण से करूँगा—पत्रिका के सम्पादक के रूप में मेरा कर्त्तव्य है कि मैं समीक्षा के लिए प्राप्त पुस्तकों की समीक्षा निष्पक्ष व्यक्तियों से करवाऊँ। एक बार एक लेखक ने अपनी पुस्तक भेजते हुए मेरे से अनुरोध किया कि मैं उसकी दी गई समीक्षक सूची में से किसी के पास वह पुस्तक समीक्षार्थ भिजवा दूँ। मैंने उसे

1. जी.ई. मूर — **फिलासफिकल स्टडीज़** में कांसेप्शन ऑफ इंट्रिंसिक वेल्यू लेख।

इन्कार कर दिया, जबकि मैं अन्यथा स्वयं बहुत बार पुस्तक-लेखक से पूछ लेता हूँ कि उसकी पुस्तक किसे समीक्षार्थ भिजवा दी जाय। अब यहाँ मेरे कार्य में प्रकट विरोध है, और कहा जा सकता है कि, इस प्रकार से मैं विधान की सार्वभौतिकता का खण्डन करता हूँ। किन्तु यह ठीक नहीं है। यदि मैं ये आकारत: विरुद्ध दो क्रियाएँ एक ही प्रयोजन की सिद्धि—निष्पक्ष और उत्कृष्ट समीक्षा प्राप्त करना—के लिए करता हूँ तब मैं वास्तव में विवेकशील शुभ संकल्प के विधान का पालन करता हूँ, और वास्तव में ये दो विरोधी क्रियाएँ तब गम्भीरतर स्तर पर एक ही कर्म हो जाती हैं। यही बात 'सत्य-भाषण' के लिए भी है : सत्य-भाषण क्या है? यदि यह केवल विश्वासानुसार यथाभूत तथ्य का कथन मात्र है तब यह सापेक्ष दृष्टिकोण से यथारूप चित्र बनाने जैसी क्रिया है, और परिणामत: यह न उचित है न अनुचित है। कर्त्तव्य के रूप में सत्य-भाषण अत्यन्त जटिल मन:स्थिति को पूर्वपिक्षित करता है। 'असत्य-भाषण' का अनौचित्य कर्त्ता के इस बोध से उत्पन्न होता है कि यह कर्म उसकी अपनी आदर्श-प्रतिमा को खण्डित करता है, यदि उस स्थिति-विशेष में असत्यवादन से यह आदर्श-प्रतिमा खण्डित नहीं होती तब असत्य-भाषण अकर्त्तव्य नहीं है। यहाँ स्वभावत: उन व्यक्तियों के सम्बन्ध में नहीं कहा जा रहा है जो उस जटिल मन:स्थिति के अयोग्य हैं जो उत्तरदायित्व की पूर्वपिक्षा है। असत्य-भाषण के औचित्य और अनौचित्य के दो उत्कृष्टतम उदाहरण हमें महाभारत से मिलते हैं—कृष्ण अनेक बार असत्य-भाषण करने पर भी योगीराज रहे और युधिष्ठिर एक बार असत्य-भाषण से ही अपना उत्कर्ष खो बैठे थे, और उनका रथ, जो उनके निरपवाद रूप से सत्य-भाषण के कारण भूमि से चार अंगुल ऊपर रहता था, पृथ्वी पर आ गया था। युधिष्ठि का उत्कर्ष समाप्त होना वास्तव में उनकी अपनी प्रतिमा का अपने सम्मुख खण्डित होना था, इससे वे अपने स्वयं के सम्मुख अपराधी घोषित हो गये। यह उनके उस अन्तर्द्वन्द्व और आत्म-ग्लानि से स्पष्ट है **'नरो व कुंजरो वा'** कहने में प्रकट हुई।

जैसाकि हमने कहा, असत्य-भाषण से उस व्यक्ति की प्रतिमा खण्डित नहीं होती जिसकी प्रतिमा आदर्श के उन्नत बोध से मण्डित नहीं है, अथवा कहें, जिसके कर्त्तृत्वाभिमान का अर्थ स्फुट नहीं हुआ है, किन्तु कृष्ण की प्रतिमा भी खण्डित नहीं हुई थी जबकि वे योगीराज थे—अर्थात् जबकि उनको कर्त्तृत्वाभिमान का अर्थ स्फुटतम था। वह इसलिए खण्डित नहीं हुई क्योंकि उन्होंने अपने संकल्प को पूर्णत: विवेक में प्रतिष्ठित किया था। **जो अपने संकल्प को विवेक में प्रतिष्ठित कर सकता है उसका संकल्प पूर्णत: आत्म-विधायक होता है, वह किसी सिद्धान्त के आकार में नहीं बँधता।** कांट ने विवेकजनित स्वातन्त्र्य को स्वीकार करके भी आकार के बंधन को उसके ऊपर प्रतिष्ठित कर दिया। यही कारण है कि शिलर कांट के प्रतिपादन की अर्थापत्ति निकालते हैं कि "जो अपने पड़ोसी से प्यार करता है वह उसके प्रति कर्त्तव्य-पालन नहीं कर सकता" और इसके विपरीत कोर्नर कहते हैं कि "कांट का वास्तव अभिप्राय था कि कोई पड़ोसी से, और मानव से भी, घृणा करते हुए भी उसके प्रति कर्त्तव्य-पालन कर सकता है।"[1] कांट की ये दोनों ही व्याख्याएँ इस बात की द्योतक हैं कि कांट केटेगोरीकल इंपेरिटव को आकारिक अनिवार्यता के अर्थ में ही देखते हैं और उसे विवेकशील संकल्प के ऊपर प्रतिष्ठित करते हैं। किन्तु पड़ोसी के प्रति मन में प्रेम रखना उतना ही कर्त्तृव्य है जितना उसका हित करना, कर्त्तृत्वाभिमान के लिए दोनों बराबर कर्म हैं, कर्त्तृत्व-बाध **केवल मोहवश** होने में है, क्योंकि उसमें स्वातन्त्र्य, जोकि कर्त्तृत्व की पूर्वपिक्षा है, बाधित होता है। यहाँ 'सहानुभूति' का रूप देखना उपयोगी होगा। 'सहानुभूति' एक नैतिक वेदना है, वेदना होने से यह संवेगात्मक ही है, किन्तु तब भी उससे मूलत: भिन्न है। यह भेद इसके प्रभाव में ही नहीं है, अपने निजी गुण में भी है। यह दूसरे के दु:ख से जन्य ताप है, यह पर-दु:ख को अपने में स्थापित करना है, और इस दु:ख का कारण अपने में नहीं होने से यह दु:ख उन्मोचक होता है। दु:ख और सहानुभूति क्रमश: दाह और प्रकाश-तुल्य होते हैं।

इस पर आपत्ति की जा सकती है कि 'पड़ोसी से प्रेम करने' और 'पड़ोसी का हित करने' को एक ही स्तर पर नहीं रखा जा सकता, एक प्रकार से 'पड़ोसी से घृणा करने' को अकर्त्तव्य भी नहीं कहा जा सकता, क्योंकि

---

1. कार्नर — **कांट**, पृ. 131, पैंग्विन।

अकर्त्तव्य उसी कर्म को कहा जा सकता है जिसे करने से कर्त्ता अपने को रोक सकता हो। यदि मेरे मन में पड़ोसी को देख कर घृणा होती है तब मैं उसे उत्पन्न होने से रोक नहीं सकता, केवल उस ओर से तत्काल के लिए ध्यान हटा सकता हूँ। यह प्रश्न मूर[1] ने उठाया है और इसे कर्त्तव्य से भिन्न करने के लिए 'आदर्श कर्त्तव्य' कहा है, जबकि बाह्य कर्म को 'वास्तव–कर्त्तव्य' कहा है। किन्तु यह भेद भ्रामक है। मैं पड़ोसी से घृणा करते हुए भी जो उसके हित में प्रवृत्त होऊँगा वह इस बोध से कि पड़ोसी का हित करना उचित है, अर्थात् मैं घृणा से प्रेरित कर्म का बाध करूँगा, यह बाध अधिक उन्नत स्तर पर ले जाने पर मैं अपनी घृणा का भी निरास कर सकता हूँ; क्योंकि पड़ोसी के प्रति घृणा जिस कारण से हुई है मैं जैसे ही उस कारण को और अपने को एक दूसरे परिप्रेक्ष्य में देखूँगा वैसे ही यह कारण घृणाजनक नहीं रहेगा। कृष्ण जब अर्जुन से सब कर्मों को भगवत्–समर्पण करने को कहते हैं। तब वह परिप्रेक्ष्य के इस परिवर्तन की माँग ही है, वहाँ वे वास्तव से उलट 'प्रकट अकर्त्तव्य' करने का परामर्श देते हैं और 'आदर्श अकर्त्तव्य' से उपरत होने को कहते हैं। जैसे ही अर्जुन कौरवों को सर्वभक्षी मृत्यु के ग्रास के रूप में देख लेता है उसकी ग्लानि जाती रहती है, क्योंकि अब उसको नया बोध प्राप्त हो गया है।

किन्तु तब भी मूर का कथन इस सीमा तक ठीक है कि एक विशिष्ट भाव जब उत्पन्न होता है उसके पूर्व मैं उसके निरोध में समर्थ नहीं होता हूँ, क्योंकि उत्पन्न होने से पूर्व उसका निरोध नहीं हो सकता। बाह्य कर्म का निरोध इसलिए हो सकता है क्योंकि उससे पूर्व उसके लिए प्रवृत्ति उत्पन्न होती है, उस प्रवृत्ति को शारीरिक क्रिया में परिणत होने से रोका जा सकता है। किन्तु कठिनाई यह है कि मूर इस सीमा से आगे नहीं देखते। ऐसी मनोवृत्ति इसलिए उत्पन्न होती है क्योंकि कर्त्ता स्वातन्त्र्य में सम्यग्रूप से प्रतिष्ठित नहीं होता, उसकी यह असामर्थ्य उसे उसके कर्त्तव्य से वंचित करती है। यदि वह पर्याप्त सजग है तो उसे इसके परिणामस्वरूप आत्मग्लानि होना स्वाभाविक है। उस अवस्था में वह आत्म–शोधन करेगा और भविष्य में वैसी वृत्ति का जन्म उसमें नहीं होगा—यदि मैं अपने साथी के दोषों को अज्ञान का परिणाम देखता हूँ तब मुझे उससे घृणा के बजाय सहानुभूति उत्पन्न होगी, यदि तब भी मुझमें उससे घृणा उत्पन्न होती है तब समझिये कि मैंने इस विवेक का ग्रहण नहीं किया है, केवल मुझे शब्द–ज्ञान हुआ है।

वास्तव में मूर ने बाह्य कर्म और आन्तर वृत्ति में जैसा भेद किया है वह भी उतना ठीक नहीं है—स्वप्न में तो इन दो में कोई अन्तर रहता ही नहीं, उत्कट संवेग की स्थिति में भी यह नहीं रहता। उत्कट संवेग की स्थिति में अपनी शरीर–क्रिया को रोकने का अर्थ है संवेग की उत्कटता पर वश करना और इस प्रकार से विवेक को संवेग के ऊपर स्थापित करना।

× × ×

हमने औचित्य–अनौचित्य का स्रोत कर्त्तृत्वाभिमान (कर्त्ता के आत्मार्थ बोध) को कहा। इसका अर्थ है कि **यदि कोई अपने कर्म को उस अर्थ की कसौटी पर परखता है जिससे वह अपने को परिभाषित करता है, तो वह अपने कर्म को 'उचित' के सन्दर्भ में देखता है, अन्यथा नहीं।** उदाहरणत:, उपर्युक्त संवेगजन्य शरीर–क्रिया को लें। यदि मैं इसका निरोध इसलिए करता हूँ कि क्रोध के वशीभूत होना मेरे आत्मार्थ के प्रतिकूल है तब मैंने निरोध औचित्य के सन्दर्भ में किया, किन्तु यदि मैं यह निरोध इसलिए करता हूँ कि इसके कारण मुझे दण्ड का भाजन होना पड़ेगा, तब मैंने वह चातुरी अथवा व्यावहारिकता के सन्दर्भ में किया। अधिकांशत: हम अपने कर्म इस दूसरे सन्दर्भ में ही करते हैं। वास्तव में इनका क्षेत्र भी बहुत व्यापक है और वे वैयक्तिक लाभ के ऐसे सूत्र हैं जो समाज के सदस्य के रूप में व्यक्ति के अपने हितार्थ निरूपित होते हैं। सूक्तियों में ऐसी नीति का ही उपदेश रहता है, पंचतन्त्र में भी ऐसी नीतियों का ही निरूपण है। एक प्रकार से, सामाजिक दण्ड–व्यवस्था भी हमें ऐसा कर्म–कौशल सिखाने के लिए ही होती है, क्योंकि कोई कार्य इसलिए दण्डनीय होता है क्योंकि वह कार्य अन्ततः व्यक्ति के भी अहित में होता है। चौर–कर्म इसलिए दण्डनीय नहीं है कि कुकर्म है, बल्कि इसलिए दण्डनीय है

---

1. जी.ई. मूर — **फिलासिफिकल स्टडीज़** में दि नेचर ऑफ मॉरल फिलॉसफी लेख, पृ. 320. से आगे।

क्योंकि यह क्रिया उस व्यवस्था को भंग करती है जो प्रत्येक व्यक्ति के लिए, स्वयं चोरी करने वाले के लिए भी, हितकर है। किन्तु इसका अर्थ यह नहीं है कि सामाजिक नीति-विधान मूल्यात्मक नहीं होते, इसका अर्थ केवल यही है कि वे वैसे नहीं भी हो सकते। चौर-कर्म का उपर्युक्त सन्दर्भ व्यावहारिक नैपुण्य का सन्दर्भ है। किन्तु जब क के चोरी करने पर ख, ग, घ आदि उसकी निन्दा करते हैं तब वह कर्म नैतिक औचित्य के सन्दर्भ में निरूपित होता है, क्योंकि उस समय वे उसकी निन्दा ऐसे कर्म के रूप में करते हैं जिसमें कर्त्ता उससे अपेक्षित अर्थ से भ्रष्ट पाया जाता है, अथवा कहें, जो कर्म सांस्कृतिक कर्त्तृत्वाभिमान के प्रतिकूल पाया जाता है। इसमें सार्वजनिक लाभ का विचार मानक नहीं होता, सिवाय उन अवस्थाओं के जिनमें स्वयं यह लाभ ही कर्त्तृत्व के अर्थ का निर्धारक होता है। उदाहरणत: बौद्ध धर्म के उदय के बाद सहस्रों व्यक्तियों का छोटी आयु में ही संन्यासी बनना, पतियों की पराजय के बाद राजपूत स्त्रियों का सामूहिक रूप से आग में जलना (जौहर) आदि, अनेकानेक ऐसे उदाहरण दिए जा सकते हैं जिनका सामाजिक व्यवस्था या सार्वजनिक लाभ से कोई सम्बन्ध नहीं है, इनका सन्दर्भ एकमात्र सांस्कृतिक कर्त्तृत्वाभिमान—संस्कृति का आत्मार्थ बोध होता है। जब चौर-कर्म की निन्दा में यह तर्क भी दिया जाता है कि "यदि सब ऐसा करने लगें तो सामाजिक व्यवस्था कैसे रहेगी," तब भी यह मूल्यानुवाद ही होता है, क्योंकि 'सामाजिक व्यवस्था भंग करना' मूल्य का वैपरीत्य है, जब तक कि इसका किसी अन्य महत्तर मूल्य से अतिक्रमण नहीं होता।

इस प्रकार, सामाजिक सन्दर्भ में व्यवहार की परीक्षा अधिकांशत: मूल्यात्मक दृष्टि से ही होती है, किन्तु यह सन्दर्भ वैयक्तिक-सम्बन्धों का, अथवा व्यक्तिगत जीवन का, ही होता है। सामूहिक व्यवहार की परीक्षा दुर्भाग्यवश मूल्यात्मक दृष्टि से नहीं होती। उदाहरणत:, राजा, सरकार अथवा राष्ट्र के लिए कोई कर्म उचित-अनुचित नहीं माना जाता, केवल निपुण-अनिपुण अथवा उपयोगी-अनुपयोगी माना जाता है। राजा के लिए राज्य का लाभ, अथवा अपने राष्ट्र का लाभ उसके कर्म का प्रमापक माना जाता है। यह वास्तव में अत्यन्त जटिल प्रश्न है और इसके विस्तार में हम नहीं जाना चाहेंगे, किन्तु कुछ उदाहरण ऐसे भी मिलते हैं जब इस क्षेत्र में भी नैपुण्य के ऊपर मूल्य की प्रतिष्ठा की गयी। अशोक और गाँधी इसके दो उज्ज्वल उदाहरण हैं; रूस में साम्यवादी सरकार स्थापित करने पर लेनिन का जारों द्वारा विजित विदेशी प्रदेश उन देशों को लौटाना इसका एक अन्य उदाहरण है, जिसमें सामूहिक कर्म को पूर्ण रूप से औचित्य के सन्दर्भ में प्रतिष्ठित किया गया।

× × ×

औचित्य का स्रोत कर्त्तृत्व के अर्थ-बोध को कहने से यह निष्कर्ष निकाला जा सकता है कि नैतिक निर्णय विषयनिष्ठ होते हैं। किन्तु हमारी स्थापना से यह किसी प्रकार से अर्थापतित नहीं होता। वास्तव में विषयनिष्ठ-विषयिनिष्ठ शब्दों का प्रयोग अधिकांशत: इनको समझे बिना होता है, परिणामत: इस प्रसंग को लेकर बहुत घपला है।

'विषय' क्या है? इसका सहज उत्तर मन में आता है कि मेज़, कुर्सी, पुस्तक, जो मेरे सम्मुख दिखायी दे रहे हैं, ये विषय हैं। अर्थात् ऐन्द्रिय प्रत्यक्षगत वस्तुएँ विषय हैं। किन्तु इस परिभाषा को थोड़ा ध्यान से देखने पर इसकी अपर्याप्तता स्पष्ट हो जायेगी : ऐन्द्रिय प्रत्यक्षगत मेज़, कुर्सी, पुस्तक आदि नहीं होते, वर्ण, गंध, आस्वाद, ध्वनि आदि होते हैं। वर्ण-गंध आदि भी विषय हो सकते हैं, किन्तु मात्र ऐन्द्रिय प्रत्यक्षगत वर्ण-गंध आदि विषय नहीं हो सकते। 'आकाश की नीलिमा' में नीलिमा विषय है, किन्तु इसका विषयत्व वर्ण की प्रत्यक्षता में नहीं है, यद्यपि प्रत्यक्षता इसके विषयत्व की एक घटक है, इसका विषयत्व 'उन सब देखने वालों को नील दिखायी देने की सम्भावना में' है 'जिनकी दृष्टि निर्दोष' है। इस परिभाषा में 'सम्भावना' और 'निर्दोष' शब्द समस्यात्मक हैं। किन्तु हम इस प्रश्न के विस्तार में जाये बिना कह सकते हैं कि 'सम्भावना' का अर्थ है, "वस्तु का वह गुण जो प्रत्यक्षातिक्रामी है, जो प्रत्यक्षगत नहीं होता" और 'निर्दोष दृष्टि' का अर्थ है "वह दृष्टि जो वर्ण को अधिकांश देखने वालों के अनुरूप देखती है।" यह परिभाषा अत्यन्त स्थूल है, इसको सूक्ष्म विस्तार में हम पिछले अध्याय (प्राकृतिक विज्ञान) में देख आये हैं। प्रस्तुत प्रयोजन के लिए उपर्युक्त परिभाषा पर्याप्त है। अब इस परिभाषा से स्पष्ट है कि ऐन्द्रिय विषयों का विषयत्व अतीन्द्रिय है—यह सर्जनात्मक मन का आक्षेप है जो प्रत्यक्षों को विषयत्व

प्रदान करता है। इसके बिना वर्ण आदि विशुद्ध रूप से 'व्यक्तिगत', अथवा कहें 'विषयिनिष्ठ', रहते हैं। यह रचना-तत्त्व उन नियमों के रूप में व्यक्त होता है जो किसी निर्णय के युक्त-अयुक्त होने की कसौटी बनाते हैं। युक्तता के जितने सन्दर्भ होते हैं उतने ही प्रकार के विषय होते हैं। इस प्रकार प्रत्यक्षगत विषय एक प्रकार के विषय हैं और धार्मिक, नैतिक, वैज्ञानिक अन्य अनेक प्रकार के।[1] ये सब बराबर विषय हैं। किन्तु एक सन्दर्भ के अन्तर्गत भी नियम अथवा कसौटी एक ही प्रकार की होना अनिवार्य नहीं है, वे अनेक प्रकार की हो सकती हैं। अनिवार्यता केवल इस बात में है कि एक कसौटी स्वीकार करने पर ही एक प्रकार के निर्णयों की युक्तता आपादित होगी। उदाहरणतः प्रत्यक्षगत विषय वैज्ञानिक कसौटी पर और मिथकीय कसौटी पर रचित होते हैं, और अन्यान्य दूसरी कसौटियों पर भी रचित हो सकते हैं। इन कसौटियों के वैभिन्न्य से इन विषयों की विषयनिष्ठता का खण्डन नहीं होता, क्योंकि विषयनिष्ठता की कसौटी केवल सार्वजनिकता नहीं है। विषयनिष्ठता की कसौटी वे अर्थमूलक अभ्युपगम होते हैं जो उन सम्बन्धी निर्णयों को युक्त अथवा अयुक्त बनाते हैं—ज्ञान-विषयों को सत्य या असत्य और नैतिक विषयों को उचित या अनुचित। ये अर्थाभ्युपगम नियत होने पर निर्णयों का औचित्य-अनौचित्य या सत्यता-असत्यता नियत रहते हैं और सब के लिए समान रूप से स्वीकार्य होते हैं। किन्तु स्वयं अर्थाभ्युपगम किसी से नियत नहीं रहते, एक सन्दर्भ में ये अनेक हो सकते हैं। उदाहरण के लिए बुद्ध और कन्फ्यूशियस के नैतिक औचित्य के सन्दर्भान्तर्गत अर्थाभ्युपगम भिन्न-भिन्न थे, हिन्दू संस्कृति और मुस्लिम संस्कृति के भी अर्थाभ्युपगम (घटक अर्थ) भिन्न-भिन्न हैं, अर्थात् हिन्दू संस्कृति में भाग लेने वाला व्यक्ति और मुस्लिम संस्कृति में भाग लेने वाला व्यक्ति अपने कर्मों की व्याख्या और विनियोग भिन्न-भिन्न अभ्युपगमों के प्रसंग में करते हैं। किन्तु इन दोनों के कर्मों के औचित्य पूर्णरूप से विषयनिष्ठ हैं, क्योंकि ये औचित्य व्यक्तिगत रुचि और सुविधा से निर्धारित नहीं होते।[2]

ये अर्थाभ्युपगम सहज लब्ध भी हो सकते हैं और प्रतिपादित भी हो सकते हैं। मनुष्य जैसे ही मानवता का स्तर प्राप्त करता है वह कर्त्तृत्वाभिमान का साक्षात् करता है—व्यक्तिशः या जातीय समग्रता में। समाज की आदिम अवस्थाओं में वैयक्तिक व्यक्तित्व का स्फुट बोध नहीं रहता, इसलिए कर्त्तृत्वाभिमान का साम्मुख्य भी जातीय समग्रता में ही होता है, अथवा कहें—जातीय कर्त्तृत्वाभिमान का साम्मुख्य होता है। उस समय इस विषय—जातीय कर्त्तृत्वाभिमान—के अभ्युपगम पूर्णतः सहज-लब्ध होते हैं। पीछे, सांस्कृतिक विकास क्रम में, कुछ विलक्षण चेतना-सम्पन्न व्यक्ति इन अभ्युपगमों के विरुद्ध विद्रोह कर नये अभ्युपगमों का प्रतिपादन करते हैं, जो अन्यों के लिए सहज-लब्ध हो जाते हैं।

अभ्युपगमों को इस प्रकार से स्वतःसिद्ध और औचित्य को इस प्रकार से सापेक्ष मानने के विरुद्ध आपत्ति की जा सकती है कि इसके अनुसार सब अभ्युपगम बराबर स्तर के हो जायेंगे और परिणामतः किन्हीं स्थापित अभ्युपगमों के विरुद्ध विद्रोह यादृच्छिक हो जायेगा। उदाहरणतः बुद्ध द्वारा हिन्दू कर्त्तृत्वाभिमान के स्थापित रूप को चुनौती देने की क्या युक्तता होगी, सिवाय इसके कि वे इसके स्थापित रूप से असन्तुष्ट थे, अथवा कि उन्होंने जिस कर्त्तृत्वाभिमान का साम्मुख्य किया उसके अभ्युपगम भिन्न थे?

इसका अंशतः उत्तर होगा कि, उनकी कोई युक्तता नहीं है सिवाय इसके कि उन्होंने भिन्न परिप्रेक्ष्य में औचित्य के सन्दर्भ को देखा था। किन्तु यह केवल अंशतः ही सही है, यद्यपि अंशतः सही यह अवश्य है। किन्तु इसके शेषांश को समझने के लिए प्रश्न की गहराई में और नीचे उतरना होगा।

---

1. द्रष्टव्य : **ज्ञान और सत्** में प्रवेश, अध्याय 4-5, तथा पीछे मिथक और प्राकृतिक विज्ञान अध्याय।
2. श्री चांदमल ने नैतिक औचित्य को इस अर्थ में सार्वभौमिक माना है कि औचित्य विषयक कोई निर्णय निरपेक्षतः उचित या अनुचित होता है। वे कहते हैं—"नैतिक तथ्यों का नैतिक दृष्टि से पर्यवेक्षण करने पर सभी नैतिक चिन्तक उनकी मूल्यात्मकता के बारे में सदैव एक ही निष्कर्ष पर पहुँचेंगे। इसी अर्थ में नैतिक निर्णयों को सार्वभौम कहा जा सकता है।" (दार्शनिक त्रैमासिक, अक्टूबर 1965) पृ. 231। उद्धृत वाक्य यद्यपि थोड़ा भ्रामक है, क्योंकि यह पुनरुक्ति मात्र प्रतीत होता है, किन्तु चांदमल जी यहाँ यही कहना चाहते हैं कि नैतिक-सन्दर्भ में नैतिक तथ्यों पर निर्णय एक ही हो सकते है। यदि तथ्य त के सम्बन्ध में निर्णय क सही है तो ख, ग सही नहीं हो सकते। हमारे विचार में, नैतिक वस्तुस्थिति का यह एक अनुपयुक्त विवेचन है।

कर्त्तृत्व-बोध अथवा मूल्यात्मक कर्म-चेतना जबकि अपने चरितार्थन के लिए अनेक अभ्युपगमों का आश्रय लेती है, यह अपने अर्थ का सदैव स्पष्ट और सम्यक् ज्ञान नहीं रखती। आत्मार्थ का सम्यक् ज्ञान जबकि प्रामाण्य-दृष्टि को भी न्यूनाधिक मात्रा में ही प्राप्त होता है, मूल्यात्मक दृष्टि के लिए यह ज्ञान अत्यधिक दुर्लभ होता है। निस्सन्देह यह ज्ञान अनेक अभ्युपगमों द्वारा चरितार्थ हो सकता है, किन्तु इन अभ्युपगमों का अपना तर्क सदैव हमें पूर्णत: ज्ञात नहीं होता, और बहुत बार अभ्युपगम भी भ्रान्त हो सकते हैं। उदाहरणत: बुद्ध और ईसा के अभ्युपगम एक ही नहीं थे, किन्तु दोनों में कर्त्तृत्व-दृष्टि की सम्यक्ता की बराबर सम्भावनाएँ हैं, यद्यपि प्रजातन्त्र समग्र अनुभव के अधिक समृद्ध स्तर की पूर्वापेक्षा करता है। अब, प्रजातन्त्र बोध के जिन अभ्युपगमों पर प्रतिष्ठित है उनकी सम्यक्तम दृष्टि हम गाँधीवादी राज्य-व्यवस्था में और गाँधीवादी राजनैतिक आचार-संहिता में पाते हैं, किन्तु गाँधीजी से पूर्व यह किसी ने नहीं देखा था और न उनके बाद किसी ने उसे स्वीकार करने का साहस दिखाया है।

कर्त्तृत्व-दृष्टि बहुत बार भ्रान्त भी होती है और इसके भ्रान्त होने की सम्भावनाएँ उससे कहीं अधिक रहती हैं जितनी प्रामाण्य-दृष्टि के, क्योंकि कर्म का सम्बन्ध हमारे वासना-आवेगमय जीवन से कहीं अधिक घनिष्ठ है, जितना कि प्रामाण्य का। यह सम्बन्ध इतना निकट और घनिष्ठ है कि बहुत-से विचारक मूल्य-दृष्टि को, जिसमें कर्त्तृत्व-दृष्टि एक भाग है, वासना ओर आवेगमूलक ही मानते हैं। किन्तु जितना ही निकट का सम्बन्ध इनमें है उतना ही वैपरीत्य इनके स्वरूप में है। प्रामाण्य-सन्दर्भ के अर्थाभ्युपगम वासनामूलक हो सकते हैं (पौराणिक प्रामाण्य-दृष्टि वासनामूलक ही है), और यदि क्रिया-कारित्व के बौद्ध सिद्धान्त को माना जाय, तो सभी प्रामाण्य दृष्टियाँ वासनामूलक ही हैं। किन्तु मूल्य-दृष्टि अथवा कर्त्तृत्वाभिमान का बोध, अर्थात: वासना का प्रतिषेधक है, क्योंकि स्वातन्त्र्य कर्त्तृत्व-बोध की सम्यक्ता की पूर्वापेक्षा है। उदाहरणत: अन्तर्वैयक्तिक सम्बन्धों में नैतिक दृष्टि, अन्य बातों के अतिरिक्त, स्वार्थ-त्याग अथवा आत्म-बलिदान की भावना को जन्म देती है। अब, यदि आत्म-बलिदान को भी वासना मान लिया जाय तब दूसरी बात है, किन्तु अन्यथा यह वासना से ऊपर उठकर कर्म को विवेक में प्रतिष्ठित करना है। उदाहरणत: मैत्री को लें—'राम मेरा मित्र है' का अर्थ इसके ठीक विपरीत है कि 'राम मेरा स्वार्थ-साधक है', बहुत कुछ इसका अर्थ है कि 'मैं राम का स्वार्थ-साधक हूँ'। यह ठीक है कि यदि राम मेरा मित्र है तो वह मेरा स्वार्थ-साधन भी करेगा, यदि वह उसका विपरीत करता है तो वह मित्र नहीं हो सकता, क्योंकि इस प्रकार से उसका व्यवहार 'मित्र' के अर्थ का बाधक होगा; किन्तु मेरी उसके प्रति मित्रता का उसकी मेरे स्वार्थ-साधन में उपयोगिता से कोई सम्बन्ध नहीं है। इसीलिए मित्रता के आदर्श के रूप में सुदामा के प्रति कृष्ण के मित्र-भाव का उदाहरण दिया जाता है, कृष्ण के प्रति सुदामा के मित्र-भाव का नहीं। यही बात राम के वन-गमन में उदाहृत होती है : दशरथ यदि राम को राज्य देते तो कर्त्तव्य का कोई विशेष परिचय नहीं देते, यदि उन्होंने राज्य राम को नहीं दिया तो वे भयानक रूप से कर्त्तव्य-च्युत हुए। इस परिप्रेक्ष्य में राम का दशरथ की आज्ञा का पालन राम के कर्म के गौरव को शतथा बढ़ा देता है।

वासना, प्रवृत्ति और संवेग का प्रतिषेध कर्त्तृत्वाभिमान के अभ्युपगमों का मुख्य घटक है। वासना, संवेग आदि का अपने विषयों से सम्बन्ध कारण-मूलक होता है और अतएव विषय इनमें नियामक होता है। इसके विपरीत कर्त्तृत्व का विषय, जैसाकि हमने पीछे देखा, बोध का अपना स्वरूप है जो क्रिया के माध्यम से अपने को चरितार्थ करता है।

निश्चय ही व्यक्तियों के जीवन में स्वातन्त्र्य के ऐसे क्षण विरले ही होते हैं, किन्तु ये क्षण ही नैतिक कर्म के क्षण होते हैं, शेष तो हम सांस्कृतिक कर्त्तृत्व-बोध की अभिव्यक्ति के निमित्त मात्र बनते हैं।

धर्म का स्वरूप

धर्म का महत्त्व मानव-संस्कृति में अद्वितीय है। भर्तृहरि का प्रसिद्ध श्लोक धर्म को ही मानव का अतिरिक्त लक्षण बताता है, उसके अनुसार शेष लक्षण तो मनुष्य और पशु में समान ही होते हैं। बर्गसाँ[1] के अनुसार, आदिमतम अवस्थाओं में भी कोई मानव-समुदाय ऐसा नहीं है, और न रहा है, जो धर्म से रहित हो। इस प्रकार से कहा जा सकता है कि मानव का जन्म धर्म के साथ ही हुआ। किन्तु बर्गसाँ का यह कथन दार्शनिक कथन नहीं है, यह नृतत्व-वैज्ञानिक कथन है। लेवी ब्रूह्ल, जिसे कि उसने अनेक बार अपनी पुस्तक में उद्धृत किया है, और दुर्खीम, दोनों का ऐसा ही विचार है; और कहा जा सकता है कि यही विचार आज के अधिकांश नृतत्व-वैज्ञानिकों का है। किन्तु भर्तृहरि का कथन नृतत्व-वैज्ञानिक कथन नहीं है, यह परिभाषात्मक कथन है, यह उस मानव-तन-धारी को पशु की कोटि में रखने के लिए है जिसमें वे विशेष लक्षण नहीं हैं जिन्हें वे 'धर्म' मानते हैं। धर्म का यह पारिभाषिक अर्थ है। यों अर्थ तो अधिकांशत: पारिभाषिक ही होते हैं, और इस प्रकार से नृतत्व-वैज्ञानिक भी जब कहता है कि मानवता के चिह्न जहाँ भी हमें मिलते हैं वहाँ धर्म के भी लक्षण मिलते हैं, तब उसका कथन भी बहुत कुछ वैसा ही होता है जैसा भर्तृहरि का। किन्तु तब भी एक गम्भीर अन्तर है, नृतत्व-वैज्ञानिक मनुष्य के अन्य लक्षणों को मुख्य मान कर देखता है कि क्या उसमें धर्म के लक्षण भी हैं? जबकि भर्तृहरि धर्म से ही मानवता को परिभाषित करते हैं। एक अन्तर और है, नृतत्व-वैज्ञानिक अपनी परिभाषा बहुत शिथिल और अनिश्चित रखता है और आवश्यकता के अनुसार उसका निरन्तर विस्तार करता जाता है। धर्म के इस विस्तृत अर्थ में, वे सब संस्थाएँ धार्मिक संस्थाएँ हैं जो पवित्र-अपवित्र, कार्य-अकार्य, देव-असुर और परलोक-चमत्कार विषयक धारणाओं को व्यक्त करती हैं। इस प्रकार, वह धारणा धर्म है जो इन संस्थाओं को जन्म देती है। नृतत्व-वैज्ञानिक इस धारणा के स्वरूप पर विचार नहीं करते, उनके विषय केवल संस्थाएँ और संस्थागत व्यवहार ही हो सकते हैं। वे यदि कभी इस धारणा की ओर देखते हैं तब इसे अंधविश्वास (सुपरस्टिशयन) अथवा अतार्किक मन:स्थिति आदि कह कर सन्तुष्ट हो जाते हैं। इस धारणा पर विशेष विचार मनोवैज्ञानिक करते हैं, किन्तु सब विज्ञान अध्ययनगत वस्तुस्थिति को ऐसे तत्त्वों में विश्लेषित कर समझना चाहते हैं जिनमें स्वयं अध्ययनगत वस्तुस्थिति के लक्षण विद्यमान नहीं हों। यह भौतिक वस्तुस्थिति के अध्ययन में चाहे जितनी भी उपयोगी विधि हो, मानवीय वस्तुस्थितियों में यह विधि अत्यधिक अनुपयुक्त है। मानसिक वस्तुस्थितियों का वैज्ञानिक अध्ययन तो अत्यधिक अनुपयुक्त हो जाता है। यह धार्मिक धारणा के सन्दर्भ में विशेष रूप से द्रष्टव्य है। उदाहरणत:, मनोविश्लेषक सब मानव-कर्मों और भावनाओं को अचेतन या अवचेतन में दमित किसी एक प्रयोजन की छद्म अभिव्यक्तियाँ मानते हैं। इस प्रकार से फ्रायड के लिए संगीत, दर्शन, विज्ञान और धर्म सब एक मैथुन दमित वासना की विभिन्न अभिव्यक्तियाँ हैं। उसके लिए धर्म और विज्ञान में अन्तर यह देखने में ही रह जाता है कि यह वासना छद्म की कौन-सी विधि एक में अपनाती है और कौन-सी विधि दूसरे में अपनाती है। यान्त्रिकतावादी मनोवैज्ञानिक उद्दीपन-प्रतिक्रिया संस्थान में सब मन:स्थितियों का अन्तर्भाव करते हैं, और इस प्रकार उनके लिए धर्म कुछ विशेष प्रकार के उद्दीपनों के प्रति विशेष प्रकार का प्रतिक्रिया-संस्थान मात्र है। जीववैज्ञानिकतावादी मनोवैज्ञानिक मन:स्थितियों अथवा मनस्क्रियाओं का अन्तर्भाव किसी सहज प्रवृत्ति (इंस्टिंक्ट) अथवा वासना (ड्राइव) में करते हैं। इनमें कुछ मनोवैज्ञानिक धर्म को मनुष्य की मूल वासना अथवा प्रवृत्ति भी मान सकते हैं, किन्तु तब भी, इसका वासना-लक्षण अथवा प्रवृत्ति-लक्षण होना आवश्यक है। इस

---

1. हेनरी बर्गसाँ — **टू सोर्सेज़ ऑफ मॉरेलिटी एण्ड रिलीज्यन।**

प्रकार से, उनके लिए धर्म पक्षियों के घोंसला बनाने, मूषिक के धान्य संग्रह करने और मगर के रेत में अण्डा सेने की प्रवृत्ति से, अथवा आहार, मैथुन आदि वासनाओं से, तुलनीय है। यह मनोविज्ञान का अनिवार्य दुर्भाग्य है कि वह कोई ऐसे सरल मूल प्रत्यय खोजे जो जीव-धर्म कहे जा सकें और समाजविज्ञान के लिए यह आवश्यक है कि वह मनोविज्ञान में प्रतिष्ठित और अन्तर्भूत हो। वास्तव में, विज्ञानों में अन्तर्भाव की एक शृंखला है : समाजविज्ञान मनोविज्ञान में अन्तर्भाव्य है, मनोविज्ञान जीवविज्ञान में, जीवविज्ञान शरीरविज्ञान में, शरीरविज्ञान रसायनविज्ञान में, और रसायनविज्ञान भौतिक-विज्ञान में। इस प्रकार से, भौतिक विज्ञान के अतिरिक्त शेष विज्ञान केवल मध्यवर्ती विज्ञान हैं।

किन्तु यदि कोई इन विज्ञानों को मध्यवर्ती नहीं भी माने, प्रत्येक विज्ञान को अपने आप में अन्तिम माने, तब भी उसके लिए सब स्थितियों का आधार-कोटियों में अन्तर्भाव करना आवश्यक है। विशेष रूप से उसकी सीमा मूल्यात्मक स्थितियों को समझने में प्रकट होती है, क्योंकि विज्ञान केवल वस्तुता अथवा अस्तिता की कोटि को ही स्वीकार करता है, आदर्श अथवा अभिकांक्ष्य की कोटि को स्वीकार नहीं करता। इसका अर्थ यह नहीं कि वह आदर्शों की विद्यमानता को स्वीकार नहीं करता, किन्तु आदर्श उसके लिए ऐसी वस्तुस्थिति है जिसका स्वरूप नहीं बल्कि वस्तुता विवेच्य है, और इस प्रकार से उसके लिए यह खोजना आवश्यक हो जाता है कि आदर्श का वस्तुगत स्रोत क्या है, उसका स्वरूप उसके लिए अर्थहीन है।

× × ×

हमारे लिए यहाँ धर्म का स्वरूप विवेच्य है। धर्म का क्या स्वरूप है? यह परिभाषा का प्रश्न है, किन्तु परिभाषा यादृच्छिक रूप से किसी शब्द को अर्थ दे देना नहीं है। इसमें दो विवक्षाएँ रहती हैं। एक तो परिभाष्य शब्द का साधारण प्रचलित अर्थ होता है जिसका ध्यान रखना आवश्यक होता है, और दूसरे, उस शब्द के वाच्य विषय के स्वरूप को समझना होता है। यह दूसरी विवक्षा कठिन भी है और इसमें यादृच्छिकता का भय भी रहता है, इसलिए प्रचलित अर्थ को ध्यान में रखना आवश्यक होता है। किन्तु यदि प्रचलित अर्थ स्पष्ट नहीं हो तो उसमें संशोधन विहित होता है।

हमने पीछे धार्मिक संस्थाओं का उल्लेख किया। समाजशास्त्री के लिए श्राद्ध-संस्कार, मूर्त्ति-मन्दिर धार्मिक संस्थाएँ हैं। कुछ लोग धर्म को 'अंधविश्वास' का पर्याय मानते हैं, और दूसरे, ऐसा कहे बिना, सब प्रकार की मिथकता को धर्म की संज्ञा देते हैं।[1] नृतत्व-वैज्ञानिक और समाजशास्त्री 'धर्म' शब्द का प्रयोग प्राय: इसी अर्थ में करते हैं। बर्गसाँ यद्यपि मिथकता और धर्म में भेद करते हैं, और उनके अनुसार इनमें कोई तारतम्य भी नहीं है, किन्तु वे भी मिथकता को 'जड़ धर्म' (स्टेटिक रिलीज्यन) की संज्ञा ही देते हैं।[2] इसी प्रकार कासीरर यद्यपि मिथकता और धर्म में आमूल अन्तर देखते हैं, किन्तु वे इनमें तारतम्य मानते हैं।[3] दूसरी ओर, कबीर मिथकता और संस्थाओं को धर्म में बाधक मानते हैं। वास्तव में अन्ततः कासीरर और बर्गसाँ भी कबीर से एकमत ही हैं, बर्गसाँ स्पष्ट रूप से जड़ धर्म को सप्राण धर्म का प्रतीप मानते हैं और इसी प्रकार कासीरर भी धर्म को मिथकता का विपरीतगामी देखते हैं, केवल वे 'धर्म' शब्द का प्रयोग दोनों अर्थों में करते हैं। किन्तु तुलसीदास शास्त्र-सम्मत मर्यादाओं को, जिन्हें बर्गसाँ जड़ धर्म कहते हैं और कबीर जड़ बाधाएँ; धर्म का आवश्यक अंग मानते हैं। किन्तु तब भी तुलसीदास नृतत्वशास्त्रियों के समान मिथकता मात्र को धर्म नहीं मानते, वे मर्यादाओं को भी धर्म का

---

1. दुर्खीम — **एलीमेंट्री फार्म्स ऑफ रिलिज्यस लाइफ़।**
2. हेनरी बर्गसाँ — **टू सोर्सेज़ ऑफ मॉरेलिटी एण्ड रिलीज्यन।**
3. अन्स्र्ट कासीरर — **फिलासफी ऑफ सिम्बालिक फार्म्स**, जिल्द 2, अन्तिम अध्याय, तथा **'एस्से ऑन मैन'** में माइथोलोजी एण्ड रिलिज्यन।

पर्याय नहीं मानते, वे केवल इन्हें धर्म-साधक मानते हैं, यद्यपि उनके अनुसार ये अनिवार्य साधक हैं। इस प्रकार 'धर्म' शब्द का अर्थ स्पष्टीकरण की अपेक्षा करता है। यहाँ हम यह अर्थ स्पष्ट करके इसके वाच्य के स्वरूप पर विचार करेंगे।

व्यावहारिक धर्म में निश्चित रूप से पौराणिकता अन्तर्व्याप्त रहती है, और यह केवल इस रूप में ही इसमें नहीं रहती कि साम्प्रदायिक चिह्नों, रूढ़ियों और मर्यादाओं को इसमें पवित्रता से मण्डित कर दिया जाता है, और न केवल इस रूप में ही रहती है कि मूर्त्ति, मन्दिर, चिह्न आदि प्रतीकों का प्रतीकित से अभेद स्थापित कर दिया जाता है, बल्कि इसमें अधिकांशत: मनोवृत्ति का वही रूप भी रहता है जो पौराणिक में मिलता है। किन्तु केवल इस कारण से 'धर्म' का अर्थ 'पौराणिकता' नहीं माना जा सकता, न यही माना जा सकता है कि पौराणिकता धर्म का अनिवार्य अंग है। जैसाकि हम पीछे देख चुके हैं, पौराणिक प्रतीक धर्म के क्षेत्र में वही लक्ष्य सिद्ध करते हैं जो ये अन्य क्षेत्रों में करते हैं, अथवा जो ये पौराणिक युग में करते रहे हैं। ये भावनाओं के लिए मूर्त्त आलम्बन प्रस्तुत करते हैं और ये आलम्बन सामाजिक अथवा साम्प्रदायिक संगठन का आधार बन कर जादुई सप्राणता से आविष्ट हो जाते हैं। किन्तु जो इन आलम्बनों से मुक्त हो सकता है, जो इनके वास्तव अर्थ को जान कर इनका अतिक्रमण कर सकता है, वही धर्म का, और इसी प्रकार से अन्य सब पुरुषार्थों का, वास्तव तत्त्व समझ सकता है।

धर्म मानवीय अर्थ अथवा अन्वेषण के उस रूप को कह सकते हैं जो जीवन का लक्ष्य लोकोत्तर और परम चैतन्य की स्थिति की प्राप्ति को, अथवा परम चैतन्य के बोध की योग्यता की प्राप्ति को, स्वीकार करता है। इस प्रकार धर्म एक मूल्यबोध है, क्योंकि 'उत्कर्ष' इसके लिए मूल प्रत्यय है और उसका अन्वेषण या उपलब्धि इसकी मूल प्रेरणा। ऐतिहासिक रूप से इसका उदय पौराणिक 'शक्तियों' के बीच से 'एक शक्ति' (ईश्वर) के प्रत्यय के उद्भव के साथ हुआ, किन्तु ज्ञानमीमांसात्मक दृष्टि से यह मात्र एक विकास नहीं है, इसमें और पौराणिक अवधारणा में एक संरचनात्मक अथवा गुणात्मक अन्तर है। 'ईश्वर' वायु देवता, अग्नि देवता तथा पाषाण देवता के समान केवल इन-इन पदार्थों का प्राण-तत्त्व अथवा व्यक्तित्व मात्र नहीं है, जो मानव-तुल्य है और उसी के समान सज्जन, दुष्ट, धूर्त, मक्कार, उपकारक, अपकारक है; वह अनिवार्य रूप से उदात्ततम चैतन्य, एकमात्र अधिष्ठाता और अनन्त गुण-सम्पन्न है—वह व्यक्ति होकर भी निर्वैयक्तिक है, विश्व में होकर भी विश्वोत्तीर्ण है, और वह इसलिए उपास्य नहीं है कि उसे पौराणिक शक्तियों के समान उपासना से प्रसन्न कर कुछ लाभ प्राप्त करना है अथवा उसके क्रोध को शान्त करना है, बल्कि इसलिए उपास्य है क्योंकि उपासना उपासक की वृत्तियों को उदात्ततर बनाती है, उसकी चेतना को उस उदात्ततम के दर्शन के योग्य बनाती है। उसकी कृपा अनिवार्य है, किन्तु यहाँ 'कृपा' का अर्थ भी मूलत: भिन्न हो जाता है, यह उसकी परम उदात्तता का बोध प्राप्त करने में मनुष्य की परम असमर्थता का वाचक मात्र है, यह सामर्थ्य उसे उसकी कृपा के रूप में ही प्राप्त हो सकती है, और केवल यही कृपा के रूप में उसे प्राप्त हो सकती है, क्योंकि अन्य कोई भी कामना और कोई भी प्राप्ति उपासना की धारणा के ही विरुद्ध है, वह तो उपासना की व्याघातक है। इसलिए मैत्रेयी कोई धन, कोई सुख और कोई शक्ति नहीं चाहती, वह इनसे पूर्ण मुक्ति चाहती है, जो व्यक्तित्व के लय के रूप में उपलब्ध होती है। इस प्रकार से धर्म मूल्यबोध की पराकाष्ठा है, क्योंकि यह मूल्यों के निषेध पर प्रतिष्ठित है; यहाँ तक कि उसे उस बन्धन का भी छेदन करना होता है जो उसे उसके व्यक्तित्व की सीमा में बाँधता है। यह छेदन ही उस मूल्य में लय कर सकता है जो मूल्यों का अजस्र स्रोत है—जो परम सत्, परम चित् तथा परम आनन्द-स्वरूप है, सब विद्याएँ जिसके ज्ञान में पूर्ण होती हैं, सब अनुभव जिसके स्फुलिंगों के रूप में उदित होते हैं और सब सौन्दर्य जिसकी छायाओं के रूप में प्रतिभासित होते हैं।

धर्म का यह स्वरूप, और यही उसका स्वरूप है, पौराणिकता से मूलत: भिन्न है। यह उसके निषेध पर प्रतिष्ठित है। पौराणिकता में उत्कर्ष और उदात्तता की कोई स्पष्ट धारणा नहीं मिलती; वह अनुभव के सद्यत्व का संसार है जिसमें वस्तु, इच्छा और संवेग अविभक्त रूप में विषय को जन्म देते हैं। यह विषय सदैव 'व्यक्ति' होता

है, जो शत्रु या मित्र भाव से प्रस्तुत होता है। उसकी कला-कृतियाँ भी कलाबोध से प्रेरित नहीं हो कर उसके समग्र क्षण से सृष्ट होती हैं। उसका नृत्य जितना उसके आनन्द की अभिव्यक्ति है उतना ही उसकी कृषि की अपकारक शक्तियों के निवारणार्थ जादू-क्रिया भी है, वह चित्र आत्माभिव्यक्ति के लिए न बना कर चित्रित वस्तु को अपने वश में करने के लिए बनाता है। इसके विपरीत धर्म अत्यन्त अपोहात्मक है, उसका साध्य केवल 'नेति' की भाषा में ही व्यक्त हो सकता है। वह अपने मूल्य को कामना और संवेग से पृथक् स्थापित करता है, ये उसके चरितार्थन के मार्ग में बाधक होकर त्याज्य हो जाते हैं, वह सब शुभ और मंगल हो जाता है जो उस परम मूल्य में साधक है और शेष सब अशुभ और अमंगल हो जाता है। पुराण के गर्भ से निकलता हुआ धर्म पौराणिक शक्तियों को प्रतीक बनाकर इस परम-साध्य की महाकाव्य-रचना में इन्हें देव और असुर पात्रों के रूप में कल्पित करता है। किन्तु ये पौराणिक शक्तियाँ अब अपनी सत्ता खो कर केवल प्रतीक मात्र रह जाती हैं। अवतार की अवधारणा इसी प्रकार की अवधारणा है। राम और कृष्ण के रूप में परमेश्वर सम्पूर्ण सृष्टि को उसके परम साध्य की ओर अग्रसर करने के लिए अपनी कृपा का प्रसार करते हैं और अग्रगति में बाधक संस्कारों का निवारण करते हैं। इसमें सन्देह नहीं है कि राम-रावण, सुग्रीव, हनुमान आदि धार्मिक प्रतीक अधिकांशत: प्रतीक नहीं रहते और ये पौराणिक 'व्यक्तियों' के रूप में परिणत हो जाते हैं, किन्तु इससे धर्म और पुराण में अभेद स्थापित नहीं हो जाता, और न ही इनमें तारतम्य बैठाया जा सकता है।

किन्तु यह पौराणीकृत धर्म भी धर्म का पौराणीकरण होने के कारण धर्म के तत्त्व से निविष्ट तो रहता ही है। इस प्रकार से इसमें यद्यपि 'राम', 'कृष्ण', 'रावण', 'हनुमान', आदि प्रतीक से वास्तव हो जाते हैं, यहाँ तक कि इनकी मूर्त्तियाँ भी इनके सत्त्व से निविष्ट हो जाती हैं, किन्तु तब भी मूल कल्पना—मूल्य का मूल आकर्षण—पूर्णत: विस्मृत नहीं होती। अवतार के सब कर्म उसके परमेश्वर तत्त्व को ही व्यक्त करते हैं तथा खग-मृग, मानव और देव सब असुरों के संहार में उसके सहायक होते हैं। इस प्रकार धर्माविष्ट पुराण मूल्यात्मक उत्कर्ष-कामना को ही व्यक्त करता है, इसमें पौराणिकता केवल अर्थ और व्यंग्य के बीच प्रतीकों के ठोस और अपारदर्शी रूप में स्थापित हो जाने में है।

ये अपारदर्शी प्रतीक (अथवा पौराणिकता) ही विभिन्न धार्मिक सम्प्रदायों को जन्म देते हैं। मूल्यात्मक अर्थ के स्थानापन्न होने के कारण ये मनुष्य को आकृष्ट करते हैं, उसका उत्कर्ष भी करते हैं, और इस आकर्षोत्कर्षात्मक शक्ति के द्वारा महान् सांस्कृतिक आन्दोलनों को जन्म देते हैं। इनके ज्वार में व्यक्ति अपनी पृथक्ता डुबो कर तादात्म हो जाता है और शेष बचती है केवल आन्दोलन की महदंध शक्ति। इस आन्दोलन का स्वरूप और दिशा ऐतिहासिक शक्तियों से निर्धारित होती है, क्योंकि इनके प्रतीक ऐतिहासिक रूप से प्राप्त होते हैं, मौलिक केवल वह ज्वार होता है जो किसी महानात्मा की मूल्य-दृष्टि से प्राण प्राप्त कर उत्कर्ष पाता है। यह शुद्ध मूल्य, शुद्ध अर्थ, आरम्भ में अपनी प्राणवत्ता से पुराने प्रतीकों का ध्वंस करते हुए आविर्भूत होता है, अपने प्रतीकों को भी नये प्राण से मण्डित कर देता है, किन्तु धीरे-धीरे वह भी प्रतीकों की जड़ता में ठण्डा हो जाता है।

किन्तु अपारदर्शी प्रतीक अर्थ के आच्छादक तो सदैव होते ही हैं, अधिकांशत: ये अर्थापघातक भी होते हैं—साम्प्रदायिक घृणा और संहार इसके स्पष्ट प्रमाण हैं। ये सब घृणा और संहार किसी आदर्श की भावना से ही प्रेरित होते हैं, क्योंकि साध्य तो धर्म ही होता है, किन्तु उसका वास्तव अर्थ अपरुद्ध होने से मनुष्य की धर्म-यात्रा प्राय: सदैव लक्ष्य-भ्रष्ट रहती है। कबीर कहते हैं—

इक पठें पाठ, इक भ्रमैं उदास, इक नगन निरन्तर, रहैं निवास
इक जोग जुगुति तन हूंहि खीन, ऐसे राम नाम संग रहैं न लीन।

कबीर जप-ताप, विरागी बाना, नग्न रह कर अथवा अन्य योगादि साधनों से काय-क्लेश तक को भी पौराणिक प्रतीक, और इस प्रकार से वास्तव धर्म के छद्म प्रतिरूप, मानते हैं। धर्म का यह वास्तव अर्थ बहुत पहले

समझ लिया गया था। भारत में इसकी उच्चतम अभिव्यक्ति हम सर्वप्रथम उपनिषदों में पाते हैं। उपास्य ईश्वर की कल्पना और उपासक का उसके प्रति समर्पण मानव के धार्मिक अन्वेषण का प्रथम चरण है। यह प्रथम ऐतिहासिक रूप से भी है और ज्ञानमीमांसात्मक रूप से भी। जैसाकि हमने कहा, धर्म का आविर्भाव पौराणिक शक्तियों के कुहरे में से विश्व के एक अधिष्ठाता की कल्पना के उदय के साथ हुआ, जो मनुष्य का समकक्ष न होकर उससे असीमत: उत्कृष्ट था। यह असीमत: उत्कृष्ट मानव–रूप ईश्वर स्वभावत: उसके आदर्श–बोध की ही सृष्टि था। मानव में इस बोध का अंकुरण कोई सामान्य बात नहीं थी, यह उसके लिए एक नये विश्व का उद्घाटन था—मूल्यों के विश्व का उद्घाटन। इसमें कामनाओं को एक नया आयाम मिला और संवेगों को नया विश्राम–स्थल। किन्तु जिस स्वरूप के साथ यह उत्पन्न हुआ उसके निहित प्रत्यय का क्रियान्वयन अभी शेष था, उसमें निहित सम्भवनाओं और प्राण को अभी अपने को चरितार्थ करना था।

ईश्वर यदि मानव की आदर्श सृष्टि है तो वह (मानव) केवल उसकी उपासना से सन्तुष्ट नहीं हो सकता; आदर्श की उपासना कैसी? वह तो स्वयं ईश्वर हो कर ही सन्तोष–लाभ कर सकता है। इसके लिए मानव को स्वयं अपना अतिक्रमण करना होता है—आत्मोत्तीर्ण होना होना होता है।

मूल्यान्वेषण के स्वरूप में एक विचित्र विरोधाभास है—इसमें अन्वेष्य अनिवार्यत: परात्पर इतर होता है, वह स्वतोबाह्य होता है, नहीं तो अन्वेषण कैसा? किन्तु इसकी उपलब्धि केवल अपनी चेतना की अवस्था के रूप में ही होती है। कला–साधक की साधना कला–सृष्टि की योग्यता की प्राप्ति में चरितार्थ होती है। यह सभी साधनाओं का भाग्य है—वे साधक के साध्यमय होने में चरितार्थ होती हैं। इसका अर्थ यह नहीं समझना चाहिए कि मूल्य विषयीनिष्ठ होते हैं, यदि वे होते तो साधना की कोई आवश्यकता ही नहीं होती, किन्तु यदि वे विषयी से इतर होते तब भी साधना अनावश्यक होती, उनकी उपलब्धि के लिए केवल प्रयत्न और अध्यवसाय की अपेक्षा होती। किन्तु अध्यवसाय और परिश्रम उसकी उपलब्धि नहीं करा सकते, क्योंकि वे कहीं दूर या भूगर्भ में होते नहीं; वे केवल अन्वेषक से आत्म–रूपान्तरण की माँग करते हैं। इसलिए मूल्योपलब्धि विषयी–विषय भाव के लय होने में चरितार्थ होती है। इस बात को शांकर और बौद्ध दार्शनिकों ने विशेष रूप से समझा था, बौद्ध साधक अपने व्यक्तित्व–रूप घटना–संतान का अवरोध कर पूर्ण असद्भाव में प्रतिष्ठित होता है और वेदान्ती व्यक्तित्व रूप अहंकार को विनष्ट कर निरहंकार–निर्विषय में एकाकार हो जाता है। विषयी–विषय–भेद का पूर्ण निरास कर वह स्थिति प्राप्त होती है जो न आत्मरूप है और न पर–रूप, वह एक और अद्वय है।

धर्म का अन्य मूल्यान्वेषणों से यह अन्तर है कि वह ज्ञानात्मक है, इसका अन्वेष्य सत् होता है, इसीलिए तत्त्व–चिन्तन सदैव इसके साथ चलता है। विशुद्ध तत्त्व–चिन्तन से इसमें भेद केवल यही है कि तत्त्व–चिन्तक निस्संग रूप से विवेचन मात्र करता है, जबकि धार्मिक के लिए परम तत्त्व परम मूल्य के रूप में प्रस्तुत होता है। इसीलिए धर्म साधनात्मक होता है। विशुद्ध तत्त्व–चिन्तन ज्ञान को केवल विषय में ही प्राप्त कर सकता है, क्योंकि विषय से पृथक् ज्ञान अपना प्रकाश नहीं कर सकता। इस प्रकार तत्त्व–चिन्तक के लिए ज्ञान और ज्ञेय का यौगपद्य विषय में चरितार्थ होता है और विषयी या साक्षी की स्थिति संदिग्ध हो जाती है। किन्तु साधक के लिए यह यौगपद्य ज्ञान के प्रकाश में विषयी–विषय के लय के रूप में उपलब्ध होता है, क्योंकि, जैसाकि हमने कहा, मूल्यान्वेषण का विषय अन्वेषक विषयी के उसके साथ तादात्म्य के रूप में ही उपलब्ध हो सकता है, अर्थात् आत्म–चैतन्य की उस स्थिति के रूप में जिसमें वह पूर्ण चैतन्यमय हो जाय। इस प्रकार धार्मिक चेतना ज्ञान और सत् के भेद को स्वीकार नहीं कर सकती, और न ज्ञान को विषयीनिष्ठ ही मान सकती है।

धर्म का यह पूर्ण परिष्कृत रूप कुछ उपनिषदों में और बौद्ध तथा शांकर दर्शनों में, तथा भारतीय और सूफी रहस्यवादियों में दृष्टिगोचर होता है। अन्य उपासना–मार्ग मूल्यान्वेषण के सूक्ष्मतम अर्थ को ग्रहण नहीं कर पाये।

धर्म का यह अर्थ, जिसमें ज्ञान और ज्ञेय तथा अन्वेषक और अन्वेष्य एकलय हो जाते हैं, कबीर के निम्न पद में अत्यन्त सुन्दर रूप में निरूपित हुआ है—

> निरगुन आगे सरगुन नाचै,
> बाजै सोहंग तूरा,
> चेला के पाँव गुरु जो लागैं,
> यही अचंभा पूरा।।

अर्थात् निर्गुण के आगे सगुण नाच रहा है और सोऽहं का तूर्य बज रहा है। अन्वेषक का अहंबोध इतना महत् हो गया है कि स्वयं अन्वेष्य उसके चरणों में नत है।

× × ×

धर्म का यह शुद्ध अर्थ धार्मिक प्रेरणा के तर्क-रूप में निहित है। जैसाकि हमने कहा, धर्म मूल्यान्वेषण है। मूल्य का अर्थ इच्छित वस्तु नहीं है, इसीलिए महल, कार, मैथुन-सखा अथवा भोज्य पदार्थ मूल्य नहीं होते। किन्तु अर्थलाभ-सुख, मैथुन-सुख अथवा जिह्वा-रस मूल्य हो सकते हैं। ये सब भाव्य हैं, प्राप्य नहीं। भाव्य भावना का लक्ष्य होता है, जो भावना का न होकर भावना से आत्म-रूपान्तरण की माँग करता है, भावना उसे ज्ञानात्मक वृत्ति के रूप में प्राप्त नहीं कर रसात्मक वृत्ति के रूप में प्राप्त करती है। इस प्रकार भावना भाव्य से भिन्नाभिन्न होती है, अथवा, न भिन्न होती है और न अभिन्न।

किन्तु इसीलिए सब ऐन्द्रिय मूल्य निम्न कोटि के मूल्य हैं; ये अस्थायी, सापेक्ष और मिश्र होते हैं; इनमें भाव्य अन्य माध्यम में प्राप्त होता है, इसकी वृत्ति न केवल माध्यम के साहचर्य की समाप्ति के साथ समाप्त हो जाती है बल्कि इसके सन्तोष की पराकाष्ठा में ही इसका अन्त भी आपन्न होता है। इसका कारण है, इन रसों की वृत्ति शारीरिक है और चैतन्य शरीर-वृत्ति में अधिष्ठित होकर इन रसों का आस्वाद करता है। भारतीय चिन्तकों ने इनके भी शुद्ध रूप की कल्पना की है। पं. गोपीनाथ कविराज इनके शुद्ध रूप की कल्पना करते हुए लिखते हैं—"जब प्यास से व्याकुल होकर हम जल पीते हैं तब वस्तुत: सम्पूर्ण जल हमारा ग्राह्य नहीं होता, जल का जो सार है—एक शब्द में जिसे 'रस' कहा जा सकता है, हमारे लिए वही उपादेय होता है। बहुत-से जल में भी एक शुद्ध कण से अधिक रस का मिलना निश्चित नहीं है।...पिपासा अग्नि का धर्म है, देह में अग्नि की क्रिया होने के कारण ही पिपासा का आविर्भाव होता है। इसी प्रकार रस सोम का धर्म है। इस अग्नि को शान्त करने के लिए इस सोम-बिन्दु के अतिरिक्त संसार में अन्य कोई भी उपाय नहीं है...

जैसे सोम विशुद्ध भोग्य है, वैसे ही अग्नि विशुद्ध भोक्ता है, किन्तु जगत् में साधन-संस्कार के बिना ऐसा कोई जीव देखने में नहीं मिल सकता जिसमें शुद्ध अग्नि प्रज्वलित हो चुकी हो। सौभाग्य से जिनके अन्दर यह अग्नि जल उठी है वे दिव्य भाव को प्राप्त होकर अग्निरूप भूख का अवलम्बन करके दृष्टि के द्वारा ही भोग्य-निहित अमृत का आस्वाद लेते हैं।"[1] ऐन्द्रिय आस्वाद का ऐसा कोई शुद्ध रूप हो सकता हो या नहीं, किन्तु इसका लक्ष्य यह अवश्य होता है, जो हमारे विचार में, न कभी प्राप्त हो सकता है और न इसमें कोई प्रगति सम्भव है। प्रगति की यह असम्भाव्यता इसकी निकृष्टता की एक सूचक है।

किन्तु इस रस की भी परम लक्ष्य-सिद्धि के लिए इन्द्रियों में आत्मोत्तीर्णता की यह माँग मूल्य-साधना के उस अर्थ की व्यंजक है जो धर्म में अपने शुद्धतम और सहजतम रूप में उपलब्ध होता है। कलाएँ इस स्तर-

1. गोपीनाथ कविराज — **भारतीय संस्कृति और साधना**, भाग-2 में 'धर्म का सनातन अर्थ' लेख, पृ. 98-99, बिहार राष्ट्रभाषा परिषद्।

शृंखला में मध्य-भूमि पर आती हैं। कलाओं में, विशेषत: दृश्य कलाओं में, यद्यपि अर्थ किसी स्थूल माध्यम में व्यक्त होता है किन्तु तब भी माध्यम स्वयं अर्थ की व्यंजना के क्रम में ही सृष्ट होता है, इसलिए इस रस की निष्पत्ति सापेक्षक नहीं होती, इसकी वृत्ति भी शारीरिक न होकर शुद्ध अर्थमय ही होती है। किन्तु नाद-संगीत में माध्यम अत्यन्त सूक्ष्म हो जाता है और वृत्ति क्रमश: क्षीण होती हुई शब्द-सामरस्य में एकाकार होकर निरवलम्ब भाव को प्राप्त होती है। किन्तु कलाओं का यह शुद्धार्थ किन्हीं विरले कलाकारों को ही प्राप्त होता है। अन्य कलाकार तो ऐन्द्रिय वृत्तियों का प्रकर्ष कर उन्हें अपेक्षाकृत अधिक स्थायित्व प्रदान करने मात्र तक सन्तुष्ट रहते हैं। तब भी सूक्ष्मतर होने के कारण वे शुद्ध ऐन्द्रिय स्तर से तो प्रकृष्ट हैं ही।

धर्म, कलाओं के विपरीत, समग्र व्यक्तित्व की कला है, इसलिए इसका साध्य सब रसों और अर्थों का समावेश कर सामरस्य विधान करना है। इसकी साधना के लिए चैतन्य को बाह्य वृत्तियों से विमुख होकर आन्तर समृद्धि लाभ करना होता है, जब तक कि वह अपने व्यक्तित्व की सीमा का क्षय कर साध्य में लय न हो जाय।

पूर्ण-व्यक्ति-रूप इस साध्य की कल्पना धर्म के लिए अत्यन्त सहज है। व्यक्ति-बोध का उदय ऐन्द्रिय वृत्तियों से ऊपर उठ कर अभिमान-वृत्ति की उपलब्धि के साथ होता है।[1] यह अभिमान जबकि स्वयं एक वृत्ति है, वह अन्य वृत्तियों का साक्षी है; इस तरह यह दो प्रकार से मध्य-स्तर-वर्ती है : स्वयं वृत्ति होने से यह अन्य साक्षी की अपेक्षा करता है, और व्यक्ति-वृत्ति होने से यह विश्व-वृत्ति होने की अपेक्षा करता है—एक इसका तथ्य है और दूसरा इसका मूल्य। ये तथ्य और मूल्य तब एक हो जाते हैं जब विशुद्ध साक्षी-भाव वृत्ति से आबद्ध होने से अशेष वृत्तियों का समाहार अपने में करता है। इस प्रकार वृत्तियों के क्षय से आयातित महाशून्य वृत्तियों के लय से सिद्ध परम ब्रह्म का पर्याय हो जाता है। कुछ लोग बौद्ध धर्म द्वारा आत्मा तथा ईश्वर के निषेध के कारण उसे 'सामान्य अर्थ में धर्म' न स्वीकार कर 'एक जीवन-विधि तथा अनुभव के प्रति एक विशेष दृष्टिकोण' कहना उचित समझते हैं। एक आंग्ल लेखक गैलोवे के अनुसार—"अपने मूल रूप में बौद्ध मत में न ईश्वर की कल्पना थी और न धर्म विज्ञान ही था : इसमें लोकोत्तर लोक के प्रति कोई दृष्टि भी नहीं थी, बल्कि यह केवल एक जीवन-व्यवस्था और अनुभव के प्रति एक अभिवृत्ति मात्र था। इसका लक्ष्य सकारात्मक के बजाय नकारात्मक था।"[2]

बौद्ध धर्म के प्रति, और धर्म के प्रति सामान्य रूप से, यह एक अत्यन्त भ्रामक दृष्टि है। ईश्वर सम्बन्धी कल्पना का उदय भारत में बुद्ध से सदियों पहले हो चुका था और उसका पूर्ण व्यवस्थित और सुगठित विज्ञान ब्राह्मणों, स्मृतियों और उपनिषदों में अपना चरम विकास कर चुका था। इसलिए बुद्ध के लिए वैसा ही एक अन्य ईश्वर खड़ा करना कठिन नहीं था। किन्तु ईश्वर, और विशेष रूप से धर्म-विज्ञान (थीआलॉज़ी), गीता के अत्यन्त व्यंजक शब्दों में, त्रैगुण्य विषय है, इसलिए यह स्वयं उस तर्क से ही अपना अतिक्रमण करने को बाध्य है जो इसको जन्म देता है। इसका अतिक्रमण उपनिषदों में ही आरम्भ हो चुका था, वह बुद्ध में आकर केवल अपनी चरमता को प्राप्त हुआ। गैलोवे के अनुसार—"पीछे के युगों में धर्म के रूप में इसका (बौद्ध धर्म का) जीवन सम्भव नहीं होता यदि स्वयं बुद्ध की कल्पना पीछे के दिनों में एक दिव्य सत्त्व के रूप में नहीं की गयी होती। बुद्ध को ही इस काल में पौराणिकता और ईश्वरीय चामत्कारिकता से मण्डित किया गया और यह कल्पना वह केन्द्र बनी जिसके चारों ओर पूजा-विधियों का संगठन हुआ।"[3] किन्तु यह केवल इस बात की पुष्टि करता है कि धर्म का प्रकृष्ट शुद्ध अर्थ केवल कुछ विलक्षण प्रतिभाओं के लिए ही ग्राह्य होता है, साधारण जनों के लिए नहीं होता,

---

1. यशदेव शल्य — **ज्ञान और सत्** में 'मानव-प्रतिमा' अध्याय।
2. ज्योर्ज गैलोवे — **दि फिलॉसफी ऑफ रिलिज्यन**, पृ. 142.
3. ज्योर्ज गैलोवे — **दि फिलॉसफी ऑफ रिलिज्यन**, पृ. 142.

उन्हें इस अर्थ का केवल वह रूप ही गम्य हो सकता है जो अपनी स्थूलता के कारण प्रतीक की मूर्तता में बँध सकता है।

यह बात एक ईसाई संस्कृति के व्यक्ति के लिए समझना कठिन है, क्योंकि उसके लिए धर्म और ईश्वर-विश्वास तथा पौराणिकता में अन्तर कर सकना कठिन है। उसकी यही सीमा 'सर्वंदु:खम्' और 'कर्मबन्ध' के सिद्धान्तों को समझने में भी बाधक है। गैलोवे के अनुसार—"बौद्ध मत में एक आत्मप्रसादवाद (यूडेमोनिज़्म) का अंश भी है, जो दुःख से त्रास के रूप में व्यक्त होता है।...यह अभिवृत्ति व्यक्ति-केन्द्रिकता की भावना को जन्म देती है, क्योंकि जिस लक्ष्य को बौद्ध प्राप्त करना चाहता है वह व्यक्तिगत है, समाज उसके लिए केवल लक्ष्य-सिद्धि में साधन है। बौद्ध दुखियों पर करुणा करता है और उनके दुःख-निवारण के लिए कार्य भी करता है, किन्तु यह केवल वह आत्म-संयमन और और आत्मपूर्णता के लिए करना चाहता है जिससे वह अपनी कामनाओं का शमन कर सके, न कि संसार का कल्मष दूर कर उसे सुघड़ बनाने के लिए वह करता है। परिणामत: उसका धर्म-सम्प्रदाय आशा और प्रेरणा-रहित है और उसमें मानवता के आध्यात्मिक विकास के लिए कोई प्रोत्साहन नहीं है।"[1]

यह आरोप प्राय: ही ईसाइयों की ओर से न केवल बौद्धों पर ही लगाया जाता है बल्कि हिन्दुओं पर भी लगाया जाता है। किन्तु यह केवल अपरिचय और ईसाई धर्म को मानदण्ड रखने के कारण है। यदि बुद्ध का 'दुःख' से भाव सामान्य सांसारिक दुःख होता तो वे अवश्य ही इस दुःख के निवारण के लिए रेडक्रास का संगठन करते और औषधालय खोलने पर बल देते। किन्तु उनका दुःख से अभिप्राय इस दैहिक दुःख से नहीं था, वे उससे त्रासित नहीं थे और इसलिए उससे प्रभावित भी नहीं थे। उनका दुःख 'आध्यात्मिक' था और इसीलिए उसका निवारण व्यक्तित्व की सीमा के उच्छेद के द्वारा ही हो सकता था। इसका अर्थ यह नहीं है कि वे दैहिक दुःख के निवारण से अत्यन्त उदासीन थे, अशोक ने इस दिशा में जो किया उससे यह अनुमान किया जा सकता है कि उनकी करुणा मनुष्य और प्राणियों के दैहिक दुःख के प्रति भी जागरूक थी। किन्तु यह दुःख और इसका निवारण उनके लिए गौण थे। यही बात 'मानवता' के आध्यात्मिक उद्धार के सम्बन्ध में कही जा सकती है। बुद्ध ने दुःखी पीड़ित जन के प्रति करुणा से, उन्हें निर्वाण का सन्देश देने के लिए ही, अपने पाँच शिष्यों को उपदेश दिया और फिर वे सामान्य रूप से जनोद्धार के कार्य में प्रवृत्त हुए। किन्तु यहाँ पुन:, उनके लिए मानव अपने आप में साध्य नहीं था, वह केवल ऐसी चेतना के रूप में मूल्यवान् था जिसमें भव-कामनाओं से निवृत्ति की अभीप्सा का उदय सम्भव है।

किसी धर्म के लिए मानव परम मूल्य कैसे हो सकता है जब तक कि वह मानव के मनोदैहिक दुःख-त्रास को वह महत्त्व नहीं दे जो गैलोवे समझते हैं कि बुद्ध ने उसे नहीं दिया? किन्तु आत्मोत्तीर्णता को परम मूल्य स्वीकार करने वाले के लिए मानव मात्र के लिए वही संदेश है और इस मूल्य की चिनगी उत्पन्न करना ही उसके लिए मानव-सेवा का परम आदर्श है।

मानव-सेवा का यह लक्ष्य अपनी चरमता में हमें परिलक्षित होता है भागवत-धर्म में। यह धर्म पौराणिक प्रतीकों से संकुल है, किन्तु भागवत-दार्शनिकों के लिए ये मात्र प्रतीक हैं—पूर्णत: पारदर्शी। ये परम काम्य भगवान् की लीला में उपकरण मात्र हैं, सब उसी की प्रेम-ज्वाला में संतप्त। मानव ही क्यों, जीव मात्र उस हुताशन में अपनी हवि दे सकता है और शुद्ध स्वर्ण बन सकता है। जब सब संसार उसकी लीला है तो सुख-दुःख कैसा, ये सब उस लीलामय के एक कृपा-कटाक्ष से आनन्द में परिणत हो जाते हैं। यह लीला परम सत् है, इसलिए सृष्टि

1. ज्योर्ज गैलोवे — **दि फिलॉसफी ऑफ रिलिज्यन**, पृ. 143.

का एकमात्र गुण आनन्द है, दुःख-पीड़ा-क्लेश केवल इस सत्य को न समझ पाने के कारण हैं। जैसे ही इस सत्य को प्राणी जान लेता है उसका पीड़ा-क्लान्त मुख आनन्द के प्रकाश से भास्वर हो उठता है।

× × ×

बौद्ध, औपनिषद और भागवत धर्मों ने भारतीय संस्कृति को गम्भीर रूप से प्रभावित किया और हज़ारों वर्षों तक इसके जीवन की ये मूल प्रेरणा रहे। वास्तव में, प्राय: सभी बड़ी सभ्यताओं में लगभग 1000 ई.पू. से धार्मिक-आध्यात्मिक आदर्शों ने मानव-जीवन को आन्दोलित किया और उसे अर्थ और प्राण दिया। जीवन का कोई पक्ष इससे अछूता नहीं रहा—दर्शन इसकी युक्तता और साधारता सिद्ध करने की प्रक्रिया में उत्पन्न हुए, कलाएँ और साहित्य इसके सौन्दर्य को मूर्त्तित करने के क्रम में प्रादुर्भूत हुए, महान् जन-संहार इसकी विजय-पताका फहराने के लिए किये गए, समाज-नीति और सामाजिक सम्बन्ध इसके अनुमोदन से अर्थवान् बने, अथवा (जैसे भारत में), इसके अनुमोदन के बिना छूंछे रहे। जहाँ और जब इसकी प्राण-चेतना शिथिल हुई जीवन की सब गतिविधियों को जैसे काठ मार गया; इन युगों में जितनी महान् प्रतिभाएँ हुईं उन्होंने इसके माध्यम से अपनी अभिव्यक्ति की और इसके सत्य में नवीन अन्तर्दृष्टि दी।

इधर यूरोप में पुनर्जागरण युग के साथ जगत् और जीवन के सम्बन्ध में एक नयी धारणा का प्रादुर्भाव हुआ, प्रत्यक्ष पर आधारित तर्क और यौक्तिकता को सत् का मानदण्ड माना जाने लगा। इस नव्य दृष्टि ने एक नयी संस्कृति को जन्म दिया, जिसे सोरोकिन ने उचित ही सैंसेट कल्चर (ऐन्द्रिय संस्कृति) का नाम दिया है। इसके साथ नवीन प्राण-चेतना का विस्फोट हुआ; राजनीति, समाज, नैतिकता, कलाएँ और शिल्प-कौशल इस नयी दृष्टि के प्रकाश में पुनर्जन्म पाकर नये यौवन की ऊर्जा से आगे बढ़े। यूरोपवासी इस नये देवता की विजय-पताका लेकर उसी प्रकार विश्व-विजय के लिए बढ़े जिस प्रकार से अरबवासी मुहम्मद का संदेश प्रसारित करने के लिए बढ़े थे। देखते ही देखते यन्त्र-कौशल वाष्प, विद्युत् आदि के सर्जन के रास्ते से होता हुआ आज अणु-परमाणु विज्ञानों के माध्यम से द्यु-लोक में प्रवेश का पथ प्रशस्त कर रहा है।

इस नयी दृष्टि ने पहली बार, और सफलता के साथ, धर्म को ही नहीं मूल्य मात्र को चुनौती दी। इसके लिए मूल्य मनुष्य की आकांक्षा या वासना है, उसका सत् आकांक्षा के होने में है, उसके बाहर उसका कोई सत् नहीं है। 'उत्कृष्ट' का अर्थ है 'मेरी पसन्द का', 'पसन्द का भाव' सत् है, वह वस्तु सत् है जो पसन्द है। किन्तु 'उत्कृष्टता' कहाँ है? किन्तु तब 'पसन्द का भाव' क्या है? इसमें 'पसन्द-विषय' का बोध निहित है; यह भाव्योन्मुख और सलक्ष है; क्या इसका सत् भाव्य विषय के सत् को सिद्ध नहीं करता? तार्किक प्रत्यक्षवाद का उत्तर है, यह नहीं हो सकता, क्योंकि केवल नग्न अस्तिता ही सत् है और यह यान्त्रिकता के नियमों से निर्धारित होती है। किन्तु इन नियमों का क्या स्थान है, क्या ये भी नग्न अस्तित्व हैं? यदि हाँ तब हम इन्हें जानते कैसे हैं? ये प्रत्यक्षगम्य तो होते नहीं। तब क्या बुद्धिगम्य होते हैं? किन्तु बुद्धिगम्यता की स्वीकृति इसे प्रत्ययवाद में ला झोंकती, इसलिए यह प्रश्न प्रत्यक्षवाद के लिए घातक था, उसने इसका रास्ता काटा और कहा कि केवल संवेद ही सत् है, शेष कल्पना है, यद्यपि कार्य-साधक कल्पना। किन्तु इसकी भी कठिनाइयाँ थीं, जिनका समाधान करने में ये दार्शनिक अभी तक व्यस्त हैं। विज्ञान के लिए तो संवेद भी सत् नहीं हो सकता, क्योंकि वह गुणात्मक है। केवल मात्राएँ ही सत् हो सकती हैं। इस बीच सत् का विचार छोड़ कर सार्थकता को कसौटी बनाया गया और कहा गया कि, किसी कथन की सार्थकता उसके ऐन्द्रिय प्रामाण्य मूलक तत्त्व में है। यह कसौटी इसलिए प्रतिपादित की गई थी कि विज्ञान-विषयक वाक्यों को छोड़ कर शेष वाक्य निरर्थकता की कोटि में समाविष्ट किये जा सकें। **किन्तु विज्ञान के वाक्यों की सार्थकता उनके लिए इस कसौटी से स्वतन्त्र एवं पूर्व-सिद्ध थी; क्योंकि जैसे-जैसे पाया गया कि कोई वाक्य-रूप विज्ञान के लिए सार्थक है किन्तु इस कसौटी पर पूरा नहीं उतरता वैसे-वैसे**

इस कसौटी में परिवर्तन किया गया, यहाँ तक कि अब इसमें पहले का प्रायः कुछ भी शेष नहीं बचा है, सिवाय इसके कि इससे मूल्य-दृष्टि पर लाठी-प्रहार किया जा सकता है।

यदि यह दिखाया जा सके कि केवल वैज्ञानिक ज्ञान ही सत्-प्रतिष्ठित है और मूल्य असत्-प्रतिष्ठित है, तब सचमुच धर्म एक प्रवंचना हो जायेगा और इस युग से पूर्व की मानव की सांस्कृतिक यात्रा भ्रान्त पथों पर भटकने जैसी हो जायेगी, सिवाय थोड़े-से ऐसे अपवादों के जहाँ ऐहिक जीवन के अभियोजन की दिशा में कुछ आविष्कार और अनुसन्धान हुए; क्योंकि धर्म, पुराण और विज्ञान के समान ही, सत् की धारणा के साथ प्रवृत्त होता है।[1] किन्तु यह कैसे दिखाया जा सकता है कि धर्म असत्-प्रतिष्ठित है? यह दिखा कर कि ब्रह्म या ईश्वर या आत्मा आदि केवल कल्पनाएँ हैं? किन्तु तब वैज्ञानिक सत्ताएँ—देश-काल, परमाणु, गुरुत्वाकर्षण आदि क्या हैं? इनके अनुसार, ये अन्ततः संवेद्य विषयों की योजना के सैद्धान्तिक प्रतिनिधि हैं। किन्तु तब क्या संवेद्य विषय सत् हैं? ये वैज्ञानिक योजना में सत् नहीं हैं, क्योंकि ये विषयी के आक्षेप हैं। हाँ, ये अर्थ के धारक अवश्य हैं। तब सत् क्या है, कार्य-सामर्थ्य? शायद। किन्तु तब, धार्मिक सन्दर्भ में कार्य-सामर्थ्य की कसौटी भिन्न है, वहाँ अपने व्यक्तित्व का सुघड़तम संगठन कर महत्तम आदर्श को सिद्ध करना कार्य है। कार्य की इस धारणा ने मनोजगत् में कम-से-कम उतनी ही बड़ी उपलब्धियाँ सम्भव की हैं जितनी विज्ञान भौतिक जगत् में कल्पना कर सकता है, यह असन्दिग्ध है। अर्थ की दृष्टि से तो विज्ञान निर्धन है ही, क्योंकि इसका अर्थ-जगत् ऐन्द्रिय संवेदों तक सीमित है, अनुभव के अन्य सब आयाम इसकी सीमा के बाहर हैं।[2] धर्म इसमें समृद्धतम है, क्योंकि इसमें अनुभव के सब आयाम गम्भीरता और उत्तानता की पराकाष्ठा के साथ अवगुंठित होते हैं। विज्ञान ने अर्थ की इस निर्धनता के कारण ही, अपनी चामत्कारिक सफलताओं के बावजूद, हमारे युग को अवसन्न और विभ्रान्त अवस्था में ला छोड़ा है।

हमारी सभ्यता विज्ञान और धर्म के समन्वय के नुस्खों के द्वारा मुक्ति नहीं पा सकती, जैसाकि बहुत-से लोग भ्रमवश समझते प्रतीत होते हैं। विज्ञान का धर्म से कोई वास्तव विरोध है ही नहीं। यह विरोध, और परिणाम में खेद, तब उत्पन्न होता है जब विज्ञान को जीवन-दृष्टि के रूप में ग्रहण कर लिया जाता है। विज्ञान का कार्य प्रतिभास के केवल सीमित क्षेत्र का विनियोजन करता है। जब वह सत् का प्रमापक मान लिया जाता है तब दीर्घ पथ का अन्त रेतीले निर्जन में होना स्वाभाविक है।

यहाँ आपत्ति की जा सकती है कि धर्म ने हमें कम बुरी अवस्था में नहीं डाला था—मानवता इसके कारण जड़ता, मूढ़ता और रोग तथा विपन्नता में रही और उसने पारलौकिक चिन्ता को प्रमुखता देकर ऐहिक जीवन की उपेक्षा कर दी। किन्तु यह आपत्ति उचित नहीं है। जड़ता, मूढ़ता आदि धार्मिक चेतना के उतने ही विपरीत हैं जितने वैज्ञानिक चेतना के। मूल्यों के ग्रहण के लिए आत्म-बोध का उससे कहीं अधिक उद्‌बुद्ध होना आवश्यक है जितना तार्किक और प्रत्यक्षगत वास्तवता की गहन तहों के आलोड़न के लिए आवश्यक है, क्योंकि धार्मिक सत् अपने व्यक्तित्व की साधना में प्रतिफलित होता है, निस्संग, स्थिर और ठोस वस्तु के विवेचन में नहीं। इसलिए धर्म का स्फुरण सदैव अत्यन्त विरले व्यक्तियों में ही हुआ और बहुत अपवाद रूप में ही वह युग की सम्पत्ति कभी बना। युग केवल उस शुद्धार्थ को समझे बिना उसके स्फुरण से अनुप्राणित प्रतीकों की साधना ही करते रहे और तब तक उससे धन्य हुए जब तक यह प्राण उन प्रतीकों में स्पंदित रहा। इसलिए यह कहना कि जड़ता के लिए धर्म उत्तरदायी है, भ्रामक है। जहाँ तक ऐहिकता की उपेक्षा का प्रश्न है, वह धर्म के लिए ही स्वाभाविक नहीं है बल्कि सभी स्फूर्त चेतनाओं के लिए स्वाभाविक है। ऐहिकता के प्रति आग्रह से केवल अत्यन्त निम्न कोटि के मानव की

---

1. यशदेव शल्य — **ज्ञान और सत्,** 'व्याख्या' अध्याय।
2. द्रष्टव्य पीछे, प्राकृतिक विज्ञान अध्याय।

सम्भावना ही हो सकती है : क्योंकि यह कामना तो जीव-स्वभाव है, इसको लक्ष्य बनाने की आवश्यकता नहीं है, इसके लिए केवल लक्ष्यों को भूलने की आवश्यकता ही है। न यह कोई विज्ञान के प्रति आग्रह का ही अनिवार्य परिणाम है कि इससे ऐहिकता चरम मूल्य हो जाय। स्वयं महान् वैज्ञानिक उतने ही ऐहिक सुखों के प्रति उपेक्षाशील रहते हैं जितने धार्मिक साधक, क्योंकि वैज्ञानिक भी एक अमूर्त्त सुख के प्रति अभिमुख होते हैं। हाँ, विज्ञान ऐहिक सुख-साधन में सहायक होता है, और यह भी कि अमूर्त्त सुख के लिए उसकी पदावली में कोई स्थान नहीं होने से यह उनको मूल्यों की चेतना से वंचित करता है जो मूल्यों से अनुप्राणित नहीं हैं। यूरोप आज इस 'निरर्थकता' की व्याधि से पीड़ित है और अन्य देश उस दिशा में तीव्र गति से बढ़ रहे हैं।

मानव–स्वातन्त्र्य

स्वतन्त्रता के प्रश्न पर अनेक सन्दर्भों में विचार हो सकता है, किन्तु ये सब सन्दर्भ दो वर्ग बनाते हैं : अन्यों की इच्छा के शासन से अनधीनता और अपनी प्रकृति के शासन से अनधीनता। एक प्रकार से, प्रथम प्रकार की स्वतन्त्रता दूसरे प्रकार की स्वतन्त्रता को पूर्वापेक्षित करती है, किन्तु यह आवश्यक नहीं है कि जिसे दूसरे प्रकार की स्वतन्त्रता उपलब्ध है उसे प्रथम प्रकार की स्वतन्त्रता भी उपलब्ध हो। किन्तु यह कहा जा सकता है कि, जिसे दूसरे प्रकार की स्वतन्त्रता उपलब्ध नहीं है उसके लिए प्रथम प्रकार की स्वतन्त्रता का भी कोई अर्थ नहीं है।

दर्शन के लिए समस्या केवल दूसरे वर्ग की स्वतन्त्रता को लेकर ही है, क्योंकि प्रथम वर्ग की स्वतन्त्रता की समस्याएँ या तो व्यावहारिक हैं अथवा दूसरे वर्ग की समस्याओं पर निर्भर करती हैं।

दूसरे वर्ग की समस्याओं का स्रोत एक अनुभूत वस्तुस्थिति का एक मौलिक बौद्धिक कोटि से विरोध है। यह बौद्धिक कोटि है कारण–कार्य सम्बन्ध की। प्रत्येक घटना अथवा अवस्था किसी अन्य घटना अथवा अवस्था का कार्य है। यह जितना भौतिक घटनाओं के लिए सही है उतना ही मानसिक घटनाओं के लिए भी सही है। यद्यपि मानसिक घटनाओं को कारण–कार्यात्मक सन्दर्भ के बजाय प्रयोजनात्मक सन्दर्भ में भी समझा जाता है, किन्तु तात्कालिक सुविधा के लिए हम इसे भी एक अन्य प्रकार का कारण–कार्य सम्बन्ध मान सकते हैं। कारण–कार्य सन्दर्भ में प्रत्येक घटना अन्य घटना का कार्य होने से कोई घटना प्रथम नहीं हो सकती और न उसका अपना कोई तन्त्र ही हो सकता है—उसका कोई परिच्छिन्न स्वरूप नहीं हो सकता। किन्तु हम अपने आन्तर अनुभव में एक परिच्छिन्नता का अनुभव करते हैं, हमें प्रतीत होता है कि क्रिया का कारण 'मेरा' संकल्प है और मेरे संकल्प का अन्य कोई नियोजक नहीं है।

किन्तु इस अनुभूत परिच्छिन्नता का बहुत आसानी से प्रत्याख्यान किया जा सकता है : यह दिखाया जा सकता है कि यह संकल्प किसी प्रयोजन से नियोजित है, प्रयोजन हमारी किसी कामना का पूरक है, कामना किसी अन्य कारण से—शारीरिक से या अन्य कामना से अथवा आवेग से—नियोजित है, और ये किसी अन्य विषय से या उद्दीपन से नियोजित हैं। इसी प्रकार से, मनुष्य को या ईश्वर को आदि–कारण के रूप में प्रतिष्ठित करने के प्रयत्न भी कोई समाधान करते प्रतीत नहीं होते, उनमें एक प्रकार की यादृच्छिकता दिखायी देती है। अरस्तू की इस स्थापना में कि डण्डा पत्थर को हिलाता है और यह स्वयं हाथ से हिलाया जाता है, और हाथ को मनुष्य हिलाता है (फिज़िक्स, 256 ए) तथा न्याय द्वारा ईश्वर को जगत् के निमित्त कारण के रूप में कल्पना करने और स्वयं उसके निमित्त कारण के रूप में किसी की माँग नहीं करने में ऐसी ही यादृच्छिकता दिखायी देती है। मेरा यह कहना नहीं है कि हाथ को हिलाने वाले मनुष्य को कोई प्रेरित नहीं करने वाला होना असम्भव है, किन्तु यह विचार जिस बौद्धिक कोटि (कारणता) के अन्तर्गत कल्पित है उसी पर सीमा लगाता है, जिसका उसके अन्तर्गत कोई औचित्य नहीं है।

किन्तु कारणता का निषेध स्वतन्त्रता नहीं अनिर्धारितता देता है—यदि सब घटनाएँ, या कुछ घटनाएँ, अन्य घटनाओं की कार्य नहीं हैं तब वे 'स्वतन्त्र' हैं, ऐसा कहना उचित नहीं है, तब वे अनिर्धारित कही जायेंगी, अर्थात् उनके सम्बन्ध में कोई नियम सम्भव नहीं होगा, यद्यपि आगमनात्मक अनुमान, कम–से–कम सांख्यिकीय प्रकार का, सम्भव होगा। ह्यूम तथा चार्वाकों की घटनाएँ इसी प्रकार की हैं, आधुनिक अनुभववादियों का भी यही अभिमत है।

यहाँ उन लोगों की भूल भी देखी जा सकती है जो मानव–स्वतन्त्रता को मनुष्य की नकारने की सामर्थ्य में, भविष्यवाणियों को झुठलाने की सामर्थ्य में, देखते हैं। मनुष्य की नकारने की सामर्थ्य का स्रोत आवश्यक रूप से

उसकी स्वतन्त्रता का सूचक नहीं है, क्योंकि नकारना केवल विशेष उद्दीपनों की विशेष प्रतिक्रिया मात्र हो सकता है; और न भविष्यवाणियों को झुठलाना ही स्वतन्त्रता का सूचक है, क्योंकि यह हाइज़नबर्ग के परमाणु भी करते हैं। अनिर्धारितवाद की कुछ और भी कठिनाइयाँ हैं—अनिर्धारितवाद के लिए यह आवश्यक है कि वह केवल 'मनुष्य' को अनिर्धारित माने और उसके शरीर तथा अन्य विषय-वस्तुओं को निर्धारित माने; क्योंकि यदि शरीर और वस्तुएँ भी अनिर्धारित होंगी तब मेरे हाथ उठाने का संकल्प करने पर यह सम्भव होगा कि हाथ नहीं उठे, और डण्डे के लिए यह समभव होगा कि वह पत्थर के संसर्ग में नहीं आये, अथवा पत्थर के लिए यह सम्भव होगा कि वह डण्डे से नहीं हिले। उस अवस्था में मनुष्य की स्वतन्त्रता न केवल निष्फल होगी बल्कि वह अकल्पनीय भी होगी, क्योंकि कोई नियम नहीं होगा जिसे यह स्वतन्त्रता नकारेगी। पुनः, यदि नकारने की सामर्थ्य केवल अनिर्धारितता है तब स्वयं संकल्प भी कर्त्ता के वश में नहीं होगा। इसलिए स्वतन्त्रता के प्रश्न को कारणता और अकारितता के सन्दर्भ में देखना ही अनुचित है।

× × ×

मैं अपनी ज्ञानमीमांसा में घटनाओं, वस्तुओं तथा अर्थों को चैतन्य की विभिन्न वृत्तियों के रूप में कल्पित करता हूँ, किन्तु इस ज्ञानमीमांसा के अनुसार, चैतन्य का अपना कोई स्वरूप नहीं है। उसका स्वरूप वृत्तियों के स्वरूप में ही परिलक्षित होता है। अथवा, तात्त्विक पदावली में कहें तो, 'चैतन्य', 'वृत्ति' का ही एक विश्लिष्ट पक्ष है, अथवा कहें, 'वृत्ति-प्रत्यय', 'चैतन्य-प्रत्यय' का समावेशी है। हमारे लिए 'वृत्ति' और 'विषय' पद पूर्णत: समानार्थी हैं। इस प्रकार, 'चैतन्य' विषय का आकार है, यदि हमें ग़लत नहीं समझा जाये तो हम कहेंगे तार्किक आकार है। 'तार्किक आकार' कहने से हमारा यह अभिप्राय नहीं है कि विषयों के स्वरूप का निर्धारण तार्किक बुद्धि से होता है, बल्कि यह कि विषयों के आकार को बुद्धि ही उनसे विश्लिष्ट करती है। ये विश्लिष्ट आकार विभिन्न कोटियाँ बनाते हैं, 'बुद्धि' स्वयं एक विश्लिष्ट आकार की संज्ञा ही है और परिणामत: वह वृत्तियों अथवा विषयों की एक कोटि है। इसी प्रकार, 'मनुष्य' और 'पशु' भी विश्लेषणात्मक कल्पनाएँ हैं, अथवा कहें, तार्किक कोटियाँ हैं। इस प्रकार, 'आहार निद्रा भय मैथुनं च, सामान्यमेतत् पशुभिर्नराणाम्' की हमारी पदावली में कहा जाय तो—जब चैतन्य इन कोटियों के विषयों में अधिष्ठित होता है तब वह पाशव-चैतन्य होता है, मानव-चैतन्य की वृत्तियाँ संरचनात्मक (स्ट्रक्चरल) अर्थ-सूचक होती हैं।

कारणता, जिसे वस्तु-विश्व के, अथवा सम्पूर्ण प्रतिभास के ही, स्वभाव के रूप में कल्पित किया जाता है, स्वयं संरचनात्मक अर्थमूलक एक कोटि है। यह कोटि एक प्रकार के विषयों का निर्माण करती है। विषयों के अनेक अवधारण-प्रकार हैं, और इन अन्य, अर्थात्, कारण-कार्येतर, अवधारण-प्रकारों के अन्तर्गत विषय निर्धारित या अनिर्धारित नहीं होते। इन अन्य प्रकार के विषयों को प्रतीकात्मक या संरचनात्मक विषय कहा जा सकता है। विज्ञान, गणित, भाषा, संगीत, चित्रकला आदि ये सब इसी प्रकार के विषय हैं। स्वयं कारणता भी इसी प्रकार का विषय है, क्योंकि यह संरचनात्मक व्यापार है जो उन विषयों का धारण करता है जिन्हें हम कारण-शृंखलबद्ध देखते हैं। इस प्रकार, मेरे हाथ का हिलना कारण-नियम-शासित है, मेरी इच्छाएँ भी कारण-नियम शासित हैं, किन्तु इनको इन नियमों में शासित देखने वाला मैं इस नियम से शासित नहीं हूँ, क्योंकि यह कारण-कार्य-नियम नियम स्वत: कारण-कार्यात्मक नहीं है। यही गणित के लिए भी सही है—यह कारण-कार्यात्मक नियम-शासित नहीं है।

संरचनात्मक अर्थ के विषयों में एक अनिवार्यता रहती है। इनमें एक स्थिति, घटना या समग्र का आकार संरचना के नियम की अनिवार्यता को धारण किये रहता है, किन्तु यह अनिवार्यता नियोजनात्मक नहीं होती। उदाहरणत:, यदि ख क का कार्य है तो क में ख के सम्बन्ध में नियोजनात्मक शक्ति है, यदि पत्थर को डण्डे की धकेल हिला सकती है तो डण्डे की धकेल पत्थर के हिलने को नियोजित करती है, यदि मलेरिया के कीटाणु शरीर में ज्वर उत्पन्न करते हैं तब ज्वर उनसे नियोजित होता है, यदि मेरा अवसर विशेष पर क्रुद्ध होना विशेष उद्दीपनों-जन्य शरीर-क्रिया का व्यापार है तो वे मेरे क्रुद्ध होने को नियोजित करते हैं। कुछ लोगों को 'नियोजन' शब्द पर

आपत्ति होगी, मेरा उसके लिए कोई आग्रह नहीं है, यद्यपि 'निर्धारित' शब्द में यह शब्द निहित है। यहाँ द्रष्टव्य यह है कि क ख के 'घटित होने' को उस प्रकार से अनिवार्य करता है जिस प्रकार से '2+2=' '4' को नहीं करता है, अथवा जैसे भारतीय संगीत भैरवी राग के होने को अनिवार्य नहीं करता है, यद्यपि इनके घटित होने के लिए यह अनिवार्य है कि एक संरचनात्मक संस्थान (गणित का, भारतीय संगीत का, राग भैरवी का) विद्यमान हो।

संरचनात्मक अर्थ की विशेषता उसके वास्तव और आदर्श रूपों में तनाव होने में है। प्रत्येक संरचनात्मक अर्थ एक आत्यन्तिक समंजसता और आत्यन्तिक व्यापकता का आक्षेप करता है, जिसे व्यवहार में हम न्यूनाधिक ही सिद्ध कर पाते हैं। आर्केस्ट्रा में एक समंजस एकत्व रहता है, किन्तु जबकि आत्यन्तिक समंजसता आर्केस्ट्रा की आत्मा है व्यवहार में आत्यन्तिक समंजसता केवल एक आदर्श है जिसे चरितार्थ करने का प्रयत्न आर्केस्ट्रा का संयोजक कलाकार जीवन भर करता है। यह उतना ही सही तान और नृत्य के लिए भी है—कलाकार की साधना कभी पूरी नहीं होती। किन्तु तब भी, पूर्ण समंजसता तान, नृत्य और आर्केस्ट्रा की आत्मा है, यह इनके जन्म के साथ ही उपजती है, यह केवल अभिव्यक्ति के प्रयत्न में, अपने चरितार्थन की प्रक्रिया में, अपूर्णत: उपलब्ध रहती है। यही बात सिद्धान्त के लिए भी कही जा सकती है। सिद्धान्त की आत्मा उसकी तार्किक समंजसता में और आत्यन्तिक व्यापकता में है, इसके लिए यह स्वाभाविक है कि इसका जन्म आत्यन्तिक सामंजस्य और पूर्णता के साथ हो, किन्तु इसकी यह निहित समंजसता और पूर्णता अपने चरितार्थन की प्रक्रिया में केवल अपूर्णत: ही उपलब्ध होती है। इस प्रकार, जबकि मूल में पूर्ण समंजसता और पूर्णता इनका स्वभाव है अभिव्यक्ति में यह केवल पार्यन्तिक कल्पना है, जिसके हम समीप से समीपतर पहुँच सकते हैं, किन्तु जिसे हम सिद्ध नहीं कर सकते। संरचनात्मक अर्थों के आदर्श रूप की यह अचरितार्थ सत्ता अपने अन्तर्गत सब प्रयत्नों, कल्पनाओं या अवधारणाओं को एक अनिवार्यता देती है, क्योंकि इनके अन्तर्गत सब प्रयत्न अपने आदर्श रूप का अनुसरण किये बिना अप्रतिष्ठित रहते हैं। किन्तु यह अनिवार्यता बाध्यतापरक नहीं होती—कोई तर्क में वदतोव्याघात कर सकता है, कोई बेसुरा गा सकता है, कोई ग़लत गुणा-भाग कर सकता है—वास्तव में इस आदर्श के पार्यन्तिक होने का अर्थ ही है कि हम सदैव न्यूनाधिक बेसुरा गाते हैं, हम सदैव वदतोव्याघात की सम्भावना के साथ तर्क करते हैं, अनेक मानव-सन्ततियाँ इस पूर्णता की ओर निरन्तर प्रयत्नरत रह कर भी अपनी अपूर्णता के बोध से विकल रहती हैं।

मनुष्य की वास्तविक स्वतन्त्रता का स्रोत यह संरचनात्मक (स्ट्रक्चरल) अर्थ ही है, क्योंकि यह मनुष्य को स्वत्व के लिए अपेक्षित 'तन्त्रमयता' देता है। वास्तव में तन्त्रमयता स्वत्व की पूर्वापेक्षा है, क्योंकि अन्यथा 'स्वत्व' के लिए अपेक्षित एकत्व असम्भव होगा। यह एकत्व कारण-शृंखला या उसका निषेध दोनों ही नहीं दे सकते, क्योंकि कारण-शृंखला घटनाओं का कारण-घटनाओं में अन्तर्भाव कर देती है और कारण-शृंखला का निषेध घटना अथवा वस्तुस्थिति को स्वभाव-हीन बना देता है। इसीलिए न पत्थर स्वतन्त्र है, न पशु और न हाइज़न्बर्ग के परमाणु।

किन्तु संरचनात्मक अर्थ जबकि स्वतन्त्रता दे सकता है यह स्वत: 'व्यक्ति' को देने के लिए पर्याप्त नहीं है, क्योंकि इसकी अन्तर्वस्तु (कांटेन्ट) सार्वभौमिक होती है। गणित अथवा उसकी कोई प्रतिपत्ति, भारतीय शास्त्रीय संगीत अथवा राग मल्हार, अथवा उसका कोई स्वर-संयोजन, सार्वभौम हैं—ये देश-काल-व्यक्ति निरपेक्ष हैं, व्यक्ति इनमें भाग ले सकते हैं, ये किसी व्यक्ति में अद्वितीयत: भाग नहीं लेते। इस प्रकार से, जब ये चैतन्य की वृत्ति के रूप में प्राप्त होते हैं तब चैतन्य स्वतन्त्र तो होता है किन्तु यह वृत्ति उसे वैयक्तिता, अथवा वैयक्तिक स्वत्व, नहीं देती, यह उसे सर्वत्व देती है, यह उसे एक या दूसरे ब्रह्म में लीन करती है—गणित-मोक्ष में या नाद-ब्रह्म में।

स्वत्व के अधिष्ठान के लिए एक ऐसे अनुभूत एकत्व की अपेक्षा होती है जिसके अक्ष पर विभिन्न अनुभूतियाँ और अर्थ अरों के समान अवस्थित हो सकें, अथवा जो विभिन्न अनुभूतियों और अर्थों में प्रविष्ट होकर उन्हें अद्वितीय संस्थान अथवा आकृति दे सकता हो। संस्कृतियों में ऐसे एकत्व की अन्तर्वस्तु एक सर्व-संयोजक जीवन-दर्शन होता है, जैसे भारतीय संस्कृति का ब्रह्म था और आधुनिक पाश्चात्य संस्कृति का भौतिक विज्ञान है।

किन्तु व्यक्ति के अनुभूत एकत्व की अन्तर्वस्तु क्या है? एक उत्तर हो सकता है—अभिमान, जो स्मृतियों और अपेक्षाओं से, तथा इन स्मृतियों और अपेक्षाओं के अधिष्ठाता होने के बोध से, घटित होता है। (इस तीसरे घटक के बिना शरीर भी व्यक्तित्व के पद का दावा कर सकता है।) किन्तु यह अभिमान, यदि स्मृतियाँ केवल इच्छा और प्रत्यक्षमूलक ही हैं तो, व्यक्ति की स्वतन्त्रता के लिए पर्याप्त नहीं है; क्योंकि स्मृतियों, प्रत्यक्षों और अपेक्षाओं का अधिष्ठातृत्व उसे शरीराधिष्ठित करता है, अर्थात् इस अभिमान का अधिष्ठान शरीर-वृत्ति होती है, इसमें अधिष्ठाता शरीर से अपना अभेद-स्थापन करता है। परिणामतः यह अभिमान कारण-कार्यात्मक होता है। अधिकांश व्यक्ति, और अधिकांश में सब व्यक्तियों का स्वरूप या स्वत्व, कारण-कार्यात्मक ही होता है और अतएव उन अवस्थाओं में व्यक्ति स्वतन्त्र नहीं होता।

व्यक्ति उस समय स्वतन्त्र होता है, अथवा व्यक्ति का स्वातन्त्र्य उस अवस्था में उपलब्ध होता है, जब चेतना ऐसी अभिमान-वृत्ति में अधिष्ठित होती है जो कारण-कार्यात्मक सन्दर्भान्तर्गत नहीं है, बल्कि संरचनात्मक अर्थ के अन्तर्गत है। यह अभिमान चैतन्य को शरीर-वृत्ति में स्थित नहीं करता, यह उसे कारण-कार्य-बाह्य व्यवस्था में अधिष्ठित करता है। इस संरचनात्मक अर्थ की व्यवस्था में अभिमान वास्तव में कर्त्तृत्व प्राप्त करता है, क्योंकि यहाँ वह अर्थों के सर्जन की प्रक्रिया में, अथवा कहें उनके वास्तवीकरण की प्रक्रिया में, अपना साक्षात् करता है।तर्क या दर्शन या विज्ञान की किसी समस्या का समाधान और कुछ नहीं है सिवाय पूर्ण विज्ञान, पूर्ण दर्शन आदि की दिशा में अग्रसरता के। संरचनात्मक अर्थों के बिना कर्त्तृत्व की सम्भावना नहीं हो सकती और कर्त्तृत्व के बिना संरचनात्मक अर्थ असम्भव हैं, ये परस्परानुषंगी हैं। इस प्रकार, संरचनात्मक अर्थ सार्वभौतिक होते हुए भी कर्त्तृत्वाभिमान पर, व्यक्ति पर, (अथवा संस्कृति पर), अपने अस्तित्व के लिए निर्भर करते हैं। इस प्रकार, व्यक्ति करणीय अर्थों में और अर्थ कर्त्ता व्यक्ति में जन्म लेते हैं।

संरचनात्मक अर्थों की सार्वभौमता व्यक्ति को देश-काल निरपेक्ष बनाती है, यद्यपि वास्तवीकरण अथवा कर्म काल और परिवेश को पूर्वापेक्षित करते हैं। वास्तवीकरण एक निरन्तर प्रक्रिया है जो व्यक्ति को जन्मान्तरों में ले जाती है और संस्कृतियों में परम्पराओं को जन्म देती है। किन्तु कर्त्तृत्वाभिमान की समृद्धि पर कोई मर्यादा नहीं लगाई जा सकती, यह कितना भी समृद्ध हो सकता है और कितना भी विन्न हो सकता है। यह बुद्ध और वाल्मीकि की समृद्धि में एक ओर, तथा सन्ततियों द्वारा रचित महाभारत तथा बौद्ध मूर्त्तिकला में दूसरी ओर, देखा जा सकता है।

अभिमान के उपुर्यक्त निरूपण से स्पष्ट है कि यह संस्कृति और व्यक्ति की सामान्य विशेषता है। मेरे विचार में, व्यक्ति और संस्कृति में इस दृष्टि से कोई मौलिक अन्तर नहीं होता। यह अन्तर केवल एक में संवेदन होने तथा दूसरे में नहीं होने में है।[1] इस प्रकार व्यक्तित्व में संवेदन एक अनिवार्य घटक हो जाता है, किन्तु जैसाकि ऊपर के विवेचन से स्पष्ट है, यह अत्यन्त क्षुद्र घटक है।

× × ×

कर्त्तृत्व का उपर्युक्त विवेचन व्यक्ति के स्वतन्त्र निर्णय के प्रत्यय की भी अधिक युक्त व्याख्या करता है और इसे, इस निर्णय को, व्यापक परिप्रेक्ष्य में रखता है। 'स्वतन्त्र' निर्णय को नैतिक कर्म के सन्दर्भ में देखा गया है, अर्थात् कर्म के औचित्य-अनौचित्य के सन्दर्भ में। क्योंकि यदि कर्त्ता स्वतन्त्र है तभी उसके कर्म को उचित या अनुचित कहा जा सकता है। इस प्रकार, 'क का कर्म र उचित है' का अर्थ है 'क ने अपने स्वतन्त्र निर्णय से यह कर्म किया।' यह सही है, किन्तु यहाँ 'स्वतन्त्रता' का अर्थ स्पष्ट नहीं है। मेरे विचार में, यहाँ 'स्वतन्त्रता' का

1. मुझे अब ऐसा लगता है कि संस्कृति और व्यक्ति में इस आधार पर भी भेद नहीं किया जा सकता, क्योंकि संवेद न तो व्यक्तित्व का अनिवार्य घटक है और न संस्कृति का, यह केवल अभिव्यक्ति का, अथवा कहें ज्ञान का, माध्यम होता है, और यह माध्यम जितना व्यक्तित्व की ज्ञप्ति का होता है उतना ही और उसी प्रकार से संस्कृति की ज्ञप्ति का भी होता है। कालिदास का काव्य कालिदास के व्यक्तित्व और भारतीयता दोनों की मुद्राओं का समान रूप से वाहक है और दोनों अपनी ज्ञप्ति के लिए बराबर संवेद का माध्यम ग्रहण करते हैं।

सर्वस्वीकृत अर्थ होगा इच्छाओं, वासनाओं, संस्कारों आदि से ऊपर उठकर विशुद्ध विवेकपूर्वक निर्णय। किन्तु तब क को 'अनुचित' कर्मों के लिए उत्तरदायी नहीं ठहराया जा सकता, क्योंकि 'अनुचित' कर्म केवल वह होगा जो व्यक्ति वासनाओं आदि की अधीनता में करेगा। किन्तु वासनाओं आदि के अधीन कर्म करता हुआ व्यक्ति स्वतन्त्र नहीं कहा जा सकता और परिणामत: उत्तरदायी भी नहीं कहा जा सकता। ग़लत विमर्श को 'अनुचित' नहीं कहा जा सकता, उसे भ्रान्त कहा जा सकता है। सम्भवत: 'अनुचित' कर्म उस व्यक्ति के कर्म को कहा जायेगा जो उचित करने में समर्थ हो, जो विवेक कर सकने पर भी वासनाओं का अनुसरण करता हो। जो भी हो, यहाँ कठिनाई स्पष्ट है—विवेक की केवल सामर्थ्य स्वतन्त्रता नहीं है—यह कहने वाले दुर्योधन को कि 'जानामि धर्मं न च मे प्रवृत्ति: जानामि पापं न च मे निवृत्ति:' स्वतन्त्र नहीं कहा जा सकता।

किन्तु यह कठिनाई 'उत्तरदायित्व' को बाहर से आंकने पर जैसी रहती है वैसी स्वयं कर्त्ता की ओर से आँकने पर नहीं रहती—नैतिक कर्त्तृत्व व्यक्ति के अपनी प्रतिमा के अर्थ का अनुसरण करने अथवा उससे भ्रष्ट होने में है[1]—विवेक का अनुसरण नहीं कर पाना मुझे मेरी असामर्थ्य दिखाता है और परिणामत: ग्लानि उत्पन्न करता है। यह असामर्थ्य व्यक्ति में किसी नैसर्गिक न्यूनतामूलक नहीं होती—मेरा उत्कृष्ट नहीं गा सकना मुझमें ग्लानि उत्पन्न नहीं करेगा, खेद उत्पन्न कर सकता है, ग्लानि कर्त्तृत्व में भ्रष्ट होने से उत्पन्न होती है, जो कर्त्तृत्व स्वयं मेरी प्रतिमा के सर्जन में प्रतिफलित होता है। इस प्रकार, सत्य बोलने में मेरा इस कारण से संकोच कि इसके परिणाम मेरे परिवार के लिए घातक होंगे, मुझमें इसलिए ग्लानि उत्पन्न करेगा क्योंकि मैं अपने में इतना साहस नहीं बटोर पाया। इसी प्रकार से, मेरे संगीताभ्यास में इसलिए शिथिलता रहना कि मैं अपने आप को सामान्य मनोविनोद से नहीं रोक सका, मुझमें ग्लानि उत्पन्न करेगा। दोनों का अनौचित्य एक ही प्रकार का है, एक ही स्तर का चाहे नहीं हो। स्तर का यह अन्तर परीक्षा के महत्त्व से आता है।

व्यक्ति की अपनी प्रतिमा कर्त्तृत्वाभिमान के आत्म-साक्षात्कार में उपलब्ध होती है। कर्त्तृत्वाभिमान के आत्म-साक्षात्कार का अर्थ कर्मों के अधिष्ठाता के रूप में अपने अर्थ की परिपृच्छा है। इसके संरचनात्मक अर्थ होने में इसमें पुन: आदर्श पूर्णता और वास्तव अपूर्णता का तनाव रहता है। किन्तु यह तनाव हमारी सम्पूर्ण सत्ता को आवेष्टित करता है, क्योंकि यहाँ समग्र कर्मों का अनुशासन अभिप्रेत होता है। किन्तु यहाँ एक अन्य कठिनाई उपस्थित होती है—'अपने कर्मों' का क्या अर्थ है? क्या वे सब कर्म 'मेरे कर्म' हैं जिनके साथ 'मेरी अभिमान-वृत्ति' संयुक्त है? किन्तु अभिमान-वृत्ति उन कर्मों के साथ भी संयुक्त होती है जिनका अधिष्ठातृत्व मुझे प्राप्त नहीं है—स्वप्न इसका स्पष्टतम उदाहरण है, वे अन्य कर्म दूसरे उदाहरण हैं जिनमें मैं अपनी प्रतिमा से भ्रष्ट होता हूँ। यदि वे 'मेरे' ही कर्म हैं तब 'मेरी' स्वतन्त्रता का क्या अर्थ है? क्या मैं अपनी आदर्श प्रतिमा हूँ या कि वह सम्पूर्ण हूँ जिसमें तथाकथित भ्रष्ट कर्मों का भी समावेश है?

इस कठिनाई का समाधान सहज नहीं है, किन्तु यह उसी दिशा में मिल सकता है जिसमें अन्य संरचनात्मक विषयों के वास्तव और आदर्श रूपों में अन्तर का। मेरी प्रतिमा से भ्रष्ट कर्म उसी प्रकार से मेरी वास्तव सत्ता के अंग होते हैं जिस प्रकार से किसी गाये जा रहे राग के विसंवादी स्वर—विसंवादी स्वर राग के अंग नहीं होते, किन्तु गाये गये राग के अंग होते हैं। ठीक यही स्थिति अननुशासित, प्रतिमा-भ्रष्ट, कर्मों की है, ये 'मेरे' होते हैं और नहीं भी होते—मैं अपना स्वरूप इनको संवादी बनाकर प्राप्त करता हूँ। इस आत्यन्तिक संवादिता में ही मानव-कर्म की और निर्णय की स्वतन्त्रता निहित है, जो वास्तव में अपूर्णत: ही उपलब्ध रहती है।

1. **ज्ञान और सत्** में मानव प्रतिमा अध्याय तथा पीछे नैतिक मूल्य अध्याय द्रष्टव्य।

भारतीय संस्कृति के आधार : वर्तमान सन्दर्भ

भारतीय संस्कृति पर विचार करने से पहले संक्षेप में संस्कृति की अवधारणा पर विचार करना उपयुक्त होगा। संस्कृति के सम्बन्ध में दो विपरीत मत हैं—एक के अनुसार एक क्षेत्र विशेष के लोगों के रहन-सहन, दृष्टिकोण और रचनाओं में एक अनुरूपता रहती है, इसी को संस्कृति कहा जाता है। दूसरे मत के अनुसार, बाहर से दिखायी देने वाली यह अनुरूपता एक अन्तर्गत सामरस्य की अभिव्यक्ति होती है और वह तत्त्व ही संस्कृति है। संस्कृति सम्बन्धी ये दो मत व्यापकतर दार्शनिक दृष्टिकोणों के प्रतिनिधि हैं। उदाहरण के लिए 'व्यक्ति' के सम्बन्ध में भी इन दो दृष्टिकोणों में इसी प्रकार का भेद है। पहले मत के अनुसार 'व्यक्ति' एक शरीर-विशेष के व्यवहार में, जिसमें उसका भाषा-प्रयोग भी सम्मिलित है, दिखायी देने वाली संगति या अनुरूपता का नाम है, जबकि दूसरा मत चेष्टाओं और व्यवहार की अनुरूपता को किसी एक अन्तर्गत एकत्व पर प्रतिष्ठित मानता है। हम इस दूसरे मत को उपयुक्त मत मानते हुए 'व्यक्ति' और 'संस्कृति' को परिभाषित करने का प्रयत्न करेंगे : हमारे विचार में, मानव-चेतना अपने भीतर अपने स्वरूप की कल्पना के रूप में किसी प्रतीक की, किसी प्रतिमा की, प्रतिष्ठा करती है और इस प्रतीक के अर्थों के चरितार्थन के प्रयत्न में अपने स्वरूप को सिद्ध करती है। यह प्रतीक या प्रतिमा ही व्यक्ति-विशेष को परिभाषित करती है। व्यक्ति के सभी कार्य इस प्रतिमा से सम्बन्धित होते हों ऐसी बात नहीं है, बहुत-से कार्य इससे परोक्षत: ही सम्बन्धित होते हैं और इस परोक्षता की अनेक मात्राएँ होती हैं। व्यक्तित्व के बाह्य निर्धारक भी होते हैं, जिनमें से कुछ उसकी आत्म-प्रतिमा के माध्यम से उसके अन्तर्गत स्थान ग्रहण करते हैं, जबकि दूसरे उस पर आरोपण होते हैं जिन पर उसका कोई बस नहीं होता। इन्हें हम अवचेतन विकार (काम्प्लेक्सिस) कह सकते हैं। ये विकार आत्म-प्रतिमा और विपरीत समाज के बीच संघर्ष के परिणामस्वरूप बनते हैं।

बहुत सीमा तक संस्कृति-विशेष भी इसी प्रकार किसी प्रतीक-विशेष पर प्रतिष्ठित होती है, वह भी किसी एक आत्म-प्रतिमा का आक्षेप करती है, जिसके अर्थ के चरितार्थन का क्रम उसको धारण करने वाले व्यक्तियों के व्यवहार, विचार और कृतियों को एक अनुरूपता देता है। इस प्रकार जब हम किसी संस्कृति के दर्शन, काव्य या विज्ञान की बात करते हैं तब ऐसी अनुरूपताओं की बात नहीं करते जो देखने वालों को वैसी दिखायी देती हैं, अथवा कहें, जिनमें अनुरूपता का सम्बन्ध बाहरी होता है, बल्कि उस अन्तर्गत एकता की बात करते हैं जो बाहर प्रकट विभिन्न अभिव्यक्तियों में अनुरूपता की आधार होती है। किसी संस्कृति का आधार यही अन्तर्गत प्रतीक या प्रतिमा होती है।

यहाँ एक और स्पष्टीकरण अपेक्षित है और वह यह कि, न तो व्यक्ति के सभी कार्य आत्म-संगत होते हैं और न संस्कृति का वहन करने वाले समाज के। व्यक्तिगत आत्म-संगति व्यक्ति की प्रबुद्धता और संकल्प-बल के अनुसार न्यून या अधिक होती है। इसी प्रकार संस्कृति के लिए भी है। केवल संस्कृति के सम्बन्ध में 'संकल्प' शब्द के बजाय 'जीवन्तता' शब्द का प्रयोग अधिक उपयुक्त है। इस बल का, प्राण का, क्या स्रोत होता है, यह कहना कठिन है। यहाँ केवल इतना ही देखना महत्त्वपूर्ण है कि कोई व्यक्ति या संस्कृति असंगत कार्यों से परिभाषित नहीं होते, बल्कि उस प्रतीक से परिभाषित होते हैं जो व्यक्ति के कार्यों के एक वर्ग को आत्म-संगत और दूसरे वर्ग को आत्म-विसंगत बनाता है। एक बार मेरे एक मित्र ने मुझे कहा—"जितने बेईमान भारतीय लोग हैं उतने कहीं और कम ही होंगे। किन्तु तब भी हम अपनी संस्कृति को आध्यात्मिकतावादी कहते हैं और यूरोपीय संस्कृति को भौतिकतावादी कहते हैं।" मैंने उन्हें उत्तर दिया कि—"दूसरों से तुलना की बात को छोड़ते हुए, भारतीय संस्कृति इस कारण आध्यात्मिक कही जाती है क्योंकि यहाँ के लोग अपनी सार्थकता को आध्यात्मिकता के मानदण्ड से नापते हैं। यहाँ वैज्ञानिक, विचारक, कलाकार या धनिक को नहीं बल्कि आध्यात्मिक रूप से सिद्ध

व्यक्ति को ही सिद्ध माना जाता है। बनिया तौल में गड़बड़ी करेगा, किन्त यह बात तुरन्त स्वीकार करेगा कि यह नीचता है। इससे भी आगे, सही तौल को प्रशंसनीय मानेगा, किन्तु तोलते हुए तोलना भूलकर अन्न को 'तेरा-तेरा' कह कर लुटा देने वाले नानक को लोकोत्तर सिद्ध मानेगा। इसी प्रकार वह संसारी और सिद्ध में भी भेद करता है। बेईमानी-ईमानदारी में, अनुचित-उचित में भेद सब समाजों में मिलता है, वास्तव में यह बोध मनुष्य में सार्वभौमिक है और यह संस्कृति मात्र की न्यूनतम शर्त है। संस्कृतियों की विशिष्टता इस बात में होती है कि वे इस बोध को किस तत्त्वशास्त्र का आधार देती हैं। उदाहरणत: भारतीय व्यक्ति इसे धर्माधर्म कहेगा और धर्म का तत्त्वशास्त्र उसे पाताल, पृथ्वी, अन्तरिक्ष और दिव सभी लोकों के सभी स्पन्दनों की नियम और व्यवस्था से बाँधता है, उसका यह कर्म केवल नैतिक-अनैतिक नहीं है जिसका प्रसंग समाज-व्यवस्था विशेष, या अधिक-से-अधिक, मनुष्य और ईश्वर के बीच सम्बन्ध है। कांट तक का नैतिक नियम भारतीय मनीषा के लिए केवल मर्त्य लोक की उपाधि विशेष होगा, धर्म नहीं, और धर्म भी उसके लिए अन्ततः कर्म है और इस प्रकार उपाधि है, वह परमार्थ नहीं है।"

भारतीय संस्कृति के सम्बन्ध में मैंने जो यह कहा यद्यपि उसमें एक निहित मूल्यांकन है, किन्तु यहाँ मेरा यह उद्देश्य नहीं है, यहाँ यह सांस्कृतिक प्रतीक और सामाजिक व्यवहार के बीच सम्बन्ध को समझने के लिए केवल एक उदाहरण मात्र है।

अब, भारतीय संस्कृति का मूल प्रतीक या आधार क्या है? मेरे विचार में यह संयुक्त रूप से मोक्ष और धर्म कहा जा सकता है, जिनके व्यवहार में निकटतम अनुवाद योग और यज्ञ हैं। यहाँ हम इनके अभिप्राय का संक्षिप्त विवेचन करके जीवन के विभिन्न पक्षों में सांस्कृतिक प्रतीक के विकास का स्वरूप देखने का प्रयत्न करेंगे। किन्तु इससे पहले यहाँ इस महत्त्वपूर्ण तथ्य की ओर ध्यान आकर्षित कर देना उपयुक्त होगा कि भारतीय संस्कृति के मोक्ष और धर्ममूलक होने का यह अर्थ नहीं है कि यह संस्कृति जीवन के अन्य पक्षों की ओर नितान्त उदासीन है। कोई भी स्वस्थ समाज, स्वस्थ व्यक्ति के समान ही, सर्वांगीण होता है और परिणामत: भारतीय समाज भी था। होता केवल यह है कि यह सर्वांगीणता इस प्रतीक की संगति में अपने को संयोजित और रूपायित करती है। इस संयोजन या रूपायन में कुछ तत्त्व केन्द्र के अधिक निकट होते हैं और दूसरे न्यनाधिक दूर होते हैं, और वे इस प्रतीक के गुरुत्वाकर्षण को उससे निकटता या दूरी के अनुसार ही प्रकट करते हैं। इसी प्रकार, किसी भी समाज में उसका संस्कृति से कम संगत, विसंगत और उसकी लय से असमायोजित व्यवहार भी रहता है, जैसे भारत में वेश्यावृत्ति, लूट-मार और रिश्वतखोरी आदि उस समय भी थे जब महात्मा बुद्ध थे और उनके अनुसरण में लाखों लोग संसार त्याग कर भिक्षु हो रहे थे।

भारतीय संस्कृति का मूल प्रतीक मोक्ष कहने का क्या औचित्य है? इसका स्पष्टतम प्रमाण यहाँ के दर्शन हैं। मीमांसा को छोड़कर, यहाँ के सभी दर्शन—साँख्य, वेदान्त, बौद्ध, जैन, शैव, वैयाकरण, सभी एक चिन्मय आत्म-सत्ता को ही परमार्थ मानते हैं और विषय-सत्ता को उसी की औपाधिक अभिव्यक्ति। यह औपाधिक अभिव्यक्ति अनिवार्यत: दु:खात्मक है, ऐसा सब नहीं मानते, बल्कि इसे आनन्द का विकास मानते हैं और यह मानते हैं कि इसकी औपाधिकता को देख लेना, जान लेना, ही आनन्द तत्त्व को पा लेना है। इसलिए यह ज्ञान इसके लिए मूल्य या साध्य भी है। इसी से यहाँ योग सब दर्शनों का एक अनिवार्य अंग है। योग का अर्थ चित्त-वृत्ति को औपाधिक के सत्य-ग्रह से रोक कर निरुपाधिक आत्म-तत्त्व में नियुक्त करना है। पतंजलि के 'योगश्चित्तवृत्ति निरोध:' तथा गीता के 'योग: कर्मसु कौशलम्' दोनों का यही अर्थ है।

योग का सब दर्शनों का अंग होना भारतीय संस्कृति की एक अद्वितीय विशेषता है, जो मोक्ष का वास्तविक अर्थ समझने के लिए महत्त्वपूर्ण है। इसका अर्थ है कि यहाँ बौद्धिक ज्ञान को एक स्वत:पूर्ण आयाम नहीं माना गया, बल्कि उस ज्ञान को सत्य का ज्ञापक माना गया जो जीवन के सभी पक्षों को अपनी सिद्धि के लिए समवेत रूप में नियोजित करता है। अवश्य ग्रीस में सुकरात भी इसी प्रकार का दार्शनिक था जो सत्य को आत्म-शोधन के द्वारा साध्य मानता था, किन्तु शेष ग्रीक दर्शन में या यूरोपीय दर्शन में यह बात नहीं मिलती—रोमी दर्शन के धर्म-

दर्शन होने के बावजूद। आधुनिक यूरोपीय दर्शन में तो सत्य और जीवन को नितान्त असम्बद्ध ही मान लिया गया है। इन दो दृष्टिकोणों में भेद का एक महत्त्वपूर्ण कारण है, और वह यह कि भारत में यूरोप के समान सत्य को ज्ञान और सत्ता के सामंजस्य (अनुरूप-सम्बन्ध : कोरेस्पोंडेंस) के रूप में, अथवा ज्ञान को सत्ता के प्रकट होने में, अथवा बुद्धि द्वारा अपने सूत्रों में संगति बैठा लेने के रूप में, नहीं देखा गया, बल्कि आत्म-स्वरूप को ही सत्य माना गया और इस प्रकार सत्य को स्वरूप-सत् आत्मा से अनात्म के निवारण में, अथवा कहें, आत्मा के अपने से अपने दुराव की समाप्ति में, देखा गया।

मोक्ष के सम्बन्ध में जबकि सब दर्शन एकमत हैं, जगत् या जागतिक जीवन के सम्बन्ध में सब एकमत नहीं हैं। बौद्ध मत जबकि जगत् को नितान्त असत् और दुःख मानता है, औपनिषद दर्शन वैसा नहीं मानते हैं। अद्वैत के सभी सम्प्रदाय किसी-न-किसी प्रकार जगत् को ब्रह्म के आनन्द अंश से जोड़ते हैं। काश्मीर शैव दर्शन, मध्व और विट्ठल आदि दार्शनिक तो जगत् को शिव तत्त्व या ऐश्वर्य तत्त्व का स्पष्ट रूप से ही विकास मानते हैं। वास्तव में उपनिषदों में इस विचार के बीज स्पष्टतः मिलते हैं। इसी कारण शंकर, बौद्ध मत के प्रभाव के बावजूद, जगत् के सम्बन्ध में निषेधवादी नहीं हैं। 'विवर्त' का वास्तव में अर्थ ही यह है कि जगत् असत् नहीं है, बल्कि वह ब्रह्म ही है। साँख्य दर्शन, जोकि ब्राह्मण दर्शनों में सबसे अधिक वैराग्य-प्रधान है, जगत् को पुरुष की औत्सुक्य-निवृत्ति के प्रयोजन का फल मानता है। *(द्रष्टव्य — सांख्यकारिका, 58)*

'धर्म' शब्द के दो अर्थ किये गए हैं—(1) जिससे अभ्युदय और निःश्रेयस् की सिद्धि हो और (2) जो धारण करता है। वास्तव में इनमें दूसरा अर्थ ही महत्त्वपूर्ण है—हमारे विचार के लिए नहीं, बल्कि भारतीय मनस् को समझने के लिए, और इसी के प्रकाश में पहले अर्थ को भी भारतीय संस्कृति के सन्दर्भ में ठीक तरह से समझा जा सकता है। वास्तव में यज्ञ की अवधारणा इन दो अर्थों को परस्पर संयुक्त करती है।

भारतीय मनस् मनुष्य, जीव, जगत्—वास्तव में जगत् के भी सब स्तर, जिन्हें वह विभिन्न लोक कहता था, सबको एक ताल, एक नियम, एक अनुपात में व्यवस्थित देखता था और इसके सब अंशों और रूपों को परस्पर सम्बन्धित देखता था। वह दृष्टि ठीक-ठीक क्या थी, यह हम आज अनुभव नहीं कर सकते, किन्तु जो लोग यह समझते हैं कि वह सूर्य-चन्द्र आदि को देवता मानता था और इस प्रकार वह इनको भौतिक पिण्डों के रूप में नहीं देखकर चेतन व्यक्ति समझता था, वे भ्रम में हैं। वह इन्हें ग्रह-उपग्रहों के रूप में भी देखता था और देवों के रूप में भी। 'देव' शब्द वास्तव में व्यक्ति का वाचक नहीं होकर कल्याणमय शक्ति का, या कभी-कभी केवल शक्ति का, वाचक था, किन्तु साथ ही इसमें यह अनुभूति भी निहित थी कि एक चैतन्य तत्त्व जगत् की सब वस्तुओं में अनुप्राणित है। **महाभारत** में युधिष्ठिर कहते हैं—"हे सूर्य, तू संसार का चक्षु है, तू ही सब प्राणियों का उद्भव-स्थल : आदि कारण : है, तू ही सब कर्मों में नैतिक तत्त्व है।" यहाँ सूर्य एक ग्रह से सूर्य-तत्त्व में रूपान्तरित हो गया है जो तत्त्व समान रूप से सूर्य के प्रकाश में, मनुष्य के ज्ञान और नैतिक चेतना में और प्राणियों के हृत्स्पन्दन में अभिव्यक्त होता है। इस श्लोक में प्राण, ज्ञान और विवेक सब एक ही तत्त्व की विभिन्न अभिव्यक्तियों के रूप में देखे गए हैं। मनुष्य का कर्त्तव्य है कि वह इस तत्त्व की अभिव्यक्ति को बनाये रखने में योगदान करे। यही यज्ञ है। इस प्रकार यज्ञ का अर्थ है विश्व के नियम और उसकी गति में अपने को समर्पित कर देना। इस प्रसंग में यहाँ दो श्लोकों का उल्लेख अनुपयुक्त नहीं होगा। एक श्लोक गीता का है, जिसका अर्थ है कि यज्ञ कर्म-बन्धनों से मुक्ति देने वाला है, शेष सब कर्म जगत् बन्धन में डालने वाले हैं।[1] यहाँ यह द्रष्टव्य है कि गीता वेदों को त्रैगुण्य-विषय, अर्थात् प्रकृति-व्यवस्था से सम्बन्धित, कहती है और अर्जुन को इनसे ऊपर उठने का उपदेश देती है, जिसका अर्थ है कि गीता का 'यज्ञ' से यहाँ अर्थ वैदिक-कर्म-काण्ड से नहीं है।

---

1. यज्ञात् कर्मणोऽन्यत्र लोकोऽह्यं कर्मबन्धनः (गीता अ.-1, श्लोक 9)।

दूसरा श्लोक पारस्कर गृह्य सूत्रों के भाष्य में हरिहरानन्द ने उद्धृत किया है। श्लोक का अर्थ है कि "देवता, मनुष्य, पशु-पक्षी, सिद्ध, यक्ष, नाग, प्रेत, पिशाच, वृक्ष, कृमि-कीट आदि सब, जिनको भी अन्न की आवश्यकता है, उन सबकी तृप्ति के लिए मैं (यज्ञ में) यह अन्न देता हूँ, वे इसे प्राप्त कर प्रसन्न हों।"[1] इस प्रकार यज्ञ जगत्-व्यवस्था में योगदान करने और अपने को उसके स्वर-संगम में लय करने का माध्यम था। यही धर्म या व्यवस्था सामाजिक स्तर पर वर्णों और आश्रमों के रूप में कल्पित की गई, जिसके अन्तर्गत सब के कर्त्तव्य थे और उनका पालन व्यक्ति का कर्त्तव्य था। इस कर्त्तव्य-व्यवस्था में व्यक्ति सिद्धान्ततः कहाँ तक स्वतन्त्र था और कहाँ तक व्यवस्था के अधीन यह विचारणीय है। वास्तव में इसमें स्वतन्त्रता का माध्यम अपने को कर्त्तव्य के अधीन कर देना ही था—जैसाकि हेगल और कांट ने भी अपने-अपने ढंग से देखा। यहाँ व्यक्ति और समाज का सम्बन्ध पूरी तरह अधिकारों के आधार पर नहीं था जैसाकि आधुनिक यूरोप के चिन्तन में कल्पित है। उदाहरण के लिए, ब्राह्मण का कर्त्तव्य अध्ययन-अध्यापन था, उसे सर्वोच्च सम्मान देना समाज का कर्त्तव्य था, किन्तु धन-सम्पत्ति आदि से विरक्त रहना उसका कर्त्तव्य था। इस प्रकार उसके लिए भिक्षा से अन्न-वस्त्र प्राप्त करने का विधान था और तदनुसार समाज के लिए अन्न-वस्त्र आदि आवश्यकता की वस्तुएँ उसे देने का विधान था। इसी प्रकार अन्य वर्णों के लिए भी विधान थे। वर्ण का अर्थ जाति (जन्ममूलक वर्ग) नहीं था, बल्कि गुण-कर्म के अनुसार सामाजिक संगठन था। इसी प्रकार आश्रम थे। इनमें संन्यास मोक्ष के लिए तैयारी का आश्रम था, जिसमें मनुष्य सामाजिक कर्त्तव्यों से भी मुक्त हो जाता था, शेष तीन आश्रम समाज और धर्म-विषयक थे। प्लेटो ने **रिपब्लिक** में राज्य के लिए एक व्यवस्था कल्पित की थी, वह वहाँ पूरे समाज के लिए अत्यधिक प्राचीनकाल में कल्पित और लागू की गई थी।

यह सब रही इनके शुद्ध अर्थ की बात। किन्तु उतना ही महत्त्वपूर्ण यह होता है कि अर्थ का व्यवहार में क्रियान्वयन किस प्रकार हुआ। वास्तव में संस्कृति के तीन पक्ष कहे जा सकते हैं जो तीनों ही बहुत रहस्यपूर्ण हैं। इनमें प्रथम है सांस्कृतिक प्रतीक, या कहें मूल सांस्कृतिक प्रत्यय का आविर्भाव, दूसरा उसके अवधारण का रूप और तीसरा, उस अवधारण का क्रियान्वयन। भारतीय संस्कृति के सन्दर्भ में प्रथम मोक्ष और धर्म हैं, दूसरा योग और यज्ञ और इनसे सम्बन्धित वर्ण-आश्रम आदि की व्यवस्था, और तीसरा है इस व्यवस्था का वास्तविक इतिहास : जो इस व्यवस्था के अनुपयुक्त और भ्रष्ट आचरणों की परम्परा से भरा है। वास्तव में यह भ्रष्टता कोई भारतीय संस्कृति के आचरण के इतिहास की ही विशेषता नहीं है, सब संस्कृतियों के इतिहास की यही कथा है। जैसाकि हम जानते हैं, यज्ञ ने बहुत जटिल कर्मकाण्ड-व्यवस्था को जन्म दिया जो अपने आप में एक अत्यधिक विस्तृत तन्त्र है। अनेकानेक प्रकार के हवन, उनके लिए अनेकानेक प्रकार के हवन-कुण्ड, वेदियों की रचना का जटिल तन्त्र, हवन में जलाई जाने वाली लकड़ियों (समिधाओं) को तैयार करने की विधियाँ, अन्य असंख्य वस्तुएँ, हवन कराने वाले ब्राह्मणों के बैठने की विविध विधियों का जटिल ताना-बाना, इन सब के साथ जुड़ी हुई कर्म-फलों की एक उससे भी जटिल व्यवस्था, यह सब इतना विकसित शास्त्र था कि आश्चर्यचकित हुए बिना नहीं रहा जा सकता। वह सब आज हमारे लिए अग्राह्य है, उस दृष्टि और उसके विषय का क्या स्वरूप था, यह आज हमारे लिए न गम्य है और न प्रासंगिक। मैं उस दृष्टि को एकदम निरर्थक इसलिए नहीं कह सकता क्योंकि उसका विकास सूक्ष्म बुद्धि-सम्पन्न असंख्य लोगों ने शताब्दियों तक किया था। किन्तु बुद्ध ने उसे निरर्थक और परमार्थ ज्ञान में बाधक कह कर उसका परित्याग किया वह उसी प्रकार युक्त, सार्थक और उचित था जिस प्रकार आज गाँधीजी का यन्त्र विज्ञान और तदाश्रित उद्योग-व्यवसाय को अस्वीकार करना था। किन्तु हमारे लिए आज महत्त्वपूर्ण यह है कि वह सब सम्भव अवधारणाओं में एक अवधारण और क्रियान्वयन था जो उस अर्थ के लिए अनिवार्य नहीं था। हमारे लिए आज ज्ञातव्य केवल यह है कि वह अर्थ स्वयं में महत्त्वपूर्ण है या नहीं?

---

1. देवाः, मनुष्याः, पशवो, वयांसि, सिद्धाश्च, यक्षोरगदेव संघाः,
प्रेताः, पिशाचास्तरवः समस्ता ये चान्नमिच्छन्ति मया प्रदत्तम्।
पिपीलिका, कीटपतंगाद्या बुभुक्षिता कर्म-निबन्धबद्धाः,
तृप्यर्थमन्नं हि मया प्रदत्तं, तेषामिदं ते मुदिता भवन्तु।

संस्कृति : मानव-कर्त्तृत्व की व्याख्या

ऊपर हमने संक्षेप में भारतीय संस्कृति की उन दो मूल दृष्टियों का उल्लेख किया जो उसको परिभाषित करती हैं और जिनके आधार पर इस संस्कृति के सब क्रिया-कलापों का वैशिष्ट्य समझा जा सकता है। कुछ विचारक 'मोक्ष' और 'धर्म' को दो अलग-अलग संस्कृतियों के मूल प्रतीक मानते हैं और इस प्रकार उनके अनुसार, भारतीय संस्कृति दो भिन्न संस्कृतियों का संगम है। 'धर्म' इनके अनुसार वैदिक संस्कृति का प्रतीक है और मोक्ष द्राविड़ या आर्येतर किसी अन्य भारतीय संस्कृति का। यह सम्भव है। वास्तव में इन दो प्रतीकों में बहुत अन्तर है और उपनिषदों, बौद्धों तथा जैन तीर्थंकरों द्वारा वैदिक जीवन-विधि की उपेक्षा और निन्दा इस बात की पुष्टि भी करते हैं। गीता में वेदों को त्रैगुण्य विषय कह कर अर्जुन को उनसे ऊपर उठने के लिए कहा गया है। वास्तव में वैदिक संस्कृतिगत 'धर्म' में लोक-भावना—'जगद्भावना' ही प्रमुख है, संन्यास-भावना नहीं। जो भी हो, यह निश्चित है कि भारतीय संस्कृति में ये दोनों प्रतीक पीछे संयुक्त होकर उसके दो पक्ष हो गये—एक लौकिक जीवन से सम्बन्धित और दूसरा लोकोत्तर स्वरूप से सम्बन्धित। इन दो प्रतीकों ने किस प्रकार भारतीय काव्यों और कलाओं, धर्म, विज्ञान, और सामाजिक तथा व्यक्तिगत आचरणों को प्रभावित किया, यह विस्तार की बात है। यहाँ हम उदाहरण रूप में केवल दो का उल्लेख करेंगे—(1) भारतीय दृष्टि को समन्वयात्मक कहा जाता है। वास्तव में इसे अभेदवादी कहना अधिक उपयुक्त है। इस दृष्टि का आधार 'मोक्ष'—प्रतीक है, जिसके अनुसार सब भेद औपाधिक हैं। इसलिए सब भेद परमार्थ से या तो समान रूप से असम्बन्धित हैं अथवा समान रूप से सम्बन्धित। ऐसा नहीं है कि यहाँ भेदों को कोई महत्त्व नहीं दिया गया था। वास्तव में भेदों की जितनी सृष्टि यहाँ हुई उतनी कहीं और नहीं हुई होगी। मैं समझता हूँ कि इस भेद-सृष्टि का मूल धर्म (लौकिक व्यवस्था) सम्बन्धी दृष्टि में था जिसने नियम और व्यवस्था का अत्यन्त जटिल ताना-बाना बुना, किन्तु साथ ही इस ताने-बाने को परमार्थतः उपाधियाँ मान कर इनको समान रूप से महत्त्वपूर्ण और महत्त्वहीन मान लिया गया। ब्रह्मा, विष्णु, महेश, इन तीन मूल देवताओं और असंख्य अन्य देवताओं की भेद-सृष्टि भी इसी संस्कृति ने की, किन्तु साथ ही इसी ने 'विद्वान् एक ही देव को अनेक नामों—इन्द्र, यम, मातरिश्वा आदि से पुकारते हैं', यह भी कहा।[1] इसी प्रकार तुलसी ने 'शिवहि विष्णुहि नहिं कछु भेदा' में भेद को अभिन्न आधार में प्रतिष्ठित किया। वास्तव में ये वेद और तुलसी से लिये गये ऐसे उद्धरण नहीं हैं जो यहाँ की जनचेतना से परे किसी ग्रन्थ विशेष में जन-उल्लिखित हों, ये यहाँ की सामान्य चेतना में ही आलिखित थे।

भारत में प्रकृति के नियमन के रूप में यन्त्र-विज्ञान का विकास नहीं हुआ, यद्यपि ऐसा भी नहीं है कि भारतीय चेतना ने इस ओर कोई उद्‌बुद्धता प्रदर्शित ही नहीं की हो। आयुर्वेद, रसायन विज्ञान, धातु विज्ञान तथा वास्तुकला के क्षेत्र में इस देश ने पर्याप्त प्रगति की थी, किन्तु योग और तन्त्रों के रूप में मनुष्य की अन्तःप्रकृति सम्बन्धी और अलौकिक विज्ञानों का यहाँ अद्भुत विकास हुआ। मैं इन विज्ञानों के सफलता के दावों के सम्बन्ध में कुछ नहीं कह सकता, किन्तु यह स्पष्ट है कि ये अत्यन्त जटिल सैद्धान्तिक और व्यावहारिक व्यवस्थाएँ थीं जो निश्चित व्यावहारिक उद्देश्यों से सम्बन्धित थीं। ये दोनों वैज्ञानिक व्यवस्थाएँ इस संस्कृति के मूल प्रतीक 'मोक्ष' और 'धर्म' से सम्बन्धित थीं।

जैसाकि हमने कहा, भारत में प्राकृतिक विज्ञानों का भी उतना विकास तो हुआ ही था जितना आधुनिक यूरोप में औद्योगिक क्रान्ति के आरम्भ के पूर्व विश्व के किसी भी अन्य समाज में हुआ था। यन्त्र-विज्ञान और शुद्ध भौतिक विज्ञान एक दिशा-विशेष में मानव-बुद्धि की चमत्कारपूर्ण उपलब्धियाँ हैं, यह निश्चित बात है। किन्तु प्लेटो, अरस्तू, आगस्तीन, कांट, गोएथे और बीथोवन की तुलना में न्यूटन और आईंस्टीन को बुद्धि में उत्कृष्टतर नहीं कहा जा सकता। इस दृष्टि से पाणिनि, वाल्मीकि, वेदव्यास, कालिदास, शंकर और नागार्जुन आदि को एक ओर और अनेक ऋषियों तथा बुद्ध, महावीर, गाँधी आदि को दूसरी ओर यहाँ देखना चाहिए।

---

1. एकं सद्विप्रा बहुधा वदन्ति, इन्द्रं, यमं, मातरिश्वानमाहुः।

किन्तु कोई संस्कृति जबकि अपने मूल प्रतीक से परिभाषित होती है, उसका इतिहास उसके उस क्रियान्वयन से परिभाषित होता है जो उसके धारक समाज के माध्यम से उसका होता है। भारतीय संस्कृति का वह इतिहास कैसा रहा, उसका विवरण यहाँ देना सम्भव नहीं है। उसमें बहुत कुछ है जिस पर हम लज्जित हो सकते हैं और दूसरा बहुत कुछ है जिस पर हम गर्व कर सकते हैं। किन्तु यहाँ वह सब देखना प्रासंगिक नहीं है। प्रासंगिक यह प्रश्न है कि क्या यह संस्कृति एक बीत चुके जीवन का शव मात्र है या कि यह अभी एक जीवित परम्परा है?

इसका निस्संकोच उत्तर दिया जा सकता है कि यह परम्परा मृत नहीं है। वास्तव में यह प्रश्न ही इस तथ्य का प्रमाण है कि यह परम्परा एक जीवित परम्परा है, अन्यथा यूनान, मिश्र या ईरान में यह प्रश्न नहीं पूछा जाता।

सच बात यह है कि हमारे शिक्षित वर्ग का कुछ भाग, सम्भवत: बहुत बड़ा भाग, भारत की राजनीतिक स्वाधीनता के बाद कुछ रहस्यमय संयोगों के कारण यूरोप की ओर इस प्रकार दौड़ा मानो संस्कृति और सभ्यता के सभी स्रोतों का मूल वहीं हो। साहित्यिकों ने मार्क्सवाद-अस्तित्ववाद आदि को आदर्श बनाया तो दार्शनिकों के लिए आंग्ल-अमरीकी दर्शन, और कुछ अन्य के लिए फ्रांसीसी-जर्मन दर्शन अनुकरणीय बने। इसी प्रकार मनोवैज्ञानिकों, समाज-शास्त्रियों और राजनीतिशास्त्रियों ने अंधाधुंध उधर दौड़ लगायी। कल तक मर्टन, वेबर और पार्सन्स हमारे चर्चा के विषय थे तो आज शुल्ज़, हैबरमास और मार्ल्यू पोंती आदि हैं। और मज़े की बात यह है कि 99 प्रतिशत समाजशास्त्री, और इसी प्रकार साहित्यिक और दार्शनिक भी, इनको समझते भी नहीं हैं, केवल नाम तुतला कर एक-दूसरे पर रौब गाँठते हैं। यही स्थिति हमारी राजनीति में भी है। हम राजनीतिक विचार के लिए पश्चिम की ओर ही देखते हैं, जैसे मानो राजनीतिक व्यवस्था और संस्थाएँ किसी समाज पर ऊपर से लाकर रोपी जा सकती हों। इस परिस्थिति को लाने में विशेष निमित्त बने पं. जवाहर लाल नेहरू। उनके लिए तो हमारे अस्तित्व के भी एकमात्र प्रमाण यूरोप के राजनेता, अर्थशास्त्री, सम्पादक और संवाददाता ही थे। परिणामस्वरूप अन्य राजनेता, और दफ्तरी लोग भी उधर ही दौड़ते थे। यह दास-वृत्ति यहाँ तक बढ़ी की साधु-सन्तों ने भी अपनी सिद्धि के प्रमाण-पत्र वहीं से प्राप्त करने आरम्भ किये।

किन्तु यह स्थिति केवल इसीलिए चिन्ताजनक नहीं है कि इस प्रकार कोई समाज किसी संस्कृति को प्राप्त नहीं कर सकता—कि हम रसल, मूर, एयर या विट्गिंस्टाईन से शिक्षा पाकर कभी किसी दार्शनिक चिन्तन का विकास नहीं कर सकते—यह बात केवल अनुभव से ही सिद्ध नहीं है, यह प्रागनुभविक रूप से भी कही जा सकती है—किन्तु इससे ही अधिक महत्त्वपूर्ण बात यह है कि स्वयं यूरोप भी, कम-से-कम इस शताब्दी के आरम्भ से, औद्योगिक-यान्त्रिक विकास के रूप में अपने सांस्कृतिक अन्त:स्रोतों को व्यय कर चुका है। जिस दर्शन को तुतलाने में हम गर्व का अनुभव कर रहे हैं वह विश्लेषणवादी या अस्तित्ववादी दर्शन इस स्पष्ट उद्घोषणा को पूर्व-प्रतिज्ञा के रूप में स्वीकार करके आरम्भ होता है कि 'जीवन-दृष्टि' एक निरर्थक पद है। इनमें प्रथम सम्प्रदाय मनुष्य की जिस अवधारणा का पोषण करता है उसे हम व्यवहारवादी-नियन्त्रणवादी मानवशास्त्रों में, जिन्हें ये मानव-विज्ञान कहते हैं और इस प्रकार इनके विषयों को भी भूत-वैज्ञानिक आदर्श के अनुसार कल्पित करने का प्रयत्न करते हैं, प्रतिफलित देख सकते हैं और दूसरा (अस्तित्ववाद) जिस अवधारणा का पोषण करता है उसे सार्त्र के नौसिया और इंटीमेसी जैसी उपन्यास-कहानियों में प्रतिफलित देख सकते हैं। ये दोनों दर्शन-सम्प्रदाय उस दृष्टि का व्यवस्थित रूप से बहिष्कार करते हैं जो नैतिक चेतना, आत्म-बोध और आस्था को आधार दे सकती है। अभी 8 जून, 1980 के **टाइम्स ऑफ इण्डिया** में नीरद चौधरी का एक लेख प्रकाशित हुआ है जिसमें उसने बताया है कि किस प्रकार इंग्लैण्ड में पिताहीन परिचार का विचार प्रतिष्ठित हो रहा है और राज्य तक से उसे मान्यता और समर्थन मिल रहा है। जिसका अर्थ है कि विवाह-संस्था की समाप्ति और जिस भी किसी पुरुष से स्त्री का गर्भ-धारण कर सन्तान पैदा कर देना। यहाँ प्रश्न केवल निर्बन्ध काम का नहीं है, बल्कि पूरी उन्मुखता (ओरियेन्टेशन) का है जिस ओर यूरोप अग्रसर हो रहा है और हम उसका अनुसरण कर रहे हैं। इसमें सबसे अधिक खेदजनक बात यह है कि यह विघटन और आत्म-क्षय यूरोप के अपने ऐतिहासिक विकास का परिणाम है, किन्तु हमारे साथ यह केवल एक अनुसरण दृष्टिहीन है। या कहें, हमारे लिए भी यह ऐतिहासिक

विकास का ही फल है, क्योंकि हमारा यह व्यवहार जीवन के स्रोत सूख जाने के ही कारण है, जो एक ऐतिहासिक परिस्थिति है।

किन्तु इसका अर्थ यह नहीं है कि हम अपनी परम्परा के सूत्रों को पकड़ने का प्रयत्न करें। यह प्रयत्न उतना ही निष्फल होगा जितना यूरोपीय परम्परा के पीछे अपने को छोड़ना। क्योंकि इस समय हमारी परम्परा एक निर्जीव परम्परा है, यह सड़ांध वाले पानी के पोखर जैसी है। अब हमारे लिए एकमात्र रास्ता यह है कि हम परम्परा को छोड़कर आलोचक बुद्धि से अपनी संस्कृति के सार्वभौम तत्त्वों को देखें और उनके प्रति इस आलोचनात्मक भाव से अपने को खोलें। उदाहरण के लिए समाज–व्यवस्था के लिए वर्णाश्रम धर्म अप्रासंगिक है, किन्तु 'धर्म' (सामाजिक मनुष्य के धर्म–कर्त्तव्य आदि का मूल तत्त्व) अप्रासंगिक नहीं है। इसलिए हमें अपने सामाजिक विचार में इस मूल अर्थ का, इस तत्त्व का, इसकी ऐतिहासिक उपाधि : वर्णाश्रम धर्म : से पृथक् कर मनन करना चाहिए, न कि मूर, रसल, पार्संज़, शुल्ज़, हैबरमास आदि पर या इनके द्वारा सुझाये गये दार्शनिक–सामाजिक प्रश्नों पर विचार करना चाहिए, क्योंकि ये लोग न केवल एक भिन्न संस्कृति के प्रतिनिधि हैं बल्कि दृष्टिहीन भी हैं। इसका अर्थ यह नहीं है कि हमें बाहर के विचारों से अभिज्ञ नहीं रहना चाहिए, अवश्य रहना चाहिए, किन्तु उन्हें हमें सूचना और आत्मालोचन के लिए ही देखना चाहिए, दिशाबोध या जीवन–दृष्टि के लिए नहीं, सिवाय सुकरात, प्लेटो, अरस्तू जैसे दार्शनिकों के, जिनमें जीवन विषयक गहरी अन्तर्दृष्टि मिलती है।

भारतीय संस्कृति : जीवित या मृत?

'बिन्दु' के सम्पादक के सामने प्रश्न है कि हम अक्सर भारतीय संस्कृति की बात करते हैं, किन्तु क्या यह संस्कृति सचमुच आज कहीं है? हमारी वेश-भूषा, खान-पान, रुचियाँ-प्रवृत्तियाँ सब बदल गयी हैं, तब किस अर्थ में 'बाकी मगर है अब तक नामोनिशां हमारा' की बात सही है?—'यदि सही है तो'? प्रश्न यहीं समाप्त नहीं होता। इसके आगे पूछा जा सकता है कि, यदि यह संस्कृति सचमुच जीवित है तब क्या इसे जीवित रहना भी चाहिए? क्या इसकी ठठरी को हमें अपने पितृ-प्रेम के कारण सँभाल कर रखना चाहिए और अपने आज के जीवन को पूरे उत्साह और पूर्ण एक-भाव से नहीं जीना चाहिये? यह दूसरा प्रश्न 'भारतीय संस्कृति की समसामयिकता' के प्रश्न में निहित है।

संस्कृति क्या है, संस्कृति के जीवन और मृत्यु का क्या अर्थ है? ये प्रश्न बहुत ही जटिल हैं और इन पर विमर्श के लिए उससे बहुत अधिक स्थान और समय की आवश्यकता है जितना हमें यहाँ उपलब्ध है। किन्तु मैंने इन प्रश्नों पर पीछे विचार किया है।[1] यहाँ मैं केवल सूत्र रूप में इनके सम्बन्ध में कुछ शब्द कहूँगा।

संस्कृति के दो पक्ष होते हैं—अभिव्यक्ति-पक्ष और स्वरूप-पक्ष। अभिव्यक्ति-पक्ष को हम वह 'इंगित-गति-चेष्टा-भाषण-विधा' कह सकते हैं जो एक समाज के व्यक्तियों के विशिष्ट व्यक्तित्वमूलक व्यवहारों में सामान्य होती है और स्वरूप पक्ष उस आधारभूत मूल्य-दृष्टि को कह सकते हैं जिसके अनुसार इस समाज के व्यक्ति अपने कर्मों की सार्थकता निर्धारित करते हैं। इस प्रकार, किसी संस्कृति के जीवित होने का अर्थ है विशिष्ट व्यक्तियों के व्यवहारों में उन सामान्य लक्षणों का व्यक्त होना जो अतीत में व्यक्त होते थे और इन व्यक्तियों का उस मूल्य के अनुसार अपने कर्मों की सार्थकता निर्धारित करना जो मूल्य उस समाज को पूर्वत: अनुप्राणित करता रहा है।

जहाँ तक अभिव्यक्ति-पक्ष का सम्बन्ध है, इसमें निरन्तर परिवर्तन होते रहते हैं और ये परिवर्तन संस्कृति के स्वरूप में परिवर्तन के द्योतक नहीं होते—उतने भी नहीं जितना कुछ अवस्थाओं में पायजामा पहनने वाले व्यक्ति का पैंट पहनना आरम्भ करना उसके व्यक्तित्व में परिवर्तन का द्योतक हो सकता है। व्यक्तियों के बहुत-से व्यवहार व्यक्तित्वमूलक नहीं होते, सामान्यत: पोशाक भी व्यक्तित्वमूलक व्यवहार नहीं होता, किन्तु इसमें परिवर्तन करना कभी-कभी व्यक्तित्वमूलक हो सकता है। इसी प्रकार एक जाति की पोशाक में परिवर्तन सामान्यत: संस्कृतिमूलक नहीं होता और न किसी समय पहनी जा रही पोशाक उसका संस्कृतिमूलक व्यवहार होता है, किन्तु कभी यह सम्भव है कि पोशाक में परिवर्तन संस्कृति परिवर्तन का द्योतक हो। किन्तु किसी भी समय ये परिवर्तन व्यक्तित्व या संस्कृति में गहरे परिवर्तन में मूलित नहीं हो सकते, ये परिधि-रेखा पर ही किसी स्पन्द के कारण हो सकते हैं। किन्तु संगीत-शैली में, भाषा में व्यक्त अवधारणाओं में और धार्मिक प्रतीकों में परिवर्तन उससे गहनतर परिवर्तन के लक्षण होते हैं। किन्तु ये परिवर्तन बहुत बार 'परिवर्तन' नहीं होकर विकास होते हैं—उस समय भी जब ये बाह्य प्रभाव से घटित होते हैं; और बहुत बार बाह्य प्रभाव से हुए परिवर्तन व्यक्तित्व के सम्पूर्ण संस्थान में बिना कोई परिवर्तन घटित किये, अथवा बहुत क्षीण पुनर्व्यवस्थापन घटित करके ही, स्थान ले लेते हैं।

किन्तु अभिव्यक्ति-पक्ष के कितने भी परिवर्तन संस्कृति को आमूलत: नहीं बदलते, आमूलत: उसे केवल स्वरूपगत परिवर्तन ही बदलते हैं; अर्थात् जब कोई जाति अपने कर्मों की सार्थकता का निर्धारण भिन्न मूल्यों के अनुसार करना आरम्भ करती है तब उसकी संस्कृति भिन्न हो जाती है।

---

1. द्रष्टव्य पीछे, प्रथम दो अध्याय।

यहाँ 'कर्मों की सार्थकता के निर्धारण' का अभिप्राय स्पष्ट करना उपयुक्त होगा—अधिकांश व्यक्ति जो कर्म अधिकांशत: करते हैं वे उनके सांस्कृतिक मूल्य के द्योतक नहीं होते, अधिकांश व्यक्ति अधिकांशत: अपने कर्मों की सार्थकता की ओर ध्यान ही नहीं देते। इसी कारण यद्यपि भारतीय संस्कृति का मूल्य परमार्थ–साधन रहा है, किन्तु इसका यह अर्थ नहीं है कि कभी भी अधिकांश भारतीय अधिकांशत: परमार्थ–साधन–रत रहते रहे हैं। 'कर्मों की सार्थकता के निर्धारण' का अभिप्राय यह है कि वे 'उत्कृष्ट' को इसके अनुसार आँकते हैं और उसी सीमा तक वे अपने जीवन को सार्थक मानते हैं जिस सीमा तक वे इस मूल्य का अनुसरण कर पाते हैं। उदाहरणत:, सामान्य भारतीयों के अधिकांशत: लोक–सिद्धि–रत रहते होने पर भी भारत की सब महान् उपलब्धियाँ परमार्थ–सिद्धि के क्षेत्र में ही हमें मिलती हैं और संस्कृति का अभिव्यक्ति–पक्ष उस मनोवृत्ति को झलकाता है जो उस सिद्धि के अनुकूल होता।

अब प्रश्न है कि क्य आज भारत में अपने स्वरूप और अभिव्यक्ति में वह संस्कृति विद्यमान है जिसे 'भारतीय' विशेषण दिया जाता है? यदि नहीं है तो क्या अन्य कोई संस्कृति है? और यदि है, या क्रमश: आ रही है, तो क्या इस अन्य संस्कृति का ही हमें वरण करना चाहिये या कि 'भारतीय' विशिष्ट संस्कृति का वरण करना चाहिये?

जहाँ तक प्रथम प्रश्न का सम्बन्ध है, भारत में कभी भी एक ही संस्कृति पूर्ण रूप से व्याप्त नहीं रही, और न शायद किसी भी बड़े प्रदेश में कभी एक ही संस्कृति रही है। किन्तु युगों से इस देश में एक संस्कृति की प्रमुखता रही है और शेष संस्कृतियाँ 'विदेशी' संस्कृतियों के रूप में देखी जाती रही हैं। किन्तु इस समय स्थिति पहले से बहुत भिन्न है। एक तो राजनैतिक कारणों से इस समय बहुत घपला हो रहा है और भारतीयकरण की बात तक को आपत्तिजनक कहा जा रहा है, और दूसरे, यूरोप की ऐन्द्रिक संस्कृति का बहुत तीव्र गति से आयात हो रहा है और इस आयात का यहाँ के बुद्धिजीवी वर्ग द्वारा स्वागत हो रहा है। स्वतन्त्रता के बाद सरकारी तौर पर हमारे देश में विज्ञान–पूजा और ऐहिकतावाद को प्रोत्साहन दिया गया है। यूरोप के समान इस समय हमारे लिए भी विज्ञान सत्य और मूल्य दोनों का प्रतिमान हो रहा है। दूसरी ओर हमने यन्त्र को विकसितता अथवा अभ्युदय का प्रतिमान मान कर 'पिछड़े देश' होने का ठप्पा स्वीकार कर लिया है और इन 'उन्नत' देशों की जीवन–दृष्टि को ग्रहण करने के लिए आतुर हैं। हमारे सब क्षेत्रों के अग्रणी मन्त्री, उच्च पदाधिकारी, शिक्षा–शास्त्री विदेशगमन के लिए, विदेशी स्वीकृति के लिए, और विदेशी माल के लिए लालायित हैं। हमारी साहित्यिक पत्रिकाएँ उठाइये, उनमें कविताओं, कहानियों, लेखों सबमें यूरोपीय विचार, यूरोपीय भाषा और यूरोपीय लहज़ा लाने का प्रयत्न इस सीमा तक दिखायी देता है कि बेचारी हिन्दी उस बोझ के नीचे टूटती जान पड़ती है, और यह उन लोगों द्वारा हो रहा है जो पूरी तरह उस विचार और भाषा को ठीक तरह से नहीं समझते, केवल उनकी महत्ता और अपनी क्षुद्रता में आस्था से अभिभूत हैं।

इस प्रकार इस समय सचमुच सांस्कृतिक संक्रमण हो रहा है, हमारी संस्कृति का स्वरूप–पक्ष इस समय नष्ट होने की स्थिति में है। अर्थात् अब हम अपने कर्मों की सार्थकता एक भिन्न प्रतिमान से नापने लगे हैं। किन्तु तब भी भारतीय संस्कृति समाप्त हो गयी है, ऐसा नहीं कहा जा सकता, समाप्ति की प्रक्रिया अवश्य चल रही है और पर्याप्त तीव्र गति से चल रही है। इस तरह उपर्युक्त प्रथम दो प्रश्नों का उत्तर इस प्रकार होगा—भारत में अभी भारतीय संस्कृति प्रमुखता में है, किन्तु यह क्रमश: अपनी प्रमुखता खो रही है, और यूरोपीय संस्कृति क्रमश: आ रही है। अब प्रश्न है कि क्या ऐसा होना भी चाहिये?

यह प्रश्न बहुत महत्त्वपूर्ण है। इसका सर्वोपरि महत्त्व इस बात में है कि यह प्रश्न किया जा सकता है। इस प्रश्न का किया जा सकना संस्कृति को ज्ञान–विषय के बजाय मूल्य–विषय बना देता है, जिसका अर्थ है कि इसका कुछ भी नहीं है जो 'है', इसका सब कुछ 'होना या नहीं होना चाहिये' ही है। इस प्रकार, जब हम कहते हैं कि 'सांस्कृतिक संक्रमण हो रहा है' तब इसका अभिप्राय यह नहीं है कि 'कुछ था' और 'अब कुछ और है',

बल्कि यह कि 'होना चाहिये' का मानस् बदल रहा है। और यदि मैं आज यह उत्तर देता हूँ कि 'यह नहीं होना चाहिये' तो मैं इस कथन के साथ ही एक परिवर्तन घटित कर रहा हूँ।

अब प्रश्न है कि क्या होना चाहिये? हमें अपने कर्मों की सार्थकता किस प्रतिमान से निर्धारित करनी चाहिए? क्यों इस प्रतिमान से ही निर्धारित करनी चाहिये?

किन्तु प्रतिमान की उपयुक्तता का निर्धारण कैसे सम्भव है? क्योंकि यह निर्धारण तो प्रतिमान से ही कर सकते हैं? इसलिए यह प्रश्न सचमुच ही बहुत कठिन है। किन्तु तब भी इसका उत्तर सम्भव है। प्रत्येक प्रतिमान अपना एक विश्व सीमांकित करता है, इससे बाहर वह किसी चीज़ को स्वीकृति नहीं दे सकता। किन्तु हम जब उस प्रतिमान के विश्व से बाहर होकर देखते हैं तब पाते हैं कि मानवीय अनुभवों (अर्थों) का विश्व उससे बहुत व्यापकतर और विपुल है। जो उस प्रतिमान के अनुसार देखने के अभ्यस्त हो जाते हैं, या जो उस प्रतिमान की सत्यता और अवधारकता (काम्प्रीहेंसिवनेस) के प्रति आश्वस्त होते हैं, वे इस अर्थ-वैभव को देखने से इन्कार करते हैं। उदाहरणत: बुद्ध की करुणा, कबीर के रहस्य-बोध तथा ईसा के सूली चढ़ने में जो अनुभव का उत्कर्ष है वह ऐन्द्रिकतावादी प्रतिमान से 'कुत्ते के हड्डी चूसने' के बराबर है। अब, यह कहा जा सकता है कि प्रतिमान तो यही सही है और इस प्रकार उपर्युक्त 'उत्कर्ष' और 'वैभव' एक छलना मात्र है। उस अवस्था में इसका कोई उत्तर सम्भव नहीं हो सकता, क्योंकि प्रतिमान को प्राथमिकता दे देने पर उसे कोई चुनौती नहीं दी जा सकती। किन्तु यदि किसी को उस प्रतिमान में सन्देह हो जाय तब उस प्रतिमान के अन्तर्गत उसका निरास भी सम्भव नहीं होता। तब वह ऐसे प्रतिमान के अनुसार देख रहा है जो या तो उस प्रतिमान से भिन्न है या उसका अतिक्रमण कर रहा है।

यहाँ मैं यह नहीं कहूँगा कि 'बुद्ध की करुणा' में वास्तव में उससे अधिक अर्थ-वैभव है जितना 'कुत्ते की हड्डी चूसने' में है, किन्तु यदि कोई प्रतिमान इनमें प्रकट भेद को वास्तव भेद के रूप में धारण कर सकता है तब वह निश्चय ही उससे व्यापकतर है जो इस भेद को धारण नहीं कर सकता है। और अवधारण की यह व्यापकतरता ही किसी प्रतिमान को उपयुक्ततर बनाती है, जैसाकि मैंने अन्यत्र[1] दिखाने का प्रयत्न किया है। उसके अनुसार वैज्ञानिक दृष्टि अर्थ की दृष्टि से निर्धनतम है, अथवा कहें, अवधारण की दृष्टि से संकुचिततम है, इसलिए यह वरणीय नहीं है। यह केवल मात्रात्मक का ही अवधारण कर सकती है, मानसिक और आध्यात्मिक इसके अन्तर्गत स्थान नहीं पा सकते। यह आपत्ति की जा सकती है कि पारमार्थिक दृष्टि भी कम संकुचित नहीं होती, क्योंकि यह ऐहिक जीवन के प्रति हमें उपेक्षापूर्ण बनाती है और परिणामत: ऐहिक अर्थों की समृद्धि से हमें वंचित रखती है। किन्तु यह दो प्रकार से सही नहीं है—एक तो, पूर्ण संन्यासवाद को छोड़कर, पारमार्थिक दृष्टि के ऐसे अनेक रूप सम्भव हैं जिनमें ऐहिकता एक उपयुक्त आयाम के रूप में स्वीकृति पा सकती है। यहाँ यह द्रष्टव्य है कि ऐहिकता को भी अर्थ-वैभव ऐहिकता के अतिक्रमण से ही मिलता है। उदाहरणत: काम प्रेम में रूपान्तरित होकर ही अर्थवान् बनता है, ध्वनि संगीत में संरचित होकर ही अर्थ पाती है। दूसरे, पूर्ण संन्यासवाद भी, निराकरणात्मक होने के बावजूद, एक अन्य प्रकार से ऐहिक अर्थों से हमें 'वंचित' नहीं करता कहा जा सकता, जिस प्रकार कि तुलसी और सूर के काव्य में रस लेने वाले और सेनापति के काव्य में रस नहीं लेने वाले को किसी काव्य-रस से 'वंचित' नहीं कहा जा सकता।

यह सही है कि पूर्ण संन्यासवाद की व्यावहारिक कठिनाइयाँ हो सकती हैं, हम अपने इतिहास में ये काफी मात्रा में देख चुके हैं। किन्तु इसके भी दो उत्तर आवश्यक हैं : एक तो यह कि व्यावहारिक कठिनाइयाँ इसके अर्थ-वैभव और अवधारण-व्यापकत्व की न्यूनता की द्योतक नहीं हैं, इसलिए मूल्य के रूप में इसकी वरणीयता से हमें ये नहीं रोक सकतीं, और दूसरे यह कि ऐसा नहीं है कि पारमार्थिक दृष्टि में पूर्ण संन्यासवाद के अतिरिक्त ऐसे कोई विकल्प नहीं हैं जो व्यावहारिक कठिनायों का ध्यान रखें। पुन:, जैसाकि मैंने अपने एक लेख 'अहिंसा :

1. **संस्कृति** : पुस्तक में धर्म का स्वरूप अध्याय, पृ. 128-130.

सामूहिक कर्म का परिप्रेक्ष्य' में संकेत किया, मूल्यानुसरण में व्यावहारिक कठिनाइयाँ मूल्य की न्यूनता की द्योतक नहीं हो सकतीं, ये केवल इस अनुसरण के लिए परिस्थितियाँ उत्पन्न होने और करने के लिए प्रतीक्षा का परामर्श हमें दे सकती हैं।

इधर आधुनिकता की बहुत चर्चा है और प्राय: इसमें यह धारणा निहित रहती है कि एशिया की प्राचीन संस्कृतियाँ अनाधुनिक और अतएव असमीचीन हैं। किन्तु वास्तव में आधुनिकता की यह अवधारणा यूरोप के समाजशास्त्रियों, और शायद राजनीतिज्ञों ने भी, विकसित की है। 'आधुनिक' आज वास्तव में 'यूरोपीय' का ही पर्याय है, और इससे स्वभावत: एशिया की संस्कृतियाँ 'पिछड़ी' सिद्ध हो जाती हैं। किन्तु इस प्रकार कोई मानदण्ड स्थिर करके किसी को भी असमीचीन और अविकसित घोषित कर सकते हैं। प्रश्न यह है कि 'यह आधुनिक' कहाँ तक वरणीय है? जैसाकि मैंने कहा, संस्कृति ज्ञान–विषय नहीं है, मूल्य–विषय है और परिणामत: उसमें वरणीयता का प्रश्न मौलिक है। वरणीयता सब संस्कृतियों को सार्वकालिक और सार्वभौमिक बनाती है, इसलिए इनमें चयन करते हुए हम काल–सापेक्ष अवधारणाओं का उपयोग नहीं कर सकते। संस्कृतियों में अनाधुनिक केवल अभिव्यक्ति–पक्ष के कुछ तत्त्व होते हैं और कुछ स्वरूप–पक्ष के अनुवाद (क्रियान्वयन) होते हैं।

स्वरूप–पक्ष के अनेक अनुवाद सम्भव हैं, इसलिए संस्कृतियाँ काल–सापेक्षता में इन अनुवादों में परिवर्तन करती रहती हैं। कुछ अनुवाद अनुपयुक्त और असमंजस भी हो सकते हैं—हम बहुत बार अपने अभिप्राय ग़लत समझते हैं—और इसका ज्ञान होने पर इसमें परिवर्तन उपयुक्त होता है। इस प्रकार, पातिव्रत्य सती–प्रथा में और आचरण की शुद्धता बाल–विवाह में अनूदित हो सकते हैं, किन्तु ये अनुवाद उपयुक्त नहीं हैं और इनमें परिवर्तन संस्कृति को परिवर्तित नहीं करता, उसके सम्यक् अर्थ में प्रतिष्ठित करता है। इसी प्रकार, मूल्यान्वेषण की अनन्तता, व्यक्तित्व की शरीरातिक्रामता और मृत्यु का रहस्य तर्क और प्रत्यक्ष के रहस्य के प्रति उदासीन बना सकते हैं, किन्तु यह भी अनुवाद आवश्यक और उपयुक्त नहीं है, यद्यपि न यह अनुपयुक्त ही कहा जा सकता है।

इस प्रकार आधुनिकता और पिछड़ेपन के प्रश्नों को एक दूसरे परिप्रेक्ष्य में रखने की आवश्यकता है जिसकी ओर मैं यहाँ संकेत मात्र कर रहा हूँ।

अहिंसा : सामूहिक आचरण का परिप्रेक्ष्य

'अहिंसा' का एक साधारण अर्थ है पर-पीड़न से विरति। कहा जा सकता है कि इस अर्थ के अनुसार 'अहिंसा' एक नकारात्मक अवधारणा है। किन्तु ऐसा नहीं है, यद्यपि नकारात्मक अवधारणा होने से किसी अवधारधा का महत्त्व कम हो जाता है, ऐसा मैं नहीं मानता। पर-पीड़न एक मन:स्थिति है, एक अभिवृत्ति है। और इसी प्रकार, उससे विरति भी एक अभिवृत्ति है। किन्तु इन मन:स्थितियों में मनोवैज्ञानिक दृष्टि से एक गम्भीर अन्तर है—पर-पीड़न की मन:स्थिति एक सहज-प्राकृतिक मन:स्थिति है, जबकि पर-पीड़न से विरति मनुष्य के स्वभाव में विद्यमान कुछ अति-मानसिक तत्त्वों—मूल्यान्वेषण, विवेक तथा संकल्प आदि—का प्रकृति के ऊपर अपना अनुशासन आरोपित करने का आग्रह है।

यह द्रष्टव्य है कि पर-पीड़न में रति जीव-स्वभाव नहीं है, यह रति केवल मानसिक व्याधि-ग्रस्त मनुष्य में ही पायी जाती है। यह स्थिति व्यक्ति के मूल्य-संस्थान के एकाएक विक्षुब्ध होने के कारण, अथवा भ्रान्त मूल्य दृष्टि से, उत्पन्न होती है। इस प्रकार पर-पीड़न में रति भी एक मूल्यात्मक स्थिति ही है, केवल यह विपर्यस्त मूल्य-दृष्टि है। सहज स्थिति रति और विरति दोनों से रहित होती है।

किन्तु तब भी पर-पीड़न जीव मात्र करता है, और जीव-धर्मी मनुष्य भी करता है। यह पीड़न प्रयोजनवश होता है...शेर क्षुधाक्षमन के लिए हरिण को मारता है। इसी प्रकार अन्य जीवों के लिए भी कहा जा सकता है। मनुष्य भी क्रोधवश, अथवा भोजन के लिए, अथवा आत्मरक्षा के लिए, पर-पीड़न करता है।

यह निर्विवाद है कि मनुष्य में भी जीव-धर्मिता है, अथवा कहें, मनुष्य और पशु में बहुत कुछ सामान्य है। किन्तु उतना ही निर्विवाद यह भी होना चाहिए कि मनुष्य में बहुत कुछ जीवोत्तर है—अति-मानसिक है, यद्यपि इस तथाकथित वैज्ञानिक युग में बहुत-से लोग यह मानने को तैयार नहीं हैं। इस जीवोत्तर तत्त्व के होने का प्रमाण यही है कि अत्यन्त आदिमतम अवस्थाओं में भी मनुष्य को हम अपनी प्रवृत्ति से किसी-न-किसी स्तर पर संघर्षरत पाते हैं, वह सर्वत्र हमें मूल्य-सर्जन करता हुआ मिलता है। मनुष्य के इस स्वभाव में, इस अति-मानसिकता में ही पर-पीड़न से विरति की प्रतिष्ठा है। अर्थात्, पर-पीड़न से विरति मानव-स्वभाव नहीं है, यह मानव का पुरुषार्थ है, उसका अन्वेषण है, यह आदर्श-स्थिति है जिस पर वह पहुँचना चाहता है।

अहिंसा के मूल्य या पुरुषार्थ होने का अर्थ है कि यह व्यवहार-कौशल या उपयोगिता-मूलक सिद्धान्त नहीं है—अर्थात् पर-पीड़न से विरति इसलिए आवश्यक नहीं है कि इस नियम को व्यवहार के लिए सब स्वीकार नहीं करेंगे तो मैं भी चैन से नहीं रह सकूँगा। इस दृष्टि से यह एक निरपेक्ष सिद्धान्त है; इसमें कबीर के निम्नलिखित दोहे में व्यक्त भावना अभिप्रेत है—

कबिरा आप ठगाइये, और न ठगिये कोय।
आप ठगे दु:ख होत है, और ठगे सुख होय।।

यह 'आप ठगाने' का उपदेश सब मूल्यों का एक अनिवार्य घटक है। इस बात को समझना आज के इस विक्षिप्त युग के लिए विशेष रूप से महत्त्वपूर्ण है जो 'शान्ति के लिए शस्त्र-सज्जा' और 'शान्ति के लिए युद्ध' की बात करता है। शस्त्र-सज्जा से स्थापित शान्ति अहिंसामूलक नहीं होगी, यह भवमूलक होगी। परिणामत: यह हमें पाशव स्तर से उठाएगी नहीं बल्कि उसमें सहस्रधा अधिक गहरे डुबा देगी।

ऐसा ही एक श्लोक भी उल्लेखनीय है—

उपकारीषु य: साधु-साधुत्वे तस्य को गुण:,
अपकारीषु य: साधु, स: साधु सद्भिरुच्यते।

× × ×

यद्यपि अहिंसा को मूल्य के रूप में सब जातियों और धर्मों ने आदिमतम अवस्थाओं में भी पहचाना था, किन्तु इसके तर्क को उन्होंने बहुत कम समझा था। उनमें इसकी धारणा गौण व्यावहारिक नियम के स्तर से ऊपर नहीं उठ सकी। भारत से बाहर मुख्यत: ईसाई धर्म ही ऐसा है जिसमें अहिंसा को एक आत्यन्तिक मूल्य के रूप में स्वीकार किया गया था। भारत में भी सर्वप्रथम जैन तीर्थंकरों ने इसे आत्यन्तिक मूल्य के रूप में स्वीकार किया और पीछे महात्मा बुद्ध ने। सम्भवत: ब्राह्मण-धर्म में व्यक्तित्व-साधना के आदर्श के रूप में यह पीछे स्वीकार किया गया। किन्तु एक सम्राट् अशोक के अपवाद के साथ, महात्मा गाँधी से पूर्व अन्य किसी ने इसे सामूहिक और राजनैतिक जीवन में मूल्य के रूप में स्थापित नहीं किया था। अशोक ने भी कहाँ तक इसे राजनैतिक जीवन में मूल्य के रूप में अपनाया था यह कहना कठिन है, क्योंकि उसके बाद भारत में राजनैतिक और सामाजिक आचरण पर उसका कोई प्रभाव दिखायी नहीं देता, सैद्धान्तिक चर्चाओं में भी। किन्तु तब भी, यदि मनुष्य की मूल्य-दृष्टि पर्याप्त पैनी होती तो वह यह देखने से चूक नहीं सकता था कि जो वैयक्तिक जीवन में मूल्यवान् है वह सामाजिक और राजनैतिक जीवन में भी अनिवार्यत: मूल्यवान् है। वैयक्तिक और सामूहिक जीवन के आचरणों में व्यावहारिक उपयोगिता की दृष्टि से तो भेद होता है, मूल्य की दृष्टि से नहीं। इसे स्पष्टतम रूप में सर्वप्रथम महात्मा गाँधी ने ही देखा था।

इसे नहीं देख पाने का एक बड़ा कारण है। वास्तव में यह कारण उतना ही वैयक्तिक जीवन के स्तर पर भी विद्यमान है; किन्तु सामूहिक जीवन के स्तर पर यह शतधा मुखर हो उठता है। यह कारण है अहिंसा का आत्म-रक्षा के मूल्य से विरोध। आत्म-रक्षा वैयक्तिक जीवन में आध्यात्मिक मूल्य हो या नहीं हो यह एक महत्त्वपूर्ण जैव मूल्य अवश्य है। किन्तु जातीय जीवन में यह मात्र जैव मूल्य से बहुत अधिक है, क्योंकि एक जाति की पराजय एक संस्कृति के विनाश और विघटन का आरम्भ हो सकता है, और संस्कृति एक जैव सत्ता नहीं होकर आध्यात्मिक सत्ता है। उदाहरणत:, इंग्लैण्ड-अमेरिका आदि की नाज़ी जर्मनी से पराजय दानवीय आदर्श की विजय होती, और उससे बहुत अधिक भी वह हो सकती थी।

यह कहा जा सकता है कि यदि ये देश अहिंसात्मक प्रतिरोध करते तो जर्मनी उन्हें 'पराजित' नहीं कर सकता था, अधिक-से-अधिक वह उनका पीड़न कर सकता था, क्योंकि मूल्यात्मक दृष्टि से इतनी प्रबुद्ध जाति अपराजेय होती है। किन्तु इतना मात्र सही नहीं है, निहत्थे यहूदियों की निर्मम हत्या इसका प्रमाण है कि हिटलर में मूल्य-विपर्यय पूर्ण मात्रा में हो चुका था। इतिहास में इसके अन्य भी अनेक उदाहरण हैं—मुसलमानों का धार्मिक कर्त्तव्य था कि वे काफ़िरों का विनाश करते, और उन्होंने काफ़िरों का और काफ़िर-संस्कृतियों का समूल नाश करने का पूर्ण प्रयत्न किया। यदि नाजी जर्मनी विजय प्राप्त कर लेता तो जो भयानक परिणाम होते उनकी कल्पना कँपा देने वाली है। अब, प्रश्न है कि क्या ऐसी परिस्थितियों में अहिंसा का आश्रय उचित है?

अहिंसात्मक दृष्टिकोण से यहाँ दो वैकल्पिक उत्तर सम्भव हैं। एक तो यह कि व्यवहार की कुछ स्थितियाँ मूल्यात्मक स्थितियाँ नहीं होतीं। उदाहरणत: कहा जा सकता है कि आखेट के लिए शेर की हत्या हिंसा है, किन्तु आत्मरक्षा के लिए शेर की हत्या हिंसा नहीं है। क्योंकि जहाँ तक शेर का सम्बन्ध है, वह मूल्यानुभूति से शून्य है, उसके लिए हिंसा-अहिंसा का कोई अर्थ नहीं है, यह केवल हनन करने वाले मनुष्य के लिए ही अर्थपूर्ण है। आखेट के लिए हनन, हनन करने वाले के पतन का कारण बनता है, वह उसे महात्मा की अपेक्षा व्याध बनाता है। किन्तु शेर के आक्रमण करने पर उसकी हत्या नहीं करना मानव और पाशव-सत्ता में से पाशव-सत्ता की अतिजीविता का कारण बनता है। शेर के हनन से केवल जैव स्तर की पीड़ा घटित होती है जबकि महात्मा व्यक्ति की मृत्यु से न केवल उससे कहीं अधिक जैव पीड़ा घटित होती है, बल्कि असंख्य अन्य व्यक्तियों में सम्बन्ध-जन्य संताप भी घटित होता है, और इस सबके ऊपर, शेर से कहीं अधिक मूल्यवान् जीव की हानि होती है। ऐसी स्थिति में यदि शेर का हनन करने वाला व्यक्ति शेर के प्रति निर्वैर होकर आत्मरक्षा के लिए उसकी हत्या करता है और उसके मरने पर परिस्थिति की क्रूरता से पसीज कर करुणा-द्रवित होता है तब वास्तव में उसने हिंसा नहीं की। यही बात जातियों के लिए भी कही जा सकती है। यदि कोई आक्रमणकारी दानव-वृत्ति परिचालित होकर हत्या,

लूट और विनाश करता है तब उसे मानव-व्यक्ति या मानव-समुदाय नहीं मानना चाहिये और उसका सशस्त्र प्रतिरोध करना चाहिये। केवल शर्त यही है कि ऐसे आक्रामक को भी पराभूत करने के बाद परिस्थिति की विवशता के प्रति मन में खेद तथा पराभूत के प्रति करुणा का भाव ही मन में होना चाहिये। यदि हमारी ऐसी अभिवृत्ति होगी तो हम दस्यु को तात्कालिक रूप से जीत कर भी अन्ततः उसके मन को जीतेंगे, जोकि हमारा वास्तविक लक्ष्य होना चाहिये। एक प्रकार से, पाकिस्तान द्वारा काश्मीर पर आक्रमण होने के समय गाँधीजी की स्थिति कुछ ऐसी ही थी।

दूसरा विकल्प होगा कि, जहाँ तक पशु द्वारा आक्रमण का सम्बन्ध है, वहाँ तक तो उपर्युक्त विश्लेषण सही है, किन्तु मनुष्य द्वारा आक्रमण होने पर यह रवैया उचित नहीं है। क्योंकि मनुष्य कभी मूल्य-बोध से शून्य नहीं होता, वह या तो मूल्योन्मुख होता है या मूल्य-विमुख। मूल्य-विमुखता मूल्य-विपर्यय का ही दूसरा नाम है, यह मनोविकार अथवा भ्रम का परिणाम होता है। इसलिए मनुष्य के सम्मुख कभी शस्त्र नहीं उठाने चाहियें, उसके सम्मुख केवल मूल्यात्मक कर्म का ही आश्रय करना चाहिये। महमूद गज़नवी ने तथा मुस्लिम आक्रान्ताओं ने जो लूटमार की थी वह यद्यपि निहत्थे लोगों पर की थी किन्तु वे हत लोग मूल्य-बोध से अनुविद्ध नहीं थे, वे असहाय और असमर्थ लोग थे। यदि वे आक्रान्त लोग मूल्य-बद्ध होते, यदि ये स्वेच्छा और विचारपूर्वक निश्शस्त्र होते तब आक्रामक इस प्रकार मारकाट नहीं कर सकते थे, और यदि वे करते भी तो वे बहुत जल्दी अनुभव करते कि वे अनुचित कर्म कर रहे हैं। इस प्रकार से कुछ लोगों की मृत्यु वास्तव में उच्च आदर्श के लिए बलिदान-रूप होती। यही बात नाज़ी जर्मनी द्वारा इंग्लैण्ड आदि पर आक्रमण के सम्बन्ध में भी कही जा सकती है।

मेरे विचार में महात्मा गाँधी को यह दूसरा विकल्प ही मान्य था, जिसका साक्ष्य उनके कार्यों और कथनों में पर्याप्त मात्रा में हमें मिलता है। यही विकल्प निश्चित रूप से महावीर, बुद्ध और ईसा को भी मान्य होता, यदि ऐसी स्थिति उनके सम्मुख गम्भीर रूप से उपस्थित होती।

किन्तु तब भी सम्भवत: गाँधीजी ने काश्मीर पर हमारे सशस्त्र प्रतिरोध को स्वीकृति दी थी—वह क्यों दी, यदि उन्होंने दी तो? अथवा कहें, इस दूसरे विकल्प की निश्शस्त्र-प्रतिरोध के साथ किस प्रकार संगति बैठायी जा सकती है?

इसकी संगति इस बात में है कि वास्तव में एक पूरे समाज में, अथवा समाज के बड़े भाग में भी, कभी इतना सबल मूल्य-बोध उजागर करना कठिन है कि वह विकट परिस्थिति में भी भय और क्रोध से अभिभूत नहीं हो। यद्यपि आदर्श यही है। भय से समर्पण अहिंसा नहीं है, अहिंसा तो परम साहस की अपेक्षा करती है। इसलिए यदि कोई समाज इसके लिए सज्जित नहीं है तो प्रबुद्ध व्यक्ति का कार्य उसे इस आदर्श के अनुसरण के लिए प्रेरित करना होता है, किन्तु अवस्था-विशेष में ऐसे विकल्प का सहारा लेना होता है जो उस अवस्था-विशेष में महत्तम मूल्य के रूप में चरितार्थ किया जा सके, यद्यपि वह निरपेक्षत: महत्तम मूल्य नहीं होगा। अवस्था-विशेष में निर्वैर होकर सशस्त्र युद्ध ऐसा ही महत्तम मूल्य है। महात्मा गाँधी ने आंग्ल शासन से लड़ने के लिए सम्पूर्ण देश को अहिंसा-वृत्ति का आश्रय लेने के लिए ही प्रेरित किया था। नाज़ी आक्रमण के समय वे अनिश्चित रहे कि ऐसे समय में इंग्लैण्ड को क्या करना चाहिए, किन्तु काश्मीर पर आक्रमण के समय उन्हें अपना रास्ता स्पष्ट दिखायी दिया।

यहाँ एक स्पष्टीकरण अपेक्षित है : गाँधी जी के इन निर्णयों में एक विरोध दिखायी देता है। विरोध यहाँ है भी, किन्तु यह विरोध नैतिक निर्णय में नहीं होकर केवल संज्ञानात्मक निर्णयों (कोग्नीटिव जजमेंट्स) में है। सामाजिक सन्दर्भ में नैतिक निर्णय अधिकतम हित, अथवा अल्पतम अहित, को लक्ष कर प्रवर्तित होते हैं। इनका यह पक्ष, और कुछ दूसरे पक्ष भी, कारण-कार्यात्मक क्षेत्र में व्यापारित होते हैं। कारण-कार्यात्मक क्षेत्र संज्ञानात्मक निर्णयों का क्षेत्र है। संज्ञानात्मक निर्णयों में भूल की सम्भावना परिस्थिति विशेष के घटक तत्त्वों में किसी एक के, अथवा कुछेक के, ध्यान में नहीं आने पर, अथवा उनके प्रभाव के अनुपात का सही अनुमान नहीं

होने पर, होती है, और यह स्पष्ट है कि हम कभी भी किसी क्रिया के सभी परिणामों को नहीं जान सकते। नैतिक कर्त्ता के दो कार्यों में जब इस आधार पर विरोध होता है तब उसे नैतिक निर्णयों में विरोध नहीं कहना चाहिये। जब नैतिक कर्मों में विरोध वासनाजन्य दृष्टि-धूमिलता के कारण होता है तब वह विरोध नैतिक निर्णयों में विरोध होता है। सुखवादी (हिडोनिस्टिक) नीतिशास्त्र नैतिक कर्मों में उपर्युक्त भेद कर ही नहीं सकते, किन्तु अन्य किसी दार्शनिक ने भी यह भेद स्पष्टत: किया है, हमें नहीं मालूम। जो भी हो, गाँधीजी के उपर्युक्त निर्णयों में विरोध का कारण संज्ञानात्मक परिस्थिति का जायज़ा एक बार एक तरह से लेना है और दूसरी बार दूसरी तरह से लेना, अत: यह विरोध नैतिक कर्त्ता के रूप में उनमें नहीं है। निश्चय ही यदि हमारा देश (और काश्मीर भी) नैतिक रूप से कुछ भी उद्बुद्ध होता, जोकि उसे स्वतन्त्रता-संग्राम के अभ्यास से होना चाहिये था, तो वे हमें काश्मीर पर अपनी सेनाएँ भेजने का परामर्श नहीं देते। किन्तु हमारे देश ने स्वतन्त्रता के बाद यह स्पष्ट दिखा दिया था कि उसने अहिंसा को नैतिक बोध के रूप में नहीं, उपयोगी नीति के रूप में ही स्वीकार किया था। यह जितना सही हमारे सामान्य लोगों के लिए था उतना ही हमारे नेताओं के लिए भी था। गाँधी जी की आँखों के सामने ही उन लोगों ने, जिन्हें कि उन्होंने मूल्य-बोध देने का अथक प्रयत्न किया था, पशुता का नग्न नृत्य प्रदर्शित किया। ऐसे देश को काश्मीर पर आक्रमण के समय अहिंसक प्रतिरोध का परामर्श देने का अर्थ ही क्या रह जाता था!

भाषा अथवा वाक्तत्त्व

भाषा हमारे जीवन और व्यवहार की सबसे अधिक सहज और महत्त्वपूर्ण वस्तुस्थिति है, किन्तु इसके स्वरूप का विवेचन उतना ही कठिन है। 'यह शब्द और अर्थ का सायुज्य है' यह इसके सम्बन्ध में सहज ही कहा जा सकता है, किन्तु यह सायुज्य कैसा है, शब्द का क्या स्वरूप है और अर्थ का क्या स्वरूप है यह सब अत्यधिक दुरवगम्य और दुर्विवेच्य है। शब्द को साधारणत: ध्वनि समझ लिया जाता है और अर्थ को उसके साथ उद्दीपन-सम्बन्ध से जुड़ी मानसिक घटना-विशेष। इस प्रकार का सम्बन्ध बहुत कुछ पशुओं की ध्वनियों में पाया जाता है, इस अन्तर के साथ कि भाषा में ध्वनियों और मानसिक घटनाओं का सम्बन्ध स्थिर होता है। किन्तु शब्द के सम्बन्ध में यह नितान्त भ्रान्त धारधा है, क्योंकि शब्द ध्वनि मात्र नहीं होता। मौन विचार में, अपने से अपनी बात में भी, ध्वनि भी नहीं होती। किन्तु इसके विरुद्ध कहा जा सकता है कि उसमें अश्रव्य ध्वनि होती है। यद्यपि यह बात विवादास्पद होगी, किन्तु इसे हम यहाँ स्वीकार कर लेते हैं, क्योंकि इससे कुछ अन्तर नहीं पड़ता। यहाँ हम केवल उल्लेख भर कर देना चाहते हैं कि हमारी परम्परा में भाषा के चार स्तर माने गए हैं। वैखरी, मध्यमा, पश्यन्ती और परा और केवल वैखरी तथा मध्यमा को ही शाब्द माना गया है। पश्यन्ती और मध्यमा को तो शाब्द भी नहीं माना गया, ध्वनिगत मानना तो दूर की बात है। इस मान्यता का क्या औचित्य है, इस पर यहाँ हम विचार नहीं करेंगे,[1] किन्तु इस मान्यता की परम्परा पर्याप्त सुदीर्घ है इसीलिए यह स्पष्टत: भ्रान्त कल्पना तो नहीं हो सकती। किन्तु इसे भ्रान्त कल्पना मान लेने पर भी हमारी बात में कोई अन्तर नहीं पड़ता, क्योंकि शब्द के अनिवार्यत: ध्वनिपरक होने पर भी ध्वनि केवल इसका एक बाहरी अनुषंग मात्र होती है, इसका वास्तविक तत्त्व इसके वास्तव और सम्भाव्य वाक्यों का संस्थान होता है।

यहाँ हम सहसा शब्द से वाक्य पर और वाक्य से वाक्य-संस्थान पर पहुँच गए। किन्तु द्रष्टव्य है कि शब्द का अर्थ वाक्य के अन्तर्गत ही होता है, उसका स्वतन्त्र कोई अर्थ नहीं होता, केवल 'घट', 'पट' जैसे इन्द्रियगम्य वस्तुओं के वाचक शब्द स्वतन्त्र अर्थवान् होने का भ्रम उत्पन्न करते हैं। यह भ्रम इनकी वाच्य वस्तुओं की प्रकट स्वतन्त्रता के कारण उत्पन्न होता है, यद्यपि इन वस्तुओं की स्वतन्त्रता की धारणा भी केवल भ्रान्ति ही है। किन्तु वह दूसरी बात है। 'घट' शब्द की वाक्यापेक्षता इस बात से देखी जा सकती है कि यदि आप किसी से कहें कि 'घट' तो वह आपकी ओर सन्देह से देखेगा कि यदि यह व्यक्ति अस्वस्थ नहीं है तो यह इस शब्द का प्रयोग किस वाक्य के अंग के रूप में कर रहा है? अब, यदि शब्द की इस वाक्याकांक्षा को ध्यान से देखें तो हम पायेंगे कि वाक्य भी अन्य वाक्यों की अपेक्षा करते हैं। 'यह घट है' कहने पर प्रश्न होगा—'तो? आप आख़िर कहना क्या चाहते हैं? क्योंकि यह तो हमें भी दिखायी दे रहा है कि यह घट है!' इस प्रकार शब्द एक वाक्य के नहीं बल्कि एक वाक्य-व्यवस्था के अंग होते हैं।

अब, यह बात यों तो स्पष्ट सी लगती है, इसे सब जानते हैं, किन्तु इससे आपन्न क्या होता है, इसमें निहित क्या है, यह बात उतनी स्पष्ट नहीं है। वह बात यह है कि शब्द वास्तव में एक ध्वनि-विशेष नहीं होता, वह वाक्य, और बहुत बार वाक्य-व्यवस्था के अन्तर्गत ही शब्द होता है और ध्वनि-विशेष का वह आनुषंगिक रूप से आश्रय लेता है, जो इस बात से स्पष्ट है कि एक ध्वनि अनेक शब्दों की आश्रय होती है और दूसरी ओर अनेक ध्वनियाँ एक शब्द की। और ध्वनि किस शब्द की आश्रय है यह उस वाक्य-व्यवस्था से निर्धारित होता है जिसमें यह घटित हो रहा है। इस प्रकार यह कहना अधिक युक्त होगा कि शब्द वास्तव में कम-से-कम एक वाक्य होता

1. इस पर हमने **समाज : दार्शनिक परिशीलन** पुस्तक के 'भाषा' शीर्षक अध्याय में विचार किया है।

है और कभी-कभी एक वाक्य-व्यवस्था ही होती है; और जिसे हम 'शब्द' कहते हैं वह वास्तव में शब्द का एक अंग मात्र होता है।

अब, 'शब्द' की शब्दता का यह रूप इसके अर्थ के साथ सम्बन्ध की अवियोज्यता से बनता है, बल्कि इस सम्बन्ध को सत्तया तादात्म्य का सम्बन्ध भी कह सकते हैं। इनमें भेद केवल विश्लेषणात्मक कल्पनामूलक ही होता है। यहाँ यदि आप कहें कि 'पश्यन्ती और परा तो शाब्दी स्थितियाँ नहीं होतीं जबकि ये आर्थी होती हैं' तो इसका समाधान होगा कि ये स्थितियाँ वाक् की ही कही गई हैं और 'वाक्' तथा 'शब्द' यहाँ पूर्णत: पर्यायवाची हैं। इस प्रकार पश्यन्ती और परा केवल अर्थ की ही अवस्थाएँ नहीं हैं, शब्द की भी हैं। इनमें भेद मानने के पीछे धारणा यह है कि तत्त्व शब्द से व्यवहित होता है, तत्त्व का अव्यवहित साक्षात्कार केवल शब्द का अतिक्रमण करने पर ही होता है। तब हम कहेंगे कि तब वहाँ अर्थ भी नहीं रहता और साक्षात्कार भी नहीं, केवल जड़ तत्त्व रहता है, जो तत्त्व वास्तव में केवल कल्पना है। तत्त्व, अर्थ और शब्द, अथवा कहें शब्द, अर्थ और तत्त्व चेतना का युगपद उन्मेष होते हैं।[1] स्पष्टत: यहाँ 'शब्द' से अभिप्राय विशिष्टाकारक ध्वनि से नहीं है, जैसे घट, पट आकारक ध्वनियों से। इन ध्वन्याकारों का अर्थ से सम्बन्ध तो रूढ़ि से ही होता है, 'शब्द' से अभिप्राय यहाँ शब्द-तत्त्व से है जिसकी घट-पट आदि ध्वनियाँ और इन ध्वनियों के आश्रित शब्द केवल आगन्तुक अभिव्यक्तियाँ होते हैं। उदाहरणत: हिन्दी भाषा का 'घड़ा' और 'कुम्भ' बहुत कुछ एक ही शब्द हैं, यद्यपि इनकी आश्रयभूत ध्वनियाँ नितान्त भिन्न हैं। किन्तु ये पूर्णत: एक भी नहीं हैं। इनकी एकता वहीं तक है जहाँ तक ये वाक्यों में एक के स्थान पर दूसरा रखे जा सकते हैं। जहाँ तक ये परस्पर स्थानापन्न नहीं हो सकते वहाँ तक ये परस्पर भिन्न हैं। इस प्रकार कहा जा सकता है कि घट और कुम्भ ध्वनियाँ बहुत दूर तक, प्राय: अशेष रूप से, एक ही शब्द के दो ध्वनि-रूप हैं, यद्यपि पूर्णत: एक ही शब्द के नहीं।

किन्तु इस पर आपत्ति होगी कि 'तब शब्द और अर्थ में अन्तर ही क्या रह जाता है?' 'घट' ध्वनि 'घट' अर्थ के साथ तो आगन्तुक रूप से सम्बद्ध कही जा सकती है किन्तु 'घट' शब्द के साथ नहीं। यदि यह 'घट' शब्द के साथ आगन्तुक रूप से सम्बद्ध कही जाय तो 'घट' शब्द 'घट' अर्थ के साथ किस प्रकार सम्बद्ध है और 'घट' अर्थ 'घट' शब्द से भिन्न क्या है? अब, यदि हम कहें कि, "'घट' अर्थ वह है जिसकी देश-काल विशेष में पड़ी वस्तु आगन्तुक अभिव्यक्ति है" तो शायद एक बार तो आप चिल्ला ही पड़ेंगे कि इसका क्या तात्पर्य हुआ? इस घट (वस्तु) को 'घट' अर्थ की आगन्तुक अभिव्यक्ति कहने से आपका क्या तात्पर्य है? इसका उत्तर होगा—'घट' शब्द वह है जो विभिन्न विशिष्ट प्रकार के वाक्यों में संगत रूप से प्रयुक्त हो सकता है और 'घट' अर्थ वह है जो इन विभिन्न प्रयोगों का लक्ष्य होता है, और घट वस्तु वह है जिसके द्वारा यह लक्षित अर्थ देश-काल में घटित होता है। द्रष्टव्य है कि अर्थ का देश-काल, या कहें लोक में घटन, असंख्य प्रकार से हो सकता है और एक घटन उस अर्थ की केवल एक आगन्तुक अभिव्यक्ति होता है। अब, यह 'घट' अर्थ क्या है? इसे हम 'चेतना में घट-प्रत्यय का उन्मेष' अथवा कहें 'चेतना का घट-प्रत्यय-रूप में उन्मेष' कह सकते हैं, जो प्रत्यय कुम्हार के द्वारा मिट्टी का उपादान कर लोक में अवतरित होता है। यह अर्थ या प्रत्यय अनन्त सम्भावनात्मक होता है जबकि लोक में घटित इसका रूप निश्चित, स्थिर और सम्भावना-विहीन होता है। किन्तु द्रष्टव्य है कि घट ध्वनि भी केवल एक शब्द की अधिष्ठान नहीं होती, यह भी अनेक शब्दों की अधिष्ठान होती है। ये शब्द अपने अर्थों के अनुसार भिन्न होते हैं, और ये अर्थ वाक्यों में आविर्भूत होते हैं। पुन:, ये शब्द लक्षणा और व्यंजना आदि के द्वारा अनेक अर्थच्छायाओं के व्यंजक होते हैं। ये लक्ष्यार्थ और व्यंग्यार्थ वस्तुओं की अर्थमूलकता को और भी अधिक स्पष्ट रूप से प्रकट करते हैं। उदाहरणत: कबीर का यह दोहा देखें—

जल में कुम्भ, कुम्भ में जल है, बाहर-भीतर पानी,
कुम्भ फटा, जल जलहि समाना, यह तत्त कह गयो ज्ञानी।

---

1. इसके आधार में निहित सिद्धान्त का विकास हमारी निम्न पुस्तकों में विस्तार से हुआ है—**चिद्विमर्श**, अ. 2, 4, 5; समाज : दार्शनिक परिशीलन, अ. 4, 5; **मूल्यतत्त्व मीमांसा**, अ. 2.

यहाँ कुम्भ ध्वनि उस 'कुम्भ' शब्द का ही आश्रय है जिसका अभिधेय वह अर्थ है जो कुम्भकार–कृत वस्तु में निष्पन्न होता है, किन्तु इस प्रयोग में यह अर्थ ऐसे अनुरणनों से गुंजायमान है जो यह 'यह कुम्भ है' वाक्य–प्रयोग में घटित शब्द में नहीं हैं। द्रष्टव्य है कि यहाँ लाक्षणिकता नहीं है, स्पष्ट व्यंजना भी नहीं है, क्योंकि आप चाहें तो यहाँ अभिधा तक भी सीमित रह सकते हैं, किन्तु तब भी अर्थ जैसे शब्द की सतह को फोड़कर बाहर उफ़न रहा है। इसे हम अर्थानुरणन भी कह सकते हैं—'कुम्भ' शब्दाभिधेय अर्थ के अनुरणन, जैसे घण्टे पर चोट पड़ने से होने वाली ध्वनि के होते हैं। अथवा इसे अर्थ–संसार भी कह सकते हैं, अर्थों का वैभव, जो अर्थ को विपुल बनाता है। अब यहाँ प्रश्न हो सकता है कि क्या 'कुम्भ' अर्थ से सम्बद्ध कुम्भ–वस्तु के समान इस अर्थ–संसार की भी कोई सम्बद्ध वस्तु हो सकती है? इसका उत्तर होगा कि अर्थ के वस्तु–सम्बद्ध हुए बिना अर्थ अचरितार्थित रहता है। वह सम्भावनाओं के आलय के रूप में होता है, इन सम्भावनाओं में से एक या अनेक का घटित होना ही वस्तु का घटित होना होता है। यहाँ यह उल्लेखनीय है कि 'वस्तु' का अर्थ देशगत–भौतिक–वस्तु ही नहीं है, वह मानसिक और इस प्रकार केवल कालगत भी हो सकती है। उदाहरणत: "यह कार्य उचित है" में कार्य विशेष के औचित्य का निर्णय या बोध ही वस्तु है और 'वह आदमी झूठा है' में आदमी विशेष के झूठा होने का निर्णय वस्तु है, ठीक उसी प्रकार जिस प्रकार 'यह घट है' में इस देश–काल में विद्यमान घटत्ववान् उपादान विशेष वस्तु है। अर्थ का यह वस्तु–सम्बन्ध वस्तु को अर्थ के गर्भ में ही निहित असंख्य सम्भावनाओं में से एक का क्रियान्वयन सिद्ध करता है। इस पर आपत्ति हो सकती है कि यह प्रतिपत्ति गाय, पत्थर आदि अकृत वस्तुओं आदि पर कैसे लागू होगी? घट को कुम्हार और पट को जुलाहा बनाता है, किन्तु पत्थर तो कोई नहीं बनाता! इसका उत्तर होगा कि पत्थर और गाय भी शब्द–वाच्य वस्तुएँ इसी प्रकार बनते हैं : 'यह पत्थर' प्रस्तरत्वापन्न होकर और 'यह गाय' गोत्वापन्न होकर।[1]

निष्कर्ष यह है कि भाषा चेतना का एक शब्दार्थमय उन्मेष है जिसके वास्तविक आयाम के रूप में यह मनोभौतिक लोक आविर्भूत होता है। इसे ईश्वरीय सृष्टि के भीतर एक दूसरी सृष्टि कह सकते हैं। 'ईश्वर' का अर्थ है अभिमान–युक्त वैश्व चेतना। अब यदि वैश्व–चेतना साभिमान नहीं भी हो तो भी यह मानना युक्तिसंगत लगता है कि यह जगत् सृष्टि है—चेतना का वैश्व–स्तरीय अर्थोन्मेष। तैत्तिरीय उपनिषद् के, 'असद्वा इदमग्र आसीत्, ततो वै सदजायत, तदात्मानं स्वयमकुरुत' (अनुवाक 7) मन्त्र में तथा 'कविर्मनीषी परिभु: स्वयंभु: याथातथ्यतोऽर्थान् व्यदधाच्छाश्वतीभ्य: समाम्य:' में और भर्तृहरि के शब्द को ब्रह्म और जगत् को उसका विवर्त देखने में बहुत कुछ इसी प्रकार की दृष्टि निहित है।

1. इस पर विस्तृत विचार के लिए द्रष्टव्य **चिद्विमर्श** में अ. 2—'मनुष्य और जगत्'।

साहित्य का स्वरूप

किसी वस्तु के स्वरूप को परिभाषित करने का अर्थ है उसके ऐसे गुण–लक्षणों को बताना जो उसके सब उदाहरणों में पाये जाते हों और जो उसे अन्य सबसे पृथक् करते हों। ये उसके अवच्छेदक लक्षण कहे जाते हैं। इन अवच्छेदक लक्षणों के अतिरिक्त उस वस्तु का तत्त्व भी इसमें बोध्य होता है। साधारण रूप से जबकि उन उदाहरणों के सम्बन्ध में कोई मतभेद नहीं होता जो उन लक्षणों से लक्षित होते हैं, वे लक्षण क्या हैं या वह तत्त्व क्या है जो उस वस्तु का स्वरूप कहा जा सकता है, यह निर्धारण बहुत दु:साध्य होता है। यहाँ साहित्य के स्वरूप का प्रश्न विचार्य है। अब हम सहज ही रामायण, महाभारत तथा कालिदास, भवभूति, कबीर, मीरा, बिहारी, नन्ददास, प्रेमचन्द और निर्मल वर्मा आदि की कृतियों को निर्विवाद रूप से 'साहित्य' पद से वाच्य वर्ग में रख लेंगे, किन्तु मीरा के पदों और बिहारी के दोहों में कौन–सा गुण समान है यह बता पाना सहज नहीं होगा। इसके लिए साहित्य का स्वरूप–निर्धारण आवश्यक होगा। अब, यदि कहें कि मीरा के पदों और बिहारी के दोहों में भावनात्मकता या रसात्मकता समान है तो इसका अर्थ है कि हम इन लक्षणों को साहित्य के अवच्छेदक लक्षण मान रहे हैं। किन्तु मीरा के पदों और बिहारी के दोहों में यह समानता देखना जैसे प्रथम दृष्ट्या सही लगता है वैसा वास्तव में है नहीं, क्योंकि सतसई के बहुत–से दोहों में, बल्कि अधिकांश दोहों में भावना की वैसी कोई बात नहीं है। जैसे निम्न दोहा देखें––

अमिय, हलाहल, मद भरे, स्येत, स्याम, रतनार,
जियत, मरत, झुकि–झुकि परत, जेहि चितवत इक बार।

इसमें भावना की वैसी बात नहीं है जैसी भावना को कल्पना में उद्‌गृहीत कर एक रचना खड़ी करने की बात है, जबकि मीरा के पदों में साक्षात् भावना ही अपनी अभिव्यक्ति के लिए शब्दों में अपने को रचती है। इस पर कहा जा सकता है कि इन दो बातों में बहुत गहरा भेद होने पर भी एक आधारभूत समानता है, कि दोनों भावपरक हैं। किन्तु यह भी कोई आवश्यक नहीं है कि काव्य (साहित्यिक वृत्ति) भावपरक ही हो, वह विचारपरक भी हो सकती है। उदाहरण के लिए **'श्रीमद्भगवद्‌गीता'** एक विचारात्मक काव्य–खण्ड है, इसी प्रकार रमेशचन्द्र शाह के **(पूर्वापर)** उपन्यास में बहुत–से स्थल विचारात्मक हैं। वास्तव में बहुत–से महाकाव्यों और उपन्यासों में बहुत–से स्थल शुद्ध रूप से विचारात्मक होते हैं और वे उन कृतियों के महत्त्वपूर्ण अंग होते हैं। इसलिए भावनात्मकता को भी साहित्य का अवच्छेदक लक्षण नहीं बनाया जा सकता। पिछले काफी समय से तो बहुत–से साहित्यिक किसी राजनीतिक उद्देश्य को ही साहित्य का साध्य मान रहे हैं, यद्यपि यह नहीं कहा जा सकता कि वे उसे साहित्य का अवच्छेदक लक्षण भी मानते हैं। उदाहरण के लिए मार्क्सवादी साहित्यिक और साहित्यालोचक छायावादी कविता को कल्पना–विहारी और यथार्थ–विच्छिन्न आदि कह कर निन्दित करते थे, किन्तु उसे वे 'साहित्य' के वर्ग से भी निष्कासित करते थे ऐसा नहीं कहा जा सकता। किन्तु तब भी वे सम्भवत: उसे निकृष्ट साहित्य तो मानते ही थे। किन्तु उन्होंने कभी इस बात पर विचार किया हो कि साहित्यिक की विचारधारा उसकी कृतियों को साहित्यिक बनाने में अनिवार्य घटक होती है या नहीं, ऐसा हमें नहीं लगता।

वास्तव में साम्यवाद के आगमन के बाद पश्चिमी साहित्य में मतवादों (आइडियालॉजीज़) का महत्त्व बहुत बढ़ गया और साहित्य का उनके उपकरण––हथियार के रूप में प्रयोग किया जाने लगा। इसके विरोध में 'कला कला के लिए' का नारा भी लगा,[1] किन्तु वह भी एक मतवाद ही था। इधर बहुत–से साहित्यिकों को

---

1. निश्चय ही यह मत इससे पहले का है किन्तु अब इसे नया प्रयोजन मिला।

नोबल पुरस्कार भी इस आधार पर ही दिये गये कि उन्होंने कम्यूनिज़्म की विभीषिका का बहुत प्रभावशाली चित्रण किया है। यहाँ कहा जा सकता है कि पुरस्कार चित्रण के विषय के कारण नहीं दिया गया था बल्कि उसकी प्रभावकता के कारण दिया गया था, तो प्रश्न होगा कि यदि उस उपन्यास में कम्यूनिज़्म की उत्कृष्टता या रूसी सामाजिक-राजनीतिक व्यवस्था की न्यायशीलता प्रभावजनक रूप से चित्रित की गई होती तो भी क्या वह पुरस्कृत होता? तो इसका उत्तर 'हाँ' में मिलना कठिन होगा। अब, यदि इसका उत्तर 'हाँ' में दिया जाता है तो इसका अर्थ होगा कि साहित्य का सम्बन्ध चित्रण की प्रभावकता मात्र से है, चित्रण के विषय से नहीं। साहित्य को 'हथियार' या 'उपकरण' के रूप में देखने में भी यह अर्थ निहित है कि कोई कृति साहित्य अलग से है और हथियार अलग से, जैसे लोहे का हथियार के प्रयोजन से उपयोग उसके हथियार से निरपेक्ष रूप से लोहा होने को आपादित करता है। अब, यदि ऐसा होता है तो किसी कृति का उत्कृष्ट या निकृष्ट साहित्य होना इस बात से निरपेक्ष होगा कि वह किस विचारधारा या मतवाद का हथियार बनती है। बल्कि, यदि वह उत्कृष्ट साहित्य होगी तभी वह हथियार भी उत्कृष्ट बनेगी, जैसे लोहा यदि उत्कृष्ट होगा तभी उससे तलवार भी अच्छी बनेगी।

आप कहेंगे कि यह तो 'कला कला के लिए' के मतवाद का समर्थन हो गया। इस पर हमारा उत्तर है कि यों यदि इससे इस मतवाद का समर्थन होता है तो होने दो, हम इसकी चिन्ता क्यों करें कि सही बात कहने से रक़ीब को फायदा तो नहीं हो रहा है? किन्तु यदि कला आत्म-पर्याप्त भी हो, किसी बाह्य प्रयोजन से निरपेक्ष, तो भी इससे 'कला क्या है' यह निश्चित करने की जिम्मेदारी तो समाप्त नहीं हो जाती, बल्कि बढ़ ही जाती है। आधुनिक पश्चिम में तो यह निर्णय भी मतवादों के अधीन ही रहा है कि 'कला क्या है?' तरह-तरह के मतवाद इसको लेकर चले, चित्रकला में तो हद ही हो गई। और भारत में? भारत में तो छायावाद-काल के बाद से साहित्य में एक ही वाद रहा है, जिसे बंदरवाद कह सकते हैं। हिन्दी साहित्य के बड़े-से बड़े तथाकथित काव्य-कारों और विचारकों को मार्क्सवाद, अस्तित्ववाद, फ़ूकोवाद, देरिदावाद आदि के पर्चम खड़े करने में कोई लाज नहीं लगती। ऐसा नहीं है कि इस काल की साहित्यिक कृतियों में कोई प्रामाणिकता ही नहीं है, किन्तु विचार के स्तर पर अधिकांश में बंदरवाद ही रहा है और गहरे लेखकों की साहित्यिक कृतियाँ भी इससे अप्रभावित नहीं रही हैं। किन्तु वास्तव में साहित्य-सर्जक का बंदरवाद उसकी अप्रामाणिकता का ही दूसरा नाम है और यह अप्रामाणिकता ही साहित्यिक हल्कापन है जो केवल आधुनिक हिन्दी साहित्य की विशेषता नहीं है, यह सार्वदेशिक और सार्वकालिक वस्तुस्थिति भी हो सकती है।

तो, कला क्या है? क्या साहित्य भी एक कला ही है? वास्तव में 'कला' शब्द दो बहुत भिन्न अर्थों में प्रयुक्त होता है। अभी कल के अखबार में एक व्यंग्यात्मक रचना छपी थी जिसमें 'मस्का लगाने' को 'कला' कहा गया था। यद्यपि यह प्रयोग व्यंग्यात्मक-उपहासात्मक अर्थ में किया गया था किन्तु वास्तव में यह अभिधात्मक अर्थ में लेने पर भी उचित प्रयोग कहा जा सकता है—मस्का लगाने की कला। इस अर्थ में यह कौशल का पर्यायवाची है। बहुत-सी बहुत 'उत्कृष्ट' रचनाएँ चामत्कारिकता के कारण ही कला-कृतियाँ कही जाती हैं। उदाहरणत: निम्न दोहा देखें—

> कनक छरी सी कामिनी, काहे को कटि छीन?
> कटि को कंचन काटि विधि कुचन मध्य धरि दीन।

ऐसी कथ है कि कवि आलम एक रँगरेजन से प्रेम करते थे। उन्होंने अपना कोई कपड़ा उसे रँगने के लिए दिया और उसके साथ उपर्युक्त दोहे की पहली पंक्ति लिख कर रख दी। दूसरे दिन रँगरेजन ने कपड़ा रँग कर लौटाया तो साथ वह कागज़ भी प्रथम पंक्ति में प्रस्तुत प्रश्न के उत्तर में दूसरी पंक्ति लिख कर लौटा दिया। इसमें प्रश्न का उत्तर कमाल का है और पूरा दोहा कमाल की रचना है। किन्तु अन्यथा न कोई इस प्रश्न का अर्थ है और न उत्तर का, क्योंकि कवि को पता ही था कि कटि क्षीण क्यों है और उत्तर में बताया कटि की क्षीणता का कारण कोई वास्तव कारण नहीं है। किन्तु आलम ने कारण जानते हुए भी प्रश्न किया और उसका उत्तर जो रंगरेजन ने दिया उससे अधिक सही कोई दूसरा उत्तर नहीं हो सकता था। यह उत्तर अद्भुत, चमत्कारी और व्यंजक है। किन्तु

मीरा के गीत **'मत जा, मत जा, मत जा जोगी! पाँव पड़ूँ मैं तोरे'** में इनमें से एक भी बात नहीं है। निश्चय ही वह भी अद्भुत, चमत्कारी और अद्वितीय सुन्दर है किन्तु प्रथम से बिल्कुल भिन्न अर्थ में, उसके ये तीनों गुण इसमें कौशल के अभाव के कारण इसकी नितान्त सरलता में हैं। बहुत बार कला के ये दोनों रूप एकस्थ भी रहते हैं—कालिदास और तुलसीदास में ये दोनों गुण एकस्थ देखे जा सकते हैं, बहुत-से आज के हिन्दी कवियों की बहुत-सी कविताओं में भी दोनों रूपों की यह एकस्थता देखी जा सकती है, इसी से वे बड़े कवि हैं। इस एकस्थता में परोक्षता अपरोक्ष की अलौकिकता के मर्म तक ले जाने का उपकरण बनती है। जिसे भाषा या किसी भी प्रकार की रचना की व्यंजकता कहा जाता है वह यही होती है—अलौकिक साक्षात्कार को, उसकी अलौकिकता को अक्षुण्ण रखते हुए, लोक में उतार लाना। यह उपाय मीरा के उपर्युक्त पद में भी है, किन्तु वह बहुत झीना है। तुलसी और अज्ञेय की रचनाओं में, या गोविन्दचन्द्र पाण्डे की **हंसिका संकलन** में संगृहीत कविताओं में उपाय की उपेय के योग्य सिद्धि अपनी उत्कृष्टता में लक्षित होती है। इसके विपरीत आलम के प्रश्न और रंगरेजन के उत्तर में उपाय की आत्म-पार्यन्तिक है, वहाँ उपेय कुछ है ही नहीं, वहाँ परोक्षता अपने आप ही में साध्य है, वहाँ प्रत्यक्ष की अपेक्षा ही नहीं है। इस एकान्त परोक्षता को कला तो अवश्य कहा जाता है किन्तु इसे एक गौण और हल्के अर्थ में ही कला कहा जाना चाहिए।

अब, कला इस मुख्य और महत् अर्थ में क्या है? इसका क्या स्वरूप है? इसे रसात्मकता, वक्रात्मकता, ध्वन्यात्मकता, उद्वेग-रेचकता (अरस्तू), तटस्थ भावात्मकता (कांट) आदि अनेक प्रकार से परिभाषित किया गया है। विद्वज्जन इन परिभाषाओं के सम्बन्ध में हमारे से अधिक जानते हैं, इसलिए इनके सम्बन्ध में यहाँ हम इसके आगे कुछ नहीं कहेंगे कि ये कला-तत्त्व के आनुषंगिक या पक्ष लक्षण तो अवश्य सही बताती हैं किन्तु लक्ष्य का प्रत्यक्ष नहीं करातीं। अन्यत्र हमने इस तत्त्व का स्वरूप 'विषयिता का विषयिता-सामान्य के रूप में अवगमन' (एप्रिहेंशन ऑफ सब्जेक्टिव एज़ सब्जेक्टिव यूनिवर्सल) कहा है। इसका क्या अर्थ है, इसका हमने बहुत विस्तार से अन्यत्र[1] विवेचन किया है। इसे सम्यक् रूप से समझने के लिए कम-से-कम उतना विस्तृत विवेचन आवश्यक है। किन्तु यहाँ हम इसे बहुत संक्षेप में समझाने का प्रयत्न करेंगे—दशरथ-पुत्र-राम एक व्यक्ति थे, वास्तव या कल्पित। हम उनके सम्बन्ध में कुछ कथन कर सकते हैं—कि वे अत्यन्त उदात्त और गरिमामय थे। इन कथनों में राम हमारे मूल्यांकन या वर्णन के विषय हैं। किन्तु राम स्वयं उस भाव-स्थिति, विचार-स्थिति और कर्म-कर्तृत्व में, जिनका हम मूल्यांकन और वर्णन कर रहे हैं, विषयी हैं। वे ही राम जब अपनी भाव-स्थिति आदि को देखते या उनका विवेचन करते हैं तब वे विषयिता की स्थितियाँ स्वयं राम के लिए भी विषय हो जाती हैं, यद्यपि उन्हें देखने वाले के रूप में राम विषयी ही रहते हैं। विषयिता और विषयता में यह मौलिक अन्तर है कि विषय जबकि ज्ञान-गम्य होता है, यह परतः ही प्रकाशित होता है, इसके विपरीत विषयी ज्ञान-गम्य नहीं होता किन्तु स्वतः प्रकाशित होता है। अब ज्ञान की किसी भी विधा—दर्शन, शास्त्र, विज्ञान या साधारण—में विषयी विषय में रूपान्तरित होकर ही उपस्थित होता है, किन्तु कला एक ऐसी विधा है जो विषयिता का उसके अपने ही भाव और रूप (विषयिता) में विमर्श और अवगमन करती है। इसमें रूपान्तरण केवल इतना ही होता है कि इसमें विषयिता संवेदनात्मक-घटनात्मक से सामान्यात्मक-प्रत्ययात्मक हो जाती है। यह रूपान्तरण वास्तव में विषयता की स्थिति में भी होता है। विषयता की पाशव स्थिति और मानवीय स्थिति में यही अन्तर है कि दूसरी भाषा के माध्यम से सहज रूपान्तरित स्थिति ही होती है। किन्तु विषयिता का यह रूपान्तरण वैसा सहज नहीं होता। यह रूपान्तरण कला-कृति के माध्यम से ही निष्पन्न होता है। उदाहरण के लिए हम या तो प्रेम-द्वेषादि की मनःस्थिति में होते हैं या इन्हें जानते हैं। किन्तु कला-कृति में ये प्रेम-द्वेषादि न तो वर्ण्य विषय के रूप में प्रस्तुत होते हैं न कलाकार इन आवेग-स्थितियों में होता है, न कला इन आवेगों का उद्वमन है। कला में इन भावों या आवेगों का आकार निरूपित होता है। उदाहरणतः मीरा के ही उपर्युक्त पद को लें जिसमें

1. **चिद्विमर्श, मूल्यतत्त्व मीमांसा** (दर्शन प्रतिष्ठान, जयपुर) तथा **सत्ताविषयक अन्वीक्षा** (भारतीय दार्शनिक अनुसन्धान परिषद्, नयी दिल्ली) में कला विषयक अध्याय द्रष्टव्य।

भाव अपने मूल के निकटतम प्रतीत होता है। जोगी को जाने से रोकने की उद्विग्नता मानो अपने अनगढ़ रूप में ही व्यक्त हो रही है। किन्तु यदि इसमें यही बात होती तो बात प्रथम पंक्ति से आगे नहीं बढ़ती। इसके आगे की पंक्तियाँ इस बात की द्योतक हैं कि यहाँ भाव और उसकी उद्विग्नता दोनों अपने आकार में गृहीत होकर शब्दों में अपने रूप की सम्यक्ता से चित्रण की अपेक्षा कर रहे हैं।

किन्तु द्रष्टव्य है कि साहित्य केवल भावनाओं तक ही सीमित नहीं रहता, उसमें विचार के लिए भी उतना ही स्थान होता है। किन्तु यहाँ विचार की अन्तर्वस्तु का, विचार-विषय का, पक्ष नहीं रहता बल्कि विचारक का पक्ष ही रहता है। यहाँ विचारक कवि या उपन्यासकार नहीं होता, जैसे दर्शन, मनोविज्ञान, और समाजशास्त्र आदि में होता है। यहाँ विचारक कोई पात्र होता है, विचार जिसके चरित्र की अभिव्यक्ति का माध्यम बनता है। स्वयं साहित्यकार भी विचारक की भूमिका में प्रस्तुत हो सकता है, किन्तु वहाँ वह पात्र होकर ही प्रस्तुत हो सकता है। इसीलिए इस विचार में युक्ति-वितर्क केन्द्र में नहीं रहता बल्कि विचारक ही केन्द्र में रहता है। यदि युक्ति-वितर्क भी करना हो तो वह दो पात्रों के बीच युक्ति-वितर्क के रूप में ही होता है और अधिकांश में उसके साथ विचारक पात्रों के ईर्ष्या, द्वेष, पूर्वाग्रह आदि के रंग भी रहते हैं। किन्तु ये रंग यदि नहीं भी रहें तो भी साहित्य में विचार विचारक के पक्ष से ही रहता है, विचार्य के पक्ष से नहीं।

अब, साहित्य में विचार का यह स्थान इस बात का द्योतक है कि काव्य की परिभाषा 'रसात्मक वाक्य' या 'आवेग-रेचकता' आदि से नहीं की जा सकती। यदि कहें कि विचार में भी रस मिलता है तो यह बात दर्शन के लिए कही गयी होगी, साहित्य के लिए नहीं, क्योंकि विचार का स्वकीय रूप विषय-स्वरूप-विवेचन में ही उपलब्ध होता है, विचारक के मनस्तन्त्र में नहीं। इस तरह विचार का रस विचार-विषय के सत्य का मर्म उद्घाटन होने में उपजता है, जो साहित्य के क्षेत्र से बाहर की बात है।

3

काव्य–विमर्श

प्राक्कथन

प्रस्तुत पुस्तक यद्यपि निबन्ध-संग्रह है किन्तु इसके छ: निबन्धों और दो गोष्ठी-चर्चाओं में काव्य-विषयक मेरी सिद्धान्त-दृष्टि का व्यवस्थापन और विशदीकरण है और शेष आठ में ऐसे प्रसंगों पर विचार किया गया है जो कवि-कर्म से निकट रूप से सम्बन्धित हैं, जैसे मूल्य, संस्कृति, भाषा और युग-परिवेश आदि। इन आठ में से अधिकांश निबन्ध गोष्ठियों के आयोजकों के निमन्त्रण पर ही लिखे गये—दो भारत भवन, भोपाल के आमन्त्रण पर, तीन इलाहाबाद संग्रहालय के आमन्त्रण पर और एक पश्चिमी क्षेत्र के संस्कृति-संस्थान के आमन्त्रण पर—यह बात इसकी द्योतक है कि ये प्रसंग आधुनिक साहित्य-कर्मियों की चिन्ता के विषय हैं।

इन निबन्धों में प्रतिपादित काव्य विषयक मेरे सिद्धान्त का प्रथम सुव्यवस्थित प्रतिपादन मेरी **मूल्यतत्त्व-मीमांसा** पुस्तक के 'कला का अन्वेष्य' शीर्षक दो अध्यायों और 'कलान्वेष्य सत्य का स्वरूप' अध्याय में हुआ, किन्तु इनसे पहले भी **चिद्विमर्श** पुस्तक में संकलित 'कला-सर्जन' लेख में और **सत्ताविषयक अन्वीक्षा** पुस्तक के 'काव्य तत्त्व' अध्याय में मैंने काव्य के स्वरूप पर विचार किया, जो विचार प्रस्तुत पुस्तक में संकलित निबन्धों की पृष्ठभूमि बनाता है। यह विचार काव्य विषयक प्रचलित विचारों की व्याख्या और पिष्ट-पेषण नहीं है बल्कि उनसे बहुत भिन्न और स्वतन्त्र है। यदि विद्वान् काव्यशास्त्री तथा अन्य विचारक मेरे इस प्रतिपादन की समीक्षा-आलोचना करते हैं तो इससे काव्य-चिन्तन आगे बढ़ेगा, ऐसा मेरा विश्वास है।

अन्त में छ: लेख काव्य-कृतियों की समीक्षा विषयक हैं। इनमें मेरा प्रथम उद्देश्य काव्य-कृतियों की काव्य-दृष्टि से सफलता-असफलता पर विचार करना है, किन्हीं सिद्धान्ताग्रहों की तुला पर तोलना नहीं है। केवल प्रथम लेख 'आधुनिकता, दर्शन और कविता' में हिन्दी-काव्य में प्रचलित कुछ तत्कालीन प्रवृत्तियों पर टिप्पणी की गई है। यह लेख 1968 में लिखा गया था और **माध्यम** में प्रकाशित हुआ था। वैसा करना समीक्ष्य कृतियों का उन प्रवृत्तियों से पार्थक्य दिखाने के लिए आवश्यक प्रतीत हुआ था।

इन निबन्धों के लेखन काल में डॉ. मुकुन्द लाठ से काव्य-चर्चा, काव्य-शास्त्र-चर्चा और तत्त्व-चर्चा सभी प्रकार की चर्चाएँ प्राय: होती रही हैं और होती रहती हैं। ऐसे मित्र का सान्निध्य यदि किसी को मिले तो उसे और क्या चाहिए? जब प्रोफेसर गोविन्दचन्द्र जी पाण्डे यहाँ थे तो उनसे चर्चा होती थी जो मेरे विचार के लिए रसायन जैसी थी। वे यद्यपि अब यहाँ नहीं हैं किन्तु वे इलाहाबाद संग्रहालय के माध्यम से मेरे बहुत-से लेखों के लिखे जाने के निमित्त बने। ऐसे मित्र बड़े भाग्य से ही किसी को मिलते हैं। इसके लिए तो मैं भाग्य-विधाता को ही धन्यवाद दे सकता हूँ।

— यशदेव शल्य

पी-51, मधुवन पश्चिम,
किसान मार्ग, जयपुर-302015
5 जून, 2002

साहित्य का स्वरूप

किसी वस्तु के स्वरूप को परिभाषित करने का अर्थ है उसके ऐसे गुण-लक्षणों को बताना जो उसके सब उदाहरणों में पाये जाते हों और जो उसे अन्य सबसे पृथक् करते हों। ये उसके अवच्छेदक लक्षण कहे जाते हैं। इन अवच्छेदक लक्षणों के अतिरिक्त उस वस्तु का तत्त्व भी इसमें बोध्य होता है। साधारण रूप से जबकि उन उदाहरणों के सम्बन्ध में कोई मतभेद नहीं होता जो उन लक्षणों से लक्षित होते हैं, वे लक्षण क्या हैं, या वह तत्त्व क्या है जो उस वस्तु का स्वरूप कहा जा सकता है, यह निर्धारण बहुत दु:साध्य होता है। यहाँ साहित्य के स्वरूप का प्रश्न विचार्य है। अब हम सहज ही रामायण, महाभारत तथा कालिदास, भवभूति, कबीर, मीरा, बिहारी, नंददास, प्रेमचन्द और निर्मल वर्मा आदि की कृतियों को निर्विवाद रूप से साहित्य पद से वाच्य वर्ग में रख लेंगे, किन्तु मीरा के पदों और बिहारी के दोहों में कौन-सा गुण समान है यह बता पाना सहज नहीं होगा। इसके लिए साहित्य का स्वरूप-निर्धारण आवश्यक होगा। अब, यदि कहें कि मीरा के पदों और बिहारी के दोहों में भावनात्मकता या रसात्मकता समान है, तो इसका अर्थ है कि हम इन लक्षणों को साहित्य के अवच्छेदक लक्षण मान रहे हैं। किन्तु मीरा के पदों और बिहारी के दोहों में यह समानता देखना जैसे प्रथम दृष्ट्या सही लगता है वैसा वास्तव में है नहीं, क्योंकि **सतसई** के बहुत-से दोहों में, बल्कि अधिकांश दोहों में, भावना की वैसी कोई बात नहीं है। जैसे निम्न दोहा देखें—

अमिय, हलाहल, मद भरे, स्येत, स्याम, रतनार,
जियत, मरत, झुकि-झुकि परत, जेहि चितवत इक बार।

इसमें भावना की वैसी बात नहीं है जैसी भावना को कल्पना में उद्गृहीत कर एक रचना खड़ी करने की बात है, जबकि मीरा के पदों में साक्षात् भावना ही अपनी अभिव्यक्ति के लिए शब्दों में अपने को रचती है। इस पर कहा जा सकता है कि इन दो बातों में बहुत गहरा भेद होने पर भी एक आधारभूत समानता है, कि दोनों भावपरक हैं। किन्तु यह भी कोई आवश्यक नहीं है कि काव्य (साहित्यिक कृति) भावपरक ही हो, वह विचारपरक भी हो सकती है। उदाहरण के लिए **श्रीमद्भगवद्गीता** एक विचारात्मक कृति है। वास्तव में बहुत-से महाकाव्यों और उपन्यासों में बहुत-से स्थल शुद्ध रूप से विचारात्मक होते हैं और वे उन कृतियों के महत्त्वपूर्ण अंग होते हैं। इसलिए भावनात्मकता को भी साहित्य का अवच्छेदक लक्षण नहीं बनाया जा सकता। पिछले काफी समय से तो बहुत-से साहित्यिक किसी राजनीतिक उद्देश्य को ही साहित्य का साध्य मान रहे हैं, यद्यपि यह नहीं कहा जा सकता कि वे उसे साहित्य का अवच्छेदक लक्षण भी मानते हैं। उदाहरण के लिए मार्क्सवादी साहित्यिक और साहित्यालोचक छायावादी कविता को कल्पना-विहारी और यथार्थ-विच्छिन्न आदि कह कर निन्दित करते थे, किन्तु उसे वे 'साहित्य' के वर्ग से भी निष्कासित करते थे, ऐसा नहीं कहा जा सकता। किन्तु तब भी वे सम्भवत: उसे निकृष्ट साहित्य तो मानते ही थे। किन्तु उन्होंने कभी इस बात पर विचार किया हो कि साहित्यिक की विचारधारा उसकी कृतियों को साहित्यिक बनाने में अनिवार्य घटक होती है या नहीं, ऐसा हमें नहीं लगता।

वास्तव में साम्यवाद के आगमन के बाद पश्चिमी साहित्य में मतवादों (आइडियालॉजीज़) का महत्त्व बहुत बढ़ गया और साहित्य का उनके उपकरण—हथियार के रूप में प्रयोग किया जाने लगा। इसके विरोध में 'कला कला के लिए' का नारा भी लगा,[1] किन्तु वह भी एक मतवाद ही था। इधर बहुत-से साहित्यिकों को नोबल पुरस्कार भी इस आधार पर ही दिये गये कि उन्होंने कम्यूनिज़्म की विभीषिका का बहुत प्रभावशाली चित्रण

1. निश्चय ही यह मत इससे पहले का है किन्तु अब इसे नया प्रयोजन मिला

किया है। यहाँ कहा जा सकता है कि पुरस्कार चित्रण के विषय के कारण नहीं दिया गया था बल्कि उसकी प्रभावकता के कारण दिया गया था, तो प्रश्न होगा कि यदि उस उपन्यास में कम्यूनिज़्म की उत्कृष्टता या रूसी सामाजिक-राजनीतिक व्यवस्था की न्यायशीलता प्रभावशाली रूप से चित्रित की गई होती तो भी क्या वह पुरस्कृत होता? तो इसका उत्तर 'हाँ' में मिलना कठिन होगा। अब, यदि इसका उत्तर 'हाँ' में दिया जाता है तो इसका अर्थ होगा कि साहित्य का सम्बन्ध चित्रण की प्रभावकता मात्र से है, चित्रण के विषय से नहीं। साहित्य को 'हथियार' या 'उपकरण' के रूप में देखने में भी यह अर्थ निहित है कि कोई कृति साहित्य अलग से है और हथियार अलग से, जैसे लोहे का हथियार के प्रयोजन से उपयोग उसके हथियार से निरपेक्ष रूप से लोहा होने को आपादित करता है। अब, यदि ऐसा होता है तो किसी कृति का उत्कृष्ट या निकृष्ट साहित्य होना इस बात से निरपेक्ष होगा कि वह किस विचारधारा या मतवाद का हथियार बनती है। बल्कि, यदि वह उत्कृष्ट साहित्य होगी तभी वह हथियार भी उत्कृष्ट बनेगी, जैसे लोहा यदि उत्कृष्ट होगा तभी उससे तलवार भी अच्छी बनेगी।

आप कहेंगे कि यह तो 'कला कला के लिए' के मतवाद का समर्थन हो गया। इस पर हमारा उत्तर है कि यों यदि इससे इस मतवाद का समर्थन होता है तो होने दो, हम इसकी चिन्ता क्यों करें कि सही बात कहने से रक़ीब को फ़ायदा तो नहीं हो रहा है? किन्तु यदि कला आत्मपर्याप्त भी हो, किसी बाह्य प्रयोजन से निरपेक्ष, तो भी इससे 'कला क्या है?' यह निश्चित करने की जिम्मेदारी तो समाप्त नहीं हो जाती, बल्कि बढ़ ही जाती है। आधुनिक पश्चिम में तो यह निर्णय भी मतवादों के अधीन ही रहा है कि 'कला क्या है?' वहाँ तरह-तरह के मतवाद इसको लेकर चले, चित्रकला में तो हद ही हो गई। और भारत में? भारत में तो छायावाद-काल के बाद से साहित्य में एक ही वाद रहा है, जिसे बंदरवाद कह सकते हैं। हिन्दी साहित्य के बड़े-से बड़े तथाकथित विचारकों को मार्क्सवाद, अस्तित्ववाद, फ़ूकोवाद, देरिदावाद आदि के परचम खड़े करने में कोई लाज नहीं लगती। ऐसा नहीं है कि इस काल की साहित्यिक कृतियों में कोई प्रामाणिकता ही नहीं है, किन्तु विचार के स्तर पर अधिकांश में बंदरवाद ही रहा है और हल्के लोगों की साहित्यिक कृतियाँ भी इससे अप्रभावित नहीं रही हैं। किन्तु वास्तव में साहित्य-सर्जक का बन्दरवाद उसकी अप्रामाणिकता का ही दूसरा नाम है और यह अप्रामाणिकता ही साहित्यिक हल्कापन है जो केवल आधुनिक हिन्दी साहित्य की विशेषता नहीं है, यह सार्वदैशिक और सार्वकालिक वस्तुस्थिति भी हो सकती है।

तो कला क्या है? क्या साहित्य भी एक कला ही है? वास्तव में 'कला' शब्द दो बहुत भिन्न अर्थों में प्रयुक्त होता है। अभी कल के एक अखबार में एक व्यंग्यात्मक रचना छपी थी जिसमें 'मस्का लगाने' को 'कला' कहा गया था। यद्यपि यह प्रयोग व्यंग्यात्मक-हास्यात्मक अर्थ में किया गया था किन्तु वास्तव में यह अभिधात्मक अर्थ में लेने पर भी उचित प्रयोग कहा जा सकता है—मस्का लगाने की कला। इस अर्थ में यह कौशल का पर्यायवाची है। बहुत-सी बहुत 'उत्कृष्ट' रचनाएँ चामत्कारिकता के कारण ही कला-कृतियाँ कही जाती हैं। उदाहरणत: निम्न दोहा देखें—

> कनक छरी सी कामिनी, काहे को कटि छीन?
> कटि को कंचन काटि विधि, कुचन मध्य धरि दीन।

ऐसी कथा है कि कवि आलम एक रँगरेज़न से प्रेम करते थे। उन्होंने अपना कोई कपड़ा उसे रँगने के लिए दिया और उसके साथ उपर्युक्त दोहे की पहली पंक्ति लिख कर रख दी। दूसरे दिन रँगरेज़न ने कपड़ा रँग कर लौटाया तो साथ वह कागज़ भी प्रथम पंक्ति में प्रस्तुत प्रश्न के उत्तर में दूसरी पंक्ति लिख कर लौटा दिया। इसमें प्रश्न का उत्तर कमाल का है और पूरा दोहा कमाल की रचना है। किन्तु अन्यथा न कोई इस प्रश्न का अर्थ है और न उत्तर का, क्योंकि कवि को पता ही था कि कटि क्षीण क्यों है और उत्तर में बताया कटि की क्षीणता का कारण कोई वास्तव कारण नहीं है। किन्तु आलम ने कारण जानते हुए भी प्रश्न किया और उसका उत्तर जो रँगरेज़न ने दिया उससे अधिक सही कोई दूसरा उत्तर नहीं हो सकता था। यह उत्तर अद्भुत चमत्कारी और व्यंजक है। किन्तु मीरा के गीत 'मत जा, मत जा, मत जा जोगी! पाँव पड़ूँ मैं तोरे' में इनमें से एक भी बात नहीं है। निश्चय ही वह भी

अद्भुत, चमत्कारी और अद्वितीय सुन्दर है, किन्तु प्रथम से बिल्कुल भिन्न अर्थ में। इसमें ये तीनों गुण इसमें कौशल के अभाव के कारण इसकी नितान्त सरलता में हैं। बहुत बार कला के ये दोनों रूप एकस्थ भी रहते हैं—कालिदास और तुलसीदास में ये दोनों रूप एकस्थ देखे जा सकते हैं, बहुत-से आज के हिन्दी कवियों की बहुत-सी कविताओं में भी दोनों रूपों की यह एकस्थता देखी जा सकती है, इसी से वे बड़े कवि हैं। इस एकस्थता में परोक्षता अपरोक्ष की अलौकिकता के मर्म तक ले जाने का उपकरण बनती है। जिसे भाषा या किसी भी प्रकार की रचना की व्यंजकता कहा जाता है वह यही होती है—अलौकिक साक्षात्कार को, उसकी अलौकिकता को अक्षुण्ण रखते हुए, लोक में उतार लाना। यह उपाय मीरा के उपर्युक्त पद में भी है, किन्तु वह बहुत झीना है। तुलसी के **रामचरितमानस** में अज्ञेय के **सागरमुद्रा** में या गोविन्दचन्द्र पाण्डे के **हंसिका** संकलन में संगृहीत कविताओं में उपाय की उपेय के योग्य सिद्धि अपनी उत्कृष्टता में लक्षित होती है। इसके विपरीत आलम के प्रश्न और रँगरेज़न के उत्तर में उपाय ही आत्मपार्यंतिक है, वहाँ उपेय कुछ है ही नहीं, वहाँ परोक्षता अपने आप ही में साध्य है, वहाँ प्रत्यक्ष की अपेक्षा ही नहीं है। अब एक पूर्णत: परोक्ष रचना को कला तो अवश्य कहा जा सकता है किन्तु उसे एक गौण और हल्के अर्थ में ही कला कहा जाना चाहिए।

अब, कला मुख्य और महत् अर्थ में क्या है? इसे तटस्थ भावात्मकता (कांट) आदि अनेक प्रकार से परिभाषित किया गया है। विद्वज्जन इन परिभाषाओं के सम्बन्ध में हमारे से अधिक जानते हैं, इसलिए इनके सम्बन्ध में यहाँ हम इसके आगे कुछ नहीं कहेंगे कि ये परिभाषाएँ कला-तत्त्व के आनुषंगिक या पक्ष-लक्षण तो अवश्य सही बताती हैं किन्तु लक्ष्य का प्रत्यक्ष नहीं करातीं। अन्यत्र हमने इस तत्त्व का स्वरूप 'विषयिता का विषयितासामान्य के रूप में अवगमन' कहा है। इसका क्या अर्थ है, इसका हमने बहुत विस्तार से अन्यत्र[1] विवेचन किया है। इसे सम्यक् रूप से समझने के लिए कम-से-कम उतना विस्तृत विवेचन आवश्यक है। किन्तु यहाँ हम इसे बहुत संक्षेप में समझाने का प्रयत्न करेंगे—दशरथ-पुत्र राम एक व्यक्ति थे—वास्तव या कल्पित। हम उनके सम्बन्ध में कुछ कथन कर सकते हैं—कि वे अत्यन्त उदात्त और गरिमामय थे। इन कथनों में राम हमारे मूल्यांकन या वर्णन के विषय हैं। किन्तु राम स्वयं उस भाव-स्थिति, विचार-स्थिति और कर्म-कर्तृत्व में, जिनका हम मूल्यांकन और वर्णन कर रहे हैं, विषयी हैं। वे ही राम जब अपनी भाव-स्थिति आदि को देखते या उनका विवेचन करते हैं तब ये विषयिता की स्थितियाँ स्वयं राम के लिए भी विषय हो जाती हैं, यद्यपि उन्हें देखने वाले के रूप में राम विषयी ही रहते हैं। विषयिता और विषयता में यह मौलिक अन्तर है कि विषय जबकि ज्ञान-गम्य होता है, यह परत: ही प्रकाशित होता है, इसके विपरीत विषयी ज्ञान-गम्य नहीं होता किन्तु स्वत:प्रकाशित होता है। अब ज्ञान की किसी भी विधा—दर्शन, शास्त्र, विज्ञान या साधारण वर्णन—में विषयी विषय में रूपान्तरित होकर ही उपस्थित होता है। किन्तु कला एक ऐसी विधा है जो विषयिता का उसके अपने ही भाव और रूप में विमर्श और अवगमन करती है। इसमें रूपान्तरण केवल इतना ही होता है कि विषयिता संवेदनात्मक-घटनात्मक से सामान्यात्मक-प्रत्ययात्मक हो जाती है। यह रूपान्तरण वास्तव में विषयता की स्थिति में भी होता है। विषयता की पाशव स्थिति और मानवीय स्थिति में यही अन्तर है कि दूसरी भाषा के माध्यम से सहज रूपान्तरित स्थिति ही होती है। किन्तु विषयिता का यह रूपान्तरण वैसा सहज नहीं होता। यह रूपान्तरण कला-कृति के माध्यम से ही निष्पन्न होता है। उदाहरण के लिए हम या तो प्रेम-द्वेषादि न तो वर्ण्य विषय के रूप में प्रस्तुत होते हैं न कलाकार इन आवेग-स्थितियों में होता है, न कला इन आवेगों का उद्वमन है। कला में इन भावों या आवेगों का आकार निरूपित होता है। उदाहरणत: मीरा के ही उपर्युक्त पद को लें जिसमें भाव अपने मूल के निकटतम प्रतीत होता है, जोगी को जाने से रोकने की उद्विग्नता मानो अपने अनगढ़ रूप में ही व्यक्त हो रही है। किन्तु यदि इसमें यही बात होती तो बात प्रथम पंक्ति से आगे नहीं बढ़ती। इसके आगे की पंक्तियाँ इस बात की द्योतक हैं कि यहाँ भाव और उसकी उद्विग्नता दोनों अपने आकार में गृहीत होकर शब्दों से अपने रूप की सम्यक्ता के चित्रण की अपेक्षा कर रहे हैं।

---

1. **चिद्विमर्श, मूल्यतत्त्व-मीमांसा** तथा **सत्ताविषयक अन्वीक्षा** में कला विषयक अध्याय द्रष्टव्य।

किन्तु द्रष्टव्य है कि साहित्य केवल भावनाओं तक ही सीमित नहीं रहता, उसमें विचार के लिए भी उतना ही स्थान होता है। किन्तु वहाँ विचार की अन्तर्वस्तु का, विचार-विषय का, पक्ष नहीं रहता बल्कि विचारक का पक्ष ही रहता है। यहाँ विचारक कवि या उपन्यासकार नहीं होता, होता तो विचार की अन्तर्वस्तु का, विचार-विषय का, विचारक का पक्ष ही प्रस्तुत हो जायेगा, जैसे दर्शन, मनोविज्ञान और समाजशास्त्र आदि में होता है। यहाँ विचारक कोई पात्र होता है, विचार जिसके चरित्र की अभिव्यक्ति का माध्यम बनता है। स्वयं साहित्यकार भी विचारक की भूमिका में प्रस्तुत हो सकता है, किन्तु वहाँ वह पात्र होकर ही प्रस्तुत हो सकता है। इसीलिए इस विचार में युक्ति-वितर्क केन्द्र में नहीं रहता बल्कि विचारक ही केन्द्र में रहता है। यदि युक्ति-वितर्क भी करना हो तो वह दो पात्रों के बीच युक्ति-वितर्क के रूप में ही होता है और अधिकांश में उसके साथ विचारक पात्रों के ईर्ष्या, द्वेष, पूर्वाग्रह आदि के रँग भी रहते हैं। किन्तु ये रँग यदि नहीं भी रहें तो भी साहित्य में विचार विचारक के पक्ष से ही रहता है, विचार्य के पक्ष से नहीं।

अब, साहित्य में विचार का यह स्थान इस बात का द्योतक है कि काव्य की परिभाषा 'रसात्मक वाक्य' या 'आवेग-रेचकता' आदि से नहीं की जा सकती। यदि कहें कि विचार में भी रस मिलता है तो यह बात दर्शन के लिए कही गयी होगी, साहित्य के लिए नहीं, क्योंकि विचार का स्वकीय रूप विषय-स्वरूप-विवेचन में ही उपलब्ध होता है, विचारक के मनस्तंत्र में नहीं। इस तरह विचार का रस विचार-विषय के सत्य का मर्म उद्घाटन होने में उपजता है, जो साहित्य के क्षेत्र से बाहर होता है।

काव्य–सर्जन

काव्य को सामान्यत: भावनामूलक कहा जाता है। हमने इसे विषयितामूलक कहा है,[1] यद्यपि कहीं–कहीं विषयिता को भावनात्मक विषयिता के रूप में भी परिभाषित किया है।[2] किन्तु 'विषयिता' 'भावना' से व्यापकतर पद है और भावना का समावेशी है। उदाहरणत: ज्ञान में ज्ञाता और ज्ञान विषयिता के पक्ष हैं जबकि ज्ञेय विषयता का। किन्तु द्रष्टव्य है कि विचारक और विचारण तथा ज्ञाता या ज्ञान भी विषयता के पक्ष हो सकते हैं—जब ये विचार या ज्ञान के विषय होते हैं।[3] उदाहरणत: जब दार्शनिक कहता है कि 'ज्ञान ज्ञाता, ज्ञान और ज्ञेय की त्रिपुटी है' तब ज्ञाता और ज्ञान भी विषय ही होते हैं। दूसरी ओर ज्ञेय भी तब विषयिता के अन्तर्गत होता है जब वह नाटक के या उपन्यास के पात्र के ज्ञान का विषय होता है। यह नाटक के अभिनय से देखा जा सकता है। अभिनेता जब किसी पात्र का अभिनय करता है तब उसके ज्ञान या भाव या इच्छा आदि की पूरी त्रिपुटी ही अभिनेय होती है और यह विषयिता के रूप में ही अभिनेय होती है, विषय के रूप में नहीं। कथात्मक काव्य सामान्यत: व्यक्तियों और उनके समाज का चरित्र प्रस्तुत करता है, यही इतिहास या सामान्य विवरण भी करता है। किन्तु इनमें एक आधारभूत भेद होता है। भेद यह होता है कि कथात्मक काव्य यह चरित्र विषयितया प्रस्तुत करता है जबकि इतिहास तथा सामान्य विवरण, जैसे समाचार–पत्र के संवाददाता का, यह विषयतया करते हैं। लघु कविता या गीत में सामान्यत: कवि की स्वयं की विषयिता ही अभिव्यक्त होती है।

'काव्य' शब्द का प्रयोग लघु कविता और गीत से लेकर उपन्यास तक के लिए होता है। यदि इसका प्रयोग पद्यात्मक रचनाओं तक भी सीमित किया जाय तो भी गीत और महाकाव्य दोनों इसके अन्तर्गत गिने जाएंगे, जबकि इनमें बहुत भेद रहता है। लघु कविता जबकि भावना–प्रधान होती है, महाकाव्य में भावना समवेत तो होती या हो सकती है किन्तु वह उसका सर्वस्व नहीं होती, बल्कि उसकी उसमें मुख्यता भी नहीं होती। उसमें कथा के प्रयोजन का निर्वाह, कथा के घटक पात्रों के चरित्र का निर्वाह, उनके परस्पर सम्बन्धों की सूक्ष्मता और जटिलता का निर्वाह, यह सब लक्षित रहता है। अब, जैसे लोक में व्यक्ति और उनके सम्बन्ध केवल भावनात्मक नहीं होते उसी प्रकार कथा में भी नहीं होते। कथा में भी पात्रों का जीवन अपनी समग्रता में, जटिल सावयवता और संश्लिष्टता के साथ रहता है, यों चाहे एक कथा में प्रस्तुत एक या कुछ पक्ष ही हों। महाकाव्य की कथा में तो व्यक्तियों से अधिक उनका सामाजिक–सांस्कृतिक परिवेश ही मुख्य रहता है। **महाभारत** और **रामायण** कालिदास के दोनों महाकाव्य और **रामचरितमानस,** यहाँ तक कि **कामायनी** भी, इसके साक्षी के रूप में प्रस्तुत किये जा सकते हैं। **महाभारत** में तो 'धर्मव्याध–कौशिक संवाद', 'यक्ष–प्रश्न', शान्ति पर्व में मनुष्य के विभिन्न धर्मों (कर्त्तव्यों) पर विचार और सर्वोपरि श्रीमद्भगवद्गीता आदि कितने ही गहन दार्शनिक प्रसंग हैं जो उसे एक अद्वितीय महाकाव्य बनाते हैं। यही बात नाटक और उपन्यास के लिए कही जा सकती है। उनकी उत्कृष्टता का भी मुख्य मानदण्ड वैचारिक उत्कृष्टता और पात्रों के व्यक्तित्व की ऊर्जस्विता है, या फिर परिस्थिति का यथोचित मार्मिक, सशक्त, गहरा या सूक्ष्म–व्यापक चित्रण होता है। लघु कविता में भी केवल भावना की तीव्रता या गहनता की उत्कृष्टता की मानदण्ड नहीं बनती बल्कि वैचारिक स्तर या मूल्य–दृष्टि भी मानदण्ड बन

---

1. इसके लिए द्रष्टव्य हमारी **चिद्विमर्श** पुस्तक में 'कला–सर्जन', **सत्ताविषयक अन्वीक्षा** में 'कला तत्व', **मूल्यतत्त्व–मीमांसा** में 'कला का अन्वेष्य' शीर्षक तीन अध्याय तथा आगे 'काव्य का याथार्थ्य' लेख।
2. 'काव्य का स्वरूप' लेख में विचार की विषयिता की भी चर्चा की गई है।
3. 'काव्य का स्वरूप' लेख में विचार की विषयिता की भी चर्चा की गई है।

सकती है। अब, कहानी हो या उपन्यास, लघु कविता हो या महाकाव्य सब में अपेक्षा होती है याथार्थ्य की, वाच्य की वस्तु से अनुरूपता की और वचन की वाच्य से सम्यक्ता की। कविता या कथा की वस्तु क्या हो सकती है, इसका कोई निर्धारण नहीं किया जा सकता। **वाल्मीकीय रामायण** की वस्तु पाताल लोक, भू लोक और स्वर्लोक तीनों को अपने में समाहित करती है जबकि **रामचरितमानस** की वस्तु इन तीनों लोकों को व्याप्त करके भी इनसे बाहर भगवल्लोक में अवस्थित रहती है, इसके विपरीत प्रेमचन्द के **गोदान** की वस्तु भूलोक के भी अनेक आयामों को स्पर्श नहीं करती, वह केवल भारतीय ग्राम के मिट्टी-पानी तक ही सीमित रहती है। निश्चय ही वस्तु की बृहत्ता और लघुता वाच्यार्थ के गौरव को प्रभावित करती है—वाल्मीकि और वेदव्यास या तुलसीदास के पास व्यापकता और गहनता के लिए जो अवकाश है उसका अणुमात्र भी प्रेमचन्द के पास नहीं है, इसी से वे लोग एक पूरी संस्कृति और समाज को युगों तक के लिए सत्य दे सके जबकि प्रेमचन्द की कृति नितान्त सीमित सामाजिक स्थिति विशेष के उपलक्ष से एक सीमित सत्य को ही व्यक्त कर पायी। किन्तु वस्तु की यह बृहत्ता या लघुता किसी काव्य-कृति की सफलता की प्रमापक नहीं होती, कृति की सफलता की प्रमापक तो वाच्य की वस्तु से और वचन की वाच्य से सक्यक्ता ही होती है। अब, वाच्य की वस्तु से सम्यक्ता छाया-चित्र के जैसी नहीं होती, क्योंकि वाच्य वस्तु चेहरे के समान कैमरे से बाहर अवस्थित नहीं होती, वह वस्तु कवि की सृजनात्मक कल्पनागम्य ही होती है और वह उसी के क्रम में उत्पन्न होती है, चाहे प्रकटत: वह वस्तु ग्राम-जीवन, ऐतिहासिक तथ्य आदि रूप हो। और यह कल्पना तथा उसका विषय पारस्परिक होते हैं। यह इस बात से देखा जा सकता है कि एक ही ग्राम-जीवन पर असंख्य उपन्यास हो सकते हैं और स्वभावत: उनमें प्रत्येक की वस्तु अन्यों से भिन्न होती है। ऐसा नहीं है कि 'भारतीय ग्राम-जीवन' की उपन्यासकार से स्वतन्त्र कोई अपनी वस्तुता नहीं होती और कवि-कल्पना का उससे कोई सम्बन्ध होना आवश्यक नहीं होता, किन्तु उस **बाह्य वस्तुता का सत्य** कवि-कल्पना, या कहें कल्पना, ही को गम्य होता है। यहाँ कल्पना, वस्तु और सत्य के इस सम्बन्ध को व्यक्त करने वाली एक कविता उद्धृत करना अस्थाने नहीं होगा—

कल्पना वस्तु-भ्रम रचती
यह भी सत्य
पर तेरे में अपना सत्य
कल्पना से ही पाया मैंने, ओ मेरे सौन्दर्य!
प्रेम के लिए रचा मैंने तुझे
क्या यह रज्जु में सर्प-भ्रम?
या यह मात्र इन्द्रजाल है मन का?
पर इससे ठोस,
इससे विपुल गहन
दूसरा सत्य नहीं देखा मैंने!

इस कल्पना को साक्षात्कारात्मक कल्पना भी कह सकते हैं। भू-निष्ठ लोक से व्यापकतर लोक तो स्पष्टत: ही इस साक्षात्कारी कल्पना को ही गम्य होते हैं। किन्तु वास्तव में मनुष्य का साधारण व्यवहार-लोक भी कल्पना-रचित लोक ही होता है जो कल्पना मनुष्य द्वारा जीवन और जगत् के अर्थ, उसकी वास्तविकता, उसके सत्य को समझने और उसके साथ सामंजस्य साधने की साधन होती है। विभिन्न संस्कृतियाँ ऐसे ही कल्पना-लोक होती हैं। किन्तु काव्य मनुष्य के इस प्रयत्न में उत्पन्न विसंगतियों को दूर करने अथवा यथात्व साधने के लिए रचित कल्पना लोक की अयथार्थता का निवारण करने का प्रयत्न करता है। दूसरे शब्दों में, यह (काव्य) यथार्थ-साधक कल्पना-रचित वस्तु-लोक की अपने याथार्थ्य से असम्यक्ता के निवारण का प्रयत्न करता है। यों यह बात कला मात्र के लिए कही जा सकती है, किन्तु काव्य में यह अधिक स्पष्टता से लक्षित होती है।

यहाँ इस प्रतिपादन का स्पष्टीकरण आवश्यक प्रतीत होता है। जैसाकि हम जानते हैं, भौतिक जगत् को ही नहीं मनुष्येतर जीवों को भी 'प्रकृति' के रूप में देखा जाता है। सांख्य दर्शन ने जगत् को ही : मानव सहित : 'विकृति' कहा है और 'प्रकृति' इस जगत् के मूल उपादान को कहा है। इसमें उसका क्या अभिप्राय है इसे यहाँ हम छोड़ते हैं। अब, प्रकृति वस्तु की तथता की चेतना की रचना-क्रिया से निरपेक्ष सत् की वाचक कही जा सकती है। संस्कृति को, बल्कि कहें मानवीय जगत् मात्र को, अर्जित लोक, सर्जन का लोक कहा जा सकता है। कुछ दार्शनिक इसे कल्पना का लोक कहते हैं और कल्पना को अयथार्थ विधायिनी भी कहते हैं। अद्वैत वेदान्त और महायानी बौद्धों में ही नहीं, पाश्चात्य अनुभववाद तक में साक्षात्कारी कल्पना के लिए कोई स्थान नहीं है, इसे केवल असत् रूपों की रचना करने वाली के रूप में ही देखा गया है, जिन रूपों को परमार्थ से भिन्न व्यवहारपरक कहा गया है। निश्चय ही कल्पना अयथार्थ-विधायिनी भी होती है। इसका मूल अर्थ यही है। किन्तु यह अप्रकट और गुप्त सत्यों को देख पाने में तृतीय नेत्र का काम भी कर सकती है, यह कम ही देखा गया है। सामाजिक मनुष्य के सांस्कृतिक प्रयत्न, सांस्कृतिक सर्जन और अन्वेषण और व्यक्ति के सर्जनात्मक प्रयत्न कल्पना के साक्षात्कारात्मक रूप ही हैं। जो दार्शनिक संप्रदाय, विशेष रूप से सांख्य, अद्वैत वेदान्त और महायानी बौद्ध इन्हें मिथ्या कहते हैं वे पूर्णत: ही ग़लत हैं ऐसी बात नहीं है, उनकी अभ्रान्तता उन बुद्धों से प्रमाणित है जो इन रचना-लोकों या कल्पना द्वारा साक्षात्कृत सत्यों का अतिक्रमण करते हैं। किन्तु बुद्धों द्वारा साक्षात्कृत परमार्थ वाल्मीकि, वेदव्यास, कालिदास और प्रेमचन्द के साक्षात्कृत सत्यों को मिथ्या सिद्ध नहीं करता। सृजनात्मक कल्पना किस प्रकार सब स्तरों पर गुह्य सत्य की उद्घाटक और प्रापक होती है यह एक अत्यन्त साधारण उदाहरण : घर : से देखा जा सकता है। घट मिट्टी में निहित सम्भावना की, उसकी औपादानिकता की और घटत्व प्रत्यय के साक्षात्कार की अभिव्यक्ति है। इसी क्रम में यन्त्र-विज्ञान, शिल्प आदि और कुशलतर तथा सूक्ष्मतर साक्षात्कार हैं। इसके आगे विज्ञान, काव्य और संगीत आदि आते हैं। इन सब सर्जनों की आधार सर्जना भाषा है। इसे भी तत्त्व की आवरक के रूप में ही देखा गया है और तत्त्व को अनभिलाप्य कहा गया है। किन्तु भाषा वस्तु की ज्ञप्ति, उपलब्धि और क्रियान्विति की उपकरण भी है। यह सही है कि इसके द्वारा प्रदत्त वस्तु के कल्पना-प्रसूत : भले ही वह कल्पना साक्षात्कारी ही हो : आवरक रूप का बोध होना भी आवश्यक है, क्योंकि यह बोध ही चेतना के बुद्ध-भूमि पर आरोहरण को सम्भव करता है, किन्तु इस कल्पना के अपने तत्त्व को समझना भी आवश्यक है जो अनन्त और अपार वैभव का सर्जक है। इसलिए शांकर या नागार्जुनीय दृष्टि को काश्मीर शैव दृष्टि और भर्तृहरीय शब्द-ब्रह्म-दृष्टि[1] की पूरक के रूप में ही युक्त दृष्टि कहा जा सकता है।

इसका अर्थ यह नहीं है कि यह कल्पना कभी काल्पनिक : असत् को सत् अथवा असद् को सद् दिखाने वाली : नहीं होती। असद् को सद् तो हम प्राय: ही देखते हैं। इसके अतिरिक्त सत्य पाने या सत्य देखने के सभी प्रयत्न सत्य से न्यून या अधिक असम्यक् ही होते हैं, बहुत-से प्रयत्न नितान्त भ्रान्त भी हो सकते हैं। किन्तु इनका अभ्रान्त सत्य भी इस कल्पना के अन्तर्गत ही होता है। इसकी अपने से अपनी न्यूनता ही वास्तव में इसके वैभव की अनन्तता और अपारता की स्रोत होती है। काव्य और कलाएँ, शिल्प कलाओं सहित, इसके इसी स्रोत का अवगाहन करती हैं। इसके लिए ये या तो सामान्य जीवन और जगत् में उपलब्ध सम्यक्ता का उत्तानीकरण करने का प्रयत्न करती हैं या उपलब्ध असम्यक्ता को प्रखरतया दिखाकर सम्यक्ता को व्यंग्यतया संकेतित करती हैं। **रामायण** को प्रथम प्रकार का काव्य कहा जा सकता है और **महाभारत** को दूसरे प्रकार का। अथवा यह भी कह सकते हैं कि काव्य तो केवल दूसरे प्रकार के ही होते हैं, क्योंकि जगत् में तो सम्यक्ता सिद्ध रूप में कहीं होती ही नहीं, केवल कथा ही दो प्रकार से रची जाती है।

---

1. एतद्विषयक भर्त्तृहरि का निम्न श्लोक उद्धरणीय है—
अनादिनिधनं ब्रह्म शब्दतत्त्वं यदक्षरम्।
विवर्त्ततेऽर्थ भावेन प्रक्रिया जगतो यत:। **(वाक्यपदीय)**

किन्तु कला की एक स्वकीय सम्यक्ता होती है जो कथावस्तु द्वारा लक्षित सम्यक्ता से पृथक् और स्वतन्त्र होती है। यह प्रकृति में गुह्य औपादानिकता और घटत्व की सम्भावना के साक्षात्कार के समान ही चित्त में गुह्य आकारों की सम्भावना के साक्षात्कार की अभिव्यक्ति होती है। यह देखने के लिए बाह्य वस्तु से सर्वाधिक स्वतन्त्र कला संगीत को लें। संगीत को प्राणगत छंद और चित्तगत अनुभूतियों की व्यंजक ध्वनि, लय और स्वर की सम्भावनाओं का साक्षात्कार कह सकते हैं। ये लय और स्वर इस साक्षात्कार की स्पष्टता और उसके क्रियान्वयन की सम्यक्ता से प्रमाणित होते हैं। यही बात सब कलाओं के सम्बन्ध में सही है, केवल इस अन्तर के साथ कि संगीत में जबकि सम्पूर्णत: भावना ही लक्षित होती है, शेष कलाओं में चित्त के दूसरे आयाम भी, न्यून या अधिक मात्रा में, सम्मिलित रहते हैं। किन्तु द्रष्टव्य है कि संगीतकार स्वर साधते हुए भावना-भावित हो यह आवश्यक नहीं होता, स्वर साधने में भावना की भावितत्तापरक स्मृति अपेक्षित होती है जिससे स्वर की सम्यक्ता साध्य होती है, स्वर उस भावना के लिए संकेत बनता है। स्वर एक स्वर-व्यवस्था का अवयव होता है और यह व्यवस्था एक भाव-विमर्शी तर्क लिए होती है। इस प्रकार संगीत भी दृष्टि और तर्क का ही व्यापार होता है जिसका लक्ष्य भावना के मर्म का अवगमन, भावना के तत्त्व का पुनरधिगमन होता है, किन्तु यह अधिगमन या अवगमन विषयावलोकनात्मक नहीं होकर विषयिता का ही आत्मविमर्श होता है। इसके विपरीत महाकाव्य और उपन्यास में भावना एक सम्पूर्ण मनोमय अवयवी में एक अवयव मात्र होती है और प्राय: ही गौण अवयव। उदाहरणत: श्रीराम मर्यादापुरुषोत्तम हैं और मर्यादा की विषय काम, क्रोध, लोभ, मोह आदि मूलक भावनाएँ ही हो सकती हैं। अवश्य मर्यादामय व्यक्तित्व एक दूसरी भावना जगाता है, कवि उसी भावना का विमर्श अपने काव्य में करता है, किन्तु यह विमर्श एक मर्यादामय व्यक्तित्व की रचना के रूप में होता है, जो व्यक्तित्व विचारशील, युक्तिसंगत, संकल्पवान् आदि-आदि होता है। कथाकार एक अवयवी की विषयिता प्रस्तुत करता है जिसकी सावयवता में ये सब अवयव होते हैं। मर्यादा पुरुषोत्तमत्व की विषयिता की उसकी विषयता से भिन्नता का एक महत्त्वपूर्ण लक्षण यह है कि इसकी विषयता इस पद की परिभाषा और परिभाषा के समर्थन में युक्ति की अपेक्षा करेगी और यह परिभाषा तथा युक्ति सामान्यवाची होगी और तब राम के आचरण को उसके सही उदाहरण के रूप में प्रस्तुत किया जायेगा। इसके विपरीत विषयिता किसी सामान्य के उदाहरण के रूप में प्रस्तुत नहीं होकर विशिष्ट आचरण के द्वारा व्यक्त होगी और सामान्य के लिए आधार प्रस्तुत करेगी। किन्तु जैसाकि हमने पीछे देखा, कोई कथा एक व्यक्ति का चरित्र प्रस्तुत नहीं करती, वह 'व्यक्तियों के समान' का चरित्र प्रस्तुत करती है। सामाजिक चरित्र की विषयितापरक प्रस्तुति का अर्थ है उस समाज के उस रूप में घटित होने की प्रस्तुति।

लघु कविता इससे कुछ भिन्न होती है। इसे आधारत: भिन्न भी कह सकते हैं। इसमें कवि प्रत्यक्षत: स्वयं की मनोऽवस्था को ही अभिव्यक्त करता है, उसके लिए चाहे वह किसी बाह्य घटना, स्थिति का सहारा भी ले। उदाहरणत: रवीन्द्रनाथ ठाकुर की 'दो पंछी'[1] कविता में एक पंछी सोने के पिंजरे का वासी है और दूसरा वन-विहारी। ये दोनों उसमें परस्पर बात करते हैं। इस प्रकार ये प्रकटत: कहानी के दो पात्रों जैसे हैं। किन्तु वास्तव में यह कहानी नहीं है और वे उसके पात्र नहीं हैं। इनके माध्यम से कवि वहाँ दो परस्पर विपरीत मानसिकताओं के बावजूद दो व्यक्तियों की परस्पर की अपेक्षा को अभिव्यक्ति दे रहा है जिस अपेक्षा ने कवि को कहीं द्रवित किया है। यह भावनात्मक कविता है। लघु कविताएँ अधिकांशत: भाव-प्रधान ही होती हैं, किन्तु ये विचार-प्रधान भी हो सकती हैं। किन्तु इनमें विचार की अभिव्यक्ति के लिए अमूर्त्त सामान्यवाची पदों के बजाय मूर्त्त प्रतीकों का आश्रय लिया जाता है और ये प्रतीक भाव-संवलित होते हैं। इसमें दूसरी महत्त्वपूर्ण बात विचार का युक्तित: प्रतिपादन नहीं होकर उसके अन्त:सार के भावन की अभिव्यक्ति होती है। इसी से कवि से यह नहीं पूछा जा सकता कि उसके उस विचार के लिए युक्ति क्या है, उसे क्यों स्वीकार किया जाय, बल्कि यही देखना होता है कि उसने जिस अन्त:सार का भावन किया है वह भावन कहाँ तक युक्त और गहरा है और उसकी अभिव्यक्ति कहाँ तक

1. **रवीन्द्रनाथ की कविताएँ**, कविता सं. 10, साहित्य अकादमी, दिल्ली, 1967

कुशल और समीचीन है। कबीर के **सबद** और महादेवी की **दीपशिखा** संग्रह की कुछ कविताएँ इसके उदाहरण रूप में देखी जा सकती हैं। **ऋग्वेद** के अनेक मन्त्र इसका उत्कृष्टतम उदाहरण प्रस्तुत करते हैं। यहाँ हम अज्ञेय की निम्न कविता उदाहरण के रूप में प्रस्तुत करना चाहेंगे—

शून्य को भजता हुआ भी मैं
पराजय को बरजता हूँ
चेतना मेरी बिना जाने
प्रभा में निमजती है
मैं स्वयं अभिषिक्त
सजता हूँ।

यह कविता बौद्ध शून्यवाद को लेकर है। शून्यता की बात महात्मा बुद्ध ने की है और नागार्जुन ने उसे दार्शनिक युक्ति–तर्क के साथ एक सैद्धान्तिक आधार दिया है। किन्तु अज्ञेय को उससे कुछ लेना–देना नहीं है, वे इस दृष्टि के महात्मा बुद्ध के जीवन में प्रतिफलन का अपनी भावना–दृष्टि से साक्षात्कार कर उसे अभिव्यक्ति देते हैं, अथवा यह भी कह सकते हैं कि कवि के रूप में वे नागार्जुन की तार्किक युक्तियों से जिस जीवन को लक्षित देखते हैं उसे अभिव्यक्ति देते हैं। इसी में इसका काव्यत्व है। इस कविता की प्रामाणिकता इसके तर्कत: सिद्ध होने में नहीं होकर कवि के भावन की सच्चाई में है। अभिव्यक्ति की भावना से समीचीनता और उसकी स्वयं में समृद्धि कविता का अतिरिक्त गौरव है। कविता में वैचारिकता के एक–दूसरे रूप के लिए हम अज्ञेय से ही एक और उदाहरण देना चाहेंगे—

क्रौंच बैठा हो कभी वल्मीक पर
तो मत समझ
वह अनुष्टुप बाँचता है संगिनी के स्मरण के
जान ले, वह दीमकों की टोह में है।
कविजनोचित न हो चाहे, वही सच्चा साक्ष्य है
एक दिन तू सोहनी से पूछ लेना।

ये पंक्तियाँ **हरी घास पर क्षण भर** संग्रह से 'माहीवाल से' शीर्षक कविता से हैं। इसकी प्रथम चार पंक्तियाँ तर्कशास्त्र विषयक पुस्तकों में निगमन के उदाहरण के जैसी है—"सब मनुष्य मरण धर्मा हैं, अरस्तु मनुष्य है, इसलिए अरस्तु मरेगा।" यहाँ जो बात कही गई है वह भी सचमुच ही 'कविजनोचित' नहीं है। किन्तु तब भी यह कविता है और उत्कृष्ट कविता है, क्योंकि इसका वाच्य अभिधेय नहीं होकर व्यंग्य है और वह व्यंग्य सामान्य जीवन–व्यवहार :मानव–व्यवहार–सहित: का अकविजनोचित स्वरूप है। यहाँ मानो विचार अपने पर पलट कर अपने विषय की विद्रूपता देख रहा है। यहाँ अभिव्यक्ति का विषय विचार से निष्पन्न भावना है जो विचार का साथ नहीं छोड़ती। अथवा यह भी कह सकते हैं कि यहाँ अकविजनोचित जीव–व्यवहार से उत्पन्न कटु अनुभूति विचार के परिधान में व्यक्त हुई है।

जहाँ कविता का व्यंग्य शुद्ध रूप से भावानुभूति भी होती है वहाँ भी कवि भावना का उद्गीरण नहीं करता बल्कि उसके लिए उसी प्रकार रूप रचना करता है जिस प्रकार किसी विषय–दृष्टि की अभिव्यक्ति के लिए सिद्धान्त की रचना की जाती है, अथवा ऐन्द्रिय प्रस्तुतियों की अभिव्यक्ति के लिए विवरण–रचना की जाती है। केवल सिद्धान्त–रचना और काव्यात्मक रूप–रचना विवरणात्मक वाक्य–रचना से बहुत अधिक दुष्कर होती हैं और उसमें सफलता के अनेक स्तर हो सकते हैं। यों तो ऐसा ही महाकाव्य–रचना या उपन्यास–रचना में भी होता है। कवि–उपन्यासकार किसी भाव, किसी विचार, किसी भाव–विचार की आहट–जैसी सुनता या छाया–जैसी देखता है और तब कल्पना के द्वारा उस आभास या आहट के अन्तस् में प्रवेश करता है और तब रूपों और

शब्दों के द्वारा उसे अभिव्यक्त करने में प्रवृत्त होता है। रचते हुए वह साथ-साथ उस अनुभूत या दृष्ट या साक्षात्कृत भाव-विचार से उस रचना का मिलान भी करता चलता है और दूसरी ओर उस रचना के द्वारा वह स्वयं भी उस भाव-विचार के अव्याकृत स्वरूप को व्याकृत रूप में समझ पाता है। प्रेमचन्द ने तत्कालीन ग्राम-जीवन की जिस दु:ख-दशा का साक्षात्कार किया था उसका स्वयं में कोई रूप नहीं था। प्रेमचन्द उस साक्षात्कार को उपन्यास रूप में अभिव्यक्त करने में प्रवृत्त हुए और उस अभिव्यक्ति ने **गोदान** उपन्यास का रूप लिया, यह उस साक्षात्कार के लिए आगन्तुक बात थी। किन्तु एक बार गोदान उपन्यास-रचना का आरम्भ हो जाने के बाद वह रचना अपने तर्क से भी अनुशासित रहती है और उस साक्षात्कार से भी जिसे अभिव्यक्त करने या रूप देने को वह लक्षित करती है। इस रचना के सत्य का प्रमाण, या कहें इसकी प्रामाणिकता, इसके साक्षात्कार से सम्यक् होने में होती है। ऐसा ही लघु कविता में भी होता है और ऐसा ही गायन या वादन या चित्र बनाने में भी होता है। स्वाभाविक है कि यह सम्यक्ता केवल न्यून अथवा अधिक या बहुत अधिक ही हो सकती है, पूर्ण नहीं।

इस विवेचन से यह स्पष्ट है कि कला-सृजन, विशेषत: काव्य-सृजन, एक अत्यन्त जटिल मानसिक क्रिया होती है और इसमें सर्जन भावना का भी भावन में उद्गीरण नहीं होता बल्कि उस अनुभव के अर्थ का उसकी विषयिता में ही विमर्श होता है। किन्तु आश्चर्य की बात है कि काव्य विषयक अधिकांश विचार में काव्य को केवल भावनात्मक अभिव्यक्ति के रूप में ही देखा गया है। भारतीय रस-सिद्धान्त इसमें अग्रणी कहा जा सकता है।[1] इसके स्थायी भाव, संचारी भाव और उद्दीपन विभाव आदि अवयव इस दृष्टि के द्योतक हैं। यद्यपि वक्रोक्ति-सिद्धान्त और ध्वनि-सिद्धान्त को व्यापक रूप में भी देखा जा सकता है और इनको विषयिता की अभिव्यक्ति से जोड़ा जा सकता है, किन्तु इन सिद्धान्तों के प्रतिपादकों ने इन्हें व्यापक रूप में नहीं देखा और इन्हें केवल भावना की अभिव्यक्ति तक ही सीमित रखा। अवश्य काव्य का पाठक, नाटक और चित्र का दर्शक और संगीत का श्रोता सर्जक की अपेक्षा निष्क्रिय होने से भावनात्मक अधिक हो सकता है, किन्तु वह पूर्ण निष्क्रिय नहीं होता, उसकी भी आलोचक-बुद्धि सक्रिय रहती है, जैसाकि रसवादियों के रसाभास और रस-भंग आदि दोषों के स्वीकार से स्पष्ट है। पाठक या सहृदय की आलोचक बुद्धि काव्य-सर्जक के समान ही यह देखती है कि कोई अभिव्यक्ति अभिव्यंग्य के स्वरूप के अनुरूप उससे सम्यक् है या नहीं, और यह जाँच भावनात्मक नहीं हो सकती।

1. पश्चिम में भी इसी दृष्टि की प्रधानता है। अरस्तु का 'रेचन-सिद्धान्त' यहाँ उल्लेखनीय है। टी.एस. इलियट के अनुसार भी "बड़ा कवि अपने युग की वैचारिक संपदा का, वैचारिक उथल-पुथल का **संवेगात्मक समतुल्य** (इमोश्नल ईक्वीवेलेंट) खड़ा कर देता है।" (रमेशचन्द्र शाह के **पूर्वग्रह**, मार्च-एप्रिल, 1989 अंक में प्रकाशित लेख 'प्रसाद और छायावाद की प्रासंगिकता' से उद्धृत।) इस दृष्टि के अनुसार **श्रीमद्भगवद्गीता** और **महाभारत** के अन्य अनेक वैचारिक स्थल या तो आवेगात्मक हो जाएंगे या वे काव्यात्मक नहीं माने जाएंगे। स्वयं रमेशचन्द्र शाह के **पूर्वापर** उपन्यास में महात्मा गाँधी को लेकर लम्बी बहस है जिसे आवेगात्मक नहीं कहा जा सकता। टाल्स्टाय की इतिहास-दृष्टि में इतिहास व्यक्तियों के कर्तृत्व से निरपेक्ष प्रवाह है। उनका **युद्ध और शान्ति** उपन्यास इस दृष्टि के अनुसार जर्मन-रूस युद्ध का विवरण प्रस्तुत करता है। उसकी औपन्यासिकता कल्पित पात्रों के जीवन के माध्यम से इतिहास-घटना के प्रस्तुत होने में है, किसी आवेगात्मकता में नहीं।

कुछ प्रश्नों पर विचार[1]

मुकुन्द जी ने मेरे 'कला का अन्वेष्य' लेख पर विस्तृत समीक्षा लिखकर पिछली उन्मीलन-गोष्ठी में पढ़ी और बहुत-से मूल्यवान् प्रश्न उठाये, उसके लिए मैं उनके प्रति बहुत आभारी हूँ। मेरा लेख और मुकुन्द जी की समीक्षा **उन्मीलन** के पिछले अंक में प्रकाशित हुए थे।

मुकुन्द जी की समीक्षा सुनते हुए मुझे लगा था कि उन्होंने मेरे विचार ठीक ही प्रस्तुत किये हैं, किन्तु पढ़ने पर पाया कि मेरे कुछ मूलभूत प्रतिपादन उन्हें सम्यक् रूप से संप्रेषित नहीं हो पाये हैं। इसका बहुत बड़ा कारण यह है कि मेरा लेख एक पुस्तक का छठा अध्याय है, परिणामत: इसके कुछ सूत्र हैं जो पहले के अध्यायों में, विशेषत: 'सृजन और सत्य' शीर्षक के दूसरे अध्याय में व्याख्यायित हुए हैं और इस लेख में वे पूर्वगृहीतवत् आये हैं। परिणामत: 'कल्पना', 'सृजन' और 'सत्य' को जिस प्रकार प्रचलित अर्थों में उन्होंने लिया है वह मेरे अभिप्रेत अर्थों के अनुरूप नहीं है। तब भी, मुकुन्द जी ने मेरे विचार पर्याप्त सन्तोषजनक रूप से ही प्रस्तुत किये हैं और कुछ प्रसंगों पर, विशेषत: संगीत पर, अपने अत्यन्त मूल्यवान् और सुलझे हुए विचार प्रस्तुत किये हैं। यहाँ मैं अपनी उन प्रतिपत्तियों के स्पष्टीकरण में कुछ कहूँगा जिन पर मुकुन्द जी ने आक्षेप उठाये हैं।

समीक्षा के आरम्भ में ही मुकुन्द जी से एक बड़ी भूल हुई है, जो पता नहीं कैसे हुई। उनके अनुसार, मैं कला को भी ज्ञान की ही एक साधना मानता हूँ। किन्तु मेरे लेख के पहले ही पृष्ठ पर यह वाक्य है : "विषयिता के विषयकरण के बिना, उसका उसके ही तत्त्व में विमर्श, उसके अपने ही तत्त्व में उसका अवगाहन, आत्मचेतन चेतना का यह एक दूसरा, और ज्ञानात्मक से भिन्न, आयाम है।" यहाँ इस सम्बन्ध में और स्पष्टीकरण की आवश्यकता नहीं है, तब भी इतना जोड़ना चाहूँगा कि मैं ज्ञान को इन्द्रियगम्य विषय अथवा वैज्ञानिक विधि तक सीमित नहीं मानता हूँ, सदसद् और आत्मानात्म-विवेक को भी ज्ञान ही मानता हूँ और इस पर मैंने इस पुस्तक में आगे तीन अध्यायों में विचार किया है।

पृष्ठ 100 पर मुकुन्द जी ने आपत्ति की है कि "कला का सच्चा पुरुषार्थ अगर सत्य का अन्वेषण है तो इसमें कल्पना बाधक ही हो सकती है, साधक नहीं। सत्य का अर्थ कल्पित नहीं होता, वस्तु होता है।" अब, निश्चय ही 'कल्पना' शब्द का प्रयोग साधारणत: अवास्तव के मनश्चक्षु के सम्मुख प्रस्तुत हो जाने के अर्थ में ही होता है, किन्तु प्रस्तुत वस्तु के गहनतर और व्यापकतर सत्य तक पहुँचने के लिए अथवा सत्य सामान्य तक पहुँचने के लिए उपपादित अर्थ के लिए भी होता है। उदाहरणत: यदि हम कहते हैं "कल्पना करें कि संसार में कारण-कार्य-नियम की जो व्यवस्था है वह या तो होती ही नहीं अथवा उससे बहुत भिन्न प्रकार की होती जिस प्रकार की संसार में है..." आदि। अब, यह कल्पना वास्तव जगत् को असंख्य सम्भावनाओं में से एक की क्रियान्विति में रूपांतरित कर देती है और वास्तव जगत् के गहनतर अर्थों में प्रवेश दे देती है। वास्तव में कला ही नहीं विज्ञान, शास्त्र और दर्शन भी इस प्रकार की कल्पना से गुहागत अर्थों को देख पाते हैं। इसी प्रकार मुकुन्द जी 'अनुकृति' शब्द के मेरे प्रयोग को लेकर कुछ भ्रम में पड़े हैं। वे लिखते हैं : "भावना के विवर्तन में आविर्भूत अर्थ का सही अनुकरण अगर कला है तो 'अनुकरण का अर्थ के अनुरूप' होना सत्य होगा। माना कि यह सत्य कल्पना द्वारा अनुविद्ध है, इसमें अनेकान्त भी है, यह सर्वथा निर्भ्रान्त भी नहीं हो सकता, 'अर्थ के अनुरूप है' इसमें निकष तो उस पर हावी होता ही है। अन्यथा सत्य की बात ही वृथा होगी।" (102) यह ठीक नहीं है। यहाँ

1. ये प्रश्न डॉ. मुकुन्द लाठ तथा डॉ. सरला कल्ला के लेखों में मेरी पुस्तक **मूल्यतत्त्व-मीमांसा** के 'कला का अन्वेष्य' अध्याय को लेकर उठाये गए। इनके लेख क्रमश: **उन्मीलन** के जुलाई 1990 अंक में तथा जनवरी 1991 अंक में प्रकाशित हुए।

'माना कि' के साथ जो कहा गया है वह मेरा मन्तव्य नहीं है। इसे एक उदाहरण से स्पष्ट करने का प्रयत्न करूँगा। चित्रकार किसी व्यक्ति का चित्र बनाता है। अब, इस चित्र का ही कलाकार द्वारा दृष्ट अर्थ की सही अनुकृति होना अपेक्षित होता है। यह दृष्ट कैसे सही होगा? कलाकार द्वारा सम्मुख प्रस्तुत व्यक्ति के अन्तस् में प्रवेश के द्वारा। किन्तु द्रष्टव्य है कि वह अन्तस् कोई भूत वस्तु नहीं होता, न इसकी गम्भीरता और विस्तार की ही कोई सीमा होती है, किन्तु तब भी यह ऐसा होता है जो अपने प्रत्यक्षीकरण के प्रयत्नों को सत्यापित या असत्यापित, न्यून या अधिक सत्यापित करता है। एक दूसरा उदाहरण लें : उपन्यासकार जिन पात्रों और घटनाओं आदि का 'वर्णन-निरूपण' करता है वे 'कल्पित' होती हैं, किन्तु उसका निरूप्य व्यक्ति-मानव या समाज-मानव का सत्यासत्य होता है। यह सत्यासत्य लोक में असंख्य वास्तव व्यक्तियों और आंतर-बाह्य घटनाओं के माध्यम से घटित होता है किन्तु प्राय: ही यह उन व्यक्तियों को भी विदित नहीं होता, उन आन्तर-बाह्य घटनाओं के अर्थ तो उन व्यक्तियों को प्राय: कभी भी विदित नहीं होते। इस प्रकार वास्तव लोक में वे भी घटित नहीं होते, किन्तु वे तब भी होते हैं और उनका अवलोकन ही दृष्टि को सत्य बनाता है—जो भी दृष्टि यह अवलोकन कर सके। वह दृष्टि चाहे इन घटनाओं में भाग लेने वाले व्यक्तियों में से किसी की हो और चाहे उनमें भाग नहीं लेने वाले कलाकार की।

अब विषयिता के सम्बन्ध में। इन व्यक्तियों, घटनाओं और इन आन्तर-बाह्य घटनाओं का सत्य इतिहास-लेखक का भी विषय हो सकता है, वह भी कल्पना का सहारा लेता है-घटनाओं और उन्हें घटित करने वाले व्यक्तियों के चयन और उनके व्यवस्थापन के लिए और इन घटनाओं को घटित करने वाले प्रयोजनों तथा प्रवृत्तियों के अर्थ में पैठने के लिए, और इन घटनाओं में घटित और अन्तर्निहित अर्थों के साक्षात्कार के लिए। किन्तु उसकी यह कल्पना विषयात्मक होती है और उसके द्वारा साक्षात्कृत अर्थ विषयतया अवलोकित होते हैं। इसके विपरीत उपन्यासकार की कल्पना विषयिपरक होती और उसके द्वारा साक्षात्कृत अर्थ विषयितया अवलोकित होते हैं। उदाहरणत: इतिहासकार चन्द्रगुप्त मौर्य की विजय आदि का विवरण देने के लिए चन्द्रगुप्त, चाणक्य आदि को अन्य व्यक्तियों के रूप में देखेगा और प्रस्तुत करेगा किन्तु उपन्यासकार स्वयं चन्द्रगुप्त, चाणक्य आदि के कर्तृत्व, भोक्तृत्व से तदात्म होकर स्वयं उनके द्वारा उन घटनाओं को घटित करेगा और उनमें घटित होगा और उनमें अन्तर्निहित अर्थों को भोगे और देखेगा। यहाँ मुकुन्द जी द्वारा मेरे नाम से प्रयुक्त पद 'विषयी के सत्य' का अर्थ भी समझा जा सकता है। यह सत्य कलाकार की अपनी निजी अनुभूति का नहीं होता, न अन्य में आरोपित अपनी अनुभूति का होता है, बल्कि निरूप्य व्यक्ति अथवा व्यक्तियों की अनुभूति का होता है। उदाहरण के लिए पोर्ट्रेट में चित्रकार अपनी अनुभूति अथवा अपनी विषयिता चित्रित नहीं करता बल्कि चित्रणीय व्यक्ति की विषयिता को चित्रित करता है। चित्रकार का यह 'साक्षात्कार' कोई असाधारण साक्षात्कार भी नहीं होता : हम सम्मुख उपस्थित व्यक्ति को साधारणत: भी विषय के रूप में नहीं विषयी के रूप में ही देखते हैं। इसी प्रकार उपन्यासकार अपनी विषयिता का निरूपण नहीं करता बल्कि कल्पित पात्रों की विषयिता में अन्त:प्रविष्ट होकर उन विषयिताओं का निरूपण करता है।

इसके बाद मुकुन्द जी संगीत में सत् की अनुकृति, सत्यापन और सत्यान्वेषण के प्रसंग पर आते हैं। वे कहते हैं : "कला में होने वाले आन्तर व्यापार का जो तत्त्व-दृष्टि से उन्होंने प्रत्यय-चित्र बनाया है वह उन्हें एक ओर ले जाता है, पर जिन उदाहरणों पर उनके ऊह का आधार टिका है वे बात को दूसरी ही दिशा में खींचते हैं। उनकी तत्त्व-दृष्टि संगीत, नृत्य, वास्तु जैसी कलाओं के उपयुक्त लगती है। यह सारा व्यापार विषय से अछूता-सा लगता है।" (102) थोड़ा आगे जाकर वे कहते हैं—पर संगीत जैसी कला में "किस वृत्ति का अनुकरण हो रहा है इसकी पहचान कैसे हो, उपयुक्तता की बात तो दूर? प्रेम, निराशा जैसी वृत्तियों की पहचान हमें विषय के माध्यम से होती है। हमें लोक में, विषय-जगत् में, इनका अनुभव होता है, वहीं इनकी पहचान होती है।...इन वृत्तियों की पहचान उन्हीं कलाओं में बनी रहती है जिनमें विषयी के साथ-साथ विषय की भी उपस्थितियाँ होती हैं, अभिव्यक्ति जहाँ लोकस्पर्शी होती है। लेकिन संगीत में या नृत्त या वास्तु में किसी नियम-भावित अर्थ का अनुकरण भी हो रहा है या नहीं, इसकी पहचान कैसे हो? (103)

मुकुन्द जी यहाँ वृत्तियों की जो विषय-सम्बद्धता की बात कर रहे हैं वह वास्तव में उनकी नाम-सम्बद्धता होती है, विषय-सम्बद्धता नहीं। नाम तब विषय-सम्बद्ध भी हो सकता है और विषयि-सम्बद्ध भी। किन्तु द्रष्टव्य है कि विषय-सम्बद्ध होने पर ही इन वृत्तियों के नामकरण का व्यापार उपयुक्त रूप से चरितार्थ हो पाता है, विषयि-सम्बद्ध होने पर यह प्राय: व्यर्थ जैसा हो जाता है। उदाहरणत: यह केवल विषय-सम्बद्ध रूप में ही हम कह सकते हैं कि राम सीता और लक्ष्मण को प्रेम करते थे और द्रौपदी अर्जुन को प्रेम करती थी और कृष्ण राधा को प्रेम करते थे। कवि के लिए यह सब किसी उपयोग का नहीं है, उसमें प्रत्येक व्यक्ति अन्य प्रत्येक व्यक्ति के साथ सर्वथा भिन्न प्रकार की मन:स्थिति में होता है और भिन्न प्रकार से व्यवहार करता है। ये मन:स्थितियाँ और व्यवहार विशिष्ट व्यक्तियों के पूरे चरित्र के अंग होते हैं। संगीत की काव्य आदि से भिन्नता इस बात में होती है कि यद्यपि इनमें निरूपित भाव सदैव नाम-सहित नहीं होता किन्तु कई बार होता भी है। तो भी, नाम नहीं होने से उनकी भाव-परता व्याहत नहीं होती, न भाव की पहचान व्याहत होती है। नाम वास्तव में भाषा का अंग है और भाषा की अभिव्यक्ति का एक माध्यम। अभिव्यक्ति का अन्य कोई भी माध्यम नाम का प्रयोग नहीं करता, किन्तु इसका अर्थ यह नहीं है कि वह किसी भाव अथवा बोध से सम्बद्ध नहीं होता। चित्रकार ही जो चित्रित करता है यदि वह भाषा-वाच्य हो तो चित्र की आवश्यकता ही क्या होगी? तब भाषा उसे कहीं अधिक प्रभावशाली रूप में व्यक्त करेगी। अब इस विवेचन के प्रकाश में संगीत पर विचार करें : मान लें कि हम भारतीय शास्त्रीय संगीत के दो शुद्ध गायकों को सुनते हैं। दोनों ही बहुत कुशल हैं, बहुत पारँगत। किन्तु इनमें एक में दरबारीपन-महफिलीपन अधिक है और दूसरे में तन्मयता है। यह भेद कैसा है? एक दूसरा उदाहरण लें : हम दु:खी या खिन्न हैं। इस मन:स्थिति के सम्बन्ध में भी यह प्रश्न प्रासंगिक होता है कि यह भाव वास्तव है या आरोपित? भाव की इस वास्तवता और आरोपितता का क्या अर्थ है? भाव की वास्तवता चित्त की सहज स्थिति है। सहज, अर्थात् चित्त की अपने से अनुरूपता, अभिव्यक्ति का अभिव्यंग्य से साम्य। जब यह नहीं होता तब चित्त का भाव अवास्तव, असहज और आरोपित कहा जाता है। गायक के दरबारीपन और तन्मयता में भी कुछ ऐसा ही भेद होता है। यहाँ यह और द्रष्टव्य है कि कला का अभिव्यंग्य केवल भावना ही नहीं होती, दृष्टि और बोध भी हो सकता है, यद्यपि दृष्टि और बोध भावना से और भावना दृष्टि तथा बोध से नितान्त रहित नहीं होते। अब, अभिव्यंग्य दृष्टि हो या भावना, कला में दोनों की विषयिता ही ग्राह्य होती है। अपने मूल लेख में हमने अज्ञेय जी की कविता 'महीवाल से' का जो उदाहरण दिया है उसे बोध की विषयिता की अभिव्यक्ति ही कहा जा सकता है, जिस बोध में जगद्गति के प्रति खिन्नता का भाव भी अन्तर्व्याप्त है। महान् कलाकारों की कृतियाँ भावना से अधिक बोध की ही अभिव्यक्ति होती हैं और इसमें संगीत को भी अपवाद नहीं होना चाहिए। इस शताब्दी के चौथे दशक की सर्वाधिक विश्वप्रसिद्ध नर्तकी आइसा डोरा डंकन ने अपनी आत्मकथा में अनेक अलौकिक अनुभूतियों और आभासों का उल्लेख किया है जो उसके नृत्यों की अपूर्व अभिव्यक्तियों में प्रतिफलित होते थे, और जहाँ तक मुझे याद पड़ता है, उसने यह भी लिखा है कि उसे कई नृत्यों की प्रेरणा कांट की **क्रिटीक ऑफ प्योर रीज़न** पुस्तक पढ़ते हुए मिली। यहाँ प्रश्न हो सकता है कि यह संगीत में कैसे सम्भव हो सकता है? इसमें अभिव्यक्ति के रूपों और माध्यमों की बात प्रासंगिक होगी। माध्यम-भेद अधिकांश में अभिव्यंग्य-भेद के कारण ही उत्पन्न होता है, यद्यपि एक ही अभिव्यंग्य भी विभिन्न माध्यमों का विषय हो सकता है। उदाहरण के लिए एक ही क्रोध देह में मुखमुद्रा के विकार आदि के रूप में, हृदय में आवेगों के रूप में और बुद्धि में प्रतिशोध के उपाय आदि की चिन्ता के रूप में अभिव्यक्त होता है। यही बात बहुत कुछ काव्य, संगीत और चित्र आदि कलाओं में भी हो सकती है। काव्य में अभिव्यक्त भाव के अभिव्यंजक चित्र बनाये ही जाते हैं, इसी प्रकार रागों के अनुकारी चित्र भी बनाये जाते हैं, और कविता छंद का प्राय: सदा ही सहारा लेती है और बहुत बार संगीत काव्य का सहारा लेता है। यह सहारा दोनों में अभिव्यंग्य की एकता से ही सम्भव होता है। कोई स्वर-रचना गाये गये गीत के भाव के अनुकूल है या नहीं, यह प्रश्न सदैव प्रासंगिक होता है। किन्तु अभिव्यंग्य की यह अनुरूपता होने पर भी यह सही है कि संगीत का व्यंग्य काव्य और चित्र से भिन्न प्राण और हृदय के स्पन्दन का छन्द होता है। प्राण और हृदय की यह विषयिता संगीत में विषयि-प्रत्यय के रूप में उद्गृहीत होकर विमृष्ट होती है। अब, यह विमर्श प्रत्यय के और प्रत्यय मूल

छंद के प्रति असत्य अथवा न्यून सत्य भी हो सकता है, पीछे उदाहृत गायन के दरबारीपन में यह असत्य या सत्य की न्यूनता ही विवक्षित है।

मुकुन्द जी की समीक्षा में और भी बहुत-सी बातें हैं जिन पर चर्चा हो सकती है। वास्तव में उन्होंने अपनी समीक्षा में कुछ स्वतन्त्र बातें भी कही हैं जो विचारोत्तेजक और महत्त्वपूर्ण हैं। किन्तु मैं समझता हूँ कि इस स्पष्टीकरण में सार रूप में वे सब बातें आ जाती हैं।

सरला जी ने अपनी टिप्पणी में बहुत-से प्रश्न उठाये हैं जो निश्चय ही महत्त्वपूर्ण और पैने हैं। ऐसे प्रश्न उठाने के लिए मैं उन्हें बधाई देना चाहता हूँ। किन्तु इनमें से कुछ प्रश्न ऐसे हैं जो मेरे लेख का उद्देश्य कलाविषयक समग्र विचार मान कर उठाये गए हैं, जो कि इसका उद्देश्य नहीं है। यह लेख तथा इस अंक में प्रकाशित दूसरा लेख **मूल्यतत्त्वमीमांसा** पुस्तक के अध्याय हैं और इस प्रकार कला का अन्वेष्य-मूल्य क्या है यही इन अध्यायों का विवेच्य विषय है। परिणामत: सरला जी द्वारा उठाये गये इस वर्ग के प्रश्नों के सम्बन्ध में मैं कुछ नहीं कहूँगा। प्रासंगिक प्रश्नों में से कुछ प्रश्न ऐसे हैं जिनके उत्तर मुकुन्द जी की टिप्पणियों के उत्तरों में आ गए हैं। शेष के उत्तर मैं यहाँ देने का प्रयत्न करूँगा। उससे पूर्व मैं यह भी कहना चाहूँगा कि उनके द्वारा मेरे विचार का प्रस्तुतीकरण सर्वथा निर्दोष हुआ है, ऐसा नहीं कहा जा सकता। अनुच्छेद सं. 4 में विशेष रूप से प्रस्तुतीकरण निर्दोष नहीं है।

उनका पहला प्रश्न (अनुच्छेद 7 में) यह है कि "कला में असत्य क्या होगा?" इसका उत्तर ऊपर मुकुन्द जी की टिप्पणियों पर विचार के प्रसंग में दे दिया गया है। 8वें अनुच्छेद में सरला जी ने प्रश्न उठाया है कि "व्यंजना एक तरह का रूपांतरण है, और यह भी ठीक है कि कई व्यंजनाएँ सम्भव हो सकती हैं। पर क्या सभी व्यंजनाएँ समान रूप से मूल्यवान् होती हैं?" इसका उत्तर है कि व्यंजना एक अभिव्यक्ति-प्रकार है जिस प्रकार अभिधा भी है। अब, किसी भी अभिव्यंग्य की अभिव्यक्ति अनेक प्रकार से हो सकती है। वे विभिन्न अभिव्यक्तियाँ समान रूप से सफल होती हैं ऐसा तो कोई भी नहीं कहता। प्रसंगान्तर से इस प्रश्न पर भी ऊपर विचार हुआ है। यहीं आगे वे कहती हैं "यदि प्रत्येक कलाकार अपने भाव-बोध के व्यंजनात्मक अर्थ को व्यक्त कर रहा है तो किसी अभिव्यक्ति की 'कलात्मकता' भाव-बोध की सत्यता पर तो निर्भर नहीं करती।" लगता है कि इस प्रश्न का आरम्भ दूसरे अभिप्राय से हुआ किन्तु अन्त दूसरे अभिप्राय से। आरम्भ में अभिप्राय यह प्रतीत होता है कि "जब प्रत्येक कलाकार का भाव-बोध और उसका सत्य विशिष्ट है तो उन सत्यों की युक्तता समान नहीं हो सकती। दूसरे, विभिन्न कला-कृतियों की कलात्मक सफलता की कसौटी सत्य नहीं हो सकता।" सर्वप्रथम, यह प्रश्न केवल कला के सम्बन्ध में ही क्यों, अभिव्यक्ति मात्र के सम्बन्ध में ही समान रूप से उठता है और अभिव्यक्ति केवल भाषा, चित्र आदि के रूप में ही नहीं होती, स्वयं भाव और विचार आदि भी अभिव्यक्तियाँ ही हैं। ये अभिव्यक्तियाँ अभिव्यंजित चित्त के प्रति समान रूप से सत्य नहीं होतीं, इस पर हमने ऊपर मुकुन्द जी की टिप्पणियों के उत्तरों के प्रसंग में स्पष्ट किया है। जहाँ तक 'कृतियों की कलात्मकता' का प्रश्न है, इसमें 'कलात्मकता' का अर्थ वे 'शिल्प' ले रही हैं, इस प्रकार यह प्रश्न सही नहीं कहा जा सकता। मैंने एक-दूसरे लेख 'कला-तत्त्व'[1] में केशव की **रामचन्द्रिका** और तुलसीदास के **रामचरितमानस** में तुलना के द्वारा इस तथा-कथित कलात्मकता का दैन्य दिखाया है। ऊपर भी मैंने दो समान रूप से कुशल गायकों में 'दरबारीपन' और 'तन्मयता' के भेद द्वारा इस ओर संकेत किया है।

आगे अनुच्छेद 9 में सरला जी ने मेरे 'अनुकरण' के विचार पर प्रश्न उठाया है। इस प्रश्न से स्पष्ट है कि उन्हें मेरे विचार का संप्रेषण ठीक से नहीं हो पाया है। यों इसे मैंने पर्याप्त स्पष्ट रूप से लेख में प्रस्तुत किया है। किन्तु ऊपर इसे पुन: स्पष्ट किया गया है। प्रत्येक भाव या विचार अपने बोध में एक अभिव्यक्ति होता है जो अभिव्यक्ति अभिव्यक्त होने वाले चित्त के प्रति कम या अधिक न्यून होती है। पुन:, यह भाव या विचार भाषा, स्वर, रेखा

1. **सत्ताविषयक अन्वीक्षा,** अध्याय 15, भारतीय दार्शनिक अनुसन्धान परिषद्, नई दिल्ली, 1987.

आदि में अभिव्यक्त होता है और यह अभिव्यक्ति उस भाव या विचार के प्रति कम या अधिक सम्यक् होती है। अब, ये अभिव्यक्तियाँ अपने अभिव्यंग्य से विच्छिन्न सत्ताएँ नहीं होतीं, ये क्रमिक तारतम्य में ही होती हैं। चित्त भाव या विचार में ही आकार पाता है और भाव या विचार शब्द या स्वर आदि में ही स्फुट होता है, किन्तु इस क्रम में अनन्तरवर्ती चरण प्रथम से सम्यक्, न्यून सम्यक् या असम्यक् होता है। कई बार हम किसी विचार की अभिव्यक्ति के लिए उपयुक्त शब्द के लिए और स्वयं विचार में विचार-विषय से सम्यक्ता के लिए व्याकुल होते हैं।

अन्तिम अनुच्छेद में सरला जी ने साहित्य और दर्शन द्वारा सत् के निरूपणों में भेद की बात की है और कहा है कि साहित्य में, दर्शन से भिन्न, सत् के दो विरोधी बोध भी सत्य हो सकते हैं। इस पर से वे यह निष्कर्ष निकालती हैं कि "इन दोनों भाव-बोधों को समान मानते हुए भी हम इनमें फ़र्क करते हैं। यह फर्क जिस लक्षण के आधार पर होता है वह सौन्दर्य-बोध के परिष्कार के आधार पर होता है।" सरला जी की यह सारी बात हमारी समझ में नहीं आयी। सर्वप्रथम, एक ही स्थिति के दो भिन्न ग्रहण साहित्य में ही क्यों इन्द्रिय-प्रत्यक्ष में भी हो सकते हैं। दृष्टिकोण आदि के भेद से दो प्रत्यक्ष अनिवार्यत: भिन्न होंगे और तब भी सत्य होंगे। दर्शन में वैसा नहीं होने का कारण उसके ग्रहण के दावे की सार्वभौमिकता होता है। अब, जहाँ तक साहित्य का प्रश्न है, उसमें दो ग्रहणों का सत् कभी एक होता ही नहीं, क्योंकि वह सत् विषयपरक नहीं होकर विषयिपरक होता है। ऐसा नहीं है कि विषयिमूलक दो ग्रहणों का सत् एक हो ही नहीं सकता। जैसाकि हमने लेख के आरम्भ में ही कहा, कला का विषय विषयिता-प्रत्यय होता है जो सामान्य होता है। किन्तु विषयपरक सत् और विषयिपरक सत् की एकता-अनेकता के रूप और प्रकार मौलिक रूप से भिन्न होते हैं, जिसका कारण यह होता है कि विषय बाह्यत: कल्पित होता है किन्तु विषयी आन्तरत: भावित या साक्षात्कृत।

काव्य-तत्त्व - एक

इस लेख का आरम्भ हम कवि विषयक दो उक्तियों से करना चाहेंगे जो काव्य के एक ऐसे पक्ष के सम्बन्ध में कुछ कहती हैं जो ज्ञान और वस्तुविषयक एक गहरी समस्या से सम्बन्धित है और साथ ही जो काव्य के सम्बन्ध में प्रचलित धारणा के विपरीत दिशा की ओर संकेत करती हैं। ये उक्तियाँ हैं—'कविर्मनीषी परिभूः स्वयंभूः याथातथ्यतोऽर्थान् व्यदधाच्छाश्वतीभ्यः समाभ्यः' (**ईशोपनिषद्**) और "जहाँ न पहुँचे रवि, वहाँ पहुँचे कवि।" यों प्रकटतः ये उक्तियाँ भी एकर्थक नहीं हैं, ये विपरीतार्थक भी कही जा सकती हैं, किन्तु वास्तव में ये एकार्थक ही हैं और इस प्रकट भिन्नार्थकता और वास्तव एकार्थकता के द्वारा ये काव्यविषयक और ज्ञानविषयक गहरे सत्य की ओर संकेत करती हैं। पहली, वैदिक उक्ति, में ईश्वर को कवि कहा गया है, जो स्वयंभू है और जो वस्तुओं को उनका याथार्थ्य देता है। यह 'वस्तुओं को उनका याथार्थ्य देना' अपने आप में एक समस्यात्मक बात है, क्योंकि एक अर्थ में वस्तु और उसका याथार्थ्य दो अलग बातें नहीं होतीं—पत्थर एक वस्तु है और उसका होना ही उसका यथार्थ होना है। 'अवस्तु' शब्द से यह और स्पष्ट हो जाता है। 'आकाश-कुसुम' अवस्तु है, ऐसा कुछ जो कुछ हो ही नहीं सकता : अलीक, वदतोव्याघात, इसी से वह अयथार्थ भी है। इसलिए 'वस्तुओं को उनका याथार्थ्य देने' का अर्थ हो सकता है 'वस्तुओं को अस्तित्व में लाना' 'वस्तुओं को उत्पन्न करना।' किन्तु उतना मात्र इसका अर्थ नहीं है। उसके लिए तो ईश्वर को उनका जनक, उनका स्रष्टा ही कहना चाहिए था, कवि नहीं। उसका कवि होना वस्तुओं को उनके धर्म में, उनके अपने स्वरूप में प्रतिष्ठित करने के लिए आवश्यक है, और कवि होने के लिए स्वयंभू होना, अपने स्वरूप और धर्म का मूल स्वयं होना आवश्यक है। 'जहाँ न पहुँचे रवि, वहाँ पहुँचे कवि' इस उक्ति में कवि को ज्ञाता के रूप में देखा गया है। रवि ज्ञान का प्रतीक है। यों ज्ञान केवल बाह्य चक्षु से ही नहीं होता, अन्तश्चक्षु से भी होता है। एक अर्थ में तो कहा जा सकता है कि वह अन्तश्चक्षु से ही होता है, बाह्य चक्षु से वस्तु की केवल प्रतीति ही होती है जिससे ज्ञेय का केवल संकेत मिलता है। ज्ञेय के अन्तस्तल में प्रवेश, उसकी अन्तर्गुहा में पैठ तो केवल अन्तश्चक्षु से ही मिलती है। इस तरह रवि को वस्तु की प्रतीति और याथार्थ्य दोनों के ज्ञान का स्रोत कहना चाहिए। किन्तु यहाँ उल्लेखनीय है कि प्लेटो ने रवि को ज्ञान और शिवत्व दोनों का स्रोत कहा है। अन्तश्चक्षु से गम्य याथार्थ्य मात्र-प्रतीति से या बाह्य चक्षुगम्य रूप मात्र से भी इसी बात से भिन्न होता है कि वह ज्ञान-स्वरूप और शिव-स्वरूप दोनों होता है। हमारे यहाँ भी तत्त्व को सत्य, शिव और सुन्दर की, सत्, चित्, आनन्द की अखण्डता और अभिन्नता में ही देखा गया है। जो शिव और सुन्दर है सत्य भी वही हो सकता है, अथवा जो सत्य है शिव और सुन्दर भी वही है। शिवत्व और सौन्दर्य से रहित सत्य अयथार्थ होता है। सो, रवि सत्य, शिव और सुन्दर की अद्वयता का ही वाचक है। किन्तु उपर्युद्धृत उक्ति में 'रवि' का यह अर्थ अभिप्रेत नहीं है, इसमें इसके वस्तुओं के प्रातीतिक पक्ष का ज्ञापकत्व ही अभिप्रेत है। किन्तु यदि इन्द्रियगम्य पक्ष से आगे विचारगम्य पक्ष को भी इसमें सम्मिलित कर लिया जाय तो भी रवि की पहुँच वस्तुओं के विषयता-पक्ष तक ही सीमित रहती है, उनकी विषयिता का पक्ष, उनका आन्तर मन उसकी पहुँच के बाहर ही रहता है जो चक्षु और विचार के विपरीत भावनामूलक कल्पना के लिए ही गम्य होता है। कवि इसी को देखता है।[1] फूल पर ओस की बूँद, विरहिणी के हृदय को आलोड़ित करता अवसाद, नीरव निशीथ में राका बिखेरता

1. यहाँ 'सत्य' शब्द का प्रयोग 'तथ्य' या 'तथ्यानुरूप' के अर्थ में नहीं किया जा रहा है जैसाकि साधारण प्रयोग में इसका अर्थ होता है। यों इस प्रयोग में भी इसका अर्थ उतना सरल नहीं होता, जैसे, 'वह व्यक्ति सत्यपरायण है', 'विज्ञान वस्तु-सत्य का अनुसन्धान करता है', 'धर्म जीवन-सत्य का प्रापक होता है' में 'सत्य' शब्द के प्रयोग उस प्रकार से नहीं हुए हैं जैसे 'तुमने अमुक को अमुक स्थान पर देखा था?' के उत्तर में इसका प्रयोग होता है।

चाँद, कौरव–सभा में तेजस्विनी द्रौपदी का असाहाय्य इनमें रवि की, या चक्षु की, या विचार की भी, पहुँच इनकी ऊपरी सतह तक ही हो पाती है, इनका अन्तस्तल इनके लिए ओझल ही रहता है। चक्षु और विचार के लिए यह लोक ही दूसरा है। इसे चाहें तो आप वस्तुओं की अन्तरात्मा का लोक कह सकते हैं, अथवा वह लोक जिसमें वस्तुएँ 'अपने से होकर' ही अपने को पाती हैं और 'स्वयं से स्वयं होकर देखने वाले' को ही अपने को दिखाती हैं। अब, इस लोक में वस्तुएँ कभी शुद्ध तद्रूपता में, अपनी तटस्थ तथता में, नहीं होतीं, जिस तथता को 'सत्यं, शिवं, सुन्दरम्' की त्रयी में 'सत्यं' से अभिहित किया जाता है। इस लोक में ये पहले सुन्दर या शिव रूप से, बल्कि कहें 'शिव–सुन्दर सुन्दर–शिव' रूप से होती हैं और ऐसा होने पर ही ये सत्य हो पाती हैं, अथवा कहें इनके सत्य होने के लिए इनका सुन्दर या शिव या 'सुन्दर–शिव–शिव–सुन्दर' होना ही प्रमाण होता है। आप कहेंगे, पहले 'हुए' बिना कोई या कुछ सुन्दर या शिव कैसे हो सकता है? 'सुन्दर' और 'शिव' तो सद्वस्तु के विशेषण ही हो सकते हैं। जो है ही नहीं : आकाश–कुसुम : वह सुन्दर या कुरूप तथा शिव या अशिव कैसे होगा?

यह सही है, किन्तु आकाश–कुसुम तो 'नहीं है' या 'नहीं हो पाया' भी नहीं होता, ऐसा तो वही होता है जो 'नहीं हो पाने', 'असत् होने' की पीड़ा को जानता है, जो जानता है कि 'झूठा पड़ना' या 'झूठा होना' या 'अपने योग्य नहीं हो पाना' या 'अपने अयोग्य हो जाना' इन स्थितियों का कष्ट क्या होता है।[1] और यह 'होना' या 'नहीं होना' 'शिव–सुन्दर' का 'होना या नहीं होना' ही होता है। यह कहा जा सकता है कि पत्थर शुद्ध रूप से 'होता मात्र' है और उसकी अनुपस्थिति उसका नहीं होना है। 'भूतले घट:' और 'भूतले घटाभाव:' नैयायिकों के ये पुराने उदाहरण हैं। और यह उल्लेखनीय है कि नैयायिकों के लिए अभाव उतना ही पदार्थ है जितना भाव। किन्तु किसी का 'शुद्ध रूप से होना मात्र' उतनी सरल सहज बात नहीं है जितना सरल यह प्रतीत होता है। बुद्ध ने जगत् के क्षणिक होने से और मैत्रेयी ने 'किसी काम का नहीं होने से' इसे असत् या सदाभास कहा है, प्लेटो ने इसे छायामात्र और अन्य अनेक ने मिथ्या : सदसद् का मिथुन : पाया है। इन सब में सत् शिव से अभिन्न रूप में देखा गया है और असत् अशिव से। यहाँ हम इस प्रश्न के विस्तार में नहीं जा सकते। यहाँ हम इतना ही कहना चाहेंगे कि शुद्ध रूप से होना मात्र सत् का उसके बाहर रह कर देखा गया रूप है, उसके भीतर पैठकर देखा गया रूप नहीं। कवि सत् को भीतर पैठकर जानता है, तभी वह मनीषी होता है और तभी वह अर्थों के, वस्तुओं के याथातथ्य को जानता है, जो 'जानना' साथ ही उन्हें 'आविर्भूत करना' भी होता है। फूल की पत्ती पर चमकती ओस की बूँद का याथातथ्य यह नहीं है कि वह भौतिक कारण–कार्यता के अधीन वाष्प से जल बन जाती है। यह 'भौतिक' जल तो किसी की प्यास भी नहीं बुझा सकता, क्योंकि प्यास बुझाने के योग्य होने के लिए उसका ऑक्सीजन–हाइड्रोजन के योग के बजाय 'जल' होना और प्राणी की 'प्यास' और 'तृप्ति' से जुड़ना आवश्यक है। भौतिकी की व्यवस्था में तो इसे देखने वाला तक निष्कासित रहता है—यद्यपि आधुनिक भौतिकी ने पाया है कि उसकी व्यवस्था देखने वाले को निकाल कर नहीं टिकती। किन्तु तब यह देखने वाला अपने–आप से भी निष्कासित रहता है, फिर उसमें वन–देवियों, तितलियों और मधुमक्खियों के समावेश का तो प्रश्न ही कहाँ उठता है? किन्तु ओस की बूँद इन सबके अस्तित्व की अन्तरंग व्यवस्था की अवियोज्य अंग होती है। इस व्यवस्था को कवि इसका अन्तरंग होकर देख पाता है। भौतिक कारण–कार्यता, जो वैश्व ऋत की यथातथता नहीं होकर मनुष्य के संकुचित प्रयोजन के अधीन उद्गृहीत वस्तु–अभ्युपगम की अंग मात्र है, वह फूल की पत्ती पर चमकती ओस की बूँद की यथातथता का आकलन कैसे कर सकती है? यह और भी अधिक मनुष्य के सम्बन्ध में सत्य है जो माता, पिता, भाई, बहन, मित्र, शत्रु, प्रेमी, द्वेषी आदि होता है, इन सम्बन्धों से बाह्यत: सम्बन्धित नहीं बल्कि इनसे आन्तरत: परिभाषित, इनसे आन्तरत: घटित होकर। यह भीतरी मनुष्य अत्यन्त जटिल वस्तु होता है। इसका मूल धर्म ही यह है कि इसका कोई स्थिर धर्म नहीं है, क्योंकि यह स्वयंभू है। यह न उस देश में रहता है जिस देश में यह होता है और न उस काल में जिस काल में यह होता है। अतीत या भविष्यत्, या संश्लिष्ट रूप में दोनों, इसका वर्तमान होते हैं, यह स्वातत्र्य शक्ति–सम्पन्न है, किन्तु अधिकांश में यह बड़ा अशक्त और बेबस होता है। इसकी मुस्कान ही को देखो,

1. जिनकी इस प्रश्न में अधिक जागे जाकर देखने में रुचि हो वे हमारी **सत्ताविषयक अन्वीक्षा** के अध्याय 2–3 को देखें।

जो अधिकांश में इसकी मुस्कुराने की असमर्थता को ही प्रकट करती है। इसकी मुस्कान के कितने ही रँग होते हैं—शुभ्र धवल या उजला गुलाबी से लेकर काला तक। वह प्रसन्नता की व्यंजक भी होती है, कष्ट की भी, और विडम्बना की भी। यह सरल भी हो सकती है और कुटिली भी। इस सबका याथातथ्य क्या है और यह कैसे आकलनीय है? विज्ञान के पास इसके लिए कोई शब्दावली ही नहीं है और दर्शन के पास इसके लिए कोई अवकाश नहीं है। फिर ये अर्थ (वस्तुएँ) इतने जटिल और विषम हैं कि इनके याथातथ्य को देखना-समझना और इसके लिए उपयुक्त ऋत में इन्हें व्यवस्थित करना मनीषी कवि के अतिरिक्त किसी के लिए सम्भव ही नहीं है। वास्तव में तो यह ईश्वर ही है जो इस सबके मर्म को जानता है और इन्हें इनका ऋत दे सकता है, किन्तु मनुष्यों से इसे जानने और करने का प्रयत्न केवल कवि ही कर सकता है, जितना भी वह कर सकता है—कोई वेदव्यास, कोई वाल्मीकि, कोई कालिदास, कोई तुलसीदास, कोई दांते, कोई शेक्सपीयर, कोई टाल्स्टाय, कोई रवीन्द्रनाथ ठाकुर, कोई शरच्चन्द्र।

उपनिषद् और बुद्ध, नागार्जुन और शङ्कर तत्त्व को अनिर्वाच्य या अनभिलाप्य, निर्गुण और निराकार कहते हैं किन्तु काव्य और कलाएँ वाक्, गुणों और आकृतियों में ही अपना तत्त्व और सत्य पाती हैं। उपनिषद् और बुद्ध राग-द्रेष और मानापमान से ऊपर उठने में ही जीवन की सिद्धि देखते हैं, किन्तु काव्य और कलाएँ इन्हीं के अन्तस्तल में प्रवेश कर अर्थों के अपार पारावार का साक्षात्कार करती है। कालिदास जबकि काम-शर-विद्धदुष्यन्त और शकुन्तला के परस्पराकर्षण में अगाध सौन्दर्य का साक्षात्कार करते हैं उसी काम को दर्शन और धर्म पाप और पाश के रूप में देखते हैं। किसी शायर का एक शेऽर है—

काज़ी शराब पीने दे मस्जिद में बैठकर।
या वो जगह बता जहाँ पर खुदा नहीं।

इसमें खुदा की सर्वव्यापकता बताना अभिप्रेत नहीं है, शायर की इस बात में कोई रुचि नहीं है, यहाँ तो उसकी सर्वव्यापकता में काज़ी के विश्वास को आधार बनाकर निर्बाध शराब पीने को जायज़ कहना अभिप्रेत है। किन्तु कहना मात्र ही अभिप्रेत है, सिद्ध करना नहीं, क्योंकि कवि भी इसे कोई उचित नहीं मानता। केवल काज़ी की समझ को अनुचित मानता है क्योंकि काज़ी की समझ अपनी नहीं है, ओढ़ी हुई है। धर्म और दर्शन 'सुख-दुःखे समे कृत्वा, लाभालाभौ, जयाजयौ' का उपदेश करते हैं, काव्य उसी दुःख में अर्थों के अपार पारावार की सृष्टि करता है। यह सही है कि दर्शन और धर्म भी जीवन को जीने की ही नीति बताते हैं, किन्तु उनका ऋजु पथ जिस वर्जित बीहड़ के बीच से होकर जाता है उसके फूलों और काँटों, हरियाली और धूल और पंक का अपना कुछ सौन्दर्य, अपना कुछ सत्य भी है यह कवि और कलाकार ही देख पाता है। यदि इस वर्जित अरण्य में अर्थ-राशि का साक्षात्कार मनुष्य काव्य और कलाओं के माध्यम से नहीं करता तो वह कितना विपन्न और निरीह रह जाता यह सहज ही देखा जा सकता है। किन्तु मार्ग-हीन अरण्य में विचरने को फल-प्रद वही बना सकता है जो अत्यन्त कुशल और सतर्क हो और जिसे ऋजु पथ का और लक्ष्य का बोध भी हो। कवि वाल्मीकि, वेदव्यास या तुलसीदास ही हो यह आवश्यक नहीं है, यद्यपि यह वरेण्य तो है ही; वह वेश्या सुजान में अनुरक्त घनानन्द, शराब में बेबस ग़ालिब, या वेश्या-जीवन के सत्य का चितेरा लाट्रिक या शरच्चन्द्र भी हो सकता है। किन्तु यह ध्यातव्य है कि घनानन्द, ग़ालिब, लाट्रिक या शरच्चन्द्र चित्त की किन्हीं गहरी तहों में वाल्मीकि, वेदव्यास या तुलसीदास होने अनिवार्य हैं, वह हुए बिना वे वह नहीं हो सकते थे जो वे थे—अर्थों के याथातथ्य के सर्जक और अवगाही तथा अनिर्वच तत्त्व का शब्द, रूप और गुणों के लोक में साक्षात्कार करने वाले।

ऋजु मार्ग को छोड़कर बीहड़ अरण्य में विचरने का जोखिम उठाना यही कवि, कलाकार का भाग्य है। वेश्याओं और वारवनिताओं, चोरों और बटमारों, वीरों और कायरों, रामों और रावणों सब की अन्तर्कथा को उनके घट में पैठकर जानना : उनका आत्मकथाकार होना : सबके सुख-दुःख, जय-पराजय में साँझा होना, यह कवि-कलाकार का धर्म है, क्योंकि मानव-हृदय में ही नहीं, जीव मात्र और जड़ मात्र के भी अन्तर्मन में पैठकर उनके हृत्स्पन्दन में परिस्पन्दित होना और साथ ही उससे उबर कर उसके सत्य का साक्षात्कार करना, कलाकार

की कला इसी में अपनी चरितार्थता पाती है। दरिद्रनारायण और पतितपावन होना, सूली पर चढ़ना और सीता को खोना ईश्वर के लिए यह भी अनिवार्य है, केवल सातवें आसमान पर बैठा रहकर ईश्वर ईश्वरत्व की विपुलता नहीं पा सकता, कवि और मनीषी नहीं हो सकता।

यहाँ यह ध्यातव्य है कि यह दरिद्रनारायण दरिद्रों से भिन्न कोई नारायण नहीं होता, यह दरिद्रगत नारायणी भाव ही होता है। इसी प्रकार पतित–पावन पतितों को पावन करने वाला दूसरा कोई नहीं होता, पतित–गत पावन–भाव ही होता है, क्योंकि यह सृष्टि ईश्वर की ही सृष्टि है, वही उसका उपादान है और वही निमित्त, वही अर्थ है और वही उन अर्थों का याथातथ्य और ऋत। अर्थों का स्वयं अन्तर्गत धर्म हुए बिना कोई उनके याथातथ्य का विधायक कैसे होगा और वैसा हुए बिना कोई कवि कैसे होगा? वेश्याओं और वेश्यालयों के लाट्रिक के बनाये चित्र क्या कोई बाहर बैठा आलोचक बना सकता है? होरी, धनिया और गोबर की भूख, प्यास और दारिद्र्य में स्वयं तप कर कोई **गोदान** का लेखक हो सकता है? इस तपने के लिए किसी का स्वयं भूखा, प्यासा रहना आवश्यक नहीं है, बल्कि नहीं रहना ही आवश्यक है : बाध्यतावश उसमें रहकर भी जो उसमें नहीं रहे वैसा, जैसे तुलसी के राम थे। उसके लिए केवल उसका तद्भावेन विवर्तित होना आवश्यक है। ऐसा वह भावक कल्पना द्वारा उनकी पीड़ा, कष्ट, उद्विग्नता में अन्तःप्रवेश कर और उन भावनाओं में निहित अर्थों को वाणी देकर करता है। कालिदास ने पार्वती–परमेश्वर से जिस वागर्थ–प्रतिपत्ति की याचना की है वह यही वागर्थ है—अखिल जड़–चेतन के हृदय के साथ तादात्म्य सिद्ध कर उस हृत्स्पंद के अर्थभावेन विवर्त की सिद्धि, जैसे भर्तृहरि का शब्द–ब्रह्म अर्थभाव से विवर्तित होकर जगत् का हेतु बनता है।[1]

× × ×

यहाँ संक्षेप में काव्यविषयक रस–सिद्धान्त पर विचार करना स्थाने होगा जो हमारे परम्परागत काव्य–विचार में सर्वोत्कृष्ट कहा जा सकता है। हमारे विचार में यह सिद्धान्त अल्पव्याप्ति दोष–ग्रस्त भी है और एक अन्य मूलगामी दोष–ग्रस्त भी। अल्पव्यापक इसलिए क्योंकि यह केवल भावना पक्ष का ही आकलन करता है विचार–पक्ष का नहीं, जबकि महान् काव्य और उपन्यास अधिकांश में महान् विचार से ही महान् होते हैं। यह विचार भावना से सहचरित रहता है, यह बात दूसरी है। **महाभारत** में तो ख़ैर विचार का ही स्थान मुख्य है, वाल्मीकीय **रामायण,** तुलसीकृत **रामचरितमानस,** प्रसाद कृत **कामायनी**, गोएथे के **फाउस्ट,** टालस्टाय के **युद्ध और शान्ति** और कालिदास के महाकाव्यों में भी उच्चतम विचार का प्रामुख्य या समावेश है। दूसरे, रस का स्वरूप–विवेचन भी मूल रूप से दोषपूर्ण है। यह सिद्धान्त रस की मनोवैज्ञानिक कार्य–कारणात्मक पदावली में व्याख्या करता है। अभिनव–गुप्त दार्शनिक थे, उच्च कोटि के दार्शनिक, इसलिए उन्होंने इसे चेतना के दार्शनिक विवेचन का स्तर भी दिया, किन्तु उसकी मूल भित्ति तो वही भरत मुनि द्वारा प्रतिपादित "विभाव, अनुभाव, संचारी भाव और स्थायी भाव" पर टिकी है। यह मनोवैज्ञानिक विश्लेषण किसी काम का नहीं है यह बड़ी आसानी से दिखाया जा सकता है, किन्तु तब भी इस विश्लेषण को ही स्वीकार करके सब चलते रहते हैं। उदाहरणत: अभिनव गुप्त ने **महाभारत** को शान्त रस का महाकाव्य कहा है, किन्तु किन अनुभावों और संचारी भावों के आधार पर ऐसा कहा जा सकता है? कौन–से संचारी भाव हैं जो उसमें नहीं हैं? किसी एक प्रसंग को ही लें, जैसे द्रौपदी का चीर–हरण। यहाँ विभाव क्या है? द्रौपदी के चीर–हरण का दृश्य या प्रसंग? किन्तु वह अपनी पूरी पृष्ठभूमि से अलग कैसे किया जा सकता है? और वह पृष्ठभूमि क्या है? उस पृष्ठभूमि का मुख्य घटक द्यूत–क्रीड़ा है या कि भीष्म, द्रोण आदि की विवश उपस्थिति, या कि दुश्शासन द्वारा द्रौपदी को निर्वस्त्र करने का प्रयत्न? या कि वह भयानक सड़ांध जिसे महाभारतकार उस सारे सामाजिक पतन में से उठती दिखा रहा है? वह पृष्ठभूमि इतनी जटिल है कि यह प्रत्येक

1. प्रो. गोविन्दचन्द्र पाण्डे — **मूल्यमीमांसा,** पृ. 202, राजस्थान हिन्दी ग्रन्थ अकादमी, 1972, पाण्डेजी ने अभिनव के रस–विवेचन पर **मूल्यमीमांसा** के अतिरिक्त **भारतीय परम्परा के मूल स्वर, भक्ति दर्शन–विमर्श:** और **सौन्दर्य–दर्शन विमर्श:** में भी बहुत सूक्ष्म विचार किया है और इस विचार को आगे बढ़ाया है।

पाठक या दर्शक के मानसिक स्तर के अनुसार ही कल्पित होगी और वह भी अत्यन्त अनिश्चित रूप से। फिर इसमें स्थायी भाव कौन-सा है? इसमें किस रस की निष्पत्ति अभिप्रेत है? उसका अनुमान संचारी भावों से करेंगे या कि संचारी भावों का अनुमान रस से करेंगे? फिर, वहाँ क्या भाव ही प्रसंगोपात्त है, विचार नहीं? वहाँ सारा प्रसंग तो कर्मों के औचित्य-अनौचित्य का ही है, भाव तो उस औचित्य-अनौचित्य के निर्णय का ही आश्रयी होगा, वहाँ स्वयं से भाव का स्वरूप क्या बनेगा? ये सब प्रश्न रस-विचार को काव्य का स्वरूप को समझने के लिए अनुपयुक्त दिखाते हैं।

अभिनव गुप्त द्वारा इसके विवेचन का दार्शनिक पक्ष अवश्य गम्भीर अन्तर्दृष्टि का परिचायक है किन्तु उसमें दो पक्षों में आपत्ति के लिए अवकाश है। उनके एतद्विषयक दार्शनिक मत को पाण्डे जी के शब्दों में इस प्रकार रखा जा सकता है—"कला-विषय सहृदय-मानस की कल्पना का आलम्बन बन उसके अन्तस्थ भाव को निर्वैयक्तिक रूप से व्यक्त करता है। यह भाव ही तन्मयता से आस्वाद्य होता है। इसे चिद्विशिष्ट भाव अथवा भावविशिष्ट चित्, इन दो प्रकारों से समझा जा सकता है। (द्र. पंडितराज जगन्नाथ, **रसगंगाधर**, रस प्रकरणम्) हम यह कहना चाहेंगे कि दोनों ही प्रकारों में भावगर्भस्थ एवं वासनाविषयों में ममत्वाभिमानी 'मैं' तात्कालिक रूप से स्वयं अपना द्रष्टा बन जाता है।"[1] इस प्रतिपादन में 'चिदावरण-भंग' और "ममत्वाभिमानी मैं का अपना द्रष्टा आप बनना" बहुत महत्त्वपूर्ण अवधारणाएँ हैं, किन्तु ये सृजनात्मक विचार में और नैतिक बोध में उतनी ही होती हैं जितनी काव्य-सृजन या काव्यास्वादन में होती है।

किन्तु काव्य और अन्य कलाओं को आस्वाद्य रूप में देखना हमारे विचार में उनके साथ अन्याय करना है और इसी में काव्य-विषयक रस-सिद्धान्त की अनुपयुक्तता प्रकट होती है। सर्वप्रथम तो इसमें स्वयं प्रतिपादनगत विसंगति ही देखी जा सकती है कि चिदावरण-भंग के उपरान्त आनन्द रूप में प्राप्त रस आस्वादन का विषय नहीं हो सकता, फिर चाहे यह चैतन्य भावोपाधिक ही क्यों नहीं हो, क्योंकि यहाँ भाव उस चित् की उपाधि है जो आवरण से मुक्त हो गया है। अर्थात् यह उपाधि स्वेच्छया स्वीकार की गई है—आनन्द के आस्वादन के लिए। किन्तु आनन्द क्या आस्वाद्य होता है? इसके उत्तर में अभिनव की निम्न परिभाषा प्रस्तुत की जा सकती है—"तथा च मधुरादौ रसे औदारिकाभ्यवहार वैलक्षण्येन प्रवृत्त इदमित्थमिति प्रमातरि विश्रमयन्प्रमातृ भागमेव प्रधानतया विमृशन् भुंजान इत्युच्यते।"[2] यहाँ यह स्पष्ट है कि अभिनव गुप्त 'आस्वाद' शब्द का प्रयोग मनोदैहिक संवेदन के रूप में नहीं कर रहे हैं और इससे विसंगति का परिहार हो जाता है, किन्तु पूरी तरह नहीं, क्योंकि रस को वे भरत के समान ही संचारी भावों और स्थायी भावों से जोड़ते हैं। इसके अतिरिक्त वे मधुरादि रसों के आस्वाद-विमर्श की बात ही कह रहे हैं और उसे भोजनासक्त (औदारिक) से उपमित कर रहे हैं।

किन्तु इसकी दूसरी कठिनाई अधिक महत्त्वपूर्ण है, कि यह सिद्धान्त काव्य को भावना तक सीमित करता है जबकि काव्य में विचार का स्थान उतना ही महत्त्वपूर्ण होता है। अवश्य इसमें विचार विषय-विवेचन रूप में नहीं होता बल्कि विषयिता की अभिव्यक्ति के रूप में ही होता है, किन्तु तब भी वह होता विचार ही है। इसके अतिरिक्त, बहुत बार सम्पूर्ण काव्य-रचना ही किसी विचार के निरूपण के निमित्त से होती है, जैसे टाल्स्टाय का उपन्यास **युद्ध और शान्ति** इतिहास की व्यक्तियों के प्रयत्नों से स्वतन्त्र गति का निरूपक है, इसी प्रकार श्री अरविन्द का **सावित्री** और जयशंकर प्रसाद का **कामायनी** विचारमूलक काव्य ही हैं। यहाँ आत्मकथाओं को भी उदाहरण के रूप में लिया जा सकता है—अधिकांश आत्मकथाएँ लेखक की वैचारिक रूप से कल्पित आत्म-

---

1. मधुरादि रस में औदारिक (भोजनाकांक्षी) जैसे प्रवृत्त होता है और प्रमाता के रूप में उसका विमर्श करता है, उससे वह उसको 'भोग करने वाला' ऐसा कहा जाता है। (अभिनव भारती)

2. इसके विस्तृत विवेचन के लिए द्रष्टव्य यशदेव शल्य — **चिद्विमर्श** अ. 6, **सत्ताविषयक अन्वीक्षा**, अ. 15, तथा **मूल्यतत्त्व-मीमांसा**, अ. 6-8। प्रथम और तृतीय पुस्तकें दर्शन प्रतिष्ठान, जयपुर से और द्वितीय भारतीय दार्शनिक अनुसंधान परिषद्, नई दिल्ली से प्रकाशित।

प्रतिमा की निरूपक ही होती हैं। इसमें महात्मा गाँधी की आत्मकथा **सत्य के प्रयोग** सर्वोत्कृष्ट उदाहरण कही जा सकती है। यह सब रस-विचार को काव्य के स्वरूप को समझने के लिए अनुपयुक्त दिखाता है। सब रससिद्धान्ती दुष्यन्त की शकुन्तला को देखकर उत्पन्न रति को ही उदाहरण रूप में प्रस्तुत करते हैं। किन्तु काव्य केवल ऐसे वर्णनों तक सीमित नहीं होता। **कुमारसम्भव** महाकाव्य का महत्त्व शिव की पार्वती के साथ काम-क्रीड़ा के वर्णन में नहीं है और न **रामचरित मानस** का महत्त्व शृंगार, करुण आदि भावोत्पादक दृश्यों और स्थितियों के विदग्ध निरूपण में। काव्य और अन्य कलाओं में भाव को एक महत्त्वपूर्ण घटक तो कहा जा सकता है किन्तु उसे आधारभूत या व्यावर्तक नहीं कहा जा सकता। कलाओं में यह केवल संगीत में आधारभूत होता है। चित्र, मूर्त्ति आदि कलाओं में कोई कृति विचार-प्रधान हो सकती है, कोई भाव-प्रधान। उदाहरणत: बुद्ध या गाँधी या आईंस्टाईन की मूर्त्ति या चित्र में व्यंग्य इनका वास्तविक या कल्पित सम्पूर्ण चरित्र ही होगा, कोई भावना नहीं। यही बात उपन्यास में होती है, यह बात दूसरी है कि कोई कवि या उपन्यासकार इनकी भी सेक्स-लाइफ को ही उपन्यास के लिए उपयुक्त विषय माने। काव्य और कलाओं का व्यावर्त्तक लक्षण विषयि-परकता, विषयि-परक अर्थावगाहन, विषयिपरक अर्थों की याथातथ्यता की अभिव्यक्ति है। इसमें विचार भी विषयिता के पक्ष में ही रहता है। **भगवद्गीता** में कृष्ण विचारते हैं, अर्जुन प्रश्न करते हैं।

× × ×

इधर साहित्य में यथार्थवाद की बहुत चर्चा है और उसके नाम पर सामाजिक और वैयक्तिक कुरूपता, दुराचार, अन्याय और हिंसा के प्रदर्शन को सुन्दर, सदाचार आदि के चित्रण पर वरीयता दी जाने लगी है। किन्तु उत्कृष्ट कृतियों में यह वरीयता अधिकांशत: केवल प्रकट में ही होती है, उसका व्यंग्य उस स्थिति की अवांछनीयता और कुरूपता का प्रदर्शन और उसके निवारण के लिए क्षोभ उत्पन्न करना ही होता है, क्योंकि अर्थों का याथातथ्य : सत्य : वस्तुस्थिति की कुरूपता में नहीं होता बल्कि उसके वैपरीत्य में ही होता है। जगत् के लिए ईश्वर की और जगत् में कवि की आवश्यकता इसी के लिए है। कुछ कवि-यश:प्रार्थी अवांछनीय और कुरूप को ही याथातथ्यरूपेण प्रस्तुत करते हैं और "कला का उद्देश्य नैतिकता का पाठ पढ़ाना नहीं है" इसे सिद्धान्त का रूप देकर अनैतिकता को ही याथातथ्य के रूप में और कामुकता को सुन्दर के रूप में प्रस्तुत करते हैं। अपने इस व्यवहार का आधार वे इस 'उच्च' सिद्धान्त को बनाते हैं कि कला नैतिकता-अनैतिकता से तटस्थ होनी चाहिए। किन्तु मानव-चेतना के लिए यह ताटस्थ्य सम्भव नहीं है। कोई भ्रांतिवश अतथ्य को याथातथ्य और अनैतिक को गहनतर नैतिक समझ सकता है, किन्तु वह उसे नैतिकता से तटस्थ रहकर नहीं देख सकता। अवश्य वह कला में अपने इस आग्रह को स्थगित भी कर सकता है, किन्तु वैसा वह तथ्य के सत्य को शिव और सुन्दर की संगति में उच्चतर धरातल पर साधने के लिए ही कर सकता है। प्रथमत:, काव्य के विषय होने वाले तथ्य भौतिक वस्तु-परक या भौतिक घटना-परक नहीं होते, वे जीवन-विषयक ही होते हैं, और इन जीवन-विषयक तथ्यों की सत्यता अनिवार्यत: शिव और सुन्दर से शासित होती है, उनका शिवत्व और सौन्दर्य तथ्य से शासित नहीं होता। इसी से कला में लौकिक तथ्यता का स्थगन स्वीकार्य होता है। किन्तु उसके लिए शिवत्व का स्थगन सम्भव नहीं है, क्योंकि मनुष्य-जीवन की, और वास्तव में वैश्व ऋत की भी नींव शिव पर ही प्रतिष्ठित है। उदाहरणत: दुष्यन्त के शकुन्तला के प्रति प्रेम के चित्रण में कालिदास के पास दो ही विकल्प हो सकते थे—कि या तो वे उसके द्वारा शकुन्तला के अस्वीकार को अस्वीकार्य दिखाते या फिर वे दुर्वासा के शाप का आक्षेप करते, जैसाकि उन्होंने किया, क्योंकि प्रेम के तथ्य का सत्य प्रेमी में प्रेमिका के प्रति पूर्ण सच्चाई और पूर्ण आत्म-त्याग को ही पूर्वापेक्षित करता है। उनकी पारस्परिकता के बीच या एक के दूसरे के प्रति समर्पण में 'लोक-लाज, कुल की मर्यादा' बाधा के रूप में स्वीकार नहीं किये जा सकते। यह सत्य उससे कहीं अधिक अप्रत्याख्येय है जितनी प्रत्यक्षगत वस्तु की विद्यमानता अप्रत्याख्येय हो सकती है।

यहाँ यह स्पष्टीकरण अनिवार्य है कि कवि के लिए शिव का मानदण्ड धर्म-नीतिपरक प्रचलित धारणाएँ नहीं हो सकतीं, ये धारणाएँ जन-साधारण के लिए ही पालनीय होती हैं। सृजनात्मक धर्म-द्रष्टा भी उनसे नहीं

बँधता। वर्ण या जाति-व्यवस्था का उल्लंघन जन-साधारण के लिए स्वीकार्य नहीं हो सकता किन्तु बुद्ध या कबीर के लिए वे नियामक नहीं हैं, और बुद्ध या कबीर के 'शासन' में जन-साधारण भी उनका उल्लंघन कर सकते हैं। भारतीय काव्य-परम्परा ने इसके आदर्श के रूप में श्री कृष्ण की रचना की है। किन्तु समाज-धर्म का पालन भी सृजनात्मकता के उच्चतम धरातल का कैसे प्रापक हो सकता है इसके उदाहरण के रूप में इस परम्परा ने राम की रचना की है। किन्तु कृष्ण के परकीया-प्रेम के चित्रण में कवि के पास यह विकल्प नहीं है कि कृष्ण राधा के प्रति प्रेम नहीं होने पर भी प्रेम का अभिनय करें, या लोक-लाजवश अथवा कुल की मर्यादा के विचार से राधा को छोड़ दें। उसके पास इसका एक ही विकल्प हो सकता था कि वह यह दिखाये कि कृष्ण राधा में परकीया-प्रेम नहीं करते थे बल्कि उन्होंने उससे विवाह किया और वे राम के समान ही एक-पत्नीव्रत थे। किन्तु इस विकल्प का प्रयोग ऐसे तथ्य का सृजन होता जो सत्य के गहनतर रूप के साक्षात्कार की असामर्थ्य में प्रतिफलित होता और इसी से जो शिव और सुन्दर को गहनतर स्तर पर देख पाने से भी वंचित रहता। यदि कोई कवि किसी पात्र को प्रेम में, अथवा अन्य व्यवहार में झूठा दिखाता है तो वह केवल इसी रूप में ऐसा कर सकता है कि उसका व्यंग्य वहाँ यह दिखाना हो कि अशिव से तथ्य कैसे असुन्दर और असत्य भी हो जाता है। इस दृष्टि के उज्ज्वलतम उदाहरण **रामायण** और **महाभारत** में देखे जा सकते हैं। सौन्दर्य द्वारा सत्य की सिद्धि के उदाहरण **श्रीमद्भागवत**, जायसी के **पद्मावत** और हीर-राँझा की कथा प्रस्तुत करते हैं।

दुर्भाग्यवश अशिव को अशिव या असुन्दर देख पाने वाली दृष्टि अधिकांश कवियों में उतनी स्पष्ट नहीं होती, जैसे लोक-व्यवहार में अधिकांश व्यक्तियों और समाजों में यह नहीं होती। लोक में दृष्टि की सम्यक्ता सबसे अधिक दुर्लभ है और दृष्टि होने पर अपने जीवन के तथ्य को सत्य बना पाने की सामर्थ्य उससे भी अधिक दुर्लभ है। मनुष्य-जीवन में यह हम सर्वत्र देखते हैं। मनुष्य की यही असफलता उसके काव्य और दर्शन में भी प्रकट होती है। इस दृष्टि से जो जीवन में सफल होते हैं उन्हें हम महात्मा कहते हैं। यदि वे कवि हैं तो उनका काव्य भी उसी प्रकार सफल और महत् होता है। किन्तु कुछ ऐसे भी होते हैं जो दृष्टि के स्वच्छ और गहरी होने पर भी अपने निज के जीवन के तथ्य को सत्य नहीं बना पाते। ऐसे लोग कवि होने पर उत्कृष्ट काव्य की रचना कर पाते हैं, उनका जीवन चाहे उतना उत्कृष्ट नहीं भी हो। ग़ालिब इसके उत्कृष्टतम उदाहरण कहे जा सकते हैं। या ऐसा भी कह सकते हैं कि ऐसे असाधारण व्यक्तियों की चेतना के रचना-संश्लेष में उनके बाह्याचार साधारण मानदंडों से मापनीय नहीं होते। वास्तव में यह बहुत दूर तक सही भी है। किन्तु इसके साथ ही यह भी सही है कि मनुष्य की चेतना अनेक विभागात्मक और अनेक स्तरात्मक होती है और ये विभाग तथा स्तर बहुत बार परस्पर बहुत विरुद्ध-जैसे भी दिखायी देते हैं। कोई व्यक्ति विषय-विश्लेषण-बुद्धि में अत्यन्त प्रखर होने पर भी नैतिक विवेक में कुंठित हो सकता है, नैतिक विवेक में पारदर्शी होने पर नैतिक आचरण में भ्रष्ट हो सकता है, नैतिक आचरण में मर्यादित होते हुए अन्तर्मन में अमर्यादित हो सकता है, आदि। इस सबका क्या तर्क होता है, इस पर यहाँ विचार प्रासंगिक नहीं है। इसमें निश्चित रूप से कुछ कहा भी नहीं जा सकता। किन्तु इसका तर्क आधुनिक पाश्चात्य मनोविज्ञान की व्यवहारवादी दृष्टि या मनोविश्लेषणवादी दृष्टि के अनुसार विवेच्य हो सकता है, ऐसा हमें नहीं लगता। इसे यहाँ हम 'है जैसा तैसा रहै, कहै कबीर विचारि' के अनुसार छोड़ रहे हैं।

काव्य–तत्त्व – दो

पीछे हमने 'सत्य' को 'शिव' और 'सुन्दर' से अन्तर्निविष्ट अवधारणा के रूप में प्रतिपादित किया था। इस सम्बन्ध में कुछ सुधी जनों की प्रतिक्रियाएँ[1] जानकर कुछ स्पष्टीकरण की आवश्यकता जान पड़ी। यह आवश्यकता इसलिए है क्योंकि 'सत्य' शब्द का प्रयोग सामान्यत: उससे भिन्न प्रकार से होता है जिस प्रकार से हमने इस लेख में किया है—सत्य करना, सत्य हो जाना, के रूप में। यद्यपि हमने इस शब्द का इस अर्थ में प्रयोग अन्यत्र भी अनेक बार किया है[2] किन्तु वहाँ इसमें शिव और सुन्दर का अन्तर्निवेश उस प्रकार स्पष्ट रूप से नहीं प्रतिपादित किया गया जिस प्रकार इस लेख में। शब्द–प्रयोग में यह प्रकट भेद केवल प्रसंग के अनुरोध के कारण ही है। उपर्युक्त प्रतिक्रियाओं में एक प्रतिक्रिया थी कि हमने **मूल्यतत्त्व–मीमांसा** के 'कला का अन्वेष्य' अध्याय में कला का अन्वेष्य सौन्दर्य के विपरीत सत्य को कहा है और इस सम्बन्ध में प्रचलित धारणा को अस्वीकार्य कहा है। इस प्रकार इस लेख का प्रतिपादन 'कला का अन्वेष्य' लेख के प्रतिपादन से भिन्न, यदि विपरीत नहीं तो, हो जाता है। यह सही है, किन्तु 'काव्य–तत्त्व' लेख में सत्य को शिव और सुन्दर से अन्तर्निविष्ट कहते हुए हमें 'कला का अन्वेष्य' लेखगत प्रतिपादन का ध्यान नहीं था ऐसा नहीं है। इस प्रकट विरोध का स्पष्टीकरण हमने उस लेख में इसलिए नहीं किया क्योंकि वह अवान्तर प्रसंग में जाना होता, अन्यथा प्रसंगोपात्त रूप से इन दो प्रतिपादनों में अविरोध स्पष्ट दिखायी देता है। 'काव्य–तत्त्व' लेख में भी काव्य का अन्वेष्य सौन्दर्य को नहीं कहा गया है सत्य को ही कहा गया है, केवल वहाँ सत्य के अर्थ की सम्पूर्णता शिव और सुन्दर के उसमें अन्तर्भाव में देखी गयी है।

वास्तव में सत्य और सुन्दर बहुत अनिश्चित अवधारणाएँ हैं यद्यपि शिव उतनी अनिश्चित अवधारणा नहीं है। एक पाश्चात्य अनुभववादी–तार्किक प्रत्यक्षवादी दार्शनिक टार्स्की ने सत्य को इस प्रकार परिभाषित किया है—"'बाहर वर्षा हो रही है' कथन सत्य है यदि बाहर वर्षा हो रही हो तो।"[3] इस सम्प्रदाय के दार्शनिक 'सत्य' की यही परिभाषा स्वीकार करते हैं और वास्तव में वे यही परिभाषा स्वीकार कर सकते हैं। 'सत्य' शब्द का साधारण प्रयोग भी मूलत: इसी अर्थ में होता है। किन्तु यह प्रयोग इस शब्द का बहुत ही साधारण और स्थूल अर्थ में प्रयोग है। प्रकटत: बहुत कुछ इसी अर्थ में सत्य को लेते हुए मैंने 'कला का अन्वेष्य' अध्याय में कहा है कि कलाकार विषयितया गृहीत अर्थ की अनुकृति प्रस्तुत करता है। किन्तु विषयितया गृहीत या भावित अर्थ की यह अनुकृति कैसी होती है और यह कैसे प्रस्तुत की जा सकती है? 'ऐन्द्रिय प्रत्यक्ष रूप में गृहीत' विषय की अनुकृति और 'विषयितया भावित भाव की अनुकृति' इन दो स्थितियों में 'अनुकृति' का अर्थ आधारत: भिन्न हो जाता है किन्तु इससे काव्य या अन्य कलाकृतियों के सत्य या असत्य होने की बात नहीं बदलती। फिर 'सत्य' शब्द के ऐसे प्रयोग भी हैं, और साधारण प्रयोग ही, जैसे 'वह अपने प्रति सच्चा है', 'वह सत्यपरायण है' आदि। इसके भी आगे, महात्मा गाँधी का सत्य को ईश्वर कहना और साथ ही उचित उद्देश्य के लिए उचित विधि से संघर्ष करने को 'सत्याग्रह' कहना, अपनी आत्मकथा को 'सत्य के प्रयोग' कहना, गुरु ग्रंथ साहिब का 'सिरी वाहे गुरु' को 'सत्तनाम' कहना, ये सब भी 'सत्य' शब्द के ही प्रयोग हैं, चाहे इनके अर्थ को लोग सम्यक् रूप से नहीं समझते हैं। इन सब प्रयोगों में 'कर्म का अपने औचित्य के अनुरूप होना', 'आत्मा का अपने स्वरूप के अनुरूप होना', दूसरे शब्दों में, 'जो तथ्यत: अपने स्वरूप के प्रतिरूप है उसे अपने स्वरूप के अनुरूप करना' आदि अभिप्रेत हैं

---

1. इस लेख पर 'उन्मीलन गोष्ठी' में विचार हुआ जिसकी कार्यवाही यहाँ आगे संकलित है।
2. **सत्ताविषयक अन्वीक्षा** और **मूल्यतत्त्व–मीमांसा** पुस्तकों में भी इसी अर्थ में इस शब्द का प्रयोग हुआ है।
3. एल्फ्रेड टार्स्की : 'दि सिमेंटिक कॉंसेप्ट ऑफ ट्रुथ': **सिमेंटिक्स एण्ड दि फिलोसोफी ऑफ लेंग्वेज** (सं.) लिओनार्ड लिंस्की, प्रका. यूनीवर्सिटी ऑफ इल्लिनोइस प्रेस, 1952 में संकलित।

जो स्वरूप शिवात्मक है, जो स्वरूप वैसा है जैसा उसे होना चाहिए। इनमें से किसी प्रयोग में देश-काल में घटित घटना से कथन के कथ्य की अनुरूपता अभिप्रेत नहीं है, जो टार्स्की की परिभाषा का आधार है और जिसके आगे अनुभववादी किसी अभिप्राय का औचित्य सोचने को भी तैयार नहीं हैं। 'सत्य' शब्द के ये दूसरे प्रयोग उधार के प्रयोग नहीं हैं, केवल अधिक गहरे, अधिक गुरु और अधिक युक्त प्रयोग हैं। बाहर वर्षा होने और उस होने को कहने में भी चेतना का अध्यवसाय के स्तर पर आरोहरण कर रूप-रँग-हीन घटना मात्र को उसका रूप-दर्शन कराना, उसे भौतिक के निबिड़ अन्धतमस से बाहर निकालकर चेतना के प्रकाश में लाना प्रतिफलित होता है। यही तथ्य का सत्य होना है। यही तथ्य का आत्मदर्शन, यही उसका तमस से प्रकाश में प्रवेश जब गहन आत्मग्लानिजन्य आत्मालोड़न में अथवा दार्शनिक विमर्श या काव्य में अपनी अथाह गहराइयों और अनन्त विस्तार को नापने चलता है तब इसके स्वरूप की शिवता और सौन्दर्य भी सहज प्रकट हो जाते हैं। वास्तव में शुद्ध सत्य एक उद्गृहीत (एब्स्ट्रैक्ट) अवधारणा है जिसमें विषयी से पृथक्कृत विषय अपनी एकान्त तथता में कल्पित किया जाता है और उसकी उतनी ही वर्ण-हीन भाषात्मक प्रतिकृति प्रस्तुत की जाती है। इसका आदर्श रूप ऐसी शुद्ध भौतिकता में ही सिद्ध होता है जिसका विषयी से पृथक् अपना कोई स्वरूप नहीं हो सकता, जैसाकि कांट की स्वलक्षण वस्तु (थिंग इन इट्सेल्फ) की कल्पना में देखा जा सकता है। किन्तु चेतना अनिवार्यत: शिवत्व और सौन्दर्य की अपेक्षी होती है। 'शुद्ध सत्' के लिए या तो उसमें कोई अवकाश नहीं होता अथवा सत् उसमें केवल एक साध्य स्थिति रहता है जिसमें सब अशिव और असुन्दर निरस्त हो जाते हैं—बौद्धों के निर्विकल्पक प्रत्यक्ष की विषय स्वलक्षण वस्तु के समान। इसी को हमने 'तथ्य का सत्य होना', अधिक उपयुक्त शब्दों में 'तथ्य द्वारा अपना सत्य पा लेना' कहा है। निश्चय ही विषयार्थ के अनुसंधान में यह बात उतनी सहज स्पष्ट नहीं होती और हमारे अनुसंधानों का सहज रूप विषयपरक ही होता है। विज्ञान, दर्शन और शास्त्र यही करते हैं। किन्तु कलाओं में अनुसंधान विषयिता का आयाम लेता है इसलिए उनमें सत्य का तत्परक रूप गौण और शिव तथा सौन्दर्यपरक रूप मुख्य रहता है। किन्तु ऐसी विषयपरक स्थिति में भी जैसी 'बाहर वर्षा हो रही है' वाक्य में अभिहित है, वाक्य अपने अभिप्राय में इस अभिधेय तक ही परिसीमित नहीं होता, इसमें वर्षा की वांछनीयता-अवांछनीयता आदि भी व्यंग्य रहती है। इस प्रकार इसके अर्थ की सम्पूर्णता से वर्षा होने की सूचना मात्र उद्गृहीत अर्थ ही होता है। विज्ञान विषयिनिरपेक्ष विषयता के अनुसंधान का आदर्श रूप कहा जा सकता है जिसकी सिद्धि के लिए वह गणितीय समीकरणों की भाषा का अवलम्बन करता है, किन्तु वह भी इसके आधार में एक वैश्व नियम और विषय की संरचनात्मकता को पूर्वगृहीत करने को बाध्य होता है, क्योंकि गणितीय समीकरण उसके बिना अर्थ-शून्य रेखाएँ मात्र रह जायेंगे। किन्तु नियम तथा संरचना दोनों चेतनामूलक अवधारणाएँ हैं। यहाँ आपत्ति की जा सकती है कि 'बाहर वर्षा हो रही है' कथन जिस घटना या वस्तु-स्थिति का कथन करता है वह स्वत: तो मूल्य-निरपेक्ष रूप में ही घटित होती है। मनुष्य के लिए उसका कुछ मूल्य भी है यह उसके सम्बन्ध में उससे पृथक् बात होती है, और उपर्युक्त कथन उसी मूल्य-निरपेक्ष का कथन करता है और इस कथन की सत्यता-असत्यता इसी में होती है। यह ठीक है, जहाँ तक इस घटना के भौतिक लोक में घटित होने का सम्बन्ध है, किन्तु टार्स्की के अनुसार भी स्वयं इस घटना के घटित होने में कुछ सत्यासत्य नहीं है। यह घटना सत्यासत्य कथन से बनती है, बल्कि कहें सत्यासत्य कथन ही होता है, घटना नहीं, और इस कथन के अर्थ की सम्पूर्णता में यह घटना, या कहें अर्थ, एक उद्गृहीत अवयव मात्र होता है। इस पर कहा जा सकता है कि, 'तो यह भी वर्षा का उपयोगी-अनुपयोगी होना ही हुआ, शिव-अशिव होना नहीं, और जैसाकि हम जानते हैं, जगद्व्यवस्था स्वयं से जीव, या मनुष्य के भी, उपयोगानुसार नियत नहीं है। प्रथमत: तो विश्व एक व्यवस्था है यह कहने के लिए हमारे पास कोई आधार नहीं है, और यदि इसे व्यवस्थित मान भी लिया जाये तो यह भी उपयोगिता-अनुपयोगिता और शिवता-अशिवतामूलक है ऐसा कहने के लिए हमारे पास कोई आधार नहीं है।

इसके उत्तर में हम इतना ही कहना चाहेंगे कि व्यवस्था के बिना जगत् कल्पनीय ही नहीं है। साधारण प्राणि-व्यवहार और विज्ञान भी इसे व्यवस्थामूलक पूर्वगृहीत कर ही प्रवृत्त होते हैं। किन्तु यदि यह मान भी लें कि वह स्वयं में ऐसा नहीं है तो हमें यह भी मानना होगा कि इसमें सत्य की प्रतिष्ठा भी सम्भव नहीं है, क्योंकि उसके

सत्य होने के लिए उसका व्यवस्थित होना आवश्यक है। वैदिक ऋषि के इस कथन में कि "यह जगत् मनीषी कवि द्वारा शाश्वत रूप से याथातथ्यत: रचित है" यही दृष्टि है।

किन्तु यहाँ हमारे लिए यह विवेच्य नहीं है कि जगत् वास्तव में ही याथातथ्यत: व्यवस्थित : अपने सत्य में प्रतिष्ठित : है या नहीं, किन्तु मनुष्य कम-से-कम अपने को और अपने जगत् को अपने सत्य में सहज प्रतिष्ठित नहीं पाता। इस सत्य का केवल वह अपनी बुद्धि में एक अस्पष्ट और अनिश्चित-सा आभास मात्र पाता है। वह अपने अस्तित्व और अस्तित्व की युक्तता में विशाल खाई देखता है। विज्ञान (यहाँ इस शब्द को भौतिक, जैविक और सामाजिक नियोजन-विधि के व्यापक अर्थ में लेते हुए) के रूप में वह अपने जगत् के सत्य स्वरूप को जानने-समझने का और उसके अनुसार उसे साधने का प्रयत्न करता है, धर्म के रूप में वह आत्म-स्वरूप का आभास पाने और उसके अनुसार अपनी प्रवृत्तियों को साधने का प्रयत्न करता है, और कला के द्वारा वह अपने भावलोक का अवगाहन करने और उसके सत्य को समझने और साधने का प्रयत्न करता है, दार्शनिक विवेचन द्वारा वह जगत् और जीवन के इन विभिन्न सत्यों को एक परम सत्य में प्रतिष्ठित करने का प्रयत्न करता है। दर्शन इस परम सत्य का दर्शन चेतना के स्वकीय प्रकाश में ही करता है, यह बात यहाँ ध्यातव्य है।[1] वास्तव में मनुष्य के अस्तित्व और उसके सत्य, उसके होने और उस होने की युक्तता के बीच अन्तराल का उद्भव ही उसके आत्मचेतन होने के कारण ही होता है और इसी आत्मचेतना में इस अन्तराल के निवारण के प्रयत्नों की प्रतिष्ठा होती है। इसलिए इस सबके तत्त्व को भी वह आत्म-दर्शन में ही पा सकता है।

यहाँ प्रश्न हो सकता है कि सत्य में शिव के अन्तर्भाव की बात तो समझी जा सकती है किन्तु सौन्दर्य के अन्तर्भाव की बात बुद्धिगम्य नहीं है। श्रेय और प्रेय को प्राय: विरुद्ध स्वभाव ही देखा गया है, स्त्री-सौन्दर्य को (या कहें स्त्री और पुरुष के सौन्दर्य को परस्पर के लिए) अविद्या-जाल में फँसाने वाला, आत्मविमुख करने वाला और इस प्रकार अशिव का हेतु ही देखा गया है। यह सही है। स्त्री-पुरुष के सौन्दर्य का प्राकृतिक रूप भोग-वृत्तिक ही है। किन्तु प्रकृति में यह भोग शिव का साधन है, क्योंकि यह जीवन के सातत्य का हेतु बनता है। केवल मनुष्य के स्तर पर इसके इस रूप में व्यतिक्रम उत्पन्न होता है, क्योंकि इस स्तर पर चेतना में ही व्यतिक्रम घटित होता है। यह चेतना विषय-चेतना से आत्म-चेतना बनती है जिससे इसकी साधना-यात्रा एक सर्वथा दूसरी, बल्कि कहें विरुद्ध दिशा में अग्रसर होती है। यात्रा के इस चरण में चेतना प्राकृतिक नियम से नियुक्त नहीं रहकर अपने नियम की सर्जक और सर्जन के सत्य की अन्वेषी बनती है। प्राकृतिकता से विमुक्त इस चेतना के लिए सौन्दर्य भोगार्थक नहीं रहता। प्रकृति के सौन्दर्य-दर्शन में तो यह अर्थान्तर स्पष्ट लक्षित होता ही है—उसमें यह अतार्किक रूप से किसी गुह्य सत् के संकेत जैसा प्रतीत होता है, किन्तु मनुष्य का सौन्दर्य भी बहुत बार उन्नायक उदात्त-भाव का व्यंजक ही बनता है—सुन्दर बालक और सुन्दर वृद्ध की चित्ताकर्षकता बहुधा उदात्त-भाव की उद्भासक ही होती है। इसके विपरीत बहुत बार भाव की उदात्तता से भी चेहरा सौन्दर्य-दीप्त होता है, जिसे भव्य कहते हैं। इतना ही नहीं, रूप-सौन्दर्य का दर्शन जहाँ भाव की उदात्तता की प्रतीति उपजाता है वहाँ किसी के भाव की उदातत्ता अनदेखे रूप-सौन्दर्य को दिखाने की हेतु भी बनती है। भाव-औदात्य द्वारा दिखाया गया यह रूप-सौन्दर्य भी भोगेच्छा-सम्बद्ध हो सकता है, किन्तु वह स्वयं से भोगार्थक नहीं होता, वह पुण्य भाव का व्यंग्य ही रहता है। सुन्दर रूपवान् व्यक्ति में शील का अभाव पाकर हमें वैसा ही आघात लगता है जैसा मरीचिका के प्रकट हो जाने पर लगता है। राम और कृष्ण एवं सीता और पार्वती का रूप-लावण्य तो भाव-औदात्य का ऐसा सहकारी है कि इनमें कौन किसका हेतु है यह नहीं कहा जा सकता। इस प्रकार रूप-सौन्दर्य को तब रूप का सत्य कहा जा सकता है जब वह भाव की उदात्तता का व्यंजक होता है, अन्यथा नहीं। साधारण व्यवहार में भी रूप-सौन्दर्य दुश्शील का सहचर होने पर या तो शीघ्र विकर्षक लगने लगता है या फिर वह मात्र भोग का उद्दीपक ही रह जाता है, वह प्रेम और आदर का विषय नहीं रहता, क्योंकि उसमें व्यक्ति का उसकी समग्रता में सौन्दर्य नहीं देखा जाता।

---

1. द्रष्टव्य यशदेव शल्य, **चिद्विमर्श** पुस्तक का 'दर्शन का आरम्भ-बिन्दु' अध्याय।

किन्तु जब हम सत्य में शिव और सौन्दर्य को अन्तर्हित कहते हैं तब 'सौन्दर्य' का अर्थ रूप का सौन्दर्य नहीं होता, तब उसका अर्थ सौष्ठव मात्र होता है। एक युक्त विचार सम्यक् भी होता है और शिव भी, विचार की सम्यक्ता उसकी भाषा में अभिव्यक्ति के सौष्ठव की पर्याय होती है और शिवत्व उसके चेतना को आलोकित करने का। यहाँ ध्यातव्य है कि सभी भारतीय दर्शन ज्ञान को मोक्ष का हेतु मानते हैं। एक चित्र का सौन्दर्य चित्रित रूप की चित्ताकर्षकता के चित्रण में नहीं होता, उसकी व्यंजकता में और व्यंग्य भाव के महत्त्व में होता है। इस प्रकार चित्र का सौन्दर्य शिव (व्यंग्य भाव के महत्त्व) और सत्य (व्यंजकता) का सहचर होता है और तीनों का संयोग चित्र का सत्य। यहाँ कहा जा सकता है कि बहुत-से चित्र या अन्य प्रकार की कलाकृतियाँ अथवा साहित्यिक कृतियाँ प्रभाव में अशिव भी हो सकती हैं जबकि वे व्यंजकता में अत्यन्त सफल और सशक्त हो सकती हैं। यह सही है। किन्तु ऐसी कृति को हम कलात्मक रूप से असफल ही कहना चाहेंगे और उसके सौष्ठव को उसी प्रकार असुष्ठु जिस प्रकार ऊपर रूप-सौन्दर्य को शील के बिना आत्म-असंगत कहा गया है। हमारी पुराण-कथाओं में असुर स्त्रियाँ माया-शक्ति से रूप-सौन्दर्य धारण करती कही गई हैं। उपर्युक्त कलाकृतियों की सुन्दरता या प्रभावकता वैसी ही होती है। यहाँ शृंगार रस के सफल निर्वाह के लिए भरत मुनि द्वारा नायक-नायिका के सौन्दर्य की परिभाषा उल्लेखनीय है। उनके अनुसार "नायक को जितेन्द्रिय, ज्ञानवान्, नाना शिल्पों में विलक्षण, गम्भीर, उदार, धीर आदि होना चाहिए और नायिका को मृदु स्वभाव वाली, अचपल, मित भाषिणी, अनिष्ठुर, गुरुजन के प्रति आदर वाली, सलज्ज आदि होना चाहिए।"[1] इन गुणों को जीवन और काव्य दोनों में सौन्दर्य की पूर्वपिक्षाएँ कहा जा सकता है, विशेषत: जितेन्द्रियता, धीरता, गम्भीरता, उदारता आदि को और मृदु भावमयता, अचपलता आदि को। इनके बिना रूप-सौन्दर्य आसुरी माया मात्र रह जाता है। यहाँ रवीन्द्रनाथ ठाकुर की **चित्रांगदा** नाटिका का और **देवदास** पिक्चर का उल्लेख स्थाने होगा। ठाकुर की नाटिका में रूप-सौन्दर्य से हीन चित्रांगदा अर्जुन को विवाह के लिए तत्पर करने के लिए तपस्या कर देवता से एक वर्ष के लिए सौन्दर्य का वर माँगती है। केवल एक वर्ष के लिए इसलिए क्योंकि रूप-सौन्दर्य वास्तविक सौन्दर्य के लिए सहज संकेत बनता है। इसके विपरीत देवदास पिक्चर में वेश्या देवदास के औदात्य से उसके प्रति न केवल अशेषत: समर्पित हो जाती है बल्कि स्वयं आमूलत: रूपान्तरित भी हो जाती है। इसमें औदात्य सौन्दर्य के आविर्भाव का हेतु बनता है। पिक्चर में उनका शारीरिक सम्बन्ध दिखाया नहीं गया है और न उसके होने और नहीं होने का उस प्रेम में कोई अर्थ रह जाता है। वास्तव में प्रेम की उदात्तता में शरीर बाह्य और अन्तिम छोर मात्र रह जाता है, केन्द्रीय केवल हृदय रहता है, उसी से सौन्दर्य का उज्ज्वलतम रूप प्रकट होता है।

यहाँ यह ध्यातव्य है कि मनुष्य अधिकांश में सत्य को देख पाने में असफल ही रहता है। अधिकांश में वह असत्य को ही सत्य मानकर उसमें नियुक्त रहता है। यही दार्शनिक, कलाकार आदि के लिए भी सही है। अनेक दार्शनिक ऐन्द्रिय प्रत्यक्ष मात्र को सत् का ज्ञापक मानते हुए सूक्ष्म और कुशल विचार-तन्त्र खड़ा कर पाते हैं और उसी में अपनी चरितार्थता देखते हैं, इसी प्रकार कलाकार प्राकृतिक आवेगों और प्रवृत्तियों के सशक्त चित्रण द्वारा महान् कलाकार होने का भ्रम उत्पन्न करते हैं। किन्तु महान् दर्शन तर्क-कौशल या महीन और जटिल सिद्धान्त-रचना मात्र से सम्भव नहीं होता और न कला आवेगों के उद्दीपन में सफल निरूपण से महान् रचना करने में सफल होती है। इन दोनों क्षेत्रों में, या जीवन में भी, महत् सिद्धि महान् सत्य के दर्शन और उसे अभिव्यक्ति देने की सफलता से ही उपलब्ध होती है।

1. **नाट्यशास्त्र**, खण्ड 3, श्लोक 9-10। यहाँ नगीनदास पारेख के **अभिनव का रस-विवेचन** विश्वविद्यालय प्रकाशन, वाराणसी, 1974 पृ. 77 से उद्धृत।

'काव्य-तत्त्व' लेखों पर गोष्ठी

मुकुन्द लाठ

शल्य जी साहित्य पर बरसों से लिखते रहे हैं। आलोचक की संवेदनामयी दृष्टि से भी और दार्शनिक की तत्त्वान्वेषी दृष्टि से भी। दोनों ही दृष्टियाँ विमर्श चाहती हैं, पर दोनों के विमर्श में गहरा भेद भी होता है। भेद इस अर्थ में स्पष्ट ही होता है कि दर्शन साहित्य या कला की संवेदना के बिना भी समीचीन और सार्थक हो सकता है—चाहे कुछ दार्शनिक इसमें असम्पूर्णता ही क्यों न देखें। साहित्यालोचना की अपनी विचार-शैली तो लगता है जैसे दर्शन की अपेक्षा भी नहीं रखती। यह सही है कि आलोचना भी विचार ही करती है, पर विचार वहाँ युक्ति का आधार नहीं लेता, न किसी सत्य या तत्त्व का संधान करता है। विचार वहाँ काव्य-जनित बोध को ही केन्द्र में रखता है, उसी को भाषा, या यों कहें कि 'परिभाषा' देने की चेष्टा करता है। 'परिभाषा' शब्द का प्रयोग यहाँ आलोचना की भाषा और साहित्य की भाषा में भेद करने के लिए कर रहा हूँ। साहित्य में भाषा जो बोध जगाती है आलोचना उसी के विश्लेषण पर आधारित होती है—विमर्श द्वारा उसे 'परिभाषित' करती है। यह विमर्श साहित्य-जीवी होता है। साहित्य की तरह स्वतन्त्र नहीं। दर्शन में विमर्श स्वतन्त्र होता है। कुछ लोग दर्शन के विमर्श को विमर्शजीवी कहते हैं—विचार पर विचार। जैसे कह सकता हूँ कि आलोचना के विचार पर मैं यहाँ विचार कर रहा हूँ तो दर्शन की ओर उन्मुख हूँ। पर सत्य या तत्त्व क्या है? यह प्रश्न अगर दर्शन का प्रश्न है तो दर्शन को विचार पर विचार की सीमा में नहीं बाँधा जा सकता।

तत्त्व क्या है, यह प्रश्न एकवचन भी हो सकता है, बहुतवचन भी। शल्य जी के इस लेख में बहुवचन ही है—इस अर्थ में कि यहाँ वे किसी एक परमतत्त्व की नहीं, अन्य तत्त्वों में तत्त्व विशेष की जिज्ञासा कर रहे हैं। पर शल्य जी के या किसी भी विमर्श-निष्ठ दार्शनिक के पाठक को यह भूलना नहीं चाहिए कि दर्शन के एकवचन और बहुतवचन में एक संश्लेषण भी होता है। दार्शनिक का समूचा तत्त्व-दर्शन एक तदात्म नहीं तो तदात्मधर्मी दृष्टि और विमर्श के सूत्र में पिरोया होता है। दर्शन का यही पुरुषार्थ है। और विचार का भी यही धर्म जान पड़ता है कि उसमें शिल्प की तरह ही परस्पर-भाव का एक अवयवी बने। कुछ दार्शनिक इससे इनकार करते भी हों तो शल्य जी नहीं करते। यह बात उनके अन्य लेखन से प्रकट है, जो विशद भी है और जिसमें तत्त्व-दर्शन का बहुवचन एकवचन भी साधता रहा है। तात्पर्य यह कि शल्य जी का कोई भी लेख सच पूछिए तो उनके विचार के एक बृहत्तर सन्दर्भ से अलग नहीं किया जा सकता।

शल्य जी ने 'काव्य-तत्त्व' में विचार का एक सूत्र उठाया है, जहाँ वे अपने चिन्तन को ऊह्य रखते हुए भी काव्य की अपनी प्रकृति को उभारने का एक नया द्वार लेते हैं। बात एक अपेक्षया छोटे-से लेख में कही गयी है इसलिए उसे बात का सूत्रपात ही कहना चाहिये।

तत्त्व की दृष्टि से काव्य या साहित्य की अपनी विशेषता को शल्य जी कवि की मनीषा के आधार पर देखते-आँकते हैं। 'मनीषा' न कहकर 'संवेदना' भी कहा जा सकता है, जो शायद अधिक समीचीन शब्द होगा। कवि की मनीषा संवेदना-प्रधान होती है, उस संवेदना के स्वरूप पर शल्य जी ने इस लेख में विचार किया है। उसे ज्ञान की कोटि में रखा है, इसलिए मनीषा कहना भी असमीचीन न होगा। शल्य जी ने कविर्मनीषी...कहा ही है।

लेख को एक पुरानी औपनिषद उक्ति की वृत्ति या विवृति भी कहा जा सकता है। उक्ति लेख के आरम्भ में ही आती है : **कविर्मनीषी परिभूः स्वयंभूः याथातथ्यतोऽर्थान् व्यदधाच्छाश्वतीभ्यः समाभ्यः।** जैसे शल्य जी ने उल्लेख भी किया है, यह **ईशोपनिषद्** की उक्ति है। यों वेद की भी कही जा सकती है क्योंकि **ईशोपनिषद्** को

संहिता में ही स्थान दिया गया है। न भी दिया गया होता तो भी वेद की ऐसी ऋचायें मिल जायेंगी जहाँ यही बात कही गई है।

ईश की उक्ति के सिवा शल्य जी ने एक और उक्ति का सहारा लिया है जो परवर्ती काव्यमीमांसा की सूक्ति है। यहाँ काव्य-धारणा आर्ष नहीं है, रस-धारणा में बसी है। 'जहाँ न पहुँचे रवि वहाँ पहुँचे कवि।' इस उक्ति का पुराना पारम्परिक आशय रस-धारणा से प्रभावित है : कवि एक मनोहारी कल्पनालोक में हमें ले जाता है, जो व्यवहार के लोक से अलग, निराला होता है। बात यहाँ ईश से उलटी दिशा में जाती है। शल्य जी यह जानते हैं, पर इसकी उन्होंने अपनी सी व्याख्या की है, जिसका आधार ईश की उक्ति को ही बनाया है। रवि को बाह्य चक्षु का प्रतीक लेते समय शल्य जी कवि को अन्तश्चक्षु-सम्पन्न कहते हैं। वह वस्तु के बहिरंग में भी उसके अन्तरंग को देखता और उभारता है। ईश की उक्ति में उनके लिए कवि द्रष्टा ही नहीं स्रष्टा भी है। वह उस ईश्वर के तुल्य है जिसने वस्तुओं को उनका 'यथातथ' रूप दिया है। यह यथातथ रूप उनका अन्तरंग है। इस अन्तरंग रूप को कवि ही पकड़ सकता है इसीलिए ईश्वर भी स्रष्टामात्र नहीं—जो कि बहिरंग की निर्मिति से भी हो सकता था—पर कवि है। इसलिए कि वह स्वयं अपना भी निर्माता है, अपने स्वरूप में स्थित होकर वस्तुओं को स्थिति देता है। यही उनका 'यथातथ'—उनका धर्म, उनका स्वरूप—बल्कि मर्म है। यह मर्म सत्य-शिव-सुन्दर है। कवि की चेतना इस मर्म में जितनी स्थित होती है—जो उसका अपना भी मर्म है—उतना ही वह कवि होता है। इसी बात को यों भी कह सकते हैं कि वह जितना ऋत का विधाता होता है—सृष्टि के अन्तरंग 'होने' को, उसके होने के छन्द को—व्यापार-व्यवस्था को—अपने आप में और अपनी रचना में जगा सकता है, उतना ही वह 'मार्मिक' होता है। मर्म में बसा हुआ मर्म को जगाता, 'सृष्ट' करता है।

कवि यों ज्ञानी है। तभी शायद शल्य जी ने 'काव्य' के साथ 'तत्त्व' शब्द रखा है। उसकी प्रज्ञा उसी कोटि में आती है जिसमें धर्म, अध्यात्म और दर्शन की। शल्य जी के लिए इस प्रज्ञा के मूल में एक दृष्टि है : वस्तु यथातथ होती नहीं, उसे यथातथ होना होता है। कवि की प्रज्ञा में विशेष बात यह है कि वह नहीं होने की, नहीं हो पाने की व्यथा को जानता है। अनृत होने की वेदना को—जो मनुष्य की आत्मचेतना में तीव्रतम होती है क्योंकि वह आत्मदर्शी होती है। कवि की प्रज्ञा में इस वेदना की सं-वित् होती है। यही उसकी संवेदना कही जा सकती है। या उसकी विशिष्ट मनीषा, उसके ज्ञान की विशेषता।

इस प्रस्तुत लेख में यह एक नई बात है जो उसके पाठक को जैसे अलग से छू लेती है। लगता है यहाँ संवेदना तत्त्व-दर्शन पर हावी है। मैं समझता हूँ कि लेख की दिशा को यों रखा जा सकता है और रखते हुए शल्य जी के लिए एक प्रश्न भी रखा जा सकता है। अब अपनी बात को कुछ खोलता हूँ। शल्य जी का दर्शन मनुष्य को केन्द्र में रखता है, पर उनके यहाँ मनुष्य-तत्त्व जैसा कोई स्वयं-प्रतिष्ठ, स्वयं-सम्पूर्ण तत्त्व नहीं है। शल्य जी का दर्शन आधुनिक है, जिस अर्थ में प्रतिभा, और विशेष कर विचार में प्रतिभा—सदा आधुनिक ही होती है। नव का सार्थक उन्मेष लिए होती है। ऐतिहासिकों में आज के विशिष्ट युग-बोध का स्वरूप आँकने वालों में 'आधुनिक' का एक सीमित, निर्धारित, परिनिष्ठित अर्थ भी होता है। इस अर्थ में 'आधुनिक' को एक दृष्टि-विशेष का पर्याय ठहराया जाता है। साथ ही एक काल-विशेष के साथ भी जोड़ा जाता है : वर्तमानकाल में दृष्टि जटिल और बहु-रूप-शाली है, दो एक शब्दों में नहीं उतारी जा सकती। पर उसे एक शब्द में 'मानवतावाद' भी कहा ही जाता है। हाँ, इसका भी अभिप्राय एक शब्द में नहीं खोला जा सकता और इसमें तात्पर्य-भेद भी उभरेंगे ही। पर इतना कहा जा सकता है कि मानवतावाद मानव को सृष्टि के केन्द्र में ही नहीं रखता, ऐसा तो दूसरे युगों में और दूसरी दृष्टियों में भी हुआ है—पुराण ही इसके साक्षी हैं—मानवतावाद में नई, 'आधुनिक' बात यह है कि यहाँ मानव को मानो अपनी अन्यनिरपेक्ष स्वयं-सत्ता की ऐसी दुहाई है जो पहले नहीं थी। पहले मानव को केन्द्र में रखा भी जाता था तो इस अर्थ में कि मानव में सृष्टि के सारे तत्त्व स्फुट होते हैं। इस अर्थ में नहीं कि मानव अपने-आप में एक स्वतन्त्र तत्त्व है। शल्य जी की दृष्टि मैं समझता हूँ इस पुरानी दृष्टि के अधिक निकट है। अपने पिछले चिन्तन में उन्होंने मानव को, उसकी अस्मिताबोध-विषय आत्मा को, 'प्रतीक' कहा है, सृष्टि की उस प्रक्रिया का

'प्रतीक' जो किसी भी मानवतावादी अर्थ में मानव की अपनी 'मानवी' प्रक्रिया नहीं है। प्रक्रिया तात्त्विक है, मानव में प्रतिफलित होती है—उसकी आत्मचेतना में उसका स्पष्टतर बोध, स्पष्टतर इंगित पाया जा सकता है। शल्य जी के चिन्तन में यह भी उभरता है कि मानव का अपना कोई सिद्ध, प्रदत्त स्वभाव नहीं है। मानव एक सम्भावना है, आत्मनिर्मिति करता है। यों उसका आत्म पहले से प्रस्तुत कुछ नहीं, एक सृजन की यात्रा है। इसी में वह अन्य जीवों से भिन्न है। उसकी आत्मचेतना और आत्मचेतना में अनिवार्यत: निहित स्वातन्त्र्य उसके सृजन को आधार देता है। पर यह सृजन उसके माध्यम से उस औपनिषद चित् का स्वच्छन्द आत्मसर्जन है जो सत् भी है और शिव भी, आनन्द भी। पर शल्य जी का विमर्श सत् की ओर झुका हुआ है। और शिव की ओर यह झुकाव 'काव्य-तत्त्व' में भी प्रकट है। यहाँ सत् के साथ ज्ञान भी जुड़ गया है जो पहले नहीं था। आप देखेंगे कि शल्य जी यहाँ सौन्दर्य की बात तो करते हैं पर उसे निरे आनन्द से—आस्वाद से—हटाते हैं। उसे शिव से अभिन्न करना चाहते हैं।

यहाँ लेख से अलग जाकर यह भूमिका मैंने इसलिए बाँधी है कि मुझे इस लेख में जो बात चुभ गई है उसका सम्बन्ध शल्य जी के दर्शननिष्ठ बृहत् बोध से उतना नहीं है जितना उनकी संवेदना से है। हम पाते हैं कि उनकी संवेदना में मनुष्य और उसकी अपनी कहानी, करनी, सहनी—मनुष्य-लोक—ही अधिक व्याप्त है। यहाँ शल्य जी की संवेदना साहित्य में ही अधिक बसी है। शल्य जी के दूसरे लेखन को भी देखें, जहाँ वे काव्य और काव्य-भिन्न कलाओं पर विमर्श करते हैं, तो भी उभरता यही है कि शल्य जी की संवेदना मूलत: साहित्य-धर्मी है। अगर उनकी संवेदना में संगीत, नृत्त जैसी स्वयंप्रतिष्ठ कलायें भी उतनी उजागर होतीं जितना कि साहित्य है, तो शायद वे रस की धारणा का वैसा निराकरण नहीं करते जैसाकि करते हैं। रस की धारणा नाट्य और साहित्य-चिन्तन से ही पनपी है और उसके मर्म में सात्त्विक-आस्वाद (या आनन्द), चेतना की बाहर से हटकर आत्म-विश्रान्ति—ऐसे जो गुण या लक्षण गिनाये गये हैं, वे साहित्य में उतने नहीं जितने नृत्त, संगीत में सहज ही गोचर होते हैं। साहित्य तो मनुष्य-मुखी ही रहता है, चेतना की आत्मविश्रान्ति वहाँ कहाँ? जिन्होंने मेरा पिछला लेखन थोड़ा देखा-पढ़ा होगा वे सोचेंगे कि मैं यहाँ अपना ही निराकरण कर रहा हूँ। मैंने संगीत, नृत्त में रस की धारणा का खण्डन ही किया है मण्डन नहीं, जैसाकि यहाँ कर रहा हूँ। पर चर्चा और है, इसमें यहाँ नहीं जाऊँगा।

'काव्य-तत्त्व' से लगता है कि शल्य जी भी काव्य या साहित्य को प्रधानत: मनुष्यमुखी ही मानते हैं, हालाँकि बात को मनुष्य तक सीमित नहीं रखते। और तभी रस की आस्वाद-धर्मी धारणा को काव्य के तत्त्व-दर्शन में असमर्थ पाते हैं। साहित्य, विशेष कर महत् साहित्य, साहित्य कहला सकने वाला कालजयी साहित्य—उसके लिए आस्वाद जैसा शब्द लंगड़ा ही नहीं झूठा जान पड़ता है। यह उसके वैभव को, उसके दैन्य को, उसकी वेदना को, उसकी ओछी-ऊँची एषणाओं को, आदर्शन को, शिव और सत्य की खोज को, पुरुषार्थ की निरहं यात्राओं को, इनकी विफलताओं को, इन सबको जैसे अलग रख देता है, या गौण कर देता है। पर यही मनुष्य का मनुष्यत्व है जो साहित्य की आत्मचेतना में अनुभव का द्रष्टाभाव पाता है। रस-चिन्तन मनुष्य के इस सत्य की उपेक्षा है। यह सत्य एक विचित्र सत्य है और कवि ही इसके अन्तरंग को पकड़ सकता है। संवेदना का 'ज्ञान' उसके 'मनुष्य-ज्ञान' होने के अन्तरंग को तो पकड़ता ही है, साथ ही उसे मूर्त्त, सजीव रूप भी देता है। उसे सचमुच निर्मित आविर्भूत कर देता है। इस बात में भी यह 'ज्ञान' दर्शन और अध्यात्म से भिन्न है।

"उपनिषद् और बुद्ध, नागार्जुन और शङ्कर तत्त्व को अनिर्वाच्य या अनभिलाप्य, निर्गुण और निराकार कहते हैं किन्तु काव्य और कलायें वाक्, गुणों और आकृतियों में ही अपना तत्त्व और सत्य पाती हैं। उपनिषद् और बुद्ध राग-द्वेष और मानापमान से ऊपर उठने में ही जीवन की सिद्धि देखते हैं, किन्तु काव्य और कलायें इन्हीं के अन्तस्तल में प्रवेश कर अर्थों के अपार पारावार का साक्षात्कार करती हैं।"

तो काव्य मनुष्य जैसा है, उसी में—उसी के होने में—अपनी सार्थकता पाता है। यहाँ एक प्रश्न जागता है : यहाँ दृष्टि कुछ वैसे मानवतावाद की ओर झुकती नहीं दीखती—वैसे मानवतावाद की ओर जहाँ मानव अपने-आप में एक पूर्ण, स्वयंप्रतिष्ठ सत्ता सी पाने लग जाता है? हम पाते हैं कि कवि सृष्टि की, विशेष कर मानव की, कुछ और न हो पाने की—जो उसे होना चाहिये वह न हो पाने की—अन्तर्व्यथा को ही भीतर से नहीं जानता,

मानव जो है, जैसा है उसकी अन्त:समृद्धि भी कवि के ज्ञान में दिखती है। ऊपर जो वाक्य मैंने उद्धृत किये हैं उसी प्रसंग में शल्य जी आगे कहते हैं : "यह सही है कि दर्शन और धर्म जीवन को जीने की ही नीति बताते हैं, किन्तु उनका ऋजु पथ जिस वर्जित बीहड़ के बीच से होकर जाता है उसके फूलों और काँटों, हरियाली और धूल और पंक का अपना कुछ सौन्दर्य, अपना कुछ सत्य भी है यह कवि और कलाकार ही देख पाता है।"

यहाँ मनुष्य के उपलब्ध जीवन में, उसके दु:ख-सुख में, शल्य जी ने सत्य और सौन्दर्य की बात की है। सौन्दर्य की बात हो तो रस की बात भी हो सकती है। रस को सौन्दर्य के भाव-पक्ष के रूप में देखा जा सकता है। हम कह सकते हैं कि रस वह आनन्द है जो सुन्दर की अनुभूति से चेतना में जागता है। रस और सुन्दर अयुतसिद्ध, अविनाभूत, परस्पर-नेय होते हैं। रस को हम आनन्द न भी कहें—अगर उसमें निरे आस्वाद की ध्वनि आती हो, भोग मात्र की ध्वनि—तो भी यह तो मानना ही चाहिये कि सुन्दर हमें सार्थक भी दिखता है। कुछ और सार्थक हो न हो सुन्दर तो सार्थक प्रतीत होता ही है। सत्य का बोध भी उसके गर्भ में होता है। शल्य जी ने ओस की बूँद में ऋत का संकेत देखा ही है। तभी शल्य जी ने सत्य-शिव-सुन्दर को एकात्म कहा है। ऋत का छन्द अशिव कैसे होगा? फिर यह भी है : सुन्दर के रस-बोध में एक निरहं द्रष्टा-भाव भी होता है—यह उसे भोगमात्र से कहीं अधिक चेतना के अतल में उतार देता है। रस का विषय भोग्य ही नहीं भजनीय हो जाता है।

जो बात मैंने यहाँ उठाई है अगर उसमें कुछ बात है तो क्या हम यह नहीं कह सकते कि साहित्य मनुष्य को उसकी दैनन्दिन मनुष्यता से ही बाँध कर रख देता है? उसे ही सार्थक, अपने आप में साध्य-पुरुषार्थ कर देता है? शल्य जी ने लेख में ही जो एक और बात कही है उससे क्या यहाँ टकराव नहीं खड़ा होता? उन्होंने मनुष्य को कवि की तरह स्वयंभू कहा है। लेख के तीसरे पृष्ठ पर एक लम्बा-सा पैराग्राफ है—जो मैं समझता हूँ लेख की जान भी है—वहाँ शल्य जी कहते हैं—"मनुष्य अत्यन्त जटिल वस्तु होता है। इसका मूल धर्म ही यह है कि इसका कोई स्थिर धर्म नहीं है, क्योंकि यह स्वयंभू है। यह न उस देश में रहता है जिस देश में यह होता है और न उस काल में जिस काल में यह होता है। अतीत या भविष्यत्, या संश्लिष्ट रूप में दोनों, इसका वर्तमान होते हैं, यह स्वतन्त्र शक्ति-सम्पन्न है...।" मनुष्य स्वयंभू और स्वतन्त्र इस अर्थ में है कि वह अर्थ-संधान है—पुरुषार्थ की साधना में रत। वह सार्थक भाव से 'हो' सकता है पर 'है' नहीं। वह अपने ऋतमय यथातथ की खोज में व्याकुल रहता है, उसमें स्थित नहीं। ईश्वर या कवि ही उसे अपने यथातथ ऋत का समर्थ संकेत दे सकता है।

क्या यहाँ यह ध्वनि नहीं जागती कि शल्य जी के लिए साहित्य जैसे द्विस्वभाव है? उसका एक स्वभाव वह है जो मनुष्य की पीड़ा को जानते-देखते हुए भी—और इसी कारण बड़ी सक्षम संवेदना के साथ—उसे यथातथ के ऋत की भूमि की ओर बढ़ाता है, पर दूसरा स्वभाव यह है कि साहित्य मनुष्य की रहनी-सहनी को ही, उसके यथास्थित 'होने' को ही जैसे, एक याथातथ्य सा देता है? और थोड़ा डूबकर देखिये तो साहित्य की संवेदना मनुष्य की यथास्थिति को याथातथ्य ही नहीं देती, उसके प्रति एक लगाव भी देती है। उसका सहृदय-भाव मनुष्य को सत्य ही नहीं देता, उस सत्य को हृदय में उतार भी देता है। हृदय को उससे बाँध देता है। उसके पुरुषार्थ को परिधि दे देता है। व्यवहार को ही अर्थमण्डित कर देता है। काम और धर्म, यही पुरुषार्थ रह जाते हैं। धर्म, अध्यात्म, दर्शन, शङ्कर, बुद्ध, इनका अभिप्रेत परमार्थ, मोक्ष और उसकी साधना नीरस और यों निरर्थक से ठहरते हैं। यों साहित्य माया की मोहिनी का रूप लेता भी दिखता है। हम कह सकते हैं कि साहित्य द्विस्वभाव ही नहीं बहु-स्वभाव है—वैसा ही जैसी मनुष्य की जटिल, बहुमुखी जाने-अनजाने क्षितिजों की ओर झाँकती-बढ़ती आत्मचेतना। फिर भी प्रवृत्ति और निवृत्ति ये मौलिक भेद तो आत्मचेतना में किये जा ही सकते हैं। शल्य जी के लिए तो ये सृष्टि का आधार ही हैं। उनके लिए सृष्टि अर्थयुत सृष्टि है जिसमें प्रवृत्ति-निवृत्ति दोनों गुँथे हुए हैं। पर यहाँ लगता है कि उनकी साहित्य-चेतना दोनों में एक विरोध जगा रही है।

क्या शल्य जी को ऐसा कोई द्विस्वभाव अभिप्रेत है जिसकी ध्वनि सी उनके लेख में उभरती है? मैं नहीं समझता कि ऐसा कोई परस्पर भिन्न द्विस्वभाव उन्हें इष्ट होगा। फिर भी प्रश्न रखता हूँ कि बात और स्पष्ट करें। प्रश्न इसलिए भी कौंध सा उठता है क्योंकि शल्य जी ने अन्यत्र साहित्य और कला को ज्ञान की कोटि में नहीं रखा है।

साहित्य और कला की कृतियों को भाव-प्रत्यय कहते हुए उन्होंने इन्हें सत्य तो कहा है, पर उनके लिए ये ज्ञातृत्व के प्रत्यय नहीं हैं, ज्ञान के अन्तर्गत नहीं आते।

एक प्रश्न और मेरे मन में जगता है, उसे भी सामने रखता हूँ। सत्य और ज्ञान की बात को एक बार अलग भी रख दें तो हम देखते हैं कि शल्य जी शिव और सुन्दर के एकात्म होने की बात प्रखर-भाव से उठाते हैं—शिव और सुन्दर के अभेद को 'सुन्दर-शिव', 'शिव-सुन्दर' जैसे पदों में गूँथ कर, बड़े जागरूक भाव से दोनों को 'एक' बताते हैं। लेख में उनकी ऋत की धारणा और ऋतमय व्यवस्था की धारणा भी इसी बात की द्योतक है।

साहित्य के बारे में हम कह सकते हैं कि साहित्य शिवत्व की धरती पर ही खड़ा होता है। साहित्य का विषय मनुष्य होता है और मनुष्य का जीवन शिवत्व की धारणा को ऊह्य रखकर ही प्रेरित होता है, वहाँ भी परिप्रेक्ष्य में कोई शिव होता है। जैसा शल्य जी ने कहा है, यह शिव कोई प्रथागत 'नैतिकता' या शील-आचरण की परम्परा या नियत समयाचार नहीं होता। यह शिव की एक गहरी चेतना या प्रज्ञा होती है जो रूप लेती है, परस्पर भिन्न, विरोधी रूप भी ले सकती है, पर मनुष्य की व्यवहार-चेतना जिससे रीती नहीं होती। कुछ संवेदनशील विचारकों और साहित्यिकों का अनुसरण करते हुए हम यह भी कह सकते हैं कि शिवत्व-बोध की जिस अरूप लौ की हम बात कर रहे हैं वह साहित्य में—महत् साहित्य में—ही सबसे अधिक उजागर रहती है। साहित्य में सुन्दर भी उतना ही उजागर रहता है और यों साहित्य में शिव-सुन्दर का एकात्म-भाव देखा जा सकता है।

पर दूसरी कलाओं में? और प्रकृति के प्रति सौन्दर्य-बोध में? शल्य जी ने ओस की बूँद का उदाहरण लिया है, उसके बनने की, ढलने की गति—बल्कि छन्द कहना चाहिए– उसके पीछे एक ऋत की पहचान देखी है। पर आकाश को देखिये, वह शून्य का भी संकेत दे सकता है, विशुद्ध भव्य भूमा का, स्थिर, स्थाणु, सब कुछ से असम्पृक्ति का। वहाँ शिव की बात कैसी?

फिर संगीत और नृत्त जैसी कलाओं को लीजिये। सम्बन्ध इनका भी मनुष्य की चेतना से होता है, उसके सौन्दर्य-बोध से—चेतना के दूसरे पक्षों से भी हो सकता है। अच्छे संगीत की गति में एक शान्ति होती है, चेतना की निरहं आत्मविश्रान्ति, एक सहज ताटस्थ्य-भाव। पर संगीत निरे उद्दीपन का भी माध्यम हो सकता है। पर जो भी हो, संगीत का बोध मनुष्य 'का' होता है, मनुष्य के 'बारे में' नहीं होता। वहाँ शिवत्व की बात ही जैसे उठती नहीं दीखती। यही बात नृत्त—निरभिनय नृत्य—के बारे में भी कही जा सकती है। यह भी सोचिये कि नृत्त के विषय में एक बोध हमारे यहाँ पुराना है, और यहाँ स्मरणीय है : नृत्त के उद्भावक भगवान् शिव हैं, और उनके नृत्त का सम्बन्ध प्रलय से है, जहाँ प्रवृत्ति मात्र को वे अपने निराकार में समाहित कर लेते हैं। इस दृष्टि से नृत्त का सम्बन्ध निवृत्ति से बैठता लगता है—उसका शिवत्व से सम्बन्ध कैसा? वह शिव के धवल अट्टहास की तरह है—उपेक्षा, उनमनी निवृत्ति में बसा हुआ।

कह आया हूँ कि शल्य जी का यह लेख उनके साहित्य-कला विचार में—विशेष कर साहित्य-विचार में, एक नया मोड़ है। एक बात का अर्थ है, जमाव-विस्तार नहीं। विचारों के सूत्र खुलते दिखते हैं, पूरी बुनावट नहीं। सूत्रों में दिशा-भेद उभरे, तनाव दिखे, यह स्वाभाविक है। प्रतीक्षा रहेगी कि संवेदना और विचार आगे कैसे बढ़ते हैं।

सरला कल्ला

'काव्य-तत्त्व' शीर्षक से लिखे गये लेख में शल्य जी के काव्य विषयक विचार उनके सत् या यथार्थ विषयक विचारों के सन्दर्भ में प्रस्तुत हुए हैं। फिर भी मुझे लगता है कि इन दोनों में से एक पर सहमत होते हुए भी दूसरे से असहमत हुआ जा सकता है। अब यदि मूल प्रस्थापनाओं पर ही असहमति दिखाई दे तो संवाद में आरम्भ से ही उलझनें आयेंगी। दूसरे, वहाँ से बात शुरू करने का अर्थ होगा एक वैकल्पिक विचार-योजना को समग्रता में प्रस्तुत करना। वैसी सामर्थ्य मेरी नहीं है। किन्तु शल्य जी के विचार के कुछ पक्षों की ओर इंगित कर सकती हूँ जो मुझे समस्या-प्रद लगे हैं। कला के स्वरूप पर शल्य जी ने पहले भी विस्तार से अनेक लेखों में

विचार किया है। प्रस्तुत लेख कहीं पर उनसे हटता दिखाई देता है। इस परिवर्तन का ठीक-ठीक निर्देश किस तरफ है यह इतना स्पष्ट नहीं है। उनके लेख के सार को संक्षेप में कहते हुए कुछ जिज्ञासाएँ आपके सामने रखती हूँ।

शल्य जी के अनुसार, किसी मनुष्य का या वस्तु का सत् उसकी 'तथता', उसका 'होना' मात्र नहीं है जो कि उसका बाह्य पक्ष भर है। इनका एक आंतर पक्ष भी होता है जिसे इनका विषयिता पक्ष कहते हैं, जिसे देख पाना ही वस्तु के याथार्थ्य को देख पाना है, उसके सत्य को, सौन्दर्य को, शिवत्व को देख पाना है। अन्तश्चक्षु से ज्ञात यह यथार्थ इसे आविर्भूत करने जैसा है और कवि यही करता है। इसीलिए वह मनीषी है और इस रूप में उसके कर्म का सत्त्व ईश्वर के सृजन जैसा है।

वस्तु का मर्म देख पाना सहज नहीं है, मनुष्य का तो और भी कठिन है। इसे देखने व उपयुक्त ऋत में व्यवस्थित करने का काम कवि की प्रतिभा ही कर सकती है। कवि मानो जड़, चेतन सबका आत्मकथाकार है, उनके अन्तर्मन में पैठने वाला, उनसे अन्तरंग होता हुआ, उनकी विषयिता के नये रूप को उद्‌घाटित करता हुआ उसे वाणी देता है। इस लोक में इसी जीवन के सुख-दुःख कवि की दृष्टि से सार्थक बन जाते हैं। कवि अपने कर्म के निर्वाह में अनिवार्यतः शिव से शासित होता है। शल्य जी मानते हैं कि कला अपनी चरमता में शिवत्व का, नैतिकता का स्थगन नहीं कर सकती, जो लोग 'कला कला के लिए' या कला की नैतिकता से निरपेक्षता का विचार रखते हैं शल्य जी उनसे मूलगामी विरोध रखते हैं।

दूसरी ओर काव्य के रस-विषयक सिद्धान्त के प्रति भी उनकी गहरी आपत्ति है। वे मानते हैं कि रस-सिद्धान्त कला को आस्वाद्य रूप में देखता है जो कि अनुपयुक्त है। शल्य जी मानते हैं कि महान् काव्य या उपन्यास अधिकांश में महान् विचार से ही महान् होते हैं। रस-सिद्धान्त काव्य के भावना पक्ष का ही आकलन करने के कारण दोषपूर्ण है। काव्य व अन्य कलाओं में भाव एक महत्त्वपूर्ण घटक है किन्तु उसे आधारभूत या व्यावर्तक नहीं कहा जा सकता। वे मानते हैं कि कलाओं में यह केवल संगीत में आधारभूत होता है। काव्य आस्वाद्य रूप न होकर सत् और शिव को उद्‌घाटित करने वाली दृष्टि का परिचायक होता है। दृष्टि की सम्यक्ता के अनुरूप ही काव्य महान् होता है। दृष्टि की सम्यक्ता आचरण में भी प्रतिफलित हो यह ज़रूरी नहीं है। इस विरोध की व्याख्या क्या हो इस प्रश्न को अनुत्तरित छोड़ते हुए लेख समाप्त होता है।

यह स्पष्ट है कि काव्य के तत्त्व के रूप में लेख में जो भी कहा गया है वह 'कथ्य' से ही सम्बन्धित है, उस काव्य का 'रूप' कैसा हो जो उसे काव्य की संज्ञा दे सके इस पर कुछ नहीं कहा गया है। बहुधा चर्चा में यह प्रश्न अवांतर होता है कि लेखक ने जो नहीं कहा, क्यों नहीं कहा, किन्तु ऐसे किसी सन्दर्भ में ऐसा प्रश्न वास्तव में ही उठाया जा सकता है जहाँ विचारणीय विषयवस्तु के कुछ आयाम गहन रूप से जुड़े हों, एक-दूसरे में अन्तर्ग्रथित हों। काव्य के सन्दर्भ में 'कथ्य' व 'रूप' अवियोज्य लगते हैं। काव्य-तत्त्व पर लिखे गये लेख में काव्य के रूप पक्ष का उल्लेख भी नहीं हो यह खटकता है।

एक बात जो इस लेख में है और कला-विषयक उनके पूर्व के लेखों में नहीं है वह है कला के अन्तरंग पक्ष के रूप में सौन्दर्य की अवधारणा की स्वीकृति। अपनी बहुतचर्चित पुस्तक **मूल्यतत्त्व-मीमांसा** में कला का अन्वेष्य विषय पर लिखे गए अध्यायों में वे स्पष्ट कहते हैं कि कला का अन्वेष्य सत्य है, सौन्दर्य नहीं। आगे वे यह भी कहते हैं कि जहाँ अन्वेष्य सौन्दर्य हो वह शिल्प है, कला नहीं है। इस लेख में शल्य जी की स्थापनाएँ उस याथार्थ्य को जो कवि का अन्वेष्य है सत्, शिव और सुन्दर की त्रयी के रूप में मानते हुए ही विकसित हुई हैं (यदि वे पूर्व में भी ऐसा ही मान रहे होते तो यह नहीं कहते कि कला का अन्वेष्य सत्य है और सौन्दर्य नहीं है। वे अपनी बात यों रख सकते थे कि सत्य सौन्दर्य से युक्त होता हुआ कला का अन्वेष्य बनता है।) वैसे काव्य का सौन्दर्य से सम्बन्ध क्या है इसका ठीक निरूपण कितना ही समस्यात्मक क्यों न हो, इनमें कोई गहरा सम्बन्ध है, यह सहज ही लगता है। सौन्दर्य उस दृष्टि में भी होता है जिससे कवि वह देख पाता है जो साधारण जन नहीं देख पाता और सौन्दर्य उसे व्यक्त करने के रूप का भी होता है। कभी-कभी तो यह इतना प्रबल होता है कि वह कथ्य के साधारण होने पर भी उसे असाधारण बना देता है। कवि ने विषयिता के किस पक्ष को उन्मीलित किया और कैसे

किया ये दोनों ही उसे श्रेष्ठ काव्य बनाते हैं। कई विचारक ऐसे होंगे जो सौन्दर्य का सम्बन्ध रूप से अधिक मानेंगे, कथ्य से कम। शल्य जी चाहें तो इससे उलट भी मान सकते हैं। किन्तु इसमें मुझे सन्देह ही है। हम यहाँ सौन्दर्य की जिस तरह से बात कर रहे हैं शल्य जी को वह अभिप्रेत नहीं लगता। वे सम्भवत: सौन्दर्य का अर्थ 'नैतिक सौन्दर्य' के रूप में ले रहे हैं। यों सौन्दर्य का एक यह भाव भी होता ही है और निश्चित रूप से वह किसी भी नैतिक रूप से सजग व्यक्ति को आकर्षित करता है। किन्तु सौन्दर्य का इससे भिन्न एक आयाम है जो नैतिक बोध से भिन्न स्वतन्त्र बोध है। मुझे लगता है कि ऐसा अकारण ही नहीं है कि शल्य जी काव्य के 'रूप' पर कुछ नहीं कहते। यदि वे सौन्दर्य का अर्थ नैतिक सौन्दर्य ही लेते हैं तो उसका सम्बन्ध कथ्य से ही हो सकता है, रूप से तनिक भी नहीं।

क्या शल्य जी अभी भी वहाँ हैं जहाँ पहले थे? सौन्दर्य और रस के प्रत्यय, जो कला से अविच्छिन्न रूप से जुड़े हुए हैं, उन्हें परे हटाकर कला का विवेचन करते हुए? पर जैसाकि मैंने ऊपर कहा, यहाँ से बात आरम्भ करने का अर्थ होगा मूल प्रस्थान–बिन्दुओं पर असहमत होते हुए एक वैकल्पिक विचार–योजना प्रस्तुत करना। रस–सिद्धान्त की अयुक्तता दिखाते हुए वे कहते हैं कि काव्य व अन्य कलाओं में भाव एक महत्त्वपूर्ण घटक तो है किन्तु आधारभूत या व्यावर्त्तक नहीं है। अब यदि भावना काव्य का व्यावर्त्तक लक्षण नहीं है तो विचार भी नहीं है। जहाँ तक भावना के आधारभूत होने की बात है तो शल्य जी जो स्वयं **मूल्यतत्त्व–मीमांसा** के 'कला का अन्वेष्य' अध्यायों में भावित सत्य को कला का अन्वेष्य मानते रहे हैं, उसे 'वैचारिक सत्य' से अलग करते हुए वे भावना को आधारभूत घटक के रूप में कैसे अस्वीकार करेंगे? वैसे इस लेख में वे कहते हैं कि भावना संगीत में ही आधारभूत होती है। चलिए, उन्होंने संगीत को अन्य कलाओं से पृथक् किया, अन्यथा वे कलाओं को एक सूत्र में पिरोते रहे हैं। वहाँ भावना का स्थान उन्हें साहित्य में और चित्रकला में भी सहज ही जान पड़ा था, संगीत में भी ऐसा ही था। भावित सत्य का ही प्रकटन कलाओं में होता है, वे ऐसा कहते रहे हैं। अब यदि मैं उनके पूर्व के लेख का उल्लेख कर रही हूँ तो इसीलिए कि वे स्वयं ऐसा मानते हैं कि उनका कोई एक लेख अक्सर उनके चिन्तन की समग्रता में ही समझा जा सकता है। वैसे पाठक के लिए ऐसा कर पाना किसी भी लेखक के सन्दर्भ में बहुत मुश्किल होता है, शल्य जी के सन्दर्भ में तो असम्भव सा है। इसलिए हमेशा की तरह उनकी बात अंशत: ही समझ सकी हूँ, पूर्णत: नहीं। इस पर उनसे स्पष्टीकरण की आशा में बात समाप्त करती हूँ।

यशदेव शल्य

मुकुन्द जी ने अपनी टिप्पणी में पहले मेरे लेख के प्रतिपादन की मेरे मूल दार्शनिक चिन्तन के परिप्रेक्ष्य में बहुत ही सुन्दर व्याख्या की है जो वे ही कर सकते थे, और अनन्तर इस परिप्रेक्ष्य में इस लेख को रखते हुए कुछ महत्त्वपूर्ण प्रश्न उठाये हैं। व्याख्या में व्याख्याकार की अपनी सूझ–बूझ भी थोड़ी–बहुत जुड़ जाती है, वह इस व्याख्या में भी हुआ है, किन्तु वह अधिकांश में मेरे विचार के उपकारी के रूप में ही हुआ है। उनका पहला प्रश्न मेरे सम्पूर्ण चिन्तन के सन्दर्भ में इस लेख के प्रतिपाद्य को लेकर ही है। उनके अनुसार इस लेख में मैंने मानव–हृदय की बात ऐसे की है मानो वह वैसा ही परमार्थ सत् हो जैसा दर्शन का विचार्य परमार्थ सत् होता है। वे कहते हैं, "यहाँ एक प्रश्न जागता है : क्या यहाँ दृष्टि कुछ वैसे मानवतावाद की ओर झुकती नहीं दीखती—वैसे मानवतावाद की ओर जहाँ मानव अपने–आप में एक पूर्ण, स्वयंप्रतिष्ठ सत्ता–सी पाने लगता है?" नहीं, मनुष्य को मैं स्वयंप्रतिष्ठ नहीं मानता हूँ। यह मैंने **सत्ताविषयक अन्वीक्षा** पुस्तक में स्पष्ट रूप से कहा है (द्रष्टव्य, पृ. 173)। यों यह मुकुंद जी ने स्वयं भी कहा है। यहाँ भी मनुष्य को जिस रूप में देखा गया है—दु:ख, अभाव, क्लेश से पीड़ित—ऐसा मनुष्य स्वयंप्रतिष्ठ कैसे हो सकता है? किन्तु इसी पीड़ा और क्लेश का, अपने अस्तित्व में ही निहित अपने अभाव का, अपना भी कोई अर्थ–सम्भार हो सकता है, यह काव्य ही दिखा सकता है—**सांख्यकारिका** त्रिविध दु:ख की और उसकी आत्यन्तिक निवृत्ति की बात करती है और बुद्ध दु:ख–समुदय और उसके कारण की बात करते हैं। किन्तु भोगे गए दु:ख की आत्मकथा वे नहीं कहते। काव्य इसी की कथा कहता है। इसका यह अर्थ नहीं है कि यह भोगा गया दु:ख कोई स्वयंप्रतिष्ठ सत् है, या स्वयं में मूल्य भी है, मैंने अपने चिद्‌विषयक विवेचन में इसे चिद्‌गत असत् का द्योतक ही कहा है, किन्तु इस असत् की अपनी माया का पसारा कैसा है उसका प्रत्यक्ष, उसकी अर्थरचना, उसका अर्थावगाहन, इनका अपना मूल्य है। यह मूल्य क्या है? वास्तव में सब अर्थ और उनके मूल्य चेतना में

उसके देखने से ही आविर्भूत होते हैं। व्याध द्वारा चकवी का वध होने पर चकवा दु:खी हुआ ही होगा। पशु-पक्षियों में कभी-कभी यह दु:ख इतना असह्य होता है कि इससे वे मर तक जाते हैं। किन्तु इस दु:ख में अर्थलोक का आविर्भाव तभी होता है जब चेतना उस होने को देख पाती है : जब कालिदास अज में पैठकर दमयन्ती के विरह के उत्ताप को देखते हैं। **गीता** जब कहती है "सुख-दु:खे समे कृत्वा, लाभालाभौ जयाजयौ" तो वह ठीक ही कहती है, किन्तु इस सुख-दु:ख में भी अर्थों का यह उन्मेष मानो ब्राह्म चैतन्य में गुहागत सत् और आनन्द के ईश्वर के माध्यम से जगद्रचना के द्वारा सत्यापन के अनुरूप होता है। दर्शन इस ईश्वरीय सत्यापन पर विमर्श के मार्ग से उसके ब्राह्म गुहागत मूल का साक्षात्कार करने का प्रयत्न करता है और कवि ईश्वर के अनुरूप चित्त-गुहागत सदसत् : असद्-व्यहित सत् : के सत्यापन का प्रयत्न करता है। अब, स्वयंप्रतिष्ठ तो ईश्वर भी नहीं है, उसे भी माया का आश्रय लेना पड़ता है, मनुष्य की तो फिर बिसात ही क्या है, जो स्वयं ईश्वर में प्रतिष्ठित है और आत्मविस्मृत होने से आनन्दमय के बजाय दु:खमय है।[1] वह स्वरूपत: आत्म-वियुक्त, अपने आनन्द-गेह से निर्वासित, आत्मविरही है, अपने अस्तित्व में आगन्तुक अलग है, तब वह स्वयंप्रतिष्ठ कैसे होगा? यों यह कथा जीवमात्र की ही है, किन्तु मनुष्य की मुसीबत यह है कि उसे इस आत्म-प्रवास या आत्म-वियोग का किंचित् आभास भी रहता है। इसे समझने के लिए ब्रह्म और जगद्विवर्त की औपनिषद कल्पना का सहारा लेना उपयोगी होगा। उसके अनुसार मोक्ष परम पुरुषार्थ है, श्वेतकेतु का स्वरूप ब्रह्म है, श्वेतकेतु-रूप मिथ्या है। किन्तु कल्पना करें कि यदि जगत् होता ही नहीं तो क्या होता? हम कहेंगे कि तब ब्रह्म आत्म-अचरितार्थ रहता। ब्रह्म के अपने अर्थ-वैभव के व्यक्त होने के लिए जगन्माया का होना आवश्यक है। 'एक' ने 'बहु' होने की 'इच्छा' इसलिए की। यह नहीं होता तो मोक्ष-पुरुषार्थ भी नहीं होता। सो, इस अर्थ-वैभव के आविर्भाव के लिए ब्रह्म में आत्म-व्यवधान का उत्पन्न होना, उसका अपने आनन्द-गेह से आत्म-प्रवासित होना आवश्यक है।

मुकुंद जी का दूसरा प्रश्न है, "क्या हम यह नहीं कह सकते कि साहित्य मनुष्य को उसकी दैनन्दिन मनुष्यता से ही बाँध कर रख देता है? उसे ही सार्थक, अपने आपमें साध्य-पुरुषार्थ कर देता है?" यह प्रश्न मुकुंद जी ने मेरे इस प्रतिपादन के सन्दर्भ में उठाया है कि "मनुष्य का मूल धर्म ही यह है कि इसका कोई स्थिर धर्म नहीं है।" नहीं, ऐसा मेरे किसी प्रतिपादन से आपादित नहीं होता। कवि (कहानीकार, उपन्यासकार सहित) कभी यथाभूत, यथास्थित को प्रस्तुत नहीं करता, वह यथाभाव्य, यथाएष्य को ही प्रस्तुत करता है। यदि उसकी रचना में ऐसा अभिधेय रूप से प्रस्तुत नहीं हो तो व्यंग्य रूप में प्रस्तुत होता है। यदि मुकुंद जी का आशय यहाँ यह है कि मेरे अनुसार काव्य का विषय सामान्यत: मनुष्य का लोक-जीवन दैनंदिन का व्यवहार ही होता है तो यह अधिकांशत: सही है, मैंने यही कहा है, किन्तु काव्य की साधना इस लोक के मर्म का अवगाहन कर उसमें निहित अर्थों के मणि-माणिक्यों को प्रकाश में लाने में है। यह भी कह सकते हैं कि उसमें उनका आधान करने में है। ईश्वर इस व्यवहार-लोक की ही सृष्टि करता है, इससे वह छोटा नहीं होता, ऐसे ही कवि इस लोक के अर्थों को ही अन्वेष्य और अवगाह्य बना कर छोटा नहीं होता। किन्तु इससे यह किसी भी प्रकार आपादित नहीं होता कि यह लोक पराकाष्ठा है।

मुकुंद जी आगे कहते हैं, "सौन्दर्य की बात हो तो रस की बात भी हो सकती है। रस को सौन्दर्य के भाव-पक्ष के रूप में देखा जा सकता है।" मैं यह स्वीकार करता हूँ। लेख में रस-सिद्धान्त का अस्वीकार मैंने काव्य को इससे परिभाषित करने के अर्थ में (वाक्यं रसात्मकं काव्यम्) और रस को मनोवैज्ञानिक रूप में लेने के कारण किया है, अभिनव गुप्त की स्वयं की जो दृष्टि है उस अर्थ में नहीं, यद्यपि उसमें भी उनकी 'संवित् विश्रान्ति' आदि प्रत्यभिज्ञा-दर्शन की पदावली मुझे उपयुक्त नहीं लगती।

आगे मुकुंद जी ने प्रश्न उठाया है, "साहित्य में शिव-सुन्दर का एकात्म-भाव देखा जा सकता है, पर दूसरी कलाओं में? और प्रकृति के प्रति सौन्दर्य बोध में?" साहित्य के समान ही दूसरी कलाओं में भी शिवत्व का भाव, और सौन्दर्य का भाव भी, वास्तव में भाव के गुण रूप में रहता है। उदाहरणत: कबीर या तुलसी के भजन आप पॉप संगीत-रचना में या **गुरु ग्रंथ साहिब** के पद दिलेर मेहँदी के संगीत में नहीं गा सकते, गाएंगे तो विसंगति

1. यहाँ वैदान्तिक 'ब्राह्म चेतन्य' और 'ईश्वर' पदों का प्रयोग उत्प्रेक्षा रूप में ही किया गया है, वेदान्त के अनुरूप नहीं किया गया है।

होगी। या, यदि इन संगीतों में गाना चाहें ही तो इन संगीत-रचनाओं को अपने को दूसरी ओर बहुत अधिक झुकाना होगा। इस पर आपत्ति हो सकती है कि "तब पॉप या दिलेर मेहँदी के संगीत में भी, उनके संगीत होने से, शिवत्व होना चाहिए।" इसका उत्तर है कि वहाँ भी शिवत्व की अपेक्षा होती है, जिसकी पूर्त्ति हो यह आवश्यक नहीं होता। मुकुंद जी ने साहित्य और नृत्त तथा संगीत में भेद दिखाते हुए जो सत्य, सौन्दर्य और रस विषयक प्रश्न उठाये हैं उन पर आगे 'कला की मूल्य-दृष्टि' लेख में कुछ विचार हुआ है।

सरला जी ने पहले मेरे लेख का सारांश प्रस्तुत किया है और उसके बाद उसके सम्बन्ध में प्रश्न उठाये हैं। सारांश साधारणत: ठीक ही है। उनका पहला प्रश्न लेख के अन्तरंग से सम्बन्धित नहीं है, वह बाहर से उठाया गया है। इसलिए इसे प्रश्न नहीं कहकर आपत्ति ही कहना चाहिए। आपत्ति है कि मैंने काव्य के निरूप्य पक्ष पर ही विचार किया है, उसके निरूपण पक्ष पर, रूप-पक्ष पर, कुछ विचार नहीं किया है। अर्थात् कविता को कहानी से, कहानी को उपन्यास से उनके कौन-से रचनात्मक वैशिष्ट्य पृथक् करते हैं? कौन-सा रचनात्मक वैशिष्ट्य इन तीनों को साहित्य रूप में परिभाषित करता है और इन्हें संगीत कला और चित्रकला आदि से पृथक् करता है, इस पर विचार नहीं किया है। इसका उत्तर यह होगा कि यह विचार कलाशास्त्र के अन्तर्गत आता है, काव्य-विषयक दार्शनिक चिन्तन के अन्तर्गत नहीं आता। दूसरे, एक लेख अधिकांशत: एक पक्ष विशेष को लेकर ही चलता है, और ऐसा ही वह कर सकता है, विषय के सभी पक्षों पर विचार एक पुस्तक में होता है, यद्यपि वहाँ भी ऐसा हो यह आवश्यक नहीं होता। उदाहरणत: साहित्यशास्त्र की पुस्तक में साहित्य के अन्य कलाओं से भेदाभेद पर और दर्शन तथा राजनीति शास्त्र से भेद पर विचार हो, यह आवश्यक नहीं है।

सरला जी ने दूसरा प्रश्न साहित्य की सौन्दर्यपरकता के सम्बन्ध में उठाया है। उनकी आपत्ति है कि मैंने **मूल्यतत्त्व-मीमांसा** पुस्तक के कला विषयक अध्यायों में कला का अन्वेष्य सौन्दर्य के विपरीत सत्य को कहा था। उनकी यह आपत्ति सही है। इसका उत्तर देने के लिए कुछ विस्तृत विचार की आवश्यकता थी इसलिए मैंने इस पर पृथक् लेख : काव्य-तत्त्व-2 : में ही विचार किया है, जो पीछे संकलित है।

सरला जी ने काव्य में सौन्दर्य की बात करते हुए उसके रूप-पक्ष और वस्तु-पक्ष (जिसे उन्होंने कथ्य कहा है) दोनों के सौन्दर्य की बात की है और दोनों को काव्य के उत्कर्ष विधायक कहा है। इसके सम्बन्ध में मैंने 'साहित्य का स्वरूप' लेख में कुछ विचार किया है। यहाँ मुझे इतना ही कहना है कि वैदग्ध्य (साहित्य का रूप-पक्ष) किसी कृति को तभी महान् बनाता है यदि वह महत् वस्तु का व्यंजक हो, वह स्वयं में पार्यन्तिक होकर, या कहें स्वयं-पर्याप्त बनकर कृति को महत् नहीं बनाता। उस लेख में मैंने 'आलम और सुजान के दोहे—कनक छरी सी कामिनी, काहे को कटि छीन। कटि को कंचल काटि विधि, कुचन मध्य धरि दीन' का एक ओर और मीरा के पदों का दूसरी ओर उदाहरण लिया है। अब, मीरा के पदों में रूप-पक्ष प्राय: अनगढ़ ही है, किन्तु उसकी वस्तु शिवत्व और सत्य से महिम सौन्दर्य में अत्यन्त उच्च कोटि की है। इसके विपरीत कालिदास या तुलसीदास, रवीन्द्र या अज्ञेय में रूप वस्तु की समृद्धि का समृद्ध व्यंजक है। किन्तु उस 'रूप' को 'सुन्दर' कहने का कोई विशेष अर्थ नहीं है, उसे व्यंजकता में प्रकृष्ट कहना ही उपयुक्त प्रतीत होता है।

आगे सरला जी ने आपत्ति की है कि मैंने इस लेख में कला में भाव को व्यावर्त्तक नहीं माना है जबकि 'कला का अन्वेष्य' अध्यायों में माना है। किन्तु यह सही नहीं है, मैंने वहाँ भी वास्तव में 'विषयिता प्रत्यय के अवगाहन' को ही कला का अन्वेष्य कहा है और इस लेख में भी यही कहा है, वहाँ 'भावना का आत्म-निरूपण' पद इसी अर्थ में प्रयुक्त है। तब भी, यह कहा जा सकता है कि उन अध्यायों में मेरा ध्यान विचार-पक्ष की ओर नहीं गया। किन्तु ऊपर उल्लिखित 'साहित्य का स्वरूप' लेख में मैंने विचार की बात उसी प्रकार की है जिस प्रकार इस लेख में की है। और फिर इस लेख में भी भावना को एक अनिवार्य घटक स्वीकार किया ही है।

काव्य का याथार्थ्य

'अर्थ' शब्द का एक अर्थ वस्तु भी होता है और 'यथार्थ' शब्द में 'अर्थ' उसी का वाचक है। इस प्रकार 'यथार्थ' शब्द अर्थ के अनुरूप, वस्तु के अनुरूप, वास्तविक, का वाचक है। किन्तु अर्थ के, वस्तु के अनुरूप या प्रतिरूप होने का क्या अर्थ है? ऐसा कुछ हो कैसे सकता है जो वस्तु के अनुरूप नहीं हो? यह एक बड़ा गम्भीर और दुरूह प्रश्न है। किन्तु यह प्रश्न नहीं उठाएँ तो यह एक साधारण-सी बात है। हमें प्राय: ही भ्रम होता है, संशय होता है, विश्वास भी होता है जिसकी पुष्टि भी होती है। यह स्थिति याथार्थ्य और अयाथार्थ्य की स्थिति उत्पन्न करती है। इसमें चेतना और वस्तु का, अर्थ का, द्वैत गृहीत है। 'रज्जु को सर्प देखना' हमारे दार्शनिकों का एक सर्वप्रिय उदाहरण है। किन्तु यह लौकिक उदाहरण अलौकिक भ्रान्ति को समझाने के लिए प्रयुक्त किया जाता रहा है—ब्रह्मस्वरूप आत्मा को लोकस्वरूप देखने की भ्रान्ति के लिए। किन्तु ये दो बिल्कुल अलग तरह की भ्रान्तियाँ हैं। रज्जु और सर्प जबकि दर्शक : चेतना : से भिन्न और बाहर दो पृथक् सत्ताएँ हैं और इस प्रकार वस्तु : अर्थ : होने की अपेक्षा को पूरा करती हैं, आत्मा और ब्रह्म इस प्रकार की सत्ताएं नहीं हैं, कम से कम आत्मा तो स्पष्टत: ही नहीं है और इस प्रकार अर्थ होने की अपेक्षा की पूर्त्ति नहीं करती। किन्तु यह भी एक साधारण बात है कि हमें अपने सम्बन्ध में बहुत सी भ्रान्तियां होती हैं। पीछे फ्रायड ने तो इसे लेकर एक चिकित्सा-विधि ही रच दी थी, जिसे 'रचना' के बजाय 'खोज' ही कहा जाता है। अर्थात् ऐसी वस्तु को ढूँढ निकाला था जो हमारी दृष्टि से ओझल पड़ी थी। आत्मगत भ्रान्तियों और संशयों के और भी अनेक प्रकार और प्रसंग होते हैं। जैसे "क्या मेरे मन में ऐसा विचार, ऐसी भावना का आना उचित है?" "क्या मेरी यह युक्ति तर्कसंगत है?" "मेरी यह कविता जमी नहीं।" ये सब भी भ्रान्ति, संशय, अपने से अपने कम रह जाने (जैसे कविता-रचना में) के उदाहरण हैं। साँप में रस्सी का भ्रम तो क्षण भर में निवृत्त हो जाता है और इसकी जाँच की सहज-सरल विधि भी उपलब्ध रहती है, किन्तु आत्मा विषयक भ्रांतियां और संशय दुर्निवार्य और कभी-कभी अ-निवार्य होते हैं। इस पर कहा जा सकता है कि वस्तु की वास्तविकता, अर्थ की यथार्थता तो इन्द्रिय से ही प्रकट होती है, युक्ति-विषय, विवेक-विषय आदि की कोई स्वतन्त्र अर्थता नहीं होती। किन्तु तब इन्द्रिय विषय की अर्थता भी इन्द्रिय से पृथक् कोई नहीं होती यह सहज ही देखा जा सकता है : आँख नहीं होने पर वर्ण नहीं रहते, बहरापन होने पर ध्वनियाँ नहीं रहतीं, त्वक् नहीं रहने पर शीतोष्णता और कोमलता-कठोरता आदि नहीं रहतीं। इसी से वैज्ञानिक भी इन्हें वस्तुगत धर्म नहीं मानते। किन्तु तब भी विज्ञान को ही यथार्थ ज्ञान का एकमात्र प्रमापक मानने वाले एकमात्र इन्द्रियमूलक ज्ञान को ही यथार्थ मानते हैं और शेष को काल्पनिक मानते हैं।[1] इसमें चेतना और अर्थ : वस्तु : का द्वैत पूर्वगृहीत है और इसके साथ यह भी पूर्वगृहीत है कि चेतना से इतर : अर्थ : इन्द्रियों को ही गम्य होते हैं। वे यह नहीं देखते कि इन्द्रियों को प्रदत्त वस्तु का स्वरूप भी इन्द्रियों को गम्य नहीं होता, वह भी बुद्धि पर ही प्रकट होता है।

सभी अर्थ, वे चाहे विमर्श-विषय हों चाहे विवेक-विषय, और चाहे प्रतिभा-विषय, चेतना को बाह्यत: ही प्रस्तुत होते हैं और उससे अपनी ओर उन्मुख होने की अपेक्षा करते हैं। 'पानी आग पर रखने पर क्यों उबलता है?' इस जिज्ञासा का विषय उतना ही जिज्ञासा से बाहर होता है जितना 'क्या यह पानी है?' इस जिज्ञासा का विषय। इसी प्रकार, 'क्या मेरा यह कार्य उचित था?' 'वस्तु का सौन्दर्य क्या वस्तुगत होता है या कि द्रष्टागत?' इन

---

1. जो सिद्धान्त यहाँ हम प्रतिपादित करने जा रहे हैं वह अनुरूप प्रतीत होने वाले अन्य दार्शनिक मतों से कुछ भिन्न है और वह विस्तृत विवेचन की अपेक्षा रखता है। वह विवेचन हमारी पुस्तकों **चिद्विमर्श; सत्ता विषयक अन्वीक्षा** तथा **मूल्य तत्त्व-मीमांसा** में एवं **सत् की चिन्मयता** लेख, उन्मीलन, जनवरी, 2001 में देखा जा सकता है।

जिज्ञासाओं के विषय भी जिज्ञासा से स्वतन्त्र ही होते हैं। इनमें दूसरे प्रश्न को देखें। यहाँ सौन्दर्य के ऐन्द्रिय वस्तुगत होने या द्रष्टागत होने का प्रश्न निर्णेय है और निर्णय का प्रसंग तभी उपस्थित हो सकता है यदि दोनों में भेद स्पष्ट नहीं हो। यहाँ कम से कम यह अभेद स्पष्ट है कि 'ऐन्द्रिय वस्तुगत' और 'द्रष्टागत' दोनों गुण जिज्ञासा के लिए समान रूप से बहि:स्थित हैं। जिज्ञास्यों की इस बहि:स्थिति का मूल चेतना की आत्मचेतनता में है। अर्थात् चेतना के अपने को अपना विषय बनाने में। इस पर कहा जा सकता है कि आत्मचेतन तो केवल मनुष्य की चेतना ही होती है किन्तु विषय तो पाशव चेतना के लिए भी बहिर्गत ही होते हैं। यह सही है। किन्तु उस चेतना के विषय जिज्ञास्य नहीं होते, वे मात्र नियोजक होते हैं, वे चेतना को अपने प्रति नियुक्त करते हैं और इस प्रकार चेतना वहाँ विषय से इतर नहीं रहती, अथवा कहें विषय वहाँ चेतना के लिए इतर नहीं रहते, चेतना उनमें तत्सात् रहती है।

अब, ज्ञान के अनेक रूप या प्रकार हैं और उन्हीं के अनुरूप विषयों के प्रकार भी रहते हैं। आप चाहें तो उलट प्रकार से भी कह सकते हैं, कि विषयों के अनेक प्रकार हैं और तदनुसार ज्ञान के भी हैं। इस तरह इन्द्रियों से हम पत्थर आदि को देखते हैं, वनस्पतियों, पशु-पक्षियों और मनुष्यों को देखते हैं। ये सब इन्द्रिय-विषय हैं, किन्तु ये उतने मात्र नहीं होते। यहाँ तक कि मनुष्यों को ही नहीं पशु-पक्षियों तक को भी हम इन्द्रियविषयता के उदाहरणों के रूप में नहीं देखते। अब, यदि मनुष्य इन्द्रियविषय होने पर भी उसके सही उदाहरण के रूप में देखा जाने के योग्य नहीं है तो पत्थर आदि ही क्यों हैं? पत्थर इन्द्रियविषयता का इसलिए उपयुक्ततम उदाहरण है क्योंकि उसका इन्द्रियगम्य से आगे और कोई सत्त्व नहीं है। किन्तु वास्तव में पत्थर का सत्त्व भी इन्द्रियगम्यता मात्र में निश्शेष नहीं होता। किन्तु द्रष्टव्य है कि दार्शनिकों ने इन्द्रियविषय के उदाहरण रूप में घट-पट आदि का ही उल्लेख किया है। इसके सम्बन्ध में हमने अन्यत्र[1] दिखाया है कि कैसे ये उदाहरण ठीक नहीं हैं। वहीं हमने यह भी दिखाया है कि वास्तव में प्रस्तर आदि भी इन्द्रियविषयता मात्र में निश्शेष नहीं होते। ऐन्द्रिय प्रस्तुति वास्तव प्रस्तुति के लिए संकेत मात्र होती है। अब, घट को लें। यह कुंभकार की रचना होता है, मिट्टी मात्र नहीं होता। इस प्रकार यह मिट्टी में घटत्व का अवतरण होता है जो कुंभकार की चेतना में आविर्भूत होता है और उसके हाथ और चाक आदि के माध्यम से मिट्टी को अपना उपादान बनाता है। इसके लिए मिट्टी का होना एक अनुषंग मात्र है, वह किसी धातु का भी हो सकता है। अब, मिट्टी, धातु आदि साधारण रूप में दृक् और त्वक् दो इन्द्रियों के विषय होते हैं और घट का चित्र भी इन दो इन्द्रियों का ही विषय होता है। किन्तु दूसरे में उसकी त्वक्-ग्राह्यता उससे असम्बद्ध होती है। इन्द्रिय-प्रदत्त इन दो 'घटों' को यह स्थिति अर्थत: भिन्न कर देती है और इन्द्रिय-प्रदत्तता को इन अर्थों के लिए एक गौण संकेत मात्र सिद्ध कर देती है। 'मानव-व्यक्ति' विषय की ऐन्द्रिय प्रदत्ता में दो से भी अधिक ऐन्द्रिय प्रस्तुतियाँ हो सकता है, किन्तु मनुष्य की ऐन्द्रिय प्रस्तुतियाँ उसकी मनुष्यरूपता के लिए अप्रासंगिक होती हैं। अब, कुछ सामने आये व्यक्ति के रूप-रँग की ओर अधिक ध्यान देते हैं और दूसरे उसकी भंगिमाओं को भी देख पाते हैं। किन्तु कुछ इन दोनों को उनकी समग्रता में मात्र संकेत के रूप में ही लेते हुए उस व्यक्तित्व का साक्षात्कार करते हैं जो बाह्य रूप और भंगिमा को अपनी अभिव्यक्ति का माध्यम बनाता है। अब, ये तीनों अर्थ हैं और इनका अपना-अपना याथार्थ्य है। किन्तु द्रष्टव्य है कि सब अर्थों की अर्थता उनके याथार्थ्य से ही तय होती है, याथार्थ्य अर्थता से नहीं, क्योंकि याथार्थ्य के बिना अर्थ अपने आपसे कुछ होता ही नहीं। इसके लिए कांट की स्वलक्षण वस्तु (थिंग इन-इट्सेल्फ) अच्छा उदाहरण हो सकती है जो इन्द्रियगम्य अर्थों : वस्तुओं : का आधार अर्थ : वस्तु : होने पर भी इन्द्रियग्राह्य एक भी गुण या धर्म से युक्त नहीं है—न वर्ण, गन्ध, काठिन्य आदि से और न देश-काल तक से भी। हेगल ने उसे इसीलिए निरर्थक घोषित कर अपनी दर्शन-व्यवस्था से उसे हटा दिया। एक

---

1. द्रष्टव्य **चिद्विमर्श** में 'मनुष्य और जगत्' अध्याय।

अन्य लेख[1] में हमने **ईशावास्य उपनिषद्** का एक अत्यन्त अर्थ-गर्भ मन्त्र उद्धृत किया था—कविर्मनीषी परिभू: स्वयंभूर्याथातथ्यतोऽर्थान् व्यदधाच्छाश्वतीभ्य: समाभ्य:। अब, कवि-मनीषी ईश्वर द्वारा सब अर्थ यदि उनके याथार्थ्य के अनुसार व्यवस्थित नहीं किये जाएं तो कोई अर्थ हो ही नहीं। सब वस्तुएं अपने वस्तु-धर्म के अनुरूप होने पर ही वस्तुएं हो सकती हैं नहीं तो रज्जु-सर्प के समान भ्रांति-जन्य अथवा आकाश-कुसुम के समान अलीक होंगी।

अब, मनुष्य इसी ईश्वर-प्रदत्त याथार्थ्य का अपनी सामर्थ्य के अनुसार अन्वेषण करता हो या स्वयं उसकी चेतना में ही अर्थों का अवतरण होता हो और वह उनके याथार्थ्य का अन्वेषण करता हो, कोई अर्थ याथार्थ्य के बिना, अथवा कहें याथार्थ्यत: व्यवस्थित हुए बिना, स्वरूपवान् नहीं हो सकता।

यहाँ याथार्थ्य के सम्बन्ध में एक स्पष्टीकरण अनिवार्य है। हमने ऊपर कहा कि अर्थों को याथातथ्य या तो ईश्वर प्रदान करता है या वह स्वयं मानव-चेतना में ही आविर्भूत होता है। वास्तव में ईश्वर भी यदि कवि और मनीषी है तो वह भी अर्थों को मनमाने नहीं रच सकता, न उन्हें मनमाने याथातथ्य दे सकता है। वह भी उनका अतिक्रान्तत: साक्षात्कार ही कर सकता है। इसी साक्षात्कारिता के कारण वह मनीषी और कवि है। यह सब अर्थों और उनसे सम्बद्ध याथार्थ्यों के सम्बन्ध में सही है। वैज्ञानिक भी जिस भौतिक याथार्थ्य का अन्वेषण करता है वह अर्थ प्रथमत: अपने को उसकी चेतना में प्रागनुभविक रूप से ही प्रकाशित करता है और वह उस प्रकाश की दिशा में, उसी से संकेत ग्रहण कर उसके आनुभविक अन्वेषण में प्रवृत्त होता है। अन्यथा भौतिक प्रकृति की एकता और उसकी समग्रता को धारण करने वाले नियम की विद्यमानता का बोध आनुभविकतया कैसे ग्राह्य हो सकता है? इसीलिए अनुभववादी दार्शनिक और उस भ्रान्त दृष्टि से निगृहीत वैज्ञानिक इस एक नियम की धारणा को व्यवहार-सौकर्य के लिए स्वीकृत अभ्युपगम मात्र के रूप में देखते हैं, उसे वास्तव नहीं मानते। किन्तु उनकी इस मान्यता के लिए कोई युक्ति नहीं है। वास्तव में मानव-चेतना सीमित है—अर्थात् अपने-आप से वियुक्त, अपने-आप में व्यवहित चेतना। इसलिए वह अर्थों के याथार्थ्य का संकेत भर ही पाती है, जिसे पाकर वह उस व्यवधान को क्रमश: दूर करने में अग्रसर होती है जो अर्थों के याथातथ्य को उससे आवृत रखता है। इस संकेत-ग्रहण में हम भ्रान्त भी हो सकते हैं। रज्जु को सर्प देखना इसका स्थूलतम उदाहरण है जो हम प्राय: अपवाद रूप में ही देखते हैं, किन्तु बुद्धि, विवेक और प्रतिभा आदि विषयक अर्थों के अनर्थ को हम उनका याथार्थ्य प्राय: ही माने रहते हैं। इसे इस प्रकार देखें—चूल्हा, चक्की का आविष्कार भौतिक अर्थ के याथार्थ्य-दर्शन से सिद्ध होता है, दूरदर्शन, वायुयान आदि इस याथार्थ्य के और गहनतर दर्शन से सिद्ध होते हैं। इस सिद्धि की क्रमिकता हमारी चेतना की इस पक्ष में आवरण-मुक्ति की क्रमिकता की द्योतक होती है। किन्तु यह आवरण-मुक्ति दूसरे पक्षों में अयथार्थ को यथार्थ समझने की हेतु भी हो सकती है। उदाहरणत: भौतिक विज्ञान के रूप में सिद्ध आवरण-मुक्ति इस गहनतर आवरण की हेतु बनी कि केवल इन्द्रियगम्य अर्थ ही यथार्थ अर्थ हैं, शेष अर्थ अयथार्थ हैं।

इस प्रकार अर्थों के अनेक रूप हैं और वे अपने-अपने याथार्थ्य में प्रतिष्ठित होते हैं। साधारणत: हमें सभी अर्थ विषयतया ही प्रस्तुत होते हैं, यहाँ तक कि स्वयं हमारी आत्मा भी। इस प्रकार हमारा आत्मसाक्षात्कार भी विषय रूप में प्रस्तुत आत्मा का ही साक्षात्कार होता है। किन्तु चेतना का निजी जीवन विषयिता का होता है। अर्थों के विषयतया ग्रहण में चेतना विषय-दर्शन भी करती है और विषयितया घटित भी होती है। विषयात्मक अभिवृत्ति में चेतना के लिए अपनी यह ग्राहकता : विषयिता : अगृहीत ही रहती है—"ज्ञातारं रे, केन विजानीयात?" अनात्मचेतन जीव अपने को कभी देखता ही नहीं—वह अपने को कभी आत्म-प्रत्यय-गोचर नहीं होता। किन्तु वह 'होता' तो है ही और चेतन रूप में ही होता है। इसे उसकी 'विषयिता का होना' या 'विषयितया होना' भी कह सकते हैं। किन्तु आत्मचेतन चेतना का यह भी वैलक्षण्य है कि वह अपने इस विषयितया होने को, उसके

---

1. द्रष्टव्य 'काव्य-तत्त्व' लेख।

विषयकरण के बिना, उसकी विषयिता में भी अवधारण कर सकती है। इसे आप चाहें तो आत्म-प्रकाशन, आत्माभिव्यक्ति भी कह सकते हैं। अन्यत्र[1] हमने इसे "विषयिता का विषयिता-प्रत्यय रूप में भावन" कहा है। विषय-वृत्ति में जबकि चेतना अपने को भी पर-रूप में जानती है, विषयितया भावन में वह पर की विषयिता से भी तादात्म्य स्थापित कर सकती है। यों तो अनात्मचेतन चेतना में भी 'चेतना का घटित' होना संवेदात्मक मात्र नहीं होता, क्योंकि वह चेतना भी जीवन के विभिन्न व्यापारों में विविध रूप से आकारित होती है, किन्तु मनुष्य की चेतना स्मृति, भाषा, विमर्श, विवेक, प्रतिभा आदि अनेक शक्तियों से मण्डित होने के कारण और इन सब शक्तियों में उसके आत्मचेतन होने के कारण वह अर्थ-राशि की अतल और अपार निधि हो पाती है। इन सब ज्ञान-रूपों में इसकी आत्मप्रकाशित विषयिता को भावना या अनुभूति कहते हैं। ये भावनाएं एक आवयविकता में अधिष्ठित होती हैं जिसे हम 'एक व्यक्ति का जीवन' कह सकते हैं। काव्य का विषय ये भावनात्मक अर्थ या जीवन ही होते हैं।

ऊपर हमने आत्मचेतन चेतना को अतल और अपार अर्थ-राशि की निधि कहा। यहाँ 'अर्थ' शब्द 'शब्द-वाच्य अभिप्राय' या 'आशय' का वाचक भी हो सकता है किन्तु यहाँ हम इस शब्द का प्रयोग इस अर्थ में नहीं कर रहे हैं। यहाँ हम इसका प्रयोग 'अवगमन-व्यापार द्वारा लक्षित तत्त्व' के लिए ही कर रहे हैं, जो इस अर्थ में इस व्यापार से अतिक्रान्त होते हैं कि वह अवगमन इनकी अपेक्षा से सत्य या असत्य होता है और इस प्रकार वे अर्थ इस व्यापार के सापेक्ष या कहें अंतर्गत गुण नहीं होते। इन अर्थों की अतलता और अपारता पुन: इन अर्थों की अतिक्रान्तता की ही द्योतक होती है। किन्तु इनका यह लक्षण इन्हें चेतना से भिन्न भौतिक नहीं बना देता। अब, अर्थों की यह अनवगाह्यता विषयिता के पक्ष में उतनी ही होती है जितनी विषयता के पक्ष में, केवल विषयिता के पक्ष में यह अधिक गुह्य, अधिक स्तब्धकारी होती है। विषयता की परमता भौतिकता में लक्षित होती है। इस भौतिक विषयगत अर्थ की अनवगाह्यता इसके औपादानिक उपयोग और एतद्विषयक वैज्ञानिक अनुसंधान की अनन्तता में लक्षित होती है। किन्तु यह विषयता उतनी ही मनोविज्ञान, समाजविज्ञान और इतिहास में भी होती है। केवल यहाँ यह भेद होता है कि ये विषय मनुष्य विषयक होते हैं जिसका विषयिता का पक्ष उसके विषयता के पक्ष से कहीं अधिक गुरु होता है, क्योंकि उसकी स्वकीय विषय-वृत्ति इन अध्ययनों के लिए उसकी विषयिता से निरपेक्ष नहीं होती। उदाहरणत: जो मनोविज्ञान 'मन' को 'व्यवहार' के पर्याय के रूप में ही अपने अध्ययन का विषय बनाता है वह मन के यथार्थ के सम्बन्ध में भ्रान्त ही रह सकता है। क्योंकि यह व्यवहार उस मनुष्य का होता है जो स्वयं उस व्यवहार का प्रेक्षक भी होता है और जो इस व्यवहार के यथार्थ स्वरूप के सम्बन्ध में भ्रान्त भी हो सकता है, अथवा स्वयं अभ्रान्त रह कर दूसरों को भ्रम में डाल सकता है, अथवा किसी व्यवहार से अपने को रोक सकता है। इसी से कुछ इतिहास-दार्शनिकों ने तो इतिहास-लेखन में विषयिता के पक्ष में अन्त:प्रवेश को भी अनिवार्य माना है।[2] किन्तु तब भी मनोविज्ञान और इतिहास में अन्य की विषयिता भी विषयतया ही ग्राह्य होती है, जैसे वह व्यक्ति के आत्म-विवेचन में भी होती है। इस प्रकार इतिहास में सम्राट् अशोक या चन्द्रगुप्त मौर्य देश, काल, परिस्थिति और कारण-कार्य-व्यवस्था के अधीन ही लक्षित होते हैं। इसके विपरीत महाकाव्य के नायक राम किसी देश-काल-परिस्थिति से निरपेक्ष उसके अधिष्ठाता के रूप में लक्षित होते हैं। रामायण में कवि उन्हें देश-काल-पारिवारिक-सामाजिक परिस्थिति में नहीं देखता और न ही उस दृष्टिगत का विवरण देता है, वहाँ वह परकाय-प्रवेश करता और रामायत होता है। राम की यह काया भी भौतिक नहीं होती, वह चैत्त-काया : चैत्त विग्रह : की बाह्य अभिव्यक्ति मात्र होती है, जैसे भाषा में ध्वनि अर्थ की, और चित्र में रँग-रेखा भाव की अभिव्यंजक मात्र होती हैं। किन्तु वास्तव में काव्य में यह चैत्त विग्रह भी काव्य-वाच्य अर्थ नहीं होता : काव्यगत राम का याथार्थ्य राम-प्रत्यय ही होता है जिसकी अभिव्यक्ति के लिए कवि दूसरे ही आयाम में चैत्त और भौतिक

---

1. द्रष्टव्य — **चिद्विमर्श, सत्ताविषयक अन्वीक्षा** तथा **मूल्यतत्त्व-मीमांसा** में कला विषयक अध्याय।

2. द्रष्टव्य, कालिंगवुड, आर.जी. — **दि आइडिया ऑफ हिस्ट्री**, क्लेरेंडन प्रेस, 1964

विग्रहों का, और उस सम्पूर्ण लोक का जो रामायण महाकाव्य का रूप लेता है, सर्जन करता है। राम का याथार्थ्य रामत्व-प्रत्यय होने के कारण ही विभिन्न रामायणों की रचना सम्भव हो सकी, असंख्य नाटक, नृत्य, गीत, चित्र और मूर्त्तियाँ रची जा सकीं जो उस प्रत्यय को केवल अंशत: ही व्यक्त करती हैं और उससे केवल अंशत: ही सम्यक् होती हैं। वह प्रत्यय अपनी महिमा में अनवगाह्य और अपरिमेय ही बना रहता है। द्रष्टव्य है कि यों सभी व्यक्ति अपने मूल रूप में प्रत्यय ही होते हैं[1] जिन्हें चरितार्थ करने के लिए भौतिक और चैत्त विग्रहों का आविर्भाव होता है, किन्तु इन व्यक्तियों के ये विग्रह देश, काल, कारण-कार्य-सन्तति और परिस्थिति के भी विषय होते हैं और इस प्रकार वे भौतिक और चैत्त यथार्थ भी होते हैं, यद्यपि केवल आनुषंगिक रूप में ही। इतिहास व्यक्ति या व्यक्तियों के मुख्यत: इसी : भौतिक और चैत्त : अर्थ को अपना विषय बनाता है किन्तु काव्य सीधे मूल प्रत्यय को ही लक्षित करता है और उसके अलौकिक लोकावतरण के लिए चैत्त विग्रह की कल्पना से रचना करता है। द्रष्टव्य है कि ये प्रत्यय अपने याथार्थ्य में विभिन्न रूप और गुण-युक्त होते हैं और अपने अर्थ : आशय : की विपुलता में विभिन्न आयतनों वाले होते हैं। इस प्रकार केवल वाल्मीकि के राम ही ऐसे हो सकते थे जो अद्वितीय लावण्यमय तन वाले, परम दु:खद परिस्थितियों में भी अविचल और उदात्त, विचलन में भी गौरवान्वित, अतुल बलवान् रावण को पराभूत करने वाले किन्तु पराभूत रावण की मृत्यु पर अश्रु-पूरित थे। इसी प्रकार गीता का उपदेश केवल कृष्ण ही दे सकते थे, **गोदान** का होरी, **अन्तिम अरण्य** के मेहरा साहिब या **पूर्वापर**[2] का बंटू नहीं। साधारण रूप से, बाह्यत: देखें तो, राम के जीवन में ऐसा कुछ घटित नहीं होता जो स्वयं में बहुत महत् हो, किन्तु उनका जीवन अपने होने मात्र में ही अव्याख्येय रूप से हिमालय के समान उत्तुंग और सागर के समान गम्भीर है। यह 'होने मात्र में ही' महत् राम की उदात्तता और गम्भीरता उस सबको अन्तर्व्याप्त करती है जिसमें वे घटित होते हैं। इसके विपरीत **गोदान** उपन्यास के होरी का 'होना' उस अपार दैन्य और दारिद्र्य का 'होना' है जो भारतीय कृषक-जीवन का अन्त:सार है। यहाँ कहा जा सकता है कि 'राम का याथार्थ्य' वाल्मीकि की कल्पना के तत्कालीन भारतीय सांस्कृतिक आदर्श का सम्यक् प्रतिबिम्ब होने से और 'होरी का याथार्थ्य' प्रेमचन्द की कल्पना के तत्कालीन भारतीय कृषक-जीवन का सम्यक् प्रतिबिम्ब होने से है। राम-प्रत्यय और होरी-प्रत्यय स्वयं में कोई वस्तुएं, कोई अर्थ, या किन्हीं स्वतन्त्र अर्थों में प्रतिफलित याथार्थ्य नहीं हैं। मान लें। किन्तु तब यह मानना होगा कि 'रामायणकालीन भारतीय सांस्कृतिक आदर्श' और 'प्रेमचन्दकालीन भारतीय कृषक-जीवन का दारिद्र्य' कोई अर्थ हैं जिनके साक्षात्कार वाल्मीकि और प्रेमचन्द ने प्रत्यय रूप में किये और उन प्रत्ययों को क्रमश: राम-कथा और गोदान-कथा के रूप में रचा। किन्तु तब मेहरा साहिब और बंटू के सम्बन्ध में क्या कहा जायगा? वास्तव में राम-कथा और गोदान-कथा के सम्बन्ध में यही कहना अधिक युक्त है कि वे अर्थों के प्रत्यय-रूप में साक्षात्कार हैं और इसी प्रकार के अर्थों के प्रत्ययन मेहरा साहिब और बंटू में मूर्त्तित होते हैं जो राम-कथा, गोदान-कथा, अन्तिम अरण्य-कथा और पूर्वापर-कथा के वाच्य हैं। ये काव्य-रचनाएं ठीक ईश्वरीय जगद्रचना के अनुरूप हैं जिसकी ओर **ईशावास्य** उपनिषद् के उपर्युक्त मन्त्र का संकेत है। यहाँ ईश्वर के नाम से घबराने या चौंकने की ज़रूरत नहीं है, क्योंकि जैसाकि हमने पीछे कहा, सृजनात्मक साक्षात्कार- विषय अर्थ कवि या ईश्वर की चेतना में अतिक्रान्त रूप में ही आविर्भूत होते हैं और कवि या ईश्वर को अपना माध्यम ही बनाते हैं। वही साक्षात्कार्य अर्थ दार्शनिक के चित्त के माध्यम बनने पर अमूर्त्त-अरूप सिद्धान्त का रूप लेते हैं और धर्म-चेता के चित्त के माध्यम बनने पर कर्म-क्षेत्र का रूप लेते हैं। साक्षात्कार के माध्यम के इस तीसरे रूप के अत्यन्त स्पष्ट उदाहरण बुद्ध, अशोक और गान्धी प्रस्तुत करते हैं। यों साधारण रूप से साधारण स्तर पर ऐसे साक्षात्कार प्रत्येक व्यक्ति की चेतना में सदसद्-विवेक के रूप में रूपायित होते ही रहते हैं।

× × ×

---

1. द्रष्टव्य, यशदेव शल्य — **सत्ताविषयक अन्वीक्षा** में 'मानव-तत्त्व' अध्याय।
2. क्रमश: प्रेमचन्द, निर्मल वर्मा और रमेशचन्द्र शाह के उपन्यास।

काव्य-विमर्श

ऊपर हमने काव्य पर विचार करते हुए कथात्मक काव्य के ही उदाहरण लिए, ऐसे अकथात्मक काव्य के नहीं जिसमें कवि सीधे भावना, विचार या स्थिति विशेष के ही अन्त:सार का साक्षात्कार करता है। काव्य के इस पक्ष को ध्यान में रखते हुए हमने अन्यत्र[1] विस्तार से विचार किया है। इस प्रकार के काव्य में कवि भावना या भावित विचार या स्थिति विशेष के अन्त:सार का प्रत्ययन कर उसे अभिव्यक्ति देने के लिए या तो शब्द-बिम्बों की रचना करता है अथवा बाह्य स्थितियों को ही व्यंजक रूप में रचता है। यहाँ कुछ उदाहरण देना उपयोगी होगा—

1. मत जा, मत जा, मत जा, जोगी! पाँव पड़ूँ मैं तोरे!
   जल-बल भई राख की ढेरी, अपने अंग लगा जा, जोगी! (मीरा)

2. हम बासी उस देस के, जहँ पार-ब्रह्म का खेल,
   दीपक जरै अगम्य का, बिन बाती बिन तेल,
   हद्द छाँडि बेहद भया, रहा निरन्तर होय,
   बेहद के मैदान में, रहा कबीरा सोय। (कबीर)

3. ओ चिर नीरव, मैं सरित विकल,
   तेरी समाधि की सिद्धि अकल
   चिर निद्रा में सपनों का पल,
   ले चली लास में लय-गौरव। (महादेवी वर्मा)

4. धीरे धीरे उतर क्षितिज से, आ वसन्त रजनी!
   तारकमय नव वेणी-बंधन, शीषफूल कर शशि का नूतन,
   रश्मिवलय सित घन-अवगुंठन,
   मुक्ताहल अभिराम बिछा दे, चितवन से अपनी! (महादेवी वर्मा)

5. एक सादी चादर / अनकढ़ी / न फूल न पत्ती कहीं
   असामान्य की गन्ध से मुक्त- / बबूल के जंगल-सा / ढलता अँधेरा
   केतकी का सबेरा फिर / श्वेतमान आकाश।
   ताकने लगता वही / पीला मुख / अनगिनत झींगुरों की टेर /
   रहती अस्फुट / न कहती रसना कोई / गूंगे का दुख। (गोविन्दचन्द्र पाण्डे)

6. एक गरीब मुहल्ला / सार्वजनिक नल के नीचे / रात भर ठिठुरते /
   खाली बरतन
   हाँ /मैंने देखे हैं/जाने कितने सूर्योदय / उनमें / डबडबाते। (रमेशचन्द्र शाह)

यहाँ मीरा के गीत ऐसे हैं जैसे मानो अमिश्र उद्वेग का प्रवाह निर्बाध फूट पड़ा हो। किन्तु वास्तव में ऐसा नहीं है। यह उद्वेग सांस्कृतिक परम्परा में रूढ़ प्रतीकों के माध्यम से रचित हुआ है। किन्तु यह रचना भावना की अपनी विषयिता को ही प्रतीकों में प्रत्ययात्मकतया बिम्बित करती है। इस कविता का याथार्थ्य भावना के अर्थत: (वस्तुत:) घटित होने और कवि-सुलभ साक्षात्कार का विषय होने में है। कविता 2 और 3 में एक विचार का अन्त:सार भावना के गुण रूप में अर्थवान् होता है और यह भावना अपनी विषयिता में ही प्रतीकों और रूपकों के माध्यम से सम्प्रेष्य बनती है। चतुर्थ कविता में तारों और चाँद से मण्डित निशीथ का आकाश सौन्दर्यानुभूति का आलम्बन बनता है और यह अनुभूति इस आलम्बन को रूपक के रूप में रच कर संप्रेष्य बनती है। यहाँ

1. ऊपर पादटिप्पणियाँ 3 तथा 4 में उल्लिखित।

सौन्दर्यानुभूति वस्तु या अर्थ है। पाँचवीं कविता में दु:ख की अनुभूति अर्थ है जो अर्थ अपने विषयि रूप के साक्षात्कार के लिए प्राकृतिक रूपों में अपने बिंब को रचता है। छठी कविता में बाहरी दृश्य बेबसी की मन:स्थिति का व्यंजक बनता है, जो बेबसी कवि की अपनी नहीं है, किसी व्यक्तिविशेष की भी नहीं है, बल्कि कुछ अविशिष्ट यद्यपि तब भी विशिष्ट व्यक्तियों की है जिसके साथ वह भावात्मकतया तदात्म होता है और उस मन:स्थिति को अभिव्यक्ति देता है। यों कवि ने यहाँ कुछ भी नहीं किया है, एक दृश्य को वर्णनात्मकतया ही प्रस्तुत कर दिया है, किन्तु तब भी यह दृश्य विषय नहीं है, बल्कि विषयितया व्यंजित है। पाण्डेजी की कविता इससे भिन्न है। वहाँ भावना को धारण करने के लिए दृश्य की योजना की गई है, जो योजना दृश्यात्मक होने पर भी मानो वहाँ भावना ने ही दृश्य रूप धारण कर लिया है। इसमें कवि का रचना-कौशल अद्भुत है, किन्तु यह कौशल दृश्य को अधिकाधिक अदृश्य बनाने में है, दृश्य को आकर्षक बनाने में नहीं। महादेवीजी का रजनी के सौन्दर्य का वर्णन इसके ठीक विपरीत है, किन्तु वह इसलिए क्योंकि वहाँ रूप का वैभव भावना का ही रूप-वैभव है।

× × ×

ऊपर हमने जिस वस्तु या अर्थ को काव्य का निरूप्य बताया और जिस अर्थ के प्रति सच्चा होने को उसका यथार्थ कहा वह अर्थ उस यथार्थवाद के अर्थ और याथार्थ्य से सर्वथा भिन्न है जो 18वीं-19वीं शताब्दियों में पाश्चात्य विज्ञान की विजय-दुंदुभी के साथ काव्य और कलाओं के लिए एक नया आदर्श बनकर आया था। इस दृष्टि के अनुसार अर्थ का स्वरूप केवल उसकी इन्द्रियगम्य अथवा उससे सम्बद्ध विषयता से निर्धार्य है और तदनुसार मनुष्य का तत्त्व भी भौतिक-रासायनिक है, उसके आगे किसी और तत्त्व की बात कपोलकल्पना मात्र है। इस दृष्टि के विस्तार के रूप में ही सामाजिक याथार्थ्य की बात भी की गई। कम्यूनिस्टों ने अपने दर्शन को ऐतिहासिक भौतिकवाद कहकर उसका प्रचारक होने को काव्य की यथार्थपरकता बताया और साहित्य का अपना कोई स्वतन्त्र अनुसन्धेय अर्थ मानने से इन्कार किया। उनके अनुसार, शोषक-शोषित वर्गों का द्वन्द्व ऐतिहासिक अर्थ का अयाथातथ्य है और उसकी समाप्ति, अथवा कहें शोषक वर्ग का परिभव उसका दूसरा याथातथ्य। काव्य का कार्य इस याथातथ्य को स्थापित करने में सहायक होने में है। अन्य सब या तो अनर्थ का, अयाथातथ्य का प्रत्यक्ष साधन बनना है या कपोलकल्पनाओं में काव्य को उलझा कर उसका, अनर्थ का, परोक्ष उपकारी बनना है।

किन्तु स्पष्टत: यह काव्य का साक्षात्कार्य अर्थ नहीं हो सकता, यह मानव-अस्तित्व के सामाजिक आयामगत अर्थ से जुड़ा एक प्रश्न है, इसे तत्संबद्ध अयाथातथ्य भी कह सकते हैं। किन्तु काव्य के लिए यह उसी प्रकार एक बाह्यार्थ है जिस प्रकार पुरुषार्थ विषयक अन्य प्रश्न हो सकते हैं।[1] इसे काव्य के प्रश्न के रूप में देखना काव्य को उसके स्वकीय अर्थ से विमुख करना है। सामाजिक अन्याय किसी भी विवेकशील व्यक्ति के लिए विचलित करने वाला होना चाहिए, कवि के लिए यह विशेष ही कष्टकर होना चाहिए। यह अन्याय नैतिक दृष्टि : विवेक-दृष्टि : के लिए अर्थ-विपर्यय भी है। किन्तु अधिकांश कवि-जनों को ऐसी दृष्टि सुलभ नहीं है, यह आश्चर्य की बात है। **महाभारतकार** को मनुष्य की कुछ ऐसी ही दूसरी दृष्टि-हीनता से आश्चर्य हुआ था—'अहन्यहनि भूतानि प्रयान्ति यम-मंदिरम्। शेषा**:** जीवितुमिच्छन्ति, किमाश्चर्यमत:परम्?' ऐसे ही आश्चर्य की बात यह भी है। किन्तु अब, यह एक वस्तु-स्थिति है, अन्य अनेक प्रमादों के समान, और जनवादियों के साथ भी यह उतनी ही है जितनी अन्यों के साथ है। इस अर्थ-विपर्यय के प्रति, विसंवादिता के प्रति संवेदनशीलता तो सब से पहले आचरण में दिखनी चाहिए न कि राजनैतिक सिद्धान्त की अनुचरता के रूप में काव्य में। काव्य में यह दिखे तो किसी राजनैतिक सिद्धान्त के निर्देशन के अनुसार नहीं दिखनी चाहिए। ऊपर उद्धृत रमेशचन्द्र शाह की कविता ऐसी संवेदना से ही प्रेरित है, **वाल्मीकीय रामायण** और **रामचरितमानस** की मूल दृष्टि ही यह है, यही प्रेमचन्द के **गोदान** और रमेशचन्द्र शाह के **किस्सा गुलाम** का संप्रेष्य है। किन्तु इन सब में यह काव्य की शर्तों

---

1. इस प्रश्न पर हमने 'कला की मूल्य-दृष्टि', में विस्तार से विचार किया है।

पर है, राजनैतिक सिद्धान्त या राजनैतिक स्वार्थ में उपयोगी दलबन्दी की शर्तों पर नहीं। किन्तु यदि कोई कवि जन–दु:ख को अपना विषय नहीं बनाता तो उससे यह सिद्ध नहीं होता कि वह उस दु:ख के प्रति संवेदनशील नहीं है। फिर, दु:ख तो जीवन में अनेक हैं। बुद्ध ने जीवन में होने मात्र को ही दु:ख–रूप देखा था और इस प्रकार सर्वांशत: करुणाभिभूत थे। वह कोई बुर्जुआ की ऐयाशी नहीं थी, वह अतलान्त गम्भीर दृष्टि थी। वास्तव में तो कोई भी संवेदनशील प्रबुद्ध व्यक्ति सब ओर दु:ख ही देख सकता है क्योंकि सब ओर अज्ञान व्याप्त है, जो सबसे बड़ा दु:ख–हेतु है। यह शोषक–शोषित की बात ही लें! ये क्या कोई आर्थिक वर्ग हैं? यह केवल एक मानसिकता है और इस मानसिकता को सब वर्गों के आर–पार देखा जा सकता है। और वास्तव में शोषक उससे कहीं अधिक गहरे दु:ख में होता है जितने गहरे दु:ख में शोषित होता है। कबीर ने 'आप ठगाइये' का परामर्श कोई सामंतों को प्रसन्न करने के लिए नहीं दिया था, सत्य के साक्षात्कार से ही दिया था। इससे मैं आर्थिक शोषण के तथ्य को नहीं नकार रहा हूँ और उसको दूर करने के प्रयत्न को भी अनावश्यक नहीं कह रहा हूँ। किन्तु यह शोषण मानव–चेतना में लगे गहरे रोग का एक लक्षण मात्र है। महान चेता उस रोग को ही देखता और उसका उपचार ढूँढ़ता है। काव्य में वाल्मीकि, नानक, कबीर और तुलसी ने यही किया। किन्तु कालिदास और भारवि, बिहारी, प्रसाद और अज्ञेय, जैनेन्द्र या निर्मल वर्मा यह नहीं करके भी काव्यात्मक वस्तु के याथार्थ्य–दर्शन में कहीं न्यून नहीं रहते।

कला की मूल्य–दृष्टि

कला की मूल्य–दृष्टि क्या है यह समझने के लिए पहले 'कला' का और 'मूल्य' का अर्थ समझना आवश्यक है। यों इनके वाचक शब्दों का प्रयोग सर्वसाधारण रूप से होता है, किन्तु इनका तत्त्व क्या है, स्वरूप क्या है, यह उतना स्पष्ट रूप से ज्ञात नहीं है। 'मूल्य' पद के अर्थ के सम्बन्ध में तो बहुत व्यापक भ्रान्तियाँ हैं। 'मूल्य' शब्द का अर्थ सामान्यत: इच्छा–पूर्ति या अन्य किसी प्रकार से महत्त्वपूर्ण होने से सम्बन्धित समझा जाता है। 'कुछ व्यक्ति वस्तु की सुन्दरता को उसकी उपयोगिता से अधिक मूल्य देते हैं', 'रमेश के लिए सन्तान से अधिक मूल्य पैसे का है', 'रमेश मैत्री का मूल्य नहीं जानता, उसके लिए उपयोगितापरक सम्बन्धों का ही मूल्य है' आदि वाक्यों में 'मूल्य' शब्द का जिस अर्थ में प्रयोग हुआ है उसे इस शब्द का प्रचलित अर्थ कहा जा सकता है। अवश्य 'नैतिक मूल्य', 'धार्मिक मूल्य' और 'कलात्मक मूल्य' आदि पदों का प्रयोग भी होता है, किन्तु इन प्रयोगों में 'मूल्य' पद का क्या अर्थ है और पहले वाक्यों में इस पद के अर्थ से इसका क्या भेद है, यह कुछ स्पष्ट नहीं होता। हमारी परम्परा में 'मूल्य' शब्द का यह प्रयोग नहीं था, इसलिए उपर्युक्त वाक्य–रचनाओं में 'मूल्य' के स्थान पर यथाप्रसंग 'इच्छा', 'महत्व', 'प्रवृत्ति', 'भाव' आदि शब्दों का प्रयोग हो सकता था। आज के 'मूल्य' शब्द के अनेक प्रयोगों में से एक या कुछेक के वाचक अर्थ के निकटतम जो हमारा पारम्परिक शब्द है वह 'पुरुषार्थ' है। किन्तु इस शब्द का भी कोई एक ही अर्थ था, ऐसी बात नहीं है, वास्तव में इसके प्रयोग में उतनी ही और वैसी ही भ्रान्तियाँ थीं जैसी 'मूल्य' शब्द को लेकर हैं। 'पुरुषार्थ' शब्द का एक प्रचलित अर्थ 'प्रयत्न' भी था, जिसका निहितार्थ 'प्रयत्न का प्रेरक विषय' या 'प्राप्य विषय और उसके लिए अभीप्सा को जोड़ने वाला प्रयत्न' था। ऐसी अभीप्साओं और उनके विषयों का वर्गीकरण धर्म, अर्थ, काम और मोक्ष इन चार में किया गया था। इनमें 'अर्थ' पुरुषार्थ प्रभुता और धन–धान्य की अभीप्सा विषयक था और 'काम' यौन इच्छाओं विषयक था। ये दोनों पुरुषार्थ सहज जैव प्रवृत्तियों से सम्बद्ध थे। इनके विपरीत धर्म और मोक्ष पुरुषार्थ थे, जिनमें जैव प्रवृत्तियों का नियमन या बाध अपेक्षित था। धर्म पुरुषार्थ कर्त्तव्यनिष्ठा और आध्यात्मिक अभ्युदय के लिए आत्म–नियोजन का वाचक था। इस प्रकार पुरुषार्थों के ये दो विपरीत प्रकारक वर्ग बन जाते हैं। किन्तु तब इनमें प्रथम वर्ग को 'पुरुषार्थ' कहना कैसे अयुक्तिसंगत है, इस पर मैंने अन्यत्र (द्रष्टव्य **उन्मीलन,** वर्ष 10, अंक 2, जुलाई, 1996) विचार किया है। यद्यपि इस अयुक्तता के परिहार के लिए कुछ विचारकों ने 'अर्थ' और 'काम'परक आकांक्षाओं के साथ उनके 'धर्मपूर्वक होने' की शर्त जोड़ी, किन्तु इसमें भी मूलगामी युक्ति–दोष है यह भी हमने वहाँ दिखाया है। तब 'पुरुषार्थ' का क्या अर्थ होना चाहिए और और इस युक्त अर्थ में 'काम' और 'अर्थ' कैसे पुरुषार्थ हो सकते हैं, इस पर मैंने 'साहित्य और संस्कृति' लेख में कुछ विस्तार से विचार किया है। इसके अनुसार 'पुरुषार्थ' का अर्थ 'पुरुष के योग्य अर्थों का अन्वेषण' होना चाहिए। इस प्रकार काम और अर्थ यौन इच्छाओं और प्रभुता की प्राप्ति के रूप में नहीं बल्कि पुरुष के योग्य अर्थों में रूपान्तरित होकर पुरुषार्थ कहलाएँगे। इस पर कहा जा सकता है कि इस परिभाषा से बात उतनी स्पष्ट नहीं हुई जितनी अस्पष्टता इससे बढ़ी है, क्योंकि अब प्रश्न यह हो जाता है कि कोई अर्थ पुरुष के योग्य हैं या नहीं, इसकी पहचान क्या है? इसके लिए यह जानना आवश्यक है कि पुरुष क्या है, उसका स्वरूप क्या है? किन्तु यह जाने बिना भी यह तो कहा जा ही सकता है कि **जो अर्थ पुरुष को उसके स्वरूप के अनुरूप बनाएँ वे अर्थ ही पुरुष के लिए अनुसरणीय हैं, उसके योग्य हैं।** वास्तव में मोक्ष का तो ठीक यही अर्थ है—आत्मा का सब उपाधियों, आवरणों से रहित होना, अर्थात् पुरुष का अपने स्वरूप के अनुरूप होना, और 'मोक्ष के पुरुषार्थ होने' का अर्थ है इस अनुरूपता का अन्वेष्य होना, साध्य होना। जैव प्रवृत्तियाँ : काम और अर्थ : पुरुष के स्वरूप के ठीक विपरीत अर्थ हैं, इसलिए वे अपने आप से पुरुषार्थ नहीं हो सकते।

स्पष्ट है कि 'पुरुष का अपने स्वरूप के प्रतिरूप होना' क्या है, यह कैसा हो सकता है, यह अत्यधिक दुरवगम्य प्रश्न है और अत्यधिक विवादास्पद भी। किन्तु मनुष्य के सम्बन्ध में कुछ मूल बातें हैं जो स्वत:स्पष्टवत् सर्वस्वीकृत हैं। जैसे, अमुक स्वार्थी है और अमुक उदार, अमुक क्रूर है और अमुक सहानुभूतिशील और दयालु, अमुक सत्यवादी है और अमुक असत्यवादी आदि कथन क्रमश: निन्दात्मक और प्रशंसात्मक हैं और सम्भवत: मनुष्य मात्र इनके वाच्य गुणों की त्याज्यता और ग्राह्यता को स्वत:प्रमाणवत् देखता है। इस प्रकार प्रथम की त्याज्यता और दूसरे की ग्राह्यता पुरुषार्थ है। किन्तु ये क्यों पुरुषार्थ हैं तथा स्वार्थ और क्रूरता क्यों पुरुषार्थ-विरुद्ध हैं? इन प्रश्नों पर हम जैसे ही विचार करने चलते हैं त्यों ही प्रश्नों की अनन्त शृंखला उपस्थित हो जाती है। किन्तु यहाँ हमारे विचार का मुख्य विषय नहीं होने से यहाँ हम इसकी ओर इतना संकेत करके ही आगे बढ़ेंगे।

अब कला क्या है? इसकी परिभाषा निश्चित करने से पहले हम इसके उदाहरणों को देखेंगे। चित्र, संगीत, मूर्त्ति, अभिनय ये सब कला माने जाते हैं। पहले लोग काव्य को कला नहीं मानते थे, यद्यपि उसके सहोदर जैसा तो मानते ही थे, किन्तु आज काव्य को भी कलाओं के वर्ग में ही रखा जाता है। सो, काव्य-सहित ये सब कलाएँ हैं। इनके विपरीत काव्यालोचन, काव्य-शास्त्र, कला-चिन्तन, तत्त्व-मीमांसा, स्मृति-ग्रन्थ, यन्त्र या उपकरण-निर्माण ये सब कला नहीं माने जाते। अब, प्रथम वर्ग को दूसरे वर्ग से कौन-सा गुण पृथक् करता है और प्रथम वर्ग में सर्वसामान्य क्या है? और क्या यह अवच्छेदक गुण अपने आप में भी पुरुषार्थक या मूल्यवान् है या कि कोई और बाह्य गुण हैं जिनके होने पर ही कोई कलाकृति पुरुषार्थक या मूल्यवान् बनती है? यहाँ हम काव्य की दो प्रसिद्ध परिभाषाओं का उल्लेख कर उन पर अत्यन्त संक्षिप्त टिप्पणी करने के बाद कला के स्वरूप विषयक अपना मत प्रस्तुत करेंगे और तब कला के कला होने मात्र में निहित पुरुषार्थ या मूल्य पर विचार करेंगे। ये अन्य परिभाषाएँ इस प्रकार हैं—'वाक्यं रसात्मकं काव्यम्' और 'वक्रोक्ति काव्यस्य जीवितम्।' इनमें पहली परिभाषा का तात्पर्य स्पष्ट है, यद्यपि रस क्या है यह एक अत्यन्त जटिल प्रश्न है और इस पर अभिनव गुप्त का विवेचन बहुत सूक्ष्म और गम्भीर है। दूसरी परिभाषा में 'वक्रोक्ति' का अर्थ 'लाक्षणिक और व्यंजनात्मक पद-प्रयोग है।' इस दूसरी परिभाषा में अतिव्याप्ति दोष एकदम स्पष्ट है, क्योंकि भाषा का लाक्षणिक या व्यंजनात्मक प्रयोग सर्वसाधारण बोलचाल में भी होता है। किन्तु इस परिभाषा का सबसे बड़ा दोष, और यही दोष इसकी अतिव्याप्ति का भी हेतु है, यह है कि इसकी दृष्टि काव्य के केवल बाहरी रूप तक सीमित है। पहली परिभाषा : रसात्मक वाक्य काव्य है : में इस दोष का परिहार है। इसमें इसके केवल आन्तर गुण, इसकी आत्मा को ही लक्षित करने का प्रयत्न किया गया है। काव्य और कलाओं की यह परिभाषा बहुत व्यापक रूप से स्वीकृत भी है। किन्तु हमने अन्यत्र (द्रष्टव्य हमारी पुस्तकें **चिद्विमर्श, सत्ताविषयक अन्वीक्षा** तथा **मूल्यतत्त्व-मीमांसा** में कला विषयक अध्याय) विस्तार से कला का स्वरूप-विवेचन करते हुए इस परिभाषा की अयुक्तता दिखायी है। किन्तु यहाँ हम महाकवि कालिदास द्वारा **रघुवंश** के प्रथम श्लोक में पार्वती-परमेश्वर से की गई प्रार्थना को अपने प्रतिपादन का आरम्भ बिन्दु बनाएँगे। वे उनसे 'वागर्थ की प्रतिपत्ति' की याचना करते हैं। अर्थात् यह याचना करते हैं कि "उनकी वाक् विपुल अर्थ-गर्भ हो और ये अर्थ तत्त्वों का सम्यक् प्रकाशन करें, गुह्य सत्य के निदर्श बनें।"वे यह याचना नहीं करते कि उनकी कविता अधिक रसमयी हो। यदि उन्होंने यह याचना की होती तो यह सहज में ही कहा जा सकता था कि **रघुवंश** में उनकी यह याचना स्वीकृत नहीं हुई, क्योंकि उससे अधिक रसमय संस्कृत के ही बहुत-से काव्य मिल जाएंगे, रीतिकालीन हिन्दी के काव्य में बहुत-सी कृतियाँ उससे अधिक रसमय मिल जाएंगी। इस प्रकार **रघुवंश** की महाकाव्य के रूप में उत्कृष्टता उसकी रसात्मक शबलता के कारण है, यह कहना किसी भी प्रकार से सही नहीं होगा। यह और भी स्पष्ट रूप से **वाल्मीकीय रामायण** या तुलसीदास के **रामचरित मानस** में, टाल्स्टाय के **युद्ध और शान्ति** या हिन्दी के अनेक उत्कृष्ट उपन्यासों में देखा जा सकता है। यह बात इससे और स्पष्ट होती है कि यदि इन कृतियों में परस्पर तुलना करनी हो तो इनके मूल्यांकन का आधार इनकी रसात्मकता नहीं होगी—रस के किसी भी अर्थ में। किन्तु इनके मूल्यांकन का प्रतिमान उपर्युक्त अर्थ में वागर्थ की प्रतिपत्ति हो सकता है, अर्थात् कि इनमें वाक् किस सीमा तक विपुलतर अर्थों और गहनतर सत्यों के प्रकाशन में समर्थ सिद्ध हुई है। किन्तु यहाँ दो आपत्तियाँ हो सकती हैं। एक तो यह कि वागर्थ की प्रतिपत्ति कलात्मकता का, या काव्य का

भी, अवच्छेदक नहीं हो सकती, क्योंकि वह वैचारिक कृति के लिए भी समान रूप से अपेक्षित है। दूसरे, वाक् कलाओं में केवल काव्य में माध्यम बनती है, चित्र, मूर्त्ति या संगीत आदि में नहीं। इनमें पहली आपत्ति स्पष्टत: सही है, इसलिए उसके निराकरण के लिए एक ओर विशेषक की आवश्यकता है। जहाँ तक दूसरी आपत्ति का प्रश्न है, उसका उत्तर यह है कि 'वाक्' का अर्थ शब्द और वाक्य रूप में रचित ध्वनि और लिपि से ही नहीं है बल्कि विमर्शात्मकता मात्र से है। शब्दात्मकता वाक् का केवल एक आयाम है। (यहाँ यह स्पष्टीकरण आवश्यक है कि वाक् विषयक प्राचीन चिन्तन में ऐसा कुछ कहा गया है यह कहना सही नहीं होगा, यद्यपि भर्तृहरि के निम्न श्लोक में यह बात निहित है—

> अनादिनिधनं ब्रह्म शब्दतत्त्वं यदक्षरम्
> विवर्ततेऽर्थ भावेन प्रक्रिया जगतो यत:। (वाक्यपदीय 1.1)

(अनश्वर शब्दतत्त्वस्वरूप अनादि और अनन्त ब्रह्म अर्थ रूप से अपने को व्यक्त करता है, उसी से यह जगत्-प्रक्रिया आविर्भूत होती है।) तब देखने की बात यह है कि चित्र, संगीत में विमर्शात्मकता कैसे हैं और भाषा विमर्शात्मकता का अनेक में से एक आयाम कैसे है? इसके लिए 'विमर्श' का अर्थ समझना आवश्यक है। 'विमर्श' को इस प्रकार परिभाषित किया जा सकता है : विमर्श चेतना का अर्थमय उन्मेष है, और अर्थ वे तत्त्व होते हैं जिन्हें आत्मचेतन चेतना विषयों के रूप में प्रस्तुत कर उनके माध्यम से अपने सत्य को व्यक्त करती है। ये अर्थ अनेक रूपात्मक हैं और ये अपने को प्रतीकों के माध्यम से व्यक्त करते हैं और उन्हीं के माध्यम से अवगत होते हैं। प्रत्येक अर्थ अपने में अथाहता लिए रहता है और स्वायत्त तथा सामान्य होता है।

उदाहरण के लिए एक गाने को लें। उसमें एक भाव रचित और विवेचित होता है। वही भाव अन्य अनेक गानों में अनेक प्रकार से रचित हो सकता है, और वही भाव कविता, चित्र और नृत्य के माध्यम से भी रचित हो सकता है। इसी प्रकार, इन रचनाओं की प्रत्येक की अनेक व्याख्याएँ हो सकती हैं और तब भी वे नयी व्याख्याओं के लिए निश्शेष नहीं होतीं, और ये व्याख्याएँ स्वयं रचनाकार के लिए भी नवीन आयामों, पक्षों और दिशाओं को उद्घाटित करती हैं। यही बात वैचारिक अर्थों के लिए भी कही जा सकती है।

अब, चेतना का अर्थों में यह उन्मेष और इस उन्मेष की प्रतीकों के माध्यम से अभिव्यक्ति, अथवा कहें इन अर्थो के अवगमन के लिए प्रतीक-रचना, यह अपने आप में पुरुषार्थ है। पीछे हमने पुरुषार्थ की परिभाषा **ऐसे अर्थ जो पुरुष को उसके अपने स्वरूप के अनुरूप बनाते हैं** की थी। पुरुष के लिए अपने स्वरूप से यह अनुरूपता साध्य क्यों है, स्वत: सिद्ध क्यों नहीं है? तर्क में, और साधारण बातचीत में भी, 'अ अ है' को स्वत:सिद्ध—प्रमाण-अनपेक्षी—माना जाता है और वहाँ यह ऐसा ही होता भी है। 'अ' 'न-अ' से भिन्न ज्ञात तभी हो सकता है यदि वह अपने से अभिन्न हो। 'इतर-व्यावृत्ति' और 'अपने से अभिन्नता' एक ही बात के दो पक्ष कहे जा सकते हैं। परिणामत: अ को अ होने के लिए कोई प्रयत्न नहीं करना पड़ता, वह तो वह होता ही है। तब पुरुष स्व-रूपेण और सर्वतोभावेन अपने अनुरूप क्यों नहीं होता?

यहाँ ध्यातव्य है कि 'अ अ है' यह कथन वास्तव में वस्तुओं के बाह्य आकार का ही उल्लेखी होता है उनके तत्त्व या सत् का उल्लेखी नहीं होता। अपने तत्त्व या सत्य में सभी वस्तुएँ अपने से न्यून, अपने से ईषत् व्यवहित, अपने से पृथक्कृत ही होती हैं। पुरुष से इस बात में उनका भेद केवल यह होता है कि उनके तत्त्व या सत्य की गहराई और विस्तार पुरुष की तुलना में नगण्य होता है। पुरुष की अपने से न्यूनता, अपने से व्यवहितत्व पुरुष की कृतियों में भी लक्षित होता है। उदाहरणत: एक गायन को लें जो एक भाव की एक स्वर-रचना में अभिव्यक्ति होता है। अब, वह गायन उस भाव की पूर्णत: निर्दोष अभिव्यक्ति है, ऐसा नहीं कहा जा सकता, उसमें सुधार की अपेक्षा सदैव बनी रहती है। पुन:, वह अभिव्यक्ति असंख्य सम्भव अभिव्यक्ति-रूपों में से केवल एक सम्भावना का क्रियान्वयन होती है। अभिव्यक्तियों का यह स्वरूप वैचारिक अभिव्यक्तियों में अधिक सहज रूप से देखा जा सकता है। विचार को स्वरूपत: द्वन्द्वात्मक कहा जाता है, जिसका अर्थ है कि प्रत्येक विधि-वाक्य का एक

निषेध-वाक्य रहता है। किन्तु वास्तव में यह निषेध-वाक्य असंख्य वाक्यों का समवाय होता है। उदाहरणत: 'यह घट है' का निषेध-वाक्य 'यह अघट है' घट से भिन्न संसार की सभी वस्तुओं और संसार-बाह्य सभी कुछ का भी, समावेश करता है। यही बात एक वैचारिक प्रतिपादन के लिए भी लागू होती है। वसुबन्धु ने विज्ञानवाद का प्रतिपादन किया। इस विज्ञानवाद से भिन्न बर्कले का विज्ञानवाद है, और वे सब मत हैं जो विज्ञानवाद से भिन्न हैं। इस प्रकार एक विचार न केवल विचारक के अवगमन में ही अपूर्णत: गृहीत होता है बल्कि द्वन्द्वात्मकता के कारण अपनी उद्भावना में भी अपूर्णग्राही होता है। किन्तु विचार सत्य को लक्षित करता है जो सत्य द्वन्द्व को स्वीकार नहीं करता। ऐसी ही है पुरुष की साध्यता, उसका स्वरूप, जो सब सम्भव निषेधों का परिहार करता है। उपनिषद् में 'तत्त्वमसि श्वेतकेतो!' में पुरुष के इसी स्वरूप की बात की गई है। भारतीय दर्शनों में सत् का लक्षण पूर्ण अबाधितत्व कहा गया है। यद्यपि वहाँ इस लक्षण को उस रूप में नहीं देखा गया जैसा मैं यहाँ प्रतिपादित कर रहा हूँ, किन्तु इसे इस रूप में देखा जा सकता है। अब, विमर्श मात्र का यह स्वभाव है कि वह वाक् और अर्थ से रहित चेतना में वागर्थ के रूप में आविर्भूत होता है और यह आविर्भाव ऐसे होता है जैसे मानो पूर्ण को अभिशाप देकर अपनी पूर्णता की ईशत् स्मृति के साथ आत्म-बहिष्कृत कर दिया गया हो, जिस पूर्णता को पाने के लिए वह इस विमर्श को ही साधन बनाने को बाध्य हो। **'तत्त्वमसि' उसी को कहा जा सकता है जो अपने उस स्वरूप को भूला हुआ है जो उसका वास्तव में है। किन्तु विमर्श एक-दूसरे प्रकार का व्यापार है : चेतना के वागात्मक उन्मेष द्वारा अपना सत्य साधने का व्यापार।** इस उन्मेष के पूर्व न कोई वाक् है, न अर्थ और न सत्य। ये तीनों चेतना में युगपद् रूप से अपनी अनन्त सम्भावनाओं के साथ उन्मीलित होते हैं और उन सम्भावनाओं को चरितार्थ करने के लिए प्रयत्नवान् होते हैं। चरितार्थन की यही प्रक्रिया काव्य, शास्त्र और नैतिक तथा आध्यात्मिक जीवन में प्रतिफलित होती है। इस प्रकार विमर्श अपने आप में भी पुरुषार्थ है। अब यह भी कह सकते हैं कि केवल यही एक पुरुषार्थ है, क्योंकि इसी में पुरुष का आविर्भाव होता है, इसी में उसकी साधना क्रियान्वित होती है और इसी के माध्यम से उसका साध्य लक्षित होता है। अपने को साधना में नियुक्त करना, अपने को साधने का संकल्प, यह एक अलग वृत्ति है, जिसे अधिष्ठातृत्व कहना चाहिए। किन्तु इस पर यहाँ विचार प्रासंगिक नहीं होगा।

इस विमर्श के तीन प्रकार या वर्ग कहे जा सकते हैं—विषय-वृत्तिक, विषयि-वृत्तिक और क्रिया-वृत्तिक। विषय-वृत्तिक विमर्श ज्ञान में, विषयि-वृत्तिक कला में और क्रिया-वृत्तिक कर्म में प्रतिफलित होता है। विषय-वृत्तिकता में चेतना अपने अर्थों को विषय रूप में प्रत्युपस्थित कर और स्वयं दर्शक की भूमिका में अवस्थित हो कर उनके सत्यों का अवगाहन करती है। जैसे 'यह वृक्ष है', 'वह राम है', 'मैं प्रसन्न हूँ', 'सब जीव मरण-धर्मा हैं' आदि विषयपरक अध्यवसाय हैं और हम वृक्ष को वृक्ष-रूपेण देखते हुए, अपने को प्रसन्न भाव में 'देखते' हुए और जीव-धर्मता तथा मरण-धर्मता में अविनाभाव सम्बन्ध 'देखते' हुए विषय-वृत्तिकता में होते हैं। इसके विपरीत विषयि-वृत्तिकता में चेतना अपने अर्थों में भोक्तृ रूप में अन्तर्निविष्ट होकर उनके सत्यों का साक्षात्कार करती है। हमने 'विषयिता का विषयिता-प्रत्यय रूप में अवगमन या भावन' कहा है। 'मैं दु:खी हूँ' वाक्य दु:ख भाव का विषयता में ग्रहण और निरूपण है। इस कथन पर आगे पूछा जा सकता है—'क्यों दु:खी हैं?' और इसके उत्तर में यह भी कहा जा सकता है कि 'किन्तु इसका कोई उचित कारण नहीं है।' यहाँ हम दु:खी होते हुए भी उससे तटस्थ होकर उसका विषय-रूपेण 'अवलोकन' करते हैं और उतना ही उसका 'अवलोकन' वह अन्य व्यक्ति भी करता है जो उसके होने के कारण को उचित कारण नहीं मानता। यह दु:ख-भाव के दु:ख प्रत्यय रूप में रूपान्तरण को पूर्वपिक्षित करता है। प्रत्यय रूप में यह अत्यन्त विपुल अर्थ-राशि-गर्भ हो जाती है। इस पर अनेक लेख लिखे जा सकते हैं, एक पूरी विचार-व्यवस्था खड़ी की जा सकती है। बुद्ध ने सम्बोधि में 'सर्वं दु:खम्' इस आर्य सत्य का साक्षात्कार किया और इस साक्षात्कार से यह प्रत्यय अपूर्व कल्पित अर्थों से गर्भित हो गया। यही बात दु:ख की विषयिता के, भाव पक्ष के, भोग पक्ष के प्रत्ययात्मक रूपान्तरण में होती है। उसमें 'क्यों' और 'कैसे' जैसे प्रश्न नहीं उठ सकते, उसमें 'दु:ख' शब्द का प्रयोग भी हो, यह भी आवश्यक नहीं होता—

स्नेह-निर्झर बह गया है
रेत ज्यों तन रह गया है
आम की यह डाल जो सूखी दिखी,
कह रही है—"अब यहाँ पिक या शिखी
नहीं आते, पंक्ति में हूँ वह लिखी
नहीं जिसका अर्थ-"
जीवन दह गया है। (निराला, **अपराजिता** में)

अथवा

छा रहा है दरो-दीवार पे सब्ज़ा ग़ालिब,
हम बयाबाँ में हैं और घर में बहार आयी है।

संगीत में स्वर-योजना ही इन साक्षात्कृत अर्थों को व्याकृत करती है। काव्य में असंख्य कविताएँ, कहानियाँ और उपन्यास यह करते हैं। मीरा का सम्पूर्ण काव्य और भवभूति का **उत्तररामचरितम्** विरह-दु:ख के ही विवेचन हैं। इस प्रकार द्रष्ट्र रूप में विषयकृत अर्थों का साक्षात्कार और विमर्श तथा भोक्तृ रूप में विषयिगत अर्थों का भोगित्व के पक्ष से साक्षात्कार और विमर्श, वह संगीत, चित्र, काव्य जिस भी प्रकार से हो, वागर्थ की ही प्रतिपत्ति है। अब कालिदास जिस वागर्थ की प्रतिपत्ति के लिए प्रार्थना कर रहे हैं वे भोक्तृ रूप में साक्षात्कार्य और विमृश्य है। यह विमर्श कैसा होता है, इसे पात्रों के चरित्र-चित्रण और अभिनय में सबसे अधिक स्पष्ट रूप से देखा जा सकता है। कहानी या उपन्यास के पात्र स्वयं लेखक से भिन्न होते हैं—पूर्णत: स्वतन्त्र व्यक्ति। **गोदान** की धनिया, गोबर और प्रोफेसर महता को या **रामचरितमानस** की मंथरा और कैकेयी को देखें। इन दोनों काव्यों के लेखकों ने इन पात्रों का निरूपण इनकी विषयिताओं में अन्त:प्रविष्ट होकर और उनसे तादात्म्य स्थापित करके किया है, किन्तु ये कवि की अपनी विषयिताएँ नहीं हैं। वह स्वयं क्रुद्ध या कलुष-भावापन्न नहीं होता, न राम के विरह-वर्णन में वह विरही राम से अभिन्न होता है, किन्तु तब भी वह उनके भोग का, उनकी भावनाओं का उनके भोगित्व और भावकता में अन्त:साक्षात्कारी होता है। यही बात अभिनय में होती है : दिलीप कुमार **देवदास** और **गंगा-यमुना** चलचित्रों में क्रमश: विरह-दु:ख-संतप्त देवदास की और गाँव के छैले की भूमिकाओं में उनकी विषयिताओं को अपनी सम्पूर्ण देह में धारण करता और अत्यन्त 'विदग्ध' देह-भंगियों के द्वारा व्यक्त करता है। यही बात संगीत, चित्र, मूर्त्ति आदि में होती है : हम गायक के सम्बन्ध में कई बार कहते हैं, "पंडित जसराज ने आज जैसा गाया वैसा उन्हें पहले कभी गाते नहीं सुना।" गायन का यह उत्कर्ष उन भावनागत अर्थों के अवगाहन और विवेचन में और अवगाहित तथा विवेचित अर्थों की उस अभिव्यक्ति में होता है जिनके ये स्वर-ग्राम प्रतीक होते हैं। चित्रकार प्रकृति-चित्र बनाते समय प्रस्तुत दृश्य के उस लय, छन्द, प्राण को और व्यक्त होने की उद्विग्नता को रेखाओं-वर्णों के माध्यम से अभिव्यक्ति देने का प्रयत्न करता है, जिसका वह उस दृश्य की आत्मा में अन्त:प्रविष्ट होकर साक्षात्कार करता है। यहाँ अवान्तरत: 'वन-देवता', 'वृक्ष-देवता', 'सूर्य-देवता' आदि अवधारणाओं में निहित दृष्टि का भी ध्यान करना उपयोगी होगा। यह दृष्टि वन को 'वृक्षादि संकुल भूभाग' के रूप में नहीं देखती बल्कि एक विशिष्ट देवात्मा के बाह्य विग्रह के रूप में देखती है। चित्रकार इसी 'देवात्मा' के अन्तर में प्रवेश कर उससे तादात्म्य साधने का प्रयत्न करता है, और दृश्य को उस देवात्मा के व्यंजक प्रतीक के रूप में चित्रित करता है। चित्र, स्वर और शब्द इस विषयिता के साक्षात्कार द्वारा उसी प्रकार उसके अन्तरंग और उसके तारतम्य में होते हैं जिस प्रकार चित्त आत्मा का और देह चित्त का अन्तरंग और उसके तारतम्य में होता है। **विषयिता का भोक्तृ-चेतना में अर्थात्मक उन्मेष और उन अर्थों का उनकी अधिकाधिक विपुलता में साक्षात्कार और इस विपुल साक्षात्कार की उतनी ही विदग्ध (विपुल और सम्यक्) अभिव्यक्ति कला का यह निरपेक्ष निजी पुरुषार्थ या मूल्य कहा जा सकता है।**

यहाँ यह ध्यातव्य है कि अर्थ-विपुलता अर्थ की तत्त्वानुरूपता या सत्य को भी आपादित करती है। ऊपर हमने जो उदाहरण दिये हैं उनमें यह बात अन्तर्निहित है। किन्तु अर्थों के उस सत्य का क्या अर्थ है जो उनकी विपुलता को आपादित करता और उससे आपादित होता है? साधारणत: 'सत्य' का अर्थ समझा जाता है कि कोई कथन या धारणा जिस वस्तुस्थिति को लक्षित करते हैं वह उसी प्रकार से घटित हुई है। उदाहरण के लिए 'राम ने रावण को परास्त किया था' कथन सत्य है यदि राम ने रावण को परास्त किया था। (सत्य की इस अवधारणा के विस्तृत विवेचन के लिए द्रष्टव्य हमारी पुस्तकें **दार्शनिक विश्लेषण**, अ. 6 तथा **ज्ञान और सत्**, अ.1) किन्तु कला में, विशेषत: कथात्मक साहित्य में, इसका निषेध पूर्वगृहीत रहता है। 'यह कहानी है' में यह अर्थ निहित है कि यह वास्तविक घटना का वर्णन नहीं है। चित्रकला और मूर्त्तिकला में चित्रित या मूर्त्तित की अनुरूपता कभी एक सीमा तक लक्षित हो सकती है, किन्तु अधिकांशत: वह नहीं होती। निश्चय ही किसी व्यक्ति विशेष के चित्र या मूर्त्ति में यह अनिवार्य पूर्वापेक्षा रहती है कि उसमें ऐसी अनुरूपता हो कि वह पहचानी जा सके कि वह किस व्यक्ति की मूर्त्ति या चित्र है, किन्तु इतने-से अधिक अनुरूपता वहाँ अपेक्षित नहीं होती। यदि पूर्ण अनुरूपता ही अपेक्षित होती तो छाया-चित्र चित्रकला का आदर्श होता और कैमरे के निर्माण के बाद चित्रकला का अन्त हो जाता। इसके अतिरिक्त, चित्र केवल वास्तविक व्यक्तियों या दृश्यों को लेकर ही नहीं बनाये जाते, वे प्रत्ययों और भावों को लक्षित कर भी बनाये जाते हैं। उदाहरण के लिए पौराणिक पात्रों या घटनाओं के चित्र, 'एक कृषक', 'गृह', 'जल भरती हुई स्त्री' भी चित्र के विषय होते हैं और इसमें किसी व्यक्ति विशेष या गृह विशेष की अनुकृति प्रस्तुत करना अपेक्षित नहीं होता बल्कि प्रत्ययों या भावों को ही चित्रात्मक अभिव्यक्ति देना अपेक्षित होता है। इनमें आकृतियाँ किसी प्रत्यय या भाव की अभिव्यक्ति के लिए उसी प्रकार कल्पित होती हैं जिस प्रकार कविता में शब्द-योजना कल्पित होती है।

किन्तु ध्यातव्य है कि इन चित्रों, मूर्त्तियों और कथाओं के लिए भी 'सत्य होना' अपेक्षित होता है। यह भी कहा जा सकता है कि इन कृतियों के मूल्यांकन का मानदण्ड केवल सत्य ही होता है। 'एक कृषक' चित्र उतना ही सत्य कहा जा सकता है जितना वह 'कृषक होने के तत्त्व' का, उसके याथातथ्य का, उसके प्रत्यय का साक्षात्कार कर उसका सम्यक्‌ता से निरूपण कर सकता है। वैन्गो के प्रसिद्ध चित्र 'माली' की उत्कृष्टता इसी मानदण्ड से स्थापित हो सकती है। यह सत्य उस सत्य से आधारभूत रूप से भिन्न प्रकार का है जो 'राम और रावण का युद्ध हुआ था' वाक्य में अपेक्षित है। ऐसे सत्य उपेक्षणीय और निरर्थक होते हैं। ये प्रतिपल घटित होते हैं और घटित होने के साथ ही मिट जाते हैं, और इनके घटित होने या नहीं होने से कोई अन्तर नहीं पड़ता। इस पर आपत्ति की जा सकती है कि, बहुत-से कथनों के सत्य होने या नहीं होने से बहुत अन्तर पड़ता भी है। जैसे 'यूरोप का द्वितीय महायुद्ध हुआ था' वाक्य के सत्य नहीं होने पर मनुष्य-जगत् का रूप आज बहुत भिन्न होता। यह सही है। किन्तु यह अन्तर इससे कारित कार्य-शृंखला के रूप में जितना पड़ा उससे कहीं अधिक बड़ा अन्तर इससे अप्रत्याशित और अनाकलनीय मनोलोक में घटित परिवर्तन-शृंखलाओं के रूप में पड़ा। किन्तु इसी से सम्बद्ध किन्तु इससे कहीं महत् और गहन अन्तर तब पड़ता है जब ऐसे समर का हुए होना या नहीं हुए होना अवान्तर हो जाता है। तब यह ऐसे तत्त्व से अन्तर्गर्भ हो जाता है जिसका अर्थ अनवगाह्य और अशेष्य हो जाता है। **वाल्मीकीय रामायण** ने 'राम-रावण-युद्ध' को ऐसे ही अर्थ से मण्डित कर दिया था जिससे उसके घटित हुए होने की वास्तविकता अवान्तर हो गई और वह विभिन्न समाजों की सांस्कृतिक चेतनाओं में शाश्वत सत्य के रूप में रूपान्तरित हो गई। पहले प्रकार के अर्थों और इन दूसरे प्रकार के अर्थों में यह अन्तर है कि पहले प्रकार के अर्थ किसी गहरे याथातथ्य से रहित होते हैं; ये आत्मपर्यन्त घटना मात्र होते हैं : भौतिक घटनाओं से उपमेय। यहाँ ध्यातव्य है कि भौतिक घटनाएँ भी याथातथ्य से गर्भित हो सकती है—जब वे कवि-मनीषी द्वारा ऋत की व्यवस्था में याथातथ्यत: व्यवस्थित कर दी जाती हैं, अन्यथा मनुष्य-समाज के जीवन में भी असंख्य घटनाएँ किसी याथातथ्य, किसी सत्य के बिना ही घटित होती रहती हैं। किन्तु ये घटनाएँ भी तब वह सत्य पा लेती हैं जब कोई कवि-मनीषी इन्हें किसी ऋत में व्यवस्थित कर याथातथ्य दे देता है। यह कार्य एक महान् इतिहासकार भी कर सकता है, करता है, किन्तु उसका व्यवस्थापक सत्य उन घटनाओं से बाहर, इतिहासकार की दृष्टि में रहता है।

इसके विपरीत कवि इन घटनाओं के होने–नहीं होने से अलग, **घटनाओं के अपने हृदय में** यह सत्य प्रतिष्ठित कर देता है और तब इनका बाहर विषय-जगत् में घटित हुए होना या नहीं हुए होना अवान्तर हो जाता है। कालिदास पार्वती-परमेश्वर से जिस वागर्थ की प्रतिपत्ति की याचना कर रहे थे वह यही था। वास्तव में कोई भी कलाकार उसी सीमा तक कलाकार हो पाता है जिस सीमा तक वह यह प्रतिपन्नता सिद्ध कर पाता है।

इसका अर्थ यह नहीं है कि यदि राम-रावण युद्ध हुआ तो उसके घटित हुए होने में अपने आप में कोई अर्थ और सत्य नहीं हो सकता था। इसके एक अर्थ को हमने ऊपर देखा है। किन्तु इसका एक दूसरा अर्थ स्वयं उन पात्रों की जीवनी में हो सकता है जो इन घटनाओं में भाग ले रहे होते हैं। केवल इन पात्रों की चेतना का स्तर वह होना अपेक्षित होता है। उदाहरण के लिए भारतीय स्वतन्त्रता-संग्राम का अपने घटित होने में एक अर्थ और सत्य था। उसका सत्य तिलक, गाँधी, सुभाष, पटेल, नेहरू, भगतसिंह आदि की चेतना और चरित में था। राम और रावण, गाँधी और सुषाष स्वयं भी महाकाव्योचित व्यक्तित्व से सम्पन्न थे। यहाँ मैथिलीशरण गुप्त की निम्न पंक्तियों का स्मरण उद्‌बोधक होगा—

राम, तुम्हारा चरित स्वयं ही काव्य है,
कोई कवि बन जाय, सहज सम्भाव्य है।

वास्तव में प्रत्येक व्यक्ति का चरित्र उसकी अन्तश्चेतना में आविर्भूत अपनी आदर्श प्रतिमा की न्यूनाधिक सम्यक् अभिव्यक्ति, आत्म-याथार्थ्य अथवा याथार्थ्य-भ्रम की सिद्धि का प्रयत्न, अथवा कहें अपने याथार्थ्य अथवा याथार्थ्य-भ्रम की अपर्याप्त सिद्धि होता है। (विस्तृत विवेचन के लिए द्रष्टव्य **ज्ञान और सत्** में 'मानव-प्रतिमा' तथा **सत्ताविषयक अन्वीक्षा** में 'मानव-तत्त्व' अध्याय।) मनुष्य में व्यक्ति-भेद, व्यक्तित्व में क्षुद्रता या महत्ता, उसकी दिव्यता-दानवता अथवा साधारणता आदि को इसी आधार पर समझा जा सकता है। इस तरह एक प्रकार से व्यक्ति स्वयं भी एक कृति ही होता है—अधिकांश में अधकचरी और असफल कृति, अनमने भाव से बनायी गई कृति। किन्तु कभी-कभी निरन्तर प्रयत्नरत रह कर बनायी कृति—जैसे महात्मा गाँधी। गाँधी जी की आत्मकथा का नाम 'सत्य के प्रयोग' इसका प्रमाण है। यह कृति भी विषयितया आत्मभावित प्रतिमा के अनुकरण में ही बनायी जाती है, इसलिए वह भी कला-कृति ही होती है—सफल या असफल, उत्कृष्ट या उत्कर्ष पाने में असमर्थ। किन्तु राम और गाँधी, रावण और हिटलर के जैसी सशक्त कृतियाँ बहुत कम होती हैं।

सो, विषयितागत अर्थों का उन्मेष और विमर्श और उस माध्यम में तत्त्वों का साक्षात्कार, यही कला का कृतित्व है और यह अपने-आप में मूल्य या पुरुषार्थ है। किन्तु कलाकार की यह विषयिता, यह भावना जो अर्थरूपेण उद्‌भावित और विमर्शित होती है, उस व्यक्ति की होती है जो कामासक्त या अर्थार्थी, अथवा धर्म-परायण या मोक्ष-साधक होता है। यों वास्तव में प्रथम दो : अर्थ और काम-परक : आसक्तियाँ, और तीसरा : धर्म-परक : बोध सभी मनुष्यों में होते हैं, केवल उनमें इनकी प्रधानता-गौणता का भेद रहता है। कुछेक में लोक से अनासक्ति, तज्जन्य औदात्य और इस प्रकार मोक्ष-परायणता भी रहती है। चरित्र के ये गुण कलाकार की कलाकृतियों में भी लक्षित होने स्वाभाविक हैं, क्योंकि ये उसके पात्रों की विषयिता को घटित करते हैं। इनमें काम और अर्थमूलक आसक्तियाँ जीव-धर्म हैं, पुरुषार्थ ये पुरुष के योग्य अर्थ बन कर ही बनते हैं। उदाहरणत: काम प्रेम रूप में उत्कर्षित होकर पुरुष के योग्य अर्थ बनता है, वह भक्तिरूप में दिव्य रूपान्तरण भी ले सकता है। अर्थ सुरुचिपूर्ण और सम्पन्न लोक-सुख, उदार और उदात्त सम्प्रभुता और शौर्य आदि के रूप में पुरुष के योग्य अर्थ बनता है। राम का जीवन इसका उत्कृष्टतम उदाहरण है। अशोक, चन्द्रगुप्त विक्रमादित्य, हर्षवर्द्धन, अकबर, पं. जवाहरलाल नेहरू, सरदार पटेल आदि में भी इसके उदाहरण देखे जा सकते हैं। इसी प्रकार कलाकार का चरित्र भी होता है, जो उसकी कृतियों में न्यूनाधिक लक्षित होता है। यहाँ यह उल्लेखनीय है कि कलाकार के चरित्र में प्रकटत: काम या अर्थासक्ति की प्रधानता होने पर भी यह सम्भव है कि उसकी कलाकृतियों में धर्म और मोक्ष भाव की प्रधानता हो। इसका कारण यह नहीं होता कि वह अपनी कलाकृति में सच्चा नहीं होता, कि वह उसका छद्मरूप होता है। ऐसा होने पर उसकी कलाकृति निर्जीव होगी। इसका कारण यह होता है कि वह चित्त के जैव

स्तर पर अपने से अवश होता है किन्तु वह कामासक्ति या अर्थासक्ति को सार्थक, अपने योग्य, अपने लिए अन्वेष्य नहीं देखता। कला में वही पुरुषार्थ रूप में अभिव्यक्ति पाता है जिसे वह जीवन में पुरुषार्थ रूप में देखता है। जिस कलाकार के लिए कला आत्म-साधना के लिए एक चर्या मात्र है, जैसे कबीर, मीरा, तुलसी या सूरदास के लिए, वहाँ उसका भोक्तृत्व उसकी निजी विषयिता का ही अनुध्यायी होता है, यद्यपि ऐसे कलाकार में भी उसकी विषयिता अपनी वास्तव संश्लिष्टता में व्यक्त नहीं होती, उसके केवल वरणीय, केवल आदर्श पक्ष ही व्यक्त होते हैं। उदाहरणत:, यह कल्पनीय है कि तुलसीदास में काम, क्रोधादि जैव प्रवृत्तियाँ पूर्णत: विजित नहीं हों, कि सूरदास जब कहते हैं 'मो सम कौन कुटिल, खल, कामी' तब वे अपनी वास्तव दुर्बलताओं की ही गर्हणा कर रहे हों। किन्तु तुलसीदास या सूरदास के काव्य में उनकी विषयिता का वह पक्ष प्रतिबिम्बित नहीं होता। अज्ञेय के सम्बन्ध में तो सहज ही यह कहा जा सकता है कि उनके उत्तरवर्ती काव्य में उनकी चित्त-वृत्तियाँ अर्थोन्मेष पाकर अभिव्यक्त नहीं हुई हैं बल्कि उनके लिए साध्य बनी आत्म-प्रतिमा ही विमर्शित हुई है। इसके विपरीत कालिदास के काव्य में काम और अर्थपरक वृत्तियों का अर्थ-वैभव अपनी अपार विपुलता के साथ व्यक्त हुआ है। किन्तु कालिदास के काव्य की भी महत्ता काम और अर्थपरक वृत्तियों के अर्थ-विमर्श की विपुलता के कारण नहीं है बल्कि भारतीय संस्कृति द्वारा लक्षित जीवन की समग्रता के अर्थ को अनुपम विपुलता और गहराई देने में है।

किन्तु कालिदास मूलत: ऐहिक जीवन के अन्त:साक्षात्कारी कवि हैं, तुलसीदास, कबीर और मीरा के समान, या वाल्मीकि और वेदव्यास के समान भी, लोकोत्तर अनुभूति के कवि नहीं हैं। यह बात उन्हें कलाकार के रूप में अतिरिक्त गौरव से मण्डित करती है कि ऐहिक जीवन या अनुभव के कलाकार होते हुए भी वे वागर्थ के वैभव को इतना विपुलित कर सके, जीवन के सत्य का इतनी गहराई और इतनी व्यापकता में साक्षात्कार कर सके कि वे कवि-कुलगुरु के पद पर प्रतिष्ठित हुए। किन्तु जीवन, या कहें अनुभव, का ऐहिक स्तर उन गहराइयों और ऊँचाइयों की समकक्षता नहीं प्राप्त कर सकता जो पारलौकिक स्तर से सम्बन्धित हैं। यदि ऐहिक स्तर के लिए अनुभव के वे लोक गम्य होते तो मनुष्य इस स्तर से आगे देखता ही नहीं, कहना चाहिए कि दूसरा कोई स्तर होता ही नहीं, क्योंकि अनुभव के ऐहिक स्तर का मूल जैव चेतना में है और वह मूल उसे सहज लभ्य है। कला इस स्तर के अनुभव के उस पारावार का पट खोल देती है जिसमें कितना भी गहरा उतरा जा सकता है और कितना भी दूर तक जाया जा सकता है। किन्तु मनुष्य की चेतना इस स्तर का अतिक्रमण भी सहज रूप से करती है और पारलौकिक अर्थों और सत्यों का साक्षात्कार करती है। धर्म और मोक्ष पुरुषार्थ इसी से हैं और इनमें ही पुरुष के अर्थ की परमता देखी गई है। अधिकांश में अर्थों के इस लोक में चेतना कला-कर्म में प्रवृत्त नहीं होती, किन्तु जब होती है तब वेद मन्त्रों, औपनिषद संवादों, अर्जुन-कृष्ण-संवाद आदि के या भक्ति काव्य के, साम-गान के या तत्समान गायन के रूप में अपने तत्त्व का साक्षात्कार और विवेचन करती है। ऐहिक अर्थावगाही चेतना इस लोक के अर्थों का आभास तो पा सकती है, और वास्तव में इसके अपने स्तर के अर्थों का सत्य पाने के लिए भी इसके लिए लोकोत्तर लोक के अर्थों का आभास पाना अनिवार्य होता है, किन्तु यह चेतना उसकी दिव्यता का प्रत्यक्ष नहीं कर सकती। लोकोत्तर अर्थों का यह आभास ऐहिक स्तर के अनुभव को क्या देता है यह देखने के लिए **'अभिज्ञान शाकुन्तलम्'** में दुष्यन्त-शकुन्तला के आरम्भिक मिलन के वर्णन और दुष्यन्त के अभिज्ञानोत्तर विरह-वर्णन की तुलना कर, या हिन्दी के रीतिकालीन काव्य और वारे शाह की **हीर** की या जायसी के **पद्मावत** की तुलना कर देखा जा सकता है।

अध्यात्म और कविता

हमारी परम्परा में काव्य की आत्मा रस को कहा गया है और रस के नौ या दस प्रकार माने गए हैं। शृंगार को इनमें प्रधान रस माना गया है। शान्त रस, जिसे आध्यात्मिक काव्य की आत्मा माना गया, पहले तो रसों में गिना ही नहीं जाता रहा, बाद में जब गिना भी गया तब वह दस रसों में से एक रस ही था और उसका वैसा महत्त्व नहीं था जैसा शृंगार का। शृंगार को रस-राज कहा गया। इस रस के नाम पर जैसे ऐन्द्रिकतापरक काव्य की रचना संस्कृत और ब्रज भाषा आदि में होती रही और उससे तत्कालीन सहृदय रसाप्लावित होते रहे उसे देखकर आश्चर्य होता है। इसी से संस्कृत काव्य में आध्यात्मिक रचनाएँ लगभग नहीं ही मिलती हैं, सिवाय **श्रीमद्भगवद्गीता** और **महाभारत** के कुछ और स्थलों के और **वाल्मीकीय रामायण** के, जिसे एक सीमा तक धार्मिक काव्य कहा जा सकता है और उसी सीमा तक आध्यात्मिक। किन्तु धार्मिकता को आध्यात्मिकता का अपेक्षाकृत निम्नतर सोपान ही मानना चाहिए। **श्रीमद्भगवद्गीता** को निश्चय ही उत्कृष्टतम आध्यात्मिक काव्य कहा जा सकता है। संस्कृत में धार्मिक-आध्यात्मिक काव्य के कुछ और उदाहरण पुराणों में, विशेषत: भागवत पुराण में, यत्र-तत्र देखे जा सकते हैं। किन्तु अन्यथा हमारी संस्कृति में आध्यात्मिक काव्य की रचना बहुत प्राचीन काल से होती रही है जिसके प्राचीनतम उदाहरण **ऋग्वेद** की बहुत सी काव्यात्मक ऋचाओं में मिलते हैं और पीछे **यजुर्वेद** और **अथर्ववेद** के कुछ मन्त्रों में और इसी प्रकार यत्र-तत्र उपनिषदों में मिलते हैं। किन्तु जो वाचिक काव्य की परम्परा हमें मिलती है उससे अनुमान होता है कि आध्यात्मिक काव्य की वास्तविक और बहुत समृद्ध रचना उस परम्परा में ही हुई। निर्गुण भक्ति-काव्य उसी परम्परा का अंग है। अनेक जोगी और सिद्ध इस वाचिक परम्परा में ही काव्य-रचना करते रहे हैं। गोरखनाथ और कबीर आदि वास्तव में व्यक्ति-नाम नहीं रहकर काव्य-परम्परा की धाराओं के ही नाम हो गए हैं। आध्यात्मिक काव्य की यह परम्परा केवल हमारी संस्कृति में ही रही हो, यह बात नहीं है। सूफी, ईसाई-रहस्यवादी, ईसाई-धार्मिक, चीनी ताओ और ज़ेन आदि परम्पराएँ इस बात की द्योतक होनी चाहिएँ कि यह विश्व-मानव में ही एक बोध और अभीप्सा की द्योतक है और यह बोध और अभीप्सा काव्य-रूप में भी व्यक्त होती रही होनी चाहिए। मुस्लिम धर्म में शराब के वर्जित होने पर भी उर्दू-काव्य में शराब की इतनी चर्चा सूफी-परम्परा में इसके जगत् की विस्मृति और ईश्वर-भाव में तल्लीनता के प्रतीक के रूप में प्रयोग के कारण ही सम्भव हो सकी और इस प्रतीक ने उर्दू-काव्य में लौकिक प्रेम को भी एक आध्यात्मिक आयाम दे दिया, जिससे इस लौकिक भाव में भी एक उज्ज्वलता आ गई। यही बात भारतीय लौकिक काव्य में राधा-कृष्ण या गोपी-कृष्ण प्रतीक के प्रयोग के साथ भी होनी चाहिए थी, किन्तु आश्चर्य है कि इस प्रतीक के साथ उलटी बात हुई। यह प्रतीक कई बार भक्त कवियों में भी बहुत कुछ लौकिक रूप और गन्ध के साथ ही प्रयुक्त हुआ, जिसका स्पष्टतम उदाहरण जयदेव के **गीत-गोविन्द** को कहा जा सकता है। **गीतगोविन्द** एक स्थूल ऐन्द्रिकतापरक शृंगार-काव्य मात्र है जिसका चैतन्य महाप्रभु जैसे भक्त शिरोमणियों ने भक्ति के लिए उपयोग किया। किन्तु इस उपयोग ने इस प्रतीक को आध्यात्मिकता के स्तर से उतार कर इसके नितान्त लौकिक और ऐन्द्रिकतापरक उपयोग को तनिक भी बाधित नहीं किया। इसे कोई भारतीय संस्कृति में ऐन्द्रिकता के प्रति स्वस्थ मानसिकता का द्योतक भी कह सकता है, जैसाकि आज कुछ लोगों में ऐसा कहने का फैशन है, किन्तु इस तथाकथित स्वस्थ मानसिकता ने संस्कृत और अधिकांश पिछले हिन्दी-काव्य को प्रेम के उज्ज्वल भाव से वंचित ही रखा। किन्तु ऐसा लौकिक काव्य के साथ ही हुआ, हिन्दी का कृष्ण-भक्ति काव्य, **गीतगोविन्द** से भिन्न, इससे बचा ही रहा और रामभक्ति-काव्य तथा निर्गुण भक्ति-काव्य तो इससे पूरी तरह अछूते ही रहे। कृष्णभक्त कवियों में मीरा सबसे भिन्न कही जा सकती है। क्योंकि अन्य कवि जबकि कृष्ण और गोपियों अथवा कृष्ण और राधा के प्रेम का वर्णन करते हैं, मीरा अपने प्रेम को उद्गीरित करती है और इसमें प्रेम ऊर्ध्व मनोमय भूमि की अभिव्यक्ति बनता है। वहाँ ऐन्द्रिक पदावली के लिए वैसे ही कोई अवकाश नहीं रहता। अन्य भक्त कवियों में जहाँ कहीं इसका

कुछ संकेत है भी वहाँ वह इतना पारदर्शी हो जाता है कि वह दिखायी नहीं देता। जैसे कबीर तक का एक पद है जिसमें 'सब कोऊ कहै तुम्हारी नारी, मोकौ इतै सँदेह रे, एकमेक ह्वै सेज न सोवैं, तब लग कैसो नेह रे' पंक्तियाँ हैं, किन्तु इन पंक्तियों में उपमान उपमेय में ही तिरोहित हो जाता है। कहा जा सकता है कि यही बात चैतन्य महाप्रभु के लिए **गीतगोविन्द** में है। यह सही है, किन्तु यह बात जयदेव के लिए और दूसरे पाठकों के लिए नहीं है जबकि कबीर के पद में यह स्थिति कबीर या कबीर-तुल्य सन्तों के लिए ही नहीं है बल्कि स्वयं उस पद में ही है और इस कारण उसमें सब के लिए है।

कृष्ण-काव्य और राम-काव्य धार्मिक काव्य हैं और धार्मिक बोध या धार्मिक अनुभूति आध्यात्मिक बोध या आध्यात्मिक अनुभूति का एक पक्ष, या कहें एक आयाम है। किन्तु 'आध्यात्मिक अनुभूति' बहुत व्यापकतर पद और पदार्थ है जो साधारण लौकिक प्रेमालम्बन में दिव्यता-दर्शन, प्राकृतिक सौन्दर्य में लोकोत्तर व्यंजकता, जगत् के होने या जगत् में भावक-विचारक के अपने होने की वस्तुस्थिति पर विस्मय, अस्तित्व मात्र की मौलिक अपर्याप्तता और आदर्श पर्याप्तता के साक्षात्कार, इनमें से किसी भी रूप में हो सकता है। उदाहरणत: पहले उस प्रेम को लें जिसमें उसका आलम्बन लौकिक होता है। कबीर ने प्रेम के सम्बन्ध में जो कहा है कि उसकी पात्रता 'सिर उतार कर भूमि पर धर देने से' ही मिलती है, कि 'प्रेम की गली में दो का प्रवेश नहीं हो सकता' वह प्रेम मात्र के सम्बन्ध में ही है, कोई निर्गुण राम के प्रेम के सम्बन्ध में ही नहीं है। 'प्रेम-गली में दो के नहीं समा सकने' वाली बात भी सभी प्रेम के सम्बन्ध में है, केवल राम के प्रति प्रेम के सम्बन्ध में नहीं है। क्योंकि जबकि प्रेम दो के बीच ही होता है, उसमें यह द्वैत ही तड़प का कारण होता है जो प्रेमियों के द्वैत में किसी मूल अद्वय के दो में बँट जाने का स्मरण-जैसा दिलाता है। देहों में आलिंगन की व्याकुलता भी मानो इस द्वैत को समाप्त करने की व्याकुलता को ही व्यक्त करती है, क्योंकि देह भी आत्मा का ही एक आयाम है और यही अद्वय की सिद्धि में अलंघ्य बाधा बनता है। इसलिए कबीर जो 'एकमेव ह्वै सेज पर सोने' को प्रेम की अनिवार्य शर्त मानते हैं उसका यही अर्थ है। आलिंगन की व्याकुलता केवल काम-मूलक प्रेम में ही नहीं होती, वात्सल्य में और प्रेम के दूसरे सब रूपों में भी होती है। हृदय के स्तर पर तन्मयभाव की सिद्धि वैसी असम्भव नहीं होती। **अभिज्ञान शांकुतलम्** में शकुन्तला का दुष्यन्त के ध्यान में और **मेघदूत** में यक्ष का प्रेयसी के ध्यान में आत्म-विस्मरण ऐसा ही आत्म-विगलन है। वारेशाह की हीर में भी राँझा में ऐसे ही आत्म-विलय का वर्णन है—'राँझा-राँझा आखदी मैं आपेई राँझा होई।' इनमें और कृष्ण के प्रति राधा के प्रेम में यह अन्तर तो है कि एक उपहित चेतना में घटित भाव है और दूसरा स्वतन्त्र चेतना में, किन्तु आध्यात्मिक काव्य की रचना तो उपहित चेतना के द्वारा ही होती है जो इस भाव-स्थिति में उसी स्वतन्त्र तल्लीनता की सिद्धि चाहती है जो राधा-भाव में सिद्ध होती है। हीर-राँझा, सोहनी-महीवाल आदि जैसी प्रेम-कथाएँ सामाजिक नैतिकता के विपरीत होने पर भी इसी कारण काव्य की अजस्र स्रोत हैं क्योंकि वे मानव-आत्मा का उस मूल में स्पर्श करती हैं जिसमें उसके आद्य आत्म-वियोग की स्मृति संचित है। प्रेम के ये आख्यान लौकिक स्तर पर राधा-कृष्ण के अलौकिक प्रेम के प्रतिरूप और इस प्रकार लोक में लोकोत्तर भाव-स्थिति कहे जा सकते हैं। मलिक मुहम्मद जायसी ने पद्मावती के प्रति रत्नसेन के आकर्षण को जीव के ईश्वरीय सौन्दर्य के प्रति आकर्षण के रूप में निरूपित किया है, किन्तु वास्तव में तो उसे प्रतीक के रूप में नहीं देखकर यदि उसके अपने तक भी रखा जाय तो भी वह वही ठहरता है, अन्यथा किसी स्त्री का सौन्दर्य ऐसा कैसे हो सकता है कि वह किसी पुरुष को इस सीमा तक अभिभूत कर दे कि सूर्य की ज्योति और चन्द्रमा की कान्ति भी उसके सामने फीकी लगें? वह सौन्दर्य तभी ऐसा लगता है जब वह प्रेमी की भावना का आध्यात्मिकता के उस स्तर पर उन्नयन कर दे कि वह उसके सौन्दर्य में अलौकिकता देख सके। यहाँ गोविन्दचन्द्र जी पाण्डे की एक कविता के एक पद को उद्धृत करना अप्रासंगिक नहीं होगा जो यद्यपि प्रेम-कविता नहीं है और न ही वह स्त्री के दैहिक सौन्दर्य विषयक है किन्तु जिसमें स्त्रीत्व की एक झलक की अलौकिकता, अथवा कहें स्त्री के आलम्बन में अलौकिकता की झलक निरूपित है—

सफाई करती किसी स्त्री को देख

क्या नहीं लगता जैसे
एक पावन धारा हो
गंगा की, हिमालय-समीर की,
समय की?[1]

इसमें एक सहज तरंगित पावनता की अत्यन्त सूक्ष्म अभिव्यक्ति है जिसमें आँगन बुहारती अविशिष्ट स्त्री का रूप अलौकिकता से ज्योतित हो गया है।

यद्यपि भू-लोक में प्रेम का यह रूप और सोपान अमिश्र रूप में नितान्त दुर्लभ है किन्तु इसका संस्पर्श तो प्राय: सभी प्रेम में रहता है। वास्तव में प्रेम का आरंभ ही ऐन्द्रिक (प्राणमय कोश) के ऊपर मानसिक (मनोमय कोश) में अतिक्रमण से होता है। यहाँ आपत्ति की जा सकती है कि प्रेम तो पशु में भी देखा जाता है अपने अनैन्द्रिक रूप में, वात्सल्य के रूप में ही नहीं, सख्य के रूप में भी। यह ठीक है। किन्तु वहाँ यह प्रेम भी प्राणमय स्तर का ही होता है। यही प्रेम मनुष्य की चेतना में आत्मचेतन होकर मूल्य-निविष्ट हो जाता है और इसी ऊर्ध्वारोहण में यह कहीं-कहीं आध्यात्मिकता का संस्पर्श पा लेता है।

आध्यात्मिक अनुभूति इस प्रेमानुभूति का पूतीकृत रूप भी हो सकती है और चेतना के मनोमय सोपान से ऊर्ध्वतर सोपान (विज्ञानमय कोश) में अवस्थित होने की अवस्थामूलक भी हो सकती है। इस ऊर्ध्वतर अवस्था में आलम्बन लौकिकता के लेशमात्र से भी मुक्त हो जाता है—

कबिरा बादल प्रेम का हम परि बरस्या आइ
अन्तरि भीगी आतमा, हरी भई बनराइ
पूरे सूं परचा भया, सब दु:ख मेल्या दूरि
निर्मल कीन्हीं आतमा, ताथैं सदा हजूरि।।

कबिरा कूता राम का, मुतिया मेरा नाउं।
गलै राम की जेवड़ी, जित खैंचै तित जाऊँ।
तो तो करै तो बाहुड़ौं, दुरि दुरि करै तो जाऊँ।
ज्यूँ हरि राखै त्यूँ रहौं, जो देवै सो खाऊँ।।

सतगुरु हो महाराज, साईं मोपै रँग डारा।
सबद की चोट लगी मेरे उर में, बेध गया तन सारा।
औषध-मूल कछू नहिं लागै, का करै बैद बिचारा।
सुर-नर-मुनिजन-पीर-औलिया, कोई न पावै पारा।
साहब कबीर सबै रँग रँगिया, सब रँग से रँग न्यारा।।

शून्य मरै अजपा मरै, अनहद हू मरि जाय।
राम-सनेही नहिं मरै, कह कबीर समुझाय।।

दुलहिन गावहु मंगलाचार

1. गोविन्दचन्द्र पाण्डे कृत कविता 'कभी', **जया** कविता-संग्रह से।

म्हारे घर आयहु राजा राम भतार
तन रत करि मैं मन रत करि हौं,
पाँचों तत्त बराती,
रामदेव मोहि ब्याहन आये,
मैं जोबन में माती।

इन पदों में भावना मनोमय भूमि से उत्तरवर्ती सोपान-स्थित है और इस प्रकार आलम्बन नितान्त लोकोत्तर है, यह सहज ही देखा जा सकता है। यद्यपि ऐसा तुलसी, सूर या मीरा में प्रकटत: नहीं है किन्तु वास्तव में वहाँ भी आलम्बन की सगुणता केवल उत्प्रेक्षात्मक ही कही जा सकती है। उनमें भी हृदय की तन्मयता विज्ञानमय भूमि में ही परिलक्षित होती है। इस प्रतिपादन के स्पष्टीकरण के लिए महादेवी जी की **दीपशिखा** की कविताएँ देखी जा सकती हैं—

ओ चिर नीरव,
मैं सरित विकल
तेरी समाधि की सिद्धि अकल
चिर निद्रा में सपनों का पल
ले चली लास में लय गौरव।

इन कविताओं में आलम्बन यद्यपि नितान्त लोकोत्तर है—निर्गुण ब्राह्म सत्, किन्तु भाव-स्थिति मनोमय भूमि की ऊर्ध्वोन्मुख अवस्था कही जा सकती है। यहाँ प्रश्न उठाया जा सकता है कि ऐसा कहने का आधार क्या है, सिवाय इसके कि हम कवि के व्यक्तित्व को कविता से बाहर अन्यथा जानते हैं? सम्भव है यही बात हो, किन्तु कम से कम प्रातीतिक रूप से बात यह नहीं है। यहाँ सहृदय के रूप में हमें ही ऐसा अनुभव होता है। किन्तु ऐसे काव्य को भी आध्यात्मक काव्य की श्रेणी में ही रखा जायगा। ऐसी काव्य-रचना महादेवी की कविताओं में, प्रसाद की **कामायनी** में और अज्ञेय के **हरी घास पर क्षण भर** के बाद के संग्रहों में पर्याप्त देखी जा सकती है।

यों भाव-भूमि का उत्तरण और इस प्रकार आलम्बन का रूपान्तरण आलम्बन के मानव-तनधारी होने पर भी हो जाता है, जो ऊपर पाण्डेजी की कविता के पद से देखा जा सकता है। स्त्री ही का पुत्री, भगिनी और माता का रूप भी आलम्बन का रूपान्तरण ही है, किन्तु आलम्बन के अतिमानवीय हो जाने पर तो उसी आलम्बन के रूपान्तरण की बात नहीं होकर आलम्बन ही के भिन्न हो जाने की बात हो जाती है, जो भाव-स्थिति के मनोमय होने पर भी उसे ऊर्ध्वतर आलोक से आभासित कर देती है। जहाँ तक मानव-प्रेमिका-प्रेमी में आध्यात्मिक आलोक-दर्शन का प्रश्न है, वह बहुत कुछ वैसा ही होता है जैसा सूर्य, चन्द्र और वन, पर्वत आदि में देवात्मा के दर्शन में होता है।

किन्तु मनुष्य प्रकृति में देवात्मा का दर्शन तो तभी कर सकता है न जब वह पहले अपनी चेतना में देवत्व का साक्षात्कार करे? इसी प्रकार मानवी में भी वह दिव्यालोक के दर्शन तभी कर सकता है जब उसकी चेतना दिव्य आलोक का स्वतन्त्र साक्षात्कार कर सकती हो! यह देवत्व या दिव्यालोक कैसे आलम्बन होते हैं? इनका रूप और आकृति कैसी होती है? इसे समझने के लिए यह समझना सहायक होगा कि प्रेयसी-प्रिय का लौकिक रूप कैसा होता है? वह रूप कैसा दिखता है?

जगत् का मूल चेतना की जैव प्रवृत्ति में है। इसे चेतना का जगद्भाव भी कह सकते हैं। अर्थात् जगत् का अधिष्ठान चेतना के जगद्भाव में है, ऐसा कहना चाहिए। जगद्भाव की पूर्णता चेतना की देहभाव या इन्द्रियभाव में अशेषत: प्रतिष्ठा में उपलब्ध होती है। उपनिषद् में जो कहा है 'स अकामत बहुस्यां प्रजायेयेति' उसका सम्यक् अर्थ होगा चेतना द्वारा अपने बहु हो जाने, अपने को बाह्य प्रजा में रचकर उसमें अशेष हो जाने की कामना, अशेष हो जाना, ही जगत् का बीज है। चेतना की यह स्थिति उसके भौतिक अस्तित्व में, वानस्पतिक अस्तित्व में और जंगम प्राणिक अस्तित्व में अपनी पूर्णता में लक्षित होती है। इनके विपरीत मानव-चेतना आत्मचेतन चेतना है

और चेतना का यह रूप उसके जगद्भाव से परावर्तन से उपलब्ध होता है। इस प्रकार मानव-चेतना जगद्भावनापन्न होते हुए भी उसमें अशेष नहीं होती, उससे किंचित् उन्मग्न रहती है। वह पशु से अधिक भी जगद्भावापन्न हो सकती है, किन्तु तब भी उन्मग्न रहते हुए, वास्तव में उन्मग्न होने के कारण ही।[1] पशु-जगत् में काम का रूप पूर्णत: ऐन्द्रिकता का है, मनुष्य-लोक में काम का ऐन्द्रिक से ऊपर मनोमय सोपान में आरोहण सम्भव होता है। इसी सोपान में, जिसे उपनिषद् 'कोश' कहती है, प्रेम का अधिष्ठान होता है। प्रेम में ऐन्द्रिकता निश्शेष नहीं होती, किन्तु वह निश्शेष हो सकती है, और जब नहीं भी होती तो भी वह आनुषंगिकता उसके 'धर्म से अनुशासन' की अवधारणा से कोई सम्बन्ध नहीं रखती, बल्कि चेतना ही अतीन्द्रिय-मनोमय हो जाती है। 'धर्म से अनुशासन' की अवधारणा से तो राधा-कृष्ण का प्रेम ही वर्जित हो जाता है, हीर-राँझा और सोहनी-महीवाल का तो और भी हो जाता है, जहाँ प्रेम की मनोमय भूमि का आदर्श धर्म की इस अप्रासंगिकता में ही उपलब्ध होता है। इसे एक प्रकार से चित्रकला में चक्षु-इन्द्रिय की स्थिति से उपमित किया जा सकता है। उसमें रूप की ऐन्द्रिकता ऊर्ध्वतर चेतना के अर्थों में तिरोहित हो जाती है। मनोमय कोश की ही ऊर्ध्वतर भूमि पर, जिस पर भावना ऊर्ध्वतर सोपान का संस्पर्श पाती है, लौकिक प्रेम आध्यात्मिकता से आलोकित होता है।

किन्तु भावना का विषय केवल स्त्री-पुरुष का परस्पर के प्रति आकर्षण ही नहीं होता और न काव्य केवल भावनापरक ही होता है। उदाहरणत: **रघुवंश** के प्रथम सर्ग का विषय न पुरुष-स्त्री का आकर्षण है और न उसे भावनात्मक ही कहा जा सकता है। किन्तु प्रथम सर्ग को भी, और **रघुवंश** को उसकी समग्रता में भी, लोक-परक काव्य ही कहा जा सकता है, क्योंकि वह चेतना की जिस भूमि पर से लिखा गया है वह लोकोन्मुख मनोमय भूमि है। उस काव्य में धार्मिकता भी प्रचुर मात्रा में है—सन्तान-कामना से राजा दिलीप का पत्नी के साथ वन में जाना और वहाँ गो-सेवा करना सब धार्मिक विश्वास से ही प्रेरित है, किन्तु तब भी उसे धार्मिक काव्य नहीं कहा जा सकता क्योंकि वह धार्मिक विश्वास लोक-जीवन का अंग-भूत है। किन्तु सूरदास का कृष्ण-गोपियों का प्रेम-वर्णन और **रामचरितमानस** में राम-रावण-युद्ध का वर्णन धार्मिक काव्य ही कहा जा सकता है और जायसी का पद्मावत आध्यात्मिक काव्य ही कहा जा सकता है। ऐसा क्यों?

इसका उत्तर यही हो सकता है कि कोई काव्य आध्यात्मिक तभी कहा जा सकता है जब उसमें व्यक्त विचार या भावना आध्यात्मिक हो और उस विचार या भावना का विषय लोकोत्तर हो। यहाँ कहा जा सकता है कि विचार या भावना और उनके विषय ये दोनों तो एक ही स्थिति के दो पक्ष होते हैं जो परस्पर को निर्धारित करते हैं, क्योंकि भावना या विचार आध्यात्मिक नहीं होने पर विषय कैसे लोकोत्तर होगा और विषय लोकोत्तर नहीं होने पर भावना या विचार कैसे आध्यात्मिक होंगे? यह सही है, वास्तव में तो केवल विचार या भावना के आध्यात्मिक होने की ही बात होती है, विषय तो उसीसे लोकोत्तर बनता है। इसके उदाहरण रूप में राधा-कृष्ण के प्रेम को लक्ष्य कर लिखे गए शृंगार-काव्य को और कालिदास के **कुमारसम्भव** में शिव-पार्वती के प्रेम-प्रसंग को प्रस्तुत किया जा सकता है। इनमें विषय कहने को लोकोत्तर हैं किन्तु ये लौकिकता की भी अधोभूमि पर ला दिये गए हैं और दूसरी ओर जायसी के **पद्मावत** में पद्मावती और रत्नसेन साधारण राजकुमारी और राजा हैं और **श्रीमद्भगवद्गीता** में विषय प्रकटत: युद्ध से विमुख हुए अर्जुन को युद्ध के लिए प्रेरित करना है किन्तु ये दोनों विषय अलौकिक अनुभूति या प्रज्ञा की काव्यात्मक अभिव्यक्ति के लिए निमित्त मात्र हो जाते हैं। इसी प्रकार कबीर के पद में 'देह का दुखिया होना' और 'सेज पर एकमेक हो सोना' जैसे शब्द हैं जिनमें पदावली नितान्त लाक्षणिक या व्यंजक है और उसका अभिधार्थ पूर्णत: विलुप्त है।

आध्यात्मिक काव्यों में सबसे विशिष्ट स्थान **श्रीमद्भगवद्गीता** का है जिसकी आध्यात्मिकता और काव्यात्मकता दोनों अन्य सब काव्यों से भिन्न हैं। काव्य की वस्तु भावना को माना जाता है, किन्तु गीता की वस्तु भावना नहीं है, विचार है। यद्यपि यह विचार ऊहापोह और तर्क-वितर्क के रूप में प्रस्तुत नहीं है, यह प्राज्ञ प्रतिभा

---

1. द्रष्टव्य, यशदेव शल्य, 'जगत्-चिन्तन', उन्मीलन, जनवरी, 2002 तथा **तत्त्व-चिन्तन** दर्शन प्रतिष्ठान से प्रकाशित, में।

के विमर्श और जिज्ञासु के लिए उद्बोधन के रूप में प्रस्तुत है, किन्तु तब भी रति, हास्य, क्रोध आदि इसकी वस्तु नहीं हैं और न भाव, विभाव और संचारी भावों की चटनी-मसाले से यह स्वादु व्यंजन के रूप में तैयार किया गया है और न अभिधा की पत्तल के बजाय लक्षणा-व्यंजना और वक्रोक्ति आदि की सोने-चाँदी की थाली में यह सजाया गया है, किन्तु तब भी यह काव्य है और श्रेष्ठतम काव्यों में गणनीय। तब यह प्रश्न हो सकता है कि तब यह काव्य कैसे है? विचार कैसे काव्यात्मक हो सकता है? इस पर हमने अपने दो-एक लेखों में विचार किया है। उस क्रम में गीता काव्य इस कारण है क्योंकि यह दो व्यक्तियों के बीच संवाद के रूप में प्रस्तुत है और संभ्रमित जिज्ञासु के व्यामोह के निवारणपूर्वक उसका प्रवर्तन इसका लक्ष्य है—

अहो वत महत्पापं कर्तुं व्यवसिता वयम्
यद्राज्यसुखलोभेन हन्तुं स्वजनमुद्यताः।। 1.45।।
एवमुक्त्वार्जुनः संख्ये रथोपस्थ उपाविशत्।
विसृज्य सशरं चापं शोक संविग्न मानसः।।1.47।।
तं तथा कृपयाविष्टमश्रुपूर्णाकुलेक्षणम्।
विषीदन्तमिदं वाक्यमुवाच मधुसूदनः।।2.1।।
क्लैव्यं मास्म गमः पार्थ नैतत्त्वमुपपद्यते।
क्षुद्रं हृदयदौर्बल्यं त्यक्त्वोत्तिष्ठ परंतप।।2.3।।

ऊपर हमने देखा कि अध्यात्म चेतना की उत्कृष्टतम स्थिति है। तब क्या इससे यह भी आपादित होता है कि आध्यात्मिक काव्य भी काव्यों में उत्कृष्टतम होता है? इस पर बहुत विवाद हो सकता है। इसमें सबसे आधारभूत बात तो यही है कि कोई कृति काव्य के रूप में सफल है या नहीं यह इस बात पर निर्भर नहीं करता कि उसका विषय क्या है, बल्कि दृष्टि की गहराई, सूक्ष्मता और व्यापकता, हृदय की संवेदनशीलता और अभिव्यक्ति के कौशल पर निर्भर करता है। ये सभी गुण वास्तव में एक अविभाज्य समग्र बनाते हैं। इनमें किसी एक पक्ष की सबलता दूसरे पक्ष की निर्बलता की पूर्त्ति भी कर सकती है। किन्तु इनमें सामान्य निर्बलता रहने पर विषय कोई भी हो वह कृति उत्कृष्ट काव्य-कृति नहीं होगी। दूसरी ओर काव्य के उपर्युक्त गुण प्रबल होने पर विषय-वस्तु की आध्यात्मिकता कृति को एक अतिरिक्त उत्कर्ष देती है, ऐसा कहा जा सकता है। उदाहरणतः मीरा और कबीर के बहुत से सफल गीत या पद उनसे अधिक सफल शृंगारी कृतियों से अधिक उत्कृष्ट कहे जाएंगे। रामचरितमानस अपने ऊपर परिगणित काव्य-गुणों के कारण उतना उत्कृष्ट है जितना उत्कृष्ट वह माना जाता है, यह नहीं कहा जा सकता। उसकी उत्कृष्टता में तुलसी की धार्मिक-आध्यात्मिक चेतना का योगदान भी उतना ही महत्त्वपूर्ण है ऐसा निश्चित रूप से कहा जा सकता है।

साहित्य और संस्कृति[1]

साहित्य और संस्कृति का सम्बन्ध अवयव और अवयवी का-सा है, दो पृथक् वस्तुओं के बीच बाह्य प्रकार का नहीं। इस प्रकार इनके सम्बन्ध पर विचार का अर्थ होना चाहिए साहित्य में संस्कृति की अभिव्यक्ति के स्वरूप को समझना, एक प्रकार से साहित्य के स्वरूप पर से संस्कृति के स्वरूप को भी, कम-से-कम अंशतः, समझना। किन्तु जब हम किसी वस्तु या तत्त्व पर विचार करते हैं तब ऐसे लक्षणों को खोजते हैं जो उसके सब अंगों या उदाहरणों में समान हों, ऐसे लक्षणों को नहीं जो किसी या किन्हीं उदाहरणों में तो पाये जाते हों किन्तु सब में नहीं पाये जाते हों। किन्तु सर्वव्यापक लक्षण को पाये बिना हम किसी तत्त्व के व्याप्यों को कैसे जान सकते हैं? दूसरी ओर, व्याप्यों के सम्बन्ध में निश्चित हुए बिना व्यापक का स्वरूप भी कैसे समझा जा सकता है? उदाहरणतः यह निर्विवाद नहीं होगा कि 'संस्कृति' प्रत्यय का व्याप्य किस-किस को माना जाय। प्रौद्योगिकी और गणित को 'संस्कृति' के व्याप्य माना जाय या नहीं? यह अनिश्चय साहित्य, संगीत, धर्म तथा दर्शन को लेकर नहीं है। ये संस्कृति के मेरुदण्ड माने जाते हैं। किन्तु ऐसा क्यों है और इन सब में ऐसा सामान्य क्या है जो इन्हें 'संस्कृति' के समान रूप से उदाहरण बनाता है? फिर यह प्रश्न भी हो सकता है कि वह सर्वसामान्य गुण ही 'संस्कृति' का वाच्य है या कि ये सब अपने सब गुणों-धर्मों के साथ और इस प्रकार अपनी विशेषताओं के साथ संयुक्त रूप से 'संस्कृति' पद के वाच्य हैं? यदि यह दूसरी बात हो तो यह बात विचारणीय होगी कि इन विभिन्न विशेषताओं में ऐसा क्या सामान्य है जो इनका इनकी विशेषताओं के साथ धारण करता है?

सम्भवतः इसका उत्तर पाने के लिए संस्कृति के स्वरूप पर विचार करने से आरम्भ करना आवश्यक होगा। किन्तु यदि हम अपनी परिभाषा देने से ही आरम्भ नहीं करें तो पायेंगे कि इस सम्बन्ध में स्थिति काफी अस्पष्ट और अनिश्चित है।

किसी समाज की व्यापक रुचियों, अभिवृत्तियों, रहन-सहन की विधाओं को भी संस्कृति कहा जाता है। साहित्य, संगीत, दर्शन आदिगत विशिष्टताओं को भी संस्कृति कहा जाता है, और मूल्यों-आदर्शों आदि के संस्थान या व्यवस्था या व्यवस्थापक दृष्टि को भी संस्कृति कहा जाता है। किन्तु यहाँ यह द्रष्टव्य है कि इन सब की विशिष्टता संस्कृति की विशिष्टता होती है, ये स्वयं से संस्कृति नहीं होतीं, जैसे संगीत की दो शैलियों में भेद संगीतगत शैली-भेद होता है, स्वयं संगीत नहीं होता। यही बात संस्कृति के लिए भी है। यदि हाव-भाव, गति-चेष्टागत वैशिष्ट्य सांस्कृतिक वैशिष्ट्य का द्योतक है तो संस्कृति हाव-भाव, गति-चेष्टा आदि मात्र को ही कहना होगा। किन्तु हाव-भाव आदि मात्र को संस्कृति नहीं कहा जा सकता, क्योंकि ये केवल व्यवहार मात्र होते हैं। ये मानसिकता के व्यंजक भी कहे जा सकते हैं, किन्तु इनका यह अर्थ भी इन्हें संस्कृति कहने के लिए पर्याप्त नहीं कहा जा सकता। ऐसा इसलिए क्योंकि तब साहित्य, संगीत, दर्शन आदि संस्कृति नहीं रहेंगे बल्कि इनकी अभिव्यक्ति की भंगी मात्र संस्कृति रह जाएगी। निश्चय ही हाव-भाव, भंगी, गति-चेष्टा आदि दैहिक से उत्तरवर्ती चित्सत्ता के संकेतक भी हो सकते हैं, किन्तु तब ये उन संकेतों के रूप में ही संस्कृति-सम्बद्ध कहे जा सकेंगे, स्वयं से नहीं। संस्कृति कम-से-कम चित् की मनस्तरीय सत्ता से सम्बद्ध कही जा सकती है, देहस्तरीय सत्ता से नहीं। यहाँ 'कम-से-कम' विशेषण के सम्बन्ध में प्रश्न उठेगा, कि क्या यह मनस् से उत्तरवर्ती चित्सत्ता से भी सम्बद्ध हो सकती है?

---

1. इलाहाबाद संग्रहालय के आमन्त्रण पर अज्ञेय व्याख्यानमाला के अन्तर्गत 22.02.1997 को पढ़ा गया व्याख्यान।

यहाँ चित् की मनस् से उत्तरवर्तिता के अभ्युपगम पर आपत्ति की जा सकती है। किन्तु द्रष्टव्य है कि बहुत-से विचारक तो मनस् की सत्ता भी अस्वीकार करते हैं और केवल चित् की देहात्मक सत्ता को ही स्वीकार करते हैं। यहाँ इस प्रश्न पर विस्तार से विचार नहीं किया जा सकता, यहाँ केवल संक्षेप से यह दिखाया जा सकता है कि चित् के ये तीन स्तर : दैहिक, चैत्त और अतिचैत्त : मानना ही युक्तिसंगत है।

केवल देह की सत्ता मानने वाले वास्तव में 'चित्' या 'चेतना' शब्द के प्रयोग को भी विहित नहीं मानते। उनके सिद्धान्त का पूर्वगृहीत आधार यह मान्यता प्रतीत होती है कि अस्तित्व वस्तु और गुण-रूप होता है और ये दोनों इन्द्रियगम्य होते हैं। किन्तु मन अपने-आप में न वस्तु-रूप में इन्द्रियगम्य है और न गुणरूप में, इसलिए उसका अस्तित्व नहीं है। इस पूर्वग्रह का स्पष्टतम संकेत आंग्ल दार्शनिक गिल्बर्ट राईल की पुस्तक **दि कान्सेप्ट ऑफ माइंड** में मिलता है जहाँ वह मन को 'मशीन में भूत' का नाम देता है। मशीन वहाँ देह की स्थानीय है और भूत मन का। अब देह स्पष्ट दिखायी देती है, मन तो दिखायी नहीं देता, किन्तु अविकसित बुद्धि वाला आदिम जातीय मनुष्य जैसे समझता है कि मशीन के भीतर कोई भूत है जो उसे चलाता है उसी प्रकार बहुत-से अल्पबुद्धि दार्शनिक यह समझते हैं कि देह के क्रिया-कलाप का संचालन मन-संज्ञक किसी वस्तु से होता है। ऐसा आरोप लगाने में राइल उतने ग़लत भी नहीं हैं, क्योंकि यह भी सच है कि अधिकांशत: दार्शनिकों ने चेतना या मन या आत्मा को वस्तु-रूप में ही देखा है, यद्यपि स्वयं राइल देह को वस्तु और मन को उसका गुण मानकर उनसे भी अधिक ग़लत हो जाते हैं। किन्तु यदि देह को चित् की देहात्मक सत्ता और मन को चित् की मानस्, या कहें मनोमय सत्ता के रूप में देखा जाय तो न देह और मन को वस्तु या गुण रूप में देखना आवश्यक है और न चित् को। तब यह कहा जा सकता है कि "आहार, निद्रा, भय मैथुनं च" चित् की एक प्रकार की सत्ता है और पाक-कला और भयानक तथा शृंगारादि रसात्मक काव्य चित् की दूसरे प्रकार की सत्ता, और इस दूसरे प्रकार की सत्ता में विजृंभित अर्थों की सार्थकता-निरर्थकता पर विचार और इस विचार के संकेतों के आभासों का बोध तीसरे प्रकार की सत्ता का संकेत। इस सांकेतिक सत्ता का स्वरूप सम्बोधि, ब्राह्म चैतन्य या पौरुषिक चैतन्य के रूप में कल्पित किया गया है। चित् की इन तीन अवस्थाओं को विषय-विषयी सम्बन्ध के तीन रूपों में भी देखा जा सकता है। इस सम्बन्ध का एक रूप वह है जिसमें विषयी विषयसात् रहता है, एक वह जिसमें विषयी विषय को अपने से निष्कृत कर उसके माध्यम से अर्थ-भुवनों का उत्क्रमण कर अपने में अवस्थित होता है, अथवा कहें इन अर्थ-भुवनों या विषयों को आत्मसमाहित कर अवस्थित होता है। द्रष्टव्य है कि चित् के मनोमय स्तर में विषय-वृत्तिकता की ओर भी अभिमुखता हो सकती है और विषयातिक्रामिता की ओर भी। इनमें प्रथम अभिमुखता अर्थ-सम्भार या अर्थ-वैपुल्य के ह्रास की कारण होती है और द्वितीय अर्थ-सम्भार की समृद्धि की, यह बात सहज रूप में भी देखी जा सकती है और तर्कत: भी। उदाहरणत: आस्वाद के तटस्थ दर्शन की योग्यता पाक-कला और आस्वाद-संवेदन के विमर्श की हेतु बनती है और आस्वादवशवर्त्तिता पेटूपन की। विषय की विषयी से निष्कृति चित् के आत्मोन्मुख निवर्तन से सिद्ध होती है और इस निवर्तित चेतना को प्राप्त विषय अनवगाह्य अर्थों से गर्भित प्रत्यय होते हैं। उदाहरणत: पाशव चेतना के लिए सम्मुख प्रस्तुत पत्थर प्रस्तरत्व का एक उदाहरण होता है। इसके लिए पत्थर की कारकता पूर्णत: निरस्त रहती है। चेतना का यह दूसरा या मध्यवर्ती स्तर ही तृतीय स्तर की ओर उन्मुखता में संस्कृति का जनक होता है, इसकी प्रथम स्तर की ओर उन्मुखता संस्कृति की ह्रासक होती है। इनमें प्रथम चेतना की प्राकृतिक अवस्था है, जिसमें चेतना विषयपरवश रहती है, दूसरी को आप चाहें तो सांस्कृतिक अवस्था कह सकते हैं, जिसमें चेतना विषय से अपने को निवर्तित कर उसके माध्यम से उन अर्थ-भुवनों का साक्षात्कार करती है जो अपनी विपुलता में असीम और अनवगाह्य होते हैं, और तीसरी को आप चाहें तो सम्बोधि, मोक्ष अथवा संन्यास की अवस्था कह सकते हैं, जिसमें चेतना विषयता को निरस्त कर अर्थ-भुवनों को अपने में समाहित कर लेती है, उन्हें आत्म-सम्मत रूप में पा लेती है। यह तीसरी अवस्था सांस्कृतिक चेतना की साध्य, उसकी गन्तव्य कही जा सकती है और इस प्रकार यह संस्कृति से उत्तरवर्ती अवस्था कही जा सकती है, सांस्कृतिक अवस्था नहीं। यह तीसरी अवस्था कभी वास्तवता में सिद्ध होती है या नहीं, इस सम्बन्ध में हम यहाँ कुछ नहीं कहना चाहेंगे, किन्तु चेतना की दूसरी अवस्था तीसरी को अनिवार्यत: लक्षित करती है और उसी से

अपने अर्थ-भुवनों की विपुलता पाती है, यह निस्सन्दिग्ध रूप से कहा जा सकता है। किन्तु यहाँ यह बात विचारणीय हो सकती है कि सांस्कृतिक मानव का साध्य अर्थ-भुवनों की सृष्टि मात्र ही होना चाहिए और अतिक्रान्तता को उसकी विपुलता के क्षितिज के रूप में ही रहना चाहिए या कि उसे अतिक्रान्तता को ही लक्षित करना चाहिए और अर्थ-सृष्टि का अतिक्रमण ही साधना चाहिए? दूसरे शब्दों में, लक्ष्य सम्बोधि ही होना चाहिए और उसकी सिद्धि के लिए परम संन्यास का जीवन ही अपनाना चाहिए या कि साहित्य, संगीत, वास्तु, शिल्प, विज्ञान और दर्शन का विस्तार ही करना चाहिए और इनकी विपुलता को ही साधना चाहिए? दूसरे शब्दों में पुरुषार्थ केवल काम, अर्थ या धर्म ही होने चाहिएँ और मोक्ष को केवल इन-इन अर्थों के माध्यम से इन-इनकी पर्यन्तता के रूप में ही साध्य रहना चाहिए या कि अपनी शुद्धता में मोक्ष ही को साध्य होना चाहिए और काम, अर्थ और धर्म को पुरुषार्थ के रूप में नहीं बल्कि मोक्ष-मार्ग के पड़ावों के रूप में ही रहना चाहिए? हमारे देश के उन दर्शनों ने, जिनका विषय जीवन के साध्य का विचार रहा है, अर्थात् सांख्य, वेदान्त, बौद्ध और जैन दर्शनों ने, संस्कृति को अनात्म, उत्क्रमणीय, अतिलंघनीय के रूप में ही देखा है और हमारी संस्कृति ने इसी दृष्टि को सम्यक् दृष्टि के रूप में स्वीकार किया है, जबकि साहित्य और अन्य ललित कलाओं को इसने अर्थ, काम और धर्म-मूलक अर्थों की विपुलता की सिद्धि के रूप में ही भजा है—"काव्य शास्त्र विनोदेन कालो गच्छति धीमतां" जैसी उक्तियों से जैसे देखा जा सकता है।

यहाँ यह उल्लेखनीय है कि अर्थ और काम विपुलार्थता की अनन्त सम्भावना से गर्भित रूप में ही पुरुष के भजने योग्य, पुरुषार्थ होने योग्य बनते हैं, स्वयं से नहीं, स्वयं से ये केवल आवेगात्मक चित्त के प्रेरक होते हैं।

मानव-चेतना के स्वभावत: आत्मचेतन और इस प्रकार विषय-निर्धारक होने से वह विषयों का स्वतन्त्र अर्थ-ग्रहण करने के योग्य तो सदैव होती है किन्तु उसकी अर्थावगाहकता उसके विषय से स्वातन्त्र्य की सापेक्ष होती है, विषय-पारतन्त्र्य उसके लिए दृष्टि-अवरोधक ही होता है। विषयों के प्रति भोगात्मक या आवेगात्मक वृत्ति चित्त की विषय-परतन्त्रता की वृत्ति है। कलाओं, विज्ञान और दर्शन में चित्त न्यूनाधिक स्वातंत्र्य में ही रहता है, किन्तु कभी-कभी नहीं भी रहता। उदाहरणत: दर्शन में वह पूर्वाग्रही हो सकता है, विज्ञान में किसी विज्ञानेतर भोगात्मक या आवेगात्मक प्रयोजन से प्रेरित हो सकता है, और कलाओं में कामुकता के प्रखरतर संतोष के लिए प्रवृत्त हो सकता है, ऐसा बहुधा देखने में आता है। अर्थ और काम का यह अनुसरण पुरुषार्थक अनुसरण नहीं है और इस वृत्ति में रची गई रचनाएँ सृजनात्मक और सांस्कृतिक रचनाएँ नहीं कही जा सकतीं। इनमें विषय चेतना के लिए अपने अर्थों का उद्घाटन नहीं करते। इस प्रकार यह असंदिग्ध रूप से कहा जा सकता है कि साहित्य और अन्य कलाएँ, विज्ञान तथा दर्शन उसी सीमा तक सफल और स्वरूपवान् हो सकते हैं जिस सीमा तक ये चेतना के स्वातन्त्र्य में प्रतिष्ठित होते हैं और उसी अवस्था में ये पुरुषार्थक और सांस्कृतिक कर्म भी कहे जा सकते हैं। विशिष्ट कृतियाँ इस प्रतिमान पर कहाँ तक पूरी उतरती हैं, यह एक दूसरी बात है। किन्तु इन संस्कृति-कर्मियों में साहित्यिक की स्थिति अन्यों से कुछ भिन्न होती है। इसका विषय भोगात्मक चित्त, और अधिकांश में भोगात्मक संसार ही होता है। कथा-साहित्य मनुष्य के सुख-दु:ख, कलह-क्लेश, प्रेम-द्वेष, मिलन-विरह का अन्तर्विमर्श प्रस्तुत करता है और गीत, कविता और खण्ड-काव्य अधिकांशत: कवि के मनोभावों का। कोई तुलसीदास कभी धर्म-संस्थापन को लक्ष्य कर भी काव्य-रचना में प्रवृत्त हो सकता है और कालिदास रघु-कुल की कथा के रूप में ऐसे जीवन का परिदृश्य प्रस्तुत कर सकता है जिसमें सब अर्थ धर्म-परिष्कृत आधार में प्रतिष्ठित हों, किन्तु काव्य की दृष्टि से 'कान्ताविरहगुरुणा खिन्न' ऐसे यक्ष की कथा भी उतनी ही सफल है जो कामासक्ति से आगे किसी अर्थ को नहीं जानता और ऐसे जयशंकर प्रसाद की विरह-व्यथा भी जिसके मस्तिष्क में 'घनीभूत पीड़ा', 'परिरंभ-कुंभ की मदिरा' और 'निश्वास-मलय के झोंकों' की स्मृति के कारण छायी हुई है। निश्चय ही मेघदूत एक महान् साहित्यिक कृति है, क्योंकि वह प्रकृति के सौन्दर्य को अद्भुत मार्मिकता और कुशलता से शब्द-चित्रों के माध्यम से व्यक्त करती है। कालिदास सांस्कृतिक प्रतीकों के प्रति भी अत्यधिक संवेदनशील हैं और इस कारण सहज में और मार्मिक रूप से उनका उपयोग करते हैं। जैसे **मेघदूत** के पहले ही श्लोक में—रामगिरि के जलों को

'जनक तनया स्नान से पुनीत' कहने में देखा जा सकता है। किन्तु मेघदूत की कथा-रचना एक विरही की दु:ख-व्यथा मात्र तक ही सीमित है। यह व्यथा अपने अर्थ-सम्भार में बहुत समृद्ध भी हो सकती है और दरिद्र भी, उदाहरणत: भवभूति के **उत्तररामचरितम्** की कथा मर्यादापुरुषोत्तम और धीरोदात्तों में श्रेष्ठतम नायक के कर्त्तव्य और प्रेम के द्वन्द्व से उपजी व्यथा की कथा होने से सहज ही महत् अर्थों से मण्डित हो जाती है और इसके विपरीत यक्ष की कथा केवल तभी अर्थ-सम्भार से विपुलित हो सकती है यदि कवि शारीरिकता से मुक्त होकर हृदय की अन्तर्गुहाओं में प्रविष्ट हो जाय और उनके अतल में से अर्थों का संचय कर सके। द्रष्टव्य है कि यह संचय उतना ही समृद्ध हो पाता है जितना कवि द्वारा उनके लिए उपयुक्त व्यंजनाओं का साक्षात्कार सम्भव हो पाता है। ये दोनों प्रकाश और विमर्श-रूप में परस्पर अवियोज्य तथा संपृक्त होते हैं। कालिदास ने इन्हें ही वाक् और अर्थ कहा है। अब, राम की विरह-व्यथा ऊर्ध्वतर मनोमय से भिन्न और किसी प्रकार की हो ही नहीं सकती जबकि यक्ष की विरह-व्यथा केवल शारीरिक स्तरीय स्मृतियों की कथा भी हो सकती है। यहाँ यह कहना अभिप्रेत नहीं है कि विरह-व्यथा केवल मर्यादापुरुषोत्तम की ही विपुलार्थक हो सकती है। अर्थ-विपुलता की सिद्धि के लिए कवि का केवल भावना-लोक में निविष्ट होकर उसका विमर्श करना ही अपेक्षित होता है, शेष उसकी चेतना की उज्ज्वलता, अथवा कहें प्रतिभा की उत्कृष्टता पर निर्भर करता है।

किन्तु जैसाकि हमने देखा, काव्य और अन्य कलाएँ केवल प्रेम के प्रसंगों से बँधी रहें, यह आवश्यक नहीं है, वे उससे निकलकर जीवन के सभी पक्षों को भी अपना विषय बना सकती हैं और उन पक्षों के अर्थों को विपुल और गहन बना सकती हैं। किन्तु काव्य और अन्य कलाओं का मुख्य विषय काममूलक अर्थों का विमर्श ही रहा है और इन अर्थों का विमर्श वे ही कर सकते हैं, दर्शन और शास्त्र आदि विमर्श की दूसरी विधाएँ नहीं। इनमें भी काव्य, भाषा के माध्यम के कारण, जितनी गहराई और विस्तार में जा सकता है उतनी अन्य कलाएँ नहीं।

यहाँ यह प्रश्न स्वाभाविक होगा कि कामपरक अर्थों का विमर्श केवल काव्य और कलाओं में ही क्यों हो सकता है, दर्शन, विज्ञान या अन्य शास्त्रों में क्यों नहीं? यहाँ वात्स्यायन के **कामसूत्र** की ओर ध्यान जाना स्वाभाविक है जो केवल कामविषयक ही है और शास्त्र है। इसी प्रकार पाकशास्त्र होता है, जिसका विषय भी काम ही का एक अंग होता है। किन्तु **कामसूत्र** इस बात का एक प्रमाण ही प्रस्तुत करता है कि काममूलक अर्थ शास्त्र के विषय नहीं हो सकते, क्योंकि वे अर्थ विषयितापरक विमर्श के लिए ही समुचित रूप से गम्य हो सकते हैं, विषयतापरक विवरण और वर्गीकरण के लिए नहीं। शरीर-क्रियाविज्ञान, रसायनविज्ञान, मनोविज्ञान और काम-कलाशास्त्र इनमें से कोई भी, या ये संयुक्त रूप से भी, प्रेम के अर्थ का स्पर्श भी नहीं कर सकते, उसकी अतल गहराइयों को तो ये कहाँ से पायेंगे। प्रेम का यह अर्थ कितना विपुल है इसे इससे देखा जा सकता है कि असंख्य काव्य, उपन्यास आदि और राग-रागिनियाँ तथा चित्र आदि इसका अवगाहन और बखान करके भी इसके पारावार से रत्नों और मणियों को निश्शेष नहीं कर सके। ये अर्थ दैहिकता से उठकर चित् के मनोमय स्तर पर अतिक्रामी संकेतों से गर्भित होकर ही आविर्भूत हो सकते हैं।

इस प्रकार पाकशास्त्र केवल पाक-कला का बाह्य विवरण मात्र होता है जिसका अपना कोई अर्थ नहीं होता। इसी प्रकार मनोविज्ञान मनोवृत्तियों की कारण-कार्य-व्यवस्था की सूचना देता है, उनके नियोजन की विधि भी बता सकता है, किन्तु उनके अर्थों का संस्पर्श नहीं कर सकता। केवल दर्शन इन अर्थों का उनकी विषयता के पक्ष से अवगाहन कर सकता है, यद्यपि उतनी पर्याप्तता के साथ नहीं जितनी पर्याप्तता के साथ यह धर्म और मोक्षपरक अर्थों का कर सकता है। यहाँ यह स्पष्टीकरण आवश्यक होगा कि दर्शन यह विमर्श और अवगाहन केवल तभी अधिकृत रूप से कर सकता है यदि उसमें इन अर्थों की विषयिता का संस्पर्श भी, कम-से-कम प्रतिभात्मक कल्पना के द्वारा, साथ रहे। काम-मूलक अर्थों की यह विषयता वास्तव में विषयी आत्मा की ही आत्मप्रत्यय के रूप में घटित विषयता होती है, उद्ग्रहणात्मक या शब्द-विकल्पित विषयता नहीं। किन्तु द्रष्टव्य है कि दार्शनिकों ने इन अर्थों को प्राय: कभी मीमांस्य नहीं बनाया, भक्ति को बनाया तो धर्म के पक्ष से, काम के पक्ष से नहीं। साहित्य और कला का अर्थ-विमर्श विषयिता के पक्ष से ही होता है और काम-मूलक अर्थ उपर्यक्त रूप

से इसी पक्ष से गम्य होते हैं। यदि कहा जाय कि काम-पुरुषार्थ की साधना का उपयुक्ततम साधन कलाएँ ही होती हैं और इनमें साहित्य में इन अर्थों की विपुलता अन्य कलाओं की तुलना में बहुत अधिक होती है, तो यह ग़लत नहीं होगा।

किन्तु साहित्य केवल काम-पुरुषार्थ को ही विमृश्य नहीं बनाता, वह सभी पुरुषार्थों को विमृश्य बनाता है और जो कवि जितना ही महान् होता है उसकी संवेदना और दृष्टि उतनी ही व्यापक होती है। ऊपर हमने जयशंकर प्रसार के **आँसू** काव्य का उल्लेख किया था, किन्तु उनका **कामायिनी** काव्य भी है जो एक समग्र जीवन-दृष्टि को ही लक्षित करता है, फिर उनकी अनेक कविताएँ, कहानियाँ, नाटक और उपन्यास भी हैं जिनमें जगत् और जीवन के सभी पक्ष कवि की संवेदना में अपने गुह्य अर्थों को प्रकाशित करते हैं। दृष्टि की यह व्यापकता और क्रान्तदर्शिता और इन्हें काव्यात्मक बनाने वाली विमर्शशालिनी संवेदना ही किसी व्यक्ति को महान् कवि बनाती है और समाज उस कवि को अपना सांस्कृतिक प्रतिनिधि मानता है। इस प्रकार भारतीय संस्कृति को जितनी गहराई से **वाल्मीकीय रामायण, महाभारत** और **रामचरितमानस** ने रचा और आधार तथा बल दिया उतना सम्भवत: अन्य किसी कृति ने नहीं। इनकी तुलना में केवल बुद्ध, महावीर, गाँधी और अन्य कुछ कृती जीवनों को ही रखा जा सकता है। निश्चय ही ये तीन कृतियाँ अपवाद कही जा सकती हैं, किन्तु कालिदास की कृतियाँ भारतीय मानस को उसकी समग्रता में, भक्त कवियों की कविताएँ भारत के धार्मिक मानस को और अन्यान्य कवियों की कविताएँ समाज-मानस के अन्यान्य पक्षों के अर्थों को अभिवर्धित और अभिसंस्कृत करती देखी जा सकती हैं। इस बात को यदि यूँ कहा जाय कि भारतीय समाज को उसकी संस्कृति में प्रतिष्ठित रखने और दीक्षित करने का कार्य ये कवि करते रहे हैं तो सम्भवत: अधिक सही होगा। ये ऐसे कवि हैं जो सर्वविदित हैं। किन्तु दूसरी ओर लोक-काव्य है, जिनकी रचना एक प्रकार से व्यक्ति नहीं कर समाज ही करता है और इसके द्वारा अपने को नवीकृत करता रहता है। महान् कवि इन अर्थों को महत् गहराई और महत् विस्तार देते हैं, इसी अर्थ में वे महान् होते हैं।

इस दृष्टि से आधुनिक भारत में अज्ञेय का एक पर्याप्त विशिष्ट और महत्त्वपूर्ण स्थान है। आधुनिक भारत के हिन्दी-क्षेत्र को जिन कवियों ने सबसे अधिक आधार और संस्कार दिया है उनमें मैं भारतेन्दु हरिश्चन्द्र, मैथिलीशरण गुप्त, जयशंकर प्रसाद, निराला और अज्ञेय को देना चाहूँगा। इनके साथ कुछ उपन्यासकार भी गिने जा सकते हैं, किन्तु इस विधा में भी अज्ञेय का स्थान नगण्य नहीं है। यहाँ यह द्रष्टव्य है कि भारतेन्दु, मैथिलीशरण गुप्त और मुँशी प्रेमचन्द का कृतित्व भारत को उसकी संस्कृति में धारण करने में अधिक कहा जा सकता है, प्रसाद और निराला का उसकी नये अर्थों की खोज को प्रेरित और गहराई देने में। अज्ञेय इस दूसरे वर्ग के कवियों में श्रेष्ठतम नहीं तो कम-से-कम सर्वश्रेष्ठ कुछेक में से एक तो माने जा ही सकते हैं। वे आरम्भ से ही भाव और बोध के नये मार्गों के अन्वेषक और उनको प्रतिष्ठा देने में संघर्ष-रत रहे। उनके **शेखर : एक जीवनी** और **नदी के द्वीप** उपन्यासों में भी नये अर्थों का दर्शन और उपन्यास-रचना के नये रूप का सर्जन होते देखा जा सकता है। नये की इस खोज में वे **अपने-अपने अजनबी** उपन्यास में इतने आगे जाते दिखाई पड़ते हैं जिसमें उनकी आधारभूमि ही छूट गई लगती है। सौभाग्यवश वे जल्दी ही अपनी इस दिग्भ्रान्ति के प्रति सचेत हो गए, किन्तु यह उपन्यास उनकी खोज के मार्ग, भटकाव और उससे चेतने का ऐसा निदर्शक है जैसी उनकी और कोई कृति नहीं है। यह उपन्यास उस समय फैशन में आयी विचारधारा अस्तित्ववाद के अपच प्रभाव में लिखा गया था। पश्चिम के प्रति आकर्षण आरम्भ में अज्ञेय में वैसा ही था जैसा उस समय के अधिकांश साहित्यिकों में था। उस समय अस्तित्ववाद और मार्क्सवाद फैशन में थे और सभी साहित्यिक उनके पर्चम फहराकर अपनी प्रामाणिकता स्थापित करते थे। अज्ञेय जी दूसरों से इस बात में भिन्न थे कि जबकि वे इन विचारों को न्यूनाधिक समझते थे दूसरे साहित्यिक इनकी कोई समझ नहीं रखते थे। किन्तु अज्ञेय भी अस्तित्ववाद को, जिससे वे एक समय काफी प्रभावित थे, इतना नहीं समझते थे कि उसके गुणावगुण की जाँच कर सकते। यह बात मैं उनके लेखों के आधार पर कह रहा हूँ। **नदी के द्वीप** के नायक भुवन और नायिका रेखा की संवेदनाएँ भी पाश्चात्य विचार और काव्य से ही अभिसंस्कृत थीं, जैसाकि उन अधिकांश भारतीयों की हैं जो शिक्षित हैं। हिन्दी साहित्य में यह स्थिति आज भी है, किन्तु अज्ञेय जी

पीछे न केवल इससे निकल आये थे बल्कि उन्होंने अपने पिछले काव्य में भारतीय आध्यात्मिक मूल्यों को अद्‌भुत सृजनात्मक अभिव्यक्ति दी है। सृजनात्मकता से मेरा अभिप्राय है "एक आत्मप्रतिष्ठ, आत्मप्रामाणिक, आत्म-अव्यवहित चित्त का भाव।" अज्ञेय के इस काव्य में चित्त का यह भाव ऐसे बोध से सम्पन्न था जिसमें सृष्टि देव-तत्त्व से अभिनिविष्ट थी और हृदय ईश्वरतत्त्व की सन्निधि में था। यह भाव और बोध 1969 से बाद की उनकी कविताओं में प्राय: सर्वत्र देखा जा सकता है। उदाहरणत: **आंगन के पार द्वार** संग्रह की कविता 'भीतर जागा दाता' देखें। उसमें वैदिक ऋषि के यज्ञ-तत्त्व के साक्षात्कार का नवसाक्षात्कार देखा जा सकता है—

मतियाया
सागर लहराया।
....
दूर धुँधला किनारा
झूम झूम आया, डगमगाया किया।
मेरे भीतर जागा / दाता / बोला / लो, यह सागर मैंने तुम्हें दिया।
....
मेरे भीतर जागा / दाता
और मैंने फिर नीरव संकल्प किया :
लो, यह हरी-भरी धरती—यह सवत्सा कामधेपनु / मैंने
तुम्हें दी :
आकाश भी तुम्हें दिया :
यह बौर, यह अंकुर, ये रँग, ये फूल, ये कोंपलें,
ये दूधिया कनी से भरी बालियाँ,
ये मैंने तुम्हें दीं.....
सब/ तुम्हें / दिया।

वस्तुमात्र में ईश की व्याप्ति और उससे तादात्म्य के भावन से उपजे आनन्द की ऐसी अभिव्यक्ति अन्यत्र अलभ्य होमी। इसमें वैदिक यज्ञ-दृष्टि का बोध भी लक्षित होता है। भारत की आध्यात्मिक संस्कृति की विशिष्ट दृष्टि इस कविता में कवि के अपने साक्षात्कार के माध्यम से जैसे व्यंजित हुई है उसकी तुलना अन्यत्र मिलना कठिन होगा। इसकी एक दूसरी व्यंजना 'एक प्रश्न' कविता में देखें—

जिन आँखों को तुमने गहरा बतलाया था
उनसे भर-भर मैंने
रूप तुम्हारा पिया।
जिस काया को तुम रहस्यार्थ से भरी बताते थे
उसके रोम-रोम से मैंने
गान तुम्हारा किया।
जो प्यार—कहा था तुमने ही—है सार-तत्त्व जीवन का,
वही अनामय, निर्विकार, चिर-सत्त्व
मैंने तुम्हें दिया।
यों / तुमसे पायी ज्योति-शिखा के शुभ्रवृत्त में
मैंने अपना / पल-पल जलता जीवन जिया :
पर तुमने—तुम, गुरु, सखा, देवता! / तुमने क्या किया?

इसे एक प्रेम-कविता भी कहा जा सकता है, किन्तु औदात्य के उस स्तर पर उठी हुई जिस पर पहले उद्धृत कविता भी है। वह दान बाहर प्रकृति-रूप में उन्मिषित आत्मा का है और यह अपने ही भाव में विभोर आत्मा का; और आत्मा ही को दान; उस आत्मा को जो आत्मदान के संकल्प का आनन्द पाने के लिए इतर बनी है।

अब वाक् तत्त्व का एक विवेचन देखें—वैखरी वाक् में तत्त्व की अनभिलाप्यता और परावाक् में उस तत्त्व के आत्मप्रकाशन के अर्थ का अद्भुत विमर्श। इस कविता का शीर्षक है 'चिड़िया'—

मैंने कहा/कि 'चिड़िया': / मैं देखता रहा—/चिड़िया चिड़िया ही रही।
फिर-फिर देखा / फिर-फिर बोला/ 'चिड़िया'/ चिड़िया चिड़िया ही रही।
फिर –जाने कब–/ मैंने देखा नहीं :/ भूल गया था मैं क्षण-भर को तकना!–
मैं कुछ बोला नहीं–खो गई थी क्षण-भर को स्तब्ध-चकित-सी वाणी,
अनयना रवहीना धरती में/ होने को अंकुरित अजाने—
तब-जाने कब- / चिड़िया ने ही कहा/ कि 'चिड़िया'। चिड़िया ने ही देखा / वह चिड़िया थी।
चिड़िया / चिड़िया नहीं रही तब से : / मैं भी नहीं रहा मैं / कवि हूँ।
कहना सब सुनना है, स्वर केवल सन्नाटा ।
कहीं बड़े गहरे में / सभी स्वैर हैं नियम / सभी सर्जन केवल
आँचल पसार कर लेना।

इस कविता की अन्तिम पंक्ति में 'सृजन' की व्याख्या द्रष्टव्य है—सत्य का साक्षात्कार। सृजन की यही व्याख्या मैंने 'सृजन और परिवेश' लेख में की थी। किन्तु यहाँ उस व्याख्या ने काव्य-भाषा में जो मुखरता पायी है वह दर्शन की भाषा के लिए अलभ्य है।

इसी संग्रह के 'चक्रान्त शिला खण्ड' में एक कविता है जिसकी प्रथम पंक्ति है— 'अरी ओ आत्मा री' (कविता संख्या 12) इसकी प्रथम तीन पंक्तियाँ कबीर की कविता 'दुलहन गावहु मंगलाचार, म्हारे घर आयहु राजा राम भतार' की याद दिलाती हैं। किन्तु यहाँ कबीर के अत्यन्त सजीव मूर्त्त बिम्बों का स्थान उतने ही सजीव अमूर्त्त बिम्ब ले लेते हैं। एक और भेद है, कबीर की कविता में जहाँ पूरी में एक उत्सव का आनन्द हैं, इसमें एक हल्की व्यथा की छाया है। देखें—

अरी ओ आत्मा री / कन्या भोली क्वाँरी / महाशून्य के साथ भाँवरें तेरी रची गयीं।
जा आत्मा, जा/कन्या-वधुका-/ उसकी अनुगा,/ वह महाशून्य ही अब तेरा पथ,
लक्ष्य, अन्न-जल, पालक, पति/आलोक, धर्म :/ तुझको वह एकमात्र सरसायेगा।
ओ आत्मा री/ तू गयी वरी/ ओ संपृक्ता / ओ परिणीता / महाशून्य के साथ भाँवरें
तेरी रची गयीं।

इस खण्ड के बाद एक लम्बी कविता 'असाध्य वीणा' है जिसमें परावाक्-भूत बुद्ध के स्वरूप का, अथवा कहें चेतना की सम्बोधि-अवस्था का मूर्त्त बिम्बों में अद्भुत अर्थोन्मेष है।

ऐसा नहीं है कि अज्ञेय जी की 1969 के बाद की सारी कविताएँ इसी भाव-भूमि पर से लिखी गई हैं, किन्तु इस काल के काव्य में उनका चित्त विश्व में व्याप्त, विश्व की प्रतिष्ठापक और कवि-हृदय में स्पन्दित आत्मा में अधिक रमता था। इसके समर्थन में **सदानीरा-2** से कितने ही उदाहरण दिये जा सकते हैं। यहाँ केवल दो उदाहरण और दूँगा। पहला 'उधार' शीर्षक कविता है। वास्तव में इसे 'भीतर जागा दाता' कविता का ही प्रतिबिम्ब भी कहा जा सकता है। कवि धूप से, चिड़िया से, घास की पत्ती से, शंखपुष्पी से, हवा, लहर से, आकाश से—सबसे उधार माँगता है। इनसे वह जो माँगता है और जिन शब्दों में माँगता है उसकी भी महिमा अद्भुत है। और इसके बाद कहता है—

सबसे उधार माँगा, सबने दिया।
यों मैं जिया और जीता हूँ / क्योंकि यही सब तो है जीवन—
गरमाई, मिठास, हरियाली, उजाला / गन्धवाही मुक्त खुलापन,
लोच, उल्लास, लहरिल प्रवाह / और बोध भव्य निर्व्यास निस्सीम का :
ये सब उधार पाये हुए द्रव्य।

क्या इसमें 'ईशावास्यमिदं सर्वं यत्किंच जगत्यां जगत्, तेन त्यक्तेन भुंजीथा' मन्त्र में व्यक्त आर्ष साक्षात्कार कवि की अनुभूति में अपने अर्थ वैभव का समृद्ध और स्फुट प्रत्यक्ष करता दिखायी नहीं देता?

अब, एक प्रकार से अज्ञेय जी की **नदी का द्वीप** कृति में काम-मूलक अर्थों का ही विमर्श हुआ है। उस विमर्श में वे कितनी गहराई और विस्तार में जा पाये हैं, उनकी दृष्टि कहाँ तक सम्यक् है और कहाँ तक असम्यक्, यह उनकी इस कृति की सफलता और महत्ता का एक महत्त्वपूर्ण पक्ष है। किन्तु उतना ही महत्त्वपूर्ण पक्ष यह भी होता है कि किसी कृति में किस पुरुषार्थ का विमर्श हुआ है और उसकी चिद्भूमि क्या है। उदाहरणत: **श्रीमद्भगवद्गीता** की महत्ता उसकी अर्थगर्भता और उन अर्थों की समर्थ अभिव्यक्ति और अभिव्यक्ति की व्यंजकता में तो है ही, उस अर्थ की भूमि में भी है। यही बात **रामचरितमानस** के सम्बन्ध में भी कही जा सकती है। काम का पुरुषार्थ-रूप में अनुसरण जीवन को पाशव से मानव का स्तर देता है, इसी प्रकार उसका काव्य में विमर्श भी उसे विमर्श की गुरुता और गहनता के अनुसार गुरु और गहन बनाता है, किन्तु धर्म का पुरुषार्थ-रूप में अनुसरण निश्चय ही उसके अनुसर्ता को महत्तर बनाता है और इसी प्रकार का उसका विमर्श काव्य को भी बनाता है। मोक्ष पुरुषार्थ का अनुसरण तो महत्तम है ही और परिणामत: उस अर्थ का विमर्श भी।

इसके प्रतिवाद में कालिदास और शेक्सपीयर को प्रस्तुत किया जा सकता है। यहाँ यह उल्लेखनीय है कि शेक्सपीयर को टाल्स्टाय ने उत्कृष्ट कवि के रूप में नहीं आँका है। शेक्सपीयर की महत्ता काम और अर्थपरक पुरुषार्थों के विमर्श की सूक्ष्मता, जटिलता और गहनता में निश्चय ही अद्वितीय है, किन्तु जिस प्रकार एक लोकान्वेषी समृद्धतम जीवन भी बुद्ध, रामकृष्ण परमहंस या गाँधी के समकक्ष नहीं हो सकता उसी प्रकार काम और अर्थ-पुरुषार्थों का अनुध्यायी काव्य भी धर्म और मोक्ष पुरुषार्थों के अनुध्यायी काव्य से तुलनीय नहीं हो सकता। अज्ञेय जी अपने उत्तरवर्ती काव्य में एक उच्चतर आध्यात्मिक चिद्भूमि पर उठ पाये हैं, उनके विमृश्य मोक्षपरक अर्थ बने हैं, यह बात उनके काव्य को इस बात से अलग महत्ता देती है कि उन अर्थों का विमर्श कितना सूक्ष्म और कितना कुशल है।

ऊपर हमने चार पुरुषार्थों की बात की है। किन्तु इसका अर्थ यह नहीं है कि अर्थ इन चार ही प्रकारों के हैं। अर्थों के अनेक प्रकार हैं और आगे इन प्रकारों के अन्तर्गत उनकी अनेक छायाएँ और रूप हैं। उदाहरणत: पुरुषार्थों के चार प्रकारों के विपरीत रसों के दस प्रकार हैं और ये भी अनुभूति के सभी रूपों का निश्शेषत: आकलन नहीं करते। विचार इन पुरुषार्थों पर विषयता के पक्ष में विमर्श करता है और काव्य इनका विमर्श विषयिता के पक्ष से करता है। ये सब अर्थ पुरुषार्थ इसलिए हैं क्योंकि ये पुरुष को, उसकी चेतना को, समृद्ध बनाते हैं। अर्थों का यह उन्मेष और इनकी एष्यता-अनेष्यता का विवेक, यही वास्तव में संस्कृति है और अर्थों के विमर्श का एक महत्त्वपूर्ण आयाम होने से साहित्य संस्कृति का एक महत्त्वपूर्ण अंग हो जाता है।

किन्तु अब यहाँ एक आधारभूत प्रश्न है जो स्वयं संस्कृति की पुरुषार्थता से सम्बन्ध रखता है। पुरुषार्थों में मोक्ष परम पुरुषार्थ है। इस कारण से नहीं कि भारतीय संस्कृति ने इसे परम पुरुषार्थ माना है बल्कि इस कारण भी कि स्वयं अर्थों की विपुलता उनकी अतिक्राम्यता को प्रकट करती है, और दूसरे, इन अर्थों का अन्वेषण बहुत बार अपनी सार्थकता में सन्देह उत्पन्न करता है। यद्यपि अर्थों की अतिक्राम्यता और उनकी सार्थकता की सन्दिग्धता एक ही बात नहीं है : प्रथम जबकि अर्थों के उन्मेषक मूल में अधिस्थिति और उस मूल का द्रष्टृत्व है दूसरा उस उन्मेष-व्यापार की सार्थकता में सन्देह है। किन्तु इनमें एक तारम्य भी है। अर्थों की अतिक्राम्यता उनकी

स्वकीय अपर्याप्तता की द्योतक होती है, परिणामत: उनका उनके अपने लिए अनुसरण भ्रांतिमूलक ही सिद्ध हो सकता है। अब, सम्बोधि जबकि अर्थों की आत्मपर्यन्तता के अतिक्रमण में है, अर्थों की दु:खस्वरूपता का बोध उनकी अनन्वेष्यता का बोध है। यही बोध कबीर द्वारा मृत्यु को आनन्द का द्वार मानने में और पतंजलि द्वारा चित्तवृत्तियों को निरोध्य देखने में है। किन्तु इस बोध की सिद्धि तो साहित्य, संगीत और दर्शन आदि के विलयन में ही सिद्ध होगी और परिणामत: संस्कृति के विलयन में भी।

सम्भवत: इसका समाधान यही हो सकता है कि संस्कृति का और इस प्रकार साहित्य, दर्शन आदि का भी, अन्तिम लक्ष्य आत्मविलयन की यह सिद्धि ही है। किन्तु क्या साहित्यकार और दार्शनिक इस समाधान को स्वीकार करेंगे?

साहित्य, सौन्दर्य और संस्कृति : एक तात्त्विक विवेचन

दुर्भाग्यवश हिन्दी में अभी तक उत्कृष्ट स्तर का शास्त्रीय और विचारात्मक लेखन बहुत दुर्लभ है, किन्तु पाण्डे जी के माध्यम से दर्शन, कला-चिन्तन और इतिहास-चिन्तन के क्षेत्र में कुछ ऐसी कृतियाँ आयी हैं जिन्हें विश्व-साहित्य के स्तर की कहा जा सकता है। **साहित्य, सौन्दर्य और संस्कृति**[1] भी इसी प्रकार की कृति है। वैश्व स्तर पर ही, पाण्डे जी ऐसे अल्पसंख्यक वर्ग के सदस्य हैं जिनका एक ओर सूचनात्मक ज्ञान (पाण्डित्य) अत्यधिक समृद्ध है और दूसरी ओर जिनमें गहन तत्त्व-चिन्तन की असाधारण योग्यता है। इस दूसरी योग्यता के कारण सूचनात्मक ज्ञान भी उनके पास अपने तत्त्व से प्रकाशित होकर ही उपस्थित होता है। किन्तु शुद्ध तत्त्वचिन्तन भी उनकी कृतियों में प्रभूत मात्रा में उपलब्ध होता है।

यह पुस्तक हिन्दोस्तानी एकेडेमी, इलाहाबाद में 'डॉ. धीरेन्द्र वर्मा व्याख्यानमाला' के अन्तर्गत दिये गए दो व्याख्यानों का संकलन है। इन व्याख्यानों में से प्रथम का विषय सौन्दर्यशास्त्र का उसके ऐतिहासिक परिप्रेक्ष्य में विवेचन है और दूसरे का विषय कुछ सीमा तक साहित्य-चिन्तन और साहित्य-सर्जन का उनकी सांस्कृतिक पृष्ठभूमि से सम्बन्ध-निरूपण है। किन्तु इसके अतिरिक्त इसमें कला-विषयक और शुद्ध तत्त्व-चिन्तन भी पर्याप्त मात्रा में है। यहाँ सन्देह हो सकता है कि केवल 78 पृष्ठों के इन दो व्याख्यानों में इतना कुछ पर्याप्त मात्रा में कैसे हो सकता है? इसका उत्तर है, अत्यधिक सघनीकरण के द्वारा! किन्तु इसके परिणामस्वरूप कुछ स्थलों पर प्रतिपादन लगभग दुर्बोध हो गया है और कुछ स्थलों पर उसमें अपर्याप्तता भी रह गई है। अपर्याप्तता इस अर्थ में कि उसमें युक्ति की अपेक्षाएँ पूरी नहीं होतीं। इन दोषों से बचना केवल तभी सम्भव था यदि पाण्डे जी दोनों व्याख्यानों में अपने को शुद्ध तत्त्व-चिन्तन तक ही सीमित रखते। किन्तु वह उन्होंने नहीं किया। असल में विशाल शास्त्र-ज्ञान उनका सहज में पीछा नहीं छोड़ता, जबकि मैंने देखा है कि जब भी वे इससे पीछा छुड़ा पाते हैं तब वे अद्वितीय होते हैं। किन्तु इन व्याख्यानों में तो उन्हें इस शास्त्र-भार से इसलिए भी मुक्त होना चाहिए था कि इतनी छोटी गागर में इतना बड़ा सागर भरना सम्भव ही नहीं हो सकता था। किन्तु तब भी वे जो कर पाये हैं वह वे ही कर सकते थे। ऐसा उन्होंने प्रथम व्याख्यान में सौन्दर्यशास्त्र विषयक विचार के इतिवृत्त को इतिवृत्तात्मक विवरण से निकालकर एक ओर साहित्यिक युगों के स्वरूप-निरूपण द्वारा किया है और दूसरी ओर साहित्य और अन्य कलाओं के स्वरूप-विषयक कुछ प्रमुख वैचारिक प्रवृत्तियों के निरूपण द्वारा किया है। स्वभावत: यह सब कोई लेखक इतिवृत्त के तत्त्व को अपनी दृष्टि की अन्तर्वस्तु बनाकर और तब उसको सार-रूप में प्रस्तुत करते हुए ही कर सकता है। दूसरे व्याख्यान 'सांस्कृतिक भूमिका' में पाण्डे जी ने वास्तव में एक ओर ज्ञान, भाव और कल्पना के स्वरूप पर और दूसरी ओर साहित्य, संगीत और चित्रकला के स्वरूप पर विचार किया है जो अत्यधिक सार-गर्भित है। इसी क्रम में वे यह भी दिखाते चलते हैं कि किस प्रकार ये, विशेषत: भाव और कल्पना, सांस्कृतिक परिवेश से उपरंजित होते हैं।

प्रथम व्याख्यान पाण्डे जी इस स्वीकृति के साथ आरम्भ करते हैं कि 'सौन्दर्यशास्त्र' शब्द अंग्रेज़ी के 'इस्थैटिक्स' शब्द का अनुवाद है और स्वयं यूरोपीय विचारधारा में इस पद का प्रयोग और इससे सम्बद्ध अवधारणा का आविर्भाव 18वीं शताब्दी में बाउमगार्टन द्वारा हुआ। इससे यद्यपि यह आवश्यक नहीं हो जाता कि

---

1. **साहित्य, सौन्दर्य और संस्कृति,** लेखक प्रोफेसर गोविन्दचन्द्र पाण्डे, प्रकाशक हिन्दोस्तानी एकेडेमी, इलाहाबाद, 1994

हमारे इस विषयक चिन्तन का सन्दर्भ भी पाश्चात्य ही बने किन्तु हमारी ऐतिहासिक परिस्थितियों के कारण अधिकांश में वही हमारा सन्दर्भ बना। पाण्डे जी के इस व्याख्यान में भी उनके चिन्तन का मुख्य सन्दर्भ वही है, यद्यपि यह सब जानते हैं, और यह इस व्याख्यान से भी स्पष्ट है कि एतद्विषयक भारतीय विचार के इतिहास का उनका ज्ञान भी उतना ही व्यापक है जितना पाश्चात्य विचार के इतिहास का। इस सन्दर्भ के यहाँ पाश्चात्य होने को मैं दुर्भाग्य की बात ही कहूँगा, क्योंकि यदि पाण्डे जी ने केवल भारतीय चिन्तन-परम्परा को ही अपना विचार-विषय बनाया होता तो उससे भारत में सौन्दर्यशास्त्रीय चिन्तन को एक नयी दिशा और प्रेरणा मिलती।

अब हम उनके विचार, अथवा कहें कला-विषयक उनके दार्शनिक सिद्धान्त को देखने का प्रयत्न करेंगे। इसके सम्बन्ध में यहाँ आरम्भ में ही स्पष्ट करना उचित होगा कि पाण्डे जी के इस पुस्तक में प्रतिपादित विचार से हमारा प्राय: ऐकमत्य है, यदि पहले कुछ भेद था तो। किन्तु यहाँ हम चर्चा को आगे बढ़ाने के लिए कुछेक स्थलों पर कुछ प्रश्न भी उठायेंगे।

पाण्डे जी साहित्यिक कृति को इस प्रकार परिभाषित करते हैं—"साहित्यिक अथवा कलाकृति अपने में एक विशिष्ट प्रकार के मूल्य को मूर्त्त करती है जिसे श्रोता या दर्शक सम्यक् प्रतीति के विषय के रूप में ग्रहण कर लेता है। आलोचनात्मक प्रतीति मात्र से ग्राह्य इन कृतियों में अन्य किसी प्रकार का उपयोग या उपभोग अभिप्रेत नहीं रहता है, यही उनके लालित्य का अर्थ है। अपने आलोच्य या भाव्य ज्ञान मात्र से इच्छा-निरपेक्ष सुख का हेतु होना साहित्यिक मूल्यांकन के विषय से न्यूनाधिक रूप में समान एवं तुलनीय है। इस पक्ष के अन्तर्गत मूल्यांकन के व्यापक तत्त्वों का विमर्श ही सौन्दर्यशास्त्र का प्रधान कार्य है।" (पृ. 8-9) दूसरे शब्दों में, कलाकृति अपने अस्तित्व में ही मूल्यवान् होती है। (ऊपर उद्धरण में 'आलोचना' से यहाँ 'अवलोकन' अभिप्रेत प्रतीत होता है) इस अवलोकन का विषय वस्तु-मूलक नहीं होकर अवलोकन-मूलक ही होता है और इसमें जिस मूल्य का मूर्त्तन होता है सुखात्मकता उसमें अनिवार्यत: एक आधारभूत घटक होती है। किन्तु यह सुखात्मकता उपयोग (अर्थ) और उपभोग (काम) मूलक वृत्तियों से मुक्त शुद्ध मनोमय प्रकार की होती है। यह गुण साहित्य और अन्य कलाओं में समान होता है और इसकी समीक्षा और विवेचन ही सौन्दर्यशास्त्र है। किन्तु इस परिभाषा में "अपने आलोच्य या भाव्य ज्ञान मात्र से इच्छा-निरपेक्ष सुख का हेतु होना साहित्यिक मूल्यांकन के विषय का एक पक्ष है" इस वाक्य का अर्थ स्पष्ट नहीं है, विशेषत: 'आलोच्य या भाव्य ज्ञान' पद का अर्थ। किन्तु एक आधारभूत कठिनाई और है—"आलोचनात्मक प्रतीति मात्र से ग्राह्य कृतियों में उपयोग या उपभोग से निरपेक्ष सुख की हेतुता" कला-कृति का लक्षण होता है न कि उसके मूल्यांकन (साहित्यशास्त्र या कला-शास्त्र) का। इसी व्यामिश्र में 'आलोच्य या भाव्य ज्ञान' की अस्पष्टता निहित है।

साहित्य को इस प्रकार कला के अन्य रूपों के समान प्रतिपादित करने के बाद पाण्डे जी इस मत के विपरीत कुछ मतों पर विचार करते हैं जो साहित्य के भाषामूलक होने से उसे अन्य कलाओं से भिन्न देखते हैं। किन्तु पाण्डे जी के अनुसार "कला और साहित्य दोनों में ही दो पक्ष मिलते हैं, एक सांकेतिक रूप का, दूसरे, उससे गम्य प्रतीति का, जो विकल्प से कभी जुड़ी होने पर भी भावात्मक होती है। साहित्य में विचार-सन्दर्भ की महत्त्वपूर्ण भूमिका के बावजूद सर्वत्र ही रचना और रूप, संकेत और अर्थ, आस्वादन और विवेचन के तत्त्व मिलते हैं। इन्हीं को विषय बनाकर सौन्दर्यशास्त्र की रचना होती है।" (14) इस प्रकार साहित्य मूलत: कला ही ठहरता है, और क्योंकि सब कलाओं में रूप के अतिरिक्त उससे व्यंग्य अर्थ का पक्ष भी रहता है इसलिए साहित्यशास्त्र कला-विषयक सामान्य विचारतन्त्र का एक अंग हो जाता है।

अब, यह सौन्दर्यशास्त्र, या सौन्दर्य-दर्शन, कला-विषयक एक सार्वभौम दृष्टि का प्रस्तावक होना चाहिए। कला के विचार्य तत्त्व, अथवा कहें किसी भी विचार-विषय के तत्त्व, न तो व्यक्ति-सापेक्ष होने चाहिएँ और न संस्कृति-सापेक्ष ही होने चाहिएँ। इसके सम्बन्ध में पाण्डे जी का मानना है कि "वस्तु-विज्ञान को सारांश में संस्कृति-निरपेक्ष और विकासशील मान लेने पर भी दर्शन को उस कोटि में नहीं रखा जा सकता।" (16) और "यह निर्विवाद है कि दर्शनों की प्रवृत्तियाँ सांस्कृतिक प्रवृत्तियों से अलग रखकर नहीं समझी जा सकती।"(17)

किन्तु यह स्वीकार करने पर "दर्शन-साम्राज्य असंख्य विच्छिन्न द्वीपों का एक समूह बन जाएगा।"(18) इसका समाधान पाण्डे जी देते हैं कि "वस्तुत: उन्हें (विचारद्वीपों को) सांस्कृतिक अनुभूति-धारा और उपधाराओं के मोड़ मानना चाहिए। शब्दों और विकल्पों के वासना-मूलक होने के कारण नाना परम्परात्मक सन्दर्भों में दृष्टि-भेद प्रकट होते हैं और उनके गवाक्षों से मानवीय या वैचारिक परिप्रेक्ष्यों के रूप में दार्शनिक प्रस्थान जन्मते हैं।"(18) और फिर "सौन्दर्य-मीमांसा तो द्विविध रूप से संस्कृति-सापेक्ष है। सौन्दर्य-मीमांसा मूल्य-दर्शन की एक विधा है और मूल्य विवेक-गोचर होते हुए भी सांस्कृतिक-सांकेतिक परम्परा से अलग नहीं किये जा सकते।"(18) किन्तु तब प्रश्न होगा कि तब ऐसा क्यों है कि स्वयं पाण्डे जी का सान्दर्यशास्त्र का यह विवेचन मुख्यत: पाश्चात्य विचार की पृष्ठभूमि पर ही हुआ है और मुख्यत: उस विचार का ही उसमें आकलन किया गया है? निश्चय ही पाण्डे जी ने काव्य के इतिहास की चर्चा में भारतीय और पाश्चात्य दोनों इतिहासों को लिया है और उनमें भेद दिखाया है, कला के इतिहास के स्वरूप-विषयक पाश्चात्य दृष्टि को भारतीय कला के इतिहास के सन्दर्भ में अस्वीकार भी किया है, परन्तु यह उस दृष्टि के अन्तर्गत उसमें संशोधन के प्रस्ताव जैसा ही है, भारतीय दृष्टि नहीं है।

इसका समाधान हो सकता है कि हम अपने दर्शन का प्रतिपादन करते हुए, अथवा कहें अपने दार्शनिक अभिनिवेश में, अपनी सांस्कृतिक परम्परा में ही होते हैं किन्तु उस दृष्टि का विषय किसी भी सांस्कृतिक परम्परा और किसी भी विचार-परम्परा को बना सकते हैं, और पाण्डे जी यहाँ यही कर रहे हैं। वे यहाँ दो सांस्कृतिक परम्पराओं के सौन्दर्यशास्त्रों के आलोचक हैं, इसलिए इन दोनों परम्पराओं से बाहर हैं। किन्तु तब प्रश्न होगा कि यह बाहरी आलोचक किसी परम्परा में होता है या वह सब परम्पराओं से बाहर होता है? इस प्रश्न को यहाँ हम पाठकों के स्वयं विचार के लिए छोड़ रहे हैं।

ऊपर हमने कहा कि पाण्डे जी के अनुसार कला के इतिहास-विषयक पाश्चात्य दृष्टि भारतीय इतिहास पर लागू नहीं होती, क्योंकि पाश्चात्य दृष्टि के अनुसार सार्वभौम रूप से कला का आदि युग आनुष्ठानिक और जादुई है जबकि इसके विपरीत भारतीय कला का आदि युग परमार्थ-साक्षात्कारात्मक युग है। उनके शब्दों में "भारतीय परम्परा और आध्यात्मिकता के सन्दर्भ में श्री अरविन्द एवं कुमारस्वामी के अनुसार कहा जा सकता है कि संस्कृति के मूल पर्व में एक सनातन विद्या का उन्मेष देखा जा सकता है जब प्रतिभाशाली पुरुषों की सहज बुद्धि दिव्य प्रेरणा ग्रहण करने में समर्थ थी, जब द्रष्टा शाश्वत धर्म का साक्षात्कार प्राप्त कर शब्दों में उसकी सहज अभिव्यक्ति कर सकते थे। यह वस्तुत: काव्य का मन्त्र युग कहा जा सकता है जब 'कवि' शब्द मानवीय कवि और ईश्वर के लिए समान रूप से प्रयुक्त होता था। समस्त सृष्टि देव-शक्ति का काव्य है जैसे मन्त्रमय काव्य ऋषियों का। कवि या शिल्पी ज्ञानी, दिव्य प्रेरणा से युक्त, अद्भुत कर्म द्रष्टा और निपुण स्रष्टा माना जाता था।" (27)

अब, यहाँ 'सनातन विद्या का उन्मेष', 'दिव्य प्रेरणा ग्रहण करने में समर्थ प्रतिभा', 'शाश्वत धर्मों के साक्षात्कारी द्रष्टा', 'दिव्य द्रष्टा शिल्पी' पदों का प्रयोग विचारणीय है। यह तो हो सकता है कि वैदिक ऋषि अपने-आपको इसी रूप में देखते हों, उस काल के शिल्पी भी अपने-आप को दिव्य साक्षात्कारी देखते हों और दूसरे भी उन्हें इसी रूप में देखते हों, किन्तु क्या वास्तव में उनकी दृष्टि और उनके द्वारा दृष्ट वस्तुएँ इसी प्रकार की थीं, आनुष्ठानिक और जादुई नहीं? स्वयं पाण्डे जी ने अन्यत्र[1] इन ऋषियों को ऐसे 'शाश्वत धर्मों' के साक्षात्कारी के रूप में नहीं देखा है। वहाँ उन्होंने वैदिक देवताओं-दस्युओं को आनुष्ठानिक-जादुई रूप में ही देखा है, (254), **बृहदारण्यक उपनिषद्** में पुत्र-प्राप्ति के लिए '**ऑर्थोडॉक्स वैदिक जादू के प्रयोग**' का विधान देखा है, (256) और उसमें निवृत्ति-परक श्रमण-परम्परा के विपरीत प्रवृत्ति-धर्मपरक परम्परा देखी है जो सांसारिक

1. (द्रष्टव्य, गोविन्दचन्द्र पाण्डे, **स्टडीज़ इन दि ऑरिजिंस् ऑफ बुद्धिज़्म**, द्वितीय संशोधित संस्करण, 1974, मोतीलाल बनारसीदास, दिल्ली, ऊपर पृष्ठ संख्याएँ तृतीय आवृत्ति (1983) के अनुसार है)।

सुख-समृद्धि और पुत्रादि की प्राप्ति के लिए यज्ञादि अनुष्ठान करती थी। (251-61) यह सम्भव है कि पाण्डे जी के मत में इस बीच परिवर्तन हुआ हो, क्योंकि 1974 और 1995 के बीच 21 वर्ष का अन्तर है, किन्तु तब यहाँ 'सनातन विद्या', 'शाश्वत धर्म', इन धर्मों के 'साक्षात्कार', 'दिव्य दृष्टि' आदि पदों के अर्थों का विवेचन अपेक्षित है। पाण्डे जी ने **रामचरित मानस, दिव्य प्रबन्धम्** और **कुरान** को भी यथायोग्य रूप से आर्ष काव्य की कोटि में रखकर इसकी परोक्ष रूप से व्याख्या अवश्य की है, किन्तु इससे कोई बात स्पष्ट नहीं होती। वैदिक देव-जगत् इस लोक के तुल्य और समानान्तर जैसा है, वह आधिदैविक अधकि है, आध्यात्मिक कम। इसके विपरीत तुलसी का राम-लोक आध्यात्मिक लोक है, वह देव-लोक नहीं है। तुलसी के राम-लोक को राम के अवतार को स्वीकार किये बिना भी स्वीकारा और समझा जा सकता है जबकि वेद के देवलोक को देवताओं को स्वीकार किये बिना स्वीकार नहीं किया जा सकता। इस कारण वैदिक ऋषियों के 'साक्षात्कार' और तुलसी के 'साक्षात्कार' को एक ही प्रकार का नहीं कहा जा सकता। कुरान को साक्षात्कारात्मक कहने की बात समझना और भी कठिन जान पड़ता है। मुहम्मद साहिब के 'इल्हामों' को यदि 'साक्षात्कार' कहा जा सकता है तब 'साक्षात्कार' के दावेदार बहुत लोग हो जायेंगे। इसके अतिरिक्त, पाण्डे जी उस समय के शिल्पियों को भी 'दिव्य प्रेरणा से युक्त' कहते हैं। किन्तु इनके साथ वे 'माना जाता था' का प्रयोग करते हैं, वे द्रष्टा 'थे' ऐसा नहीं कहते। हम तो मानते हैं कि सभी सर्जन साक्षात्कारात्मक होता है, उसी प्रकार सभी नैतिक बोध और तत्त्व-बोध भी साक्षात्कारात्मक होता है। किन्तु पाण्डे जी का 'साक्षात्कार' और 'दिव्य प्रेरणा' से क्या अभिप्राय है इसमें स्पष्टीकरण की अपेक्षा प्रतीत होती है।

यहाँ एक और बात देखने की है। पाण्डे जी के अनुसार कला के इतिहास में यह दिव्य साक्षात्कारात्मक युग केवल भारत में ही सभ्यता के आदिकाल में हुआ, अन्य किसी देश या संस्कृति में नहीं। इस प्रकार ऐतिहासिक युग-विभाजन की दृष्टि से पाश्चात्य विचारकों द्वारा आद्य युग का निरूपण अन्य सब संस्कृतियों के लिए सही हो जाता है। पाश्चात्य इतिहासकार, पाण्डे जी के अनुसार, कला के इतिहास के युगों का निम्न प्रकार से विभाजन करते हैं—आर्काइक, हेरोइक, क्लासिकल, रोमैंटिक और युगान्तवर्ती। (39) पाठकों की एक जिज्ञासा हो सकती है कि ऐसा क्यों है कि भारतीय कला का इतिहास तीन युगों में विभाज्य है और पाश्चात्य कला का पाँच में? दूसरी जिज्ञासा यह हो सकती है कि यदि पाश्चात्य कला के 'आद्य युग में भी मानवीय आदर्श की कल्पना देव-सहचर ज्ञानी और पुरोहित की रहती है' तो इसे 'आर्काइक' संज्ञा क्यों दी जाय 'आर्ष' संज्ञा ही क्यों नहीं दी जाय?

आगे 'सौन्दर्य मीमांसा की दिशाएँ' (34) उपशीर्षक के अन्तर्गत पाण्डे जी ने मुख्य आधुनिक पश्चिम के सौन्दर्य-मीमांसा विषयक विचारों का बहुत सूक्ष्म, समीक्षात्मक किन्तु संक्षिप्त विवरण दिया है। इस विवेचन के निष्कर्ष में पाण्डे जी कहते हैं—"यदि पारमार्थिक संकेत-प्रतीकवाद की दृष्टि से काव्य साक्षात्कृत सत्य का संकेत है तो अभिव्यक्तिवादी दृष्टि से वह भावात्मक मानवीय मूल्य का व्यंजक है। दोनों में ही काव्य अथवा कला में प्रस्तुति किसी मूल्यात्मक अर्थ की व्यंजना करती है, वह अर्थ दिव्य हो या मानवीय।"(42)

कला के इतिहास के स्वरूप का विवेचन करते हुए पाण्डे जी ने मानवीय चेतना के विकास के स्वरूप का अत्यन्त सारगर्भित शब्दों में निरूपण किया है। वे प्रश्न करते हैं—"क्या कला के इतिहास का और तद्विषयक मत-मतान्तर का वैचित्र्य किसी सरल युक्ति-संगत सूत्र में संगृहीत किया जा सकता है?"(25) इसका उत्तर पाने के लिए वे पहले हेगल के मत को प्रस्तुत कर उसकी एकांगिता और उसकी तुलना में बौद्धमत की व्यापकता दिखाते हैं। किन्तु तब उसे भी अपर्याप्त मानते हुए वे कहते हैं—

"मनुष्य में प्रमाण-बुद्धि अन्तर्निहित होते हुए भी वह उसके स्वभाव को पूरी तरह परिभाषित नहीं करती और धार्मिक विवेक भी प्रत्यक्ष एवं अनुमान से भिन्न प्रमाण है, उसे तार्किक युक्ति-विन्यास में विश्लेषित नहीं किया जा सकता। भावनात्मक तत्त्व मानवीय आत्म-बोध का अनिवार्य अंग है। उसके रहस्य और समस्याओं को तर्क से सुलझाया या अवगाहित नहीं किया जा सकता। स्वयं तर्क-बुद्धिसम्पन्न मनुष्य भी अहंकार-ममकार के

परवश होकर अपने ऐतिहासिक कार्य-कलाप में न सदा युक्ति-पूर्वक कार्य करता है, न उसके न्याय-विरुद्ध व्यवहार के पीछे कथंचित् व्यापार-शील 'बुद्धि की चतुराई' सदा सफल ही हो पाती है। मानवीय इतिहास में अन्ततोगत्वा ज्ञान की विजय होती है या होगी, इसका ऐतिहासिक स्तर पर कोई प्रमाण नहीं है। फलत: मानवीय संस्कृति से एक युक्ति-युक्त बौद्धिक विकास को चरितार्थ देखना दोनों ही प्रकार से अयुक्त प्रतीत होता है। एक तो सांस्कृतिक व्यापार सिर्फ बुद्धि के व्यापार नहीं हैं, दूसरी, मानवीय बुद्धि सदा युक्ति-संगत नहीं होती।"

मानवीय चेतना का इतना व्यापक किन्तु साथ ही इतना लाघव-युक्त निरूपण अन्यत्र कहीं दुर्लभ होगा। इसके अनन्तर पाण्डे जी प्रश्न करते हैं—"क्या संस्कृति के कलात्मक क्षेत्र में ऐसा युक्ति-सूत्र मिल सकता है जोकि उसे एक संग्रह-सूत्र में प्रस्तुत कर सके?"(26) और तब कुछ पाश्चात्य इतिहासकारों और श्री अरविन्द एवं कुमारस्वामी के मतों का उल्लेख कर वे भारतीय कला-इतिहास का इस प्रकार निरूपण करते हैं—"काव्य के विकास के तीन चरण तीन सांस्कृतिक युगों की पुरुषार्थ-प्रवृत्तियों से जुड़े हैं, आर्ष काव्य ज्ञान और धर्म की साधना से, 'इतिहास-काव्य' धर्म और अर्थ से, 'लौकिक काव्य' मुख्यतया अर्थ और काम से। (29)

द्रष्टव्य है कि यह युग-विभाजन पूर्णत: काल-क्रमात्मक नहीं होकर 'सांस्कृतिक पुरुषार्थ-प्रवृत्तिपरक' है। किन्तु क्या 'लौकिक काव्य' को केवल अर्थ और काममूलक पुरुषार्थपरक कहा जा सकता है? क्या स्वयं पाण्डे जी के काव्य में ये पुरुषार्थ कहीं दूर से भी देखे जा सकते हैं? यदि नहीं, तो क्या उनका काव्य लौकिक नहीं है?

यहाँ हम एक अवान्तर प्रश्न भी पाण्डे जी के और पाठकों के विचारार्थ उठाना चाहेंगे। निश्चय ही बहुत-से काव्यों और कलाओं में अर्थ या काम ही पुरुषार्थ होते हैं, दूसरे कुछ में ये नहीं होने पर भी धर्म, मोक्ष या कोई और समकक्ष पुरुषार्थ नहीं होते बल्कि साधारण लोक-जीवन का सूक्ष्म या प्रगल्प या विदग्ध निरूपण ही होता है। ऐसी काव्य या कला-कृतियों को कलात्मक रूप से तो उत्कृष्ट कहा जा सकता है, किन्तु क्या उनका जीवन-मूल्य की दृष्टि से कोई महत्त्व, कोई सार्थकता होती है? क्या जीवन-विषयक सार्थकता के लिए यह प्रश्न आधारभूत नहीं है कि "जिसे पाकर मैं अमृत नहीं होता उसे पाकर मैं क्या करूँ?" यहाँ पाण्डे जी को ही उद्धृत करते हुए— "कहा गया है कि रचना की साहित्यिकता उसके विशिष्ट साहित्यिक मूल्य पर निर्भर करती है जबकि उसकी महत्ता अन्य मूल्यों पर।"(64) तब यहाँ पूछा जा सकता है कि क्या अर्थ और काम-पुरुषार्थपरक कोई कृति महान् हो सकती है?

इस पुस्तक के दूसरे व्याख्यान का शीर्षक है 'सांस्कृतिक भूमिका'। किन्तु जैसाकि हमने पीछे कहा, इस व्याख्यान का विषय केवल सांस्कृतिक भूमिका तक ही सीमित नहीं है। इसमें साहित्य, संगीत और चित्रकलाओं के स्वरूप का तथा भावना, कल्पना और रस के स्वरूप का भी बहुत सूक्ष्म और मौलिक विवेचन हुआ है और उसी की इसमें मुख्यता है। सांस्कृतिक भूमिका पर विचार इस विवेचन के क्रम में ही हुआ है।

यहाँ सर्वप्रथम कला की परिभाषा द्रष्टव्य है जो अपनी सम्यक्ता और गहराई में अद्वितीय है। यह परिभाषा वे व्यवहार और शास्त्र के विश्वों से कला-विश्व का भेद दिखाते हुए देते हैं। उनके शब्दों में "यदि व्यवहार की भाषा का गुण उसकी सर्वसुगमता और अनुभव के ठोस पदार्थों से स्पष्ट सम्बन्ध है तो शास्त्रीय भाषा का गुण उसकी निश्चितार्थता और अविरुद्धता है। इन दोनों से भिन्न है आदर्श-मूल्यात्मक, संस्कृति का साहित्य-कलात्मक विश्व जो एषणात्मक-भावात्मक चेतना के अपरोक्ष प्रतिमान और आत्मपरामर्शात्मक आलोचन का विषय है।"(47)

साहित्य और संस्कृति का सम्बन्ध पाण्डे जी इस प्रकार निरूपित करते हैं—"साहित्य-संसार से मेरा तात्पर्य यहाँ साहित्य-कल्पित संसार से नहीं है बल्कि उस ऐतिहासिक-सामाजिक विश्व से है जिसमें साहित्य की रचना और समीक्षा होती है।...अन्तर्वैयक्तिक चेतना में सम्प्रेष्य अर्थ और संकेत के रूप में यह विश्व विधृत है। इस चेतना में व्यक्तिगत, सामाजिक और सार्वभौमिक सूत्र वैसे ही जुड़े रहते हैं जैसे अर्थ-विश्व में वस्तु-विकल्प और मूल्य-विकल्प।"(45) इस प्रकार संस्कृति ही नहीं, ऐतिहासिक-सामाजिक विश्व भी साहित्य-विश्व का

बाह्य परिवेश नहीं रचता बल्कि वह उसका अन्तर्गत सत्त्व ही होता है, क्योंकि अर्थ और संकेत कला का सर्वस्व होते हैं। इसे आगे स्पष्ट करते हुए पाण्डे जी कहते हैं, "साहित्य की वास्तविक सांस्कृतिक पृष्ठभूमि उसकी बहिरंग ऐतिहासिक घटनाओं में नहीं होकर उस मूल्य-परिप्रेक्ष्य में खोजनी चाहिए जो उसे अपनी सामाजिक स्थिति और परम्परा में अन्तर्निहित रूप से प्रभावित करता है। उदाहरण के लिए **शेखर : एक जीवनी** के लेखक का कारागार में होना कृति के लिए एक बहिरंग तथ्य है जबकि स्वाधीनता-आन्दोलन की युग-चेतना उसके परिप्रेक्ष्य का एक आयाम है।" (66-67)

पहले उद्धरण में कला का उत्स चेतना के उस आयाम में देखा गया है जो व्यक्ति-संकुचित नहीं होकर 'अन्तर्वैयक्तिक' है और इस प्रकार जो सांस्कृतिक अर्थ-वैपुल्य को धारण कर सकता है, जिसमें विभिन्न व्यक्ति सहभाग ले सकते हैं और जो इस विभिन्न के मध्य अभिन्न है। दूसरे उदाहरण में कलाकार के मानसिक परिवेश का निरूपण है जो उसकी चेतना को उपरंजित करता है, उसे एक भूमि विशेष पर प्रतिष्ठित करता है।

जैसाकि हमने कहा, इस व्याख्यान में काव्य और कला के अनेक पक्षों पर विचार किया गया है। सर्वप्रथम पाण्डे जी प्रश्न उठाते हैं—क्या यह सम्भव है कि कल्पनात्मक साहित्य लोक-व्यवहार का, अर्थात् यथार्थ सामाजिक जीवन का, ज्ञान दे सके? इस प्रश्न के दो वैकल्पिक उत्तरों का अस्वीकारपूर्वक उल्लेख कर पाण्डे जी कहते हैं, "यदि इतिहास को वस्तु-वर्णन के रूप में न देखकर स्वभाव के दृष्टान्त के रूप में देखा जाय तो इतिहास और साहित्य में मूल विषय-वस्तु का अन्तर नहीं रह जाएगा। वस्तुतन्त्र ज्ञान की विधा के रूप में इतिहास और स्वतन्त्र कल्पना के रूप में साहित्य का अन्तर अक्षत रहते हुए भी वह यहाँ अप्रासंगिक है।"(50) तब क्या साहित्य और इतिहास मूलत: एक ही हैं? ऐसा स्पष्टत: नहीं हो सकता। तब फिर इनकी विषयवस्तु में क्या भेद है? पाण्डे जी इसका उत्तर देते हैं "स्वभाव की कल्पना ही अस्थिर प्रतीति-प्रवाह के पीछे एक मूल कारण की कल्पना है। एक ओर यह कल्पना बाह्य प्रतिभासों के आधार पर वस्तु-कल्पना है, दूसरी ओर यह आन्तरिक प्रतिभासों के आधार पर आत्म-कल्पना है जोकि चेतन मानवीय स्वभाव की कल्पना और मूल्य-कल्पना से अभिन्न है। भावना और विवेक से जुड़ी हुई आत्मानुभूति ही मूल्यानुभूति है और उसका निदर्शन ही साहित्योचित स्वभाव-निदर्शन है जो अनायास अनुभूत भाव और मूल्य, सामाजिक यथार्थ और नैतिक आदर्श का अवगाहन कर सकता है।"(50) इस प्रकार इतिहास और साहित्य दो नितान्त भिन्न 'स्वभावों' को परिलक्षित करते हैं। इतिहास जबकि बाह्य प्रतिभासों में अभ्युपगत आधार : वस्तु : को लक्षित करता है, साहित्य आन्तर प्रतिभासों में अभ्युपगत आधार : आत्मा : को लक्षित करता है।

यहाँ भी हम कुछ कठिनाइयों की ओर संकेत करना चाहेंगे। 'प्रतिभास' शब्द आभास-बाह्य किसी वस्तु को पूर्वकल्पित करता है जो बाह्य विकल्पित वस्तु (सूर्य, चन्द्र, वह्नि, पर्वत आदि) से और आन्तर विकल्पित (आत्मा) से भिन्न स्वरूप-सत् है। अब जबकि बाह्य आभासों से संलग्न स्वलक्षण वस्तु कल्पनीय या अनुमेय है, आन्तर आभासों से संलग्न स्वलक्षण वस्तु को कैसे समझा जाय? दूसरा आधारभूत अन्तर विकल्पित वस्तुओं को लेकर होगा, क्योंकि बाह्य प्रतिभास जबकि असंख्य विकल्पित वस्तुओं को विषय करते हैं, आन्तर प्रतिभासों का विषय एक ही वस्तु—आत्मा है। क्या बाह्य वस्तु-विकल्पों के अनुरूप आन्तर वस्तु-विकल्प विशेष इच्छा, क्रोध, काम, प्रीति, वात्सल्य आदि को नहीं मानना चाहिए? दूसरी कठिनाई और भी गहनतर है—इतिहास के विषय मनुष्य होते हैं जो 'बाह्य वस्तु' नहीं कहे जा सकते, वे इतिहास-वेत्ता (यदि इतिहास को साहित्य के समकक्ष काल्पनिकता से मुक्त रखने के लिए 'इतिहासकार' शब्द का प्रयोग नहीं करना चाहें तो) के समान ही बाह्यता और आन्तरता से युक्त होते हैं, विषय-विषयी होते हैं। दूसरी कठिनाई आन्तरिक प्रतिभासों के आधार पर कल्पित आत्मा को मूल्य-कल्पना से अभिन्न कहने को लेकर हो सकती है। 'भावना और विवेक से जुड़ी हुई आत्मानुभूति' और 'आन्तरिक प्रतिभासों से जुड़ी हुई आत्म-कल्पना' को अभिन्न नहीं कहा जा सकता और इस प्रकार 'आन्तरिक प्रतिभासों से जुड़ी हुई आत्म-कल्पना' को अभिन्न नहीं कहा जा सकता और इस प्रकार आन्तरिक प्रतिभासों को साहित्य से भी सीधा नहीं जोड़ा जा सकता।

उपर्युक्त उद्धरण में हमने जो कठिनाइयाँ देखी हैं वे कठिनाइयाँ केवल अति संक्षेप के कारण हैं। पाण्डे जी के सम्बन्ध में यह कहने का दुस्साहस तो कोई भी नहीं कर सकता कि वे इनके सम्बन्ध में स्पष्ट नहीं हैं।

इस व्याख्यान में सबसे महत्त्वपूर्ण अंश है कल्पना का विवेचन। कल्पना को साधारणत: चेतना की इच्छा या आवेगमूलक अयथार्थ-अवास्तव लोकों या वस्तुओं को अन्तश्चक्षु के सम्मुख प्रस्तुत करने की शक्ति समझा जाता है। किन्तु कल्पना किस प्रकार ज्ञान, प्रतिभान, प्रातिभ साक्षात्कार और तत्त्व-बोध में भी सहायक होती है, पाण्डे जी ने यह बहुत ही सम्यक् रूप से दर्शाया है। इतने संक्षेप में इतना स्पष्ट और पैना विवेचन केवल पाण्डे जी की समर्थ भाषा के द्वारा ही सम्भव हो सकता था।

कल्पना को पाण्डे जी प्रथमत: इस प्रकार निरूपित करते हैं : "भाषा की रचना-शक्ति और कल्पना को अलग नहीं किया जा सकता, दोनों चेतना के अयुतसिद्ध व्यापार हैं। भाषा के समान ही कल्पना में स्वच्छन्दता और अनुकरणात्मकता का तनाव मिलता है। एक ओर कल्पना विशृंखल स्मृति बन जाती है, दूसरी ओर ऋतम्भरा प्रभा या प्रतिभा।" (60) आगे पाण्डे जी कल्पना के दो भेद करते हैं—अबोध और सबोध। भ्रान्ति, स्वप्न और ध्यान आदि अबोध कल्पना के उदाहरण हैं और विज्ञान और साहित्य सबोध कल्पना के। उनके अनुसार 'भ्रान्ति, स्वप्न, ध्यान आदि में भी सहज रूप से ही विषयों की अपरोक्ष प्रतीति होती है। इस प्रकार अबोधपूर्वक कल्पना के विषय सत्य भी होते हैं, मिथ्या भी। यही स्थिति वैज्ञानिक और साहित्यकार की सबोध कल्पना की है। कल्पना में सदा ही मानसिक प्रतीति और विषय-रचना के तत्त्व मिलते हैं। मानसिक साक्षात्कार या प्रतिभान में उसका उत्कर्ष मिलता है, नाम-रूप द्वारा वह अपने को व्यक्त करती है। **किसी बाह्य निमित्त या आकार को आन्तरिक प्रतीति से जोड़कर उसे अर्थ-संकेत या अर्थ-प्रतिभास के रूप में प्रस्तुत कर सकना उसकी अद्भुत और मौलिक शक्ति है।** कल्पना जिस सत्य से प्रेरित होती है वह है चेतना की अपने आपकी प्रतीति।' (61) यहाँ रेखांकित वाक्य आधारभूत महत्त्व का है और कला में कल्पना के रूप का अद्भुत रूप से सम्यक् और सूझपूर्ण निरूपण करता है। यहाँ कल्पना को चिद्गत गुह्य सत्यों और बाह्य विषयों के अन्तर्गर्भ अर्थों को व्यक्त करने वाली शक्ति के रूप में देखा गया है। कल्पना इन सत्यों को अर्थ, प्रत्यय या विकल्प के रूप में रचकर बोधगम्य बनाती है। इसी प्रकार पाण्डे जी आगे कहते हैं—"सम्भाव्य आकार को विषय बनाने में कल्पना सर्वथा अवस्तुविषयक हो सकती है, वस्तु के आकार को आकारान्तर से आच्छादित कर सकती है, असामान्य, अपूर्व और सूक्ष्म विषय को प्रकाशित कर सकती है। वह प्रमाण-विसंवादी भी हो सकती है, अविसंवादी भी। अविद्या और प्रज्ञा दोनों से ही वह सम्बद्ध है।...प्रज्ञानुगुण होने पर वह सामान्य अनुभव को उदात्त आदर्शों के परिप्रेक्ष्य में प्रस्तुत करती है। विश्व-सर्जनात्मक ईश्वरीय कल्पना, ज्ञान-संरचनात्मक प्रागनुभविक कल्पना, प्रतिचित्रणात्मक कल्पना और भाव-व्यंजक कल्पना...प्रतिचित्रण अन्त:स्फुरित तत्त्व का दृश्य रूप या बिम्ब के द्वारा अथवा दृश्य रूप में साक्षात्कृत तत्त्व या मनोग्राह्य विकल्पों के द्वारा, उभयथा सम्भव है।"(61) यहाँ कल्पना का एक ओर ज्ञान से सम्बन्ध और दूसरी ओर उसकी ज्ञानातीत को ज्ञान के लिए गम्य रूप से रचने की शक्ति दोनों अवधेय हैं। इसी प्रकार 'ईश्वरीय कल्पना' को यदि जाने भी दें तो भी प्रागनुभविक कल्पना है जो सबोध कर्तृमूलक नहीं होकर वैयक्तिक उपाधि से उत्तरवर्ती चेतनामूलक है, यद्यपि जगत् को भी कल्पना-मूल के और इस प्रकार ईश्वर के बिना कैसे समझा जा सकता है? अब, भाव-व्यंजक कल्पना जबकि पुरुष-प्रयत्नाधीन होती है, यह ऐसे प्रयत्न को प्रदर्शित करती है जो भाव का उसके तत्त्व में साक्षात्कार कर ऐसी आकृति की रचना करता है जो भाव का उचित विग्रह (देह) बनने के योग्य हो सकती है। प्रागनुभविक कल्पना जबकि संवेदाभासों या प्रतिभासों को विषयाकार में रचती है वह किसी ज्ञान की प्रदायक नहीं होती, उसे इस अर्थ में भ्रामक भी कहा जा सकता है कि वह रचित आकारों को वस्तुगत आकारों के रूप में प्रस्तुत करती है। किन्तु कल्पना के प्रतिचित्रणात्मक और भाव-व्यंजक रूप अन्त:स्फुरित भावों या तत्त्वों को उनके सत्य में प्रतिष्ठित करते हैं, उन्हें अव्यक्त से व्यक्त बनाते हैं, अरूप को ऐसा रूप देते हैं जो अपने आत्मपर्यन्त होने का भ्रम उत्पन्न नहीं करता बल्कि प्रतीक या व्यंजक के रूप में ही प्रस्तुत होता है।

मनुष्य अपने सब ज्ञान, भाव और कर्म में स्वातन्त्र्य और उससे सम्बद्ध सार्वभौमता को पूर्वगृहीत करता है। वह किस देश या काल में, किस परिवेश और किन आवेगात्मक सम्बन्धों के बीच उत्पन्न हुआ और बड़ा हुआ है यह सब वह अपने सत्यासत्य निर्णयों और भावानुभूतियों के लिए नितान्त आनुषंगिक और आगन्तुक मानता है। दुष्यन्त का शकुन्तला के सौन्दर्य को देखकर सहज काम-शर-विद्ध हो जाना या शकुन्तला का सौन्दर्य ये दोनों किसी देश-काल-सांस्कृतिक परिवेश से निर्धारित रूप से कल्पित नहीं किये जाते, और उससे भी अधिक, **अभिज्ञान शाकुन्तलम्** का श्रेष्ठ कृति होना किसी शिक्षा-संस्कार-सापेक्ष रुचिमूलक निर्णय के विषय के रूप में नहीं देखा जाता। शिक्षा और संस्कार **शाकुन्तलम्** की उत्कृष्टता की पहचान के लिए अनिवार्य अवश्य हैं, किन्तु यह उत्कृष्टता इन संस्कारों के अधीन होती है, ऐसा नहीं माना जाता।

किन्तु यह सही होते हुए भी दूसरी ओर यह भी सही है कि हमारा ज्ञान हमारे प्रत्ययों पर आश्रित होता है, प्रत्यय भाषा पर और भाषा सांस्कृतिक परम्परा पर आश्रित होती है। इसी प्रकार भावों के लिए भी है। पाण्डे जी के शब्दों में "सामाजिक जीवन के मानवीय भाव सहज आदिम आवेग नहीं हैं बल्कि सामाजिक मूल्यानुशासन से परिभाषित सांस्कृतिक अर्थ हैं। भाव-व्यंजना अनिवार्यतया सामाजिक मूल्यों की व्यंजना है जिसके साथ रचनाकार की अपनी दृष्टि और मूल्य-बोध अनिवार्यतया बँधे रहते हैं।" (63-64) और पुन:, "भाव प्रचलित अभिवृत्तियों के मूल्यों से जुड़ने पर ही आत्मलाभ करने वाली भावनाएँ हैं।"(64) इस प्रकार भावों के अपने आविर्भाव में ही समाज और संस्कृति के सापेक्ष होने से उनकी व्यंजक कलाओं की संस्कृति-सापेक्षता में कोई सन्देह नहीं रह जाता। किन्तु क्या रस भी इसी प्रकार सांस्कृतिक पृष्ठभूमि से उपरंजित होता है? इसके सम्बन्ध में पाण्डे जी का कहना है, "रस उनके (लौकिक विषय और विषयी के) अवच्छेदों से मुक्त निरवच्छिन्न स्वभाव की साक्षिता है।" (76) स्पष्टत: ऐसा रस सांस्कृतिक अवच्छेदकताओं का विषय नहीं हो सकता। किन्तु इसके शीघ्र ही बाद पाण्डे जी कहते हैं "भावोपाधिक आत्म-बोध के रूप में रस काव्य और ललित कलाओं का अन्तर्निहित सनातन लक्ष्य है।"(77) अब, यदि आत्म-बोध भावोपाधिक होने पर ही रस-रूप होता है और भाव प्रचलित अभिवृत्तियों के मूल्यों से जुड़ने पर ही आत्मलाभ करते हैं, तब स्वभावत: रस इन प्रचलित अभिवृत्तियों के मूल्यों से अनवच्छिन्न नहीं हो सकता। किन्तु यह केवल प्रकट विरोध ही है, वास्तविक नहीं, क्योंकि अभिवृत्तिगत मूल्यों का अतिक्रमण होने पर ही रस में प्रतिष्ठा मिलती है।

किन्तु वास्तव में साहित्य या अन्य कलाओं के सम्बन्ध में, और इसी प्रकार दर्शन और विज्ञान के सम्बन्ध में भी, यह दिखाने में कोई महत्त्व की बात नहीं है कि ये अपने रूप और गुण में सांस्कृतिक परिस्थिति-सापेक्ष होते हैं, महत्त्व यह दिखाने में है कि तब भी इनमें हम एक ऐसी प्रामाणिकता का अन्वेषण करते हैं जो इस या ऐसी दूसरी अपेक्षाओं से मुक्त होने में ही निहित होती है। यद्यपि पाण्डे जी ने इस प्रश्न पर प्रत्यक्षत: विचार नहीं किया है किन्तु इसके समाधान के अनेक स्पष्ट संकेत इन व्याख्यानों में और उनके कलाविषयक दूसरे लेखन में मिल जाते हैं।[1] यह प्रामाणिकता मानवीय चेतना की उपाधियों और निर्धारणों का अतिक्रमण करने की सामर्थ्य में निहित होती है। हम देखते हैं कि एक में परम्परा जबकि गतानुगतिकता की कारक होती है दूसरे में वही नवसर्जन की उपादानभूत होती है। परम्परा का यह दूसरा रूप चेतना की उपाधियों के अतिक्रमण की इस सामर्थ्य से ही सम्भव होता है।

दूसरे अध्याय के अन्त में 'आधुनिकता' पर संक्षिप्त टिप्पणी है। पाण्डे जी पाश्चात्य आधुनिकता के न केवल समर्थक नहीं हैं, वे उसके विरोधी भी हैं। परिणामत: वे इस आधुनिकता के भारत पर प्रभाव के भी बहुत

---

1. उनके कला-विवेचन के लिए द्रष्टव्य — **मूल्य-मीमांसा** (राजस्थान हिन्दी ग्रन्थ अकादमी, जयपुर) में 'सौन्दर्यबोध और कला' अध्याय, **भारतीय परम्परा के मूल स्वर** (नेशनल पब्लिशिंग हाऊस) में 'रसो वै स:' अध्याय, **भक्ति-दर्शन-विमर्श:** (सम्पूर्णानन्द संस्कृत विश्वविद्यालय, वाराणसी, 1991) में 'पुरुषान्न परं किंचित्' अध्याय, तथा **सौन्दर्यदर्शन विमर्श:** (सम्पूर्णानन्द संस्कृत विश्वविद्यालय, वाराणसी, 1995)

बड़े विरोधी हैं, यद्यपि वे पुराणपंथी नहीं हैं। किन्तु जैसे प्राय: हम सभी आधुनिक पश्चिम का विरोध करते हुए भी 'आधुनिकता' को केवल 'पाश्चात्य आधुनिकता' के पूर्ण पर्याय के रूप में ही देखते हैं वैसे ही पाण्डे जी भी देखते हैं। निश्चय ही 'आधुनिकता' शब्द अब केवल काल–वाची नहीं है बल्कि बोध के एक प्रकार का वाचक हो गया है, इसीलिए 'उत्तर आधुनिकता' और 'उत्तर–उत्तर–आधुनिकता' शब्दों के प्रयोग भी होने लगे हैं जो वर्तमानकाल में ही प्रकट प्रवृत्तियों और बोधों के वाचक हैं। किन्तु ये भी पाश्चात्य प्रयोग ही हैं और वहीं के वास्तविक या काल्पनिक बोधों के वाचक हैं। किन्तु ये भी पाश्चात्य प्रयोग ही हैं और वहीं के वास्तविक या काल्पनिक बोधों और प्रवृत्तियों के वाचक हैं। यहाँ प्रश्न उठता है कि क्या हमें भी 'आधुनिकता' का यह अर्थ स्वीकार कर लेना चाहिए? जिसका अर्थ होता है कि आज केवल पाश्चात्य संस्कृति ही जीवित संस्कृति है और शेष संस्कृतियाँ समाप्त हो चुकी हैं और परिणामत: उनका अपना न कोई भविष्य है और न वर्तमान। पाण्डे जी यह स्वीकार नहीं करते और अस्वीकारपूर्वक इस सम्बन्ध में टॉयन्बी के मत का उल्लेख करते हैं। उनके शब्द हैं "भारतवर्ष में पहले एक विजेता संस्कृति के अनुभाव से और अंग्रेज़ी शिक्षा के माध्यम से, अब एक पिछड़े देश की विवशताओं के द्वार से भारतीय बुद्धिजीवियों में भी जाने–अनजाने समसामयिक पश्चिमी विचारधाराएँ प्रभावी ढंग से मिलती हैं। स्वतन्त्रता के बाद के युग में ऐसी प्रतीति भारत में व्यापक हो गई है कि पश्चिम के साथ उसकी इतिहास–धारा में पीछे–पीछे भागना सभी अन्य देशों व सभ्यताओं की नियति है और उन्हें भी अपनी परम्पराएँ छोड़कर पश्चिमी आधुनिकता को चरितार्थ करना है। प्रसिद्ध इतिहासविद् टॉयन्बी ने तो यह भी प्रतिपादित किया है कि इस समय विश्व में सिर्फ एक ही सभ्यता जीवित है और वह पश्चिमी सभ्यता है। लेनिन की भविष्यवाणी कि सांस्कृतिक भेद आर्थिक व्यवस्था में तिरोहित हो जाएंगे, अब एक ऐतिहासिक मज़ाक की तरह अमरीका के द्वारा चरितार्थ की जा रही प्रतीत होती है।"(69) किन्तु तब इसका अर्थ होना चाहिए कि हम देखें कि क्या टॉयन्बी की भविष्यवाणी सही है? पाण्डे जी स्पष्टत: इस भविष्यवाणी को अस्वीकार करते हैं, किन्तु तब भी 'आधुनिक' और 'भविष्यत्' उनके लिए भी 'पाश्चात्य आधुनिक' और 'पाश्चात्य भविष्यत्' के ही वाचक हैं। उन्होंने 'आधुनिक साहित्य' या 'आधुनिक कला' की चर्चा करते हुए एक भी समकालीन भारतीय साहित्यकार का उल्लेख नहीं किया है, केवल पाश्चात्य साहित्यकारों का ही उल्लेख किया है। निश्चय ही हमारे समाज की ऊपरी सतह इस समय पाश्चात्य इतिहास–धारा की ही अनुधावक है, किन्तु क्या वही हमारे भविष्य की भी नियामक है और उसे ही उसका नियामक होना चाहिए, यह बात विचारणीय है। इस बात को पाण्डे जी से अधिक कोई अस्वीकार नहीं करता यह उन्हें जानने वाले सब जानते हैं। किन्तु तब भी पाण्डे जी ऐसे ही लिख रहे हैं जैसे वे इसे स्वीकार कर रहे हों। जो पाण्डे जी की सूझ और पाण्डित्य को जानते हैं उनका उनसे यह आशा करने का अधिकार है कि वे ऊपरी पपड़ी के नीचे अथाह गम्भीर भारतीय आधुनिकता को देखें और दिखायें और इस ऊपरी पपड़ी के मिथ्यात्व को उघाड़ें।

अन्त में यह बात नहीं दुहराना अनुचित होगा कि यह पुस्तक कला–दर्शन में एक अनन्यसाधारण योगदान है और साहित्य–शास्त्र के विद्यार्थियों के लिए अवश्य पठनीय है।

कथा, मिथक और यथार्थ

कथा, मिथक और यथार्थ इन तीनों पदों का आपस में क्या सम्बन्ध है, क्या इनमें कोई सम्बन्ध है भी या नहीं, इस प्रश्न पर विचार के लिए यह जानना आवश्यक है कि इन पदों के वाच्य अर्थों या वस्तुओं का क्या स्वरूप है? इनमें सबसे पहली बात जो स्पष्ट प्रतीत होती है वह यह है कि पहली दो वस्तुएँ जबकि कल्पना-प्रसूत होती हैं, अन्तिम कल्पना के स्पर्श से परे, अपने स्वरूप में अवस्थित होती है। अब, 'मन की कल्पना' और 'मन की कल्पना से अछूती' इस वर्गीकरण में यह धारणा निहित है कि कल्पना वस्तु के स्वरूप को झुठला देती है, उसे वैसी नहीं रहने देती जैसी वह है। पर यदि कोई वस्तु इस कल्पना से अछूती है, मन की पहुँच से परे है तो मन उसे झुठला कैसे सकता है? इसका उत्तर है कि उस वस्तु के स्थान पर दूसरी वस्तु रखकर और उसे वही अछूती वस्तु समझकर वह ऐसा कर पाता है। इस कल्पना से अतीत वस्तु के स्वरूप पर विचार करने वाले, अर्थात् दार्शनिक, विवेचन-विश्लेषण कर इस निष्कर्ष पर पहुँचे हैं कि मन या तो अपनी कल्पनाओं के घेरे से बाहर निकल ही नहीं सकता या फिर तब निकल सकता है जब वह वस्तु के सामने, उसे समझने के सब प्रयत्न छोड़कर, नितान्त निष्क्रिय होकर, उपस्थित होता है। 'योगश्चित्त-वृत्ति निरोध:' (चित्त-वृत्तियों का निरोध ही योग है) का यही अर्थ है। वैसा करने पर वस्तुएँ अपने याथार्थ्य में प्रकट हो पाती हैं या नहीं यह तो नहीं कहा जा सकता किन्तु यह निश्चित रूप से कहा जा सकता है कि इस परिभाषा के प्रतिपादक वस्तु-स्वरूप विषयक अपने पूर्वग्रह वह है जैसा सांख्य दर्शन उसे समझता है। इस तरह अर्थों को, वस्तुओं को, उनके स्वरूप में बिना किसी आरोप के जानने का प्रयत्न वास्तव में एक अपना आरोप-जाल रच लेता है और वस्तु देखने वाले से पहले से भी अधिक दूर हो जाती है। वस्तु-स्वरूप को, अर्थों के यथावत् रूप को, जानने की दूसरी विधि मन की सहज वृत्ति को माना गया है जो मनुष्य में बच्चों को, अथवा वन्य मनुष्यों को, और आदर्श रूप में मनुष्येतर जीवों को प्राप्त होती है। इसके सम्बन्ध में हमने अपने दार्शनिक लेखन में विस्तार से दिखाया है कि यह सब विचार बहुत बड़ी भ्रान्ति पर प्रतिष्ठित है।

किन्तु साहित्य के सन्दर्भ में जब यथार्थ की बात की जाती है तब वास्तव में 'यथार्थ' का यह अर्थ अभिप्रेत नहीं होता। साहित्य के सम्बन्ध में प्राय: 'सामाजिक यथार्थ' की बात की जाती है। किन्तु समाज तो मनुष्य के आदर्शों, मूल्यों की रचना होता है और उसका उपलब्ध रूप इन आदर्शों और मूल्यों के अनुसरण में सफलता का योग-फल होता है। इसलिए इसे यथार्थ कहने का क्या अर्थ? वास्तव में 'यथार्थ' का यह एक विशिष्ट अर्थ है, और वह है समाज के प्रति अधिक आग्रही साहित्यिकों का अर्थ। अपने इस शब्द के साधारण अर्थ में साहित्य का सम्बन्ध मनुष्य से, उसके व्यक्ति और समाज-पक्ष से होता है, वही साहित्य का यथार्थ होता है, और उस पर उसकी कल्पना आवरण बुनती है अथवा उसकी निगाह उसे धुँधला या स्पष्ट देखती है, अथवा उसे देख पाने में असमर्थ रहती है। किन्तु कथा के सम्बन्ध में एक दूसरी बात भी कही जाती है, कि इसका यथार्थ से कोई सम्बन्ध नहीं होता, सिवाय इसके कि वह उसकी नकल पर एक अन्य अर्थ-रचना (लोक-रचना) करती है। पशु-पक्षियों को या परियों और देव-दानवों को पात्र बनाकर लिखी गयी कहानियाँ भी इनसे स्वरूपत: भिन्न नहीं होतीं। इसी से कहा जाता है—'यह कोई किस्सा कहानी नहीं है, सच्ची घटना है।' अथवा 'ये किस्से-कहानी की बातें हैं, इनका वास्तविकता से कोई सम्बन्ध नहीं है।'

यथार्थ से मिथक का क्या सम्बन्ध होता है? इसके लिए पहले 'मिथक' का अर्थ स्पष्ट करना आवश्यक है, क्योंकि हमारे यहाँ पुराण हैं जो वास्तव में मिथक नहीं हैं किन्तु वे मिथक होने का भ्रम उत्पन्न करते हैं। 'मिथक' शब्द अंग्रेज़ी के 'माइथोलोजी' शब्द का हिन्दी रूपान्तर है और 'माइथोलोजी' शब्द का अर्थ है 'यथार्थ की

स्थानापन्न काल्पनिक रचनाएँ, ऐसी कल्पनाएँ जिन्हें कल्पना करने वाले यथार्थ समझ कर व्यवहार करते हैं।' इस शब्द का प्रयोग प्राय: आदिम जातियों के देवी-देवताओं विषयक अथवा अन्य प्रकार की अलौकिक सत्ताओं विषयक विश्वासों के लिए होता है जो सत्ताएँ उनके लिए वास्तविक होती हैं किन्तु नृतत्त्व-विज्ञानी के लिए काल्पनिक। मिथक ये नृतत्त्व विज्ञानी के लिए ही होती हैं, आदिम जातीय लोगों के लिए नहीं। भारतीय पुराण प्राय: इस प्रकार के विश्वासों के आधार पर बनी, या उस ढंग से बनायी गयी कथाओं का दार्शनिक-धार्मिक प्रयोजनों के लिए उपयोग करते हैं। यहाँ अद्वैत वेदान्त, शून्यवाद और विज्ञानवाद का स्मरण दिलाना स्थाने होगा जिनके अनुसार वैज्ञानिक और जन-साधारण के लोक भी वास्तव में काल्पनिक लोक ही हैं, जिन्हें ये भ्रान्तिवश यथार्थ समझते हैं। इस प्रकार विज्ञान-सम्मत और साधारण जनसम्मत लोक भी मिथकीय हो जाते हैं, अथवा मिथकीय लोक भी वैसे अयथार्थ नहीं रहते जैसे नृतत्त्वविज्ञानी इन्हें समझते हैं।[1] विज्ञान-सम्मत और साधारण धारणा-सम्मत लोक आधारभूत रूप से मिथकीय हैं या नहीं इस बात को यहाँ यदि जाने भी दें तो भी इन लोकों में अनेक मान्यताएँ किस प्रकार मिथकीय होती हैं इसके कुछ उदाहरण देखना रोचक होगा। श्वेत जातियों की अश्वेतों पर उत्कृष्टता, जर्मन जाति की अन्य सब पर उत्कृष्टता, 'वैज्ञानिक दृष्टि' की स्वत:सिद्ध प्रामाणिकता और अन्य दृष्टियों की अप्रामाणिकता आदि अनेक ऐसी मान्यताएँ हैं जो वैज्ञानिक और जन-साधारण की दृष्टियों को ऐसे ही निर्धारित करती हैं। वास्तव में थोड़ा गहराई से देखा जाय तो प्राय: सब स्तरों पर मनुष्य का जीवन किसी-न-किसी मिथक से ही निर्धारित होता है—जब तक कोई निरन्तर सतर्क नहीं रहे। इस तरह केवल देवता, दानव आदि विषयक मान्यताओं को मिथक मानना भ्रामक है। कुछ मिथक है या नहीं यह इस बात से तय होता है कि वह निरपेक्ष आत्मालोचन के उपरान्त स्वीकृत है या नहीं। इस कसौटी पर वास्तव में हमारे तथाकथित शिक्षित वर्ग आदिम जातियों से कम मिथकीय नहीं होते। इनकी अहम्मन्यता का आधार वास्तव में मिथकीय ही होता है।

मिथक का एक आयाम और है जो आदिम मिथकों से भिन्न है, आधारभूत रूप से भिन्न, जिसमें मानव-चेतना अपने को भौतिक देश-काल के नियमन से मुक्त कर दिव्य अर्थों के लोक की रचना करती है। महापुरुषों को प्राय: इसी लोक के वासियों के रूप में देखा जाता है और उनकी बाह्य क्रियाएँ भी उनके दिव्य चरित्र के अनुसार दिव्य रूप में ही कल्पित की जाती हैं। उदाहरणत: बुद्ध विषयक जातक कथाएँ इसी कोटि में आती हैं, इसी प्रकार बुद्ध की विभिन्न देशों में विभिन्न मूर्त्तियों की आकृतियाँ उन देशों के लोगों की आकृतियों के अनुसार होने के पीछे यही भाव है—बुद्ध का बाह्य रूप देखने वाले के भाव के अनुरूप होना।

अभी बुद्ध का जीवन बहुत कुछ ऐतिहासिक काल में ही है, राम, कृष्ण और रामायण तथा महाभारत के अन्य पात्रों के जीवन ऐतिहासिक काल और भौतिक देश में भी नहीं हैं। अब, ये सब 'जीवन' चेतना के जिस आयाम में घटित होते हैं वह उपर्युक्त अर्थ में मिथकीय आयाम नहीं है, न वह भौतिक आयाम ही है, इसे दिव्य भाव का आयाम कह सकते हैं, जिसके सम्बन्ध में हम 'जानते' हैं कि हम जिन क्रियाओं और घटनाओं की चर्चा कर रहे हैं वे भौतिक यथार्थ-विषयक नहीं हैं, और इस प्रकार वे घटनाएँ भी नहीं हैं, किन्तु तब भी ये यथार्थ विषयक ही हैं—जिसे 'दिव्य यथार्थ' कह सकते हैं। इस प्रकार ये वास्तव में उन मिथकों से भिन्न होते हैं जो बहुत बार लोकजीवन को निर्धारित करते हैं, जैसे 'वैज्ञानिक दृष्टि की स्वत:प्रामाणिकता' और 'श्वेत जाति की उत्कृष्टता' के मिथक। इस तरह मिथक की परिभाषा 'सामूहिक रूप से स्वीकृत यथार्थ-स्थानीय अयथार्थ धारणाएँ' की जा सकती है। इसका कथापरक होना आवश्यक नहीं होता, कथा केवल इसमें सहायक होती है और अधिकांश में वह असाक्षर समुदायों के मिथकों में ही प्रयुक्त होती है। वास्तव में कथा इसी प्रकार इतिहास की भी उपजीवी होती है, क्योंकि इतिहास-लेखन में विभिन्न पृथक् घटनाओं का चयन और व्यवस्थापन कथा के आधार पर ही होता है। जो घटनाएँ 'कथा के तर्क' में सही नहीं बैठतीं वे इतिहासकार द्वारा घटित हुई ही नहीं

1. द्रष्टव्य : **संस्कृति : मानव कर्त्तृत्व की व्याख्या** : यशदेव शल्य (लोक भारती प्रकाशन, इलाहाबाद)।

समझी जातीं, या फिर पूर्वस्वीकृत कथा को छोड़कर दूसरी कथा गढ़ी जाती है जो इस नयी घटना को भी आकलित कर सकती हो।

हमारे पुराण वास्तव में मिथक नहीं हैं, उनमें मिथकों का दार्शनिक या धार्मिक प्रयोजन से उपयोग हुआ है। अधिकांश में जन-साधारण भी उन्हें वास्तविक इतिवृत्त या अलौकिक इतिहास नहीं मानता, जो किसी कथा अथवा धारणा के मिथक होने के लिए आवश्यक है। जनसाधारण उन्हें प्रतीक रूप में ही देखता है जो उनके लेखकों का वास्तव में उनसे अभिप्राय होता है। उनका वैशिष्ट्य केवल यह है कि वे प्रतीक चेतना के लौकिक धरातल के नहीं हैं, वे लोकोत्तर अर्थों के ही प्रतीक हैं। इस प्रकार हनुमान या गणेश वास्तव व्यक्ति नहीं हैं—न इस लोक के और न मिथकीय लोक के, किन्तु तब वे कल्पना मात्र भी नहीं हैं—परियों के जैसे, वे दिव्य शक्तियाँ या दिव्य भाव हैं। किन्तु जो इन्हें भौतिक जगत् के जैसे किसी अलौकिक जगत् के अलौकिक अस्तित्वों के रूप में देखते हैं उनकी दृष्टि या चेतना वास्तव में मिथकीय ही होती है।

कथा के सम्बन्ध में हमने कहा है कि यह यथार्थ में अघटित व्यक्तियों, उनके पारस्परिक सम्बन्धों और उनके कार्यों को घटित की तरह प्रस्तुत करती है और उसका लेखक या पाठक और श्रोता उन्हें घटित के रूप में नहीं देखता। कथा का यथार्थ से यह पार्थक्य उसमें स्वरूपगत होता है। यथार्थ होने पर वह जीवनी या इतिहास हो जाती है। अब, यथार्थ से असम्बद्ध इस कल्पना-लोक की रचना हम क्यों करते हैं? इसका एक उत्तर दिया गया है कि ऐसा हम मनोरंजन के लिए करते हैं। ऐसा स्वप्न और दिवास्वप्न के लिए भी कहा जाता है। निश्चय ही कथा से, या कहें काव्य मात्र से ही, मनोरंजन भी सिद्ध होता है, इस शब्द के एक व्यापक और गम्भीर अर्थ में, किन्तु कथा-रचना का प्रयोजन मनोरंजन मात्र ही है, यह एक विचारणीय बात ही होगी। यह भी विचारणीय बात ही है कि क्या कथा का अघटित-विषयक होना उसे अनिवार्यत: अयथार्थ-विषय भी बना देता है? द्रष्टव्य है कि यद्यपि इतिहास घटित-विषयक होता है किन्तु उसका विषय अतीत होने से उसका ज्ञान कोई 'लौकिक' उद्देश्य सिद्ध करता है, यान्त्रिकी या अर्थशास्त्र के समान, ऐसा कहना कठिन होगा। कुछ विचारक तो उसका विषय अतीत होने से उसे ज्ञान का विषय होने योग्य ही नहीं मानते। अब, यदि कहा जाय कि इतिहास भी मनोरंजन का प्रयोजन सिद्ध करता है तो इसे एकदम से ग़लत कहना कठिन होगा। वास्तव में एक अर्थ में तो हम किसी भी कर्म में मनोरंजन के लिए ही प्रवृत्त होते हैं : वैज्ञानिक, दार्शनिक या अर्थशास्त्री को भी यदि अपने कार्य में रस नहीं मिले तो वे उसमें बहुत आगे तक नहीं जा पायेंगे। ऐसा भी कह सकते हैं कि तब वे वास्तव में वैज्ञानिक, दार्शनिक या अर्थशास्त्री ही नहीं होंगे। किन्तु मनोरंजन उनके कर्म का सामान्य सहकारी तो कहा जा सकता है, उद्देश्य नहीं कहा जा सकता। किन्तु साहित्य, संगीत आदि के सम्बन्ध में, और कथा के सम्बन्ध में विशेष रूप से, ऐसा नहीं कहा जा सकता।

किन्तु वास्तव में यह कथा आदि के सम्बन्ध में भी सही नहीं है कि उनकी आत्मा मनोरंजन होती है। पर मान लें कि कथा आदि की आत्मा या तत्त्व मनोरंजन ही है, तो भी यह तो उनका एक सामान्य लक्षण होगा। कथा का विशिष्ट लक्षण क्या है?

कथा के सम्बन्ध में हमने देखा कि यह अघटित व्यक्तियों, उनके सम्बन्धों और उनसे सम्बन्धित घटनाओं विषयक, अथवा कहें अघटित व्यक्तियों के मनोभावों और क्रिया-कलापों विषयक होती है। यह अघटित-विषयक होना व्यक्तियों और उनके क्रिया-कलापों को नियत देश-काल और वस्तुता या विशिष्टता की उपाधियों से मुक्त कर चेतना के शुद्ध अर्थों के लोक में प्रतिष्ठित कर देता है। ऐसा तब भी होता है जब हम विशेषों की भूमि को छोड़कर सामान्यों (प्रत्ययों) की भूमि पर प्रतिष्ठित होते हैं। किन्तु ये सामान्य हमें वस्तु से भी वंचित कर देते हैं और शुद्ध आकार ही हमारे हाथ लगते हैं। अब, घटित-विषयक से अघटित-विषयक में यह दो प्रकार का संक्रमण चेतना की दो नितान्त मौलिक रूप से भिन्न उन्मुखताओं का द्योतक होता है : घटित-विषयक विशेष चेतना की विषय-वृत्तिक उन्मुखता में उपलब्ध होता है और इसी वृत्ति में अघटित विषयक सामान्य वस्तुरहित आकारमात्रता में उपलब्ध होता है। कथा आदि में चेतना वस्तु को खोये बिना ही उसे विशेष की उपाधि से मुक्त कर उसका उसके सामान्य आकार में साक्षात्कार कर पाती है। ऐसा विषयवृत्तिक उन्मुखता से विषयिवृत्तिक

उन्मुखता में प्रतिष्ठित होने पर सम्भव होता है। इस वृत्ति में चेतना अपने उस मूल पर प्रतिष्ठित हो पाती है जो अभी देश आदि की उपाधियों से संवृत नहीं हुआ है। परियों और देवों-दानवों आदि की कथाओं में यह और अधिक स्पष्ट रूप से लक्षित होता है, यद्यपि तथाकथित आँचलिक या परिस्थिति विशेष के सन्दर्भ में लिखी गयी कथाएँ भी इस दृष्टि से परियों की कथाओं से भिन्न नहीं होतीं। इससे साहित्य-विषयक तथाकथित यथार्थवाद की भ्रान्तता सहज ही समझी जा सकती है। कला का, और इस प्रकार कथा साहित्य का भी, यथार्थ से सम्बन्ध या असम्बन्ध उसके समाज की समस्याओं से जुड़े होने या नहीं जुड़े होने से नहीं होता बल्कि अपने साक्षात्कार, अपने अनुभव, अपनी दीठ में पैना, गहरा और सच्चा होने या नहीं होने से होता है। इसी से एक तथाकथित जनवादी कथा या कविता यथार्थ से दूर हो सकती है और परियों के लोक की कथा नितान्त यथार्थ। उदाहरणत: फणीश्वरनाथ रेणु के उपन्यास इसलिए यथार्थमूलक हैं क्योंकि उनके द्वारा लेखक अपने अनुभव का सत्य पाता है, किन्तु उससे भी अधिक यथार्थ मूलक **रामचरित मानस** है जिसके पात्र इस लोक से असम्बद्ध हैं, क्योंकि उसमें एक सम्पूर्ण जाति का अनुभव अपना सत्य पाता है।

भारतीय भाषा–चिन्तन, भाष्य और आलोचना की भाषा

आप लोगों ने[1] यहाँ विचार के लिए जो विषय निर्धारित किया है वह मुझे युक्तियुक्त प्रतीत नहीं होता। इसमें शास्त्रीय विचार के साथ 'भारतीय' विशेषण का उपयोग एक अवांछनीय परम्परा के कारण है। विचार के साथ 'भारतीय' विशेषण का प्रयोग इधर सामान्यत: 'भारत में अतीत में हुए विचार' के अर्थ में ही होता है और उसमें यह एक अन्तर्निहित मान्यता रहती है कि वर्तमान में उस विषय में कोई नया चिन्तन नहीं हो रहा है। भारत तो केवल अतीत का, केवल इतिहास का ही विषय है। यह धारणा हमें यूरोपीय लोगों से प्राप्त हुई है जिन्होंने 19वीं शताब्दी में हमें राजनीतिक–सैनिक रूप से परान्त करने के उपरान्त हमारी सांस्कृतिक परम्परा को भी अवरुद्ध करने का प्रयत्न किया और अपनी सांस्कृतिक परम्परा हमारे पर आरोपित की, और तब क्रमश: हमारी अतीत–परम्परा को इतर जाति की विगत सांस्कृतिक परम्परा के रूप में देखा। इसमें हमने भी उन्हीं का अनुसरण किया। हमने भी अपनी परम्परा को अतीत की परम्परा के रूप में ही देखा, वर्तमान परम्परा के रूप में पश्चिम को देखा और स्वयं विचार करना बन्द कर दिया। अपनी इस परिस्थिति का बोध हमें अभी तक नहीं है। इस शीर्षक में 'भाष्य' शब्द का प्रयोग इधर पश्चिम में हर्मेन्यूटिक्स की चर्चा फैशन में आ जाने के परिणामस्वरूप हुआ है, ऐसा मेरा अनुमान है। हमारी परम्परा में भाषा–विचार के अन्तर्गत भाष्य की भाषा पर, अथवा भाष्य के तथ्य अथवा भाष्य–कर्म के स्वरूप पर भी, कभी अलग से विचार नहीं हुआ था। इसी प्रकार आलोचना के स्वरूप के बजाय आलोचना की भाषा पर विचार में भी वही फैशन काम कर रहा है। पश्चिम में विट्गेंस्टाइन और लॉजीकल पॉज़िटिविस्टों ने वस्तुओं या चेतना के स्वरूप के बजाय भाषा के स्वरूप पर विचार की, 'धर्म' के बजाय 'धर्म की भाषा' की, 'नैतिकता' के बजाय 'नैतिकता की भाषा' की बात की तो हमारी शब्दावली भी वही हो गई। इसलिए मैं आपके दिये शीर्षक पर आपकी अपेक्षाओं के अनुसार विचार नहीं करूँगा। भारतीय भाषा–चिन्तन के रूप में मैं अपनी बात को ही प्रस्तुत करूँगा, चाहे वह कितनी भी निस्सार हो, और भाष्य तथा आलोचना की भाषाओं के बजाय इनके स्वरूप पर ही अपने विचार प्रस्तुत करूँगा।[2]

अब मेरे भारतीय होने से मेरा चिन्तन भी भारतीय ही होना चाहिए, जैसे पाणिनि, पतंजलि, भर्तृहरि, दिङ्नाग, धर्मकीर्ति, मीमांसकों और नैयायकों आदि का है। द्रष्टव्य है कि इनके विचार एक ही नहीं थे, ये परस्पर बहुत भिन्न ही नहीं विरुद्ध भी थे और प्राय: ही परस्पर के खण्डन के साथ विकसित हुए थे। किन्तु दुर्भाग्यवश भारतभूमि में उत्पन्न आज के व्यक्ति का चिन्तन इन चिन्तकों के समान सहज रूप से भारतीय ही हो यह आवश्यक नहीं है, बल्कि ऐसा अपवादस्वरूप ही होता है। इसी से आज किसी भारतीय को स्वतन्त्र चिन्तन का अधिकारी नहीं माना जाता। किन्तु तब भी मैं अपनी बात कहने का ही दु:साहस करूँगा, इसकी खाद के रूप में भारतीय परम्परा ही रहेगी, ऐसा मेरे लिए स्वाभाविक है।

× × ×

भाषा क्या है? द्रष्टव्य है कि जबकि साधारणत: जीवों में केवल मनुष्य को ही भाषा–क्षम माना जाता है, कभी–कभी अन्य जीव–जातियों की भाषा की बात भी की जाती है। जीवों के जीवन–व्यापार में गहन रुचि लेने

---

1. यह लेख भारत भवन, भोपाल द्वारा 'भारतीय भाषा–चिन्तन, भाष्य और आलोचना की भाषा' विषय पर लिखने के आमन्त्रण पर लिखा गया था।
2. भाषा पर हमारे विस्तृत विचार के लिए द्रष्टव्य **समाज : दार्शनिक परिशीलन** के 'भाषा' और 'सम्प्रेषण' अध्याय। कला विषयक विचार के लिए द्रष्टव्य **चिद्–विमर्श, सत्ता विषयक अन्वीक्षा** और **मूल्यतत्त्व–मीमांसा** के कला विषयक अध्याय।

वाले कुछ लोग उनको विभिन्न अर्थों के लिए विभिन्न प्रकार की ध्वनियों का प्रयोग करते हुए भी पाते हैं और उस प्रकार की ध्वनियाँ अपने मुँह से निकाल कर उनमें वैसी प्रतिक्रियाएँ होती भी देखते हैं। जो भी हो, यह बात सम्भवत: निर्विवाद रूप से स्वीकार की जा सकती है कि चर जीवों में सभी स्तरों पर व्यष्टियों के बीच किसी-न-किसी उपाय से भाव-सम्प्रेषण होता है। किन्तु सम्प्रेषण के इन उपायों या विधियों को भाषा नहीं कहा जा सकता, केवल अनेक स्तरों का भाषा से अवर-स्तरीय सम्प्रेषण-व्यापार ही कहा जा सकता है। भाषा का स्तर चेतना आत्मचेतन होकर ही प्राप्त कर पाती है। मनुष्य में और अन्य जीवों में यह स्तर-भेद स्वीकार करने का अर्थ इनमें एक तारतम्य स्वीकार करना भी है और एक विच्छेद स्वीकार करना भी है। यहाँ हम तारतम्य के पक्ष को छोड़कर केवल विच्छेद के पक्ष को ही देखेंगे क्योंकि भाषा की दृष्टि से वही महत्त्वपूर्ण है। पाशव-चेतना से मानव-चेतना में उत्क्रमण में विच्छिन्नता इस बात में है कि मानव-स्तर पर चेतना आत्मचेतनता प्राप्त कर लेती है। आत्मचेतनता का अर्थ है कि चेतना की विषयि-विषय, प्रेक्षक-प्रेक्ष्य रूप में उद्‌भिन्नता और इस प्रकार विषयी की विषय से स्वातन्त्र्य-सिद्धि। पाशव चेतना प्रस्तुत विषय में उससे उद्दीप्त चित्तवृत्ति के द्वारा तदात्म रहती है, अथवा कहें विषय चित्तवृत्ति से एकात्म रहता है। गाय के लिए घास उसकी चित्तावस्थाओं के अनुसार रूपायित होता है और ये मनोदैहिक अवस्थाएँ और घास परस्पर एक और अविश्लिष्ट होते हैं। इस प्रकार गाय की दो अवस्थाओं—भूख और तृप्ति—के लिए कोई एक घास नहीं होता। आत्मचेतन चेतना के लिए दोनों अवस्थाओं में एक ही घास होता है और उसके साथ उससे उद्दीप्त दो प्रतिक्रियाएँ भी उस घास के अनुरूप ही प्रेष्य होती हैं। ऐसा इस कारण सम्भव होता है क्योंकि आत्मचेतन चेतना अपने पर अपना प्रेक्षक भाव है। घास चेतना का ही प्रेक्ष्यत्व है या कि भौतिक देश-काल में अवस्थित भौतिक वस्तु इस पर यहाँ विचार-प्रासंगिक नहीं होगा, किन्तु जीव के लिए, जिसमें मनुष्य भी सम्मिलित है, यह चित्तवृत्ति-सापेक्ष ही होता है। मनुष्य और अवर-स्तरीय जीवों के लिए घास में यह भेद होता है कि मनुष्य इसके इन्द्रिय-ग्राह्य तत्त्व को अन्य वृत्तियों से पृथक् ग्रहण करने और दोनों वृत्तियों को प्रेक्षा-विषय बनाने में समर्थ होता है, अन्य जीव इन्द्रिय-वृत्ति और अन्य वृत्तियों का विषयकरण नहीं कर पाते क्योंकि उनमें प्रेक्षकता नहीं होती। अब, प्रेक्षक चेतना की प्रेक्ष्यभूत या विषयभूत इन्द्रिय-विज्ञप्ति-पर्यन्त ये चित्तवृत्तियाँ ही अवधारणाएँ या प्रत्यय होती हैं। दिङ्नाग ने इन प्रत्ययों को विकल्प कहा है और इनका मूल शब्द में माना है और साथ ही शब्दों का मूल इन विकल्पों में माना है : "विकल्प-योजनय: शब्दा: विकल्पा: शब्द-योनय:।" इससे उसका आपादन यह है कि भाषा का कोई सम्बन्ध वस्तु-जगत् से नहीं होता, भाषा मनोमूलक ही होती है और मनोमूलक लोक का ही निर्माण करती है, क्योंकि जगत् उनके अनुसार विकल्प-जन्य ही है। यथार्थ इससे परे निर्विकल्पक प्रत्यक्ष का विषय है। यद्यपि भाषा-विषयक यह सिद्धान्त न्याय और मीमांसा के सिद्धान्त से, जो भाषा को यथार्थ वस्तु-वाचक मानते हैं, अधिक विचक्षणतापूर्ण है किन्तु यह और इसके जैसे दूसरे भाषा-विषयक सिद्धान्त भी एक मूल भ्रान्ति पर प्रतिष्ठित हैं। भ्रान्ति यह कि वस्तु-जगत् या तो ज्ञानेन्द्रियों को उनकी निर्विकल्पक अवस्था में प्रकट होता है या ज्ञानेन्द्रियों को जो प्रकट होता है वह वस्तु-स्वरूप का ज्ञापक नहीं होने पर भी किसी प्रकार वस्तु-मूलक अवश्य होता है, इसलिए भाषा मानसिक रचना-व्यापार मात्र ही होती है। इसी से ये दार्शनिक तत्त्व को अनभिलाप्य कहते हैं। 'गूँगे का गुड़' उक्ति में भी यही धारणा निहित है, यद्यपि 'गुड़' यहाँ इन्द्रिय-ग्राह्य रस और आध्यात्मिक अनुभूति-ग्राह्य रस दोनों का व्यंजक है। पर तब भी दोनों में अनुभव को ही ज्ञापक माना गया है। विचार इनके अनुसार अनुभव नहीं है, और परिणामत: वह ज्ञापक भी नहीं है और इस प्रकार भाषा भी, जो विचारमूलक ही है, जो अनुभव का वचन करने में नितान्त अक्षम है, वस्तु-ज्ञापक नहीं होकर कल्पना-मूलक आवरण ही होती है।

किन्तु यदि यह बात सही हो तो दिङ्नाग का सम्पूर्ण प्रतिपादन भी कल्पनावरण ही होगा। किन्तु दिङ्नाग और दूसरे बौद्ध दार्शनिक भी, ऐसा नहीं मानते। वे इस विश्वास के साथ ही विचार और वितर्क करते हैं कि उनका विचार उन्हें परमार्थ के मर्म तक पहुँचाता है और उनका प्रतिपादन उस ज्ञापक विचार की ही अभिव्यक्ति है।

निश्चय ही शब्द विशेषों का वचन करने में असमर्थ होते हैं और अधिकांश दार्शनिक केवल विशेषों का ही अस्तित्व मानते हैं, सामान्यों को उनसे उद्गृहीत या उन पर आरोपित कल्पनाएँ या रचनाएँ मानते हैं। द्रष्टव्य है कि जर्मन दार्शनिक इम्मेनुअल कांट ने सामान्यों को एक ठोस आधार देना चाहा किन्तु वह आधार उसने चेतना की एक ऐसी रचना-वृत्ति में ही पाया जो व्यक्ति की इच्छा और जानकारी के अधीन नहीं होकर उसके जातीय स्वभाव, अथवा कहें चेतना के मानव-स्तरीय स्वरूप में निहित है और इसे उसने 'अतिक्रामी' का नाम दिया। वास्तव में महायानी बौद्धों ने भी इस वृत्ति को लगभग इसी रूप में देखा और इसे 'अनादि वासना' कहा। इस प्रकार जब हम 'यह गाय है' कहते हैं तब इसका वास्तव में वाच्य देशत्व से युक्त बिन्दु विशेष पर कालत्व से युक्त क्षण विशेष में गोत्व से युक्त तथता होता है, जो तथता इसकी वाच्य नहीं होती। अवश्य इसके विपरीत नैयायिकों ने सामान्य को विशेष के समान ही अस्तित्ववान् माना किन्तु उसका अस्तित्व विशेष-सम्बद्ध माना। नैयायिक वास्तव में पद द्वारा वाच्य पदार्थ मात्र को ही सत् मानते थे और इस प्रकार एक भिन्न वर्ग में थे, किन्तु शेष सब की भाषा के सम्बन्ध में यह धारणा थी कि इसके वाच्य मनोकल्पित लोक की वस्तुएँ या अर्थ ही होते हैं। ऐसा मानना चेतना के निम्नतर स्तरों को यथार्थ का ज्ञापक और उच्चतर स्तरों को अनादि वासनाधीन मानना होगा।

तब क्या 'यह गाय है' का वाच्य यथार्थ वस्तु है? इसमें ध्वनि और वस्तु का क्या सम्बन्ध है? कैसे यह ध्वनि यथार्थ की वाचक बनती है? अथवा कहें, वाच्य और वचन में सम्बन्ध का क्या स्वरूप है? या कि यथार्थ वस्तुतत्त्व से इस ध्वनि-रचना का कोई सम्बन्ध नहीं है? वह वाक्य अकेला या अन्य वाक्यों के साथ मिलकर अपने एक कल्पना-मूलक अर्थ-लोक की रचना करता है और एक भ्रम उत्पन्न करता है जैसे मानो इस ध्वनि-रचना की वाच्य कोई वास्तविक वस्तु हो जिसका एक आकार, एक स्वतन्त्र देश-काल-स्थिति और एक वर्ण है, जो दूध पाने के प्रयोजन से पाली जाती है, धार्मिक भाव से पूजी जाती है आदि? इसे समझने के लिए एक दूसरा उदाहरण देखें—'यह घट है'। अब, घट-वस्तु का आविर्भाव ही एक विचार और प्रयोजन से हुआ है, कहें इसकी व्यावहारिक सत्ता ही इसकी पारमार्थिक सत्ता भी है और परिणामत: इसका नाम, जो एक भाषा-व्यवस्था का अंग है, इसके याथार्थ्य को वास्तव में ही नामित करता है। यहाँ कोई अपोहवादियों के साथ आपत्ति कर सकता है कि 'शब्द तो सामान्य का ही वचन करता है और वह भी इतर व्यावृत्ति से, जबकि घट विशेष होते हैं', तो इसका उत्तर होगा कि कुम्हार घट की कल्पना विशेष घट के रूप में नहीं करता बल्कि घटत्व के रूप में ही करता है और घट विशेष में उस घटत्व का ही अवतरण होता है। हम जब किसी को घट लाने के लिए कहते हैं तब यद्यपि एक या दो या दस घट, अर्थात् व्यष्टि घट, लाने के लिए ही कहते हैं, किन्तु ये व्यष्टि विशेष नहीं होकर सामान्य के ही व्यष्टि-रूप होते हैं। अब, जहाँ तक गाय का सम्बन्ध है, वह भी घट-वस्तु से मूलत: भिन्न नहीं होती। इस पर कहा जा सकता है कि गाय का आविर्भाव घट के समान हमारे द्वारा उसके प्रत्यय के साक्षात्कार द्वारा उसके भौतिक उपादान में अवतरण से नहीं होता। यह बात सही भी है और ग़लत भी। सही इस रूप में कि गाय का निर्माण हम नहीं करते। किन्तु इससे यह सिद्ध नहीं होता कि वह प्रत्यय का अवतरण नहीं है। दूसरे, उसकी तथाकथित वस्तुता में हमारे प्रवेश की गहराई हमारे चेतना की गहराई में उतरने के अनुपात में ही होती है। उदाहरणत: गाय का इन्द्रिय-प्रत्यक्ष-गम्य ज्ञान वैज्ञानिक ज्ञान की तुलना में नगण्य होता है। यहाँ आपत्ति की जायगी कि विज्ञान तो प्रत्यक्षमूलक ही होता है प्रत्यय-मूलक नहीं। सही है, किन्तु विज्ञान का प्रत्यक्ष पूर्णत: प्रत्यय-मूलक ही होता है।[1]

किन्तु शब्दों के वाच्य केवल प्रत्यक्ष-सम्बद्ध किन्तु प्रत्यय-मूलक वस्तुएँ ही नहीं होतीं बल्कि भाव, विचार, प्रत्यय, सम्बन्ध, कल्पनाएँ, सिद्धान्त, अभ्युपगम, और स्वयं भाषा आदि असंख्य प्रकारक वस्तुस्थितियाँ भी होती हैं। इसके अतिरिक्त, यहाँ यह विशेष ध्यातव्य है कि शब्द एक-एकश: वाचक नहीं होते, वे वाक्यों के अंग होते हैं और वाक्य ही वाचक होते हैं। पुन:, ये वाक्य वाक्य-समुदायों के अंग होते हैं। नाम या संज्ञाएँ तक

1. द्रष्टव्य यशदेव शल्य — **सत्ताविषयक अन्वीक्षा** में 'प्राकृतिक विज्ञान' अध्याय।

अपने शुद्ध रूप में शुद्ध उद्देश्य होती हैं, वे अनेक विधेयों का आश्रय होती हैं। शुद्ध उद्देश्य का अर्थ है जो अनिवार्यतः विधेय-सम्बद्ध होता है और किन्हीं भी विधेयों का आश्रय हो सकता है। उदाहरणतः 'राम' शब्द किसी मनुष्य की संज्ञा से लेकर घास-फूस तक की संज्ञा हो सकता है, यहाँ तक कि यह ईश्वर तक की संज्ञा भी है और यह संज्ञी-भेद विधेय-भेद मूलक होता है। इस शब्द की यह विधेयमूलकता इसके शुद्ध उद्देश्य होने की द्योतक है। इस प्रकार व्यक्ति-वाचक संज्ञाएँ भी वाक्य के अधीन ही होती हैं, वे स्वतन्त्र वाचक नहीं होतीं। किन्तु व्यक्तिवाचक संज्ञाएँ विधेय भी बन सकती हैं, जातिवाचक संज्ञाओं की तरह, जैसे, 'यह राम है' में। तुलसी के 'सिया-राममय सब जग जानी' में यह नाम अत्यन्त अर्थ-विपुल विधेय है। इस तरह साधारण संज्ञा-पद भी एक जटिल प्रत्यय-व्यवस्था और इस प्रकार शब्द व्यवस्था : भाषा-व्यवस्था : के अंग होते हैं। इस प्रकार कहा जा सकता है कि न तो शब्द या वाक्य सरलतया वस्तुवाचक होते हैं और न भाषा व्यवहित और जटिल रूप से ही यथार्थ की द्योतक या प्रापक होती है, वह अपना एक अतिलोक रचती है और उसके माध्यम से समग्र वस्तु-लोक की रचना करती है। किन्तु ऐसा कहने में यह निहित है कि हम किसी अन्य प्रकार से वस्तुगत यथार्थ का और भाषागत यथार्थ का ग्रहण कर पाते हैं और इन दो यथार्थों की परस्पर तुलना कर ऐसा करते हैं। किन्तु यह भ्रान्ति है। इसमें यह मान्यता निहित है कि कोई भौतिक वस्तु-लोक है जिससे इन्द्रिय-सन्निकर्ष होता है और उससे ज्ञान उत्पन्न होता है। विज्ञान इसी को मानकर चलता है और तब इन्द्रियों को भी व्यवधान मानकर उनका अतिक्रमण कर सीधे वस्तु-लोक से सम्पर्क साधने का प्रयत्न करता है। किन्तु ऐसा वह कितने जटिल प्रत्यय-तन्तुवाय की और उसकी एक वाचक विशिष्ट भाषा की रचना के द्वारा कर पाता है यह इस कथन से सहज ही देखा जा सकता है कि आईंस्टाइन के सापेक्षता-सिद्धान्त को समझने वाले दस-बारह से अधिक वैज्ञानिक नहीं हैं। किन्तु इसमें सन्देह नहीं है कि इन्द्रियाँ जिस यथार्थ को प्रकट करती हैं विज्ञान उसी का वह तत्त्व प्रकट करता है जिस तत्त्व के इन्द्रियों को प्रकट विषय केवल सतही पक्ष होते हैं। अब, यह पक्ष इन्द्रिय-गम्य नहीं होता, यह प्रत्ययों को आश्रित करता है और अपने इस अवगमन-व्यापार के लिए भाषारूढ़ एक ऐसी प्रतीक-व्यवस्था की रचना करता है जो उन नितान्त अमूर्त्त वस्तुओं की वाचक हो सके जिनका एक सतही पक्ष मूर्त्त-रूप में इन्द्रिय-मूलक अध्यवसाय से प्रकट होता है। किन्तु जैसाकि हमने पीछे देखा, इन्द्रियगम्य भी वास्तव में वैसा इन्द्रियगम्य नहीं होता, यह घट आदि का मानव-सर्जित लोक होता है, या मनुष्य-पशु आदि होते हैं जिनका तत्त्व प्राण और चित्त होता है, इन्द्रियगम्य वस्तुत्व नहीं। इन्द्रियगम्य केवल नील-पीतादि संवेद्य गुण ही होते हैं।

इस पर कहा जा सकता है कि भाषा इन्द्रिय-विषयों का इस कारण वचन नहीं कर सकती क्योंकि वे नितान्त विशिष्ट होते हैं और भाषा के वाच्य अर्थ नितान्त सामान्य होते हैं। इसी कारण भाषा आन्तर वेदनाओं, जैसे सुख-दुःख आदि, और अनुभूतियों, जैसे प्रेम-आनन्द आदि का भी वचन नहीं कर सकती। यद्यपि यह बात एक सीमा तक सही है किन्तु इसके प्रतिपादन के पीछे वास्तव में एक मूल भ्रान्ति है। निश्चय ही इन्द्रिय-विषय नितान्त विशिष्ट होते हैं, किन्तु अपनी विशिष्टता में वे अग्राह्य भी होते हैं, शब्दतः ही अग्राह्य नहीं, किसी भी प्रकार से अग्राह्य। वे केवल विश्लेषणात्मक विचार द्वारा नेति-नेति विधि से संकेतित होते हैं। जहाँ तक प्रेम, द्वेषादित भावनाओं का प्रश्न है, उनके लिए यह कहना सही नहीं है कि वे भाषा-ग्राह्य नहीं होतीं। वे केवल भाषा की अभिधानात्मक वृत्ति से ग्राह्य नहीं होतीं, अन्यथा कविता, कहानी आदि इन भावनाओं का ही वचन करते हैं और इन्हें रूप, गहराई और विस्तार देते हैं। इसका अर्थ यह नहीं है कि अभिधात्मक भाषा इनका निरूपण करने में नितान्त असमर्थ रहती है। वह इनके विषयात्मक आयाम का निरूपण करती है, जो आयाम इन्हें मात्र आवेगों के स्तर से उठाकर भावनाओं के स्तर का प्रापक होता है। आवेगादि को विषय रूप में प्रेक्ष्य बनाये बिना काव्य-रचना अनुभूतियों का आस्वादन, मनन और विमर्श नहीं कर सकती जो उसके जन्म की पूर्वापेक्षा होती हैं।

किन्तु जैसाकि हमने पीछे देखा, अभिधानात्मक कथन भी एक शब्द और एक वस्तु के बीच सम्बन्ध के रूप में नहीं होता बल्कि वचन अथवा अभिधान का लघुतम वाहक वाक्य होता है जो अनेक शब्दों से रचित होता है। रचना का अर्थ है व्यष्टि-वस्तुओं को अवयवों के रूप में अपने में नियोजित करने वाली व्यवस्था। वाक्य रूपी

अवयवी शब्दों को इसी प्रकार अपने में सन्निहित करता है। वाक्यों के अवयवी होने से अवयवभूत शब्दों के अर्थ प्रत्येक वाक्य की रचनात्मकता के अनुसार वाचक होते हैं, नियत शब्द नियत अर्थ या नियत वस्तु के वाचक नहीं होते। किन्तु इसका अर्थ यह नहीं है कि भाषा यथार्थ की वाचक या व्यंजक नहीं होती, बल्कि यह है कि यथार्थ सरल रूप से सद्य:प्रदत्त और चित्त से अस्पृष्ट नहीं होता। यदि यथार्थ चित्त से अस्पृश्य हो तो ज्ञान-अज्ञान, सतही और गहनतर तथा संकुचित और व्यापक ज्ञान, सम्यक् और असम्यक् अभिव्यक्ति तथा सतही और गम्भीर प्रतिपादन में भेद नहीं होगा। ऐसा नहीं है कि भाषा को, और इसी प्रकार उस ज्ञान को जो भाषा का सहचर है, वासनामूलक या विकल्पात्मक कहने वाले ज्ञान और भाषात्मक प्रतिपादन में उपर्युक्त भेद स्वीकार नहीं करते, किन्तु वे इसे व्यावहारिक या प्रातिभासिक यथार्थ विषयक कहते हैं और इस यथार्थ को परमार्थ से, अथवा कहें वास्तविक यथार्थ से, भिन्न कहते हैं और इस परम अर्थ या यथार्थ को भाषा और विकल्प से अगम्य मानते हैं। अब, यदि यह बात सही भी हो, भाषागम्य यथार्थ व्यावहारिक या अपारमार्थिक ही हो, तो भी व्यवहार और परमार्थ का भेद, व्यवहार की प्रातिभासिकता या आभासिकता का और उससे भिन्न परमार्थ का बोध इस व्यवहार के विवेचन के बीच से ही, भाषा जिसकी अनिवार्य घटक होती है, उद्भासित होता है, अव्यवहित वस्तु-प्रत्यक्ष से नहीं। ऐसा कैसे होता है?

जैसाकि हमने ऊपर देखा, यथार्थ सद्य:प्रदत्त या अव्यवहित प्रत्यक्ष जैसा कुछ नहीं होता। वह चेतना के स्तर-भेद के साथ भिन्न होता है। कृमि-कीट, सरीसृप, गाय-भैंस और वानर इनमें चेतना के स्तर-भेद जीव मनोविज्ञान भी लक्षित करता है। एक प्रकार से कहा जा सकता है कि इनमें विकसिततम चेतना के लिए भी यथार्थ (वस्तु के यथात्व) का कोई अर्थ नहीं होता। इसमें बुभूक्षात्मक और आवेगात्मक चित्त अपने विषयपर्यन्त अविभाज्य रहता है, विषय का इसमें स्वतन्त्र कोई सत्त्व नहीं होता। विषय को स्वतन्त्र सत्त्व चेतना के आवेगात्मक से आगे मनोमय (विचार, कल्पना और अवधारणा का) स्तर प्राप्त कर लेने पर ही प्राप्त होता है। इसी स्तर पर दण्ड, काष्ठ, मिट्टी, घट आदि स्वतन्त्र वस्तुएँ बनते हैं जिनके अनेक रूप, अनेक नाम, अनेक उपयोग और अनेक सम्बन्ध हो सकते हैं। इन्हें एक ही तत्त्व के तीन पक्ष, बल्कि कहें एक ही वस्तु के तीन नाम भी कह सकते हैं। संस्कृत में 'अर्थ' शब्द वस्तु और शब्द-संपृक्त अभिप्राय या तात्पर्य दोनों के लिए प्रयुक्त होता है, हम कहना चाहेंगे कि ये दो नहीं एक ही चित्त की दो पर्यन्तताएँ हैं। अर्थात् 'घट' का शब्दार्थ और घट-वस्तु ये दो एक ही के दो आयाम हैं। अवश्य घट-वस्तु जल-धारण की योग्यता रखती है, जो योग्यता शब्दार्थ या शब्दगत तात्पर्य नहीं रखता, किन्तु जैसाकि हमने पीछे देखा, घट का वस्तुत्व वास्तव में चेतना के उस स्तर में ही जन्म लेता है जो भाषा से अधिक निकट होता है। ठोस वस्तु या घटित चित्त-वृत्ति तात्पर्य की ही पर्यन्तता का छोर होती हैं। शब्दार्थ और वस्तु की यह एकात्मकता कविता, दर्शन और विज्ञान आदि में सहज ही देखी जा सकती है। यहाँ कविता से एक उदाहरण लें—

> बालम, आव हमारे गेह रे, तुम बिन दुखिया देह रे।
> सब कोऊ कहै तुम्हारी नारी, मो को इतै सँदेह रे,
> एकमेक ह्वै सेज न सोवैं, तब लग कैसो नेह रे।

इसमें शब्दार्थ और वाच्य वस्तु अवियोज्य हैं। इस पर कहा जा सकता है कि इस कविता में 'बालम', 'गेह', 'नारी' और 'सेज' आदि शब्द अभिधाओं में आधारित लक्षणाएँ हैं। किन्तु यदि अभिधाएँ भूत-वस्तु-वाचक और तत्पर्यन्त ही हों तो ये लक्षणाओं और व्यंजनाओं की आधार नहीं हो सकतीं, और दूसरे, उनके विषय में सतही दृष्टि और अन्तर्दृष्टि का तथा संकुचितता और व्यापकता का भेद नहीं हो सकता। किन्तु द्रष्टव्य है कि यह भेद शब्दार्थक विषयक नहीं होता बल्कि चेतनागत होता है, इसी से यह वस्तु और शब्दार्थ दोनों को समान रूप से उपलक्षित करता है। वास्तव में भर्त्तृहरि ने जो शब्दार्थ को स्फोट और प्रत्ययों को शब्दमूलक तथा वस्तु-जगत् को वाग्विवर्त कहा है उसमें उनकी दृष्टि हमारे उपर्युक्त प्रतिपादन के पर्याप्त निकट है।

× × ×

भाषा, वस्तु-जगत् और चेतना का ऊपर विवेचित स्वरूप भाष्य से और अधिक स्पष्ट होता है। भाष्य क्या है? किसी कथन या प्रतिपादन के कथ्य या प्रतिपाद्य का और गहराई या विस्तार में जाकर कथन या प्रतिपादन। भाष्यकार दो में से एक बात और करता है—वह व्याख्येय कृति को या तो उसके अपने काल-सन्दर्भ में प्रतिष्ठित कर समझता है अथवा उसे काल-सन्दर्भ से मुक्त कर उसके शाश्वत अन्तस्सार के साथ तादात्म्य स्थापित करता है। यह कैसे सम्भव होता है? यह गहराई और विस्तार किसमें निहित होता है? और यह शाश्वत अन्त:सार क्या है जो शब्दों से परे किन्तु तब भी शब्दों के अन्तराल में अवस्थित होता है?

वैसे हमारे यहाँ भाष्य सूत्रों या कारिकाओं के ही अधिकांशत: लिखे जाते थे और सूत्रकार और कारिकाकारों को तत्त्वद्रष्टा माना जाता था। किन्तु उनके ये सूत्र और कारिकाएँ उस दृष्टि को संकेतात्मक रूप से ही प्रस्तुत करती थीं। जो भी हो, बात वही होती थी—संकेत रूप में कही गई बात की गहराई और विस्तार को मापना, उसके गुह्य मर्म को प्रकट करना, शब्दों व संकेतों को भाँपना और अन्तरालों में अलक्षित अनुरणनों को चीह्नना। ऐसा कैसे होता है? इसमें भाष्य-कर्त्ता को मूल द्रष्टा या चिन्तक के चित्त में प्रवेश नहीं करना होता बल्कि उस दृष्टि-विषय का साक्षात्कार करना होता है जो मूल चिन्तक की चेतना में उन्मिषित हुआ है अथवा कहें जिसका मूल चिन्तक को साक्षात्कार हुआ है। 'चेतना में उन्मेष' और 'साक्षात्कार' ये दो परस्पर विरोधी जैसे पद यहाँ जानबूझकर समानार्थक के समान प्रयुक्त किये गये हैं, क्योंकि गहन चिन्तन या मनन में प्रकट अर्थ चित्त में अवतरित ही होते हैं और इनके मूल स्रोत चैत्त नहीं होकर अतिचैत्त चैतन्य में होते हैं। इसी से भाष्य के विषयभूत सूत्र, कारिका या विस्तृत ग्रन्थ में व्यक्त दृष्टि की गम्भीरता अनवगाह्य और व्यापकता अपार होती है और अनेक निर्वचनों की सम्भावनाओं से युक्त होती है। यदि और गहराई में जाकर देखा जाय तो मूल प्रतिपादन भी उन्मिषित अर्थ के अनेक सम्भाव्य निर्वचनों में से एक होता है और उसके भाष्य उसके अपने निर्वचन की गम्भीरता में उतरते हुए प्राय: ही उसके परे भी चले जाते हैं। ऐसा केवल सूत्र-ग्रन्थों के साथ ही नहीं होता जिनमें शब्द-लाघव के कारण मूक संकेत अधिक रहते हैं बल्कि विस्तृत प्रतिपादनों के साथ भी होता है। **गीता, वेद** और **बाइबल** आदि इसके प्रमाण हैं। एकवचन के ये अनेक निर्वचन उस वचन को भाषा-रूप में अनेक प्रत्यय-व्यवस्थाओं से गर्भित एक प्रतीक-व्यवस्था अथवा अनेक प्रतीकों की आश्रयभूत एक ध्वनि-संरचना सिद्ध करते हैं। उदाहरणत: बादरायण के **ब्रह्मसूत्र** का एक सूत्र **जन्माद्यस्य यत:** लें। इसमें कारण-कार्य-सूचक दो सर्वनाम—'अस्य' और 'यत:' हैं जो असंख्य में से किसी भी एक नाम के स्थानीय हो सकते हैं। निश्चय ही **ब्रह्मसूत्र** के शेष सूत्रों की व्यवस्था इन सर्वनामों के स्थान पर रखे जा सकने वाले नामों के सम्भावना-क्षेत्र को सीमित करती है, किन्तु तब भी यह पर्याप्त व्यापक है। उदाहरणत: प्रसंग से निश्चित इन सर्वनामों का स्थान लेने वाले 'जगत्' और 'ब्रह्म' के वाच्य कोई एक ही नहीं हैं, जैसाकि **ब्रह्मसूत्र** के अनेक भाष्यों से सिद्ध है। अब, यद्यपि **गीता** में यह अनिश्चितता नहीं है किन्तु उसमें व्यक्त दृष्टि और उस दृष्टि द्वारा दृष्ट अर्थ : तत्त्व, वस्तु : इतने गहन और व्यापक हैं कि उनमें असंख्य दिशाओं से प्रवेश सम्भव है और अवगाहन में कितने ही प्रकार की वस्तुएँ पायी जा सकती हैं। शंकराचार्य, तिलक और महात्मा गाँधी के गीता-भाष्य परस्पर कितने भिन्न हैं यह देखा जा सकता है। किन्तु ये भाष्य **गीता** से असंगत नहीं हैं।

अब, अर्थों की यह संगति किससे होती है? शब्द-व्यवस्था से? तब यहाँ 'शब्द' का क्या अर्थ है? क्या शब्द यहाँ अर्थ से भिन्न ध्वनि-रूप मात्र का वाचक है? किन्तु ध्वनिमात्र को शब्द नहीं कहते, अर्थ और ध्वनि के संयुक्त रूप को ही शब्द कहते हैं। इस प्रकार यह संगति ग्रन्थ-रूप में व्यवस्थित सब शब्दों की परस्परत: और परित: देश-काल-सन्दर्भ से होती है। किन्तु यदि भाषा-व्यापार को गहराई से और उसकी समग्रता में देखें तो वास्तव में ध्वनि ही नहीं ध्वनि में व्यक्त शब्द भी उससे केवल आनुषंगिक रूप से और बाह्यत: ही सम्बन्धित होते हैं जिसकी संगति को ये व्यक्त करते हैं, जैसाकि एक प्रकार से कही गयी बात को असम्यक् पाकर उसे अधिक सम्यक् रूप से कहने के प्रयत्न से देखा जा सकता है। असम्यक् और सम्यक् कथनों में जो कथ्य होता है वह दोनों में समान तभी हो सकता है यदि कथन कथ्य के लिए आगुन्तक हो। अब, द्रष्टव्य है कि कथन अर्थात्मक ध्वनियाँ

होते हैं, मात्र ध्वनियाँ नहीं। इस प्रकार यह भी कहा जा सकता है कि वाक्यरूपेण रचित अर्थ अपने से पर अर्थ के व्यंजक होते हैं और उस अर्थ के लिए ये अर्थ आगन्तुक होते हैं। किन्तु स्वयं इन व्यंजक अर्थ-रचनाओं के लिए ये परार्थ आगन्तुक नहीं होते, वे इनके प्रतिष्ठापक होते हैं। भर्तृहरि और प्रत्यभिज्ञा दार्शनिक जिसे पश्यन्ती वाक् कहते हैं वह बहुत कुछ यह परार्थ ही है। भाष्यकार का कार्य विवेच्य ग्रन्थ में ईषत् व्यक्त इस परार्थ के साथ तादात्म्य सिद्ध कर उसे अधिक विशद अभिव्यक्ति देना, उसमें अप्रकट उन पक्षों को प्रकट करना जिन्हें वह अधिक महत्त्वपूर्ण समझता है, अथवा उस आशय को प्रकट करना जो उसके अनुसार उसका वास्तव में है किन्तु जो अन्य भाष्यकारों को पूर्वग्रहवश अवगत नहीं हुआ है, अथवा जिसे स्वयं मूल लेखक उस गहराई तक जाकर नहीं देख पाया है और इस प्रकार उसने उसके आपादनों को ठीक तरह नहीं समझा है, होता है।

किन्तु द्रष्टव्य है कि हमारे यहाँ भाष्यकार भाष्य से दूसरे प्रयोजन सिद्ध करते रहे हैं। वे परम्परा में श्रुति या स्मृति के रूप में प्रतिष्ठित किसी ग्रन्थ या ग्रन्थों को आश्रित कर उस पर अपने मत का आरोप करते रहे हैं। यहाँ तक कि इसके लिए उन्होंने वेदार्थ-भाष्य विषयक एक ऐसा सिद्धान्त रच डाला जिसके अनुसार वैदिक वाङ्मय का या तो तत्त्वविमर्शात्मक भाग गौण हो गया अथवा विध्यात्मक भाग गौण हो गया। इस सिद्धान्त को उन्होंने अर्थवाद का नाम दिया। इस प्रकार श्रुति के अर्थ के सम्बन्ध में दो सिद्धान्तों का जन्म हुआ जिनमें से एक ने उसे धर्म, अर्थात् यज्ञादि कर्म का प्रतिपादक कहा और दूसरे ने ज्ञान का। बहुत कुछ ऐसी ही प्रवृत्ति बौद्धों के हीनयान और महायान सम्प्रदायों के विभागों में है। इस प्रकार यद्यपि भाष्यों के नाम पर मौलिक ग्रन्थों की रचना हो सकी किन्तु इससे भाष्य का पक्ष छूट गया।

द्रष्टव्य है कि भाष्य का यहाँ एक और प्रकार प्रचलित था जिसमें भाष्य के विषय ग्रन्थ की व्याख्या ही नहीं की जाती थी बल्कि उसकी अनकही बात भी जोड़ी जाती थी और दोष का परिहार भी किया जाता था। उसे 'वार्त्तिक' कहते थे। इस परिभाषा से स्पष्ट है कि वार्त्तिक के विषय ग्रन्थ को श्रुति के समान, अथवा स्मृति के समान भी, आप्त और आलोचना का अविषय नहीं समझा जाता था। किन्तु वास्तव में श्रुति और स्मृति के भाष्यों में भी अकथित रूप से यही किया जाता था। शङ्कर के उपनिषदों और गीता के भाष्य इसके प्रमाण हैं।

जो भी हो, यहाँ महत्त्वपूर्ण बात यह है कि यद्यपि भाष्य भाषा के द्वारा भाषा का विवेचन ही होता है किन्तु भाष्य का वास्तविक विषय चेतना के अतिचैत्त अर्थ होते हैं जो शब्दों के अन्तरालों में आभासित होते हैं। भाष्य इन अतिचैत्त तत्त्वों को भाषा के द्वारा मानसिक स्तर पर प्रकट करने का प्रयत्न करता है। यहाँ चेतना के मानसिक (मनोमय), अतिमानसिक या विज्ञानमय और अवरमानसिक (पाशव) स्तरों में भेद और भाषा के इनसे सम्बन्ध को समझा जा सकता है : मानसिक वह स्तर है जिस पर चित्तवृत्तियाँ (संवेग, संवेद, भावनाएँ और विचार आदि) विषयों के रूप में ग्राह्य बनती हैं। इसी स्तर पर भाषा का जन्म होता है और विषयभूत ये वृत्तियाँ भाषा के मध्यमा और बैखरी स्तरों के अर्थ बनती हैं। चेतना के इस स्तर के उन्मेष के साथ ही चेतना के ऊर्ध्वतर स्तरों का उन्मेष भी होता है जो स्तर मानसिक विषयों के रूप में स्फुट नहीं होकर चेतना के प्रत्यङ्मुख मनन में आलोकित होते हैं और भाषा में व्यंग्यतया अभिव्यक्ति पाते हैं। चेतना के ये विज्ञानमय स्तर ही उस याथार्थ्य के अधिष्ठान होते हैं जो याथार्थ्य मनोमय स्तर पर सीमित रूप में ग्राह्य होता है और अवर स्तरों पर तमसावृत रहता है। उदाहरणत: मिट्टी आदि भौतिक द्रव्यों, घटादि निर्मित अर्थों और काव्य, शास्त्रादि अभिप्रायात्मक अर्थों को लें। मिट्टी का तत्त्व उपादान के रूप में उसके उपयोग से और द्रव्य के रूप में वैज्ञानिक अनुसंधान से ईषत् प्रकट होता है, घटादि में घटत्व प्रत्यय की ईषत् अभिव्यक्ति होती है और काव्यादि से तथा विमर्श से भावना अथवा विचार का स्वरूप ईषत् अवगत होता है। ये सब अर्थ विज्ञानमय चैतन्य में निगूढ़ रहते हैं और मनोमय स्तर के आत्म-अतिक्रामी प्रत्ययों के द्वारा हमारे ज्ञान में व्यक्त होते हैं। ज्ञान में केवल मनोमय स्तर ही अधिगत होता है, विज्ञानमय स्तर शुद्ध चित्सत् का स्तर है जो शुद्ध सत्ता का, या कहें शुद्ध तत्त्वों का अधिष्ठान है। उचित रूप से इसे अस्तित्वातिक्रामी आदर्श लोक कहना चाहिए। भाष्य का कार्य अपने व्याख्येय शब्द के अन्तर में निहित इस आदर्श लोक में, या कहें आधार में पैठ कर उसे मनोमय स्तर पर ऐसे व्यक्त करना होता है जिससे उसकी निस्सीमता की झलक मिल

सके। बहुत-से भाष्य इसके ठीक विपरीत कार्य करते हैं, वे व्याख्येय शब्द को और अधिक सीमाओं में आबद्ध करते हैं।

× × ×

'आलोचना' का व्युत्पत्त्यर्थ तो होता है 'सर्वतः देखना', किन्तु यह शब्द किसी कार्य या कृति के 'गुण-दोष विवेचन' के अर्थ में रूढ़ है। अब, इस गुण-दोष विवेचन में क्या प्रयोजन निहित रहता है?

यह प्रयोजन केवल दोष-दर्शन या मात्र गुणानुकीर्तन द्वारा लाभार्जन भी हो सकता है, किन्तु यहाँ हमारा ज्ञातव्य आलोचना का उचित प्रयोजन ही है। उचित प्रयोजन वह है जिसमें आलोचक राग-द्वेष से विवर्जित होकर आलोच्य कृति का गुण-दोष-विवेचन करता है। द्रष्टव्य है कि प्रत्येक कृतिकार भी अपनी कृति के अस्तित्व में आने के बाद जब उसे देखता है तब वह उसे उत्कृष्ट या असन्तोषजनक पाता है। वास्तव में कृति ही नहीं, हम अपने सभी कर्मों का भी मूल्यांकन करते हैं। यह आलोचना अपने कर्मों के विषयकरण से सम्भव होती है। एक प्रकार से कर्म निष्पत्ति के अनंतर हमारी कृतियों से भी अधिक हमारी अधीनता से मुक्त होते हैं, क्योंकि हम कृतियों का तो निरन्तर संशोधन कर सकते हैं किन्तु कर्मों का संशोधन नहीं कर सकते हैं। किन्तु इन कर्मों के हम विषयी भी रहे होते हैं और वास्तव में यह विषयिता ही इन कर्मों के स्वरूप की निर्धारिक होती है और यह विषयिता आमूल संशोध्य होती है।

'विषयी होना' चेतना का उस रूप में क्रियान्वित या उन्मिषित होना है। किन्तु किसी विषय का होना प्रेक्षण का प्रेक्ष्य होना है। उदाहरणतः दुःखी होना दुःखात्मक चित्तवृत्तिमय होना है किन्तु इस वृत्ति को और अपनी वृत्तिमयता को जानना दुःख और दुःखवृत्तिमयता का प्रेक्षक होना और दुःख तथा अपनी दुःखिता को प्रेक्ष्य रूप में रूपान्तरित करना है। प्रेक्ष्य में रूपान्तरित वह विषयिता पूर्ण रूप से अपने मूल स्वरूप से भिन्न होती है और यह गहराई तथा विस्तार में अनवगाह्य होती है। यही रूपांतरित विषयिता शब्द का विषय भी होती है, अथवा कहें शब्दायित होती है। अब, कृति के गुणावगुण का अर्थ है यह देखना कि कृतिकार अवगाहन में और अवगाहन के शब्दायन में कितना सफल हो सका है। अब, कहा जा सकता है कि इसके लिए आलोचक को आलोच्य कृति के कर्त्ता से अधिक योग्य और भाषा-कुशल होना चाहिए। किन्तु हम देखते हैं कि वास्तव में ऐसा नहीं होता। वह कृति की रचना में तो नितान्त अयोग्य होता ही है, वह प्रेक्षक भी कृतिकार की तुलना में कुशलतर हो, यह आवश्यक नहीं होता। जहाँ तक भाषा का प्रश्न है, वह भाषा-कर्म में कुशलतर हो भी सकता है और नहीं भी हो सकता, वैसा होना या नहीं होना इसमें एक अवान्तर बात होती है। दूसरे, भाषा कृति-सर्जन में एक अवियोज्य अंग भी होती है, इसलिए जब आलोचक कृतिकार ही नहीं है तब उसके भाषा में कुशलतर होने का प्रसंग ही उपस्थित नहीं होता। तब आलोचक के लिए किसी कृति का गुण-दोश-विवेचन किस प्रकार सम्भव होता है?

कृति का कर्त्तृत्व विषयिता है और कृति का आविर्भाव विषयिता का उन्मेष, जबकि आलोचना-व्यापार इस उन्मेष की सफलता-असफलता का, तथा उसकी प्रामाणिकता-अप्रामाणिकता (सच्चाई-आडम्बर) का विवेचन है। किन्तु यह विवेचन उसकी विषयता का होता है। यह विवेचक स्वयं कृतिकार है या कोई अन्य इससे कोई अन्तर नहीं पड़ता, सिवाय इस बात के कि कृतिकार इस उन्मेष का प्रेक्षण उन्मेष की प्रक्रिया में भी कर सकता है जबकि अन्य (आलोचक) केवल उन्मेष की प्रक्रिया की निष्पत्ति के अनन्तर ही उसे देख सकता है। कृति की उन्मेष-प्रक्रिया का प्रेक्षक होने से वह इस आत्मालोचन के निर्देशन में कृति का संशोधन भी करता रहता है जोकि अन्य आलोचक के लिए सम्भव नहीं होता। कृतिकार और अन्य आलोचक के लिए कृति की विषयता के स्वरूप में कोई अन्तर नहीं होता पर आत्मालोचक और बाह्यालोचक के रूप में इनकी भूमिकाओं में अन्तर होता है। कृतिकार आलोचक की भूमिका में अपनी कृति में संशोधन के लिए अथवा निष्पन्न प्रयत्न में अपनी सफलता-असफलता देखने के लिए उतरता है। आलोचक का भी यही अभीष्ट होना चाहिए : स्वयं एक कृतिकार की भूमिका में उतर कर उस कृति के आदर्श निर्दोष रूप का चेता होना। निश्चय ही इसका अर्थ आलोचक से

स्वयं सर्जक होने की माँग करना नहीं है, जैसे संगीत का पारखी होने के लिए स्वयं गायक होना आवश्यक नहीं है। किन्तु जैसे कोई अन्तश्चेतना में सही स्वर और स्वर-योजना की सम्भावनाओं का चेता हुए बिना संगीत का पारखी नहीं हो सकता ठीक उसी प्रकार अन्तश्चेतना में कृति की सम्भावनाओं का चेता हुए बिना कोई उत्कृष्ट आलोचक नहीं हो सकता।

किन्तु यहाँ कृति मात्र की आलोचना का स्वरूप विवेच्य नहीं होकर केवल काव्य-कृतियों (उपन्यास, कहानी आदि को सम्मिलित करते हुए) की आलोचना का स्वरूप समझना ही अभिप्रेत है। अब, शास्त्रीय और वैज्ञानिक कृतियाँ जबकि विषयपरक होती हैं, काव्य-कृतियाँ विषयिपरक होती हैं। जैसाकि हमने पीछे देखा, सहज रूप से आत्मचेतना अपनी चित्तवृत्तियों का विषयकरण करती चलती है इसी से भाषा की अभिधावृत्ति ही उसकी सहज वृत्ति है। किन्तु जो बात कला-विचारकों द्वारा सहज रूप में देखी नहीं गई है वह यह है कि यह चेतना इन चित्तवृत्तियों का इनकी विषयिता में भी विमर्श के स्तर पर उन्नयन कर पाती है। इस प्रकार, हम दु:खी होते हैं और इन भावों या भाव-स्थितियों को विषय के रूप में जानते भी हैं। ये क्रमश: विषयिता और विषयता की स्थितियाँ हैं। किन्तु कला में चेतना दु:खिता के प्रति उसकी विषयिता में ही बोधवान् होती है। यह उपनिषद् के आस्वादक और प्रेक्षक पक्षियों से भिन्न तीसरा पक्षी होती है जो पक्षी खाने की क्रिया की आस्वादकता में ही प्रेक्षावान् होता है। अब, कला के आलोचक को इस तीसरे प्रकार के पक्षी को समझना होता है। कलाओं में काव्य की स्थिति और भी विचित्र है, क्योंकि काव्य में अभिव्यक्ति का माध्यम भाषा होती है जो अपने सहज रूप में विषयपरक होती है, अभिधान इसका स्वरूपलक्षण होता है। अब, काव्य के विषयिविमर्शात्मक होने से इसकी भाषा भी अभिधानात्मक नहीं होकर लक्षणात्मक और व्यंजनात्मक होती है। किन्तु काव्यशास्त्रियों ने काव्यात्मक भाषा-व्यापार को ये नाम अभिधा के आधार पर दिये हैं और इन व्यापारों को काव्य-भाषा-मात्र का सहज लक्षण नहीं देखकर इसे केवल उपचार के रूप में ही देखा है। उनकी यह धारणा काव्य-भाषा-प्रयोगों की विभिन्न भंगियों को 'अलंकार' नाम देने और उन तथाकथित अलंकारों के लक्षण देने से स्पष्ट देखी जा सकती है। किन्तु वास्तव में काव्य-भाषा-प्रयोग को साधारण भाषा-प्रयोग पर उपचार नहीं देखकर भिन्न प्रकारक अनिवार्य भाषा-प्रयोग देखना ही उपयुक्त है, उस प्रयोग की विशेष भंगियों को 'अलंकार' कहना तो सर्वथा अनुपयुक्त है। उदाहरण के लिए 'चन्द्रमुखी', 'गजगामिनी' प्रयोगों को लें। ये प्रयोग काव्यात्मक नहीं लगकर चामत्कारिक अधिक लगते हैं। इसके विपरीत 'आरती करती वाक्, झलमला ज्योतिश्चक्र, देखते-सुनते अवाक्, स्पन्दित प्राण समग्र'[1] इस पद को लें। इसमें भाषा-प्रयोग एकदम सीधा है। इसमें अभिधात्मक भाषा-प्रयोग को आधार और काव्य को सौन्दर्यपरक मानकर इस उत्प्रेक्षा को अलंकार कहा जाएगा, किन्तु यह उपयुक्त नहीं होगा। यह वाक् का भाव-दृष्टि में साक्षात्कृत तत्त्व है और उसकी यह किसी उपचार से रहित सीधी अभिव्यक्ति है। वास्तव में सूक्ष्मदर्शी भाषाशास्त्री भाषा के साधारण प्रयोग को भी प्रत्यक्ष अभिधानात्मक नहीं मानकर रूपकात्मक ही देखते हैं, अपोहवाद इस प्रयोग को नितान्त परोक्ष और इस प्रकार अभिधात्मक से ठीक विपरीत देखता है। उनके ये प्रतिपादन यथार्थ को भाषा से अलग देखने के कारण हैं जोकि वह नहीं है। वास्तव में इसी प्रकार काव्य-भाषा-लक्षित यथार्थ भी काव्य-भाषा से परे साधारण भाषा द्वारा यथार्थत: निरूप्य कुछ नहीं होता, वह एक भिन्न यथार्थ होता है जिसे काव्यभाषा अपरोक्षत: व्यक्त करती है। इस पर कहा जा सकता है कि तब फिर काव्य में उपमा, रूपक आदि के सब प्रयोग समान-रूप से उपयुक्त होने चाहिएँ। ऐसे में कालिदास की उपमा को क्यों विशेष प्रशंसनीय कहा जाता है? इसका समाधान यह है कि अभिधात्मक भाषा में भी सटीकता-सपाटता, पटुता-अपटुता आदि देखी जाती है, किन्तु उससे अभिधात्मक भाषा की औपचारिकता सिद्ध नहीं होती।

सम्पूर्ण काव्य-कृति को अवश्य उपचारात्मक कहा जा सकता है, किन्तु तब उसी प्रकार कोई भी कृति (कलात्मक या विचारात्मक) औपचारिक ही होती है। किन्तु जैसाकि हमने पीछे देखा, भाषा औपचारिक नहीं

---

1. गोविन्दचन्द्र पाण्डे — **क्षण और लक्षण** (काव्य संग्रह)।

होकर चेतना में अर्थों का उन्मेष है। यही बात काव्यभाषा के लिए भी सही है। 'चन्द्रमुखी' जैसे पद भी, वास्तव काव्यात्मक अभिव्यक्ति के अंग होने पर, उपमात्मक नहीं होकर एक अविभाज्य विशेषण पद होते हैं। यदि ये पद अलंकार ही हों तो इनसे रहित कविता तो दरिद्र ही कही जायेगी, और उपन्यास, कहानी आदि की दरिद्रता तो स्वत:सिद्ध ही होगी। किन्तु अज्ञेय (**आँगन के पार द्वार**) की निम्न कविता देखें—

तुम :
वही थीं :
किन्तु ढलती धूप का कुछ खेल था–
भूल थी
पर बन गयी पहचान–
मैं भी स्मरण से नहा आया।

इसके अन्तिम पद में अवश्य उत्प्रेक्षा देखी जा सकती है जबकि शेष में कोई अलंकार नहीं प्रयुक्त है। किन्तु तब इससे कहीं अधिक आलंकारिकता 'प्रफुल्लित हो उठना', 'गदगद होना' आदि पदों में होगी, जोकि साधारण प्रयोग हैं। अलंकार-सिद्धान्त की अयुक्तता उपन्यास-कहानी आदि से और स्पष्ट देखी जा सकती है। कथा-साहित्य का उत्कर्षापकर्ष इनमें प्रयुक्त रूपकों आदि से नहीं देखा जाता, उनमें इनके प्रयोग की ओर ध्यान भी नहीं दिया जाता, यदि कहीं इनका प्रयोग इनमें हो तो।[1] किन्तु सारा उपन्यास अघटित घटनाओं को घटितवत् कहता है। वह जो कहता है वह अपनी समग्रता में भी किसी वस्तुस्थिति का वर्णन या निरूपण नहीं होता। किन्तु तब भी वह किसी सत्य या तथ्य का वर्णन नहीं करता, ऐसा कहने से बड़ी भ्रान्ति दूसरी नहीं हो सकती। वह उस सत्य को व्यंजित करता, या कहें उसका वर्णन करता है जो सत्य घटित घटनाओं को आधार बनाकर उपन्यासकार की प्रतिभा में साक्षात्कृत होता है। यही बात कविता में भी होती है। आलोचक का कार्य कृति में व्यंजित, अथवा कहें कृति द्वारा निरूपित इस सत्य का विवेचन तथा व्याख्या करना और कवि द्वारा इस सत्य के अवगाहन में उसकी सफलता-असफलता को, तथा चेतना के उन्मेष की वास्तविकता-अवास्तविकता को प्रकाश में लाना होता है। अब, अन्य आलोचकों से भिन्न काव्यालोचक की स्थिति इस बात में भिन्न होती है कि उसका विवेच्य जबकि विषयितापरक होता है उसकी अभिवृत्ति विषयतापरक होती है—बहुत कुछ उसी प्रकार जिस प्रकार अन्य मनुष्य हमारे लिए होता है : विषयात्मक रूप से प्रदत्त विषयी। अब, काव्य-कृति को उसकी अपनी प्रकृति में समझने के लिए उसका विषयिवृत्ति में ही अध्ययन करना आवश्यक होता है और उसी रूप में उसकी सफलता-असफलता देखनी होती है, किन्तु उस समझ को प्रस्तुत विषयपरक रूप से करना होता है।

1. यहाँ श्री निर्मल वर्मा का उपन्यास **एक चिथड़ा सुख** द्रष्टव्य है। उसमें भाव-स्थितियों और मुखादि के विकारों का निरूपण जिस भाषा में है वह वस्तु-विषयक भाषा की दृष्टि से रूपकात्मक ही है किन्तु अपने वाच्य प्रसंगों की दृष्टि से वह मात्र वर्णनात्मक है।

कला और विचार : बोध के दो आयाम[1]

इस पुस्तक का नाम पुस्तक को पढ़े बिना, अथवा उसके सम्बन्ध में कुछ विस्तार से बताये बिना, किसी को भी विचित्र लगेगा। आख़िर संगीत की चिन्तन से क्या अनुरूपता, अथवा प्रतिरूपता भी, हो सकती है? किन्तु मुकुन्दजी ने इसमें बहुत-सी अनुरूपताएँ, कुछ भेद और कुछ समानान्तरताएँ देखी हैं और बहुत विश्वसनीय रूप से दिखायी हैं। इससे पहले कभी किसी ने संगीत के बारे में इस प्रकार सोचा-समझा हो, मुझे नहीं मालूम। यद्यपि उनके चिन्तन-विषयक विचार में वैसी अपूर्वता नहीं है, किन्तु तब भी उसका उन्होंने नवीन सन्दर्भ में विस्तार किया है, इससे इसमें भी नावीन्य आना स्वाभाविक ही है। इस पुस्तक की दूसरी विशेषता है उनके प्रतिपादन का ढंग। वास्तव में उनके इस ढंग को 'प्रतिपादन का ढंग' कहना उतना ठीक नहीं होगा, क्योंकि वे तो जैसे बात करते हैं, कथा का विस्तार करते हैं, 'प्रतिपादन' नहीं करते। उनके इस 'कथावाचन' में अद्भुत विदग्धता है। और इस शैली में जब वे स्वयं की देखी-बूझी बात कहते हैं तब दार्शनिक विचार भी वैसा बोझिल और अमूर्त्त नहीं रहता, उसमें एक अपूर्व मूर्त्तता और ताज़गी आ जाती है। उनके लेखन की तीसरी विशेषता है कि वे विचार के सूत्र ऊहापोह-विधि के बजाय कथा-विधि से खोलते हैं। ऐसा नहीं है कि उसमें ऊहापोह रहता ही नहीं, उसके बिना विचार होगा ही कैसे, किन्तु, यह पूर्वपक्ष के खण्डनपूर्वक स्व पक्ष के मण्डन के रूप में नहीं रहता, इसमें अपोह ऊह में ही अन्तर्निहित रहता है और इस तरह विचार युक्ति-तर्क-विधि से नहीं बल्कि वार्तालाप विधि से खुलता है।

मैंने मुकुंदजी की लेखन-शैली पर इतना महत्त्व देकर इसलिए लिखा है क्योंकि मुझे उनकी लेखन-शैली नितान्त विशिष्ट, उपयोगी और मोहक लगी है। इसे अपने-आप में उनका हिन्दी के दार्शनिक लेखन में एक अपूर्व योगदान कहा जा सकता है।

इस पुस्तक में तीन अध्याय हैं—1. राग और धुन, 2. स्वर और शब्द, 3. रस और सत्य। इनमें पहले अध्याय के शीर्षक से ऐसा प्रतीत होता है जैसे इसका सम्बन्ध पूर्णत: संगीत से हो, किन्तु वास्तव में बात ऐसी नहीं है। इसमें मुकुंदजी ने संगीत के तीन पदों—धुन, आलाप और राग को व्यंजनात्मक रूप में लिया है, कहना चाहिए ये पद संगीत में जिन परिभाषाओं के वाचक हैं। उन परिभाषाओं को उन्होंने विचार, बल्कि कहना चाहिए चेतना के सार्थक व्यापार मात्र पर, व्यापक बना दिया है।

अब, धुन क्या है? मुकुंद जी के शब्दों में : "धुन संगीत का एक ऐसा रूप है जिसमें हर स्वर का पहले से तय किया हुआ अपना नियत स्थान होता है।...इन स्वरों को निभाने का भी एक खास ढंग होता है जिसे बार-बार हर प्रयोग में एक-सा रखा जाता है।"(13) एक काम यही है कि स्वरलिपि की तरह आचार, विचार, पुरुषार्थ की धुनों को निर्विकार बाँध रखे,"(14) यद्यपि, जैसाकि मुकुंद जी ने स्वयं भी लक्षित किया है, कालान्तर में कोई धुन राग का रूप भी ले सकती है और इस प्रकार रूप-परिवर्तन के माध्यम से अर्थ-विस्तार का मार्ग ग्रहण कर सकती है। उनके शब्दों में "वेद तभी तक 'धुन' रूप में रहे जब तक वे 'श्रुति' रहे, लिपिबद्ध नहीं हुए।" (यहाँ एक प्रकट अन्तर्विरोध है, किन्तु यह वास्तविक नहीं है। अन्तर्विरोध यह कि ऊपर उन्होंने लेखनबद्धता को आचार-विचार की प्रवहमानता का अवरोधक कहा है किन्तु वेद में उसके लिपिबद्ध होने पर प्रवहमानता आने की बात कही है। किन्तु श्रुति-परम्परा को जानने वाले यह जानते हैं कि इसमें कोई अन्तर्विरोध नहीं है।)

---

1. **संगीत एवं चिन्तन,** लेखक — डॉ. मुकुंद लाठ, प्रकाशक — प्रभात प्रकाशन, दिल्ली, 1994.

अब, आलाप क्या है? उनके अनुसार, "आलाप का अर्थ है बदल-बदल के बढ़ना, स्वरों के नये-नये बनाव, नयी उपज, नये विस्तार, चलने के नये रास्ते—इन पर चलना। राग को 'वही' बनाये रखना कुछ ऐसा ही है जैसा वर्ण की जगह अर्थ को 'वही' बनाये रखना। बात को यों कहना कि बात 'वही' रहे। ऐसा करने में शब्द वह नहीं रहते। बात चरिष्णु हो जाती है, बढ़ती चलती है, विस्तार के नये रास्ते बनाने लगती है।" (16) धुन, आलाप और राग की इस परिभाषा में इन शब्दों के अर्थ के विस्तार के बीज स्पष्ट हैं। अब इस अर्थ-विस्तार को स्पष्ट रूप से देखें : "आगम और वेद में वही भेद है जो साम और गांधर्व में है। आगम में वर्णानुक्रमी बनाये रखने का आग्रह नहीं है। इनका आग्रह अर्थ की दिशा में है, वर्ण की दिशा में नहीं।...पांचरात्र की ये सारी की सारी संहितायें किसी अर्थ में वेद की एकायन नाम की श्रुति की 'उपबृंहण' मानी गयी हैं।...पुराण भी इसी अर्थ में वेद के 'उपबृंहण' कहे गये हैं, वेद के मर्म की 'उपज', 'बढ़त', 'विस्तार', 'आलाप'। महायान के आगम भी एक तरह से पुराने बौद्ध आगम के 'उपबृंहण' ही हैं।(22)

अब इन पदों के अर्थ-विस्तार के माध्यम से संगीत और विचार के सम्बन्ध-असम्बन्ध का निरूपण देखें : "हमारे यहाँ धुन का द्रष्टा या धुनों के मूल द्रष्टा अक्सर ऋषि-मुनि या देवता माने गये हैं। आज के पश्चिमी संगीत के ये धुनी बाख़, बीथोवन जैसे रूप-द्रष्टा माने जाते हैं। ऐसा माना जाता है कि इनकी प्रतिभा में एक देवतुल्य अतिमानुषी दृष्टि है जो उन्हें संगीत के मर्म तक उतार कर संगीत के ऐसे सार्थक रूपों को देख सकने की शक्ति देती है जिन्हें एक अर्थ में नित्य-रूप भी कहा जा सकता है।"(32) इसकी व्याख्या करते हुए वे आगे कहते है : "बीथोवन की धुन वह नहीं जो बजती है या बजायी जा सकती है—धुन का यह 'व्यवहार' उसे रूपान्तर के विकास से नहीं बचा सकता—धुन वह है जो बीथोवन की प्रतिभा में उतरी थी।"(33) "धुन को बुद्धि के इस स्वतन्त्र ध्रुव-लोक में पहुँचाने के लिए उसे इन्द्रिय-जगत् से, व्यवहार के प्रपंच से, प्रयोग-जंजाल से बचाना पड़ता है। और तभी उसे आलाप के दूषण से भी हटाया जा सकता है। लेकिन तब वह धुन जिसे हम बचा रहे थे वह संगीत कहलाने लायक चीज़ नहीं रहती। संगीत के जगत् से भी बाहर निकल जाती है। बुद्धि का व्यापार हो जाती है। उसकी स्थिति गणित की-सी स्थिति हो जाती है। वह विचार के ब्रह्म लोक का एक ध्रुव नक्षत्र हो जाती है। अनुभव के विकास से परे।"(34)

ऊपर के उद्धरणों में प्रथम अध्याय का कथ्य सारांश में प्रस्तुत हो जाता है। इसके अनुसार विचार और संगीत दोनों का मर्म शुद्ध बुद्धिगम्य तत्त्व है। प्रथम का मर्म प्रत्ययात्मक है और दूसरे का (शुद्ध) धुन। ये प्रत्यय और धुनें व्यवहार-लोक में उतरने पर अनेक रूपों और रागों में अभिव्यक्ति पाते हैं और अभिव्यक्ति की यह अनेकरूपता तत्त्वों के चरितार्थन के लिए अनिवार्य होती है। ये तत्त्व जबकि एक ओर अभिन्न होते हैं चरितार्थन की इस विविधता में ये अर्थ का विस्तार और अभिवृद्धि पाते हैं, उपबृंहित होते हैं। यद्यपि इसमें एक प्रकट विरोधाभास है किन्तु लोक और परमार्थ का, अथवा कहें व्यवहार के लोक में बुद्धि के परमार्थ का सम्बन्ध इसी प्रकार का है। किन्तु यहाँ एक सन्देह उत्पन्न होता है। उन्होंने साम गान और फिल्मी संगीत दोनों को धुनें कहा है। क्या वे भी अगेय, गणित की-सी रचनाएँ हैं?

किन्तु प्रत्यय और विचार में, अथवा कहें प्रत्यय और उसके लोकावतरण या चरितार्थन में, फिर भी एक तारतम्य है। विचार प्रत्ययों को ही विषय बनाता या लक्षित करता है, किन्तु संगीत में बुद्धिगत तत्त्व और गायन या वादन के बीच कोई तारतम्य नहीं होता। बीथोवन या बाख़ द्वारा दृष्ट 'धुन', मुकुंदजी के अनुसार 'संगीत कहलाने लायक चीज़ ही नहीं रह जाती।' इस प्रकार विचार और संगीत में कोई अनुरूपता नहीं रह जाती—बावजूद इसके कि धुन संगीत का मर्मभूत सार्थक रूप, 'संगीत के ब्रह्म लोक का ध्रुव नक्षत्र' होती है। विचार और संगीत में एक और प्रकार से भी आधारभूत अन्तर देखा जा सकता है—जबकि संगीत विचार का विषय हो सकता है, विचार संगीत का विषय नहीं हो सकता। यह भेद मुकुंदजी ने अपनी वार्त्ता के आरम्भ में ही लक्षित किया है। वे कहते हैं : "हमने संगीत को विचार के सामने ला खड़ा तो किया ही है...और इस बात पर भी ध्यान दीजिए कि हमने संगीत को किस रूप में अपने विचार के आगे ला खड़ा किया है। उसे गा-बजा तो नहीं रहे हैं। उसके विचार को ही

सामने ला रहे हैं।"(90) आगे मुकुंदजी यही बात असम्यक् रूप से फिर दुहराते हैं, "विचार जब अपने आपको समझना चाहता है—जैसा हमारा विचार करना चाह रहा है...तो एक दर्पण ढूँढ़ता है। इसी रूप में हम संगीत को एक सार्थक आलम्बन बना सकते हैं। और यह परस्पर-दर्शन भी होगा, क्योंकि इससे संगीत भी अपने रूप को नयी तरह से परख पायेगा।"(11) इसमें असम्यक्ता यह है कि दर्पण वास्तव में संगीत : गायन-वादन : नहीं होता, क्योंकि संगीत विचार को अपना विषय नहीं बनाता, जिस प्रकार विचार उसे अपना विषय बनाता है, वह विचार के प्रकाश में अपने को परखता है किन्तु विचार संगीत के प्रकाश में अपने को नहीं परखता। वास्तव में 'दर्पण बनाने' के सही अर्थ में इस बात को यों कहा जाना चाहिए कि "जब विचार संगीत को विषय बनाता है तब वह साथ ही उसका दर्पण भी बनता है, क्योंकि तब संगीत उसमें अपना स्वरूप-दर्शन करता है।" यह बात वास्तव में विचार के विषयमात्र के सम्बन्ध में कही जा सकती है।

दूसरे अध्याय 'स्वर और शब्द' में मुकुंदजी संगीत और विचार को आधारभूत रूप से अलग कर देते हैं। ऐसा वे स्वर और शब्द में मौलिक भेद दिखा कर करते हैं। उनके अनुसार शब्द, कहना चाहिए वाक्, ध्वनि और अर्थ का अविभाज्य, अपृथक्सिद्ध किन्तु विश्लेष्य ऐक्य होता है और यह अर्थ लोक से सम्बद्ध होता है, चाहे इनमें यह सम्बन्ध कितना ही परोक्ष, मुकुंदजी के शब्दों में वक्र, क्यों न हो। अर्थ और भाव (लोक) के बीच सम्बन्ध का माध्यम विभाव बनता है। विभाव का अर्थ है भाव का स्थानापन्न शब्द-कल्पित भाव। इस विभाव का भाव या लोक से सम्बन्ध नाटक में कम परोक्ष होता है, विचार में अधिक परोक्ष होता है। किन्तु संगीत में? मुकुंदजी के अनुसार संगीत किसी विभाव-लोक की रचना नहीं करता। विचार और संगीत के इस भेद को वे शब्द और स्वर के स्वरूपों में भेद के आधार पर प्रतिपादित करते हैं। उनके शब्दों में : "स्वर और शब्द में भेद इतना गहरा है कि विचार जहाँ एक संस्कृति से चलकर दूसरी संस्कृति में आ निष्पन्न होता है...संगीत में निष्पत्ति की ऐसी चरिष्णुता नहीं है। शब्द का अनुवाद हो सकता है। स्वर के अनुवाद की बात ही बेतुकी है।"(47) "शब्द-व्यापार में प्रधानता अर्थ की ही होती है। शब्द इस व्यापार में आवश्यक होता हो, पर होता संकेत मात्र है। अर्थ उपस्थित हो जाए फिर उसकी महिमा नहीं रहती। अर्थ के शब्द से स्वतन्त्र होने के कारण ही भाषाओं का अनैक्य सम्भव है और एक भाषा का दूसरी में अनुवाद बन पड़ता है। स्वर में ध्वनि और अर्थ जैसा कोई तात्त्विक भेद नहीं होता। स्वर में जो संकेत है वह शब्दार्थ सम्बन्ध जैसे किसी सम्बन्ध की अपेक्षा नहीं रखता। फिर स्वर को संकेत कहना ही कहाँ तक ठीक होगा?

स्वर संकेत इस अर्थ में है कि चेतना और चेतना के बीच सम्बन्ध का माध्यम है। वह अपना एक स्वतन्त्र भाव-लोक बनाता है... उसमें अर्थ नहीं होता किन्तु सार्थकता होती है।"(48)

स्वतन्त्र भाव-लोक और अर्थ के बीच क्या भेद है इसे स्पष्ट करने के लिए मुकुंदजी विभाव का सहारा लेते हैं। मुकुंदजी के अनुसार अर्थ-लोक वस्तु-लोक (या कहें भाव) के साथ परोक्षत: सम्बन्धित होता है और इस सम्बन्ध का माध्यम विभाव बनता है। किन्तु 'स्वर का लोक से कैसा सम्बन्ध होता है? वह कैसा विभाव है? क्या विभाव है भी?' इसका उत्तर देते हुए वे कहते हैं, "स्वर का स्वरूप ही शब्द से भिन्न है। शब्द और अर्थ के द्वैधीभाव के बिना उसका लोक से सम्बन्ध क्या हो सकता है? और किसी ऐसे सम्बन्ध के बिना हम उसे विभाव कैसे कहते हैं? अब इतना तो हम मान ही लेंगे कि स्वर का हमारी भावना से एक अन्तरंग सम्बन्ध है।...विभाव का लोक संकेत का लोक होता है। क्या हम स्वर-लोक को भावना-मात्र के अनुव्यवसाय के बिना संकेत-लोक कह सकते हैं? मैं समझता हूँ कि संगीत संकेत है ही इस अर्थ में कि वह भावना को लोक से हटाकर धारण करने का एक स्वतन्त्र माध्यम बनता है।...संगीत अपनी निर्मिति में ही भावना को समो लेता है, शब्द की तरह विषय के रूप में नहीं, स्वर-विन्यास के ही रूप में संगीत में हम लोक को एक ओर रखकर भावना की आँख से ही भावना का भावन कर सकते हैं। स्वर 'किसी बारे में' नहीं होता। वह शब्द और अर्थ ऐसे द्वैधीभाव से हट कर जिसमें 'अहम्' से भिन्न 'इदं' के रूप में लोक हमारा विषय होता है, संगीत का एक निभृत भाव-लोक बनाता है जहाँ भावना अपने प्रति आत्मचेतन हो जाती है।" (53)

इस उद्धरण में कुछ कठिनाइयाँ हैं। मुकुंद जी स्वर और भावना में वैसा ही द्वैत स्वीकार कर रहे हैं जैसा शब्द और अर्थ में, और शब्द के समान ही स्वर को संकेत भी कह रहे हैं। तब शब्द और स्वर में भेद कहाँ है? क्या शब्द और अर्थ के और अर्थ और लोक के सम्बन्ध में निहित **बाह्यता** से भिन्न स्वर और अर्थ और अर्थ और भावना के व्यवधान-रहित सम्बन्ध की **अन्तरंगता** में भेद निहित है? किन्तु क्या शब्द और अर्थ में और अर्थ और लोक में सम्बन्ध बाह्यता का होता है? यह तो सही है कि स्वर में ध्वनि का महत्त्व शब्द में ध्वनि के महत्त्व से बहुत अधिक होता है, किन्तु स्वर भी ध्वनि से पूर्णत: अवियोज्य नहीं होता, उसका तत्त्व तो ध्वनि होती ही नहीं। ध्वनि संगीतात्मक स्वर-ग्राम में—स्वर-व्यवस्था में—व्यवस्थित होने पर ही स्वर बनती है जैसे ध्वनि भाषात्मक शब्द-व्यवस्था में व्यवस्थित होने पर शब्द बनती है, जिसका छोटे-से छोटा घटक वाक्य होता है। ध्वनि से स्वर की वियोज्यता उसके मंद्र, मध्य, तार विभाग से भी सिद्ध है और गायन और विभिन्न वाद्यों में स्वरों की एकता से भी सिद्ध है। ऐसा नहीं है कि भाषा में वाचक और वाच्य का जो सम्बन्ध है संगीत में स्वर और भावना का वही सम्बन्ध है, किन्तु यह भेद उतना दूरवर्ती भी नहीं है जितना मुकुंदजी देख रहे हैं। किन्तु मुकुंदजी के भेद-प्रदर्शन को थोड़ा और गहराई से देखना उपयुक्त होगा। ऊपर हमने देखा कि वे स्वर और भावना के सम्बन्ध को अनुव्यवसाय के, विभाव के व्यवधान से रहित, अव्यवहित, मानते हैं। इसे वे आगे स्पष्ट करते हुए कहते हैं : "पर विभाव के रूप में स्वर शब्द से विलक्षण तो है ही। उसे शायद लक्षणा से ही विभाव कहा जा सकता है। शब्द के विभाव लोक के आधार पर ही बनते हैं।...स्वर में लोक ओझल हो जाता है। सहज ही लोक से भिन्न अपना लोक बना लेता है। स्वर में लोक के अनुकीर्त्तन या अनुभावन की बात ही विचित्र-सी हो जाती है।"(55) इसे और स्पष्ट करते हुए वे कहते हैं : "माना कि भावनाओं को हम लोक के सन्दर्भ में ही समझते हैं। लोक में ही उनका नामकरण करते हैं और उन्हीं नामों से उन्हें पहचानते-पुकारते हैं। पर संगीत हमारे लिये लोक में उद्भूत होती भावना से स्वतन्त्र भावना के विभाव बनाता है।...संगीत का यह विभाव-लोक किसी पूर्वसिद्ध भाव-लोक की अनुरूपता नहीं साधता। विभाव और भावना यहाँ युगनद्ध होते हैं। परस्पर-नेय। एक दूसरे को बनाता है। एक से 'भिन्न' दूसरा नहीं होता। संगीत के विभाव में ही भावना के एक विशेष लोक का धारण होता है, उससे पृथक् उसकी कोई अभिव्यक्ति, कोई बोध नहीं होता।"(56) आगे वे इस भावना को भावना की तन्मात्र स्थिति कहते हैं, सांख्य के पंच महाभूतों के पंच तन्मात्रों की उपमा में। संगीत-निरूप्य भावनाओं को रूप-तन्मात्रों की उपमा में भाव-तन्मात्र कहने में एक बहुत गहरी सूझ है, क्योंकि शुद्ध संगीत-निरूप्य भावनाओं को रति, क्रोध, जुगुप्सा आदि के रूप में नहीं देखा जा सकता। किन्तु भाव के बजाय भाव-तन्मात्र के निरूप्य होने से स्वर और उसके निरूप्य में सम्बन्ध का रूप नहीं बदल जाता। वास्तव में तो बहुत-सी मानवीय भावनाएँ ही अपने मूल आवेगों से बहुत दूर अपकृष्ट होती हैं और इस प्रकार लोकोत्तर-धर्मी होती हैं, जैसे प्रेम को रति-काम मात्र नहीं कहा जा सकता, प्राकृतिक सौन्दर्य या भव्य चेहरे से उत्पन्न अनुभूति को आवेगों से दूर से भी सम्बन्धित नहीं कहा जा सकता, काव्यादि में तो ये अनुभूतियाँ और भी दूराकृष्ट हो जाती हैं। उदाहरण के लिए सूरदास द्वारा कृष्ण की बाल-लीलाओं की निरूपक कविताओं में वात्सल्य उनके निजी अनुभव का उद्‌गार नहीं हैं, उन कविताओं में वात्सल्यानुभूति मात्र निरूप्य है और यह निरूप्य निरूपक पदों से अवियोज्य है। निश्चय ही 'जसोदा हरि पालने झुलावै' में चारों पद व्यक्ति, वस्तु और क्रिया के वाचक हैं और इस प्रकार एक विभाव-लोक बनाते हैं, जो स्वर नहीं बनाते, किन्तु यह विभाव-लोक नाटक के विभाव-लोक जैसा नहीं होता और इस विभाव का व्यंग्य भावनानुभव नहीं होता, भाव-तन्मात्र ही होता है।

इस पर कहा जा सकता है कि तब भी काव्य में भावना स्पष्ट रूप से पहचानी जा सकती है, संगीत में उस तरह नहीं पहचानी जा सकती। किन्तु एक तो यह बात उतनी ठीक नहीं है, दूसरे जितनी ठीक है उसका कारण यह है कि संगीत में विभिन्न भावों को निरूपित करने के लिए शब्दों के समान उपयुक्त स्वर होना सम्भव नहीं है। उदाहरणत: संगीत के पास रति, मित्र-भाव और वात्सल्य को व्यक्त करने के लिए तीन भिन्न स्वर-व्यंजनाएँ नहीं होंगी। यह केवल इन अनुभवों से उद्भूत एक प्रकार की अनुभूति को ही व्यक्त कर सकता है। इसका कारण यह नहीं है कि संगीत का विषय सूक्ष्मतर भाव होता है (भाव-तन्मात्र) बल्कि यह है कि स्वर में यह योग्यता नहीं

होती। यह स्पष्ट रूप से नृत्य में देखा जा सकता है जिसमें नृत्त के साथ मूक अभिनय रहता है। यह संगीत के अपने अभिव्यक्ति-क्षेत्र का विस्तार कहा जा सकता है। किन्तु यह अभिनय भी अपने अभिव्यंग्य के स्पष्टीकरण के लिए शब्दों का सहारा लेता है। इस प्रकार विभिन्न अनुभवों के लिए एक ही राग होने का कारण यह नहीं है कि संगीत के अभिव्यंग्य तन्मात्र होते हैं। यदि यह बात मान भी ली जाय कि विभिन्न भावनाएँ एक ही तन्मात्र की स्थूल अभिव्यक्तियाँ होती हैं तो भी रति, मैत्री और वात्सल्य का एक ही तन्मात्र है ऐसा कहने के लिए कोई युक्ति दिखायी नहीं देती।

किन्तु वास्तव में मुकुंदजी ने शब्द और स्वर में भेद का जो भवन इतने परिश्रम से खड़ा किया है उसे वे इस अध्याय के अन्त में एक ही धक्के से गिरा देते हैं। अध्याय के अन्तिम अनुच्छेद में स्वर और भावना के सम्बन्ध-विषयक उपर्युक्त प्रतिपादन को दुहरा कर वे कहते हैं... "विचार के साथ भी यही बात है। वह अपने विषय को पकड़ता ही नहीं, बनाता भी है तभी जगत् को नाम-रूप कहा गया है और अनुभव मात्र को शब्दानुविद्ध।"(62) तब फिर प्रश्न होगा कि क्या विचार-विषय भी पंचमहाभूतमूलक लोक नहीं रह कर भाव-तन्मात्रमूलक विभाव-लोक नहीं हो जाता? केवल इस भेद के साथ कि इस विभाव-भेद के तन्मात्र अधिक सम्यक् रूप से संकेतित हो सकते हैं?

तीसरे अध्याय का विषय 'रस और सत्य' है। इस अध्याय के प्रतिपाद्य को एक वाक्य में रखें तो कह सकते हैं कि इसके अनुसार विचार का अनुसन्धेय सत्य है और संगीत का रस। किन्तु एक वाक्य में कही गई बात जितनी स्पष्टता से कही होती है उतनी स्पष्ट वह वास्तव में होती नहीं है और मुकुंदजी तो बिल्कुल ही उतनी दो-टूक बात कहने की स्थिति में अपने को नहीं पाते। वास्तव में उनके इस दोतर्फापन के उचित कारण हैं। मैंने अन्यत्र बहुत विस्तार से प्रतिपादित किया है कि कला का अनुसन्धेय भी सत्य ही होता है, केवल इस अनुसन्धेय का आयाम विचारानुसन्धेय सत्य से भिन्न होता है।[1] मुकुंदजी मेरे इस प्रतिपादन से परिचित हैं किन्तु उससे सहमत नहीं हैं, यद्यपि उन्होंने यहाँ मेरे उस प्रतिपादन का और उससे अपनी असहमति का उल्लेख नहीं किया है। किन्तु वे कला का, विशेषत: संगीत का, अनुसन्धेय सत्य को नहीं मानते हुए भी उस पर पूर्ण रूप से दृढ़ नहीं हैं और इसी प्रकार विचार का अनुसन्धेय सत्य को बताते हुए भी अध्याय के अन्त में उसे नकार-सा देते हैं। तो भी उनका अभिमत यही कहा जा सकता है कि संगीत का अनुसन्धेय रस है, कहना चाहिए संगीत रस में निष्पन्न होता है, और विचार विषय के द्वारा लक्षित करता है।

यहाँ हम उनका अपना अभिमत जानने के लिए कुछ उद्धरणों का सहारा लेंगे। विचार की धुन-लक्षिता, आलाप-मार्गता और राग-परकता का विस्तार से और अत्यन्त सूक्ष्म निरूपण कर मुकुंदजी सत्य और रस में इस प्रकार भेद करते हैं : "सत्य स्वरूप से ही एक होता है। उसे राग जैसी रस की निर्बन्ध कोटि में नहीं डाला जा सकता। स्वर और शब्द के स्वभाव में ही भेद का यह तत्त्व समाहित है। स्वर किसी बारे में नहीं होता। उसका कोई विषय नहीं होता। इसलिए उसके क्षेत्र में सत्य की बात ही नहीं उठती। अगर हमें लगे कि यहाँ कुछ बात बन रही है, कुछ चुभ रहा है, मीठा लग रहा है, कशिश जगा रहा है, स्फूर्ति और स्पन्दन की लहरें उठा रहा है तो वह अपने-आप ठीक है, भला है : स्वर से बना राग है। माना कि शब्द की तरह स्वर भी निष्पत्ति के मार्ग से ही हमारी चेतना में समाता है। पर इससे दोनों एक नहीं हो पाते। स्वर की निष्पत्ति में किसी तत्त्व की पकड़ नहीं होती। यह सत्य का व्यापार नहीं है।

"शब्द अर्थ को लेकर चलता है। अर्थ के विषय में सत्य की बात उठे बिना रह नहीं सकती। स्वर में जैसे रस की बात उठना स्वाभाविक है वैसे ही यहाँ सत्य की बात अपने आप ही उठती है। चेतना में प्रसाद जागा या नहीं, स्वर की यही कसौटी है।" (76-77) यहाँ 'लगे', 'रुचे' आदि को वरेण्य का निकष बनाने को लेकर थोड़ी

---

1. द्रष्टव्य — **मूल्यतत्त्व-मीमांसा** में कला विषयक तीन अध्याय, प्रका. दर्शन प्रतिष्ठान, जयपुर, 1994

समझ रखने वाले निपट रसान्वेषी भी सन्देहशील होंगे। तब मुकुंद जी ऐसी बात कैसे कह रहे हैं? मुकुंद जी यह सब जानते हैं, यहाँ वे यह केवल तात्कालिक रूप से ही कह रहे हैं। अन्यत्र इसी पुस्तक में इस मत के युक्तियुक्त प्रतिपादन अनेक देखे जा सकते हैं।

वे आगे कहते हैं : "विचार का सम्बन्ध ज्ञान से है कल्पना से नहीं। उसका काम है सत्य को सार्थक प्रत्ययों में व्यक्त करना। यह काम आलाप का नहीं धुन के धुनी होने का ही काम है—उपपत्ति के रास्ते उस एक धुन की खोज है जो सत्य की धुन है। रस के क्षेत्र में एक का ग्रहण अन्य का त्याग, यह हमारे अनुदार भाव का ही नहीं, भावन की जड़ता का चिह्न भी हो सकता है।"(77) किन्तु इसे मुकुंद जी ने एक वैकल्पिक मत के रूप में ही प्रस्तुत किया है। उन्हीं का दूसरा वैकल्पिक मत है जिसके अनुसार विचार स्वरूपत: प्रपंच है और इस प्रकार सत्य का अप्रापक है। इसके बाद वे कहते हैं : "स्वर और प्रत्यय में महत् भेद यह है कि स्वर का प्रपंच किसी सत्य को साधने की ओर उन्मुख ही नहीं होता। वह रस ही साधता है और रस भी अगर प्रपंच की ही बात हो तो क्या नुकसान है? एक छलावा ही हो रस तो क्या हर्ज है? रस में किसी को सत्य का धोखा नहीं होता इसलिए वह प्रपंच है भी तो 'मिथ्या' ज्ञान नहीं जगाता। पर प्रत्यय के प्रपंच से मिथ्या में सत्य का भ्रम हो जाता है।"(79) आगे सत्य के साधनों के रूप में प्रज्ञा, संबोधि और भक्ति पर विचार करने के बाद वे कहते हैं, "विचार को हमने विभाव के रूप में भी देखा था। विभाव को भी हम चाहें तो एक प्रकार का प्रपंच कह सकते हैं। विभाव और प्रपंच दोनों एक स्वतन्त्र बुनावट हैं जो हमारे अनुभव के जगत् को बुनती हैं, उस चादर को बुनती हैं जिसे हम 'सत्य' कहते हैं। लेकिन एक बात सोचिए। सत्य को हम तभी मानते हैं जब वह सत्य की कसौटी पर खरा उतरे। सत्य वह है जो प्रमाण-सिद्ध है। पर प्रमाण की धारणा भी 'होना चाहिए' पर उतनी ही निर्भर है जितनी शिव और सत्य की धारणा। प्रमाण सत्य का 'आदर्श' है। उसके बारे में 'प्रमाण क्या होना चाहिए' यह प्रश्न सहज ही उठता है।"(86) और उसके बाद वे कहते हैं, "प्रमाण से हम सही-ग़लत की जाँच करते हैं। सही-ग़लत की बात राग के बारे में भी उठती है। वहाँ नियम कसौटी होता है। पर राग को यों सही-ग़लत से नापना हमें उसकी बड़ी छिछली-सी पकड़ जान पड़ती है। चाहते हम यह हैं कि आलाप में गहराई आये, उदात्त, मधुर, ललित, ओजस्वी कुछ ऐसा बन पड़े जो मार्मिक हो।... विचार सत्य की साधना करता है...लेकिन वहाँ भी सत्य केवल सही-ग़लत की बात नहीं होता है। हम विचार में भी वैसे गुण ढूँढते हैं जैसे राग में ढूँढते हैं। विचार के गहरे या छिछले होने की बात करते हैं, देखते हैं कि उसमें उदार, उदात्त भाव है या नहीं...राग की तरह विचार के विवेचन में भी कुछ ऐसा होता है जिसका मर्म किसी नियम के बन्धन में नहीं समा पाता। मैं समझता हूँ, विचार में भी हम संगीत की तरह सही-ग़लत की उतनी नहीं जितनी एक खरेपन की साधना करते हैं।"(86-87)

ऊपर पृ. 76-77 से लिये गए उद्धरण में शब्द और स्वर में भेद-प्रतिपादन के सहारे जो मूलगामी विरोध दर्शाया गया है वह पृ. 86-87 से लिए गए उद्धरण में प्राय: समाप्त हो जाता है। इसका अर्थ यह नहीं है कि विचार और संगीत एक ही प्रकार के कर्म, एक ही प्रकार के अन्वेषण हो जाते हैं, किन्तु उनके भेद की प्रखरता समाप्त हो जाती है, कह सकते हैं कि उनमें एक बाह्य सत् की खोज और दूसरा मन की अपने तईं मौज जैसा नहीं रह जाता, बल्कि दोनों चेतना द्वारा अपने गर्भ में अवस्थित रहस्यों में अवगाहन के प्रयत्न के दो भिन्न आयाम हो जाते हैं। अन्यथा विचार के सत्य से भिन्न उसके खरेपन, गहराई और मार्मिकता का क्या अर्थ हो सकता है? विचार यदि सत्य नहीं हो तो भी क्या वह इन गुणों के सहारे खड़ा हो सकता है? यदि हाँ, तो विचार के सत्य होने का प्रश्न क्या उसी प्रकार निरर्थक नहीं हो जायगा जिस प्रकार एक गाने के सत्य होने का? और क्या यह कहना सही नहीं होगा कि कोई विचार जितना ही गहरा, खरा और मार्मिक होता है उतना ही वह सत्य होता है? दूसरी ओर, क्या एक गायन या वादन में खरेपन और गहरेपन की अपेक्षा नहीं होती? और क्या खरापन और गहरापन उसके सत्य होने से निरपेक्ष होता है? मैं समझता हूँ कि मुकुंद जी उनके साथ की गई मेरी इस आलापचारी से सहमत होंगे। किन्तु विचार और संगीत में इस भेद और अभेद को थोड़ा और सम्यक् रूप से समझने की आवश्यकता है। ऐसा लगता है कि इसके सम्बन्ध में मुकुंद जी किसी निश्चित निर्णय पर नहीं पहुँच पा रहे हैं। जैसे ऊपर के उद्धरण में मुकुंद जी

पहले सत्य को प्रपंच से परे कहते हैं और युक्त विचार का विषय निष्प्रपंच को कहते हैं, किन्तु चारेक वाक्यों के ही बाद वे विचार और विभाव को एक प्रकार का प्रपंच कहते हैं और फिर विभाव और प्रपंच को (सम्भवत: उन्हें 'और' के बजाय यहाँ 'या' कहना अभिप्रेत है) ऐसा तानाबाना कहते हैं जो विचार के सत्य को बुनता है। इस प्रकार सत्य उसी प्रकार का विचार का अन्तर्गत धर्म हो जाता है जिस प्रकार रस संगीत का है। मुकुंद जी यहाँ कोई अन्तर्विरोधी बात कह रहे हैं ऐसा नहीं है, वे जिस वस्तुस्थिति का निरूपण करने का प्रयत्न कर रहे हैं वह ही कुछ ऐसी है कि यह निश्चित करना कठिन होता है कि उसे इस ओर से देखें या उस ओर से।

द्रष्टव्य है कि मुकुंद जी ने इस पुस्तक का अथ संगीत की विचारानुरूपता दिखाने से किया है और इति विचार की संगीतानुरूपता दिखाने से। संगीत से भिन्न विचार की सत्यमूलकता का बखान करते-करते वे पाते हैं कि सत्य तो हल्का भी हो सकता है जैसे 'साथ के कमरे में मेज़ है' अथवा 'अमुक व्यक्ति अमुक दूसरे व्यक्ति से लम्बा है' वाक्यों का सत्य। ऐसे सत्य को पाकर विचार क्या करेगा? दूसरी ओर हम नागार्जुन या वसुबन्धु के, उपनिषद् या गीता के, गोविन्दचन्द्र पाण्डे या दयाकृष्ण के विचार से सहमत नहीं होकर भी उसकी गहराई, मार्मिकता और प्रतिपादन की सच्चाई से अभिभूत हो सकते हैं। यही गुण संगीत में भी साध्य होते हैं।

किन्तु तब भी यहाँ प्रश्न हो सकता है कि क्या कोई विचारक चिन्तन में सत्य को लक्षित नहीं कर और इन गुणों को लक्षित कर प्रवृत्त हो सकता है? इसका उत्तर केवल नकारात्मक ही हो सकता है। किन्तु तब पूछा जा सकता है कि विचारक जिस सत्य का अनुसन्धान करता है वह कैसा होता है? विचारगत या कि विचार-बाह्य? यदि लोक भी शब्दानुविद्ध है तब लोक-भिन्न विषयों की तो फिर बात ही क्या है। ऐसे में विचार-विषयों को विचार-बाह्य नहीं कहा जा सकता। मुकुंदजी यहाँ भी अनिश्चित हैं। वे एक ओर लोक को शब्दानुविद्ध कहते हैं और दूसरी ओर शब्दगम्य को विभाव कहते हैं, जो लोक में भी हो सकता है और उसमें अनधिष्ठित, निरवलम्ब प्रपंच मात्र भी। किन्तु वह लोकाधिष्ठित हो अथवा उसमें अनधिष्ठित प्रपंच मात्र, दोनों रूपों में वह उनके लिए विचार-बाह्य ही रहता है। पुस्तक के आरम्भ में वे विचार पर विचार की और फिर संगीत पर विचार की बात ही करते हैं किन्तु सत्य पर विचार के प्रसंग में वे निरन्तर विचार का सत्य लोक में ही देखते हैं। इसी से उन्होंने विचार के खरेपन, गहराई और उदात्तता को सत्य से भिन्न करके देखा है। अब, यदि हम देखें कि 'संगीत क्या है' इस प्रश्न पर विचार का **सत्य** विचार की **गहराई** से भिन्न किस बात में होता है तो हमारे लिए इनमें भेद देख पाना असम्भव होगा। इस पर आपत्ति हो सकती है कि नागार्जुन के शून्यवाद के प्रतिपादन को कोई असत्य स्वीकार करके भी उसे गहरा और मार्मिक मान सकता है। किन्तु यदि हम यह भेद करेंगे तो इस गहराई को 'बात बनाने की चतुराई' से भिन्न कैसे करेंगे? किन्तु विचार की गहराई या मार्मिकता हम बात बनाने की चतुरुई में नहीं देखते, उसे दृष्टि की गहराई में ही देखते हैं। इस पर प्रश्न हो सकता है कि, मान लें कि कोई नैयायिक नागार्जुन के **मध्यमक शास्त्र** को महान् कृति कहता है तो क्या वह ऐसा उसकी दृष्टि की सत्यपरकता से कहेगा? ऐसा वह कभी भी नहीं कह सकता। इसका उत्तर होगा कि तब वह कहेगा कि यद्यपि तत्त्व के स्वरूप को देखने की नागार्जुन की दृष्टि युक्त नहीं है, भ्रान्त है, किन्तु वह इस दिशा-भ्रान्ति में जो प्रश्न उठाता है वे प्रश्न हमें अपनी दृष्टि में गहराई देते हैं। हमें उसकी भ्रान्ति का प्रतिवाद करने में सत्य के अधिक गहराई में दर्शन होते हैं। इसके विपरीत नैयायिक के सम्बन्ध में कह सकता है कि वह तत्त्व की बात तो नहीं समझता किन्तु वह अनुभव के स्थूल स्तर को व्यवस्थित करने में उपयोगी विचारों की उद्भावना करता है। जो भी हो, किसी विचार की महत्ता सत्य से उसे पृथक् कर नहीं स्वीकार की जा सकती, आवश्यकता केवल विचार के साथ सत्य के स्वरूप और सम्बन्ध को समझने की है। सत्य को लौकिक वस्तु या घटना के रूप में देखने पर उसकी गहराई और खरेपन आदि का कोई अर्थ नहीं रह जाता और न 'संगीत पर विचार' आदि का कोई अर्थ रह जाता है। मुकुंद जी विचार के अन्वेष्य सत्य को इस रूप में देखते हैं यह कहना स्पष्टत: ग़लत होगा, किन्तु वे जो विचार को शब्दमूलक और और शब्दार्थ को लोकलक्षी कहते हैं वह उनके अपने ही वास्तविक अभिप्राय से असंगत हो जाता है। विचार का मूल्य सत्य में नहीं देख कर उसकी गहराई और मार्मिकता में देखना इस बात का द्योतक है।

किन्तु तब भी विचार में और संगीत में, मैं कहूँगा कला मात्र में, एक मौलिक अन्तर है जिसकी ओर मुकुंद जी ने पुस्तक के आरम्भ में ही संकेत किया है। वह यह है कि विचार विषय-लक्षी होता है जबकि संगीत विषय-लक्षी नहीं होता। विचार का यह विषय प्रत्यक्षगम्य वस्तु भी हो सकती है, मनोभाव भी, कर्म भी, कृति भी और विचार स्वयं भी। अब, इन विषयों में प्रकट भेद के नीचे कोई अभिन्नता भी रहती है या नहीं इस पर यहाँ हम विचार नहीं करेंगे, केवल कहेंगे मात्र कि वस्तुत: विचार-विषय केवल विचार ही होता है और वस्तु, भावना आदि विचारात्मकता में रूपान्तरित होकर ही विचार-विषय बनते हैं। अब, विचार का यह आत्मविषयकरण चेतना के आत्मचेतन होने से सम्भव होता है। द्रष्टव्य है कि विषय चेतना की अन्य वृत्तियों में भी रहता है, जैसे आवेग, इच्छा आदि में, किन्तु वह विषयता आत्मचेतन नहीं होती। यों मनुष्य में इन वृत्तियों में भी चेतना आत्मचेतन होती है, जैसे भोजन की इच्छा में हम भूख और भोजन दोनों को जानते हैं, इनके प्रति चेतन होते हैं, किन्तु इस ज्ञान का विषय इच्छा-विषय नहीं होता, इसमें इच्छा-विषय का रूपान्तर हो जाता है। अब, कला एक ऐसा आयाम है जिसमें चेतना आत्मचेतन होकर भी विषयवृत्तिक नहीं होती, यह विषयिता की, उसके अपने स्वरूप में ही, प्रेक्षक होती है। ऐसा भी कह सकते हें कि कला में चेतना विषयिवृत्तिकता में आत्मचेतन होती है। आत्मचेतना चेतना का द्रष्टृ-भाव है और उसका दृश्यभूत विषय या विषयी प्रत्ययात्मक होता है। मुकुंदजी जब कहते हैं कि स्वर अर्थवाचक नहीं होने पर भी सार्थक होता है तब वे निहित रूप से इस बात को स्वीकार कर रहे हैं। हमारे इस प्रतिपादन के तब वे और निकट दिखायी देते हैं जब वे कहते हैं कि : "संगीत में हम लोक को एक ओर रख कर भावना की आँख से ही भावना का भावन कर सकते हैं।"(53) कोयल की कूक से संगीत के स्वर का भेद और किसी बात में नहीं होता सिवाय इससे कि कूक में आवेग, आत्मचेतन विषयिप्रत्यय में रूपान्तरित नहीं होता।

अब, यह ध्यातव्य है कि विषय-प्रत्यय और विषयि-प्रत्यय में मौलिक भेद होता है, जो इस बात से देखा जा सकता है कि विषयिता में मनोभाव, वनस्पतियाँ, पशु-पक्षी आदि विज्ञान के विषय नहीं हो सकते, ये कला के विषय ही हो सकते हैं। ऐसा नहीं है कि कला में विषयवृत्तिकता होती ही नहीं—वादक जब वाद्य की ध्वनि की स्वरानुकूलता को जाँचता है और उसके ठीक नहीं होने पर वाद्य को ऐंठता, ढीलता या ठोकता है तब वह विषयवृत्तिकता में ही होता है। इसी प्रकार किसी कथा का पाठक जब कथा में यथार्थानुकूलता नहीं होने पर रस में बाधित होता है तब उसमें विषयता का प्रसंग भी रहता है। किन्तु यह विषयता कला के लिए अन्तरंग नहीं होती, अनुषंगी ही होती है। किन्तु मुकुंद जी शब्द मात्र में विषयता देखते हैं और इस प्रकार काव्य और नाटक में भी विषयता ही देखते हैं, "भावना की आँख से भावना का भावन" केवल संगीत में ही देखते हैं, क्योंकि उनके अनुसार शब्द अर्थ से और अर्थ लोक से सम्बद्ध होता है, फिर चाहे वह शब्द काव्य का ही क्यों न हो। किन्तु अर्थ मात्र को लोक-सम्बद्ध या विषयात्मक कहने का क्या औचित्य है? नाटक, जिसे सर्वाधिक लोकपरक माना जाता है, उसके पात्र वक्ता या कर्त्ता होते हैं और उसका लेखक उतना ही सफल माना जाता है जितना वह पात्रों में अन्त:प्रविष्ट हो सकता है, और इसी प्रकार अभिनेता भी वही सफल होता है जो अभिनेय वास्तव या कल्पित पात्र के साथ तादात्म्य स्थापित कर पाता है। यह बात चित्र से साफ हो जायेगी। वे चित्र भी जिनमें व्यक्तियों, पशुओं या वस्तुओं की अनुकृतियाँ चित्रित होती हैं विषयवृत्तिक नहीं होते, उनमें भी भाव की विषयिता ही अभिव्यंग्य होती है। यहाँ एक महत्त्वपूर्ण बात द्रष्टव्य है : चित्र के वर्ण और रेखाएँ उसी प्रकार अपने वाच्य या अभिव्यंग्य से समवेत होते हैं जिस प्रकार स्वर अपने अभिव्यंग्य भाव से समवेत होते हैं, इसमें शब्द और अर्थ के भेद के समान भेद नहीं किया जा सकता, किन्तु तब भी उसका 'विभाव' लोकवत् होता है, भावनात्मक नहीं। किन्तु क्या वास्तव में रंग-रेखा और विभाव को पृथक् किया जा सकता है? क्या विभाव सचमुच लोकवत् होता है? राग मल्हार का चित्रांकन किस लोक के अनुरूप होता है? इसी प्रकार अनुवाद के सम्बन्ध में भी। गान के समान चित्र भी अनुवाद्य नहीं होते न मूर्त्तियाँ अनुवाद्य होती हैं। किन्तु तब भी गान चित्र में और चित्र तथा नृत्य परस्पर अनुवाद्य होते हैं। दूसरी ओर काव्य और दर्शन को भी अननुवाद्य कहा गया है। कम-से-कम इनके कुछ वाक्य अननुवाद्य होते हैं ऐसा सब स्वीकार करेंगे। उनके सम्बन्ध में मुकुंद जी क्या कहेंगे? वाक्यों की यह अननुवाद्यता एक महत्त्वपूर्ण तथ्य

को सम्मुख लाती है। वह यह कि हम यह 'देखते हैं' कि दो भाषाओं के ये वाक्य परस्पर अनुवाद्य नहीं हैं। इसका अर्थ यह है कि विभिन्न भाषाएँ व्यापक वक्तव्य की संकुचित आकृतियाँ हैं। वाक् के इन दो स्तरों को हमारे प्राचीन भाषा-दार्शनिकों ने क्रमश: पश्यन्ती और वैखरी नाम दिये हैं। अब, पश्यन्ती के स्तर पर अनुवाद्यता का कोई प्रश्न उत्पन्न नहीं होता, क्योंकि उस स्तर पर चेतना वैखरी स्तर की वाग्रचनाओं में व्यक्त अर्थ-रचनाओं की परस्पर अनुरूपता या अननुरूपता को देखती है। अब, क्या यह पश्यन्ती वाक् संगीत में अनुवाद्य होती है या नहीं? वास्तव में संगीत में भी पश्यन्ती इस अनुवाद की केवल उपयुक्तता और सम्यक्ता ही देखती है। भाषा और संगीत का परस्पर यह अनुवाद हम गाये गये पदों में देखते हैं। वाक् के वैखरी स्तर पर प्रकट रचना-भेदों के समान संगीत, चित्र और काव्य आदि को भी आकृति-रचनाएँ या आकार-भेद कहा जा सकता है जिनके अनुवाद की सम्यक्ता हम पश्यन्ती के स्तर पर देखते हैं।[1] संगीत या चित्र का वैखरी स्तर सदैव और सर्वत्र भाषा या चित्र में अपना अनुवाद खोजे या पाये यह आवश्यक नहीं होता, जैसे काव्य के लिए यह आवश्यक नहीं होता कि वह सदैव संगीत में अपना अनुवाद खोजे या पाये। खैर, यहाँ महत्त्वपूर्ण यह देखना है कि शब्द अनुवाद्य होने से स्वर से भिन्न नहीं हो जाता। इस भेद को देखने का आधार अर्थ का सम्बन्ध वस्तु से देखने में है जो सही नहीं है, क्योंकि 'घट' जैसे पदों का घट जैसी वस्तुओं से सम्बन्ध दीख पड़ने पर भी यह सम्बन्ध दूसरे अनेक पदों में नहीं देखा जा सकता। उदाहरणत: 'प्रत्यय', 'उचित', 'युक्त' जैसे पदों का ऐसा कोई वस्तु-सम्बन्ध नहीं होता। ऐसे पदों के अर्थ उस भाषा-रचना के आन्तर तन्तुवाय में ही जन्म लेते हैं जिस भाषा में ये घटित होते हैं। इस प्रकार भाषा और स्वर में भेद एक की लोकोन्मुखता और दूसरे की अनुन्मुख भाव-परकता में नहीं होकर चेतना के आत्म-प्रत्यायन के रूप-भेदों में होता है। जैसाकि हमने ऊपर देखा, स्वयं भाषा में आत्म-प्रत्यायन के दो रूप हैं—विषयवृत्तिक और विषयिवृत्तिक, और इनमें दूसरे में संगीत के साथ सहधर्मिता होती है। शब्द और स्वर के भेद को रूप-रचनागत भेद कहना अधिक उपयुक्त है जिसके कारण इनके कथ्यों के तंतुवाय कहीं पर्याप्त निकट भी होते हैं और कहीं परस्पर भिन्न किन्तु अनुवाद्य होते हैं, किन्तु कहीं पूर्णत: अननुवाद्य भी होते हैं। उदाहरणत: यह पद देखें—'कुछ आप हँसे, कुछ नैन हँसे, कुछ नयनन बीच हँसे कजरा।' इसमें शब्द का जो वाच्य है वह अभिनय का वाच्य भी हो सकता है। द्रष्टव्य है कि इनके वाच्य (हँसते नयन आदि) स्वयं व्यंजक होकर भी वाचक नहीं होते, क्योंकि वे भाव का देह में प्रसार मात्र होते हैं, अथवा कहें मनोदैहिक भाव के दैहिक पक्ष मात्र होते हैं। किन्तु अधिकांश शब्द-वाच्य अर्थ अभिनेय नहीं होते। और दूसरी ओर, सब अभिनेय अर्थ शब्द-वाच्य होने पर भी रूप-रचना में शब्द-वाच्य से इतने भिन्न होते हैं कि एक प्रकार के रूपायन में अत्यन्त कुशल व्यक्ति दूसरे प्रकार के रूपायन में नितान्त फूहड़ सिद्ध हो सकता है।

अब मुकुंद जी के मूल प्रतिपादन पर लौटते हुए—उनके अनुसार विचार और संगीत में भेद यह कहा जा सकता है कि विचार भाषा के माध्यम से विषयवृत्तिक होता है और संगीत स्वर के माध्यम से भाववृत्तिक। शब्द और विषय बाह्यत: सम्बद्ध होते हैं और इस प्रकार विषय शब्द के वाच्य : शब्द से द्योतित : होते हैं और भावनाएँ स्वर में ध्वनित-अनुगुंजित होती हैं। निश्चय ही मुकुंद जी इन प्रतिज्ञाओं में क्रमश: परिमार्जन करते हैं और अन्त में उनके मत में शब्द केवल वाचक मात्र नहीं रहते, उनमें एक स्वकीय गाम्भीर्य और मार्मिकता भी रहती है, और इसी प्रकार स्वर भी भावना को मात्र अनुगुंजित ही नहीं करते, उसे संकेतित भी करते हैं। किन्तु तब भी मूल भेद बना रहता है।

अब, विचार और संगीत (हम कहेंगे कला मात्र) में मौलिक भेद है इससे तो कोई भी इन्कार नहीं करेगा, किन्तु इनमें एक मौलिक अभेद भी है जिसे बहुत लोग स्वीकार नहीं करते होंगे। इस भेद और अभेद को हम इस प्रकार रख सकते हैं—विचार विषयता-प्रत्यय का ग्राहक होता है और कला विषयिता-प्रत्यय की, संगीत में

---

1. इस प्रश्न पर विचार के लिए द्रष्टव्य यशदेव शल्य, **समाज : दार्शनिक परिशीलन** में 'भाषा' अध्याय (प्रका. रावत पब्लिकेशंस, दिल्ली-जयपुर, 1993)

विषयिता प्रत्यय की शुद्धता अपनी पराकाष्ठा में होती है। दोनों प्रत्यय-ग्राहक होने से बुद्धि के ही दो आयाम हैं। एक को विषयवृत्तिक विमर्श कह सकते हैं और दूसरे को विषयिवृत्तिक विमर्श। संगीत भी विमर्श है यह चार बातों से सिद्ध है—प्रथम तो, स्वयं मुकुंद जी के अनुसार भी, स्वर भावावेग का अवश उद्‌गीर्णन नहीं होकर उसका सार्थक संकेत होता है, दूसरे संगीत का व्यंग्य भावावेग नहीं होकर कलित भावना, अवलोकित भावना, भावनाकार होता है; तीसरे, स्वर ध्वनि मात्र नहीं होकर व्यवस्थित, संरचित ध्वनि होता है, और चौथे, उसमें आलाप-रूपेण बढ़त और राग-रूपेण कथन-वैविध्य होता है। हम चिंतन का आदर्श विषय-वृत्तिक बुद्धि-व्यापार को मानते हैं इससे विषयिवृत्तिक बुद्धि-व्यापार को 'चिन्तन' नाम से अभिहित करना उपयुक्त नहीं है, किन्तु इससे यह नहीं भूलना चाहिए कि दोनों भिन्न-भिन्न प्रकार के बुद्धि-व्यापार ही हैं। वास्तव में स्वयं मुकुंद जी ने भी इस पुस्तक में इसके बहुत-से उदाहरण प्रस्तुत किये हैं। एक उदाहरण संगीत के सम्बन्ध में 'साम-दृष्टि' और 'गांधर्व-दृष्टि' में भेद का हो सकता है और दूसरा स्वयं गांधर्व-दृष्टि में धुनपरता के आरम्भिक आग्रह के रूप में अपने स्वरूप की समझ की भ्रामकता का हो सकता है। तीसरा उदाहरण संगीत में नये आविष्कार करने का हो सकता है, जिसकी चर्चा मुकुंद जी ने पृ. 70-74 पर की है। ये आविष्कार संगीतात्मक चिन्तनमूलक ही होते हैं।

अन्त में, यह नहीं कहना सही नहीं होगा कि हमने जो प्रकट रूप में मुकुंद जी से भिन्न कहा है उसमें उनकी बात का प्रतिवाद नहीं है। अधिकांश में यह उनके साथ आलापचारी मात्र ही है। बहुत अल्प मत-भेद हो भी सकता है। ऐसा हम इस बात से अनुमान करते हैं कि उन्होंने कभी हमारे कला-विषयक विचारों पर टिप्पणी करते हुए कुछ असहमति प्रकट की थी।[1]

1. द्रष्टव्य — **उन्मीलन**, जुलाई, 1990

युग–चिन्तन और साहित्य–चिन्तन

बहुत–से पद ऐसे होते हैं जो प्रथमत: स्पष्ट प्रतीत होते हैं, किन्तु जैसे ही आप उनके अर्थ के सम्बन्ध में विचार करने लगते हैं वह अर्थ अनिश्चित, धुँधला और गहरा होता चला जाता है। इस शीर्षक का पहला पद और दोनों पदों का संयोग भी इसी प्रकार के हैं। 'और' योजक प्रत्यय 'राम' और 'लक्ष्मण' अथवा 'मेज़' और 'कुर्सी' के समान दो स्वतन्त्र और बाह्यत: सम्बन्धित वस्तुओं के वाचक पदों के साथ लगता है, 'वृक्ष' और 'शाखा' अथवा 'चारपायी' और 'पाया' के समान अंगी और अंग–वाचक पदों के साथ नहीं। ऐसे पदों को संयुक्त करने के लिए इस भिन्न सम्बन्ध के द्योतक शब्द दूसरे होते हैं, जैसे 'वृक्ष और उसकी शाखा' अथवा 'शाखा और शेष वृक्ष' आदि। क्योंकि 'वृक्ष' 'शाखा' को अपने में समाविष्ट करता है, अथवा कहें 'शाखा' पद का अर्थ 'वृक्ष' पद के अर्थ के अन्तर्गत होता है। यही बात 'युग–चिन्तन'और 'साहित्य–चिन्तन' पदों के सम्बन्ध में भी कही जा सकती है। इनके बीच 'और' योजक लगाने पर ऐसा लगता है जैसे साहित्य और युग दो बाह्यत: और आगन्तुकत: सम्बन्धित दो पदार्थ हों, जोकि वे नहीं हैं। किन्तु वास्तव में जो इन पदों को पृथक् पदार्थवाचक पदों के समान जोड़ा जाता है उसका कारण यही है कि साहित्य को युग का अंग नहीं मानकर उसे ऐसा पृथक् पदार्थ माना जाता है जिसे अपने युग के साथ जोड़ना होता है, उसे उसके अनुकूल अथवा उसका दर्पण होना होता है। ऐसा नहीं होने पर साहित्य को यथार्थ से विच्छिन्न, स्वप्न–विहारी, पलायनवादी आदि माना जाता है। तब 'युग' किसे माना जाता है? युग किसी समाज की राजनीतिक–आर्थिक परिस्थितियों को माना जाता है। किन्तु यह भ्रान्ति है, क्योंकि साहित्य, दर्शन और कलाएँ ये सब भी उतने ही युगान्तर्गत होते हैं जितनी आर्थिक–राजनीतिक परिस्थितियाँ होती हैं। इन परिस्थितियों को युग–वाचक मानने के, साहित्य आदि की प्रासंगिकता की कसौटी मानने के, विचार ने एक सिद्धान्त का रूप, बल्कि सिद्धान्त से भी आगे नैतिक कर्त्तव्य का रूप, मार्क्स–एंजल्स से लिया और समाज के स्वरूप और उसकी ऐतिहासिक नियति–विषयक उनके ये विचार आज के युग के व्यापकतम और सर्वाधिक प्रभावशाली विचार सिद्ध हुए। किन्तु विचार, अनुभूति और लेखन की प्रासंगिकता–विषयक उनके ये विचार केवल मार्क्सवादियों तक ही सीमित नहीं रहे बल्कि उनका प्रभाव प्राय: सर्वव्यापक हो गया। दार्शनिकों ने वेदान्त की प्रासंगिकता बतानी चाही तो उसके लिए उसके अद्वैतवाद को राष्ट्रीय एकीकरण के लिए सबसे उपयुक्त सिद्धान्त बताया, कवि को अपनी प्रबुद्धता स्थापित करनी हुई तो उसने स्वतन्त्रता आन्दोलन के युग में देशभक्ति के गीत लिखे। मानो विचार और अनुभूति को प्रामाणिकता सत्य से नहीं, समाज की तात्कालिक अपेक्षाओं और भाव–दशाओं से मिलती है।

यहाँ 'सत्य से प्रामाणिकता' की हमारी बात पर सम्भवत: अधिकांश को आपत्ति होगी, क्योंकि आख़िर सत्य को कौन जानता है? यदि सत्य के अन्वेषण की ही बात की जाय तो आज के वैज्ञानिक के सम्बन्ध में तो यह कहा जा सकता है कि वह सत्य का अन्वेषण करता है किन्तु कवि, दार्शनिक, समाजशास्त्री, इतिहास–लेखक आदि–आदि किस प्रकार सत्यान्वेषी और सत्य से अपनी प्रामाणिकता पाने वाले कहे जा सकते हैं? इसी से अधिकांशत: आज सत्य की बात नहीं करके प्रासंगिकता की बात की जाती है, चाहे फिर प्रासंगिक क्या है, इस सम्बन्ध में उतने ही भिन्न मत क्यों नहीं हों जितने सत्य के सम्बन्ध में हो सकते हैं। सत्य को एक बुर्जुआ अवधारणा कह कर इसका मार्क्स ने जो उपहास उड़ाया है वह तो सर्वविदित ही है, किन्तु वास्तव में इसे परोक्षत: वे लोग भी उतना ही अस्वीकार्य मानते हैं जो किसी विचार और कृति की कसौटी प्रासंगिकता को मानते हैं। किन्तु तब यहाँ प्रश्न है, प्रासंगिकता का मानदण्ड साहित्य या दर्शन के लिए साधारण जनजीवन ही क्यों हो, जनजीवन के लिए साहित्य या दर्शन क्यों नहीं हो? आपको मेरा यह प्रश्न अटपटा ही नहीं विपर्यस्त भी प्रतीत होगा, किन्तु

बुद्ध और शंकर के युगों को ऐसा नहीं लगा था, और वास्तव में उन युगों को सामान्यत: ही यह नहीं लगता था। 'सब्बं दु:खं-दु:खं, सब्बं खनिकं-खनिकं' के उद्घोषक बुद्ध और जगत्मिथ्यात्व के प्रतिपादक शंकर ने अपने-अपने युग को उतना ही गहरे और व्यापक रूप से आन्दोलित किया था और जीवन की सार्थकता के प्रमाण का प्रसंग दिया था जितना आज के युग को मार्क्स अथवा दूसरे राजनीतिक-आर्थिक चिन्तकों ने दिया है। किन्तु मेरा आपसे प्रश्न है कि प्रश्न प्रासंगिकता का हो ही क्यों, सत्य का क्यों नहीं हो? उदाहरणत: अमार्क्सवादी डॉ. रमेशचन्द्र शाह 'प्रसाद और छायावाद की प्रासंगिकता' (द्रष्टव्य **पूर्वग्रह**, मार्च-अप्रैल 1981) लेख में टी. एस. इलियट को उद्धृत करते हुए कहते हैं "बड़ा कवि अपने युग की वैचारिक सम्पदा का, वैचारिक उथल-पुथल का संवेगात्मक समतुल्य (इमोशनल इक्विवेलेंट) खड़ा कर देता है।" किन्तु यदि कोई युग दिग्भ्रान्त और अविचाराग्रही हो तब? तब भी क्या कवि को यही करना होगा या कि उसे दिशा, आधार और सत्य-दृष्टि देनी होगी? आगे डॉ. शाह प्रसाद के प्रसंग में जैनेन्द्र को उद्धृत करते हुए प्रसाद की प्रश्नाकुल बौद्धिकता की ओर नकार तथा निषेध को लेकर चलने वाले दर्शनों के निराकरण की चर्चा करते हैं और इनका मानदण्ड सत्य को नहीं, आधुनिक भावबोध को बताते हैं। तब बुद्ध और शंकर के निषेधात्मक दर्शन क्या इसलिए प्रथित हुए कि वे अपने युगों के भावबोध को प्रतिबिम्बित करते थे और उससे प्रमाणित थे? यहाँ, हम डॉ. शाह के इस प्रतिनिधि विचार के द्योतक दो उद्धरण और देंगे। उनके लेख का पहला वाक्य है "छायावाद का आरम्भ और राष्ट्रीय रंगमंच पर गाँधी जी के नेतृत्व का आविर्भाव लगभग आस-पास ही हुआ।" और आगे इलियट के ऊपर उद्धृत उद्धरण के बाद वे प्रश्न करते हैं, "इस तरह देखें तो सत्याग्रह-युग के प्रेरक विचार-तत्त्व के साथ किस रचनात्मकता का सम्बन्ध सबसे गहरा प्रतीत होता है? प्रसाद का, निराला का, या पन्त का?" (पृ. 11) डॉ. शाह के स्थान पर यहाँ कोई मार्क्सवादी लेखक होता तो क्या कहता यह हम सहज ही अनुमान कर सकते हैं। किन्तु गाँधी जी का उदाहरण आधुनिक दृष्टि की इस विपर्यस्तता को दिखाने के लिए अधिक उपयोगी होगा बजाय कार्लमार्क्स के। अब यदि यहाँ प्रश्न किया जाए कि छायावाद की प्रासंगिकता तो गांधीजी से थी, किन्तु क्या कभी सोचा है कि गाँधी जी की प्रासंगिकता किससे थी? समाजशास्त्रियों के अनुसार उनकी प्रासंगिकता उस चुनौती के विरुद्ध भारतीय प्रतिक्रिया को आवाज़ देने में थी जो यूरोपीय संस्कृति के आक्रमण ने भारतीय सांस्कृतिक परम्परा के सम्मुख प्रस्तुत की थी।[1] यह व्याख्या इलियट द्वारा महाकवि के निरूपण के बहुत अनुकूल है। निश्चय ही कारण-कार्यता के इस ढाँचे में हम बहुत कुछ को बैठा सकते हैं, किन्तु गांधीजी को उसमें खोंसने का प्रयत्न केवल इस बात का प्रमाण होगा कि हम कागद की लेखी के आगे किस सीमा तक आँखे बन्द रख सकते हैं। गाँधी वह विचार और दृष्टि था जो अपने युग के सर्वथा बाहर उत्पन्न हुई और अपने युग-प्रवाह के विपरीत उन्मुख रही। जिस समय यूरोप में ऐन्द्रिक संस्कृति विज्ञान और तकनीकी के रथ पर आरूढ़ होकर सारे विश्व में अपने प्रभुत्व का विस्तार कर रही थी उस समय गाँधी ने नितान्त धार्मिक, नितान्त आध्यात्मिक, अनैन्द्रिक, अवैज्ञानिक, अतकनीकीय मानव की अवधारणा दी और इस अवधारणा को उन्होंने केवल व्यावहारिक स्तर तक ही नहीं रखा बल्कि इसे वे मनुष्य और जगत्-विषयक तत्त्व-विचार के स्तर तक ले गये। इस प्रकार अहिंसा उनके लिए केवल एक उपाय ही नहीं थी, मनुष्यों के पारस्परिक व्यवहार की निर्धारक नैतिक व्यवस्था का आधार-सिद्धान्त मात्र भी नहीं थी, बल्कि वह मूल सत्य थी जो मनुष्य के जीवन को प्रमाणित करता है। अपने इस मूलगामी अर्थ के साथ ही वह मनुष्य के लिए साधारण लोक-व्यवहार में भी आचरणीय थी। यही कारण है कि उन्होंने अहिंसा को वैयक्तिक आचरण का विधान ही नहीं माना बल्कि सामाजिक, राजनीतिक, आर्थिक और अन्तर्राष्ट्रीय व्यवहार और आचरण का विधान भी माना। किन्तु जैसाकि सर्वविदित है, राष्ट्रीय रंगमंच के उनके निकटतम पात्रों के लिए भी इस सबका कोई अर्थ नहीं था, उनके लिए अहिंसा और सत्याग्रह प्रबल विदेशी शासकों के साथ व्यवहार के चतुर उपाय से अधिक कुछ नहीं थे। गाँधी जी अपने युग के कितना विपरीत थे इसका प्रखरतम प्रमाण स्वयं नेहरू जी और अंग्रेज़ी शासन से मुक्त भारत है जिसने उन्हें उनके जीते जी ही अस्वीकार कर दिया था। ठीक ही हम

1. मैकाइवर एण्ड पेज, **सोसाइटी,** पृ. 578

आज के इस भारत का, उस भारत का जिसका उत्कर्ष प्रक्षेपास्त्रों, बृहत् उद्योगों, उपभोक्तावादी अर्थ-व्यवस्था और राजनीतिक व्यवस्था और विशाल तथा कुशल सेना से लक्षित होता है, निर्माता नेहरू जी को कहते हैं, गांधीजी को नहीं।

ऊपर हमने गाँधी जी की व्याख्या बाह्य सांस्कृतिक चुनौती के विरुद्ध भारतीय प्रतिक्रिया के रूप में करने को अस्वीकार किया। ऐसा नहीं है कि इस चुनौती के विरुद्ध हमारे देश में प्रतिक्रिया नहीं हुई। वास्तव में दयानन्द, विवेकानन्द, तिलक, राधाकृष्णन् और भारतीय विश्वविद्यालयों में दर्शन के सब अध्यापकों और साहित्यिकों को इस चुनौती से जूझते देखा जा सकता है, किन्तु गाँधी जी को नहीं। गाँधी जी के लिए प्रश्न भारतीयता के गौरव का नहीं था बल्कि मनुष्य के मूल तत्त्व का था, उस सत्य का था जिसका साक्षात्कार देश और काल की सीमाओं को आधार मानकर नहीं किया जा सकता।

किन्तु तब क्या गाँधी जी इससे सचमुच हमारे युग के लिए अप्रासंगिक थे? इसका उत्तर इस बात पर निर्भर करता है कि आप प्रासंगिकता का क्या अर्थ लेते हैं। यहाँ हम आधार की ओर एक सीढ़ी और उतर कर प्रश्न करना चाहेंगे कि क्या किसी युग के सम्बन्ध में, युग-दृष्टि के सम्बन्ध में, यह प्रश्न उठाया जा सकता है या नहीं कि वह प्रासंगिक है या नहीं? यदि नहीं तो प्रत्येक युग अपनी प्रासंगिकता का स्वयं प्रमाण हो जायेगा और उसकी दृष्टि को चुनौती नहीं दी जा सकेगी; और यदि यह प्रश्न उठाया जा सकता है तब प्रासंगिकता का निर्धारक युग-दृष्टि को नहीं कहा जा सकता, किसी और बात को कहना होगा।

इस पर आपत्ति हो सकती है कि किसी युग-दृष्टि को चुनौती किसी बाह्य और निरपेक्ष सत्य के आधार पर नहीं उस दृष्टि के चुक जाने पर, उसमें अन्तर्विरोध प्रकट हो जाने पर उत्पन्न होती है। मार्क्स द्वारा पूँजीवाद को चुनौती और पूँजीवाद द्वारा आज मार्क्सवाद को चुनौती इसके लिए प्रमाण रूप में प्रस्तुत की जा सकती हैं। किन्तु यहाँ यह द्रष्टव्य है कि पूँजीवाद कोई दृष्टि नहीं है, इसके पीछे दृष्टि मनुष्य के स्वरूप-विषयक विचारों का एक संस्थान है जिसका कोई एक सुव्यवस्थित, सुनिबद्ध रूप नहीं है, जिसमें ह्यूम का इन्द्रियानुभववाद-सन्देहवाद, कांट का विज्ञान द्वारा संयत प्रत्ययवाद, मिल का अनुभववाद-उपयोगितावाद, ड्यूई का व्यावहारिक अर्थ-क्रियावाद और इन सबका अपने-अपने ढंग का व्यक्तिवाद-उदारतावाद ये सब योगदान करते हैं और एक रासायनिक घोल बनाते हैं। जहाँ तक मार्क्सवाद का सम्बन्ध है, यह भी केवल एक आर्थिक-राजनैतिक व्यवस्था मात्र का नाम नहीं है, यह भी मनुष्य और जगत् के स्वरूप-विषयक एक सम्पूर्ण दृष्टि है। रूस या चीन में इस दृष्टि की आन्तरिक असंगतियाँ प्रकट हुई हैं ऐसी कोई बात नहीं है, वहाँ केवल समाजविशेष में विशेष आर्थिक-प्रशासनिक व्यवस्थाओं की अव्यावहारिकता सिद्ध हुई है, जो अव्यावहारिकता भारत में गाँधीवाद की उसके प्रयोग से पहले ही सिद्ध हो गयी थी। किसी विचार का अव्यावहारिक सिद्ध होना बहुत-सी बातों पर निर्भर करता है, किन्तु वह किसी भी अवस्था में उसका अयुक्तिसंगत और असम्यक् दृष्टिमूलक होना सिद्ध नहीं करता। यदि पॉप संगीत, असंयत यौन सम्बन्ध, पारिवारिक-सामाजिक अनुशासनहीनता, उपभोक्तावाद और आसुरी माया-कल्प यन्त्र-लोकों को आप एक दृष्टि समझते हैं तब निश्चय ही यूरो-अमेरिकी दृष्टि आज की युग-दृष्टि की सफलता है, किन्तु यदि युग-चिन्तन की प्रासंगिकता का आधार कोई गहनतर सत्य है तब उसकी सफलता उसकी प्रासंगिकता को प्रमाणित नहीं करती। यहाँ हम डॉ. शाह द्वारा उद्धृत इलियट की उक्ति पर संक्षेप में पुन: विचार कर आगे बढ़ेंगे। इलियट के अनुसार 'एक महान् कवि अपने युग की वैचारिक सम्पदा का, वैचारिक उथल-पुथल का संवेगात्मक समतुल्य प्रस्तुत करता है।' किन्तु तब एक महान् दार्शनिक क्या करता है? कहा जाता है, वह अपने युग की व्यवस्था और वाणी-रहित विचार-सम्पदा और वैचारिक उथल-पुथल को व्यवस्था और वाणी देता है। किन्तु तब इसका अर्थ हुआ कि कवि और दार्शनिक युग के नायक नहीं उसके अनुयायी होते हैं और कि वे युग के अंग नहीं उससे पृथक् होते हैं। किन्तु यह कहना युक्तियुक्त नहीं है। ये वास्तव में युग की आत्मचेतनता और आत्मालोचकता का प्रतिनिधित्व करते हैं, इनकी विद्यमानता इस बात की द्योतक होती है कि सामाजिक चेतना वैयक्तिक चेतना के समान ही आत्मचेतन होती है और इस आत्मचेतना का अभाव इस बात का

द्योतक कि प्रमाद और जड़ताग्रस्त व्यक्ति-चेतना के समान सामाजिक चेतना भी प्रमाद और जड़ता-ग्रस्त हो सकती है। चेतना के आत्मचेतन होने का अर्थ है कि वह निरन्तर अर्थान्वेषिणी, अपरिनिष्पन्न और अपरिणत होती है, उसमें निरन्तर आत्मालोचन : सत्य और मूल्य-विषयक अपनी धारणाओं पर चिन्तन, मनन और ऊहापोह : चलता रहता है, और उससे भी अधिक, मूल्य-विषयक अपनी दृष्टि से अपने आचरण की असंगति और अपने आचरण की भ्रष्टता की आलोचना चलती रहती है। इनमें दर्शन में अधिकांशत: पहली बात होती है और कथा-साहित्य में दूसरी बात। किन्तु साहित्य या दर्शन केवल यही करते हों ऐसी बात नहीं है, ऐसा संक्रान्तिकालों में अधिक और शान्ति तथा स्थैर्य के कालों में कम होता है। किन्तु दोनों कालों में न्यून या अधिक जो और बात होती है वह है सत्य और मूल्य के बोध में अधिक गहरा पैठने अथवा अधिक उत्कर्ष और विस्तार लाने का प्रयत्न। उदाहरणत: जो प्रसाद अपने नाटकों, उपन्यासों और कहानियों द्वारा अपने समाज के मूल्य-बोधगत भ्रान्तियों के निवारण और बोध से असंगत व्यवहार की आलोचना कर रहे थे वे ही कविताओं में भावनात्मक अर्थों में और गहरे उतरने का प्रयत्न कर रहे थे। **कामायनी** में वे एक ओर इच्छा-ज्ञान-क्रिया के लोक-त्रय की प्रतीक-कल्पना द्वारा मूल्य-दृष्टिगत असन्तुलन की ओर संकेत कर रहे थे तो दूसरी ओर भाव-लोकगत अर्थ-सम्पदा के प्रति चेतना की प्रांजलता सिद्ध करने का प्रयत्न कर रहे थे—

देवदारु, निकुंज, गह्वर सब सुधा में स्नात,
सब मनाते एक उत्सव, जागरण की रात।
आ रही थी मदिर भीनी माधवी की गन्ध,
पवन के घन घिरे पड़ते थे बने मधु-अन्ध।

इसमें और कुछ नहीं है सिवाय भावनात्मक चेतना की प्राकृतिक सौन्दर्य के प्रति शुद्ध प्रस्तुति को साधने और उसमें भावनागत अर्थों के निरुद्विग्न-निष्काम अवगाहन और भावन को साधने के। ये अर्थ, उनका यह अवगाहन और भावन किसी युग के संस्कारों से उपहित नहीं होता, इसमें केवल युगीनता से, संस्कारों से, प्रयत्न और व्यवसाय से मुक्त चेतना सत्य का साक्षात्कार करती है, अथवा कहें सौन्दर्य के सत्य में प्रतिष्ठित होती है। यहाँ मैं कहना चाहूँगा कि कोई कवि या चिन्तक जहाँ तक यह कर पाता है, जहाँ तक वह युग-मुक्त हो पाता है, वहीं तक वह युग-चिन्तक हो पाता है। यहाँ मैं पुन: उदाहरण के रूप में गाँधी जी का स्मरण करना चाहूँगा : वे ऐसे चिन्तक थे जो चेतना के उन गहरे स्तरों पर उतर पाये जो अपने या किसी दूसरे युग के संस्कारों से ही नहीं, प्रतीकों से भी अस्पृष्ट थे, इसी से वे सब युगों के लिए एक दर्पण बन सके, ऐसा युग-चिन्तन कर सके जो किसी युग विशेष का नहीं था। ऐसा नहीं है कि उन्होंने किन्हीं प्रतीकों का सहारा नहीं लिया। उसके बिना तो कोई अभिव्यक्ति या चिन्तन सम्भव ही नहीं होता। व्रत-उपवास, भजन-कीर्तन, कर्म-फल, ईश्वर, सत्य आदि सब प्रतीक ही हैं, और नितान्त पुराने प्रतीक, जिनका उन्होंने विचार और सम्प्रेषण के लिए सहारा लिया। किन्तु उनका विचार और अनुभव दोनों ही नितान्त नवीन थे, ऐसे नवीन जो किसी भी निर्धारण से परे थे। इसी से उनके द्वारा प्रयुक्त ये प्रतीक : नवीनतम के प्राचीनतम प्रतीक अपनी प्रतीकरूपता के भी प्रकाशक थे, वे स्वयं वस्तु या सत्य के स्थानीय नहीं बन सकते थे। यही कारण है कि जहाँ-जहाँ इनका प्रयोग आत्मपर्यन्त वस्तुरूप में किया गया वहीं प्रयोक्ताओं की मूर्खता या झूठ तुरन्त खुल गया।

यह सम्भव है कि गाँधी जी वह सब नहीं हों जैसा हम उन्हें देख रहे हैं, किन्तु युगचिन्तन का आदर्श यही है। अन्यथा तो अधिकांश लोग या तो अपने युग के अनुयायी होते हैं अथवा उसके साथ ही समाप्त हो जाने वाले दैनिक समाचार-पत्र के समान होते हैं। कवि या दार्शनिक से हम दैनिक होने की अपेक्षा नहीं करते, हम उससे सब युगों में प्रासंगिक होने की अपेक्षा करते हैं—उस अर्थ में नहीं जिस अर्थ में हमारे मन्त्री वाल्मीकि, बुद्ध, नानक, अग्रसेन और राणा प्रताप के शताब्दी-समारोहों पर उनकी प्रासंगिकता दिखाते हैं, बल्कि चेतना के, अथवा कहें सत्य के युग-संकुचित प्रतीकों से गहनतर स्तर पर उतर पाने के अर्थ में। यहाँ अपने इस कथन की पुष्टि में मैं एक उदाहरण और दूँगा : उपनिषद् और गीता का एक ओर और नागार्जुन तथा शंकर का दूसरी ओर। नागार्जुन और

शंकर दार्शनिक हैं। दार्शनिक सत्य का तर्क और युक्ति से उद्घाटन करने का प्रयत्न करता है, और तर्क देश-काल-परिसीमित नहीं होता। किन्तु इसके बावजूद उपनिषद् और गीता, जोकि तर्क को माध्यम नहीं बनाते, उससे कहीं अधिक देशकाल-अपरिच्छिन्न हैं जितने नागार्जुन और शंकर। इसका कारण क्या है? कारण यह है कि नागार्जुन और शंकर में एक सिद्धान्ताग्रह है और सिद्धान्त सदैव परोक्षदर्शी होता है, किन्तु उपनिषद् और गीता किसी सिद्धान्त को दृष्टि और सत्य के बीच नहीं आने देते। किन्तु द्रष्टव्य है कि सिद्धान्त का उद्देश्य भी सत्य की उपलब्धि ही होता है और वह देश-काल के परे देखता है, किन्तु वह प्राय: ऐतिहासिक क्रम में प्रतिष्ठित होता है, वह अपने समकालीनों और निकट पूर्ववर्तियों से निर्धारित होता है। जहाँ तक वह ऐसा नहीं होता वहीं तक वह सार्वदैशिक और सार्वकालिक होता है।

यही बात काव्य के सम्बन्ध में कही जा सकती है : कालिदास, भवभूति और श्रीहर्ष हिन्दी के रीतिकालीन कवियों या प्रगतिवादी कवियों से इस दृष्टि से तुलनीय ही नहीं हैं। प्रथम जबकि देशकाल अपरिच्छिन्न हैं दूसरे एक सीमित देशकाल में भी अग्राह्य हैं, क्योंकि दूसरे दोनों अपने अनुभव का भरोसा नहीं कर, अनुभव के सत्य में प्रतिष्ठित नहीं होकर, किसी बाहरी मानदण्ड को सत्य का प्रमाण मानते हैं।

यहाँ आप कहेंगे कि मैं युग-चिन्तन की बात नहीं कर शाश्वतता की बात कर रहा हूँ और इस प्रकार अपने प्रतिपाद्य के ही विपरीत जा रहा हूँ। प्रत्येक युग अपनी विशिष्ट समस्याओं से और सत्य के अवधारण के लिए अथवा कहें उसके अवगमन के लिए कल्पित विशिष्ट प्रतीकों से परिभाषित होता है। आज के युग के अवच्छेदक प्रतीक 'व्यक्ति-स्वातन्त्र्य', 'सामाजिक परिवर्तन', 'सामाजिक न्याय', 'आर्थिक प्रगति' और 'वैज्ञानिक दृष्टि' आदि हैं। ऋत, धर्म, तत्त्व, मोक्ष, साधना, संयम और मनन आदि प्रतीक आज अग्राह्य हैं। इसी से आज का कवि ऐसे अभिव्यक्ति-रूप खोजता है जो उसके अपने अनोखे हों और विषय के रूप में प्रेम, करुणा आदि भावनाओं को नहीं बल्कि अपनी निजी विशिष्ट मानसिक उलझनों, पारिस्थितिक विद्रूपताओं, सामाजिक असंगतियों और आध्यात्मिक अनास्थाओं को अपनाता है। इस मानसिकता का बहुत ही मूर्त्त निरूपण अज्ञेय जी की 'महीवाल से' कविता में हुआ है—

जो घड़े कच्चे, अपात्र, डुबा गये मँझधार
तेरी सोहनी को चन्द्रभागा की उफनती छालियों में
उन्हीं में से उसी का जल अनन्तर तू पी सकेगा
'औ' कहेगा 'आह कितनी तृप्ति'!
क्रौंच बैठा हो कभी वल्मीक पर
तो मत समझ
वह अनुष्टुप बाँचता है संगिनी के स्मरण के
जान ले, वह दीमकों की टोह में है।
कविजनोचित न हो चाहे, यही सच्चा साक्ष्य है :
एक दिन तू सोहनी से पूछ लेना।

एक उदाहरण आध्यात्मिक अनास्थाजनित मन:स्थिति का लें :

एक गहरी रात में जब चीज़ें
ठीक उस जगह चली जाती हैं जहाँ से
उनका जन्म हुआ था, अकेला आदमी अपने ठण्डे बिस्तर से
उठकर रोने लगता है।

— **मंगलेश डबराल :** 'अकेला आदमी'।

कुँवरनारायण की निम्न पंक्तियाँ मानो आज के निरर्थकता-निमज्जित कवि-मानस का ही यथातथ्य वर्णन करती हैं :

अख़बारी अक्षरों के बीच छपे
अनेक चेहरों में एक फक चेहरा
अपराधी की तरह पकड़ा जाता रहा बार-बार
अद्भुत कुछ जीने की चोर कोशिश में।

'समुद्र की मछली' : **अपने सामने**

ये कविताएँ एक प्रकार के युग-चिन्तन की, अथवा कहें युग-अचिन्तन की, हमारे युग की उस मानसिकता की जिसका मूल एक व्यापक अनास्था में अथवा जीवनदृष्टि के अभाव में है, प्रतिबिम्ब हैं, उसकी आलोचक नहीं। इसमें जो बात अधिक चिन्ताजनक है वह यह कि, अज्ञेय जी को छोड़ते हुए, आज के अधिकांश कवि 'अद्भुत कुछ कहने की खुली कोशिश' में हैं, यद्यपि यह भी सही है कि वे आज की उस व्यापक अनास्था में सहभागी भी हैं जो आज के युग की साधारण मन:स्थिति है, जिसे आप युगचिन्तन कहते हैं।

मेरा मानना है कि इस युग की इस मानसिकता का स्रोत आधुनिक यूरोप की उस संस्कृति में है जिसे बहुत-से संस्कृति-दार्शनिक ऐन्द्रिय (सेंसेट) का विशेषण देते हैं। ऐन्द्रिकता के संस्कृति का विशेषण होने का अर्थ है कि यह उस जाति की युग-दृष्टि है जो दर्शन, साहित्य, अन्य शास्त्रों और कलाओं में इन्द्रिय-प्रमाण को आधार बनाती है। आधुनिक पाश्चात्य साहित्य के सम्बन्ध में मैं नहीं जानता किन्तु उनके दर्शन और अन्य शास्त्रों के सम्बन्ध में कुछ जानता हूँ। उसकी परिणति उस धुरि-हीनता में ही हो सकती थी ऐसा मैं सोचता हूँ। उसके सम्बन्ध में कुछ विस्तार से मैंने अन्यत्र लिखा है।[1] दर्शन और अन्य शास्त्रों में, और व्यवहार में भी इसका अनुसरण भारत भी कर रहा है। किन्तु युग-चिन्तन वह नहीं है जो किसी युग का अनुसारी मात्र होता है बल्कि वह है जो युग की धारणाओं के सत्य की परीक्षा करता है, उसकी मानसिकता की युक्तता पर मनन करता है और उसे सही दिशा दिखाता है। धारणाओं के सत्य का सन्दर्भ कोई जगद्-रचना-सम्बन्धी प्रश्न ही हों, यह आवश्यक नहीं है, यद्यपि ये प्रश्न अन्य सब प्रश्नों के निर्धारक होते हैं, किन्तु छोटे-से छोटे प्रसंग भी अपने सत्यासत्य की परीक्षा की अपेक्षा करते हैं और उनके समाधान मानसिक अनुशासन, निराग्रहता और गहन अवधान की अपेक्षा करते हैं। उदाहरण के लिए यह प्रश्न लें कि 'राज्य के अन्यायी होने पर उसके न्याय-विधान के अनुसार सुकरात को मृत्युदण्ड स्वीकारना चाहिए था या नहीं?' हमें ज्ञात है कि सुकरात के पास भागने का अवसर था किन्तु वह इसलिए नहीं भागा क्योंकि वह उसी राज्य की न्याय-व्यवस्था के अन्तर्गत रह रहा था और सुविधाओं का उपभोग कर रहा था। इसी प्रकार 'अर्जुन के सामने जो प्रश्न था उसका कृष्ण द्वारा प्रस्तुत समाधान युक्त था या नहीं?' यदि ये प्रश्न विचारणीय हैं तो इसका अर्थ है कि इनका कोई उत्तर युक्त और शेष उत्तर अयुक्त होंगे।

हमारे कथा-साहित्य-लेखक प्राय: ही ये प्रश्न और इनके उत्तर जीवन की उन ठोस परिस्थितियों के साथ हमारे सामने प्रस्तुत करते हैं और उनके ये प्रश्न और इनके उत्तर अधिकांश में उनके अपने युग के विवेक से ही निर्धारित होते हैं। किन्तु क्या ऐसे किसी भी प्रश्न के उत्तर की युक्तता का निर्धारण युग-सापेक्ष हो सकता है या कि वह युग-निरपेक्ष किसी आत्यन्तिक सत्य के अधीन होता है? यदि इसका उत्तर प्रथम हो तो इसका अर्थ होगा कि किसी को मूल्यों के आधार पर अपने युग के विरुद्ध विद्रोह करने का अधिकार नहीं है, और तब बुद्ध, दयानन्द, राजा राममोहन राय आदि सब दोषी होंगे। अन्यथा इसका उत्तर होगा कि ऐसे प्रश्नों के हमारे निर्णय युग-निर्धारित हो सकते हैं किन्तु इन निर्णयों की युक्तता युग-निर्धारित नहीं हो सकती। नैतिक निर्णयों विषयक सत्य की इस निरपेक्षता में आस्था के आधार पर ही साहित्यिक प्रचलित मूल्यों का विवेचन करता है, नैतिक प्रश्न उठाता है और उसके उत्तर देता है। प्राय: ही वह प्रचलित धारणाओं की असत्यता प्रदर्शित करता है और सही धारणाएँ

---

1. द्रष्टव्य, यशदेव शल्य तथा भगवती — **प्रमुख भारतीय और पाश्चात्य दर्शन-धाराएँ** का अन्तिम अध्याय।

प्रस्तुत करने का प्रयत्न करता है। आज मूल्यों का संकट अधिक उग्र है। किन्तु इसके बावजूद आज का युग सामान्य रूप से और हमारे साहित्यिक विशेष रूप से, मूल्यों के सम्बन्ध में सन्देहवादी-सापेक्षतावादी हैं और हमारे बहुत-से मित्र मनुष्य को, और इस प्रकार मनुष्यों में श्रेष्ठ वर्ग को, **मूल्य-द्रष्टा नहीं मूल्य-स्रष्टा** कहते हैं। वास्तव में हमारी उस अनास्था का, जिस पर हमारे अधिकांश साहित्यिक गर्व करते हैं, कारण यही भ्रान्त दृष्टि है और विडम्बना देखिये कि हम इस पर गर्व करते हैं।

मैं समझता हूँ, नैतिक मूल्यों के सन्दर्भ में हमारे युग की एक बड़ी विशेषता सामाजिक न्याय के प्रति जागरूकता और संवेदनशीलता है। इसमें पिछले युग पर्याप्त पिछड़े हुए थे। किन्तु इसके साथ ही इस युग की यह विशेषता भी है कि यह वैयक्तिक पक्ष में नैतिकता के प्रति उदासीन ही नहीं है बल्कि उसे पिछड़ापन, दकियानूसीपन आदि-आदि मानता है। यहाँ मैं केवल यौन उच्छृंखलता की ही बात नहीं कर रहा हूँ, सामान्य उच्छृंखलता, सामान्य कुण्ठितता और तथाकथित खुलेपन की बात कर रहा हूँ। नैतिकता के वैयक्तिक पक्ष का लक्ष्य सम्यक् दृष्टि होता है जिसके लिए आत्मसंयम, निराग्रहता, निरहंकारता और उदात्तता आदि साधनभूत होते हैं। ये शब्द आज हमें अनाधुनिक और अजागरूकता के द्योतक मालूम होते हैं, क्योंकि मार्क्स, फ्रायड, रसल, सार्त्र आदि सब आधुनिक युग-चिन्तक-आप्तवक्ता यही कहते हैं। हो सकता है यही बात सही हो। किन्तु यह सही है या नहीं, हमने कभी इस पर विचार नहीं किया, हमने इसे केवल स्वीकार किया है। कहीं प्रसाद के सम्बन्ध में जैनेन्द्र का एक कथन है जिसमें उन्होंने प्रसाद की आधुनिकता उनकी प्रश्नाकुलता को बताया है। अवश्य यह प्रश्नाकुलता आज की एक विशेषता है, यद्यपि यह केवल आज की ही विशेषता है, ऐसी बात नहीं है। किन्तु यह प्रश्नाकुलता भी एक ढर्रा, एक फैशन, एक प्रश्न-विहीन मूल्य बन जा सकती है यह हम नहीं देखते। इसके अतिरिक्त, 'प्रश्नाकुलता और नास्तिक्य में गौरव क्या है?' यह प्रश्न हम अपने से नहीं करते। गौरव जिज्ञासा और सत्य के सन्धान में है, सदसद्विवेक में आठों पहर जागने में है, न कि प्रश्न के लिए प्रश्न करने में। ऐसा नहीं है कि आज के इस युग में जिज्ञासा नहीं है। बहुत है और पिछले युगों से किसी भी प्रकार कम नहीं है, उसका विषय चाहे जो भी हो। किन्तु यह समझना कि इसमें प्रमाद कम है, ऐसा भी सही नहीं है। इसके अपने असंख्य अन्धविश्वास हैं जिनमें सबसे बड़ा अन्धविश्वास इसका अपने अन्धविश्वासों को युक्ति और विवेकसम्मत मानना है। इसमें हमारे साहित्यिक और अन्य विचारक समान रूप से प्रमादग्रस्त हैं, यद्यपि यह सही है कि साहित्यिकों में से बहुत-से इससे मुक्त अथवा अन्य चिन्तकों से अपेक्षाकृत कम ग्रस्त हैं। इनमें आप ही के बीच उपस्थित बहुत-से लेखक हैं। डॉ. शाह और कुँवरनारायण जी, जिनका पीछे मैंने उल्लेख किया है, इसी वर्ग के हैं। किन्तु एक दूसरा हमारा अन्धविश्वास है जिससे बहुत कम लोग मुक्त हैं, और वह है पश्चिम की आप्तता में विश्वास, उससे अभिभूतता। अपने अतीत का महिमामण्डन भी उसी का एक दूसरा रूप है।

वास्तव में यह हमारी समकालीन राष्ट्रीय परिस्थिति है : हमारे युग-चिन्तन का चरित्र। हमारे साहित्यिकों के लिए भी मार्क्स, फ्रायड, सार्त्र और जास्पर्स—जिनके भी नाम या धाम ये लोग कुछ भी दूर या पास से जानते हैं—आप्त पुरुष हैं। ग़नीमत यही है कि इनमें से अधिकांश के पास इन्हें समझने का धैर्य नहीं है। इस बात से छायावाद काल तक के साहित्यिक रचनाकार मुक्त थे। वे महाकवि जिनकी स्मृति में हम यहाँ एकत्र हुए हैं,[1] तो अत्यन्त सहज रूप से अपनी परम्परा में बद्धमूल और अपनी स्वयं की सृजनात्मकता में इतने स्वतन्त्र थे कि वैसा दूसरा मिलना कठिन है, किन्तु निराला और महादेवी भी पूर्णत: आत्मतन्त्र ही थे, इसी प्रकार बहुत कुछ छायावादी पन्त भी थे। ये इस बात के प्रमाण हैं कि हमारी अन्त:स्रोतस्विनी में पर्याप्त मात्रा में और पर्याप्त पोषक तत्त्वों से पूर्ण जल है। किन्तु बाद के दशक इस प्रकार स्वतन्त्र नहीं रह सके, यद्यपि **इत्यलम्** से बाद के अज्ञेय ने पुन: अपनी निज की उर्वरता का भरपूर प्रदर्शन किया। उनकी 'असाध्य वीणा', जिसकी कल्पना का मूल **तथागतगुह्य सूत्र** में

1. जयशंकर प्रसाद पर भारत भवन, भोपाल में आयोजन।

तथागत के शून्य स्वरूप के वर्णन में हैं,[1] इस बात का प्रमाण है कि किस प्रकार परम्परा सृजनशील कवि या चिन्तक के माध्यम से नित्य नवीन रहती है।

इसका अर्थ यह नहीं है कि मैं पाश्चात्य अथवा किसी अन्य संस्कृति के साहित्यिक-विचारकों से अपने को बन्द रखने की बात कर रहा हूँ। कभी भी नहीं, कोई यदि उन्हीं की दृष्टि में सत्य देखता है तो भी मुझे आपत्ति नहीं है। किन्तु आवश्यकता स्वयं देखने की है, मानकर चलने, आत्महीनता-भाव से ग्रसित होकर अनुसरने की नहीं है।

अन्तिम बात यह कि रचनाकार का प्रेरणा-स्रोत युग नहीं, आत्मा होना चाहिए जिसमें युग अपनी छवि देखे, उससे अपना साध्य पहचाने, और सत्य को देख सकने के लिए सम्बल पाये। तभी रचनाकार का चिन्तन सही अर्थों में युग-चिन्तन : युग का उन्नायक और उद्‌बोधक चिन्तन : बन सकता है।

1. "यथा यन्त्रकृतं तूर्यम् वाद्यते पवनेरितम् न चात्र वादकः कश्चिन्निश्चरंत्यथ च स्वराः। एवं पूर्ण सुशुद्धत्वात् सर्वसत्त्वाशयेरिता, वाग्निश्चरति बुद्धस्य, न चास्तीह कल्पना। प्रतिश्रुत्कादयः शब्दाः नाध्यात्मं न बहिः स्थिताः वागप्येवं नरेन्द्रस्य, नाध्यात्मं न बहिःस्थिता।

(जैसे यन्त्रीकृत तूरी वायु के झोकों से बजती है, यद्यपि उसका कोई वादक नहीं होता किन्तु तब भी उससे स्वर निस्सृत होते हैं, इसी प्रकार सत्त्वों की वासना से प्रेरित होकर बुद्ध की विकल्प-हीन वाणी निस्सृत होती है। जैसे प्रतिध्वनि के शब्द बाहर या भीतर स्थित नहीं होते, उसी प्रकार बुद्ध की वाणी भी बाहर या भीतर स्थित नहीं होती।)

एक साहित्यिक पत्रिका के सम्पादक के प्रश्नों के उत्तर

अक्षरपर्व पत्रिका के सम्पादक के प्रश्न

1. भक्ति-काव्य ने भारतीय जीवन में जिस सांस्कृतिक उन्मेष का प्रवर्तन और प्रसार किया, उसका गहरा असर हमारे समाज में शताब्दियों तक कायम रहा है। धर्म के मौलिक अभिप्रायों से जीवत्व पाने वाला यह कवित्व बाहर और भीतर द्वन्द्वों को खारिज करता हुआ, लौकिक और अलौकिक, लोक व शास्त्र, आत्म और आत्मेतर, प्रकृति व संस्कृति के बीच संवाद की अनगिन सम्भावनाएँ रचता है।

   अपनी समग्रता में वह मनुष्य को आहत और अपमानित करने वाली ताकतों की विरोधी भाषा में रचा गया रचनात्मक और तन्मय प्रतिरोध है। जानने की इच्छा होती है कि अपने रचनात्मक-आलोचनात्मक उद्यम में आप भक्ति-काल से किस तरह प्रतिकृत होते हैं? उसे अपने लिए किस तरह पढ़ते-सुनते और देखते रहे हैं?

2. धर्म के बग़ैर भारतीय समाज के बुनियादी चरित्र को समझ सकना नामुमकिन है। क्या यह सही नहीं है कि इस समाज में धार्मिक संवेदनाओं की उपस्थिति आज भी महत्त्वपूर्ण है? तो फिर हमारे आधुनिक साहित्य में धार्मिक संवेदनों के निरन्तर विलोपन के कारण क्या हो सकते हैं?

3. बीसवीं सदी के पूर्वार्द्ध में कई कवियों और आलोचकों ने भक्ति-काव्य के साथ एक गम्भीर जीवन-व्यापी रिश्ता कायम किया है। रामचन्द्र शुक्ल और निराला जीवन भर तुलसी को पढ़ते रहे हैं। लगभग ऐसा ही सम्बन्ध हजारीप्रसाद द्विवेदी का कबीर के साथ रहा है। रामविलास शर्मा और त्रिलोचन ने भी भक्ति काव्य को बार-बार पढ़ा है। नई कविता के प्रमुख कवि और विचारक विजयदेव नारायण साही ने जायसी के कवित्व को कई आधुनिक प्रत्ययों के स्रोत के रूप में देखा-परखा है। इन सबके बावजूद क्या यह सच नहीं है कि हमारी रचनात्मक सक्रियता और आधुनिक विमर्श के केन्द्रों में भक्तिकाव्य के लिए किसी गम्भीर उत्सुकता के चिह्न नहीं मिलते? इस सिलसिले में आप क्या कहना चाहते हैं?

4. भक्ति-काव्य ने आध्यात्मिक आकांक्षाओं के बीच मनुष्य के गौरव का जो आख्यान रचा, ज़ाहिर है कि वह भारतीय कविता की केन्द्रीय परम्परा का नया लोकधर्मी विस्तार था। बीत रहे समय के भरपूर ताप को अनुभव करती यह कविता उसे सनातन चिन्ताओं के मुहावरों में पहचानने का यत्न करती है। क्या आध्यात्मिक बुनावट को रद्द कर उसकी समूची पहचान सम्भव हो सकती है? किसी भी कवि की रचना अपने अन्तर्विरोधों के बावजूद एक सम्पूर्ण संरचना होती है, उसमें एक-दूसरे से अलग दीखते तथ्य अन्ततः एक-दूसरे को गति और अर्थ देने वाले आत्मीय और अभिन्न तथ्य होते हैं?

5. भक्ति काव्य को पढ़ने का एक ऐसा भी अकादमिक ढंग रहा है जहाँ तरह-तरह के वादों और विचारधाराओं से जोड़कर कवियों की विशेषताओं का बखान किया जाता है। क्या यह सही नहीं है कि एक बड़ी प्रतिभा अपनी वैधता के लिए किसी भी विचारधारा की आश्रित नहीं होती, नहीं हो सकती? उसका प्रमाण उसकी प्रत्यय बुद्धि नहीं बल्कि वह विवेक है जो जीवन का जीने-जानने के क्रम में उसे उपलब्ध होता है?

बीसवीं सदी के इन अंतिम वर्षों में तरह-तरह की विचारधाराओं और रचनाकारों से उनसे बनते-बिगड़ते सम्बन्धों के सिलसिले में आप किस तरह की टिप्पणी करना चाहेंगे?

6. क्या वास्तव में हमारा यह उत्तरआधुनिक समय, कई अर्थों में प्राक्-आधुनिक समय से मिलता-जुलता समय है? 15वीं-16वीं शताब्दियों में भक्ति-काव्य के रूप में भारतीय समाज का जो सांस्कृतिक उन्मेष लक्षित होता है वह यद्यपि काव्य-क्षेत्र में अधिक स्थायी नहीं रहा किन्तु वह अन्त:सलिला के रूप में भारतीय समाज में शताब्दियों तक प्रवहमान रहा है।

इस उन्मेष को कुछ लोगों ने सांस्कृतिक उन्मेष नहीं मानकर भारतीय समाज द्वारा मुग़लों के अत्याचारों को सैनिक स्तर पर साम्मुख्य नहीं कर पाने पर मानसिक स्तर पर प्रतिकार के उपाय के रूप में देखा है। किन्तु यह व्याख्या भारतीय समाज की प्रकृति की गहरी नामसझी की द्योतक है। भारत अपने इतिहास के अधिकांश काल में कभी राजनीतिक-सैनिक सत्त्व नहीं रहा है, यह केवल एक सांस्कृतिक सत्त्व ही रहा है—काश्मीर से कन्याकुमारी तक और बंगाल से सिन्ध तक। 'आर्यावर्त' इसी सांस्कृतिक सत्त्व की संज्ञा रही है। राजनीतिक-सैनिक रूप से तो मुग़ल बहुत जल्दी यहाँ के अनेक राजाओं में से एक हो गये थे जो वे यहाँ के नहीं हो पाये वह सांस्कृतिक स्तर पर। सांस्कृतिक स्तर पर उन्होंने मारकाट और मन्दिरों के ध्वंसों के रूप में जो यहाँ के समाज को चुनौती दी उसके साम्मुख्य में यह भक्ति-आन्दोलन इस समाज की सांस्कृतिक अपराजेयता के उद्घोष के समान था। इसका एक प्रमाण यह है कि दक्षिण में यह भक्ति-धारा आल्वारों के रूप में और दार्शनिक स्तर पर रामानुज के रूप में मुग़लों से पहले ही विद्यमान थी, उत्तर में यह एक नये ज्वार के साथ मुग़लों के सैनिक आक्रमणों के बीच उठी। विश्व-इतिहास के जानकारों को यह पता है कि विश्व की बहुत-सी संस्कृतियाँ बाह्य आक्रमणों से ही नष्ट हुई हैं। किन्तु भारतीय संस्कृति का जो 'नामोनिशां' अक्षुण्ण है वह इस कारण कि भारतीय समाज कभी मानसिक स्तर पर पराजित नहीं हुआ। इसका एक दूसरा प्रमाण अंग्रेज़ी राज्य की स्थापना के बाद का भारतीय पुनर्जागरण है। पुनर्जागरण पश्चिम में भी हुआ, 'पुनर्जागरण' सांस्कृतिक इतिहास के एक युग की संज्ञा है, किन्तु वहाँ वह किसी बाहरी सैनिक आक्रमण के फलस्वरूप या उसके बीच नहीं हुआ, किन्तु भारत में यह उसके फलस्वरूप ही हुआ। सैनिक स्तर पर यहाँ के राजा पराजित हुए, उस रूप में ये परस्पर भी विजयी-पराजित होते रहते थे, जो यह देश पराजित नहीं हुआ वह सांस्कृतिक स्तर पर। अवश्य बाद में इस पराजय का सूत्रपात भी हुआ, किन्तु वह हमारी राजनीतिक स्तर पर विजय के बाद। यह एक अद्भुत बात है कि इस राजनीतिक संघर्ष में भी हमने मुख्य रूप से संस्कृति को ही अपना शस्त्र बनाया था—सत्य, अहिंसा, प्रार्थना और व्रत को।

2. यहाँ भारतीय संस्कृति के सम्बन्ध में एक आधारभूत महत्त्व की बात है जो समझ लेनी आवश्यक है। वह यह कि धर्म यहाँ सदैव दर्शन से अविलग रहा है। दर्शन से अविलगता के कारण ही यहाँ बहुत-से धर्म-सम्प्रदाय निरीश्वरवादी तक हो सके। यहाँ के दो अत्यन्त विशाल सम्प्रदाय—बौद्ध और जैन—तो निरीश्वरवादी हैं ही, सिक्ख सम्प्रदाय भी, वेदान्त-मूलक होने से निरीश्वरवादी ही है। इसी प्रकार कबीर-पंथ आदि। क्योंकि ईश्वर एक सगुण सत्ता है जबकि **गुरुग्रंथ साहिब** और **कबीर-वाणी** निर्गुणिये सन्तों की वाणी के संग्रह हैं। इसी से यहाँ इतनी धार्मिक स्वतन्त्रता और धार्मिक सामरस्य सम्भव हो सका। आपने यहाँ एक-साथ अनेक देवताओं के पूजक हो सकते हैं और साथ ही निर्गुणिये भी हो सकते हैं। अवश्य यहाँ बहुत-से दर्शन भी धर्म-मूलक ही रहे, किन्तु वैसा होना उनके लिए अनिवार्य नहीं था। उदाहरणत: न्याय और वैशेषिक को धार्मिक दर्शन नहीं कहा जा सकता। किन्तु द्रष्टव्य है कि भक्ति-काव्य को छोड़कर, भारतीय साहित्य की मुख्य धारा धर्म-निरपेक्ष ही रही है। जयदेव के **गीतगोविन्द** तक को आप धार्मिक काव्य नहीं कह सकते, वह केवल एक शृंगार-काव्य है, और वह भी मांसल शृंगार का काव्य। कृष्ण भक्तों ने उसे धार्मिक अर्थ में पढ़ा, यह बात दूसरी है।

जहाँ तक आधुनिक साहित्य का सम्बन्ध है, मैथिलीशरण गुप्त और हरिऔध को छोड़कर, शेष साहित्य धर्म-निरपेक्ष ही रहा है। किन्तु यह धर्म-निरपेक्षता कभी अधार्मिकता के अर्थ में नहीं थी। छायावाद-काल तक सम्पूर्ण भारतीय साहित्य को एक धार्मिक-सांस्कृतिक परम्परा के अविरुद्ध काव्य ही कहा जा सकता है।

किन्तु इधर के चार दशकों में एक नयी धारा प्रवाहित हुई है। यह धारा इधर **शिक्षा को अंग्रेज़ी-ज्ञान के, युक्तियुक्तता को विज्ञान-दृष्टि के, प्रगतिशीलता को प्रौद्योगिकी के और ज्ञान को पाश्चात्य लेखकों से परिचय के पर्यायवाची के रूप में देखने से आयी है।** हमारी राजनीतिक स्वतन्त्रता से पहले के काल में यह धारा उतनी प्रबल नहीं थी। केवल नगरों का अल्पसंख्यक वर्ग ही इससे प्रभावित था, किन्तु स्वतन्त्रता के बाद इसका प्रभाव ग्रामों तक बढ़ा है। ऐसा नहीं है कि इस काल में धार्मिक आन्दोलनों का अभाव हो गया है, इस काल में कुछ आन्दोलन तो अत्यधिक मौलिक दृष्टि और आध्यात्मिक सप्राणता के साथ उद्भूत हुए हैं, किन्तु देश का साहित्यिक और वैचारिक क्षेत्र इनसे अछूता ही रहा है।

3. इस प्रश्न का उत्तर प्रश्न 2 के उत्तर में ही आ गया है।

4. मैं नहीं समझता कि भक्ति-काव्य को 'भारतीय काव्य की केन्द्रीय परम्परा का लोक-धर्मी-विस्तार' कहना युक्ति-संगत होगा। एक तो भारतीय कविता की केन्द्रीय परम्परा आप किसे कह रहे हैं यह स्पष्ट नहीं है। स्वभावत: अभिजात परम्परा ही केन्द्रीय परम्परा कही जाती है और वह परम्परा अधिकांश में शृंगार-प्रधान ही रही है। हिन्दी काव्य-परम्परा का आरम्भ वीर-रस-काव्य से माना जाता है। लोक-काव्य में भी विरह-शृंगार और करुण भाव का प्राधान्य है, यद्यपि भक्ति भाव की धारा भी मिलती है। इसलिए भक्ति-काव्य को किसी केन्द्रीय काव्य-धारा के लोकधर्मी विस्तार के रूप में नहीं देखना चाहिए। केवल यह कहा जा सकता है कि भक्ति-काव्य ने भक्ति को लोक-धर्मी विस्तार दिया। तुलसी तो एक अभिजात कवि ही थे, किन्तु उन्होंने जिस काव्य की रचना की वह सबसे अधिक लोकग्राही हुआ।

किन्तु 'लोक-धर्मी' शब्द की ध्वनि कुछ सन्देहजनक है। इसमें आधुनिक जनवादियों के पूर्वाग्रहों की ध्वनि निहित है। आपने महात्मा कबीर की इस प्रकार की खींचतान का उल्लेख किया भी है, इस प्रकार की खींच-तान तुलसी की भी कम नहीं हुई। रामविलास शर्मा ने इस दल का नेतृत्व किया। किन्तु कबीर मन्दिर-मस्जिद, मुल्ला-पंडित का उपहास उड़ाकर हमारे भावी धर्म-निरपेक्षतावादियों की वाह-वाही लूटने की योजना नहीं कर रहे थे, वे केवल धर्म का तत्त्व छोड़कर उपाधियों को धर्म मानने वालों को चेता रहे थे, किन्तु केवल धार्मिक भाव में ही रहते हुए, चोट पहुँचाने के प्रयोजन से नहीं। इसके लिए किसी प्रमाण की आवश्यकता हो तो उनका 'माया महाठगिनी हम जानी' सबद देखा जा सकता है। उनके लिए असली बात 'इश्क के मस्ताना' होने की थी, सामाजिक-धार्मिक आलोचना की नहीं। और जो आलोचना थी भी तो वह 'इश्क में मस्ताना' होने को कहने के लिए। वे सहज सनेही और सहज योगी थे, प्रचारक नहीं थे।

5. साहित्यिक कृतियों, और अन्य कलाकृतियों को भी, मतवादों के अनुसार देखना, और स्वयं कलाकारों द्वारा भी कृतियों की रचना मतवादों के अनुसार करना आधुनिक पश्चिम की देन है और आधुनिक पश्चिम की किसी उपज का, युक्तायुक्त के विवेक के बिना, हमारे यहाँ आयात नहीं हो यह तो सम्भव नहीं है। हमारे अतीत में दार्शनिक और अन्य शास्त्रीय लेखन अधिकांशत: सम्प्रदायों के अन्तर्गत करने की प्रथा थी। किन्तु काव्य या अन्य कलाओं के सृजन या उनकी आलोचना में यह प्रथा नहीं थी, इस प्रकार कहा जा सकता है कि युक्तायुक्त के निर्णय के लिए हमारी परम्परा कोई कसौटी नहीं हो सकती। हम यह कसौटी बना भी नहीं रहे हैं, किन्तु हमारे अधिकांश आलोचक और कवि अचेतन रूप से पश्चिम की परम्परा को

कसौटी बना रहे हैं। उनके लिए यूरोपीय या यूरोप द्वारा अनुमोदित विचार आप्त वचनों के जैसे हैं। हम कला-सर्जन और कला-कृति की आलोचना का मतवादों से निर्दिष्ट होना क्यों अयुक्त मानते हैं, इस पर हमने प्रसंगवश 'युग-चिन्तन और साहित्य-चिन्तन' तथा अन्य बहुत-से लेखों में लिखा है। **यहाँ इसके सम्बन्ध में हमें इतना ही कहना है कि कलाकृति के लिए प्रमाण कलाकार की अपनी दीठ ही हो सकती है,** कोई मतवाद नहीं। इस पर कहा जा सकता है कि निर्गुणिये और सगुणिये भक्तों के काव्य तो इसके विपरीत दिखायी देते हैं, प्रथम वेदान्त परम्परा के अनुयायी थे और दूसरे पौराणिक परम्परा के। किन्तु ऐसा नहीं है। वे न केवल मतवादों के अनुयायी ही नहीं थे, वे उस अर्थ में कवि भी नहीं थे जिस अर्थ में कवि-यश:प्रार्थी लोग होते हैं। कविता उनके साथ आनुषंगिक ही थी, आत्म-निवेदन करने या बात कहने का एक ढंग मात्र। ऐसे लोग मतवादों के अनुयायी क्या होंगे? किन्तु तब भी नानक, कबीर, तुलसी और सूर की तुलना में कवि कहाँ मिलेंगे? ऐसे लोग मतवादों के अनुयायी नहीं तत्त्वों के साक्षात्कारी होते हैं। कबीर ने एक बहुत ही मार्मिक और मूल की बात कही थी—'तू कहता कागद की लेखी, मैं कहता आँखन की देखी।' कबीर की ही दो और उक्तियाँ देखें—'माया महा ठगिनी हम जानी' सबद में। वे कहते हैं—'जोगी के जोगिन ह्वै बैठी, राजा के घर रानी', 'काहू के हीरा ह्वै बैठी, काहु के कौड़ी कानी।' इन पंक्तियों में योग, त्याग, निर्धनता की श्रेष्ठता किसी को भी कैसे हम तत्त्व-स्थानीय मानकर गर्वित हो सकते हैं, इसका अत्यन्त व्यंजक पदों में निदर्श प्रस्तुत किया गया है। ऐसा व्यक्ति क्या किसी मतवाद में बाँधा जा सकता है? आप कहना चाहेंगे कि वे वेदान्ती थे। मैं इसके विपरीत कहना चाहूँगा कि उनके साथ वेदान्त कबीर-पंथी होकर धन्य हुआ था। यही बात तुलसी के लिए कही जा सकती है। उन्होंने निश्चय ही नाना निगमागमों का पारायाण किया था, किन्तु राम-कथा तो केवल अपने अन्तस् की साक्षी से ही कही थी।

ऐसे 'आंखन की देखी बाँचने वालों' का व्याख्याकार भी वही उचित रूप से हो सकता है जो इनके साथ तादात्म्य साध सकता है—उनका 'अनुयायी' होकर नहीं, उनके समान तत्त्व-दर्शी होकर, कहें उनकी आत्मा की ज्योति से अपनी आत्मा को ज्योतित करके। बुद्ध ने अपने श्रोताओं को अपना 'अनुयायी' होने को नहीं कहा था, 'अप्प दीप' होने को कहा था, इसी कारण कृष्ण ने अर्जुन को 'स्वयं विमर्श' करने को कहा था।

6. इस प्रश्न का अर्थ मेरी समझ में नहीं आया। आधुनिकता की बात हमारे यहाँ पाश्चात्य समाजशास्त्रियों द्वारा अपने समाज या समाजों को 'आधुनिक' और एशियायी समाजों को 'पारम्परिक' विशेषण देने के साथ आयी थी। उनके इस विशेषण का अर्थ था 'विज्ञानमूलक दृष्टि और औद्योगिकीमूलक अर्थव्यवस्था।' इस मानदण्ड के अनुसार श्री अरविन्द और स्वामी विवेकानन्द, दयानन्द और गाँधी सब पारम्परिक समाजों को परम्परा में गहरे धँसाने वाले ही माने जाएंगे। किन्तु यदि हमें नेहरू जी ने पश्चिम की पूँछ के साथ नहीं बाँधा होता[1] और हम अपने निर्माण के लिए किसी अपनी दृष्टि का विकास कर पाये होते तो स्वामी विवेकानन्द हमारी आधुनिकता के प्रवर्त्तक होते और पांडुरंग शास्त्री अठावले जैसे लोग इसके वर्तमान नायक। किन्तु ऐसा नहीं हुआ। इसलिए यह कहा जा सकता है कि स्वतन्त्रता के बाद हमने अपने को 'पारम्परिकता' के इस दोषारोपण से मुक्त करने का जो प्रयत्न आरम्भ किया था वह 'आधुनिकता' की ओर हमारा पहला कदम था, जो हमारे 'समाजवाद' के कारण अवरुद्धप्राय रहा। अब बहुराष्ट्रीय कंपनियों के लिए अपने बाज़ार खोल कर हम आधुनिकता की ओर पुन: अग्रसर होना आरम्भ कर रहे हैं। किन्तु इस बीच पश्चिम में सांस्कृतिक युगों की अवधि दशाब्द-पर्यन्त हो जाने के बाद वहाँ आधुनिक युग का अन्त लगभग तीस साल पहले हो गया था और एक दशाब्द पहले उत्तर-आधुनिक युग का। अब वहाँ

1. इसका दोष या श्रेय अकेले नेहरू जी को देना ठीक नहीं है। इस पर कुछ विस्तार से हमने **समाज : दार्शनिक परिशीलन** पुस्तक के अन्तिम अध्याय में लिखा है।

उत्तर-उत्तर आधुनिक युग अन्तिम साँसें गिन रहा है। ऐसे में हमारे लिए एक ही मार्ग रह जाता है कि हम इन युगों के पाश्चात्य प्रवर्त्तकों का नाम-जप करें, जो हम कर रहे हैं। ऐसे में भक्ति-काव्य या भक्ति-विचारधारा के साथ जुड़ने की बात सोचना भी उपहासास्पद लगता है। अलबत्ता यह कहा जा सकता है कि यह केवल 'क्रीमी लेयर' है जो इन 'आधुनिकताओं' से भ्रमित है और यह लेयर बहुत ही पतली है। इसके नीचे जो विशाल क्षीर-सागर है वह इससे अस्पृष्ट है। अन्ततः वह इस लेयर को लील लेगा। तब इस भक्ति-दृष्टि का नवीकरण सम्भव हो भी सकता है। यह नवीकरण कैसा होगा और कैसे होगा इसका एक अत्यन्त मौलिक, अत्यन्त सृजनात्मक उदाहरण पूर्वोल्लिखित पांडुरंग जी द्वारा प्रवर्तित स्वाध्याय-आन्दोलन ने प्रस्तुत किया है। उसका विवरण देना यहाँ सम्भव नहीं है। किन्तु वह एक अद्भुत उन्मेष है जो भावी भारत के लिए एक मार्गदर्शक हो सकता था। किन्तु स्वतन्त्रता के बाद जो दिशा हमने पकड़ ली थी उस पर हम बहुत आगे बढ़ चुके हैं और अब खुला बाज़ार-व्यवस्था के साथ वह थोड़ी सम्भावना भी समाप्त हो गई प्रतीत होती है जो इससे पहले सोची जा सकती थी।

प्रो. रमेशचन्द्र शाह के प्रश्नों के उत्तर

प्रश्न–1. आपके लेखन की शुरुआत साहित्यालोचन से हुई, यह तथ्य तथा यह भी कि इधर आप नए सिरे से साहित्य के प्रति उन्मुख हुए हैं, आपको अपने समानधर्मियों से कुछ अलग पहचान देता है। वह कौन–सी प्रेरणा या ज़रूरत थी जिसने आपको साहित्य की दुनिया से दर्शन में संक्रमित किया? सत्य की खोज में साहित्यकार और दार्शनिक के रास्ते कहाँ जाकर बिल्कुल अलग हो जाते हैं?

उत्तर—मेरी अन्त:प्रेरणाओं और बाह्य परिस्थितियों ने मिलकर कुछ ऐसी योजना रची कि मेरी शिक्षा और बाद के अध्ययन और लेखन में एक स्वैरता सी दिखायी देती है। नियत पाठ्यक्रम के अतिरिक्त पुस्तकें पढ़ने वाला अपने पूरे विद्यालय में सम्भवत: मैं अकेला विद्यार्थी था और ऐसी जो पुस्तकें मैंने उस काल में पढ़नी आरम्भ कीं वे साहित्यिक नहीं हो कर दार्शनिक या वैचारिक ही थीं। जयशंकर प्रसाद की **कामायनी** और **लहर** साहित्यिक पुस्तकों में सम्भवत: सबसे पहली थीं जो मैंने पढ़ीं और इनकी मेरे पास जो प्रतियाँ हैं उन पर 8.10.1946 तारीख लिखी हुई है। तिलक का **गीता रहस्य** और राहुल सांकृत्यायन की एक पुस्तक, सम्भवत: उसका नाम **मानव–समाज** था, मैंने इनसे पहले पढ़ ली थीं। 1948 में गुरुकुल से घर आने पर मैंने जो अध्ययन आरम्भ किया उसमें साहित्यिक पुस्तकें ही प्रमुख थीं। किन्तु फ्रायड, एड्लर आदि मनोविश्लेषकों के और राहुल सांकृत्यायन, डॉ. सम्पूर्णानन्द आदि के ग्रंथ भी पढ़े थे। किन्तु जब लेखक बनने की महत्त्वाकांक्षा उपजी तब मैंने साहित्य को ही चुना। सबसे पहले कुछ कविताएँ लिखीं, वही सबसे पहले छपीं भी। सम्भवत: सबसे पहली कविता हिन्दुस्तानी एकेडेमी, इलाहाबाद की पत्रिका **विश्ववाणी** में, सम्भवत: 1948 के मई या जून के किसी अंक में, प्रकाशित हुई। 1949–50 में ही कुछ लेख भी प्रकाशित हुए—**कल्पना, जनवाणी** और **हंस** में। 1950 में **पन्त का काव्य और युग** पुस्तक भी लिख डाली जिसे प्रकाशनार्थ उस समय के सबसे प्रमुख हिन्दी प्रकाशक किताब महल, इलाहाबाद ने दौड़ कर लिया और उसने लगभग 6 महीने में, जनवरी, 1951 में, वह प्रकाशित कर दी। इस थोड़ी–सी अवधि में मुझे साहित्यिक जगत् से वितृष्णा का–सा अनुभव होने लगा, यद्यपि **पन्त का काव्य और युग** का बहुत स्वागत हुआ था और महादेवी जी, नागार्जुन, प्रभाकर माचवे और अज्ञेय जी से मेरी अच्छी सुखद भेटें हुई थीं। 1951 में ही मेरा झुकाव दर्शन की ओर हो गया और जनवरी, 1952 में मैंने पहला वैचारिक, दर्शन के सीमांत पर पड़ने वाला, लेख 'व्यष्टि और समष्टि' लिख कर **प्रतीक** में प्रकाशनार्थ अज्ञेय जी को भेजा। अज्ञेय जी को यह लेख अच्छा लगा और उसे उन्होंने, उसके कुछ लम्बा होने के कारण, **प्रतीक** के फरवरी और मार्च 1952 के अंकों में क्रमश: प्रकाशित किया। इसके बाद मैंने सम्भवत: केवल एक लेख साहित्यिक विषय पर लिखा, सम्भवत: 1953 में कभी, जो **कल्पना** पत्रिका में प्रकाशित हुआ। वह लेख उस समय पर्याप्त प्रभावशाली काव्य–सम्प्रदाय 'प्रयोगवाद' पर था। इस कारण स्पष्ट है कि दर्शन में मेरी रुचि आरम्भ से ही और समान रूप से थी। यों साहित्य में भी मैं केवल आलोचक था, आपके समान कवि और कथाकार नहीं था, इसलिए मेरी साहित्य में रुचि भी विचारक के रूप में ही थी, साहित्यिक के रूप में नहीं। अवश्य आरम्भ में मैंने कुछ कविताएँ भी लिखी थीं और उनमें से कुछ प्रकाशित भी हुईं, किन्तु मैंने बड़ी जल्दी समझ लिया था कि यह मेरी प्रकृति नहीं है।

लगभग चालीस वर्ष बाद मेरे फिर से साहित्यिक आलोचना की ओर आने का श्रेय आपको ही जाता है। आपका काव्य–संग्रह **नदी भागती आयी** पढ़कर मैं प्रभावित हुआ था और आपको लिख बैठा था कि इसकी समीक्षा लिखूँगा, और बस 'प्राण जाय पर वचन न जाई' की रीति से फिर फँस गया। इससे एक बार झिझक खुली तो कुछ और समीक्षाएँ भी लिख डालीं।

प्रश्न–2. इसी से लगा हुआ दूसरा प्रश्न – क्या यह विसंवाद या अ–संवाद दूसरी ओर दार्शनिक रचनाशीलता के लिए अहितकर नहीं है?

उत्तर—वास्तव में यह संवाद दार्शनिक और साहित्यिक दोनों रचनाशीलताओं के लिए हितकर ही है। इससे दार्शनिक की दृष्टि का विस्तार होता है और दूसरी ओर साहित्य–चिन्तन को ऐसी गहराई मिलती है जो केवल दार्शनिक विचार ही दे सकता है। यदि कवि दार्शनिक भी हो अथवा दार्शनिक कवि भी हो तो प्रथम का काव्य और दूसरे की दार्शनिक दृष्टि अधिक उत्कृष्ट होंगे। वाल्मीकि की रामायण, तुलसी का रामचरित मानस और सबसे बढ़कर भगवद्गीता इसके स्पष्ट उदाहरण हैं। दूसरी ओर प्लेटो और अभिनव गुप्त को देखा जा सकता है। यों नैषधचरित के रचनाकार श्रीहर्ष भी थे जो दार्शनिक और कवि दोनों थे, किन्तु उनके इन दो पक्षों में कोई सम्बन्ध दिखाई नहीं देता।

प्रश्न–3. जिस तरह समसामयिक यूरोपीय दर्शन की बात करते हैं क्या उस तरह हम 'समसामयिक भारतीय दर्शन' पद का प्रयोग भी कर सकते हैं? यह प्रश्न यों सूझा कि अज्ञेय जी की पश्चिम के एक दार्शनिक से जो बातचीत छपी हुई है—दार्शनिक यास्पर्श से—उसमें जब अज्ञेय जी यूरोप और भारत की धर्म–परम्पराओं इत्यादि के फ़र्क पर बात कर रहे थे, अचानक यास्पर्स पूछ बैठता है 'तो भारत के दार्शनिक पश्चिम की नकल क्यों करते हैं?' (द्रष्टव्य एक बूँद सहसा उछली, पृ. 40) उसने यह भी पूछा 'क्या आप लोग राधाकृष्णन् को बहुत बड़ा दार्शनिक मानते हैं?' इसी सिलसिले में यह जिज्ञासा उदित हुई कि आप आज भारत में दार्शनिक चिन्तन की जैसी भी स्थिति है, उससे कितने आश्वस्त हैं?

उत्तर—मैंने 1976 में एक लेख लिखा था 'समकालीन भारतीय दर्शन'। उस समय इसी नाम से तीन पुस्तकें प्रकाशित हुई थीं, जिनमें दर्शन के अध्यापकों द्वारा लिखे गए लेख संकलित किये गये थे। इस लेख में मैंने प्रश्न उठाया था कि इन पुस्तकों में संकलित लेख क्या इस कारण से ही भारतीय कहलाने के अधिकारी हो जाते हैं कि इनके लिखने वाले भारत के नागरिक हैं? इसका उत्तर नकारात्मक देते हुए मैंने लिखा था कि किसी विचार को भारतीय कहने के लिए उसमें 'भारत का तत्त्व' होना अपेक्षित है। यह 'भारत का तत्त्व' क्या है इसकी व्याख्या उस लेख में भी मैंने की थी और अनंतर **उन्मीलन** के प्रथम अंक (जुलाई 1985) में लिखे सम्पादकीय में भी की थी। दुर्भाग्यवश अंग्रेज़ों ने हमें सांस्कृतिक रूप से जितना अभिभूत किया उतना वे राजनीतिक रूप से भी अभिभूत नहीं कर पाये। राजनीतिक स्वतन्त्रता के बाद हमारी यह सांस्कृतिक दासता और बढ़ी, घटने के बजाय। इस सब परिस्थिति पर मैंने काफी विस्तार से दो लेखों और एक सम्पादकीय में लिखा है। इस प्रकार 'समकालीन भारतीय दर्शन' जैसा कुछ नहीं है, यह तो हमें स्वीकार करना ही होगा। किन्तु यह केवल दर्शन के लिए ही सही नहीं है, राजनीतिशास्त्र, समाजशास्त्र, मनश्शास्त्र और साहित्यशास्त्र सबके लिए सही है। आपके साहित्यिक लेखकों में ऐसा कोई है जो रामचन्द्र शुक्ल के समान आत्मप्रतिष्ठ होकर विचार करता हो? सब पाश्चात्य चिन्तकों के ही झण्डे फहराते हैं। आचार्य हजारीप्रसाद द्विवेदी और पं. विद्यानिवास जी मिश्र को अपवाद कहा जा सकता है।

किन्तु दर्शन में कम–से–कम मैंने अपने को इससे मुक्त किया है और **उन्मीलन** पत्रिका के माध्यम से मैं कुछ थोड़ा दूसरों को भी इस दिशा में बढ़ने में साथ ले रहा हूँ। उन्मीलन में डॉ. मुकुंद लाठ के लेख इस अर्थ में विशेष उल्लेखनीय हैं कि उनमें शुद्ध रूप से भारतीय परम्परा ही नव सर्जन में उपादानभूत है। उनके अन्य सब लेखों में भी, जिनमें प्राचीन भारतीय दर्शन का विवेचन लक्षित नहीं है, 'भारत का तत्त्व' ही चिन्तन का उपजीव्य बना है।

अंग्रेज़ों के आने के बाद जो एक दूसरी बड़ी बात हुई वह यह कि विश्वविद्यालयों के अध्यापक ही दार्शनिक बन बैठे जबकि वे केवल दूसरे दार्शनिकों के विचारों का परिचय देने वाले और इस क्रम में थोड़ा विवेचन करने वाले मात्र थे। अंग्रेज़ों की प्रभुता के प्रतिनिधि होने के कारण वैचारिक क्षेत्र में उन्हीं की प्रभुताई थी,

इससे परम्परागत विचारक अदृश्य हो गए। इस सब में एकमात्र अपवाद डॉ. भगवानदास दिखायी देते हैं जिन्हें कुछ प्रतिष्ठा मिली, किन्तु तब भी उन्हें विश्वविद्यालयों के पाठ्यक्रमों में कोई स्थान नहीं मिला। अन्यत्र कहीं तो किसी के लिए इस देश में स्थान ही नहीं रह गया था। दूसरा नाम श्री अरविन्द का लिया जा सकता है, जिन्हें विश्वविद्यालयों में भी कुछ प्रतिष्ठा मिली। किन्तु देश की परिस्थितियों के कारण उनकी भी कोई परम्परा नहीं बन सकी।

किन्तु यहाँ मैं एक और बात पर ज़ोर देकर कहना चाहूँगा। पाश्चात्य लेखक भी कोई बड़े दार्शनिक हैं, वैसी कोई बात नहीं है। अधिकांश तथाकथित दार्शनिक केवल मौसमी मेंढक होते हैं, वे पाँच–दस साल एक–दूसरे को उछालते हैं और तब ग़ायब हो जाते हैं। उस टर्र–टर्र को हम उनकी महत्ता का प्रमाण मान लेते हैं और उनके शब्दों को बिना कुछ समझे–बूझे यहाँ टर्राने लगते हैं और उस अपने शोर को उनकी महत्ता का और पुष्ट प्रमाण मानने लगते हैं। वे केवल एक बात में हमसे भिन्न हैं और वह महत्त्वपूर्ण बात है। उनका लेखन 'पश्चिम के तत्त्व' का प्रतिनिधि है, वे अपनी प्रामाणिकता भारत या किसी और देश के लेखकों–विचारकों की शब्दावली टर्राने में नहीं देखते। अपने साहित्यिक साथियों को ही देखें, जब तक ये लोग पाँच–सात यूरोपीय नाम नहीं उछाल लेते तब तक उन्हें और उनके श्रोताओं को लगता ही नहीं कि उन्होंने कुछ सार्थक कहा है।

प्रश्न–4. आपने हिन्दी भाषा को उच्चतम दार्शनिक चिन्तन का माध्यम बनाया। यह सुसाध्य तो नहीं रहा होगा। एक कवि को भाषा की निधि के साथ, उसकी अपर्याप्तता के साथ, निरन्तर संघर्ष करना पड़ता है। आपका संघर्ष कैसा रहा—इस बारे में अपना अनुभव बाँटना चाहेंगे?

उत्तर—हिन्दी के संस्कृत की उत्तराधिकारिणी होने से यह उच्चतम विचार की वाहक तो सहज में ही हो सकती थी, दिक्कत तो केवल विचार होने की ही होती है। महात्मा कबीर इसके एक अद्वितीय उदाहरण हैं जिन्होंने केवल देशज पदावली को ही उच्चतम विचार की अभिव्यक्ति का अत्यन्त समर्थ माध्यम सिद्ध कर दिखाया। मेरी कठिनाई का कारण दूसरा था। मैंने अपना चिन्तन पाश्चात्य परम्परा में आरम्भ किया और माध्यम हिन्दी को बनाया। ऐसा मैं कर सका इससे हिन्दी की अद्भुत क्षमता सिद्ध हुई। मेरी प्रथम पुस्तक **दार्शनिक विश्लेषण** के समीक्षकों ने उसकी भाषा का विशेष उल्लेख किया। उस परम्परा के बंधन से मुक्त होने के बाद अब जो मैं कर रहा हूँ उसे आप भाषा की कबीर–पंथी परम्परा कह सकते हैं। अब मेरा चिन्तन भारतीय परम्परा में किन्तु सहज रूप में नितान्त निजी चिन्तन है। इससे पारम्परिक शब्दावली मेरी निजी शब्दावली हो जाती है। इसमें मुझे कोई कठिनाई का अनुभव नहीं होता। आवश्यक होने पर नयी पदावली का आविष्कार भी मैं करता हूँ, उसमें मुझे कभी विशेष कठिनाई का अनुभव नहीं हुआ।

प्रश्न–5. आपने कहीं लिखा है कि आरंभिक दौर में आपको बर्गसां ने आकृष्ट किया था। हिन्दी साहित्य में भी लेखकों ने—मैंने लक्ष्य किया—आरम्भ में बर्गसां से प्रेरणा ग्रहण की। मुक्तिबोध आदि कई लेखकों ने। इसका क्या कारण होगा?

उत्तर—मैंने बर्गसां को किसी आकर्षण–वश नहीं पढ़ा। संयोगवश उनकी पुस्तक मेरे हाथ लगी तो मैंने वह पढ़ डाली। तब उसके प्रतिपादन का सत्य पाने के लिए मैंने जीवविज्ञान का अध्ययन किया और उसमें संयोगवश मुझे उन वैज्ञानिकों की पुस्तकें मिलीं जिनके दार्शनिक पूर्वग्रहों को 'पूर्वाग्रह' रूप में नहीं देख कर मैंने उनके प्रकाश में बर्गसां और उनके प्रतिपादनों की जाँच की। इसमें बर्ट्रंड रसल का और योगदान हो गया। सो, मैंने जो दर्शन की पहली पुस्तक लिखी—**मनस्तत्त्व**—वह बर्गसां के विपरीत मत से लिखी। इसका अर्थ यह नहीं है कि मैं अब बर्गसां को सही मानता हूँ। किन्तु अब वैज्ञानिकों को भी सही नहीं मानता हूँ। जहाँ तक कुछेक हिन्दी साहित्यिकों के बर्गसां से प्रभावित होने का प्रश्न है, मुझे उस सम्बन्ध में कुछ जानकारी नहीं है। वैसे साधारण रूप से हिन्दी के साहित्यिकों में यह प्रवृत्ति है कि यदि पश्चिमी दार्शनिक वहाँ के साहित्यिक क्षेत्रों में फैशन में आ जाएँ तो वे भी उनका नाम रटने लगते हैं, उन्हें कुछ भी जाने–समझे बिना।

प्रश्न–6. एक रोचक घटना हमारे यहाँ यह देखने में आती है कि बहुत सारे मार्क्सवादी आर्यसमाज के रास्ते मार्क्सवाद तक पहुँचते हैं। इसका क्या कारण हो सकता है? दूसरी तरफ कुछ सीधे इस्लाम से कम्युनिज़्म में छलांग लगा देते हैं। इसकी भी कुछ वजह होनी चाहिए। क्या आपको भी कभी मार्क्सवाद ने आकर्षित किया? फिर आप विकर्षित क्यों और कब हुए? इस घिसी–पिटी उक्ति में कितना दम है कि यदि आप पच्चीस वर्ष की आयु में मार्क्सवादी नहीं हुए तो आप में कोई गड़बड़ी है और तीस–चालीस बरस की आयु के बाद भी यदि आप मार्क्सवादी ही हैं तो आप वज्र मूर्ख हैं।

उत्तर—हाँ, मैं 19 से 21 वर्ष की आयु में मार्क्सवादी रहा, अर्थात् हिन्दी साहित्य से लेखकीय सम्बन्ध के काल में। किन्तु केवल कम्यूनिज़्म के सिद्धान्तों का ही समर्थक रहा इसके अनुयायियों की 'वज्रता' के प्रति मैं तब भी शंकालू ही था। मैंने **हंस** में इनकी इस 'वज्रता' की तीव्र आलोचना करते हुए एक लेख भी लिखा था। छायावादी कवि ही मेरे आदर के पात्र थे, केवल पन्त के काव्य में मुझे **ग्राम्या** संकलन पसन्द था।

कम्युनिज़्म से उपरति भी इसके अनुयायियों की वज्रता और रूस सम्बन्धी मिली थोड़ी जानकारी के कारण और कुछ पाश्चात्य विचारों के प्रभाव में आने के कारण हुई। इस प्रकार कम्यूनिज़्म से यह उपरति भी किसी समझदारी के कारण नहीं थी। इसमें केवल एक युक्तिसंगत बात थी और वह थी कम्यूनिस्टों के रंग–ढंग के प्रति वितृष्णा।

किन्तु मैं उपर्युक्त उक्ति से पूर्ण सहमत नहीं हूँ कि तीस की आयु के बाद भी यदि कोई कम्यूनिस्ट रहता है तो वह वज्र मूर्ख है। क्योंकि कम्यूनिज़्म के प्रवर्त्तक कार्ल मार्क्स और एंजल्स उद्योगवाद की विभीषक से, इससे घटित मनुष्य के भयानक कष्टों और सामाजिक विद्रूपताओं से संत्रस्त और उत्तप्त होकर इसके निदान की खोज में प्रवृत्त हुए थे। अवश्य उनके प्रतिपादन में कुछ तार्किक दोष और कुछ दृष्टि–दोष भी हैं, किन्तु यह कोई उनके सिद्धान्त के विरोध का उचित कारण नहीं है। पूँजीवाद, जिसका उन्होंने विरोध किया, उसमें तो मनुष्य–विषयक कोई दृष्टि ही नहीं है, केवल एक दृष्टि–हीनता और सब मानवीय भावनाओं से रहित व्यापारवाद है। कम्यूनिज़्म के सैद्धान्तिक दोष पाश्चात्य सांस्कृतिक दृष्टि–जन्य और सामाजिक प्रवृत्तिजन्य हैं और व्यावहारिक दोष मनुष्य की साधारण प्रवृत्ति–जन्य, किन्तु इसकी मूल प्रेरणा और मूल सिद्धान्त अपने–आप में अत्यन्त श्लाघ्य हैं। स्टालिन कोई कम्यूनिज़्म की उपज नहीं था, वह तो यूरोपीय संस्कृति की एक धारा की ठीक वैसी ही उपज था जैसी हिटलर, मुसोलिनी आदि थे। दुर्भाग्यवश भारतीय कम्यूनिस्ट, जिनमें हिन्दी के तथाकथित प्रगतिवादी–जनवादी लेखक भी सम्मिलित हैं, दो में से कुछ एक रोग से, ग्रस्त हैं और कुछ दूसरे से—ईमानदार लेखक, यदि कोई हैं तो, दृष्टिहीनता के रोग से, और शेष ईमानहीनता के दोष से। किन्तु यह दूसरा दोष उनका कोई विशेषाधिकार नहीं है।

जहाँ तक आर्यसमाजियों के कम्यूनिस्ट होने की बात है, मेरी जानकारी में ऐसा नहीं है, हाँ यह अवश्य सही है कि अधिकांश मुस्लिम और सिक्ख कम्यूनलिस्ट कम्यूनिस्ट हैं। क्यों? इसके कारणों में नहीं जाऊँगा।

प्रश्न–7. साहित्य को आप एक स्वायत्त अनुशासन मानते हैं, दर्शन की तरह? या कि किसी विचारवाद के अधीन ही उसकी भूमिका देखते हैं?

उत्तर—आपका यह प्रश्न ही पहले कुछ सुधारों की अपेक्षा रखता है, पहले वे सुधार करके बाद में संक्षिप्त उत्तर दूँगा।

विचारवाद किसी दर्शन में प्रतिष्ठित होता है, दर्शन विचारवाद में नहीं। 'विचारवाद' राजनीतिक उत्साहियों द्वारा किसी दार्शनिक दृष्टि के उपकरण रूप में उपयोग का ही दूसरा नाम है। अब, साहित्यिक लेखक जाने–अनजाने किसी दार्शनिक दृष्टि से भी प्रभावित होता ही है, किन्तु वह किसी दर्शन के सिद्धान्तों को अपनी काव्य–रचना का आधार बनाये, यह आवश्यक नहीं होता। यदि कोई सिद्धान्त या दृष्टि सहज रूप में उसकी रचना की आधार बनती है तो उसमें अनिवार्यत: कोई दोष नहीं है। उदाहरण के लिए कबीर, तुलसी, कामायनी के प्रसाद

और महादेवी वर्मा को देखा जा सकता है। किस प्रकार कोई विचारवाद भी केवल विचार रूप में काव्य में गृहीत हो सकता है इसके लिए सुमित्रानन्दन पन्त की **ग्राम्या** देखी जा सकती है। दूसरी ओर उन्हीं की **स्वर्ण–धूलि** और **स्वर्ण–किरण** की कविताएँ एक दार्शनिक सिद्धान्त को बलात् ओढ़े हुए हैं।

किन्तु द्रष्टव्य है कि विचारवादों का काव्य और कलाओं में एक और रूप भी देखने को मिलता है। आधुनिक पाश्चात्य कला–जगत् में इनकी काफी धूम रहती है और कलाकार–काव्यकार उनके अनुसार अपनी रचनाओं को ढालते हैं। हमारे यहाँ भी मार्क्सवाद के समान ही प्रयोगवाद और अस्तित्ववाद आदि आन्दोलन रहे हैं जो काव्य और कलाओं के लिए अपकारक ही हो सकते हैं। उदाहरण के लिए अज्ञेय जी के **अपने–अपने अजनबी** उपन्यास को उनके दूसरे दो उपन्यासों की तुलना में देखें।

प्रश्न–8. आपकी दार्शनिक यात्रा में जो मोड़ आये उनमें सबसे महत्त्वपूर्ण मोड़ कौन–सा था? वह कैसे, किस तरह आया, इस बारे में कुछ बताएं।

उत्तर— मेरी विकास–यात्रा में तीन चरण या दो मोड़ कहे जा सकते हैं। पहले चरण में मैं आधुनिक पाश्चात्य विज्ञान–दृष्टि और विश्लेषणात्मक दर्शन–प्रणाली के प्रभाव में था, दूसरे चरण में नव्य अर्थ–क्रियावादी (निओ प्रेग्मेटिस्टिक) दृष्टि के प्रभाव में था और तीसरे चरण के आरम्भ में जर्मन फिनोमिनलोजीवादी, जर्मन प्रत्ययवादी–आदर्शवादी दार्शनिकों और सांख्य तथा वेदान्त के मिले–जुले प्रभाव में था। स्पष्टत: ये तीन या चार दर्शन धाराएँ एकरूप नहीं हैं इसलिए इनका प्रभाव मेरे अपने एक पृथक् विचार के रूप में प्रतिफलित हुआ। पीछे बहुत जल्दी ये प्रभाव तिरोहित हो गए, ऐसा मानना चाहिए। मैं समझता हूँ, अब मेरा विचार वस्तुतन्त्र अधिक है, दृष्टि–तन्त्र कम।

यह मोड़ कैसे आया? कह सकते हैं, कुछ वैचारिक गली–कूचों में भटकने से और कुछ अपने आप से।

प्रश्न–9. दर्शन की सृजनात्मकता भी क्या भाषा के साथ उसी तरह घनिष्ट रूप से जुड़ी हुई है जिस तरह कविता की? इस प्रश्न के पीछे प्रयाग संग्रहालय में दिये गए आपके उस व्याख्यान का स्मरण है जिसमें आपने बताया है कि किस तरह एक समूचा वाक्य प्रेरणा की दीप्ति के साथ आपके भीतर कौंधा और उसके साथ ही चिन्तन का एक समूचा नयापन आपके सामने प्रकाशित हो उठा।

उत्तर—नहीं, मैं दर्शन की ही नहीं कविता की सृजनात्मकता को भी भाषा से जुड़ी हुई नहीं देखता। कबीर, मीरा, तुलसी, सूर, प्रसाद और रवीन्द्रनाथ ठाकुर की सृजनात्मकता क्या भाषा से जुड़ी है? अज्ञेय जी के काव्य–रूपों में परिवर्तन, या एक से दूसरे में संक्रमण भाषागत है? दार्शनिक और कवि भाषा को माध्यम बनाते हैं और चित्रकार रंग-रेखाओं को, सो उनकी रचनाएँ भाषा और रंग-रेखाओं से जुड़ी तो होंगी ही, किन्तु भाषा को काव्य–कलाओं की सृजनात्मकता के अन्तर्गत लाना, उसे प्रेरक बनाना, यह एकदम ग़लत है। जहाँ तक मेरे मस्तिष्क में एक वाक्य कौंधने की घटना के उल्लेख का प्रश्न है, वहाँ बात वाक्य के कौंधने की नहीं, विचार के कौंधने की, अधिक ठीक शब्दों में कहें तो दृष्टि के कौंधने की, कही गई है जिसके निहितार्थों की गवेषणा के रूप में मेरा कला विषयक लेखन सम्पन्न हुआ।

प्रश्न–10. साहित्य–कविता और उपन्यास—पढ़ते हुए क्या आपको वैसा ही बौद्धिक आनंद प्राप्त होता है जैसा उच्च कोटि का दर्शन पढ़ते हुए? या कि यह एक भिन्न कोटि का रस होता है।

उत्तर—सर्वप्रथम कविता, खण्ड काव्य और महाकाव्य, इसी प्रकार लघु कहानी और उपन्यास, ये सभी एक–सी कृतियाँ नहीं होतीं और इनमें जो कुछ मिलता है वह एक–सा नहीं होता, किन्तु इन सब में एक आधारभूत सामान्य भी होता है जो इन्हें वैचारिक कृतियों से पृथक् करता है। इसलिए इन दो प्रकार की कृतियों के साथ लेखक और पाठक का सम्बन्ध भी भिन्न–भिन्न प्रकार का होता है। साहित्य में भाव और विचार के जीवन का निजी पक्ष, उसके घटित और भुक्त होने का पक्ष, रहता है जिसे चित्त की विषयिता का पक्ष कहते हैं, इसी से

काव्य में वाच्य विशेषात्मक होता है और विचार में सामान्यात्मक। उदाहरणत: **गोदान** उपन्यास ग्राम-जीवन को होरी धनिया और गोबर आदि की जीवनी के रूप में प्रस्तुत करता है, इसके विपरीत एक समाजशास्त्री किसी शास्त्री आदि विशेष व्यक्तियों का वृत्त दे भी तो पहले वह ग्राम-जीवन का सामान्य रूप सामान्यवाचक पदों में प्रस्तुत करेगा और तब उसके उदाहरण के रूप में विशेष जीवन-वृत्त प्रस्तुत करेगा, ठीक उसी प्रकार जिस प्रकार ज्यामिति का अध्यापक त्रिकोण की परिभाषा बताते हुए ब्लैक बोर्ड पर त्रिकोण आकृति बनाता है। इस प्रकार काव्य-कला में और दर्शन में चेतना भिन्न-भिन्न प्रकार से प्रकाशित और विजृंभित होती है।

प्रश्न-11. 'मनुष्य सत्य को जान नहीं सकता पर उसे साकार अवश्य कर सकता है' आधुनिक काल के एक महाकवि की अपनी मृत्यु-शय्या पर इस स्वीकारोक्ति के बारे में आपकी क्या प्रतिक्रिया होगी?

उत्तर—सर्वप्रथम, इसे 'स्वीकारोक्ति' के बजाय 'उद्‌गार' कहना चाहिए, क्योंकि 'स्वीकारोक्ति' शब्द का प्रयोग तो अपनी असफलता या दोष स्वीकार करने के अर्थ में होता है। 'उद्‌गार' कहना इसलिए उपयुक्त है क्योंकि इस पर कवि (येट्स) किसी गहन युक्ति-वितर्क के आधार पर या विवेचन के आधार पर पहुँचा है, ऐसा प्रतीत नहीं होता। दूसरा संशोधन इस प्रश्न में यह करना चाहूँगा कि यहाँ 'साकार करना' शब्द के बजाय 'आयत्त करना', 'होना', 'तादात्म्य साधना' जैसे शब्दों का प्रयोग होना चाहिए।

अब, यहाँ 'सत्य' शब्द का प्रयोग कुछ बड़े अस्पष्ट और गुह्य अर्थ में किया गया है अन्यथा 'सत्य' के साधारण अर्थ में हम बहुत-से सत्यों को जानते ही हैं। उदाहरणत: मैं यह जानता हूँ कि आपने अमुक-अमुक-कृतियाँ लिखी हैं, कि आपका जन्म अमुक दिन अमुक स्थान पर हुआ, कि अमुक दिन सूर्योदय किस समय होगा, और ऐसे सत्यों को भी, जैसे—'जो उत्पन्न होता है वह मरता भी है' आदि। यदि येट्स का अभिप्राय 'हम कर कर कहाँ जाते हैं' जैसे सत्यों से हो तो निश्चय ही हम यह निश्चित रूप से नहीं जान सकते। किन्तु अधिकांश में ऐसे कथनों में 'सत्य' का अर्थ 'समग्र सत्य' से होता है, किन्तु इस 'समग्र सत्य' का क्या अभिप्राय है यह कहने वाले को कभी स्पष्ट नहीं होता।

तो भी, यह कहा जा सकता है कि किसी घटना या वस्तुस्थिति आदि के सत्य को हम समग्रत: नहीं जान सकते। उदाहरणत: आपका कोई उपन्यास, कहें **गोबर गणेश,** जैसा लिखा गया वैसा ही क्यों लिखा गया, इससे भिन्न प्रकार का क्यों नहीं लिखा गया? यह एक निश्चित बात है कि यदि आपने वह उपन्यास उस दिन, उस घड़ी विशेष में आरम्भ नहीं किया होता, किसी और दिन, और घड़ी में आरम्भ किया होता तो इस उपन्यास का रूप कुछ या बहुत भिन्न होता। इसी प्रकार दूसरे और बड़े सत्य भी होते हैं। जैसे किसी समाज की संस्कृति का क्या स्वरूप है? इससे भी बड़े सत्य, जिनकी दार्शनिक लोग चर्चा करते हैं। 'ये जाने नहीं जा सकते' यह कहना भी ठीक नहीं है। यदि ऐसा हो तो समाजशास्त्री या दार्शनिक केवल झख मारते ही कहे जाएंगे। यह अवश्य है कि इन सत्यों की गहराई और व्यापकता अनन्त होती है इसलिए इन्हें समग्रत: नहीं जाना जा सकता। किन्तु द्रष्टव्य है कि यह अनन्त इसलिए होती है कि क्योंकि ये कोई वस्तु या अस्तित्व नहीं होते, वे स्वयं दृष्टि, या कहें अर्थों में विजृंभित चेतना के ही बाह्याक्षेप होते हैं।

अब जहाँ तक 'सत्य को आयत्त करने' या 'उसके साथ तदात्म होने' का प्रश्न है, इसमें 'सत्य' शब्द का अर्थ बिल्कुल बदल जाता है। उदाहरणत: समाजशास्त्री या दार्शनिक के गवेष्य सत्य को हम आयत्त नहीं कर सकते, न उसके साथ तदात्म हो सकते हैं। यहाँ 'सत्य' का अर्थ होता है हृदय का प्रवंचनाओं से, मिथ्यात्व से मुक्त होना। यहाँ 'प्रवंचना' और 'मिथ्यात्व' का क्या अर्थ है इसकी व्याख्या में मैं नहीं जाऊँगा। जो भी हो, यहाँ 'सत्य' शब्द का प्रयोग आधारभूत रूप से भिन्न दो अर्थों में हुआ है।

प्रश्न-12. अज्ञेय ने उस वार्तालाप में जो आखिरी सवाल यास्पर्स से किया था वह यूँ था—'पृथ्वी पर हम आये तो अपनी इच्छा से नहीं आए। पार्थिव जीवन का हमने वरण नहीं किया। तब वरण

पर आधारित हमारे नीतिशास्त्र का प्रमाण क्या है?' इसके उत्तर में यास्पर्स ने कहा—'ऐसे कई बिन्दु होते हैं जहाँ से लेखक की खोज का रास्ता दार्शनिक के रास्ते से अलग हो जाता है।' अज्ञेय की इस पर टिप्पणी है—'स्पष्ट ही मेरा प्रश्न टाल दिया गया था।'

यदि अज्ञेय की जगह मैं होता और यास्पर्स की जगह आप, तो क्या आपका जवाब भी यही होता? यदि नहीं, तो आप इसका समाधान कैसे करेंगे?

उत्तर—इस प्रश्न का उत्तर मनुष्य के स्वरूप और वरण के अर्थ और उसकी सम्भावना पर विचार की अपेक्षा करता है जिसके लिए बहुत समय और स्थान चाहिए। इन पर मैंने अपनी पुस्तक **सत्ताविषयक अन्वीक्षा** के दो अध्यायों 'मानव-तत्त्व' और 'संस्कृति-तत्त्व' में विस्तार से विचार किया है। अज्ञेय जी के इस प्रश्न पर भी मैंने कुछ विस्तार से किया है जो **उन्मीलन** के जुलाई, 1996 अंक में प्रकाशित हुआ है। (**तत्त्व-चिन्तन** पुस्तक में संकलित) यहाँ मैं केवल अज्ञेय जी के प्रश्न में निहित दो पूर्वाग्रहों और उनकी सदोषता ही दिखाऊँगा और उत्तर की दिशा में केवल संकेत ही करूँगा।

प्रथम अत्यन्त भ्रान्त पूर्वग्रह 'इच्छा' और 'वरण' को एक करके देखने में है। यह भ्रान्ति बहुत कुछ अस्तित्ववादियों से ही विचार किये बिना ले ली गई है। अन्यथा इच्छा की अधीनता चेतना की सबसे बड़ी अस्वतन्त्रता होती है और वरण स्वातन्त्र्य को पूर्वपिक्षित करता है। इसमें दूसरा पूर्वग्रह है कि 'हम अपने वरण से संसार में नहीं आये।' किन्तु भारतीय परम्परा सारी ही जन्म को कर्म-मूलक मानती है और कर्म केवल नैतिक विवेक-समर्थ कर्त्ता ही कर सकता है। इस प्रकार यह कोई स्वत:सिद्ध बात नहीं है कि हम संसार में अपने वरण से नहीं आते। इसके आगे प्रश्न में यह दोष है कि इसमें नैतिक वरण की प्रामाणिकता को जन्म के वरणपूर्वक नहीं होने के कारण सन्दिग्ध माना गया है। इसका अर्थ हुआ कि यदि हम संसार में अपने वरण से आये हों तो हमारे नैतिक वरण की प्रामाणिकता असंदिग्ध हो जायगी। किन्तु यदि वरण को अन्यत्र से प्रमाण की अपेक्षा हो तो हमारा जन्म हमारे वरण से होने पर उस वरण की प्रामाणिकता कहाँ से आयेगी? इस तरह प्रश्न को इस प्रकार होना चाहिए—'आप अस्तित्ववादी लोग ऐसा मानते हैं कि मनुष्य अपने वरण में संसार में नहीं आता, वह अकस्मात् और अहैतुक रूप से चौराहे पर खड़ा कर दिया जाता है और तब उसे अपना मार्ग स्वयं चुनना होता है। अब वह जो मार्ग चुनता है, जिस मार्ग का वरण करता है, वह मार्ग सही है या ग़लत इसके निर्णय का आधार क्या हो सकता है?' यहाँ 'मार्ग' के बजाय 'सदसद् विवेक' पद का प्रयोग भी किया जा सकता है और इस प्रकार प्रश्न को नैतिक वरण तक सीमित किया जा सकता है।

अब, इसका संक्षेप में उत्तर हम इस प्रकार देना चाहेंगे—वरण कर्म की वैकल्पिक परिस्थितियों में एक के स्वीकार और शेष के अस्वीकार में होता है। इस प्रकार वरण वास्तव में संसार में अपने होने के रूप और प्रकार का वरण ही होता है। वरण से पूर्व वास्तव में हम 'हम'—स्व-तन्त्र—होते ही नहीं, केवल पर-तन्त्र (वासना-तन्त्र, कामना-तन्त्र, संस्कार-तन्त्र) होते हैं। इस प्रकार हम संसार में वरणपूर्वक ही होते हैं। उदाहरण के लिए, एक नितान्त संकट की घड़ी में सत्य और असत्य के बीच चयन का प्रसंग होने पर हम जो चुनते हैं वह उस अवसर विशेष पर सत्य या असत्य बोलने, सत्य अथवा असत्य करने को नहीं बल्कि अपने होने के रूप और प्रकार को चुनते हैं। इस तरह कहा जा सकता है कि हम जो भी होते हैं, जैसे भी होते हैं, अपने वरण से ही होते हैं। हमारे संसार में आने को माँ के गर्भ में आने अथवा गर्भ से बाहर आने के अर्थ में नहीं लेना चाहिए, क्योंकि हम वास्तव में तभी 'हम' होते हैं जब हम अपने होने के रूप का वरण करते हैं, अपने को स्वरूप देते हैं। द्रष्टव्य है कि वरण उचित और अनुचित, स्वधर्म और परधर्म, यथार्थ के बीच विवेक करने और उस विवेक के अनुसार अपने को नियुक्त करने, अपने को सर्जित करने को कहते हैं। इसलिए ऐसा प्रत्येक निर्णायक क्षण हमारे पुनर्जन्म का ही क्षण होता है, माँ के गर्भ में आने या बाहर आने का क्षण नहीं। इसे पुनर्जन्म, 'संसार में नवागमन' कहना इसलिए उचित है क्योंकि विवेक संस्कार और वासना से, अर्थात् अपने अतीत और आवरणों से मुक्ति को पूर्वपिक्षित करता है। अब, कहा जा सकता है कि अधिकांश मनुष्य तो अपनी प्राकृतिक प्रवृत्तियों के अधीन ही होते हैं—अवश। क्या

उनके लिए भी यह कहा जा सकता है कि वैसे वे वरणपूर्वक ही होते हैं? इसका उत्तर होगा कि क्योंकि वे इस योग्य होते हैं कि वे इस प्रमाद, सम्मोह और अवशता के भाव को, होने के उस रूप को त्याग दें, उसमें बने रहने को अस्वीकार कर दें, इसलिए वे ऐसा नहीं करने का वरण करते भी कहे जा सकते हैं।विवेक और संकल्प आठों पहर तलवार की धार पर रहना है, इसीलिए यह भयानक जोखम से भरा होता है। कहा जा सकता है कि ऐसे जोखम के जीवन से बचना भी वरण ही है, आराम के जीवन का वरण अथवा कहें, वरण से बचने का वरण। अथवा आप यह भी कह सकते हैं कि ऐसे लोग स्वत्व से रहित होते हैं और इस प्रकार वरण करने के अयोग्य होते हैं।

आधुनिकता, दर्शन और कविता[1]

इधर लगभग दो दशाब्दों से, वास्तव में 'तारसप्तक' का प्रथम संकलन प्रकाशित होने के समय से ही, हिन्दी साहित्य में सामान्य रूप से और हिन्दी काव्य-क्षेत्र में विशेष रूप से आधुनिकता की बहुत चर्चा है। 'आधुनिकता' शब्द इस प्रसंग में मात्र काल-वाचक नहीं है, यह विशेष काल से सम्बद्ध विशेष प्रवृत्तियों का वाचक है। आरम्भ में इन प्रवृत्तियों का नामकरण 'प्रयोगवाद' हुआ और धीरे-धीरे क्रमश: इनका नाम 'आधुनिकता' हो गया। यह युग आंदोलनों का युग है और हर नया आंदोलन पिछले को वाचाल प्रचार के द्वारा निकाल बाहर करता है—लगभग पीछा करके भगा देता है। इसमें गुण-दोष, उपयुक्तता-अनुपयुक्तता का कोई महत्त्व नहीं है। यह स्थिति छायावाद-काल से ही देखी जा सकती है। 'प्रयोगवाद' फैशन में आते-आते 'आधुनिकतावाद' में नामांतरित हो गया और तब यह प्रगतिवाद से जूझता रहा। अब फैशन में आने पर इसने न केवल अन्य सब प्रवृत्तियों को निकाल बाहर किया है, बल्कि अज्ञेय जी जैसे अपने प्रतिष्ठापकों पर भी भूँकना शुरू किया है। यह काव्योचित न्याय है।

मैं देर से इस आंदोलन की कुछ प्रवृत्तियों का विरोधी रहा हूँ, यद्यपि साहित्य-क्षेत्र से 1952 से मेरे उपरत हो जाने के बाद इस सम्बन्ध में कुछ लिखने का विशेष प्रसंग नहीं बना। तब भी 'कल्पना' के सम्भवत: 1957 के किसी अंक में मेरा एक लेख इस सम्बन्ध में प्रकाशित हुआ था और उसके बाद अब इधर 'आलोचना' में दो टिप्पणियाँ प्रकाशित हुई हैं। इस आन्दोलन से मेरा विरोध आधारभूत है और इसके बारे में सोचते हुए मेरा मन उद्विग्न और क्षुब्ध हो उठता है। मेरे विचार में यह 'वाद' कुछ भयानक भ्रान्तियों का शिकार है।

'आधुनिक' वे सब होते हैं जो बौद्धिक रूप से जागरूक होते हैं, कुछ लोग 'आधुनिक' से आगे भी होते हैं और वे युग को आगे ले जाते हैं। किन्तु प्रस्तुत 'आधुनिकतावाद' की विशिष्टता दूसरी बात में है। यह इस बात में है, और इसी बात में यह है, कि यह यूरोप को विश्व-नायक मानता है और युद्ध की विभीषिका तथा जीवन-दृष्टि की वैज्ञानिकता से प्रसूत उसकी निराशा, ग्लानि, निर्लक्ष्यता तथा मनोविकार को आदर्श रूप में ग्रहण करता है। यूरोप युग-नायक है इसमें सन्देह नहीं, किन्तु यह होना भी चाहिए, यह विचारणीय है। इसी प्रकार से निराशा, ग्लानि, निर्लक्ष्यता तथा तज्जन्य मनोविकार यूरोपीय मन:स्थिति है, मान लीजिए कि वह हमारी भी है, किन्तु यह होनी भी चाहिए, यह दूसरी बात है।

इसके प्रतिवाद में दो बातें कही जा सकती है। एक तो यह कि साहित्यिक युग का चितेरा होता है, और दूसरी यह कि साहित्यिक युग-मन:स्थिति का सहभोक्ता होता है और परिणामत: वह अपना अनुभव कहता है। 'आधुनिकतावादी' लोग आज दूसरी बात कहते हैं, इसलिए प्रथम की आलोचना मैं यहाँ नहीं करूँगा। जहाँ तक सहभोक्ता होने का सम्बन्ध है, इस धारणा में एक मूलभूत भ्रान्ति निहित है, और वह यह कि यह नहीं समझा जा रहा है कि 'भोग' 'बोध' नहीं है और ऐसी अवस्थाओं में, जहाँ भोग 'उपयुक्त' और 'वांछनीय' का विपरीत होता है, वहाँ वह बोध का बाधक होता है। बोध आलोचक होता है, भोक्ता नहीं। आधुनिकता के समर्थक भी जब आधुनिकता का समर्थन करते हैं तब वे भोक्ता नहीं होते, उसकी वांछनीयता के प्रतिपादक होते हैं। यह प्रतिपादन मात्र का स्वरूप है कि वह वांछनीयता के सन्दर्भ में होता है उपभोक्ता की भूमिका में नहीं। कवि भोक्ता की भूमिका

1. कविता संग्रह — **अग्निबीज,** प्र. भारतीय ज्ञानपीठ, वाराणसी, 1966 तथा **क्षण और लक्षण,** प्रकाशक राधाकृष्ण प्रकाशन, नई दिल्ली, 1967, लेखक गोविन्दचन्द्र पाण्डे।

में होता ही नहीं, यह हम नहीं कहेंगे, किन्तु वह आलोचक नहीं होता यह भी कोई स्वीकार नहीं करेगा। इस प्रकार से उसे अपने व्यक्तित्व को दो प्रकार से जीना होता है—उसे विष-पायी जैसा होना होता है। यदि उसे युग का प्रतिनिधि होना है तब उससे भोक्ता मात्र नहीं द्रष्टा होने की अपेक्षा भी होगी। अब द्रष्टा, प्रबुद्ध कवि निर्लक्ष्यता और मनोविकार को वांछनीय कैसे मानेगा? यदि युग इन मन:स्थितियों से पीड़ित है तब वह युग को उसका प्रतिबिम्ब दिखा कर आत्मालोचक बना सकता है। यही वांछनीय है।

आधुनिकतावाद के चारणों का स्वर बहुत तीक्ष्ण और तार होने पर भी अभी बहुत-से कवि हिन्दी में हैं जो इस तथाकथित 'वाद' से आतंकित नहीं हैं, किन्तु ऐसे कवि बहुत कम हैं जो व्यापक युग-बोध से महिमान्वित हैं। आधुनिकता के वास्तविक नायक ऐसे कवि ही हो सकते हैं। श्री गोविन्द्रचन्द्र पाण्डे की इधर प्रकाशित काव्य-कृतियाँ इस दिशा में एक महत्त्वपूर्ण कदम हैं। इनमें भी **क्षण और लक्षण** विशेष रूप से महत्त्वपूर्ण है। समभवत: पिछले दो दशाब्दों में प्रकाशित सब काव्य-संग्रहों से यह इस दृष्टि से उत्कर्ष पर है कि इसमें आधुनिक ज्ञान-विज्ञान और अनुभव के परिचय से परिष्कारित बुद्धिजन्य संवेदना को अभिव्यक्ति मिली है। पाण्डे जी इस अर्थ में तो आधुनिक नहीं हैं कि वे अमरीका, इंगलैंड, फ्रांस के कवियों के अनुभव को जीने का प्रयत्न करते हैं और उस अनुभव की जनक परिस्थिति और दर्शन के बारे में कुछ नहीं जानते, वे इस अर्थ में आधुनिक हैं कि वे आधुनिक विज्ञान, दर्शन, कला और समाज-स्थिति के ज्ञान से पुरस्कृत और उसकी ऐतिहासिकता के रूप से परिचित हैं और इस ज्ञान तथा परिचय का संवेदन कर सकते हैं।

एक बार मैंने पाण्डे जी से कहा, आपकी कविताओं में जो एक सहज प्रसन्न भाव का विकास है वह आपके जीवन में नहीं मिलता। इसका उन्होंने जो उत्तर दिया वह अत्यन्त महत्त्वपूर्ण है। उन्होंने कहा, "कविता तो मूल्य की अभिव्यक्ति होती है। 'यह 'जिये गये क्षणों' की बात करने वालों को एक चुनौती है। अनुभव की समग्रता 'जिया गया क्षण' नहीं होता, भाव्य की वह गरिमा भी होती है जिसमें 'जिया गया क्षण' अपने को निरूपित करके अर्थवान होता है। जो लोग 'जिये गये क्षण' की बात करते हैं वे भी वास्तव में काव्य में इसे अभिव्यक्ति नहीं देते, वे इस नाम से केवल गरिमाहीन निदर्श को आदर्श रूप में स्थापित करते हैं। किन्तु 'जिये गये क्षण' में अथवा उसके ममीकृत शव में किसी अन्य की रुचि क्यों हो? इस प्रकार के 'क्षणवाद' की अर्थापत्ति को कुछ सनक से पूर्ण लोगों ने स्वीकार किया है और वे ऐसी कविताएँ ही लिखते हैं जिनसे 'अन्य' का कोई प्रयोजन नहीं हो, बल्कि जिनमें अन्यों का बहिष्कार प्रयोज्य हो। स्पष्टत: उन्हें कुछ नहीं समझाया जा सकता, क्योंकि समझ सम्बन्धी किसी मानदण्ड को वे स्वीकार करने को तैयार नहीं होंगे। किन्तु जो उस सीमा तक नहीं गये हैं वे देख सकते हैं कि 'जिये गये क्षणों' को भाव्य क्षण से शर-विद्ध होना होता है, और जितने ही विकच रूप से यह भाव्य क्षण किसी बोध में रहता है उतना ही उस व्यक्ति का व्यक्तित्व गरिमावान् होता है।

पाण्डे जी की कविता में मूल्य की यह गरिमा प्रसन्न भाव में विद्यमान है, उनकी कविताओं में सर्दियों की स्वच्छ दोपहर की सी प्रसन्नता है, वीचि-रव का-सा शान्त संगीत है ओर पूजा-मन्दिर की-सी पवित्रता है, और यह सब झीनी सूक्ष्म व्यंजना से विदग्ध है। मेरा यह निरूपण अलग से कविता करने का प्रयत्न नहीं है। उनकी कविता के वातावरण का, विशेष रूप से **क्षण और लक्षण** संग्रह के, और किसी प्रकार से आभास नहीं दिया जा सकता। पाण्डे जी की कविताओं में एक विशेषता और है, और वह यह कि इनका कथ्य चिंतनात्मक होने पर भी केवल काव्य-विधा में ही अभिव्यक्त हो सकता है। जहाँ वे अत्यन्त निगूढ़ दार्शनिक सूत्र भी कहते हैं वहाँ भी वह काव्यात्मक कथ्य बन कर ही व्यक्ति हुआ है। दो उदाहरण देखें :

धूप निकल आयी
लाख बच्चों की हँसी-सी
सारा जग बन गया सूर्यमुखी
लान पर आरामकुर्सियों डालो
धूप गिरने दो अपने मुख पर

बालों पर सुनहरी
मुस्कुराहट पर लाल-सफेद
बैठी रहो अव्यस्त
यों ही लापरवाह।

(क्षण और लक्षण)

इस कविता में वातावरण की प्रसन्नता और प्रशान्तता तथा वर्णन की सूक्ष्मता और विदग्धता द्रष्टव्य है। धूप की उपमा 'लाख बच्चों की हँसी' के साथ उसकी मधुरिमा, उत्फुल्लता, कोमल गर्माई तथा मन और परिवेश की सुखमयता को एक साथ व्यक्त कर देती है, जग का सूर्यमुखी बनना धूप की कमनीयता और प्रियता को सहज अभिव्यक्ति देता है और आगे की पंक्तियों में सौन्दर्य, अलस हृदय की सहज-मुक्त भाव जैसे निष्प्रयास व्यक्त हो गये हैं। इस सबसे ऊपर है संवेद्य गुणों का सुरुचिपूर्ण हल्कापन—वर्ण, गंध, शब्द, स्पर्श, रस और संवेग कोई भी तीव्र, गहन या स्थूल नहीं। एक अन्य कविता देखें 'वाक्' शीर्षक :

आरती करती वाक्
झल्मला ज्योतिश्चक्र
देखते-सुनते अवाक्
स्पन्दित प्राण समग्र
मध्य से रश्मि-प्रसार
झलकते अर्थ-भुवन
शंख से शुभ्राकार
खिलते उत्पल-नयन

(क्षण और लक्षण)

वाक् एक ओर अमूर्त्त प्रत्यय है और दूसरी ओर मूर्त्त क्रिया, और इन दो छोरों के बीच है अर्थ का विराट् विश्व, जो न मूर्त्त है न अमूर्त्त, अथवा कहें जो दोनों है। दार्शनिक इसका विवेचन कर सकता है, इसके तत्त्व को परिभाषित कर सकता है, किन्तु इसे 'दिखा' नहीं सकता, आत्म और तत्त्व को भिन्न करती और मिलाती इस रहस्यमय अवस्तु का संवेदन नहीं दे सकता, यह केवल कलाकार कर सकता है, वह भी केवल तब यदि वह मूर्त्त और अमूर्त्त के बीच वाक् और वाक् से उत्तर के बीच भेदाभेद देख सके और विभिन्न संवेदनाओं की अनेकता के आर-पार झाँक सके। 'वाक् का आरती करना' उसके अपने से महत्तर प्रयोजन को समर्पित होने को व्यंजित करता है, ज्योतिश्चक्र इसकी ज्ञापकता और बोधकता को व्यक्त करता है, यह ज्ञापकता आरती-दीप हो कर एक उदात्त भाव को प्राप्त करती है। यहाँ वाक् अपने परम सत् का साक्षात् करती है और यह साक्षात् वह कविता के माध्यम से ही कर सकती है। इसी प्रकार से 'कैवल्य' कविता देखें :

पेड़ की शाखा पर केवल
एक चिड़िया बैठी चुपचाप
ठण्ड की दुनिया को निश्चल
समेटे अपने ही में आप।

यह कविता इस बात की द्योतक है कि किस प्रकार से वचन केवल कविता के माध्यम से ही अनिवर्चनीयता का निर्वाह कर सकता है। एक पारदर्शी व्यंजना मूर्त्त कल्पना के माध्यम से अनिर्वचनीय अमूर्त्त अर्थ को उद्भासित कर देती है। यहाँ चिड़िया का माध्यम कवि को शायद उपनिषद् के 'द्वा सुपर्णा' आदि पद से ध्यान में आया हो किन्तु ठण्ड की दुनिया का उसमें घनीभूत हो कर सिमटना उसकी अपनी कल्पना है। यद्यपि इस कविता में वह भाव-सांद्रता नहीं है जो ऊपर उद्धृत कविताओं में है, तो भी यह एक शीतल, निश्चल, विराट् एकांत की अनुभूति को जागृत करने में एक सीमा तक सफल है। इसी प्रकार से अर्थ, मूल्य, अन्वेषण का निरूपण देखें :

मन की ध्यामल सत्ता अर्ध–प्रत्यक्ष
एक सम्भावना, अर्ध–सत्य
कर्म से मिलता जिसे व्यवस्थित रूप
व्यक्त हो जाते भाव, उनके परिणाम निगूढ़,
झलकते पिछले मोड़, उद्वेलित मार्ग,
भविष्य के लिए अतीत इतिहास,
गंतव्य की ओर बदलते क्षितिज
झाड़ियाँ, ढाल, मैदान, पहाड़,
धर्मता का स्वरूप उन्नेय।

इसमें चित्रात्मक कल्पना का सहारा भी बहुत कम लिया गया है, पहली चार पंक्तियाँ तो पूर्ण रूप से अमूर्त्त कल्पना द्वारा ही अमूर्त्त दार्शनिक अर्थ को व्यंजित करती हैं, किन्तु तब भी वह दार्शनिक प्रतिपादन नहीं है, यह कविता है। नेय अर्थ का अरूप–चित्रण इससे अधिक काव्यात्मक और लाघवपूर्ण नहीं हो सकता। भवितव्य, चरितार्थ्य, आदर्श का तथ्य अथवा सत् से सम्बन्ध अथवा इनकी परस्परापेक्षा यहाँ काव्याभिषिक्त हुई है।

लक्षण और लक्षण संग्रह के नामकरण में ही कवि का दार्शनिक प्रयोजन स्पष्ट है। क्षण एक अरूप, अवाच्य, अलक्ष्य सत् है जिसमें 'गूँगी बनती वाणी, बहरे कान', क्योंकि इसकी परम समृद्धि अविभाज्य है और अर्थ की सीमा में नहीं आ सकती, यह 'नक्त का अनालोक विधान' ऐसा है जिसमें सब आलोक प्रसुप्त हैं :

दीप्त लौ–लीन आत्म–संधान
खोती प्रतीतियाँ अप्रतिसंख्य।
किन्तु
जकड़ना चाहते 'नाम'
अनुभूति के क्षण

इसी से यह सम्पूर्ण प्रतीति–जगत् उत्पन्न होता है, क्षण लक्षण में उद्भिन्न होता है। किन्तु लक्षण में एक अन्तर्निहित विरोधजन्य तनाव है, यह क्षण के बिना अप्रतिष्ठित है। किन्तु जितना ही लक्षण क्षण को पकड़ने का प्रयत्न करता है उतना ही उससे दूर हटता जाता है :

उलझता जाता जाल
फैलता जितना अधिक
उलझाता सादा सत्य
तथ्य की गाँठें बाँध
हवा में गिरह।

लक्षण केवल अपने को नकार कर ही क्षण को छू सकता है। दार्शनिक के लिए यह एक कठिन पहेली है। किन्तु कवि के लिए?

कहा जा सकता है कि कवि को इस प्रकार से दार्शनिक प्रश्नों में उलझना ही नहीं चाहिए। उसका क्षेत्र ठोस और मूर्त्त अनुभव है। हमारा इस मत से कोई मतभेद नहीं है। कवि को कवि होना चाहिए अन्य कुछ नहीं। किन्तु क्या कवि के अनुभव के लिए कोई विषय निर्धारित किया जा सकता है? और पुन:, क्या कविता की कोई ऐसी परिभाषा निश्चित की जा सकती है जो किसी विषय–वस्तु को उसके लिए अपरिहार्य बना दे? प्रतीकों की सब मानवीय विधाएँ सब कुछ को अपने–अपने आकारों में संरचित करती हैं और यह वे सदा से करती आयी हैं। प्रेम तक कविता का विषय स्वत: नहीं होता, न यह अधिक सहज रूप से होता है, सहज केवल प्रेम होता है, प्रेम की काव्य–रचना नहीं। काव्य–रचित होने के लिए किसी भी विषय–वस्तु को रूपांतरित होना होता है। ऊपर हमने जहाँ दिखाया है कि 'यह कथ्य केवल काव्य–विधा में ही व्यक्त हो सकता है' वहाँ यही दिखाना अभिप्रेत है।

काव्य-विधा में अभिव्यक्त कथ्य उस विधा से स्वतन्त्र कुछ नहीं होता, इसे कवि-दृष्टि उसी प्रकार से उत्कीर्ण करती है जैसे दीमक वल्मीक को। दीमक के लिए मिट्टी भी कोई स्वतन्त्र वस्तु नहीं है, उसका रचना-व्यापार मिट्टी भी कोई स्वतन्त्र वस्तु नहीं है, उसका रचना-व्यापार मिट्टी से लेकर आकार-योजना तक को एक ही विषय के रूप में ग्रहण करता है। इसी प्रकार से, जब हम किसी काव्य-कृति को दार्शनिक कृति कहते हैं तब, यदि वह सफल काव्य-कृति है तो, उसका दर्शन तत्त्व उस अर्थ में दर्शन-तत्त्व नहीं होता जिस अर्थ में दार्शनिक विवेचक का होता है। वह यदि वैसा होगा तब कविता नहीं बन सकेगी, वह पद्यात्मक विवेचन मात्र रह जायगा, जैसाकि बहुत-से कवियों में विशेषत: प्रसाद और पंत में, हम कभी-कभी देखते हैं। काव्य-रचित-दर्शन-तत्त्व उसी प्रकार से 'विवेच्य दर्शन-तत्त्व' नहीं होता जिस प्रकार से वल्मीक में रचित होने वाली दीमक की मिट्टी और मेरे पैरों से दलित होने वाली मिट्टी 'एक' नहीं होतीं—एक रचनाकार दीमक की विषय होती है और दूसरी उसके प्रति उपेक्षापूर्ण पथिक की।

किन्तु आज दार्शनिक कविता विशेष रूप से समीचीन है, यद्यपि सब कालों में और सब स्तरों पर यह होती रही है। **उपनिषदों** में अनेक पद काव्यात्मक हैं, **गीता,** और सामान्य रूप से **महाभारत** का तो कहना ही क्या। कबीर और रवीन्द्र, गोपी-उद्धव-संवाद तक, इसके प्रकृष्ट उदाहरण कहे जा सकते हैं। किन्तु आज दर्शन विशेष रूप से काव्योपयुक्त विषय है। यह दो कारणों से—एक तो इसलिए कि आज का कवि 'पुराने प्रतिमानों के फीके पड़ जाने' के प्रति जागरूक हो उठा है और दूसरे, विज्ञान ने परम्परागत जीवन-दृष्टि को चुनौती देकर हमें जीवन-दृष्टि के महत्त्व के प्रति सचेत कर दिया है। ये दो एक ही स्थिति के दो पक्ष हैं। एक जबकि उन उपकरणों का उपयोग करने में हमें रोकता है जो युगों से काव्य-रचना के लिए सहज उपलब्ध रहे हैं तो दूसरा उन स्थायी भावों को नकारता है जिनसे काव्य अपना जीवन-रस प्राप्त करता है। इनके प्रति सन्देह और विस्तृष्णा आधुनिक मानस को व्यग्र कर रहे हैं :

क्रौंच बैठा हो कभी वल्मीक पर
तो मत समझ
वह अनुष्टुप बाँचता है संगिनी के स्मरण के
जान ले, वह दीमकों की टोह में है।
कविजनोचित हो न चाहे, यही सच्चा साक्ष्य है,
एक दिन तू सोहनी से पूछ लेना। — **अज्ञेय (हरी घास पर क्षण भर)**

पाण्डे जी लिखते हैं :

जब तुम्हें मैंने छुआ
एक जादू टूट गया
यद्यपि सागर गरजता था
और मैं डूबता-सा।
तुम्हें छू कर चाहा
एक परदा हट जाये,
पर अचानक मुझे लगा
तुम अपरिचित हो,
'वह' नहीं
एक 'कोई'। **(अग्नि-बीज)**

'चिर कल्पिता' को छूते ही उसका 'वह' से 'कोई' में परिणत हो जाना एक विशिष्ट आधुनिक मन:स्थिति का द्योतक है। प्राचीन कवि चिर कल्पिता को छू कर केवल कृतार्थ ही हो सकता था, छायावादी कवि उसे छूने का साहस ही नहीं कर सकता था—जादू टूट जाने के भय से नहीं, उसकी दीप्ति की दिव्यता से, किन्तु आधुनिक

कवि सबसे पहला कार्य उसे छू कर जादू तोड़ने का करेगा, और प्राचीन कवि के विपरीत, उससे कृतार्थ नहीं हो कर उससे वितृष्णा अनुभव करेगा। इस कविता में आधुनिकता का थोड़ा अतिक्रमण 'छूने पर सागर गरजने' और 'डूबता-सा होने' में होता है। इसके विपरीत अज्ञेय जी 'सच्चा साक्ष्य' देकर आदि कवि की करुणा को झुठलाना ही उपयुक्त समझते हैं।

किन्तु छू कर 'वह' को 'कोई' में परिणत करें या 'सच्चा साक्ष्य' दें, यह जीवन को उसकी समग्रता में नहीं देखना है, यह विस्थित करना है। यह स्वयं कोई स्थिति नहीं है, यह दृष्टि अधिक नहीं है, अधिक-से-अधिक यह दृष्टि के लिए भटकने का सूचक है। किन्तु इसे प्रतिष्ठा अब क्रौंच को पुन: विरह-सन्तप्त देखने से नहीं मिल सकती, क्योंकि वह दृष्टि अब एक बार और सदा के लिए चुक गयी। इसे प्रतिष्ठा ऐसा नवीन जीवन-दर्शन ही दे सकता है जो इस सन्देह का समावेश कर इसका अतिक्रमण कर सके। इसके बिना यह अनास्था का स्वर मात्र रह जायेगा। दुर्भाग्य की बात यह है कि अनास्था को आधुनिक कविता की दृष्टि माना जा रहा है। अनास्था 'दृष्टि' कैसे हो सकती है, यह मेरे मस्तिष्क में पैठ नहीं पाया। अनास्था मन:स्थिति है जिसका दृष्टि को अतिक्रमण करना होता है। पाण्डे जी ने बहुत सफलता के साथ यह **क्षण और लक्षण** संग्रह में किया है। सबसे बड़ी बात यह है कि उन्होंने पुराने उपमानों का निषेध मात्र नहीं किया है, उन्होंने यह निषेध नये उपमान गढ़ कर किया है। **क्षण और लक्षण** संग्रह में वे इसी भूमिका में है। एक उदाहरण 'सौहार्द' कविता से देखें :

ममता की बाहें
समेटना चाहतीं विश्व,
अपने से रहतीं अजनबी,
नकार के महीन तंतु
बनाते उन्हें कोश-कृमि,
जादुई पल में खुलते कभी
कर्कश हमारे घेरे यदि
शिलाएँ बन जातीं सहसा
गवाक्ष-सी पारदर्शी,
झलक जाता अपरिचित एक
विराट् आलोक-दृश्य:
परस्पर अनावरण
असंख्य मणियों का जाल
झलमलाता प्रतिबिंबित जहाँ
सभी प्रत्येक में।

उनके **अग्नि-बीज** संग्रह में विभिन्न प्रकार की कविताएँ है, इसमें कवि बाह्यमुखी अधिक है। यद्यपि इस संग्रह में भी अनास्था का स्वर कहीं नहीं है, यह पाण्डे जी की संस्कृति के ही विपरीत है, किन्तु तब भी इसके विषय-वस्तु और शिल्प 'आधुनिक' कवि को अधिक स्वीकार्य होंगे। इस संग्रह की पहली कविता 'थर्मोडायनामिक्स' है। 'थमोडायनामिक्स' एक वैज्ञानिक सिद्धान्त है जिसके दूसरे नियम के अनुसार ब्रह्माण्ड निरन्तर विस्तारमान है। किन्तु जैसे-जैसे पिंड एक-दूसरे से दूर हटते जाते हैं वैसे-वैसे ब्रह्माण्ड में तापमान कम होता जाता है। इस प्रकार से इसी नियम के अनुसार ब्रह्माण्ड निरन्तर ताप-ह्रास की ओर बढ़ रहा है। परिणामत: एक समय आएगा जब पिण्ड ठण्डे पड़ जाएंगे और यह विश्व-लीला समाप्त हो जायेगी। पाण्डे जी की कल्पना इस सिद्धान्त का उपयोग प्रेम की अमरता में सन्देह के रूप में करती है :

अस्तित्व के कानून ने हर आग पर
वह 'दूसरी धारा' लगायी है,

पेश करती मिसिल जिसकी जलजला कर
ज़िन्दगी भी :
प्रीति के अनुबंध में फिर अमरता की
शर्त कैसे निभ सकेगी
चाह भी जब आग-सी है?

इस कविता की विशेषता कल्पना की मौलिकता, उसके सफल निर्वाह तथा चमत्कार में है। चमत्कार 'चाह की आग' के आलंकारिक प्रयोग को सामान्य कथन में रूपांतरित कर देने में है। यह काव्योचित विदग्धता का सुन्दर उदाहरण है। इस संग्रह की कविताएँ कवि के व्यक्तित्व के उससे सर्वथा भिन्न आयाम को व्यक्त करती हैं जो **क्षण और लक्षण** में दिखायी देता है। यहाँ हम केवल एक उदाहरण और देंगे, शीर्षक है 'पल्टनिया' :

मूँछे बिना मोम के अकड़ीं
आँखें अध-जागे चीते-सी
सिर बंदूकों के कुंदों-सा
नैन्सी सजी हुई गुड़िया-सी।
कहीं निशाना पड़े, न चिन्ता
बातें छूट रहीं गोली-सी।

यह कविता यद्यपि इस संग्रह की प्रतिनिधि कविता नहीं है किन्तु इस संग्रह से ऊपर दिये गये तीन उद्धरण मिलकर इस संग्रह का पर्याप्त आभास दे सकते हैं। इस संग्रह में लगभग 15 वर्ष की दीर्घ अवधि में लिखी गयी कविताएँ संकलित हैं और इसलिए कुछ कविताएँ **क्षण और लक्षण** के निकट भी पड़ती हैं। किन्तु सब मिलाकर यह संग्रह मुझे उतना अच्छा नहीं लगा जितना **क्षण और लक्षण** संग्रह। कवि के दोनों संग्रहों में एक दोष सम्प्रेषण के प्रति उसकी उपेक्षा है—इस अर्थ में विशेष नहीं कि ये अस्पष्ट है, क्योंकि कवि एक कुशल शिल्पी है, इसलिए अस्पष्टता का तो प्रश्न ही उत्पन्न नहीं होता, बल्कि एक-दूसरे अर्थ में, और वह यह कि बहुत-सी कविताओं के शीर्षक व्याख्या या परिचय की अपेक्षा करते हैं। उदाहरणत: अश्तोरेथ, जेन, वैन-गो आदि **अग्नि-बीज** में और सामुराई, लाक्रिमाइ सुन्त रेरुम, लिए-त्जु आदि **क्षण और लक्षण** में। इसी प्रकार, कभी-कभी पाण्डे जी शब्दों का प्राचीन परिभाषाओं के अनुसार भी प्रयोग करते हैं। पाठक के प्रति कवि की यह उपेक्षा अक्षम्य है। किन्तु खैर, यह अवांतर बात है।[1]

1. यह लेख 1968 में कभी लिखा गया था और श्री बालकृष्ण द्वारा द्वारा सम्पादित **माध्यम** पत्रिका में प्रकाशित हुआ था।

एक हंस–चेतना की काव्य–रचना[1]

पाण्डे जी का यह तीसरा काव्य–संग्रह उनके दूसरे काव्य–संग्रह के 28 वर्ष बाद प्रकाशित हुआ है। इसका कारण यही है कि काव्य–सृजन उनकी अनेक आयामात्मक सृजन–शीलता में एक आयाम है, और बहुत कुछ यह गौण आयाम भी है, कम–से–कम मात्रात्मक दृष्टि से। वे मुख्य रूप से विद्वान् और विचारक के रूप में ही जाने जाते हैं और इन दोनों रूपों में वे बहुत उच्च पर प्रतिष्ठित हैं। इसी कारण उनका कवित्व का पक्ष वह प्रतिष्ठा नहीं पा सका जिसका वह अधिकारी है। लोक–बुद्धि में, कम–से–कम वर्तमान काल में, पाण्डित्य का वैचारिकता से और इन दोनों का काव्य से विरोध रूढ़ है, इसलिए पाण्डे जी की पंडित और विचारक के रूप में प्रतिष्ठा उन्हें कवि के रूप में सहज रूप से अग्राह्य बना देती है। अधिकांश में यह सही भी है कि पंडित और विचारक कवि नहीं होते और कवि प्रतिष्ठित पंडित या विचार नहीं होते। किन्तु इसके अपवाद भी मिलते हैं। श्रीहर्ष एक ओर **खण्डनखण्डखाद्य** जैसे जटिल तार्किक–दार्शनिक ग्रन्थ के रचयिता थे और दूसरी ओर **नैषधचरित** जैसे उच्च कोटि के महाकाव्य के। ज्याँ पॉल सार्त्र दार्शनिक और उपन्यास–लेखक दोनों रूपों में समान रूप से प्रतिष्ठित हैं। मैं निश्चित रूप से कह सकता हूँ कि पाण्डे जी तीनों दृष्टियों से समान आदर के अधिकारी हैं।

* * *

हंसिका के प्राक्कथन में पाण्डे जी ने इन कविताओं की मनोभूमि के सम्बन्ध में जो कहा है वह बहुत महत्त्वपूर्ण है। वे कहते हैं "इन कविताओं का उत्स न तो स्थूल जीवन–संघर्ष की प्रतिक्रियाएँ हैं, न कोई सामाजिक–राजनीतिक विचारधारा, न किसी सामाजिक कार्यकर्त्ता का कर्मठ उत्साह, न अपूर्व ज्ञान–दर्शन, न अपने व्यक्तित्व में किसी महत्ता की प्रतीति।" अधिकांश आधुनिक काव्य की रचना इनमें से ही किसी भाव की भूमि पर होती है। वास्तव में इन सभी भावों की भूमि प्रतिक्रियात्मक या उद्वेगात्मक मनोमूलक ही होती है, जिससे उत्तीर्ण होकर ही पाण्डे जी कवि–कर्म में प्रवृत्त होते प्रतीत होते हैं। तब यह भूमि कैसी है? इसका निरूपण करते हुए पाण्डे जी कहते हैं "इन कविताओं के मूल में प्राय: द्वन्द्वात्मक प्रतीतियों और अनुभूतियों का विमर्श रहा है, जैसे काल–बोध और आत्मसत्ताबोध, रूप का आभास और अरूप का संकेत, आगमिक आस्था और तार्किक संशय, स्मृति और निष्कृति का पुनरावर्त्तन और परावर्त्तन।" इन कविताओं की मनोभूमि का यह निरूपण सही हो सकता है किन्तु मुझे इस भूमि को 'भावों का संकेत करती हुई प्रतीतियों का विमर्श', अथवा और अधिक सम्यक् रूप से कहें तो 'प्रतीतिगत भाव–संकेतों का विमर्श' कहना अधिक सही प्रतीत होता है। यह मुख्य रूप से चित्रकला का कार्य है। किन्तु चित्रकला का माध्यम रूप–रेखात्मक होने से उसकी विमृश्य प्रतीतियों का क्षेत्र बहुत सीमित होता है और प्रतीतिगत संकेत के रूप भी बहुत सीमित हो जाते हैं। भाषा इन सीमाओं का अतिक्रमण कर पाती है। हंसिका की अधिकांश कविताएँ चित्रात्मक हैं, संकेतात्मक प्रतीतियों के अत्यधिक कुशल चित्र और चित्रगत संकेतों की अत्यधिक कुशल व्यंजनाएँ। ऐसा नहीं है कि हंसिका की सभी कविताएँ इसी प्रकार की हैं, किन्तु ऐसी कविताएँ ही अधिक हैं और वे ही अधिक समर्थ भी हैं। यहाँ कुछ उदाहरण देखें। सबसे पहली कविता का विषय निकोलस रोरिक के चित्र देख कर उपजे कवि के हृदय के भाव हैं। इसमें रोरिक के रंग–रेखात्मक चित्रों की तद्रूप प्रस्तुति और इस प्रस्तुति के व्यंग्य भावों की व्यंजना ये दोनों हैं। इन चित्रों के व्यंग्य भावों से उद्दीप्त समन्वित भाव को पाण्डे जी ने 'निर्वाण' नाम दिया है जो इस कविता का मुख्य शीर्षक है। इस प्रकार इस कविता में रोरिक के चित्र निरूप्य और निर्वाण की–सी अनुभूति के उद्‌बोधक भाव व्यंग्य हैं। किन्तु अधिकांश चित्र

1. हंसिका (कविता संग्रह) — गोविन्दचन्द्र पाण्डे, प्रकाशक - राका प्रकाशन, इलाहाबाद, 1994

वाचक होते हैं, उनके वाच्य कोई रूपित बाह्यार्थ होते हैं, चाहे वे कल्पित बाह्यार्थ ही क्यों न हों। रोरिक के चित्रों के वाच्य बाह्यार्थ हिमालय की पर्वत-शृंखलाएँ हैं। इस प्रकार इस कविता का विषय रोरिक के चित्र ही नहीं हिमालय की शृंखलाएँ भी हैं जिन तक रोरिक के चित्र दर्शक को सहज ही ले जाते हैं। यह सब इस कविता में बहुत मार्मिक रूप से सम्पन्न हुआ है—

अरूप आकाश के पट पर / गहरे रंगों की तरह /
अभ्र-भेदी चोटियाँ स्तिमित, एकांत
निर्विकार मूर्तियों की तरह/तप में लीन।
निश्चल झेलती हिमपात / ध्यानी मौन में अखण्ड।

यह कवि-भावित पर्वत-शृंखलाओं का वर्णन नहीं होकर रोरिक-चित्र-लिखित का वर्णन है। रोरिक के चित्र चित्रित को केवल प्रस्तुत नहीं करते, चित्रकार की मनोभावना को भी प्रस्तुत करते हैं। ये दोनों संयुक्त रूप से चित्र बनते हैं। इन चित्रों का निरूपण पाण्डे जी इस प्रकार करते हैं—

भावुकता नहीं / न रमणीयता बनायी हुई
एक ठोस सत्ता की प्रतीति / अनगढ़ पहाड़ों के बीच

चित्रों की मनोभूमि विषयक प्रथम दो पंक्तियाँ बहुत महत्त्वपूर्ण हैं। ये सीधे-सादे वर्णनात्मक वाक्य हैं। किन्तु ये चित्र और चित्रित को निर्वाण की चिद्भूमि पर प्रतिष्ठित करते है। किन्तु यहाँ एक और महत्त्वपूर्ण बात है जो लक्षित करने की है—ये पंक्तियाँ जितनी रोरिक के चित्रों के सम्बन्ध में सही हैं उतनी ही पाण्डे जी की कविताओं के सम्बन्ध में भी सही हैं। इन कविताओं में न भावुकता है और न बनायी हुई रमणीयता ही है, इनमें है एक शुभ्र चेतना का प्रसन्न ताटस्थ्य। इससे पाण्डे जी की चिन्तक के रूप में प्रतिष्ठा से पूर्वग्रह-ग्रस्त और असहृदय पाठक-आलोचक उनकी कविताओं को कविताओं के वेष में विचार मान लेते हैं जो अनुचित है, यद्यपि विचार भी वास्तव में कविता के वेष में विचार नहीं रहता, वह कविता ही होता है, और उसका उत्कृष्ट कविता होना या नहीं होना काव्य-रूपत्व की सफलता-असफलता पर ही निर्भर करता है। किन्तु काव्य-वेष का अर्थ छन्द नहीं है बल्कि वह सम्पूर्ण रचना-प्रकार है जो कविता बनाता है। यह बात चित्र के उदाहरण से सहज ही समझी जा सकती है। किसी विचार से प्रेरित होकर बनाया गया चित्र विचार नहीं रहता, वह चित्र ही होता है और चित्र के रूप में उसकी सफलता-असफलता विचार-प्रतिपादन के रूप में उसकी सफलता-असफलता से आधारभूत रूप में भिन्न होती है। चित्र की सफलता-असफलता रूप और रंग की व्यंजकता पर निर्भर करती है और यह व्यंजकता चित्रकार की कल्पनाशीलता और चित्रण-कौशल पर निर्भर करती है। यही बात कविता के लिए भी है। अद्वैतिक विचार कबीर की कविता में युक्ति और व्याख्या का रूप तज कर ही उपस्थित होता है, जोकि उसका स्व-रूप है, तभी वह काव्य बन पाता है। यही बात पाण्डे जी की कविता के सम्बन्ध में भी सही है, जैसाकि हम अभी देखेंगे। वह सफल काव्य है, उसमें विचार की खोज आलोचक के पूर्वग्रह की सूचक ही हो सकती है। यहाँ रोरिक के चित्रों का 'भावुकता और बनायी हुई रमणीयता' से रहित रूप में निरूपण पुन: ध्यातव्य है। उसकी व्यंजना का यह गुण उन्हें कलात्मकता में क्षीण नहीं करता, इस भाव की व्यंजना में सफलता से ही वे सफल चित्र बनते हैं। यही बात पाण्डे जी की कविताओं के सम्बन्ध में भी सही है। यहाँ इस कविता की तुलना महादेवी जी की दीपशिखा संग्रह की 'ओ चिर नीरव' कविता से करना उपयोगी होगा :

ओ चिर नीरव / मैं सरित विकल
तेरी समाधि की सिद्धि अकल / चिर निद्रा में सपनों का पल
ले चली लास में लय-गौरव
मैं अश्रु-तरल/तेरे ही प्राणों की हलचल
पा तेरी साधों का सम्बल / मैं फूट पड़ी ले स्वर-वैभव

हिमालय विषयक इस कविता में 'भावुकता और बनायी हुई रमणीयता' की मनोभूमि स्पष्ट है। इसमें शब्दों का चयन इस प्रकार की मनोभूमि की रचना के उद्देश्य से ही हुआ है, अन्यथा चाहे भावना कितनी भी दुर्बल है और रमणीयता चाहे है और चाहे नहीं है। इसे और स्पष्ट रूप से **दीपशिखा** की पहली कविता से देखा जा सकता है :

दीप मेरे जल अकंपित / घुल अचंचल
सिन्धु का उच्छ्वास घन है / तड़ित तम का विकल मन है
भीति क्या नभ है व्यथा का / आँसुओं से सिक्त अंचल

इसके विपरीत पाण्डे जी की इस कविता का शब्द-चयन द्रष्टव्य है :

ऊँचे पहाड़ों में खोयी / धूप की कान्ति
शिलाओं से बना आकाश / छायाएँ पसरीं अचल।
पत्थरों के धूमिल रंग कत्थई, नीले, काले / बिखरे चित्र।

दीपशिखा की दोनों कविताएँ जबकि रूपक और उत्प्रेक्षा की 'बनायी हुई' परोक्षता में कल्पित हैं और इनके उपमान प्रत्यक्ष रूप से भावोद्दीपक हैं 'निर्वाण' कविता में रूपक या उत्प्रेक्षा से परोक्षता रचित नहीं है, इसमें परोक्षता अभिधा में ही उभरी है, जैसे भावक मन के लिए प्रकृति परोक्षता रचती है : अनुभूतिशील मन के लिए रमणीय या अद्भुत प्राकृतिक दृश्य भी एक संकेत बन जाता है और इस प्रकार संकेतित के परोक्ष हो जाता है। उसी प्रकार यह कविता है : इसमें प्रकृति की ही संकेतात्मकता बिना किसी परोक्षता-विधान के प्रस्तुत हुई है। हंसिका की कविताओं की यह विशेषता दूसरी कविता 'तीन रंग' में और स्पष्ट रूप से देखी जा सकती है :

आसमान पर एकसार/सिलेटी धूमिल चिकना
पत्तों पर धुल कर हरा। दमकता निखार
ज़मीन पर भूरी परत / धुलती फैली आर्द्र
हर्ष की एक लहर / सिन्धु के जल-सी हरी / डुबाती सूखा तट
शिलाएँ अचल उदास / हवा बिखेरती रेत
अन्यमनस्क हरित श्याम के बीच / रहती मौन

यहाँ शब्दों का प्राय: अभिधात्मक प्रयोग है, लाक्षणिक या व्यंजक नहीं, सिवाय अंतिम चार पंक्तियों में 'उदास, अन्यमनस्क और मौन' विशेषणों के, जो जड़ प्रकृति के लिए प्रयुक्त नहीं किये जा सकते, मनुष्य के लिए ही प्रयुक्त किये जा सकते हैं। इनसे पहले की तीन पंक्तियों में उपमा और रूपक भी हैं, किन्तु दोनों नितान्त सहज और प्रचलित, या परम्परा-रूढ़ नहीं होने पर भी विचित्रता से रहित हैं। किन्तु भाषा के अभिधात्मक प्रयोग में वस्तुओं, रूपों या प्रतीतियों की एक व्यवस्था बनती है, हमारे देखने मात्र से यह दृश्य में उद्भूत हो जाती है, और भाषा में ध्वनियाँ जैसे वर्णों में, वर्ण शब्दों में, शब्द वाक्यों में और वाक्य अर्थों में तिरोहित हो जाते हैं, उसी प्रकार दृश्य वस्तुएँ और रूप अनुभूतिशील दृष्टि में समर्पित होकर संकेतात्मकता में तिरोहित हो जाते हैं। इस कविता के शीर्षक 'तीन रंग' को ही देखें। इसमें एक, एक, एक रंग त्रैत में समवेत हैं, कवि ने इनके बीच विराम-चिह्नों का प्रयोग भी नहीं किया है। किन्तु तब भी, तीन रंगों के वाचक तीन शब्दों के होने से कोई कविता नहीं बन जाती। किन्तु इस नितान्त 'वर्णनात्मक' शीर्षक के द्वारा कवि दृश्य की संकेतात्मकता को प्रकट करना चाहता है और संकेतित को अनिर्दिष्ट ही छोड़ देता है। संकेतित यहाँ भाव है जो प्राकृतिक दृश्य से कवि के हृदय में जगा है। इस दृश्य को उसकी संकेतात्मकता के साथ कवि ने कितनी सफलतापूर्वक प्रस्तुत किया है यह तो सहृदयों के द्वारा देखा जा सकता है, समीक्षक के लिए कुछ बताने को यहाँ नहीं है—अलंकार, न उक्ति-वैचित्र्य, न वैदग्ध्य-प्रदर्शन के लिए किसी प्रकार का कोई अन्य आयोजन। यहाँ केवल अनाविल-स्वच्छ चेतना द्वारा प्रकृति-दर्शन का शुद्ध सुखानुभव ही है जिसे स्वयं व्यक्त होने दिया गया है : अर्थात् संवेदातीत साक्षात्कार।

काव्य-विमर्श

अब प्रकृति से हट कर एक दूसरा चित्र देखें। हाँ, चित्र ही। सच पूछें तो यदि किसी को समझना हो कि चित्र की व्यंजकता क्या होती है, उस व्यंजकता का क्या अर्थ हो सकता है, तो वह **हंसिका** की कविताएँ देखे। इनमें वह यह भी देखेगा कि जिस अर्थ का सम्प्रेषण रंग-रेखात्मक चित्र के लिए दु:साध्य, और कभी-कभी असाध्य भी हो सकता है वह शब्द कितनी सफलता और सम्यक्ता से कर सकता है। यहाँ उदाहरण के लिए हम 'सादा सुख' कविता लेंगे। सर्वप्रथम, यह 'सादा सुख' क्या होता है? इस पद का क्या अर्थ है? यह वर्णनात्मक अमूर्त्त पदों में समझाने का न्यूनाधिक असफल प्रयत्न तो किया जा सकता है किन्तु यह ठीक से समझाना असम्भव है। तब इसे चित्र द्वारा दिखाने का प्रयत्न किया जा सकता है, किन्तु उसमें भी पूरी बात नहीं की जा सकती, उतने निश्चित संकेत रंग-रेखाओं में उभारना कठिन है। शब्दों में यह कर पाना सरल है ऐसा मैं नहीं कह रहा, जब तक पाण्डे जी की-सी स्फटिक-शुभ्र चेतना नहीं हो। ऐसी चेतना चित्र द्वारा असाध्य यह कार्य कर सकती है। देखें—

> एक सादी चादर / अनकढ़ी / न फूल न पत्ती कहीं
> असामान्य की गन्ध से-/बबूल के जंगल-सा/ढलता अँधेरा
> केतकी का सबेरा फिर / श्वेतमान आकाश-/ताकने लगता वही/पीला मुख
> अनगिनत झींगुरों की टेर/रहती अस्फुट/
> न कहती रसना कोई/गूँगे का दुख

गूँगा यहाँ जन्म से गूँगा है, शब्दावधारण में असमर्थ। इससे उसका दु:ख अवधारणा से अव्यवहित है, सादा है। यह सादा दु:ख हृदय से संवेद्य है, किन्तु यह निर्वचनात्मक-वर्णनात्मक भाषा द्वारा अग्राह्य है। यह केवल रंग-रेखाओं द्वारा संकेतात्मकतया निरूप्य है। किन्तु इस कविता में वह संकेतों के सहित निरूपित है। यदि कविता पढ़ते समय आप इस चित्र के साथ वह तादात्म्य साध सकें जो कवि ने इस भाव के साथ उसकी शुद्धता में साधा है तब आप इसके स्वरूप का सहज दर्शन पा सकते हैं और साथ ही उस छाया का अपनी संवेदना में अनुभव कर सकते हैं जो दु:ख का ऐसा स्वरूप-दर्शन हृदय पर डालता है।

यह पूरी कविता एक रूपक है, 'सादे दु:ख' के निरूपण के अर्थ में, अलंकार के अर्थ में नहीं। इसमें कोई भावुकता भी नहीं है—सहज या बनायी हुई, किसी भी तरह की। क्योंकि कवि यहाँ अपने दु:ख को उद्गीरित नहीं कर रहा है, उसका विमर्श भी नहीं कर रहा है, वह केवल दु:ख का, उसके शुद्ध स्वरूप में, साक्षात्कार सम्प्रेषित कर रहा है।

अब एक खिन्न मनस्कता का चित्र देखें। शीर्षक है 'कारण'—

> किसी कारण से अज्ञात/लड़की रोने लगी गाते-गाते
> किसी अवार्य कारण से पत्नी नाराज़
> मेरे पास भी कारण हैं-/वह अनुत्तरित पत्र/ धरना देता-सा संघर्ष/गले की फाँस
> बने अधूरे काज/निजी प्रश्न/जिनका हल नहीं/सार्वजनिक प्रश्न/जो छल से भरे,
> धूप सेकते सुबह-/चाय-सी पीते-/लगता कल की शाम/अभी भी अटकी हुई
> धुएँ और धुंध की रात, रास्ता नापते कदम। ठहरे हुए ढोर।
> किसी ठूंठ की छाँह

पिछली कविताओं से भिन्न इस कविता में दु:ख का निजीपन, उसकी वेदना, ये दिखायी पड़ते हैं। किन्तु यह अभिव्यक्ति भी उद्गारात्मक नहीं है, यहाँ भी पहले दो पदों में खिन्नता की सब ओर से घिरती हुई परिस्थिति की कथा है और उसके बाद मन:स्थिति का चित्रात्मक निरूपण। किन्तु रंग-रेखात्मक चित्र में 'इस सुबह' के चाय-सी पीने में अन्यमनस्कता को और 'कल की शाम' के 'अभी भी' अटके होने को रूपायित करना

असम्भव-जैसा है। और फिर खिन्न होने के कारण का विवरण देखते ही बनता है। सब इतना परिचित किन्तु इसीलिए इतना विलक्षण और साँद्र।

यहाँ पुन: ध्यातव्य है कि यहाँ खिन्नता की उद्‌गारात्मक अभिव्यक्ति नहीं है, खिन्न चित्त की अनुभूति-गहनता का रूपायन है। रूपायन के लिए अनुभूति का उसके भोग में विमर्श और उस विमर्श के अनुरूप प्रतीक-रचना की योग्यता आवश्यक है जो उपर्युक्त कविता में पूर्ण सम्पन्नता के साथ प्रतिफलित देखी जा सकती है। किन्तु इस प्रकार की कविताएँ, जिनमें अनुभूति संवेद-रूप में विद्यमान हो, बहुत कम हैं, अथवा कहें यही एक कविता ऐसी है। दूसरी कविताओं में अभिव्यंजक रूप और आकार ही अपनी शुद्धता में प्रस्तुत हैं और अनुभूति उनसे मात्र संकेतित है। यह दूसरे प्रकार का काव्य चेतना की उत्कृष्टता, शुभ्रता और कला-दृष्टि के परिष्कार की महत्तर सिद्धि की अपेक्षा करता है। ऐसी कविताएँ अन्यत्र दुर्लभ होंगी। इन दोनों से भिन्न एक और कविता देखें, जिसमें स्मृति-शेष संवेद निरूपित है और संवेद स्वयं सुखद रहा होने पर भी स्मृति में खिन्नता की एक हल्की छाया-सी डाल रहा है, या कहें छाया भी नहीं, केवल उसका संकेत भी—यदि किसी को वैसा लगे तो। अधिकांशत: प्रिय स्मृतियों के अनियत संकेत खिन्नता की छाया-सी मन पर डालते ही हैं। कविता का शीर्षक है : 'कृष्ण-पक्ष'—

> मई का महीना याद है/पर उसकी गर्मी याद नहीं
> याद है चाँद की खिलखिलाहट/लॉन भरती हुई
> रात के पक्षियों की आवाज़ें कभी कभार/एकान्त में सुनते हुए
> पता नहीं कब सरक गया वह पल/एक छिलका रह गया पारदर्शी
> जिसे खरोंचती रहती स्मृति
> पाकर भी न पाती/फिर से उसे/जैसे झलकता द्रव्यहीन आकार।
> तस्वीर-सा अचेत।

अब एक अन्य मनोभूमि की अभिव्यक्ति देखें। इसका शीर्षक है 'अस्वीकार', और इसमें एक जीवन-शैली का अस्वीकार कर एक अन्य जीवन-शैली के प्रति स्वीकार का द्योतन मात्र है। इसमें यद्यपि विशेष उल्लेखनीय कुछ नहीं है, किन्तु यह इस दृष्टि से उल्लेखनीय है कि इस भाव को, इस मन:स्थिति को अभिव्यक्ति देने वाली अन्य कवियों की कविताओं से यह अपने 'व्यक्तित्व' में भिन्न है—पाण्डे जी के व्यक्तित्व के अनुरूप :

> अन्वेषी खोज लेते प्रणालियाँ/गढ़ते औज़ार, हथियार
> पर मुझे तेज़ नहीं चलना/न हवा में उड़ना/न पुतलों से सरोकार/
> न बढ़ाते जाना लेन-देन, व्यवहार
> साफ सुथरापन नियंत्रित कक्ष्यों का/तेज़ प्रकाश में अच्छाय पदार्थ/
> मुझे लगते शल्य-चिकित्सा प्रतिमान
> मुझे न चाहिए साहसिक अभियान/अँधेरे में तुमुल संग्राम/उल्काएँ प्रेत समान / मुझे चाहिए चिरन्तन अचल/दीपक एक पग धरने के लिए/
> दीपक के लिए आँखें सरल।

इस कविता के व्यक्तित्व का वैशिष्ट्य इसकी व्यंजनाओं के वैशिष्ट्य में है। 'अन्वेषी खोज लेते प्रणालियाँ', 'साफ सुथरापन नियंत्रित कक्ष्यों का/तेज़ प्रकाश में अच्छाय पदार्थ' और अन्तिम पद, जिसमें स्वीकार्य स्थिति की याचना है, ऐसी विशिष्ट और विदग्ध व्यंजनाएँ हैं जिनमें इस सम्पूर्ण संग्रह की कविताओं का वैशिष्ट्य आभासित होता है। 'पग धरने के लिए चिरन्तन अचल दीपक की' और 'इस दीपक की द्युति को देखने के योग्य आँखों की सरलता की' याचना की मार्मिकता और द्रावकता हृदय में उतनी ही गहरी उतरती जाती है जितना हम मनन द्वारा इससे तादात्म्य सिद्ध कर पाते हैं।

मार्मिक भाव की इसी प्रकार की सहज अभिव्यक्ति का एक और उदाहरण देखें—

वे एक सुगन्ध लगाते थे/सन्देह की प्रतीति-सी हल्की
कौन-सी गन्ध है, पूछने पर/वे मुस्करा देते
मैंने बहुत-सी गन्ध छानीं/पर वह रही बेगानी।
अब उसका रहस्य छिप गया वर्षों के नीचे
स्मृति की गन्ध से दब गयी/गन्ध अनजानी।

(अनजानी गन्ध)

'सन्देह की प्रतीति-सी हल्की' में उपमा को देखें। किन्तु यह वास्तव में उपमा नहीं है बल्कि नितान्त सम्यक् विशेषण है जिसमें संवेद का हल्कापन और अनिश्चय का हल्कापन श्लिष्ट रूप में सुगन्ध को विशेषित करते हैं। यहाँ पुन: अभिधा की व्यंजकता देखते बनती है और अन्तिम दो पंक्तियाँ भाव की छुअन को इतने हल्के से कह जाती हैं कि यदि आप कविता में तन्मय नहीं हैं तो आपको इसका कुछ भान भी नहीं होगा और तन्मय हैं तो आपको ये कालान्तर और लोकान्तर में ले जाएंगी। इस कविता में अगाध प्रेम के ऊपर अपार आदर की जो व्यंजना है वह तो अद्भुत है। यहाँ पुन: द्रष्टव्य है कि इस सारी कविता में अभिधा ही व्यंजना बनी है, जो मेरे विचार में, काव्य की सर्वोत्कृष्ट सिद्धि है। यह अनुभूति में अलौकिकता की सिद्धि से ही सम्भव होता है। अब एक और अत्यधिक व्यंजक, मार्मिक और अर्थगर्भ-अर्थोन्मेषक कविता का उदाहरण दे कर हम इस प्रसंग को समाप्त करेंगे। कविता का शीर्षक है 'बेघर' और विषय है बुद्ध की करुणा। उद्धृत करने की दृष्टि से कविता थोड़ी लम्बी है, किन्तु इसकी प्रत्येक पंक्ति पूरी कविता के लिए इस प्रकार आवश्यक है कि इसे पूरा ही उद्धृत करना अनिवार्य है। देखें—

तरकारी काटते काले हाथ थम गए/ दुबली परिश्रमी देह सीधी हुई
अपने मकान की बात सुन उसकी आँखों में/दीपक जल गए
सूखे होठों में मुस्कराहट खिली/चिकनाई घुली वाणी में/
जून में अचानक पुरवाई / चली/मेरे मन में प्रश्न कौंधा/स्वत्व में कितना सुख
जिसकी बात बन जाती प्राणाहुति
अपने को पहचानते अपनी चीज़ों में/गढ़ते एक मन का घर
बुद्ध ने कहा था मन से/पकड़े गए हो, घर बनाने वाले/
टूट गई सब धरन/विरत निर्माण/बेघर हो गये हम बन्धन-मुक्त;
घर में आरत सब लोग/घर खोजते/आलयारामा पजा आलय-गवेसिनी
क्या निरर्थक ही/बेघर को घर का दान, दान-पारमिता समग्र?
दिहाड़ी से विरासत तक/श्रम और फल का क्रम
अभाव की निवृत्ति कैसे हेय/ अभाव की प्रतीति हो सकती भ्रम
तो भी बनी रहती करुणा / बुद्ध का प्रेम, वत्सल निर्मम
दमकें सबके मुख/दिपें आँखें, घुले वाणी में रस
घर मिले सब को मन की पसन्द/बिना बाड़ों के मन पहचाने/अपने को सब में/ प्रबुद्ध हो जाए बेघर।

यह एक दार्शनिक कविता है, महायान बौद्ध मत के अनुरूप बुद्ध की करुणा का निर्वचन। किन्तु इसमें 'अभाव की निवृत्ति कैसे हेय/अभाव की प्रतीति हो सकती भ्रम' पंक्तियों और एक उद्धरण के सिवाय एक भी शब्द दार्शनिक पदावली का नहीं है, सारी कविता मार्मिक वृत्त के रूप में रचित है। सब शब्द सहज किन्तु अद्भुत रूप से सम्यक् और वृत्त के अनुरूप कोमल। और यह एक दार्शनिक पंक्ति कितनी गहरी, किन्तु कितनी सरल और मार्मिक है—'अभाव चाहे अवास्तव ही हो, किन्तु यदि अभाव-प्रतीति मन को उत्पीड़ित कर रही है, साल रही है तो उस अभाव से, भ्रम के बने रहते हुए भी, मुक्ति पाना तो आवश्यक है ही।' 'रोगी को ओषध और भूखे को अन्न ही देना चाहिए, संसार की संवृति-रूपता का उपदेश नहीं' यह बात सीधी-सहज भाषा में भी कविता की

लय में मृदुल और लाघव के द्वारा व्यंजक है, किन्तु अद्भुत गहन अर्थपूर्ण व्यंजकता। पर इस कविता की बात यहीं तक पूरी हो जाती तो वह पाण्डे जी की कविता नहीं हो सकती थी। इसमें 'वत्सल निर्मम' और 'बिना बाड़ों के मन पहचाने/अपने को सब में' और 'प्रबुद्ध हो जाए बेघर' पद असाँवृत सिद्ध-बुद्ध चेतना के व्यंजक हैं।

लाक्षणिकता और आलंकारिकता के बिना अभिधा में ही मार्मिकता और व्यंजकता की ओर मैं जो इतना ध्यान आकर्षित कर रहा हूँ वह इसलिए क्योंकि वह अन्य किसी कवि की रचनाओं में अलभ्य होगा और इसी प्रकार अलभ्य है उद्वेगात्मकता से रहित गहन भावनात्मकता। इन कविताओं का यह गुण पाठक से आत्मसंस्कार और मननात्मक भाव में प्रतिष्ठा की अपेक्षा करता है और यह सिद्ध हो जाने पर एक समृद्ध और शान्त भाव-लोक के द्वार खोल देता है।

इसका अर्थ यह नहीं है कि ये कविताएँ वस्तुवाचक पदावली में हैं। कविता अनिवार्य रूप से भावना के स्वगत अर्थ का, अथवा वस्तुगत निगूढ़ चेतना का, अथवा जीवन के साध्य अर्थ का निर्वचन करती है और वह उसे उसी भाषा की पदावली में करना होता है जो मूलतः वस्तुवाचक है। तब वह अपने इस स्वरूपतः अवस्तुवाचक व्यापार के निष्पादन के लिए रूपकों की रचना करती है। ये रूपक अधिकांशतः 'मुख-चन्द्र' के जैसे ही होते हैं किन्तु पाण्डे जी की कविता में ऐसा नहीं है, उनकी कविताएँ अपनी सम्पूर्णता में ही एक चित्र-रचना करती हैं; वस्तु, भाव, विचार के अन्तस्सार का प्रतिचित्र रचती हैं।

ऐसा नहीं है कि इस संग्रह की सब कविताएँ उपर्युदाहृत प्रकार की ही हैं। बहुत ढूँढें तो दो-एक कमज़ोर कविताएँ भी मिल जाएंगी। यहाँ मैं एक उदाहरण दूँगा, जो मुझे थोड़ी कमज़ोर कविता लगी। देखें, उसका शीर्षक है 'दम'।

> रिमझिम लगातार सुनता/रमता घुलता मन/गुनगुनाती गूँज में धरती गगन
> पेड़ों के नीचे घनी/छाया हरी बनी/ पत्ते टपकते रहते/पावस से सरस
> प्राण भी लगता मुझे/ एक वृक्ष छायादार/जब तक ये पत्ते हरे/ मैं भी दमदार

इसमें कोई भाव या रूप नहीं उभर पाता। घने बादल के बरसते होने पर पेड़ों की कोई छाया नहीं होती, पावस से सरस प्राण की छायादार वृक्ष से उपमा की बात भी वैसी नहीं जमती, फिर पावस में वृक्ष छायादार वैसे ही नहीं होता। 'दमदार' शब्द का प्रयोग भी कम नहीं अखरता।

पर ऐसी कोई और कविता मुझे दिखायी नहीं दी। हो सकता है छिन्द्रान्वेषण में तत्पर दृष्टि कुछ और भी खोज पाये। किन्तु द्रष्टव्य है कि अच्छे से अच्छे कवियों के कविता-संग्रहों में मैंने कमज़ोर कविताएँ इतनी दुर्लभ नहीं देखीं जितनी इस संग्रह में हैं।

मुक्त प्रत्यक्ष का काव्य[1]

किसी मानवीय कृति की उत्कृष्टता के दो आयाम कहे जा सकते हैं, एक सृजनात्मकता और दूसरा अर्थ-विपुलता। चेतना की रूपों-नामों में स्फुटित होने की क्रिया-शक्ति को उसकी सृजनात्मकता कह सकते हैं और इन रूपों-नामों की सांस्कृतिक परम्परा में अर्जित सम्पदा के सृजनात्मकता चेतना में आत्मसात् होने को उसकी अर्थ-विपुलता। यद्यपि सृजनात्मकता का व्यक्तिमूलक होना आवश्यक नहीं है : उदाहरणत: जगत् और संस्कृतियाँ दोनों व्यक्ति-चित्तमूलक सृजन नहीं होते, किन्तु संस्कृति के अतिरिक्त मानवीय चेतना की सृजनात्मकता व्यक्ति-चित्त के माध्यम से ही उपचरित होती है ऐसा कहा जा सकता है। किन्तु यह व्यक्ति-चित्त आहंकारिक या व्यक्ति-संकुचित नहीं होकर अतिक्रामी होता है, इतना अतिक्रामी कि स्वयं मनुष्य का व्यक्तित्व भी उसकी आत्मसृष्टि ही हो जाता है। किन्तु अर्थ-विपुलता व्यक्ति-चित्त में विराट् सांस्कृतिक परम्पराओं के प्रकाशन से प्रतिफलित होती है। इस विपुलता के दो आयाम कहे जा सकते हैं : विस्तार और गाम्भीर्य। विस्तार एक प्रकार से दैशिक-मात्रात्मक आयाम है और इस प्रकार यह आलम्बन की बृहत्ता के द्वारा, अथवा कृति के आकार की गुरुता अथवा व्यापकता के द्वारा अपने को प्रकट करता है जबकि गाम्भीर्य चिदात्मक आयाम है और यह चेतना में प्रकाशन की पर्यन्तता के द्वारा अपने को प्रकट करता है। काव्य में विपुलता के प्रथम आयाम का आदर्श उदाहरण **महाभारत** और **रामचरितमानस** हो सकते हैं और दूसरे के उदाहरण ऐसे पद जिनमें आयाम अपना दैशिक-विस्तारात्मक गुण त्याग कर सारत: व्यंजित हुआ देखा जा सकता है। इसके उदाहरण के रूप में कबीर और महादेवी वर्मा के निम्न पद द्रष्टव्य हैं—

हम वासी उस देश के, जहाँ पार ब्रह्म का खेल।
दीपक जरै अगम्य का, बिन बाती, बिन तेल।
हद्द छाँड़ि बेहद भया, रहा निरन्तर होय।
बेहद के मैदान में, रहा कबीरा सोय।। (कबीर)
ओ चिर नीरव, मैं सरित विकल।
तेरी समाधि की सिद्धि अकल, चिर निद्रा में सपनों का पल,
ले चली लास में लय-गौरव। (महादेवी)

इन दोनों पदों में औपनिषद विचार की महत् परम्परा कवि-चेतना में आत्मसात् होकर उसकी सृजनात्मकता के रूप में व्यंजित हुई है। किन्तु वास्तव में ऐसे कवि के अधिकांश पद, जिसकी चेतना में अर्थ-विपुलता का विस्तारात्मक आयाम सृजनात्मक रूप से रहता है, वैपुल्य के गहनात्मक आयाम से भी मण्डित रहते हैं। रमेशचन्द्र शाह की कृतियों में विपुलता के ये दोनों आयाम प्राय: सर्वत्र देखे जा सकते हैं : प्रथम आयाम उनके द्वारा विचारित, लक्षित और कल्पित विषय-वैविध्य के रूप में अत्यन्त समृद्ध मिलता है, यद्यपि यह दूसरा आयाम जैसा समृद्ध उनकी वैचारिक कृतियों और उपन्यासों में लक्षित होता है वैसा काव्य-कृतियों में नहीं। किन्तु यहाँ यह तुरन्त स्पष्ट करना आवश्यक है कि ऐसा मैं केवल अज्ञेय के **हरी घास पर क्षण भर** काव्य-संग्रह के बाद के काव्य की तुलना में और स्वयं शाह के उपन्यासों की तुलना में ही कह रहा हूँ, अन्य अधिकांश समकालीन हिन्दी-कवियों की तुलना में नहीं, जिनमें उत्कृष्टतम कवियों से वे सहज ही तुलनीय देखे जा सकते हैं। शाह ने

1. **नदी भागती आयी** (कविता संग्रह), कवि — रमेशचन्द्र शाह, प्रकाशक, नेशनल पब्लिशिंग हाउस, नई दिल्ली, 1988.

साहित्य की प्राय: सभी विधाओं (उपन्यास, कहानी, नाटक, कविता, ललित निबन्ध, विचारात्मक निबन्ध) में लिखा है और सभी में उनकी सृजनात्मक प्रतिभा का स्फार और अर्थ की विपुलता परिलक्षित होती है। उनकी काव्य-कृतियाँ, कहानियाँ, उपन्यास और कविताएँ पढ़ते हुए आश्चर्य होता है कि वे प्रमुखत: आलोचक के रूप में क्यों जाने जाते हैं उपन्यासकार और कवि के रूप में उतने क्यों नहीं? क्योंकि उचित रूप में आलोचक के रूप में उन्हें केवल अनेक में एक ही गिना जा सकता है, चाहे फिर ये प्रथम श्रेणी के ही क्यों नहीं हों, जबकि कवि और उपन्यासकार के रूप में वे बहुत अल्पसंख्यक शीर्षस्थानीयों में ही रखे जा सकते हैं। यह अवश्य है कि उनके सम्बन्ध में यह कहना कठिन है कि उन्हें कवि प्रथम कहा जाय कि कहानीकार और उपन्यासकार। किन्तु यह कहने में कोई दुविधा नहीं हो सकती कि वे काव्य-सर्जक प्रथम हैं और साहित्यालोचक अनन्तर। तब ऐसा क्यों है कि वे उपन्यासकार और कवि के रूप में उतने प्रतिष्ठित नहीं हुए जितने आलोचक के रूप में हुए हैं? सम्भवत: इसका उत्तर हो सकता है कि जिस प्रकार कुछ व्यक्ति अपने प्रथम साक्षात्कार में ही प्रभावित नहीं करते, अनेक बार मिलने पर भी वे अधिकांश के लिए प्रभाव-हीन ही बने रहते हैं और केवल ऐसे कुछ ही को गहराई से प्रभावित करते हैं जो वाग्मिता और चातुरी से नहीं बल्कि बात की गहराई और चरित्र की सच्चाई से प्रभावित होते हैं, उसी प्रकार का व्यक्तित्व शाह के सृजनात्मक साहित्य का है। उनमें वैसी वाग्मिता और भावोच्छलता नहीं है, उसमें एक अन्तरोन्मुखता, विचार-गहन भावना और भावनोपरंजित वैचारिकता है। उनमें एक और वैशिष्ट्य है, कि उनमें वैसी नागरता भी नहीं है जैसी हमारे अधिकांश प्रतिष्ठित साहित्य-सर्जकों में है, जिसका प्रांजलतम रूप अज्ञेय के उत्तरवर्ती काव्य और **नदी के द्वीप** उपन्यास में मिलता है। एक-दूसरे प्रकार की नागरता निर्मल वर्मा की कहानियों में देखी जा सकती है। शाह के उपन्यास और कविताएँ लगभग एक ग्रामीण सहजता के बाने में नितान्त गहरी बात कह डालते हैं, गहरी भावना को बिना किसी उद्विग्नता और आडम्बर के व्यक्त कर देते हैं। इसका एक उदाहरण लें—

> नीले आसमान से
> उतरी / हरी / सीढ़ियाँ / घाटी में / जा पसरीं
> पूछो / तनिक वहाँ जा उनसे
> कब से यहाँ / पहाड़ / पालथी मारे / पड़े हुए हैं? (नीले आसमान से)

पर्वत को 'पालथी मारे' आज तक किसी कवि ने देखा हो ऐसा कम-से-कम मुझे ज्ञात नहीं है, उसे 'समाधि लीन' ही सबने कल्पित किया है। किन्तु इस अनन्यसाधारण 'देखने' में कोई नवीन प्रयोग का चमत्कार दिखाने की प्रेरणा भी नहीं है जो आधुनिक युग और काव्य को विशेषित करती है, यह वास्तव में कवि के अपने व्यक्तित्व को, उसकी कवि-दृष्टि, उपन्यास-दृष्टि को, उसकी सच्चाई में प्रकट करती है। पर्वत को समाधिस्थ, ध्यान-मग्न विराट् के रूप में देखना सहज भी हो सकता है, किन्तु यह कहाँ तक सहज है और कहाँ तक संस्कारारूढ़ यह स्वयं 'देखने' वाला भी नहीं जानता। उससे भी बड़ा आवरण संस्कार के इस आवरण से बचने का प्रयास डालता है जिस प्रयास का बहुत स्पष्ट अंकन अज्ञेय की 'कलगी बजरे की' कविता में हुआ है। शाह की कविता में ये दोनों बातें नहीं हैं, बल्कि उनमें 'जो सहज में देखा वह कह दिया' का नावीन्य है—कहें, वस्तु-तथ्य के सृजनात्मक साक्षात्कार का नावीन्य है। बौद्ध दार्शनिक नागार्जुन का एक पद है—'दृष्टि-शून्यता', अर्थात् सब प्रकार के सिद्धान्ताग्रहों और संस्कारों से मुक्त प्रत्यक्ष। शाह की इस कविता में भी ऐसा ही एक सहज साधारण और मुक्त प्रत्यक्ष है जिसे वे सहज-साधारण रूप से किन्तु हीरक-तूलिका से प्रस्तुत कर देते हैं। अपने इस कथन के उदाहरण के रूप में किस कविता को उद्धृत करें इसके लिए पुस्तक के पन्ने बार-बार पलटने की आवश्यकता नहीं है, इस संग्रह की प्राय: सभी कविताएँ समान रूप से इसकी उदाहरण हो सकती हैं—'वाल्मीकि की याद में', कालिदास-विद्योत्तमा विषयक 'एक लकड़हारा था' और 'व्यासपर्व' जैसी कविताएँ भी। किन्तु ऊपर प्रकृति-वर्णन की कविता का उदाहरण देखा था इसलिए उसी वर्णन का एक उदाहरण और लें। कविता का शीर्षक है 'चीड़'—

अलग-अलग पर मिले-जुले से
आगे बढ़ते लगातार ज्यों / एक जगह पर खड़े-खड़े से
आसमान में लहराते / ये चीड़
भेड़ों का रेवड़ ही पूरा / ऊपर ठेठ शिखर तक।
कैसी भीड़!
भीड़ नहीं ये तो राजा हैं। सब के सिर पर मुकुट सजे हैं
सब के देखो / कैसे सीधी तनी हुई है / रीढ़
चित्र-लिखित आरोह और अवरोह...
छेड़ती उन्हें अचानक / लौट रही फिर उसी नींद में
किस सपने में खिंची हुई यह? मींड़

इन दोनों कवितों को आप साधारण रूप से पढ़ जाएँ तो आपको यह भी पता नहीं चलेगा कि आप प्रकृति के ठीक बीचोंबीच, उसके शुद्ध रूप के समक्ष हैं, क्योंकि उसके लिए कवि किसी विशेष रूढ़ और अभिसंस्कृत पदावली द्वारा कोई आयोजन नहीं करता। वह जैसा देख-सुन रहा है वैसा ही कह रहा है। ऐसा शुद्ध रूप-दर्शन और शुद्ध संगीत-श्रवण इतना सहज रूप में हिन्दी-काव्य में आपको अन्यत्र नहीं मिलेगा, संस्कृत-काव्य में अवश्य यह बहुत मिल सकता है। यहाँ यह ध्यातव्य है कि हिन्दी-कविता में प्रकृति अत्यन्त दुर्लभ है, आधुनिक हिन्दी-काव्य में पन्त को ही प्रकृति का चितेरा कहा गया है, किन्तु पन्त का प्रकृति-रूप का दर्शन अपरोक्ष और निराडम्बर नहीं है, बल्कि कहना चाहिए कि वह अत्यधिक साडम्बर है। उदाहरणत: उनकी प्रसिद्ध कविता 'पावस ऋतु थी पर्वत प्रदेश / पल पल परिवर्तिक प्रकृति-वेश' में कवि की रुचि प्रकृति से अधिक उसके 'काव्य-निरूपण' में प्रतीत होती है, वे प्रकृति के सम्मुख, उसके सहज उपसंग में नहीं होकर उसकी काल्पनिक चित्र-रचना में व्यस्त जान पड़ते हैं। यह बात शाह के प्रकृति-वर्णन में नहीं है। शाह के प्रकृति-काव्य का अन्य अधिकांश कवियों के प्रकृति-काव्य से भेद उसी प्रकार का है जैसा एक ग्रामवासी या वनवासी के प्रकृति-दर्शन का नगर-वासी के प्रकृति-दर्शन से होता है। यहाँ दो और उदाहरण प्रस्तुत करना समीचीन होगा—

1. जड़ी हुई झील / हवा संसा लेना तक / जैसे भूल गई है
   आसमान के चेहरे पर भी / पुती हुई है राख
   किसकी है करतूत न जाने / उलट फेर यह कैसा /रातों रात।
   (क्रमागत 1)
2. खोल दिये पट अन्तरिक्ष के / हँसते हैं देवता सामने /
   पीछे शहर खिलौने-सा / चमचमा रहा है/
   बूढ़े के बचपन-सा / हौले-हौले / जाग रहा है / वाद्य-वृन्द जंगल का।
   (खोल दिये पट)

इन दोनों कविताओं में केवल एक उपमा है जो उपमा के रूप में प्रकट है : बूढ़े के बचपन सा : शेष उपमा और रूपक ऐसे हैं कि वे इस रूप में लक्षित नहीं होते, क्योंकि वे उस रूप में अभिप्रेत ही नहीं है। 'देवता' को भी रूपकात्मक अर्थ में नहीं लेना चाहिए क्योंकि यह शब्द चाँद, तारों के भौतिक दृष्टि-सम्मत रूप से भिन्न दिव्य और चेतन स्वरूप के वाचक अर्थ में प्रयुक्त हुआ है, रूपक के रूप में नहीं। किन्तु ये वर्णन ऐसे सीधे-सहज होने पर भी विवरणात्मक नहीं होकर सूक्ष्म व्यंजनात्मक हैं। उपर्युक्त तीनों कविताएँ दृढ़ तूलिका से चार-पाँच रेखाएँ बनाकर जैसे चित्र-लेख्य की आत्मा के निकटतम सायुज्य में आपको प्रतिष्ठित कर देती हैं। 'क्रमागत' कविता में एक रेखा से झील और उसकी निश्चलता, दूसरी रेखा से वायु और उसकी निस्तब्धता, तीसरी रेखा से आकाश, उसका रूप-रंग और भाव, तथा चौथी रेखा से रात्रि में प्रकृति की भाव-भंगिमा में हुए परिवर्तन व्यंजित कर दिये गए हैं, और ये विभिन्न चित्र एक विशाल चित्र के अंगभूत हैं। इस कवि का विशेष कौशल इस बात में है कि यहाँ व्यंजना व्यंग्य से पृथक् प्रकट नहीं होती। यह गुण 'खोल दिये पट' में भी देखा जा सकता है। किन्तु दूसरा चित्र

पहले से इस बात में भिन्न है कि यह बाहर रेखाओं में नहीं भावना में ही उभरता है। इन चित्रणों की उपर्युक्त विशेषताओं के स्पष्टीकरण के लिए ऊपर प्रतिरूप उदाहरण हमने पन्त की कविता का दिया था, यहाँ एक दूसरा उदाहरण अज्ञेय के एक चित्रण का देना उपयोगी होगा—

सूप-सूप भर धूप कनक / यह सूने नभ में गयी बिखर,
चौंधाया बीन रहा है / उसे अकेला एक कुरर।

कविता अच्छी है किन्तु यह उपमा और उत्प्रेक्षा के सहारे उभारी गई है, अथवा कहें यहाँ प्रकृति प्रत्यक्षगत नहीं बल्कि उपमान-व्यवहित है। इतना ही नहीं, उपमान और उपमेय में कोई समान धर्म भी नहीं है, यह 'कनक' शब्द की द्व्यर्थकता के सहारे बलात् आरोपित है।

अपनी काव्य-रचना-प्रक्रिया के सम्बन्ध में शाह कहते हैं—"कविता पूरी होने का मतलब है उद्वेग से उबर जाना—एक ऐसे अर्थ में जो हमारी समग्रता में उत्तीर्ण होकर निकलता हुआ अर्थ हो। उस अर्थ की उपलब्धि में मेरी ऐन्द्रिक सत्ता, मेरे भावावेग, मेरी स्मृतियाँ, मेरी बुद्धि-ऊर्जा और भाव-ऊर्जा सब का साझा है।" (पृ. 9) ऐसे प्रतिपादन कवि-कर्म मात्र के निरूपण से आरम्भ होकर आदर्शपरक होते हैं। सब कवियों की सब कविताओं में ये पाँचों कोश संहत-समन्वित रूप में रहते हैं यह तो शाह कभी भी स्वीकार नहीं करेंगे, उनकी सब कविताओं में भी ऐसा नहीं है यह दिखाने में भी कोई कठिनाई नहीं होगी। तब वे कहेंगे कि 'एक उत्तम कविता को ऐसा होना चाहिए।' किन्तु ऐसी बात नहीं है, प्रत्येक व्यक्ति का अपना वैशिष्ट्य होता है और वह वैशिष्ट्य इसी बात में होता है कि उसकी मनोरचना में इन तत्त्वों में से कौन कितने अनुपात हैं है और वह रासायनिक घोल, जिसे व्यक्ति का चारित्रिक वैशिष्ट्य या व्यक्तित्व कहा जाता है, उसमें कौन-से रूप, रस, गन्ध किस अनुपात में मिले हुए हैं। ये रूप-रसादि बाह्य परिवेश की प्रतिक्रिया में, अथवा कहें उसके बीच ही प्रकट होते हैं और इनकी अभिव्यक्ति अपूर्वानुमेय होती है। अस्तित्ववादी जिसे व्यक्ति की अपूर्वता कहते हैं वह यही है। अब, शाह का काव्य में यह व्यक्तित्व कैसा है? कुछ कविताओं में बाह्य दृश्य (ऐन्दिक सत्ता) उन्हें चमत्कृत सा करता है और उनके भावलोक को एक तटस्थ प्रसन्नता से उपरंजित कर देता है। ऊपर उद्धृत कविताएँ, और कुछ दूसरी कविताएँ इसी प्रकार की हैं। कुछ कविताओं का स्रोत बौद्धिक कुतूहल का भावना में उन्मेष है और कुछ का विचार की भावना में परिणति, अथवा कहें विचार का भावित होना। इस संग्रह की अधिकांश कविताएँ इन दो प्रकारों की ही हैं। प्रथम दो कविताएँ ही देखें जो क्रमश: उपर्युक्त दो प्रकार की हैं—

भीतर एक सोता है / भीतर एक नदी है / भीतर एक भँवर है।
चलो चलो निकलो अपने बाहर
अपने बाहर / कहाँ?
बाहर भी सोता है / बाहर भी नदी है / बाहर भी भँवर है।

इसमें जैसे कवि अपने भीतर की उलझनों और आकुलाओं से त्रस्त होकर उनसे नजात पाने के लिए अपने को बाहर रमाने-रिझाने को निकलता है और पाता है कि यहाँ दूसरे और उतने ही संत्रासजनक बखेड़े हैं, तब इस उभयत: संत्रासक स्थिति की बात अपने ही को बताने के लिए पादर्शी रूपकात्मक, अथवा कहें श्लेषात्मक अर्थवाला पद 'भँवर' उसके मन में आता है। अब, इस पद का अपना एक सन्दर्भ है जो अपनी सम्पूर्णता में कवि की मन:स्थिति का उसकी सम्पूर्णता में चित्र बनकर प्रस्तुत हो जाता है। यह आकुलता और संत्रास मनोवेग के स्तर पर उपज कर भी कविता में आने के लिए विचार-ग्राह्य भाव-स्मृति के रूप में परिणत हो जाते हैं। इस प्रकार इस कविता में कवि की मन:स्थिति भावोद्वेग की उतनी नहीं है जितनी भीतरी-बाहरी परिस्थितियों की बुद्धि-पर्यवसायिता की, जो बुद्धि-पर्यवसान समाधानात्मक नहीं होकर उलझनों के सूत्रों की असमाधेयता को ही आश्चर्य से देख रहा है। इसी से यह बुद्धि सिद्धान्तपरक-युक्तिपरक नहीं है, इसमें अन्तर या बाहर का निरूपण भी एष्य नहीं है, इसमें बोध की विषयिता अभिव्यंग्य है, इसी से इसके शब्दों के वाच्य अभिधात्मक नहीं होकर लक्षणात्मक और व्यंजनात्मक हैं। इसके विपरीत अज्ञेय के **हरी घास पर क्षण भर** कविता-संग्रह की प्रथम

कविता द्रष्टव्य है। (यहाँ यह स्पष्ट कर देना आवश्यक है कि मैं अज्ञेय को आधुनिक हिन्दी का उत्कृष्टतम कवि मानता हूँ)—

कितनी शान्ति! कितनी शान्ति!
समाहित क्यों नहीं होती यहाँ भी मेरे हृदय की क्रान्ति?
क्यों नहीं अन्तर–गुहा का अशृंखल दुर्बाध्य वासी?
अथिर यायावर, अचिर में चिर प्रवासी
नहीं रुकता, चाह कर—स्वीकार कर—विश्रान्ति?
(मान कर भी, सभी ईप्सा, सभी कांक्षा, जगत् की उपलब्धियाँ सब हैं
लुभानी भ्रान्ति!)

इसमें कवि प्रयत्न करके भी विषयिता में अन्तस्थ नहीं हो पाता है, वह अपने हृदय का भी बाह्य दर्शक, बाह्य आलोचक है, इसलिए इसकी काव्यमयता केवल इसके वर्ण्य विषय में और भावनात्मक शब्दों के प्रयोग में है, इसके अर्थ में नहीं। इस प्रकार की दो–एक कविताएँ **नदी भागती आयी** में भी हैं, उदाहरणत: 'उसने कहा' कविता। इसमें शाह कविता का जो स्वरूप दिखा रहे हैं वह ठीक वही है जो हमने ऊपर स्वयं भी प्रतिपादित किया है—

तो क्या कविता अकर्मक है?
क्या कविता किसी और के नहीं
खुद अपने कहने में है?

'अपने कहने' अर्थात् 'विषयी द्वारा अपनी विषयिता की विषयिता में व्यंजना करने।' किन्तु शाह की यह कविता इस कसौटी पर स्वयं पूरी नहीं उतरती, क्योंकि यहाँ बाहर से कविता की परिभाषा दी गई है। किन्तु तब भी यह कविता ही है। इसकी यह काव्यमयता इसकी कथन–विधि में है : आप कवि से यहाँ अपने 'कथनों' के लिए युक्ति और प्रमाण नहीं पूछ सकते। दूसरे, इसकी अन्विति विचारमूलक नहीं होकर भाव–दृष्टिमूलक है जो भाव–दृष्टि इसके अन्तिम वाक्य में इस प्रकार प्रतिफलित हुई है कि वह सारी कविता को जैसे एक नयी ऊर्जा और नया प्रकाश दे देती है। वह प्रतिफलन अज्ञेय की उपर्युद्धृत कविता में नहीं है। वाक्य है—

"कविता / वह क्रिया है जिसमें / एक पूरा वाक्य आकर / बहने सहने रहने लगता है।" यह किसी सत्य या तथ्य का प्रतिपादन नहीं है, यह उक्ति–वैचित्र्य भी नहीं है, यह एक सप्राण, अनुभूत और मनोमय अस्तित्व के अनेक आयामों में एक–साथ संक्रमित सत्य की व्यंजना है। इसी प्रकार की किन्तु भावना में ईषत् सिक्त एक और कविता देखें, 'जीवनी' शीर्षक—

सब अनर्थ है / कहा अर्थ ने / मुझे साधकर
तू अनाथ है / कहा नाथ ने / मुझे नाँथ कर
इसी तरह / शह देते हुए मुझे मातम्बर
पहुँचाना घर / मगर उन्हें भी / मुझे लादकर
पनपे खर– / पतवार सभी तो / मुझे खाद कर

किन्तु यह कविता पिछली कविता से एक बहुत आधारभूत रूप में भिन्न है—यह जीवन की नश्वरता, एकाकीपन और निस्सहायपन की बोधजनित भावना की अभिव्यक्ति है, किन्तु ऐसी भावना जो भावुक नहीं होकर बोध में ही प्रकाशित होती है। इसकी तुलना प्रसाद की **लहर** में संकलित कविता 'मधुप गुनगुना कर कह जाता कौन कहानी यह अपनी' से करें। दोनों का विषय समान होते हुए भी भिन्न है : शाह की कविता का विषय जीवनी–सामान्य है और प्रसाद की कविता का 'अपनी जीवनी'। यह विषय–भेद भी वास्तव में इन दो कवियों के

स्वभाव-वैशिष्ट्य का द्योतक है : शाह अपने जीवन को जीवनमात्र के एक उदाहरण के रूप में देख रहे हैं और इस प्रकार भावना को बोध के स्तर पर लाते हैं और प्रसाद भावना के भोग के स्तर पर ही रहते हैं। प्रसाद की कविता की प्रथम चार पंक्तियाँ देखें—

मधुप गुनगुना कर कह जाता कौन कहानी यह अपनी
मुरझाकर गिर रही पत्तियाँ देखो कितनी आज घनी
इस गम्भीर अनन्त नीलिता में असंख्य जीवन-इतिहास
यह लो, करते ही रहते हैं, अपना व्यंग्य-मलिन परिहास।

इस कविता का आरम्भ प्रकटत: जीवनी-सामान्य के स्वरूप-दर्शन से ही होता है, किन्तु वस्तुत: ऐसा नहीं है। यह वस्तुत: अपनी नश्वरता की दु:खिता की पुष्टि के लिए है, और इस कविता की समाप्ति इस प्रकार होती है—

कहाँ मिला वह सुख जिसका मैं स्वप्न देखकर जाग गया,
आलिंगन में आते-आते मुस्क्या कर जो भाग गया?...
सुनकर क्या तुम भला करोगे मेरी भोली आत्मकथा?
अभी समय भी नहीं थकी सोयी है मेरी मौन व्यथा।

शाह की 'जीवनी' कविता की अन्तिम पंक्तियाँ अज्ञेय की एक कविता **मुझे पंक्ति को दे दो** का स्मरण दिलाती हैं। किन्तु शाह की और अज्ञेय की इन अभिव्यक्तियों में भी एक मौलिक अन्तर ध्यान देने योग्य है : अज्ञेय यहाँ भी अपनी उपर्युद्धृत कविता के समान विचार को काव्य के स्तर पर नहीं ला पाये हैं, इसे ध्वन्यात्मक या व्यंजनात्मक नहीं बना पाये हैं, शाह की किसी कविता में ऐसा नहीं है। अस्तु। शाह की इस कविता की तुलना प्रसाद की कविता से एक-दूसरे पक्ष में करना भी इस कविता में, और वास्तव में अधिकांश कविताओं में, शाह के अभिव्यक्ति कौशल को देखने के लिए उपयोगी होगा। प्रसाद की कविता में अपने निजी जीवन की रिक्तता, प्रवंचितता और विडम्बना का अधिकाधिक वर्णों-रेखाओं से चित्र उभारने का प्रयत्न है जबकि शाह की कविता में अपनी जीवनी में जीवनी मात्र का अर्थ देखने का प्रयत्न है, और इस अर्थ को वे अपनी हीरक-कठोर तूलिका से केवल चार रेखाओं में ऐसे उभार देते हैं कि लेख्य की पूरी भंगिमा पूरी स्फुटता के साथ व्यक्त हो जाती है। रंगों की वे कोई चिन्ता ही नहीं करते, उन्हें उभारने का दायित्व वे भंगिमा-निरूपक रेखाओं की शक्ति पर ही छोड़ देते हैं जिसका निर्वाह वे पूरी सफलता से करती हैं। चित्रण-कौशल के दो बहुत उत्कृष्ट उदाहरण यहाँ और प्रस्तुत करना चाहूँगा : 'वे भी ' कविता में मानव-जीवन और जगत् के बीच पूर्ण सामरस्य और उस जीवन तथा जगत् के रूप-प्रकार का चित्र देखें—

गाय को दो गोठ / पक्षी को हरे बिरवे / देवता को थान / घर में
आदमी के
बरतनों की तरह मँजते / देखता था देवताओं को / लड़कपन में
देवता ही क्या करे / ये हवा पानी धूप मिट्टी / सब बरतने के
लिए हैं / सभी व्रत हैं पालने के
पालते हैं उन्हें हम / वे भी

यहाँ प्रथम तीन पदों के क्रिया-रूपों में ऐसा भेद है कि ये पद प्रकटत: एक ही स्तर के नहीं रहते। प्रथम पद में क्रिया का आदेशात्मक रूप, दूसरे में पूर्णभूत रूप और तीसरे में प्रयोजनात्मक रूप इन्हें एक चित्र के विभिन्न अंगों के जैसा नहीं रहने देता। किन्तु मेरे विचार में यहाँ ऐसा भेद वास्तव में अभिप्रेत नहीं है। इन सब क्रियाओं का वास्तव रूप सामान्य वर्तमान का ही देखना चाहिए और तब यह हमारे पूर्वजों की जीवन-शैली का, उनके और जगत् के बीच सम्बन्ध का अद्भुत चित्र : सच्चा, मार्मिक और सशक्त : प्रस्तुत करती है। 'देवताओं का बर्तनों की तरह मँजना' की व्यंजना अद्भुत है। यदि आप पूछें कि इसका क्या अर्थ है? तो इसकी साधारण निरूपणात्मक-

वर्णनात्मक वाक्यों में व्याख्या लगभग असम्भव होगी, कम-से-कम इसके लिए बीसियों वाक्य तो अपेक्षित होंगे ही। यह धर्म-भाव और जीवन-व्यापार में पूर्ण अभेद का, द्यु-लोक और भू-लोक में पूर्ण एकीभाव का निरूपक है और यह निरूपक जितना सहज, जितना सारगर्भित और जितना विदग्ध रूप में हुआ है वैसा अन्यत्र दुर्लभ ही होगा, यद्यपि प्रकटत: यह एक वर्णनात्मक वाक्य है। दूसरा उदाहरण ऊपर उद्धृत 'खोल दिये पट' कविता का द्रष्टव्य है। इस संग्रह में मेरे विचार से ऊपर उद्धृत कविताओं के अतिरिक्त विशेष उल्लेखनीय निम्न कविताएँ हैं : देहरी की बात, भी मबेटका 1-2, अचानक, हज़रत नूह, कभी-कभी, कविता, विदा नदी की और व्यास-पर्व। यहाँ 'मेरे विचार में' इस विशेषण का यह अर्थ नहीं है कि कविता की परख नितान्त विषयिनिष्ठ होती है। वास्तव में किसी भी कृति के इतने पक्ष और रचना-सूत्र होते हैं कि उनका अवगमन अत्यधिक कठिन होता है, अन्य के लिए ही नहीं, स्वयं कृतिकार के लिए भी। इसलिए कभी कोई पूरे विश्वास से यह नहीं कह सकता कि उसका मूल्यांकन ही प्रामाणिक है। किन्तु मैंने इस विशेषक पद का प्रयोग इसलिए भी किया है कि अधिकांश अन्य कवियों के कविता-संग्रहों के समान इस संग्रह में ऐसी कविताएँ खोज पाना कठिन है जिसमें भाव या विचार चेतना से भाषा तक आते-आते ही अपनी ऊर्जा और लक्ष्य खो देता है या फिर बीच में ही कहीं छितरा जाता है। इस संग्रह में ऐसे उदाहरण सफलतापूर्वक केवल दो-एक ही ढूँढ़े जा सकते हैं। एक उदाहरण 'अब भी' कविता से हो सकता है, देखें—

> देख दूर से दृश्य / हो गए खड़े रोंगटे / सैलानी के
> कानों में फिर / पड़ा अचानक / वह है अलग प्रदेश / जहाँ / जा गिरी /
> नदी यह
> देखा साफ-साफ दोनों के / अलग धरातल।
> दूर वहाँ...अतलान्त विविर में / झाँका उसने
> अब भी झाँक रहा है / अब भी / सहज सा वह
> समझ नहीं पाया था तब भी / अब भी समझ नहीं पाया है
> विलख रही थी नदी वहाँ / या /किलक रही थी!

इस कविता में विराट्-उदात्त के भावन की जो सघनता पाँचवें पद तक समान रूप से बनी हुई है वह अन्तिम पद में आकर जैसे लक्ष्य-भ्रष्ट हो गयी है। सैलानी नदी का जो लोकोत्तर लोक में प्रवेश और प्रपात देख कर विस्मित और अभिभूत हुआ है उस लोक की गुह्य उदात्तता को नदी की 'बिलख या किलक' के विकल्प के रूप में देखना उस भावना से बुरी तरह च्युत हो जाना है। किन्तु तब भी वह भाव, बोध अन्तिम से पहले पद तक बना हुआ है यही बहुत है, अधिकांश कवियों की अधिकांश कविताओं में यह हमें नहीं मिलता। इसके यदि उदाहरण आप चाहें तो जितने चाहें दिये जा सकते हैं।

अन्त में दो शब्द इन कविताओं के चारित्रिक लक्षणों के सम्बन्ध में। जैसा कि हमने आरम्भ में कहा, इनका स्रोत मुख्यत: बौद्धिक रहस्य-बोध, और बौद्धिक प्रतिभास की अनुभूति, उसका भावना में उन्मेष है, मूलत: भावना नहीं। 'विदा नदी की' इसका अपवाद कही जा सकती है। इस बात को बहुत लोग दोष के रूप में देखेंगे : जो कवि का 'वियोगी होना' और उसके 'गान का आह से उपजे होना' आवश्यक मानते हैं। स्वयं शाह कविता को क्या मानते हैं यह हमने ऊपर देखा, यहाँ उनकी 'कविता' शीर्षक कविता से एक और उद्धरण देना समीचीन होगा—

> जैसे उसका / एकमात्र सुख / शब्दों का मुँह तकना
> मानो सुनता है अवाक् वह / खुद अपना ही बकना

पीछे उद्धृत कविता में भी भाषा की बात कही गई है, इसमें भी वही है। कालिदास ने भी रघुवंश में 'वागर्थ प्रतिपत्तये' ही पार्वती-परमेश्वर की अभ्यर्थना की है। वाक् का स्रोत उद्वेग नहीं होकर तत्त्व-साक्षात्कार, अथवा सृजनात्मक प्रत्यय अथवा रचनात्मक बोध होता है, उद्गार भी इसके लिए प्रत्येय का बोध होकर ही ग्राह्य हो

सकता है। इस प्रकार शाह कविता को भावोद्गारात्मक नहीं मानते। हम समझते हैं कि कविता कोई एक ही प्रकार की नहीं होती, वह कवि की मनोरचना के अनुरूप किसी भी प्रकार की हो सकती है और उस मनोरचना के अनुसार ही उसमें भावना के आलम्बन हो सकते हैं। कबीर, रवि ठाकुर आदि क भावालम्बन एक प्रकार के थे, तुलसी, सूर, मीरा के दूसरे-दूसरे प्रकारों के, फिर कालिदास, भवभूति, बिहारी आदि हैं, प्रसाद, पन्त और अज्ञेय आदि हैं। इन कविताओं के भावालम्बनों में एक प्रकारानुरूपता कही जा सकती है जिसे भावनात्मक-भावनानुशीलनात्मकता कह सकते हैं। किन्तु इस अनुरूपता में प्रत्येक कवि के शील गुण के अनुसार विशिष्टता भी होती है। इस प्रकार कविता का लक्षण आलम्बन या भावना के गुण के आधार पर नहीं बनाया जा सकता। यदि आलम्बन बौद्धिक विस्मय, बौद्धिक सौरस्य, बौद्धिक प्रातिभगत हो तो भी यह कविता के लिए उतना ही समीचीन होगा जितना उद्वेगात्मक आलम्बन होगा। कविता का मूल्य आलम्बन की अर्थ-विपुलता, उस विपुलता की भावना में निष्पत्ति की मात्रा और इन दोनों की अभिव्यक्ति की सफलता में होता है। इस दृष्टि से शाह का काव्य बहुत उत्कृष्ट है।

एक नवागत कवि–मनीषी का स्वागत[1]

शालभंजिका अमिता शर्मा का पहला कविता–संग्रह है, और जहाँ तक मैं जानता हूँ, उन्होंने ये या कोई दूसरी कविताएँ किसी पत्रिका में पहले प्रकाशित नहीं करायी हैं। इस कारण पाठकों के लिए उनका नाम नितान्त अपरिचित होगा और इसलिए सम्भवत: उनके इस संग्रह को कोई उठा कर भी नहीं देखेगा। किन्तु ऐसा होना हिन्दी–काव्य–पाठकों के लिए दुर्भाग्य की बात होगी, क्योंकि अमिता जी का यह संग्रह प्रथम होने पर भी ये कविताएँ सुदीर्घ साधना और शिक्षा से अभिसंस्कृत तथा अनुभूति और विचार के अत्यन्त उच्च धरातल पर अवस्थित चेतना का सृजन है। वास्तव में मुझे भी जब यह संग्रह मिला तो मैंने भी इसे भारतीय प्रशासनिक सेवा की एक अहम्मन्या अधिकारिणी के शौकियापन या अहंकार–सन्तुष्टि के एक उपाय के रूप में ही लिया था। किन्तु जब मैंने इसकी पहली कविता ही पढ़ी तो मैं चकित रह गया और आगे की कविताओं के प्रति मेरा भाव पूर्णत: बदल गया। पहली कविता मंगलाचरण जैसी है—

> लम्बी बारिश के बाद / धूप / चौंकता बरगद /
> करता / शतभुजी अभिनन्दन

प्राणी द्वारा ज्योति की दिव्यता से अभिभूत होने, उसकी प्राणदायिनी ऊष्मा और पुनीत आभा से धन्य होने का भाव इन चार पंक्तियों में मुखरित हो उठा है। आगे की कविताएँ पढ़कर मेरा हृदय हिन्दी–काव्य–जगत् में ऐसी प्रतिभा के प्रवेश से प्रफुल्लित हो उठा, क्योंकि ये कविताएँ निस्संदिग्ध रूप से बहुत उत्कृष्ट प्रतिभा की द्योतक हैं। इन कविताओं की विशेषता अरूप–अनाम भावनाओं की स्वयं व्यंग्य बने विभावों द्वारा अभिव्यक्ति है। कालिदास ने रम्य दृश्यों को देखकर अबोधपूर्व भावों के स्मरण की बात लिखी थी। चित्त की यह एक विशिष्ट स्थिति है जिसमें बाह्य दृश्य बाह्यता खो कर पूर्णत: भावोपरंजित हो जाते हैं और भावनाएँ हर्ष–विषाद आदि के भेद खोकर एकात्म हो जाती हैं। आन्तर–बाह्य और भाव–विभाव के भेद से रहित चित्त और दृश्य की ऐसी अवस्थाओं का निरूपण ही इन कविताओं में अधिकांशत: हुआ है। इन कविताओं के निरूपण–पक्ष में भी यह गुण प्रकट है : जबकि यह अत्यधिक कुशल, सम्यक्, समर्थ और सूक्ष्म है, यह पाठक का ध्यान अपनी ओर तनिक भी आकृष्ट नहीं करता।

उदाहरणत: अज्ञेय जी के विशेषत: उत्तरवर्ती काव्य में शब्दों और पद–रचनाओं का सौष्ठव अद्भुत है और उसकी यह अद्भुत सुष्ठुता हमें अलग से चमत्कृत करती है। किन्तु इन कविताओं में जैसे अभिव्यक्ति अभिव्यंग्य के साथ इतनी एकात्म और अपने में इतनी पारदर्शी है कि वह अपने सौष्ठव का कोई आभास नहीं देती। अथवा यह भी कहा जा सकता है कि इन कविताओं की अभिव्यक्ति का वैशिष्ट्य सौष्ठव नहीं होकर सम्यक्ता और पारदर्शिता है। यहाँ हम अपने इस कथन के कुछ उदाहरण देंगे जिनको देखे बिना यह अतिशयोक्ति प्रतीत होगी, जबकि वास्तव में इसे एक सीमा तक अल्पोक्ति ही कहा जा सकता है **: (सड़क) मुक्त—**

> अन्धे कोलाहल के बाद / लौटती है सड़क /
> आसमान के / स्निग्ध, धैर्य, मौन की ओर /
> निवृत्त / मुक्त शून्यता में / बहती है चाँदनी।

---

1. **शालभंजिका** (कविता-संग्रह), कवि — अमिता शर्मा, सिद्धार्थ पब्लिकेशंस, दिल्ली, प्रथम संस्करण, 1993.

द्रष्टव्य है कि यह सड़क का, या चाँदनी का, या सड़क पर चाँदनी का वर्णन, निरूपण या चित्रण नहीं है क्योंकि यहाँ सड़क और चाँदनी स्वयं भाव की आश्रय या विषयी हैं और इस प्रकार भाव-लोक में सह-भाग के लिए आमन्त्रित करती हैं। और इसकी शब्दावली और विन्यास इस स्निग्ध, शान्त भाव के साथ जैसे एकात्मभूत है। इसी प्रकार एक और कविता देखें, शीर्षक है **(पुल) सेतु—**

कृश अँगुली का संकेत जल / आकाश /
धुंधमयी श्वेत नदी की ओर / निर्भेद निरन्तर / क्षीण होता किनारा /
मन की रिक्त श्रेणियों के बीच / अटकी छोटी / काली आँख / नाव की?

यहाँ 'कृश अँगुली' से निर्दिष्ट पुल तथा जल, आकाश, धुंधमयी श्वेत नदी, क्षितिज में क्रमश: विलीन होता किनारा, ये सब किसी भाव-लोक के व्यंजक बनते हैं और आगे मन की रिक्त श्रेणियाँ और घाट की श्रेणियाँ परस्पर उपमान और उपमेय रूप में एकात्म हो कर उस भाव के नाम-रूप को ध्वनित करते हैं जो ऊपर की पंक्तियों में अपने नाम-रूप से अजान है। यहाँ एक और उदाहरण देकर हम कुछ भिन्न प्रकार की कविताओं को देखेंगे। यह उदाहरण भी पिछले दो उदाहरणों से इस बात में भिन्न है कि उनमें जबकि भावना दृश्य को उपरंजित करती है, इस उदाहरण में दृश्य है जो भावना में उन्मीलित होता है। कविता का शीर्षक है **'स्वागत'—**

अँधेरा-तनावग्रस्त / तैरती हैडलाइट / उठती धूल की / लम्बी स्वर्ण
अँगुलियाँ / उठातीं / खाली मंच पर / अँधेरे का नेपथ्य / निश्चिन्त हो
सुनता मन / रात का स्वगत कथन।

यहाँ 'नाटक आरम्भ होने की तैयारी' का जिस कुशलता से 'वर्णन' किया गया है उसकी प्रशंसा के लिए शब्द पाना कठिन है। और उसके बाद रंगमंच पर आरम्भ होते अभिनय की शान्त रस-वर्षा और दर्शक की उसमें तल्लीनता का वर्णन यह सब देखते ही बनता है। कविता की समाप्ति उस अगाध शान्त भाव में लीन होने के संकेत के साथ होती है जो निरस्त-रव, प्रशमित उद्वेग और स्तम्भित भाव-विचार से उपलक्षित होता है।

इस संग्रह की कविताओं में विषय-वैविध्य और इन विषयों का रूप और उनके प्रकार भी चकित कर देने वाले हैं। पहले तो ये कविताएँ सात खण्डों में वर्गीकृत हैं—(1) पीत प्रलय, (2) तनी रस्सी पर, (3) शालभंजिका, (4) विदिताविदित, (5) नयी व्याकरण, (6) दो तरु और (7) जगत्-वार्ता, फिर इन सात खण्डों में भी विषय-भिन्नता कुछ इस प्रकार की है कि प्राय: सब कविताओं को स्वतन्त्र खण्ड कहा जा सकता है। इसका कारण यह है कि ये कविताएँ भावुक जीवन-विषयक नहीं हैं बल्कि प्राकृतिक रूपों, चेतना के विभिन्न आयामों, जीवन की विभिन्न स्थितियों और मन की विभिन्न अवस्थाओं विषयक हैं। किन्तु तब भी इन कविताओं में अधिकांश में एक-सा पन है। यह एक-सा पन शायद इस बात में है कि "इन (कविताओं) की मूल भूमि मन की वृत्तियों का परामर्श कही जा सकती है।" यह इन कविताओं के सम्बन्ध में शब्दश: सही है। कवि इन वृत्तियों में कभी निमग्न नहीं होता, वह इस निमग्नता से उबर कर इनके आकारों को उनकी शुद्धता में अद्भुत निपुणता के साथ, अथवा कहें अद्भुत सहज भाव से, निरूपित करता है, जिस कारण इन वृत्तियों का अर्थ-सम्भार उन्मीलित हो सका है। यहाँ यह कुछ उदाहरणों द्वारा दिखाना उपयुक्त होगा। एक उदाहरण 'पेंशनर' कविता का देखें—

ठण्ड का एहसास / आज पहली बार / कुछ सहम कर बैठ गया मन /
कोने में / लम्बी सेवा से निवृत्त हो / बना पेंशनर
अहाते पर बिछे / धूप के जाल में बटोरता है निरन्तर आगे बढ़ती सड़क
की थोड़ी-सी हँसी / थोड़ा-सा रंग / पुरानी चिट्ठियों के धुँधलाते शब्दों-सा
समय के उखड़े टुकड़ों को / जोड़ने की कोशिश में।

पेंशनर का यह 'चित्र' अत्यन्त मार्मिक रूप से यथार्थ है। इसमें एक भी शब्द अनावश्यक नहीं है और सब पद असीमत: संयत और असीमत: व्यंजक हैं। किन्तु ऐसे चित्रों की मार्मिकता में पैठने के लिए मन का लौकिक प्रसंगों से नितान्त मुक्त होना आवश्यक होता है, नहीं तो ये बेमतलब के ही प्रतीत होते हैं।

यह एक चित्र है—शब्द-चित्र। कोई बहुत कुशल चित्रकार रंग-रेखाओं से यह चित्र बना सकता है, किन्तु जितना व्यंजक और स्पष्ट शब्द-चित्र हो सकता है उतना रंग-रेखात्मक चित्र नहीं हो सकता, केवल यदि शब्द-चितेरा कवि मन:स्थित के मर्म में पैठ सकता हो। यह सामर्थ्य, यह संवेदनशील दृष्टि अमिता के कवि में है। द्रष्टव्य है कि ऐसे प्रसंगों को अधिकांश कि प्राय: ही अपना विषय नहीं बनाते, चित्रकार ही बनाते हैं, किन्तु अमिता ने ऐसे बहुत-से प्रसंगों को अपना विषय बनाया है और उनके मार्मिक चित्र प्रस्तुत किये हैं। चित्र-विषय की काव्य-विषय से विशेषता इस बात में कही जा सकती है कि उसमें कोई एतद्बाह्य प्रयोजन नहीं रहता, केवल अपने तक सीमित दृश्य और उसका अन्तस् रहता है जो उस दृश्य द्वारा ईषत् रूप से इस प्रकार संकेतित रहता है कि उसमें दर्शन अपनी कल्पना और अपनी चेतना की क्रान्तदर्शिता की सामर्थ्य के अनुसार पैठ सके। वास्तव में दृश्य का वह अन्तस् स्वयं चित्रकार के लिए भी ईषत् ही प्रस्तुत होता है, इसलिए उससे जो व्यंजित होता है वह तो दर्शक की चेतना की अपनी प्रांजलता और संवेदनशीलता के अनुसार ही रहता है। ऐसे चित्र कविता में उकेरना आधुनिक काव्य के कुछ कवियों की ही विशेषता है, अमिता की कविताओं में ऐसे चित्रों की संख्या काफी है। पेंशनर का चित्र ऐसे चित्रों में से एक है। यहाँ चित्रात्मकता का एक उदाहरण और देखें। शीर्षक है **धूप गई**—

पहाड़ की वीरान ढाल से / सरक गई है धूप / उठ गया है स्पर्श का
आश्वासन / लौट गई छाया तरु में / खोती आकृतियाँ अपनी स्पष्टता /
जैसे अक्षर सम्बद्धता / टिहरी का अन्तिम शब्द है / मौन का आह्वान।

इस चित्र की 'स्वगत' कविता के चित्र से अनुरूपता द्रष्टव्य है—दोनों में चित्र की गहन प्रशान्त भाव में अवस्थिति का संकेत है।

शालभंजिका शीर्षक खण्ड में प्रेम-कविताएँ हैं। ये प्रेम-कविताएँ सीधे से प्रेम-भावना की, मिलन की उत्कण्ठा या विरह की व्यथा की, अभिव्यक्तियाँ नहीं होकर कवि के अपने मित्र से सम्बन्ध के विभिन्न प्रसंगों की निरूपक अथवा उन प्रसंगों में घटित अनुभूतियों की व्यंजक हैं। इस प्रेम में सहज कैशोर्य का अल्हड़पन या यौवन की उद्दामता नहीं है बल्कि अत्यधिक शिक्षित, अभिसंस्कृत व्यक्तित्व की शालीनता और गहनता है। इस खण्ड का शीर्षक 'शालभंजिका' है जिसे लक्ष्य कर ही पुस्तक के प्रकाशकीय वक्तव्य में लिखा गया है—"इन में संवेदनशीलता शालभंजिका के समान संयत और साफ-सुथरी है।" एकदम सही। दो उदाहरण देखें। एक का शीर्षक है **'तीसरा'**—

बगीचे और रात की हवा में बर्फ / और धुएँ के बीच / हम बोले एक-दूसरे से/
उस तीसरे की मौजूदगी में / मुस्कुराये हम / एक-दूसरे के लिए और उस
तीसरे के लिए/ फैलाये आगे लम्बे पैर घास पर / सींचती रही घास अपने तरल
रस से / खिंची तंग नसें—पल भर के लिए / पिघला आत्म-विरोध /
उस अजनबी के शिष्ट अभिनन्दन में

एक और उदाहरण देखें 'तनी रस्सी पर' शीर्षक कविता का—

आज फिर प्रयास / शब्दों को छोड़कर / तर्क को लांघ /
आइने में तरसते दुत्कारे घायल चेहरे को मिटा कर /
तुम्हें अपनाने का / गूँजती पुरानी आवाज़ें / फिर भी बढ़ता मन /
तनी हुई रस्सी पर / तुम्हारी ओर।

पहली कविता में आरम्भिक मिलन या मिलनों के संकोचपूर्ण व्यवहार का और दूसरी में तिरस्कार-जन्य आक्रोश और व्यथा से उबरते आहत हृदय का निरूपण है। दोनों में अभिव्यक्ति की सहजता और दूसरी में श्लिष्ट मन:स्थिति की सूक्ष्म व्यंजना ध्यातव्य है और इनके आधार में कवि की वह मनोरचना ध्यातव्य है जो इनमें व्यक्त भावनाओं का गुण बनती है। एक छोटी-सी अत्यधिक व्यंजक कविता और देखें—शीर्षक है **'इतना लिखा'**—

क्यों मेरे प्यार में / उपन्यास की सम्पूर्णता ढूँढ़ते हो? / साधारण अपराध से नीरस कर्म
तुम्हारे/ बनाये सूक्ष्म संवेदना के प्रतीक / यह काफी नहीं?

इन कविताओं की पदावली इस सीमा तक व्यंजनात्मक है कि इसका अभिधात्मक पदावली में निर्वचन असम्भव है। इस कारण इन कविताओं के अर्थ की ओर संकेत ही किया जा सकता है, उसे समझाया नहीं जा सकता। इस अन्तिम उदाहरण में प्रेम उलाहने के रूप में व्यक्त हुआ है, उलाहने के पीछे एक गहरा आहत भाव है प्रेमी की अपने से अयुक्तिसंगत अपेक्षा के कारण और उसकी स्वयं की भावना की क्षीणता के प्रति। ऐसी व्यंजनाओं का केवल भाव-तादात्म्य के द्वारा ही अवगमन सम्भव होता है।

अन्त में एक उदाहरण हम 'दो तरु' खण्ड की दार्शनिक कविताओं में से देंगे। कविता का शीर्षक है— **'प्रचण्ड पूर्णता'—**

समुद्र-सा / पल्लव जल / पहाड़ सा-
हरी घास पर साल से ढका / टीला-संगमरमरी शिखर, पुरा प्रतिमा
अर्ध मुँदी आँखें / अन्तर्मुखी-
यहाँ न / सत्य का साहस / न असत्य का सहारा
एक प्रचण्ड परिपूर्णता / लुप्त- / आस्था, अनास्था, मैं।

यहाँ व्यक्ति-चित्त में ब्रह्म-भाव के अवतरण का, अथवा कहें व्यक्ति-चित्त के ब्रह्म-भावापन्न होने का निरूपण द्रष्टव्य है। इसमें 'कुम्भ फटा जल-जलहि समाना' वाली बात नहीं है बल्कि कुम्भ के ज्यों-का-त्यों रहते भी कैसे कुम्भ सागरायत हो जाता है—एकाकारता के भ्रम से नहीं, बल्कि वास्तव में चित्त के अपने में रहते अपने अतिक्रमण से। यहाँ इसका निरूपण अपनी विदग्धता में अद्वितीय है। द्रष्टव्य है कि इस कविता का सन्दर्भ तत्त्वमीमांसीय नहीं होकर भावनात्मक ही है। इसका स्पष्ट संकेत पहले 'न सत्य का साहस, न असत्य का सहारा' से मिलता है और अन्त में 'मैं' से। यहाँ 'सत्य' और 'असत्य' 'सत् और असत्' के ब्राह्म चैतन्य से भिन्न व्यक्ति-चेतनापरक अर्थ में प्रयुक्त नहीं है बल्कि जीवनगत सन्दर्भ में प्रयुक्त हैं जो 'सत्य' और 'असत्य' के साथ क्रमश: 'साहस' और 'सहारा' के प्रयोग से स्पष्ट है। इसी प्रकार 'मैं' का अर्थ या संकेत 'अहंकार' नहीं है बल्कि अस्मिता बोध, अपनी समग्रता में 'अस्तित्व-भाव' है जो 'आस्था' और 'अनास्था' शब्दों के प्रयोग से और निश्चित हो जाता है। इस प्रकार यह कविता दार्शनिक सन्दर्भ को भावना के जीवनगत सन्दर्भ के तारतम्य में स्थापित करती है। इसके लिए कवि का शब्द-चयन अद्भुत रूप से कुशल और सम्यक् है। इसमें दर्शन की गहरी समझ और भाषा का अत्यन्त सूक्ष्म बोध द्रष्टव्य है।

इस कविता-संग्रह की एक और विशेषता इसमें कमज़ोर कविताओं की संख्या बहुत कम होना है। वास्तव में अधिकांश संग्रहों में कुछ ही कविताएँ ऐसी होती हैं जिनमें भाव-सघनता आरम्भ से अन्त तक समान रहती है, या जिसमें भावना अपना अर्थ सम्यक् और स्फुट रूप में देख पाने और उसे उपयुक्त अभिव्यक्ति दे पाने में सफल रहती है, और सबसे बढ़कर, जिनमें कवि-दृष्टि महत् अर्थों को देख पायी होती है। इस संग्रह में ऐसी कविताओं का अनुपात बहुत अधिक है।

अमिता की यह पहली कृति है, किन्तु इसमें तनिक भी कच्चापन नहीं है। हमें आशा है कि भविष्य में उनके और भी उत्कृष्ट कविता-संग्रह देखने को मिलेंगे। हिन्दी-काव्य-जगत् इस कवि के आगमन से निश्चित रूप से समृद्ध हुआ है।

एक गगन–विहारिणी की अन्तर्कथा[1]

अ अस्तु का ज्योत्स्ना मिलन की दूसरी औपन्यासिक कृति है। उनका पहला उपन्यास **अपने साथ** जब पढ़ा था तो उसने कोई विशेष प्रभावित नहीं किया था, इसलिए इस उपन्यास को भी मैंने कोई बड़ी आशा लेकर पढ़ना आरम्भ नहीं किया था। किन्तु जब मैंने इसे पढ़ना आरम्भ किया तब पहले वाक्य से ही जैसे इस उपन्यास ने मुझे अभिभूत कर लिया। इसका आरम्भ 'अस्तु' के सीढ़ियाँ चढ़ने और उन सीढ़ियों तथा उन्हें फलांगने को अनन्त करने की आकांक्षा से होता है और समाप्ति आसमान में उड़ने और उड़ने को अनन्त करने की कामना के साथ। तब इस आरम्भ और अन्त के अन्तराल में क्या होता है? इस अन्तराल में अस्तित्व के—'हैं' के—लोक की अन्तवन्त सीमाओं का सम्भाव्य की—हो सकने की—असीमता में अतिक्रमण में होता है। यों इसमें कोई बात नहीं है, मानव–चेतना का स्वरूप ही 'अस्ति' से असन्तोष और सम्भव में उसके अतिलंघन का है, इसी से वह विधाता की सृष्टि के समकक्ष एक दूसरी सृष्टि खड़ी करती है। विज्ञान, यन्त्र, दर्शन और कलाएँ अस्ति के प्रति उसके इस असन्तोष की वाग्मी, विदग्ध या प्रगल्भ कहें, अभिव्यक्तियाँ हैं, किन्तु तब भी सम्भाव्य में उनकी यह उड़ान भाव से, अस्ति से, किसी–न–किसी प्रकार जुड़ी ही रहती है—और नहीं तो वह सम्भाव्य को भाव बनाने पर ही तुली रहती है। किन्तु अस्तु को भाव का, अस्ति का, कोई मोह ही नहीं हैं, उसे 'अस्ति' के न आदि में कोई रुचि है और न अन्त में। यहाँ हम इसके दो–तीन उदाहरण देंगे। किन्तु वास्तव में तो यह कृति आदि–मध्य–अन्त तक पूरी की पूरी इसी प्रकार की है। उपन्यास का आरम्भ इस प्रकार होता है—

"वह दौड़ कर सीढ़ियों की ओर लपकी तो एक सीढ़ी फलाँग गई। फिर तो फलाँगती ही चली गई"—

...

"लेकिन तुम जल्दी में थीं, गैस पर दाल का बघार चढ़ा था, तुम्हारा ध्यान वहीं था।"

"जल्दी तो मुझे थी, ध्यान भी कुछ तो बघार की ओर रहा ही होगा, फिर भी गैस पर रखा बघारिया और पहुँचने की जल्दबाजी दोनों उसे भूल गए, वह सीढ़ियाँ फलाँगती रही।" (पृ. 7)..."वह हँसे जा रही थी और बघार लगाते–लगाते भी सीढ़ियाँ ही फलाँग रही थी। जैसे–जैसे वह फलाँगती जाती सीढ़ियाँ बढ़ती जातीं। फलाँगते–फलाँगते वह अपने से पूछती जा रही थी, पहले मैं थकूँगी कि पहले सीढ़ियाँ खत्म होंगी? वह तो जो भी हो। बस मैं भर न थकूँ।" (12)

उपन्यास का यह आरम्भ घर की चहारदीवारी में घिरी, घर के चूल्हे–चौके के काम में ही पूरी तरह खपी किन्तु फिर भी उन्मुक्त, गगन–विहारिणी एक लड़की के इस चहारदीवारी के घेरे को फलाँग कर आसमान में निर्बन्ध उड़ जाने की घोषणा है। मानस–स्वातन्त्र्य की इससे तुलनीय काव्यात्मक व्याख्या अन्यत्र कहीं पानी कठिन होगी। यह लड़की जैसे सीढ़ियों से रहित घर में सीढ़ियों की रचना कर उस घर की चहारदीवारी से बाहर फलाँग जाती है—बाहर कहीं सड़क पर नहीं, सीधे आसमान में, जिसका, उसकी कामना के अनुसार, कहीं अन्त नहीं होना चाहिए।

उपन्यास की समाप्ति इस प्रकार होती है—

"वह चुपचाप कुर्सी से उठी और नीचे फर्श पर लेट गई।"

---

1. **अ अस्तु का** (उपन्यास) लेखिका, ज्योत्स्ना मिलन, वाग्देवी प्रकाशन 1990

"सब कुछ के खत्म हो जाने के बाद भी आसमान तो बचा ही रहा था। मगर आसमान ने कभी उपद्रव मचाया हो उसे याद नहीं। उसने कभी बाधा भी नहीं दी, न किसी सोच में, न किसी साँस में।"

...

"आसमान से उसकी दोस्ती तो तब से है जब वह उसे 'आसमान' कह कर जानती भी नहीं थी। उन दिनों पहली फुर्सत जा बैठती थी आसमान से गप्प लड़ाने, चाहे वो बरसात का हो चाहे जाड़े का, चाहे गरमी की रातों का।"

"आसमान से दोस्ती के दिनों में बादल से, चील से, सूरज से, चाँद से, हवा से, सब से दोस्ती थी। इनमें से कोई भी कभी भी गप्प में शामिल हो जाता था। एक बात तो आसमान से कहती, एक हर किसी से, एक सिर्फ सन्ति से।"

"आसमान और सन्ति में से किसी एक को चुनना ज़रूरी नहीं है। ये दोनों साथ-साथ हो सकते हैं।"

"ऐसा नहीं है कि जहाँ आसमान खत्म होगा वहाँ से सन्ति शुरू होगा।"

"लेकिन तुम्हारी कामना के मुताबिक तो आसमान कभी खत्म होगा ही नहीं और इसका मतलब यह कि सन्ति बेचारा तो कभी शुरू हो ही नहीं पायेगा।"

"आसमान भी शुरू और सन्ति भी शुरू। शुरू से शुरू।"

"शुरू में क्या था?"

"शुरू में?"

"अ अस्तु का।"

ये अन्तिम वाक्य हैं, किन्तु सारे उपन्यास में यही आसमान, बादल, चील, पेड़, फूल, पक्षी हैं। केवल सन्ति इतने महत्त्व से नहीं है, बेचारे को सचमुच ही कहीं 'शुरू' नहीं मिलती। यों यहाँ भी यह 'बेचारा' ही है—आसमान के बराबर महत्त्व पाने की याचना करता हुआ। यद्यपि सन्ति को यहाँ उपन्यासकार आसमान के साथ 'शुरू' दे देती है, किन्तु इस संशय के बाद कि आसमान उसके सम्पूर्ण अस्तित्व को व्याप्त कर अनन्त में बढ़ गया है ऐसे में 'बेचारे' सन्ति के लिए कहीं कुछ अवकाश बचेगा भी या नहीं? किन्तु यहाँ उपन्यासकार अस्तु की कल्पना की उड़ानों को एक नया मोड़ दे देती है, तात्त्विक (?) मोड़। जो आसमान अनन्त है उसे वह एक 'शुरू' देती है, सन्ति के बराबर का शुरू। किन्तु इस शुरू से पहले स्वयं अस्तु को शुरू होना चाहिए, नहीं तो कुछ भी शुरू नहीं हो पायेगा, न आसमान और न सन्ति—न सम्भावनाओं की अपारता। किन्तु अस्तु का शुरू कहाँ से होगा? अपने से या कि अपने से भी पहले अपने 'अस्ति' से, या कि अपनी सम्भावना से? अस्तु का शुरू तो सम्भावना से ही हो सकता है—अस्तु के 'अ' से, जो अस्तु से पहले अस्तु की एक सम्भावना के रूप में है। पीछे उपन्यास में अस्तु कक्षा में अपने मास्टर से प्रश्न करती है कि पहले बीज हुआ या पेड़? मास्टर साहिब इसका किताबी उत्तर देते हैं कि पहले केवल मिट्टी-पानी थे, फिर जीव उपजे। पर अस्तु को यह उत्तर जँचता नहीं। वह तो सीधी और स्पष्ट बात जानना चाहती है कि पहले बीज आया कि पेड़? इसका उत्तर अस्तु की आजी देती है, और पूर्णत: प्रामाणिक उत्तर। उत्तर है, किसी के पहले और किसी के पीछे होने का क्या अर्थ? "सब आदि काल से था और अनादि काल तक रहेगा।" (44-47) किन्तु यदि सब आदि काल से था तब कुछ शुरू कैसे हो सकता है? स्वभावत: नहीं हो सकता। किन्तु यदि अस्तु का शुरू नहीं होगा तो आसमान का शुरू कैसे होगा? किन्तु यदि अस्तु का शुरू उसके अपने से ही होगा तब फिर अस्तु अनादि और उसका आसमान अनन्त कैसे होगा? इसलिए अस्तु को अपने से भी पहले शुरू होना चाहिए, अपनी सम्भावना के रूप में, तभी वह सम्भावनाओं के अनन्त आकाश में अपने को खो और सँजो सकती है।

आसमान के साथ अस्तु का रिश्ता कितना घनिष्ट है इसका कुछ अनुमान ऊपर के उद्धरणों से हो जाता है, किन्तु इसका पूरा पता पूरा उपन्यास पढ़े बिना नहीं चल सकता। वह सारा समय आसमान के साथ ही रहती है। वह, जो सब चीज़ के लिए यह सोच सकती है कि 'यह जो है, नहीं भी हो सकता था', आसमान के बारे में यह कल्पना भी करने से इन्कार कर देती है कि उसके साथ ऐसा किसी तरह हो भी सकता है। आकाश के नीचे नहीं होने की सम्भावना का प्रश्न और इस प्रश्न से उपजी अकुलाहट उपन्यासकार के ही शब्दों में द्रष्टव्य हैं। अस्तु अपने से कहती है—

"आज से सात साल पहले कोई आकर कहता—

कोई क्या, मान लो सन्ति ही आकर कहता कि—अस्तु फर्ज़ करो, एक दिन तुम सोकर उठो और देखो कि बाहर आसमान नहीं है, ऊपर-नीचे, आजू-बाजू कहीं नहीं है, तो?

हुँह! ऐसा हो ही नहीं सकता। उसका दो टूक जवाब होता।

न हो तो न हो! तब तो डर की कोई बात ही नहीं, तुम फर्ज़ तो करो!

जबकि घुसने को तो उसे पता है कि आसमान पत्थर में या लोहे में घुसकर भी अपने लिए तो जगह बना ही लेता है। जहाँ मर्ज़ी घुस जाए, निकल आये। आसमान ने ही तो दिया था उसे परकाय-प्रवेश का मन्त्र। अपने शरीर से चुपचाप निकल कर पेड़ में चली जाती थी, कभी घुस जाती थी किसी छिपकली में, साँप में, घोड़े में, चील में, आदमी में, औरत में। बिना रोक-टोक भटकती फिरती थी।

...आसमान की तो बस एक ही शर्त थी—सब से पहले तो तुझे आसमान होना पड़ेगा, फिर तुझे कुछ और होना हो, होओ, मत होना हो तो मत होओ।

यही तो चाहिए था उसे! सबसे पहले तो उसे आसमान होना था।

नहीं, नहीं यह फर्ज़ भी नहीं करूँगी कि सोकर उठूँ और बाहर आसमान न हो।

'अरे बुद्धू! यह फर्ज़ करने से ही आसमान कहीं थोड़े ही नहीं हो जायगा!" (37-38)

अब, वह आसमान, जो अस्तु के लिए इतना कुछ है—जो उसे सर्वव्यापक बनाता है, छिपकली होकर छत से उल्टे चिपक जाने और चील होकर कहीं भी, ऊँचे से ऊँचे उड़ जाने की सामर्थ्य देता है, कहें, किसी भी और सब कल्पनाओं को ठोस यथार्थ बना देता है, स्वयं उस आसमान के ही नहीं होने की सम्भावना कैसे हो सकती है?

किन्तु इस कल्पना की असम्भवता की बात अस्तु ने सात साल पहले के लिए क्यों कही? क्या अब वह यह कल्पना कर सकती है? यदि हाँ, तब तो अस्तु के जीवन में एक मूलगामी विपन्नता का प्रवेश हो चुका होगा। असल में यह यों तो अब भी असम्भव ही था, किन्तु एक कहर उसके बाद बरपा हो चुका था अस्तु पर। एक बार एक जादूगर आया उसके मुहल्ले में और बोला—

"देखो बच्चो देखो जादू का खेल, मिटा देता हूँ डस्टर से सारे के सारे पेड़।" इस पर अस्तु ने उसे चुनौती दी कि वह यह करके दिखाये असम्भव काम—

"हाँ, हाँ, मिआँ, एक डगाल तो मिटा! हाँकू कहीं का!" (३८)

किन्तु जादूगर सचमुच एक के बाद दूसरा पेड़ अस्तु के देखते-देखते मिटा देता है। इस पर अस्तु की व्याकुलता देखने वाली है—

"एक, दो, तीन उसने तीन बार डस्टर घुमाया तो आधा आम साफ। अपने घर के सामने वाले आम को उसने सबसे पहले पुँछते देखा था। वह दौड़ कर पिछवाड़े पहुँची तब तक पीछे वाला पीपल भी आधे से अधिक पुँछ चुका था।"

...

"वह झटके से रुकी, पलट कर देखा अपने बिना पेड़ों वाले मुहल्ले को। एक रुण्ड मुण्ड मकान ही मकान। आँवली वाली ओरी, नीम वाला चबूतरा, पीपल वाली हवेली, बरगद वाली बावड़ी सब की पहचान खो गई।" वह धप्प से मुहल्ले के बाहर ही बैठ गई। इसके बाद वह अपने को ढाढस बँधाने का प्रयत्न करती है—

"अरे, चल तो। पेड़ कहीं जा नहीं सकते, अभी फिर आ जायेंगे वे।" किन्तु फिर असमंजस में पड़ जाती है और अपने से प्रश्न करती है—"फर्ज़ करो, चले जाएँ तो?"

"उसने अपने कानों में उँगलियाँ ठूँस दीं। जैसे ऐसी बात सुनना भी पाप हो। कभी-कभी सोने में भी डर लगता उसे। कहीं सोकर उठूँ और बाहर पेड़ न हों तो? या सोते में आज पता नहीं क्या सपना आ जाय! अन्तहीन सपने में पुँछते अन्तहीन पेड़।" (38-39)

इसमें अस्तु का पेड़-पौधों से तादात्म्य, उनके बिना जीवन की अकल्पनीयता वैसी ही लक्षित होती है जैसी पिछले उद्धरण में आकाश के प्रति देखी थी। वास्तव में यह सारा उपन्यास ही आकाश और पेड़ों के बीच अस्तु के अपने को पाने का काव्य है, ये उद्धरण केवल इसके निदर्श हैं, खोज कर उद्धृत स्थल विशेष नहीं। यहाँ सब जगहों की पहचान पेड़ों के नाम से द्रष्टव्य है। इनके बीच आजी है, नानी की नितान्त सहज भाव से कही हुई अत्यन्त कष्टकर कथा है, पति के पार्श्व में लेटे अन्यमनस्कता का वर्णन और मोक्ष तथा अहिंसा की व्याख्या है। ये सब अस्तु के जीवन और चरित होने से उसी के अनुरूप हैं। बच्ची अस्तु और आजी के बीच सम्बन्ध की मधुरता और ऊष्मा का चित्रण इतना सहज और मार्मिक है कि वैसा चित्रण स्वयं ज्योत्स्ना जी की ही कहानियों के अतिरिक्त अन्यत्र कहीं दुर्लभ होगा। नानी का किस्सा, हीनता-ग्रन्थि से रुग्ण एक पति द्वारा पत्नी पर अत्याचार का मार्मिक किन्तु अस्तु के स्वभाव के अनुरूप चुस्त शब्दों में वर्णित किस्सा है। सम्भवत: नानी की यह कथा ज्योत्स्ना जी ने अपनी किसी कहानी में थोड़े और विस्तार से भी कही है और इसी कारण वहाँ यह अधिक हृदयस्पर्शी भी है। किन्तु यहाँ यह अस्तु की दाएँ-बाएँ हाथ-पैर में निर्णय कर पाने में उलझन के क्रम में आयी है और इतनी सहज और रोचक ढंग से कि देखते ही बनता है। यहाँ इस दाएँ-बाएँ के झमेले का और उसमें से निकलते नानी के किस्से का थोड़ा-सा नमूना देखना उपन्यास के सौन्दर्य के एक पक्ष को समझने की दृष्टि से उपयोगी होगा—

"...दाएँ-बाएँ के इस झमेले को छोड़ो, अब यह पता लगाओ कि मेरे नाना जी ने अपनी पत्नी से क्यों पूछा होगा यह सवाल कि—सच-सच बता कौन-सा पैर मारा उसे? दायाँ कि बायाँ?"

इसका जवाब अपने नाना जी से माँगो—

टालो मत, जवाब दो।

ज़ाहिर है वे तुम्हारी नानी को फुसला रहे थे, दाएँ-बाएँ बहका रहे थे।

उनके हिसाब से कुछ बातें तय थीं।

जैसे?

अगर तुम नेमिचन्द्र के साथ बीमार माँ को ताँगे में अस्पताल ले के गई थीं और ताँगे में वह सामने की सीट पर बैठा था तो उसने तुम्हें पैर ज़रूर ही मारा होगा।

...

"यहाँ आ!"—कहते हुए उन्होंने बड़े भारी छपर पलंग का पाया उठाया था अपनी पूरी ताकत लगाकर।

चाबी भरी गुड़िया सी नानी पहुँच गई थी उसके पास।

चल रख हथेली को नीचे—

अब बता, उस हरामी ने कौन-सा पैर मारा था? दायाँ कि बायाँ?" (62-63)

दाएँ और बाएँ पैर में इतना मूलगामी और इतना महत्त्वपूर्ण भेद है यह समझाने का इस घटना से अधिक और कौन-सा उपाय हो सकता था?

मोक्ष विषयक चर्चा में भी मनुष्य-समाज और संस्कृति में स्त्री का स्थान क्या है और वह कितने बेतुके आधारों पर अवस्थित है इसका भी अत्यन्त सटीक चित्रण हमें यहाँ मिलता है, किन्तु प्रतिपादन या व्याख्यान के रूप में नहीं, उसी प्रकार व्यंग्यात्मक रूप में जैसे ऊपर के दाएँ-बाएँ के चक्कर में। किन्तु यह व्यंग्य भी यहाँ नितान्त परोक्ष है, केवल प्रसंगवश आया हुआ, जैसे नानी का प्रसंग बड़े प्रसंग के बीच एक छोटे प्रसंग के रूप में आया है—

..."तो क्या मुक्त आत्माएँ पीपल के पत्तों की तरह शोर मचा सकती हैं?

हाँ, क्यों नहीं? वर्ना वे मुक्त काहे की हुईं! वे तो जो चाहें सो करें।

तो क्या वे जब चाहें किसी भी चीज़ में घुस जा सकती हैं?

कहा न वे सब कुछ कर सकती हैं!

अगर ऐसी किसी मुक्ति की सम्भावना हो तब तो मोक्ष के बारे में पुनर्विचार किया जा सकता है। कितनी मज़ेदार बात है एक जन्म चील का, एक चींटी का, एक पेड़ का और पेड़ों में भी कितने पेड़ हुआ जा सकता है?" (50-51)

कैसी मज़े की बात है कि हमारे दर्शनिक और ऋषि तो चौरासी लाख योनियों के चक्कर से बचने के लिए मोक्ष ढूँढ़ते हैं और अस्तु इन योनियों के खेल खेलने के लिए ही मोक्ष चाहती है। किन्तु आगे चलकर वह मोक्ष को बेतुकी बात पाकर अस्वीकार कर देती है।..."दरअसल मोक्ष के साथ दो बड़ी भारी मुसीबतें थीं। एक तो यह कि अगर कल को वह, उसके पिता, उसके भाई, सब मिल के एक साथ एक ही दिन तप करना शुरू करें और सब-के-सब बराबर तप करें तो उसके फलस्वरूप वह अधिक-से-अधिक एक पुरुष ही हो सकती है। जबकि उसके पिता, भाई, ननकू सुनार या मन्ने धोबी तक को उतने तप के बाद सीधे मोक्ष मिल सकता है।...हर तरह सोचने पर उसने पाया कि मोक्ष का कोई विशेष फायदा नहीं था, बल्कि उसका सब से बड़ा नुकसान तो यही था कि एक बार मुक्त हो जाने के बाद तो कुछ और हुआ ही नहीं जा सकता। इससे तो अस्तु का अस्तु रहना ही क्या बुरा है?" (51-52) स्पष्ट है कि यहाँ उद्देश्य 'नारी के प्रति अन्याय' के विरुद्ध प्रत्यक्ष या परोक्ष किसी भी रूप में झण्डा गाड़ना नहीं है।

अस्तु घर के बारे में क्या कहती है, यह दिखाने का लोभ-संवरण करना भी हमारे लिए कठिन हो रहा है इसलिए संक्षेप में वह भी देखें—

"क्या कहा अभी-अभी तुमने? मेरा घर?"

...

'मन्ने धोबी का घर झुग्गी बस्ती में है। जितनी बार बुलडोज़र आता है उसे ढहाता है मगर वो हर बार ऐसे उठ खड़ा होता है जैसे खेलते-खेलते गिर पड़ा बच्चा उठ खड़ा हो। लगता ही क्या है? गारा, पानी, पत्थर और गोबर। सब कुछ मुफ्त का। राजा का महल और उम्मेद सिंह की हवेली बरसों से खड़े हैं। अब वहाँ कोई नहीं रहता। चमगादड़ें, मधुमक्खियाँ रहती हैं, अगर वे 'कोई' में शामिल हों।...लगभग पूरी तरह नष्ट हो जाने के बाद भी ये अपने होने का भ्रम बनाये रहते हैं इसलिए खत्म हो चुकने के बाद भी इन्हें कोई नहीं ढहाता।...अस्तु को तो ऐसा घर चाहिए जो जब वो चाहे, हो, जब न चाहे, न हो। जिसे खींच-तान कर बड़ा या छोटा किया जा सके। ऐसे घर की खोज में वह बचपन की एक दोपहर घर से निकल पड़ी थी और तब से अभी तक लौटी ही नहीं।' (132-33)

अद्भुत! इसे केवल अद्भुत ही कहा जा सकता है। अस्तु के चरित्र का इससे अधिक व्यंजक चित्र और कोई नहीं हो सकता। अस्तु का घर से निकलना वास्तव में कैसे हो सकता है? और उसे इस वास्तव निकलने की ज़रूरत भी क्या है? उसके घर का तो 'घर' होने के लिए 'बाहर' से जुड़ना भी ज़रूरी है। तब अस्तु को यों बाहर निकलने की ज़रूरत भी क्या है?

× × ×

इस कृति को पढ़ने के बाद कोई पूछ सकता है कि इसे 'उपन्यास' कहना कहाँ तक उचित है? क्योंकि इसमें कोई कथा नहीं है, नाम भर की भी नहीं। इसे यदि एक व्यक्ति के चित्त-प्रवाह के रूप में देखा जाय तो इसमें वह भी किसी क्रम में और किसी दिशा की ओर निर्दिष्ट रूप में नहीं है। इसमें बचपन से चालीस वर्ष की आयु तक के काल की कभी भी घटित घटना या कभी भी उपजा ख्याल कभी भी उभर आते हैं। पृष्ठ 28 पर हम देखते हैं कि उससे पूछा जा रहा है कि वह क्या काम (यानी सर्विस) करती है और पृष्ठ 78 पर वह स्कूल की कक्षा में बैठी है और मास्टर उसे 'महादेव जी का पोठिया' (यानी बैल) कहता है और पृष्ठ 142 पर वह छुपन-छुपाई खेलने वाली इतनी छोटी बच्ची है जो अपनी आजी की पीठ के पीछे 'छिप' कर अपने को दूसरों की निगाहों से ओझल मानती है। इस प्रकार यह उपन्यास किसी की विचार-यात्रा या 'भाव-यात्रा' भी नहीं है। यह सम्भावनाओं के लोक में कल्पनाओं की निर्बन्ध उड़ान की व्यवस्थाहीन व्यवस्थापना है। अस्तु का कल्पना-प्रवाह उसे जिधर ले जाता है वह उधर ही उड़ चलती है और उसमें इस तरह रम जाती है जैसे छः-सात साल का अकेला रहने वाला बच्चा अपने कल्पना-लोक में रम जाता है। और उसमें कभी घोड़ा बन जाता है तो कभी घुड़सवार, कभी रेल का इंजन और कभी इंजन का ड्राइवर, और अक्सर एक-साथ दोनों। कल्पना-लोकों और स्मृति में ये विचरण इसमें इतने सजीव और सहज हैं कि इन्हें इन 'विचरणों का वर्णन' कहना भी अनुचित लगता है। ये तो जैसे उन कल्पनाओं और स्मृतियों के उनकी तन्मयता में लिपीकरण हैं। इस कारण इसे लेखक की आत्मकथा ही नहीं आत्मालाप भी नहीं कह सकते, क्योंकि उपन्यास की अस्तु ज्योत्स्ना मिलन का नामान्तर नहीं है। वह तो जैसे ज्योत्स्ना मिलन की देह से ज्योत्स्ना मिलन को निकाल कर आ बैठी कोई लड़की है जिसके कल्पनालाप और स्मृतियाँ लिपि में उभर आयी हैं। अब, यह अस्तु अधिकांश में आठ से दस साल की आयु के बीच ही रहती है। जहाँ थोड़ी बड़ी भी होती है वहाँ भी चूल्हे-चौके के काम तक सीमित निम्न मध्यवित्त परिवार की घरेलू लड़की ही रहती है। इसलिए इस उपन्यास का वैचारिक और भावनात्मक स्तर ऊँचा और जटिल नहीं है—रमेशचन्द्र शाह या निर्मल वर्मा के उपन्यासों के जैसा। किन्तु इस लड़की विशेष (अस्तु) का जो विशिष्ट मनोलोक है, उसके मनस् का जो विशिष्ट रूप और गुण है, वह अद्भुत रूप से सुन्दर है और उसके अभिव्यक्ति के स्तर की उत्कृष्टता अद्वितीय है—हाँ, अद्वितीय।

हाँ, तो हमने ऊपर प्रश्न उठाया था कि **अ अस्तु का** को 'उपन्यास' कैसे कहा जा सकता है? वास्तव में यह प्रश्न अप्रष्टव्य है, क्योंकि मानवीय सृजनात्मक कर्म किन्हीं पूर्व नियत परिभाषाओं को स्वीकार कर नहीं

चलता। कोई कविता लिखने बैठे और वहाँ तुक और छन्द के नियम तोड़ कर कुछ रच जाय और लेखक को अपनी प्रामाणिकता में कोई सन्देह नहीं हो तो वह नियत परिभाषा की चिन्ता करे या कि उस स्रोतस्विनी के साथ अपने को बहने दे जो उसके अन्तस् में प्रवाहित हुई है? ऐसी कृति के अभूतपूर्व, या कहें 'नयी' होने पर भी उसे 'नया प्रयोग' कहना भी युक्त नहीं होगा। प्रस्तुत कृति का कृतिकार तो वैसे भी 'अस्तु' से आविष्ट है और अस्तु ऐसी है जो कुछ 'करती' तो है ही नहीं। तब वह 'प्रयोग' कैसे करेगी? वह तो रोटी पकाती हुई सीढ़ियाँ फलाँगती है और बघार लगाती हुई चील बन कर उड़ती है। इस तरह वह कुछ 'करती' नहीं है, वह केवल 'मनमानी होती' है और यह 'होती हुई मनमानी' ही यह कृति है। इसे यदि कोई किसी नियमावली से मिला कर उपन्यास नहीं कहे तो यह उसी की बुद्धि की दयनीयता का द्योतक होगा, न कि इस कृति का दोष।

पूर्वापर : भारतीय चेतना का एक औपन्यासिक बिम्ब

पूर्वावर डॉ. रमेशचन्द्र शाह का तीसरा उपन्यास है। इसके बाद उनके दो उपन्यास और प्रकाशित हो चुके हैं और अपनी जगह वे भी अच्छे हैं, किन्तु यह उपन्यास कुछ दृष्टियों से हिन्दी–उपन्यास–जगत् में विशिष्ट है, श्रेष्ठतम चाहे इसे डॉ. शाह के अन्य उपन्यासों की तुलना में भी नहीं कहा जाय। किन्तु यह एक बहुत उत्कृष्ट उपन्यास है।—तुलनात्मक मूल्यांकन को छोड़ते हुए—ऐसा मुझे असंदिग्ध प्रतीत होता है। किन्तु मैं इसकी ओर आकृष्ट इसके ऐसे गुण के कारण हुआ हूँ जो इसे अन्यों से पृथक् करता है। इसका यह वैशिष्ट्य इसमें भारतीय धार्मिक–आध्यात्मिक जीवन का नितान्त प्रामाणिक निरूपण होने में है। 'प्रामाणिक' इस अर्थ में कि यह एक पात्र के चरित्र का अन्तर्गत तत्त्व है, उसका जीवन और उसकी चर्या है, और यह पात्र इसका नायक नहीं होने पर भी इसमें केन्द्रीय महत्त्व का है। यह इस अर्थ में भी प्रामाणिक है क्योंकि यह पात्र लेखक द्वारा 'रचा' नहीं गया है, यह अपने आप से रच गया है, लेखक के चाहने से स्वतन्त्र। वास्तव में यह सहजता इस उपन्यास के सभी पात्रों में है। इस उपन्यास के नायक दो मित्र हैं—बंसी और बंटू। बंसी अपनी आत्मकथा लिख कर बंटू को भिजवाता है, जिस कथा में बंटू का उतना ही स्थान है, इस अन्तर के साथ कि वह बंसी के पक्ष से है। किन्तु इस आत्मकथा को पाठकों के सम्मुख रखने वाला बंटू है। इसे पढ़ते हुए मुझे ऐसा लगा—निरन्तर, जैसे ये दोनों मित्र एक ही जीवन : लेखक के जीवन : के दो पक्ष हैं। यह दो में विभक्त एक ही लेखक की आत्मकथा है, जो कथा यथाभूत और यथाभाव्य का बलात् सम्मिश्रण है—बलात्, अर्थात् लेखक की इच्छा से नहीं बल्कि लेखक पर आरोपित। इस उपन्यास में लेखक एक स्थान पर कहता है—"उस उपन्यास का नाम क्या था बंटू?...हाँ, 'पुनर्जन्म'। टाल्स्टाय का तो क्या टाल्स्टाय ने स्वयं भी पुनर्जन्म लाभ किया था?...क्या उपन्यास लिखते जाना—अपने को बार–बार कभी निखिल्याडोव और कभी किसी दूसरे 'पापी' चरित्र के रूप में जन्म देते रहना—अपने आप में एक लेखक का जीवन–व्यापी प्रायश्चित्त ?" (64–65) इसी प्रकार बंसी और बंटू में हमें शाह पुनर्जात प्रतीत हुए, प्रायश्चित्त के लिए नहीं, अपने को अधिक पूर्णता में पाने के लिए। भारतीय धार्मिक–आध्यात्मिक जीवन इतने ही सजीव और सहज रूप में ताराशंकर वंद्योपाध्याय के **आरोग्यनिकेतन** उपन्यास में भी निरूपित हुआ है किन्तु उसका चिन्तन मृत्यु पर केन्द्रित है जबकि इस उपन्यास में यह सर्वतोन्मुख है। इतना ही नहीं, संन्यासी हो जाने पर बंसी संन्यासियों के कुछ आश्रमों में भी रहता है और फिर अकेला एक गुफा में रहता है। इस सन्दर्भ में इसमें संन्यास–जीवन और उससे सम्बद्ध दार्शनिक–आध्यात्मिक चिन्तन का परिचय भी मिलता है। इसे हम आगे कुछ उद्धरणों द्वारा देखने का प्रयत्न करेंगे।

किन्तु यह धार्मिक–आध्यात्मिक जीवन इस उपन्यास का केवल एक पक्ष है, क्योंकि मुख्यत: तो यह बंसी और बंटू की कथा है जो धार्मिक या दार्शनिक नहीं हैं। बंसी अवश्य पीछे संन्यासी होता है किन्तु धार्मिकता या आध्यात्मिकता उसके जीवन का रंग नहीं है। इस प्रकार इस उपन्यास में साधारण व्यक्ति के प्रेम–द्वेष, हर्ष–विशाद, सामाजिक और पारिवारिक सम्बन्ध इन के रूप और रंग भी हैं और ये भी बहुत सजीव और गहरे हैं। किन्तु इन पक्षों में भी यह उपन्यास अन्य उपन्यासों से कुछ भिन्न है, एक पक्ष में तो बहुत भिन्न। इसमें दो प्रेम–सम्बन्धों, एक यौन–प्रेम और दूसरा एक पात्र की दूसरे के सौन्दर्य से अभिभूतता के प्रसंग भी हैं, किन्तु दोनों प्रेम–सम्बन्ध कामुकता से एकदम मुक्त, सौन्दर्य अपार्थिव अनुभूति में प्रतिफलित और यौन सम्बन्ध प्रताड़ना तथा पश्चात्ताप की भूमि पर प्रतिष्ठित है। किन्तु इसमें एक का भी रंग हल्का नहीं हुआ है, सब के रंग उजले यद्यपि कोमल हैं। द्रष्टव्य है कि यह अकामुकता और अनैन्द्रिकता तनिक भी अस्वाभाविक, आरोपित या काल्पनिक नहीं

लगती, सब नितान्त सहज और जीवन्त। उपन्यास की कथा में यह सब इतना सहज और स्वाभाविक है कि जैसे कुछ दूसरी तरह से हो ही नहीं सकता था। वास्तव में यह सब कथा उसके लेखक से स्वतन्त्र ही लगती है।

कथा का तीसरा पक्ष बंसी का परिवार, परिवार की नितान्त निर्धनता, परिवार के सदस्यों के परस्पर सम्बन्ध हैं। इस पक्ष में एक निम्न मध्यवित्त भारतीय परिवार की मानसिकता का अन्तरंग चित्र इसमें निरूपित हुआ है। यह द्रष्टव्य है कि साहित्य में कोई भी चित्रण सामान्य और प्रतिनिधि नहीं होता, वह सदैव विशिष्ट व्यक्तियों के बीच विशिष्ट सम्बन्धों का चित्रण ही होता और हो सकता है। उदाहरण के लिए, बंसी के परिवार का कोई भी सदस्य उससे भिन्न प्रकार का हो सकता था जैसा वह है और तब परिवार में परस्पर सम्बन्धों का रूप भी भिन्न होना अनिवार्य हो जाता। यहाँ पिता धार्मिक, आन्तरत: अत्यधिक प्रबुद्ध किन्तु बाह्य जीवन के प्रति उदासीन और असमंजस है। परिवार की आर्थिक विपन्नता का कारण उसका यह स्वभाव ही है। अब, यह भी हो सकता था कि पिता भीतर से नितान्त खोखला और बाहर से अत्यन्त चतुर होता किन्तु तब भी आर्थिक रूप से असफल होता और इस प्रकार परिवार में निर्धनता ही होती। किन्तु इस भेद से परिवार का रूप नितान्त भिन्न हो जाता।

अब यहाँ संक्षेप में उपन्यास की रूप-रेखा देखना उपयुक्त होगा—

बंसी और बंटू दो मित्र थे। बंसी एक निर्धन ब्राह्मण-परिवार का लड़का था और बंटू एक अपेक्षाकृत सम्पन्न वणिक परिवार का। बंसी युवा होने पर विवाह से पहले घर छोड़कर चला गया और संन्यासी हो गया और बंटू, जो इलाहाबाद विश्वविद्यालय में पढ़ने चला गया था, वहाँ व्याख्याता हो गया। वह लेखक भी बन गया। बंसी के संन्यासी हो जाने के बाद इन दोनों में कोई सम्पर्क नहीं रहा। तब एक दिन अकस्मात् एक चाय की दुकान पर दोनों का सामना हो गया, किन्तु बंसी की बढ़ी हुई दाढ़ी और जटाओं आदि के कारण बंटू बंसी को पहचान नहीं पाया। तब दुकानदार ने बंटू से पूछा कि 'क्या तुमने इन साधु बाबा को पहचाना?' बंटू ने या तो तब भी उसे नहीं पहचाना या वैसा दिखाया। इस बीच झट से बंसी वहाँ से भाग खड़ा हुआ और लौट कर उसने अपनी आत्मकथा लिखकर बंटू को भिजवायी। यही आत्मकथा इस उपन्यास का कथा-भाग है। अन्त में इस कथा पर बंटू की संक्षिप्त टिप्पणी है। यह टिप्पणी 'पुनश्च' शीर्षक से है। किन्तु पता नहीं क्यों 'पुनश्च' शीर्षक का भी पहला परिच्छेद बंसी की टिप्पणी के साथ ही आरम्भ होता है। उसके बाद का परिच्छेद जो अन्तिम है और जिसमें बंटू की टिप्पणी है, इस सूचना के बिना ही आरम्भ होता है कि यहाँ बंटू बंसी द्वारा लिखी आत्मकथा पर टिप्पणी कर रहा था। अस्तु।

बंसी की आत्मकथा का आरम्भ लगभग नौ वर्ष की आयु से होता है, इतनी ही आयु उस समय बँटी की थी—दोनों सहपाठी थे। सम्भवत: बंसी और बंटू के पिता भी सहपाठी रहे थे, उनमें भी परस्पर मैत्री थी। बंसी बंटू के घर ही उसके साथ बैठकर स्कूल का काम करता था और उसके साथ उसकी बहन मीरा के साथ लुकाछिपी खेलता था। मीरा की माँ उसके बचपन में ही मर गई थी, बंटू की माँ मीरा की विमाता थी। मीरा इन दोनों से पाँच वर्ष बड़ी थी। बंसी मीरा को बहुत प्यार करता था मीरा भी उसे प्रेम करती थी। किन्तु दोनों का यह प्रेम बाल-प्रेम ही था, काम की आहट भी जिसमें सुनाई नहीं पड़ी थी।

बंसी के पिता ऊन के पंखे और काली कमरिया बनाते और बेचते थे, इसके अतिरिक्त यजमानों के यहाँ पूजा-पाठ भी कराते थे। किन्तु दोनों से मिलाकर भी दो जून के खाने की जुगाड़ नहीं हो पाती थी। उसके लिए बंसी की माँ को भी 'खटना पड़ता था।' बंसी जब कुछ बड़ा हुआ तो पिता का पंखे-कमरियाँ बनाने का व्यवसाय उसने सम्भाला और कड़ी मेहनत कर घर की अभाव की स्थिति को कुछ सुधारा। वह कुछ पैसा बहन के विवाह के लिए भी जुटाना चाहता था। इस बीच छोटे भाई गोविन्दा ने मैट्रिक पास की तो पिता ने अपने स्वाभव के विरुद्ध स्थानीय पोस्टमास्टर की खुशामद कर उसे डाकिये के पद पर अस्थायी नियुक्ति दिलाई। (इसका लाभ उठाकर) पोस्टमास्टर ने अपनी एक कुबड़ी लड़की के बंसी से विवाह का प्रस्ताव किया जिसे उन्होंने स्वीकार कर लिया, किन्तु बंसी ने यह साक्रोश अस्वीकार कर दिया।

इस बीच बंटू का अपने घर में बर्तन साफ करने वाली के साथ यौन-सम्बन्ध स्थापित हुआ, जिसकी सूचना बंटू ने सगर्व बंसी को दी। इस पर बंसी ने उसे फटकारा और एक बार तो इससे उनके सम्बन्ध टूट से गए। जब बंसी की छोटी बहन मन्नो ने यह देखा तो वह बंटू के यहाँ गई और इसका कारण पूछा। जब वह बंटू के घर पहुँची तब वह नौकरानी बंटू के साथ कमरे में ही अकेली नहीं थी, सारे घर में भी और कोई नहीं था। किन्तु मन्नो का इस ओर ध्यान भी नहीं गया। बंटू मन्नो की इस निर्मलता और अपने प्रति इस अपार विश्वास से इतना अभिभूत हुआ कि वह उससे जीवन भर के लिए भ्रातृ सम्बन्ध से बँध गया। उसके बाद जब वह पढ़ने के लिए इलाहाबाद गया तो वहाँ से दोनों के बीच निरन्तर पत्र-व्यवहार चलता रहा। इस प्रेम और पत्र-व्यवहार से मन्नो के व्यक्तित्व में अद्भुत विकास और निखार आया। अपनी बहन के विवाह के लिए चिन्तित बंसी ने जब बंटू और मन्नो के बीच यह स्नेह देखा तो एक दिन उसने बंटू के सम्मुख विवाह का प्रस्ताव रख दिया। इससे बंटू को गहरा आघात लगा और वह त्रास से चीख उठा कि बंसी ने यह कल्पना भी कैसे कर ली? बाद में बंसी के संन्यासी हो जाने पर बंटू ने उसके घर में उसका स्थान ले लिया और मन्नो का विवाह अपने एक सहपाठी मित्र से करवाया।

बंसी को यह सारी जानकारी बाद में बंसी के भाई ने दी जब वह उसे ढूँढ़ता हुआ उसके पास पहुँचा। उसी समय भाई गोविन्दा ने पिता की मृत्यु का समाचार भी दिया। इसके बाद बंसी ने उस स्थान पर डेरा डाला जहाँ वह एक बार मीरा और बंटू के साथ अपने नगर से कुछ दूरी पर घूमने गया था। वहाँ रहते हुए उसे एक दिन पता चला कि उस नगर के उस मुहल्ले में आग लग गई है जिसमें उसका घर था। वहाँ जाकर उसने देखा कि कैसे मीरा के दिये चित्र, मेज़ और मन्नो की बनायी गुड़ियाएँ सब जल गया है और उसके घर के कमरे की केवल एक दीवार बची है, जबकि छत गिर गई है। तब बंसी ने इस कमरे में ही अपना डेरा डाल दिया। इसी से छुट्टियों में अपने घर आये बंटू से उसकी भेंट हो सकी।

कथा के इस ढाँचे के बीच पात्रों की भावनाओं, विचारों, सुख-दुःखों, चिन्ताओं, गर्वों और ग्लानियों के रंग अद्भुत सजीवता के साथ उभरे हैं। यहाँ हम इन रंगों की छटा कुछ उदाहरणों द्वारा देखेंगे।

बंसी की आत्मकथा का आरम्भ उपन्यास के परिच्छेद 4 से इस प्रकार होता है—"नवें बरस में मेरा एक नया नामकरण हुआ—छुप्पन। उसे छुपन-छुपाई बहुत पसन्द थी। और चूँकि उसे पसन्द थी, इसलिए मुझे भी। पता नहीं, वह कहाँ से वह नाम सुन लाई थी।...मैं इस खेल में बड़ी जल्दी माहिर हो गया था। रोज़-रोज़ ऐसी-ऐसी छुपने की नई-नई जगहें खोज निकालता कि वह मुझे ढूँढ़ते-ढूँढ़ते परेशान हो जाती।...किन्तु मेरे लिए उसे छकाना और उसकी हाँफती आवाज़ में 'अब आ-जा रे छुप्पन, मैं हार गई' सुनना जितना सुखद था, पकड़े जाना उससे कोई कम रोमांचकारी नहीं था। जब कभी उसके टटोलते हाथों की गिरफ्त में मेरा सिर या हाथ आ जाता वह बड़ी ज़ोर से किलकारी मारती, 'पकड़ लिया!' और फिर मुझे जमीन से एक फुट ऊँचा उठाकर दो-तीन चक्कर घुमाती और तभी मुझे छोड़ती।" (पृ. 25-27)..."मीरा की माँ को और मेरी माँ को भी हमारा यह छुपन-छुपाई खेलना पसन्द नहीं था। मेरी माँ तो मुझे अक्सर सुनाती रहती थी—'लड़कियों के साथ खेलता है। लड़कियों जैसे ही लच्छन हैं इसके।' मुझ पर इन कटूक्तियों का कोई असर नहीं होता था। लड़कियाँ थीं ही कहाँ वहाँ? वहाँ तो सिर्फ मीरा थी। और मीरा न लड़की थी, न लड़का। वह तो सिर्फ मीरा थी और सदा से थी। क्या कोई ऐसा भी समय था जब मैं था और मीरा नहीं थी? या कि मीरा थी और मैं नहीं था?" (वही)

नौ वर्ष के बच्चे के अपने से पाँच वर्ष बड़ी 'बच्ची' के प्रति प्रेम की प्रगाढ़ता और उसका यह निरूपण अपनी सम्यक्ता और मार्मिकता में अद्भुत है। इन बच्चों में काम-वृत्ति का अभी लेशमात्र भी प्रकट नहीं हुआ है किन्तु तब भी उस वृत्ति का अस्फुट बीज है जो इस प्रेम को ऊष्मा और सुगन्ध दे रहा है। यह प्रेम यदि अंकुरित और पल्लवित होता तो क्या रूप लेता इसका अनुमान युवक बंसी द्वारा कामासक्त बंटू को दी गई एक फटकार से किया जा सकता है—"यदि मुझे सचमुच उससे (अर्थात् बंटू की नौकरानी से) प्यार हो जाता तो मेरा वह प्यार ही मुझे इस गंदी हवस, इस गलीज़ छेड़छाड़ से, मुक्त रखता।" (87)

अब बंसी की बहन मन्नो के प्रति बंटू के भाव का निरूपण देखें—"खाना खाकर मैं बंटू को उसके घर छोड़ने जा रहा था कि रास्ते में अचानक रुक कर उसने मुझसे कहा—तुझे मेरे सिर की सौगन्ध। कभी भूले से भी, मज़ाक में भी, मन्नो के सामने इस बात का जिक्र मत करना।"

"मुझे क्या पड़ी है।" मैंने कहा, "मगर यह तो बता, तुझे मेरी नज़रों में गिरने की तो रत्ती भर परवाह नहीं और उस बच्ची का तुझे इतना खौफ सवार हो गया है। भला क्यों?" इस पर बंटू जो उत्तर देता है वह ध्यातव्य है—"तू उसे बच्ची ही समझ रहा है? वह तुझ से और मुझ से कहीं ज्यादा सयानी है। समझा?...बंसी, मुझे तू नहीं बचा सकता। वह बचाएगी मुझे, वह मेरी बैणी...। और यह बात मेरे कल ही समझ में आ गई थी। अब मैं उससे डरता हूँ बंसी! डरने को तो मैं तुझसे भी डरता हूँ। मगर...वह मुझ पर भरोसा करती है जबकि तू नहीं करता।" (92-93) बंटू में भाव का यह रूपान्तरण और उसका हेतु द्रष्टव्य है। इससे पहले बंटू का मन्नो से कोई 'रिश्ता' नहीं था, वह केवल उसके मित्र की एक छोटी बहन मात्र थी, एक छोटी बालिका मात्र। तब इन दो मित्रों को परस्पर रूठे देखकर वह बंसी को पता दिये बिना बंटू के यहाँ गई और उससे उसका कारण पूछा। तब पहली बार बंटू का ध्यान उसकी ओर गया और काम की दृष्टि से अन्यथा शिथिल चरित्र का भी यह युवक इस लड़की के प्रति प्रेम की उस दिव्य भावना से आप्लावित हो गया जिसकी दिव्यता तक प्रेम के आदर्श का बखान करने वाले बंसी की कल्पना भी नहीं पहुँच पायी थी। मानव-चेतना का यह एक अद्भुत वैचित्र्य है कि वह कब कैसा मोड़ लेगी इसका कुछ नहीं कहा जा सकता।

यहाँ एक अवान्तर टिप्पणी करना चाहूँगा : हिन्दी में उपन्यास-कहानियों की प्रशंसा में 'मनोवैज्ञानिक' विशेषण लगाने का बड़ा प्रचलन है जो बहुत भ्रामक है। मनोविज्ञान भावनाओं का विषयता के पक्ष से कारण-कार्यात्मक सन्दर्भ में आकलन करता है, इस कारण वह इस प्रकार के 'अव्याख्येय' और आकस्मिक रूपान्तरणों का आकलन नहीं कर सकता। इसके विपरीत उपन्यास और कहानी विषयिता के पक्ष से आस्तित्विक सन्दर्भ में जीये गए जीवन का वृत्त कहते हैं। इस सन्दर्भ को सहवर्ती होकर ही समझा जा सकता है। घर की नौकरानी के साथ हल्के और उथलू बंटू की चेतना मन्नो से इस प्रकार अतलान्त गहराइयों तक आलोड़ित क्यों हो उठी और उस आलोड़न से वह अमृत ही क्यों प्रकट हुआ इसकी कोई व्याख्या नहीं दी जा सकती, इसे केवल पात्र के 'अन्तर्मन' में पैठ कर अनुभव ही किया जा सकता है।

इस उपन्यास में इस प्रकार के मार्मिक स्थल अनेक हैं किन्तु यहाँ हम केवल तीन प्रसंग प्रस्तुत करेंगे—

ऊपर हमने इस बात का उल्लेख किया था कि बंसी के पिता ने बंसी के लिए पोस्टमास्टर की कुबड़ी लड़की के विवाह का प्रस्ताव स्वीकार किया था। उस प्रस्ताव पर बंसी की प्रतिक्रिया द्रष्टव्य है। वह प्रतिक्रिया बंसी की सम्पूर्ण जीवन-स्थिति, उसमें उसके क्षोभ, ग्लानि, हीन-भाव और उस हीन-भाव के प्रति आक्रोश, क्षोभ और कुत्सा को एक साथ व्यक्त कर देती है। यह प्रस्ताव और उसकी स्वीकृति मानो एक प्रतीक हो—

"इस आँधी में अब कुछ नहीं टिक सकता। मेरे भीतर धूल ही धूल भर गई है। सब कुछ धूल से ढक गया है। मेरे जीवन की धुरी ही जैसे उखड़ गई है।...इतने दिनों बाद आज मुझे अपनी माँ की याद क्यों आ रही है? वह जैसी थी वैसी न होती यदि ये पति जैसे होते हैं और होने चाहिएँ, वैसे होते। गृहस्थी बसाई और घर से भाग खड़े हुए। कैसे बखान रहे थे अपने पराक्रम को। 'जब तू पेट में था...यानी...यह रहा तेरा आरम्भ। जन्म ही तेरा जोग-बैराग में हुआ है।'...किस कदर खोखला रहा आपका गृहस्थ आश्रम! इतनी खोखली नींव पर कोई घर खड़ा कर सकता है सिवा आपके? वह कर्कशा न होती तो और क्या होती?...जो पिता अपने जेठे-पाठे लड़के के लिए ऐसा प्रस्ताव स्वीकार कर सकता है और उससे इस तरह पुलकित हो सकता है उसके भीतर एक बुनियादी खोट है। उसकी आत्मा ही कुबड़ी है। किन्तु यह मेरा—मेरे व्यक्तित्व का अपमान है—मेरे परिवेश, मेरे समाज, मेरे संसार द्वारा।" (155-156)

पिता ने जैसे विवाह का प्रस्ताव किया वह भी देखने योग्य है, क्योंकि इसमें पिता का जीवन और जगत् विषयक सम्पूर्ण अवधारणात्मक संस्थान उजागर हो जाता है। वे कहते हैं,..."कितना प्रतिष्ठित परिवार है! कन्या भी बेटा, बड़ी गुणवंती है। बाबू जी कहती है मुझे, बिल्कुल मन्नो रानी की तरह। भगवान् की लीला अपरम्परा है बेटा! लीला-बस होके ही किसी को सूरदास बना देते हैं और किसी को कुब्जा सुन्दरी। और फिर उन्हीं के प्रेम में पागल हो जाते हैं।...और बोल ऐसा मीठा, सुभाव ऐसा मोहिला, कि क्या बताऊँ तुझे! वो जो पगली थी न मीरा, बस उसी का अवतार समझ।...बंसीलाल, मैंने तो बस एक पल विचार किया और दूसरे ही पल मुझे लगा, यह हंसादत्त जी का आग्रह नहीं। यह तो उस परम प्रेमिक वृंदावन बिहारी का ही सन्देश है। और इसी में मंगल है दोनों परिवारों का।" (154)

अपने पिता के इस चरित्र के प्रति यहाँ बंसी जबकि भयानक क्रोध और ग्लानि के साथ क्षुब्ध है, अन्यत्र वह उसके प्रति पर्याप्त सम्मानपूर्ण है। यद्यपि आरम्भ में वह लिखता है कि, "अब यों पिता जी कथा बांच सकते थे, पूजा-पाठ, जनेऊ, शादी सभी कुछ करा सकते थे। मगर जाने क्यों उनकी पूछ सबसे आख़िर में होती थी।...कदाचित् इसीलिए हमारी बोली में एक कहावत भी प्रचलित हो चली थी कि 'नहीं मिला तो गोपी बामण।' अर्थात् जब कोई दूसरा पुरोहित नहीं मिला तो काम चलाने की गरज से ही मेरे पिताजी (गोपीवल्लभ) की बुलाहट होती थी और वह भी अनुरोध या आग्रह के स्वर में नहीं बल्कि हुक्मनामे की तरह।—अरे बंसिया! अपने पिता से कह देना शाम को जरा जल्दी आ जाए। महालक्ष्मी का व्रत है।..." (49-50)

किन्तु बंसी के पिता व्यवहार में असफल इसलिए थे क्योंकि व्यवहार-जगत् में उनका मन रमता ही नहीं था। किन्तु उनकी धार्मिक निष्ठा बड़ी गहरी और धर्म-ज्ञान बहुत सूक्ष्म और सम्यक् था, यद्यपि वे विशेष पढ़े-लिखे नहीं थे। इस कारण बंसी उनका बहुत आदर भी करता था और उनसे अपनी शंकाओं का समाधान पाने के लिए बात भी करता था। वास्तव में इस उपन्यास में भारतीय आध्यात्मिक चेतना को अभिव्यक्ति उन्हीं के माध्यम से मिली है और वह बहुत गहरी और यथार्थ है। यहाँ इसके कुछ उदाहरण देखना उपयुक्त होगा।

बंसी के पिता बंसी और बंटू को कृष्ण-बलराम की जोड़ी कह कर उसकी उपमा पर उनकी कलह को गहनतर प्रेम का उपक्रम कहते हैं तो बंसी कहता है कि, "आप तो हर चीज़ को पुराण में घटा देते हैं।" इस पर उसके पिता का उत्तर द्रष्टव्य है, "बेटा, पुराण है किस लिए? तू पुराण भी क्यों कहता है उसे? मैं तो सब कुछ प्रत्यक्ष घटते देखता हूँ। तू भी देखेगा बंसी, तू भी देखेगा। संसार असार है, ऐसा जोगी-जती कहते हैं। अरे, मैं कहता हूँ कैसे असार है? कुछ भी असार कैसे हो सकता है बंसी, जब सब कुछ उस सार-सर्वस्व प्रभु की लीला है? क्या मैं परिहास करता हूँ जब तुम दोनों को कृष्ण-बलराम कहता हूँ?...कौन है जो अवतार नहीं है बंसी, हर जीव उसका अंशावतार है। यदि यह सच नहीं है तो जीवन निरर्थक है। यह संसार कारागार है..." (140) ज्योतिष के सम्बन्ध में वे कहते हैं, "ज्योतिष बकवास नहीं है बेटा! वह भी एक विद्या है, जैसे और सारी विद्याएँ हैं।...(किन्तु मैंने) जितना कुछ सीखा भी था, उसका उपयोग करने की भी मुझे, सच पूछो तो, कभी इच्छा नहीं हुई।...अपना या दूसरों का भाग्य जानने से लाभ क्या? जीवन कृष्णार्पण करके जीना ही उचित है।" (145) मीरा की अकाल मृत्यु पर बातचीत के प्रसंग में मन्नो उसे विधाता का अन्याय कहती है। इस पर वे कहते हैं, "क्या कहती है मन्नो रानी, विधाता के न्याय का न्याय तू और मैं करेंगे? हम जानते ही क्या हैं?...और अविनाशी आत्मा के लिए क्या दीर्घायु, क्या अल्पायु?" (146) अब इस धर्म-भाव की अत्यन्त हार्दिक प्रसंग में अत्यन्त मार्मिक अभिव्यक्ति का एक उद्धरण देकर मैं आगे बढ़ूँगा। बंसी के पिता भी मीरा को बहुत प्रेम करते थे। उसके सम्बन्ध में बात करते हुए एक बार उन्होंने कहा, "यह मातृहीन बालिका बिल्कुल अपनी माँ पर गई है। जानती है भागवान् (अपनी पत्नी से उन्होंने कहा) तुझे तो स्मरण होगा ही, कैसा अद्भुत लावण्य था इसकी माँ में। मुझे तो वह साक्षात् श्रीराधाजी का अवतार लगती थी।"

"तो फिर उसी को ले आते!" माँ ने कुढ़ कर जवाब दिया था। पिताजी हो-हो करके हंस पड़े थे बड़ी ज़ोर से। "कैसे ले आता भागवान्! राधिकाजी को भला कोई घर में बाँध के रख सकता है? मैं तो मैं, जिसके साथ